하영삼 교수의

완역
설문해자

4 (제12권~제15권)

허신 저 · 하영삼 역주

完譯 說文解字

許愼 著 河永三 譯註

도서출판

한국한자연구소 연구총서 12

완역 설문해자 4 (제12권~제15권)

초판 1쇄 인쇄 2022년 05월 15일
초판 2쇄 인쇄 2023년 12월 01일

저자 [한] 허신(許慎)
역주 하영삼(河永三)
표지 디자인 김소연
편집 및 교열: 김형준
펴낸이: 정혜정
펴낸곳: 도서출판 3

출판등록 2013년 7월 4일 (제2020-000015호)
주소: 부산광역시 금정구 중앙대로1929번길 48
전화 070-7737-6738
팩스 051-751-6738
전자우편 3publication@gmail.com

ISBN: 979-11-87746-68-3 (94710)
        979-11-87746-64-5 (세트)

완역설문해자

제4 책

목 차

제 12 권

		제08권(상)	2179
제3책	본문 (3)	제08권(하)	2377
		제09권(상)	2459
		제09권(하)	2575
		제10권(상)	2703
		제10권(하)	2877
		제11권(상)	3055
		제11권(하)	3245
제4책	본문 (4)	제12권(상)	3345
		제12권(하)	3505
		제13권(상)	3677
		제13권(하)	3845
		제14권(상)	3985
		제14권(하)	4131
		제15권(상)	4271
		제15권(하)	4319
제5책	색인	(1) 한글독음색인	1
		(2) 부수색인	187
		(3) 총획수색인	365

540부수 목차

*한어병음은 대표 독음만 제시.

제2권 상	17		采	변	biàn	312
제2권 상	18		半	반	bàn	315
제2권 상	19		牛	우	niú	317
제2권 상	20		犛	리	lí	335
제2권 상	21		告	고	gào	337
제2권 상	22		口	구	kǒu	339
제2권 상	23		凵	감	kǎn	414
제2권 상	24		吅	훤	xuān	415
제2권 상	25		哭	곡	kū	418
제2권 상	26		走	주	zǒu	420
제2권 상	27		止	지	zhǐ	451
제2권 상	28		癶	발	bō	457
제2권 상	29		步	보	bù	459
제2권 상	30		此	차	cǐ	461
제2권 하	31		正	정	zhèng	465
제2권 하	32		是	시	shì	467
제2권 하	33		辵	착	chuò	469
제2권 하	34		彳	척	chì	523
제2권 하	35		廴	인	yǐn	539
제2권 하	36		延	천	chǎn	541
제2권 하	37		行	행	xíng	542
제2권 하	38		齒	치	chǐ	548

제12권

제3권 상	61	業	美	복	pú	**747**
제3권 상	62	臾	収	공	gǒng	**749**
제3권 상	63	米	攻	반	pān	**757**
제3권 상	64	苷	共	공	gòng	**759**
제3권 상	65	畢	異	이	yì	**760**
제3권 상	66	舁	舁	여	yú	**761**
제3권 상	67	臼	臼	국	jú	**763**
제3권 상	68	晨	晨	신	chén	**764**
제3권 상	69	爨	爨	찬	cān	**766**
제3권 하	70	革	革	혁	gé	**771**
제3권 하	71	鬲	鬲	격·력	lì	**796**
제3권 하	72	弼	弼	력	lì	**802**
제3권 하	73	爪	爪	조	zhǎo	**807**
제3권 하	74	丮	丮	극	jǐ	**810**
제3권 하	75	鬥	鬥	투·두·각	dòu	**814**
제3권 하	76	又	又	우	yòu	**819**
제3권 하	77	ナ	ナ	좌	zuǒ	**832**
제3권 하	78	史	史	사	shǐ	**834**
제3권 하	79	支	支	지	zhī	**836**
제3권 하	80	聿	聿	녑	niè	**838**
제3권 하	81	聿	聿	율	yù	**840**
제3권 하	82	畫	畫	화	huà	**842**

제 12 권

제4권 상	105	鼻	鼻	비	bí	**976**
제4권 상	106	皕	皕	벽	bì	**979**
제4권 상	107	習	習	습	xí	**981**
제4권 상	108	羽	羽	우	yǔ	**983**
제4권 상	109	隹	隹	추	zhuī	**997**
제4권 상	110	奞	奞	순	suī	**1014**
제4권 상	111	萑	萑	환	huán	**1016**
제4권 상	112	丫	丫	개	guǎi	**1019**
제4권 상	113	首	首	말	mò	**1021**
제4권 상	114	羊	羊	양	yáng	**1023**
제4권 상	115	羴	羴	전	shān	**1035**
제4권 상	116	瞿	瞿	구	jù	**1036**
제4권 상	117	雔	雔	수	chóu	**1038**
제4권 상	118	雥	雥	잡	zá	**1040**
제4권 상	119	鳥	鳥	조	niǎo	**1042**
제4권 상	120	烏	烏	오	wū	**1087**
제4권 하	121	華	華	필	bān	**1091**
제4권 하	122	冓	冓	구	gòu	**1094**
제4권 하	123	幺	幺	요	yāo	**1096**
제4권 하	124	丝	丝	유	yōu	**1098**
제4권 하	125	叀	叀	전	zhuān	**1100**
제4권 하	126	玄	玄	현	xuán	**1102**

제 12 권

제5권 상	149	巫	巫	무	wū	**1326**
제5권 상	150	甘	甘	감	gān	**1328**
제5권 상	151	旨	曰	왈	yuē	**1330**
제5권 상	152	丂	乃	내	nǎi	**1334**
제5권 상	153	丂	丂	교	kǎo	**1336**
제5권 상	154	可	可	가	kě	**1338**
제5권 상	155	兮	兮	혜	xī	**1341**
제5권 상	156	号	号	호	háo	**1343**
제5권 상	157	亏	亏	우	yú	**1344**
제5권 상	158	旨	旨	지	zhǐ	**1347**
제5권 상	159	喜	喜	희	xǐ	**1348**
제5권 상	160	壴	壴	주	zhǔ	**1350**
제5권 상	161	鼓	鼓	고	gǔ	**1353**
제5권 상	162	豈	豈	기	qǐ	**1358**
제5권 상	163	豆	豆	두	dòu	**1360**
제5권 상	164	豊	豊	례·풍	lǐ	**1363**
제5권 상	165	豐	豐	풍	fēng	**1365**
제5권 상	166	虘	虘	희	xī	**1366**
제5권 상	167	虍	虍	호	hū	**1368**
제5권 상	168	虎	虎	호	hū	**1372**
제5권 상	169	虤	虤	현	yán	**1379**
제5권 상	170	皿	皿	명	mǐn	**1381**

제5권 하	193	畐	畐	복	fú	**1480**
제5권 하	194	靣	靣	름	lǐn	**1481**
제5권 하	195	嗇	嗇	색	sè	**1483**
제5권 하	196	來	來	래	lái	**1485**
제5권 하	197	麥	麥	맥	mài	**1487**
제5권 하	198	夊	夊	쇠	suī	**1493**
제5권 하	199	舛	舛	천	chuǎn	**1501**
제5권 하	200	舞	舜	순	shùn	**1503**
제5권 하	201	韋	韋	위	wéi	**1505**
제5권 하	202	弟	弟	제	dì	**1513**
제5권 하	203	夂	夂	치	zhǐ	**1515**
제5권 하	204	久	久	구	jiǔ	**1518**
제5권 하	205	桀	桀	걸	jié	**1519**
제6권 상	206	木	木	목	mù	**1523**
제6권 상	207	東	東	동	dōng	**1689**
제6권 상	208	林	林	림	lín	**1691**
제6권 상	209	才	才	재	cái	**1696**
제6권 하	210	叒	叒	약	ruò	**1699**
제6권 하	211	之	之	지	zhī	**1700**
제6권 하	212	帀	帀	잡	zā	**1701**
제6권 하	213	出	出	출	chū	**1703**
제6권 하	214	宋	宋	발	bèi	**1706**

제
12
권

제7권 상	237	⽉	月	월	yuè	1898
제7권 상	238		有	유	yǒu	1903
제7권 상	239		朙	명	míng	1905
제7권 상	240		囧	경	jiǒng	1906
제7권 상	241		夕	석	xī	1908
제7권 상	242		多	다	duō	1913
제7권 상	243		毌	관	guàn	1915
제7권 상	244		弓	함	hàn	1917
제7권 상	245		東	함	hàn	1920
제7권 상	246		卤	초	tiáo	1921
제7권 상	247		齊	제	qí	1923
제7권 상	248		朿	자	cì	1924
제7권 상	249		片	편	piàn	1926
제7권 상	250		鼎	정	dǐng	1930
제7권 상	251		克	극	kè	1933
제7권 상	252		彔	록	lù	1934
제7권 상	253		禾	화	hé	1935
제7권 상	254		秝	력	lì	1971
제7권 상	255		黍	서	shǔ	1972
제7권 상	256		香	향	xiāng	1976
제7권 상	257		米	미	mǐ	1978
제7권 상	258		毇	훼	huǐ	1994

제
12
권

제7권 하	281	巾	巾	건	jīn	2139
제7권 하	282	市	市	불	fú	2166
제7권 하	283	帛	帛	백	bó	2168
제7권 하	284	白	白	백	bái	2169
제7권 하	285	㡀	㡀	폐	bì	2174
제7권 하	286	黹	黹	치	zhǐ	2175
제8권 상	287	人	人	인	rén	2181
제8권 상	288	匕	匕	화	huà	2283
제8권 상	289	匕	匕	비	bǐ	2286
제8권 상	290	从	从	종	cóng	2291
제8권 상	291	比	比	비	bǐ	2293
제8권 상	292	北	北	북배	bèi	2294
제8권 상	293	丘	丘	구	qiū	2296
제8권 상	294	似	似	음	zhòng	2299
제8권 상	295	壬	壬	정	tǐng	2301
제8권 상	296	重	重	중	zhòng	2304
제8권 상	297	臥	臥	와	wò	2306
제8권 상	298	身	身	신	shēn	2308
제8권 상	299	月	月	은의	yǐn	2310
제8권 상	300	衣	衣	의	yī	2311
제8권 상	301	裘	裘	구	qiú	2355
제8권 상	302	老	老	로	lǎo	2356

제12권

제9권 상	325	𦣻	百	수	shǒu	2497
제9권 상	326	圓	面	면	miàn	2498
제9권 상	327	丏	丏	면	miǎn	2501
제9권 상	328	𦣻	首	수	shǒu	2502
제9권 상	329	𥄉	䭫	교	jiāo	2504
제9권 상	330	須	須	수	xu	2505
제9권 상	331	彡	彡	삼	shàn	2507
제9권 상	332	彣	彣	문	wén	2512
제9권 상	333	文	文	문	wén	2513
제9권 상	334	髟	髟	표	biāo	2516
제9권 상	335	后	后	후	hòu	2532
제9권 상	336	司	司	사	sī	2533
제9권 상	337	卮	卮	치	zhī	2534
제9권 상	338	卩	卩	절	jié	2536
제9권 상	339	印	印	인	yìn	2543
제9권 상	340	色	色	색	sè	2544
제9권 상	341	卯	卯	경	qīng	2546
제9권 상	342	辟	辟	벽	bì	2548
제9권 상	343	勹	勹	포	bāo	2550
제9권 상	344	包	包	포	bāo	2556
제9권 상	345	苟	苟	극	jì	2558
제9권 상	346	鬼	鬼	귀	guǐ	2560

제
12
권

제9권 하	369		象	상	xiàng	2701
제10권 상	370		馬	마	mǎ	2705
제10권 상	371		廌	치	zhì	2750
제10권 상	372		鹿	록	lù	2753
제10권 상	373		麤	추	cū	2763
제10권 상	374		怠	착	chuò	2764
제10권 상	375		兔	토	tù	2766
제10권 상	376		莧	환	huán	2769
제10권 상	377		犬	견	quǎn	2770
제10권 상	378		狀	은	yín	2803
제10권 상	379		鼠	서	shǔ	2805
제10권 상	380		能	능	néng	2813
제10권 상	381		熊	웅	xióng	2814
제10권 상	382		火	화	huǒ	2815
제10권 상	383		炎	염	yán	2859
제10권 상	384		黑	흑	hēi	2862
제10권 하	385		囪	창·총	chuāng	2879
제10권 하	386		焱	염	yàn	2881
제10권 하	387		炙	자적	zhì	2883
제10권 하	388		赤	적	chì	2885
제10권 하	389		大	대	dà	2890
제10권 하	390		亦	역	yì	2899

제
12
권

제11권 하	413		〈	견	quǎn	3250
제11권 하	414		〈〈	괴	kuài	3251
제11권 하	415		川	천	chuān	3252
제11권 하	416		泉	천	quán	3257
제11권 하	417		灥	천	chuān	3258
제11권 하	418		永	영	yǒng	3259
제11권 하	419		辰	파	pài	3261
제11권 하	420		谷	곡	gǔ	3263
제11권 하	421		仌	빙	bīng	3267
제11권 하	422		雨	우	yǔ	3274
제11권 하	423		雲	운	yún	3294
제11권 하	424		魚	어	yú	3296
제11권 하	425		鱻	어	yú	3335
제11권 하	426		燕	연	yàn	3336
제11권 하	427		龍	룡	lóng	3337
제11권 하	428		飛	비	fēi	3340
제11권 하	429		非	비	fēi	3342
제11권 하	430		卂	신	xìn	3344
제12권 상	431		乙	을	yǐ	3347
제12권 상	432		不	불	bù	3349
제12권 상	433		至	지	zhì	3351
제12권 상	434		西	서	xī	3354

제
12
권

제12권 하	457		亡	망·무	wáng	3632
제12권 하	458		匸	혜	xǐ	3635
제12권 하	459		匚	방	fāng	3639
제12권 하	460		曲	곡	qū	3647
제12권 하	461		甾	치	zāi	3649
제12권 하	462		瓦	와	wǎ	3651
제12권 하	463		弓	궁	gōng	3661
제12권 하	464		弜	강	jiàng	3672
제12권 하	465		弦	현	xuán	3673
제12권 하	466		系	계	xì	3675
제13권 상	467		糸	사·멱	mì	3679
제13권 상	468		素	소	sù	3778
제13권 상	469		絲	사	sī	3781
제13권 상	470		率	솔	shuài	3783
제13권 상	471		虫	훼·충	huǐ	3784
제13권 상	472		蚰	곤	kūn	3847
제13권 하	473		蟲	충	chóng	3857
제13권 하	474		風	풍	fēng	3860
제13권 하	475		它	타·사	tā	3867
제13권 하	476		龜	구·귀·균	guī	3868
제13권 하	477		黽	민·맹	mǐn	3870
제13권 하	478		卵	란	luǎn	3876

제
12
권

제14권 하	501	𨳌	館	부	fù	4170
제14권 하	502	厽	厽	루	lěi	4172
제14권 하	503	四	四	사	sì	4174
제14권 하	504	宁	宁	저	zhù	4175
제14권 하	505	叕	叕	철	zhuì	4177
제14권 하	506	亞	亞	아	yà	4178
제14권 하	507	五	五	오	wǔ	4179
제14권 하	508	六	六	륙	liù	4180
제14권 하	509	七	七	칠	qī	4181
제14권 하	510	九	九	구	jiǔ	4182
제14권 하	511	禸	禸	유	róu	4184
제14권 하	512	嘼	嘼	축휴	chù	4189
제14권 하	513	甲	甲	갑	jiǎ	4191
제14권 하	514	乙	乙	을	yǐ	4192
제14권 하	515	丙	丙	병	bǐng	4195
제14권 하	516	丁	丁	정	dīng	4196
제14권 하	517	戊	戊	무	wù	4197
제14권 하	518	己	己	기	jǐ	4199
제14권 하	519	巴	巴	파	bā	4201
제14권 하	520	庚	庚	경	gēng	4203
제14권 하	521	辛	辛	신	xīn	4204
제14권 하	522	辡	辡	변	biàn	4208

제
12
권

완역 설문해자

제12권
(상)

제431부수
431 ▪ 을(乙)부수

7663

乙: 乙: 새 을: 乙-총1획: yǐ

原文

乙: 玄鳥也. 齊魯謂之乙. 取其鳴自呼. 象形. 凡乙之屬借从乙. 鳦, 乙或从鳥. 烏轄切.

飜譯

'현조(玄鳥), 즉 제비'를 말한다. 제(齊)와 노(魯) 지역에서는 이를 을(乙)이라 한다. 제비의 울음소리가 스스로를 부른다는 뜻에서 붙인 이름이다. 상형이다. 을(乙)부수에 귀속된 글자는 모두 을(乙)이 의미부이다. 을(鳦)은 을(乙)의 혹체자인데, 조(鳥)로 구성되었다. 독음은 오(烏)와 할(轄)의 반절이다.

7664

孔: 孔: 구멍 공: 子-총4획: kǒng

原文

孔: 通也. 从乙从子. 乙, 請子之候鳥也. 乙至而得子, 嘉美之也. 古人名嘉字子孔. 康董切.

飜譯

'통하다(通)'라는 뜻이다. 을(乙)이 의미부이고 자(子)도 의미부이다. 을(乙)은 아이를 낳게 해달라고 비는 철새이다. 제비(乙)가 날아오면 아이를 얻게 되는데, 이를 아름답게 여긴다는 뜻을 담았다.[1) 옛날, 이름이 가(嘉)라는 사람이 있었는데, 자가 자공

---

1) 고문자에서 𝌟 𝌠 𝌡 𝌢 𝌣 𝌤 金文 𝌥𝌦 簡牘文 등으로 그렸다. 子(아이 자)와 乙(새 을)로 구성되었는데, 乙은 원래 젖을 그린 것이 소전체에 들면서 바뀐 것이다. 그래서 원래

(子孔)이었다. 독음은 강(康)과 동(董)의 반절이다.

7665

𠃵 : 乳: 젖 유: 乙-총8획: rǔ

原文

𠃵 : 人及鳥生子曰乳, 獸曰産. 从孚从乙. 乙者, 玄鳥也. 『明堂月令』: "玄鳥至
之日, 祠于高祺, 以請子." 故乳从乙. 請子必以乙至之日者, 乙, 春分來, 秋
分去, 開生之候鳥, 帝少昊司分之官也. 而主切.

飜譯

'사람과 새가 새끼를 먹여 키우는 것을 유(乳)라고 하고, 짐승이 새끼를 먹여 살리는
것을 산(産)이라고 한다.' 부(孚)가 의미부이고 을(乙)도 의미부이다. 을(乙)은 제비
(玄鳥)를 말한다.[2] 『명당(明堂)·월령(月令)』에서 "제비가 돌아오는 날, 고매신에게
제사를 드려, 아들을 낳게 해달라고 빈다(玄鳥至之日, 祠于高祺, 以請子)."라고 했
다. 그래서 유(乳)는 을(乙)이 의미부이다. 아이를 낳게 해달라고 빌 때 반드시 제비
(乙)가 날아 올 때 해야 하기 때문이다. 제비(乙)는 춘분 때 날아오고, 추분 때 날아
가며, 생명을 열어주는 철새이자, 소호(少昊) 임금 아래서 춘분과 추분을 관리하는
관리였다. 독음은 이(而)와 주(主)의 반절이다.

아이(子)가 젖을 빠는 모습을 그렸고, 아이를 키우는 위대한 존재라는 뜻에서 '크다'는 뜻이,
젖이 나오는 구멍이라는 뜻에서 '구멍'의 뜻까지 나왔다.

2) 고문자에서 𡙍 甲骨文 𡙉 簡牘文 등으로 그렸다. 갑골문에서 아이를 안고 젖을 먹이는 모습
을 사실적으로 그려, '젖을 먹이다'가 원래 뜻이며, 이로부터 母乳(모유), 牛乳(우유), 우유처럼
생긴 것 등을 지칭하였으며, 처음 생긴 것, 어리다 등의 뜻도 나왔다. 지금의 한자를 구성하는
爪(손톱 조)는 손을, 子(아들 자)는 젖을 먹는 아이를 말하고, 오른쪽의 乙(새 을)은 사람의 몸
통이 약간 변한 결과이다.

제432부수
432 ■ 불(不)부수

7666

丕: 不: 아닐 불: 一—총4획: bù

原文

丕: 鳥飛上翔不下來也. 从一, 一猶天也. 象形. 凡不之屬皆从不. 方久切.

飜譯

'새가 하늘로 날아올라 빙빙 돌면서 내려오지 않음(鳥飛上翔不下來)'을 말한다. 일(一)이 의미부인데, 일(一)은 천(天)과 같아 '하늘'을 뜻한다. 상형이다.[3] 부(不)부수에 귀속된 글자들은 모두 부(不)가 의미부이다. 독음은 방(方)과 구(久)의 반절이다.

7667

否: 否: 아닐 부: 口—총7획: fǒu

原文

否: 不也. 从口从不, 不亦聲. 方久切.

---

3) 고문자에서 甲骨文 金文 古陶文 簡牘文 帛書 古璽文 石刻古文 등으로 그렸다. 이의 자원에 대해서는 의견이 분분하여,『설문해자』에서는 새가 하늘을 날아오르는 모습을 그렸고 하늘로 올라가 내려오지 '않음'에서 부정의 뜻이 나왔다고 했으며, 혹자는 식물의 뿌리를 본래 뜻이라고 했다. 하지만, 꽃대와 꽃받침이 갖추어졌으나 제대로 여물지 않은 씨방을 그린 것으로 보인다. 씨방이 여물지 않으면 씨가 만들어지지 않고, 씨가 만들어지지 않으면 곡식을 자라나게 할 수 없다. 이로부터 부정의 의미가 만들어졌다. 그러자 胚胎(배태)하다는 원래 뜻은 가로획을 더해 丕(클 비)로 분화했는데, 丕가 '위대하다'는 뜻으로 쓰이게 되자 다시 肉(고기 육)을 더한 胚(아이 밸 배)로 분화했다. 참고로 완전히 여문 씨방의 모습은 帝(임금 제·蒂의 본래 글자)로 표현했다.

競譯

'아니다(不)'라는 뜻이다. 구(口)가 의미부이고 부(不)도 의미부인데, 부(不)는 소리부
도 겸한다.4) 독음은 방(方)과 구(久)의 반절이다.

---

4) 고문자에서 𡚒 𡚒 𠤏 金文 등으로 그렸다. 口(입 구)가 의미부고 不(아닐 불)이 소리부로,
   아니다(不)고 말하여(口) 좀定(부정)함을 말하며, 부정사로 쓰인다. 또 괘의 이름으로 하늘과
   땅이 서로 교류하지 않아, 아래위가 단절됨을 뜻한다.

제12권

제433부수
433 ▪ 지(至)부수

7668

至 : 至: 이를 지: 至−총6획: zhì

原文

至 : 鳥飛从高下至地也. 从一, 一猶地也. 象形. 不, 上去; 而至, 下來也. 凡至之屬皆从至. 至, 古文至. 脂利切.

釋譯

'새가 날아 높은 곳에서 땅으로 떨어지다(鳥飛从高下至地)'라는 뜻이다. 일(一)이 의미부인데, 일(一)은 지(地)와 같아 '땅'을 뜻한다. 상형이다. 부(不)는 [새개] 위로 날아올라 간 것을 말하고, 지(至)는 [새개] 내려 온 것을 말한다.5) 지(至)부수에 귀속된 글자들은 모두 지(至)가 의미부이다. 지(至)는 지(至)의 고문체이다. 독음은 지(脂)와 리(利)의 반절이다.

7669

到 : 到: 이를 도: 刀−총8획: dào

原文

---

5) 고문자에서 甲骨文 金文 帛書 簡牘文 石刻 古文 등으로 그렸다. 『설문해자』에서는 "새가 땅에 내려앉는 모습이며, 아래쪽의 가로획[一]은 땅이다."라고 풀이했지만 믿기 어렵다. 사실은 矢(화살 시)와 가로획[一]으로 구성되어, 화살(矢)이 날아와 땅(一)에 꽂힌 모습을 그렸는데, 한나라 때의 예서에 이르러 화살의 촉과 꼬리 부분이 가로획으로 변해 지금처럼 되었다. '이르다'가 원래 뜻이며, 어떤 목표에 도달하다는 의미에서 '끝'이나 '지극'의 뜻이 생겼고, '최고'의 뜻까지 생겼다. 그러자 원래의 의미는 발음을 나타내는 刀(칼 도)를 더해 到(이를 도)로 분화했다. 또 손에 막대를 든 모습으로 '강제하다'는 의미가 있는 攵(攴·칠 복)을 더하여 어떤 곳에 이르게 하다는 사역의 의미인 致(보낼 치)를 만들어 냈다. 그래서 至로 구성된 글자들은 대부분 '이르다'는 원래의 뜻을 담고 있다.

劤: 至也. 从至刀聲. 都悼切.

翻譯

'이르다(至)'라는 뜻이다. 지(至)가 의미부이고 도(刀)가 소리부이다.[6] 독음은 도(都)와 도(悼)의 반절이다.

7670

鰰: 臻: 이를 진: 至-총16획: zhēn

原文

鰰: 至也. 从至秦聲. 側詵切.

翻譯

'이르다(至)'라는 뜻이다. 지(至)가 의미부이고 진(秦)이 소리부이다.[7] 독음은 측(側)과 선(詵)의 반절이다.

7671

鼙: 鼙: 분하여 어길 치: 至-총16획: chì

原文

鼙: 忿戾也. 从至, 至而復遜. 遜, 遁也. 『周書』曰: "有夏氏之民叨鼙." 鼙, 讀若摯. 丑利切.

翻譯

'분하여 눈물을 흘리다(忿戾)'라는 뜻이다. 지(至)가 의미부인데, 지(至)에다 다시 손

---

6) 고문자에서 🖼🖼🖼🖼金文 🖼簡牘文 등으로 그렸다. 至(이를 지)가 의미부이고 刀(칼도)가 소리부로, 이르다(至), 到着(도착)하다는 뜻이며, 주도면밀하다는 뜻도 가진다. 원래는 화살(矢)이 땅(一)에 꽂힌 모습인 至로 썼으나 至가 지극이라는 의미로 자주 쓰이자 다시 刀를 더해 분화한 글자이다. 현행 옥편에서는 이를 소리부로 쓰인 刀부수에 귀속시켰다.
7) 至(이를 지)가 의미부고 秦(벼 이름 진)이 소리부로, '이르다(至)'는 뜻이며, 모이다, 늘어나다, 가득하다 등의 뜻도 나왔다.

(遜)이 더해진 글자이다. 손(遜)은 '달아나 숨다(遁)'라는 뜻이다. 『주서(周書)』(「다방(多方)」)에서 "하후씨(夏氏)의 백성들은 탐욕스럽고(叨) 울분에 차있었다(疐)"라고 했다. 치(疐)는 지(摯)와 같이 읽는다. 독음은 축(丑)과 리(利)의 반절이다.

7672

**:** 臺: **돈대 대**: 至-**총14획**: **tái**

原文

: 觀, 四方而高者. 从至从之, 从高省. 與室屋同意. 徒哀切.

飜譯

'누대(觀)'를 말하는데, 높게 만들어진 네모꼴 건축물이다. 지(至)가 의미부이고 지(之)도 의미부이며, 고(高)의 생략된 부분도 의미부이다. 실(室)이나 옥(屋)과 같은 뜻이다.8) 독음은 도(徒)와 애(哀)의 반절이다.

7673

**:** 臸: **이를 진**: 至-**총12획**: **zhī, jìn**

原文

: 到也. 从二至. 人質切.

飜譯

'이르다(到)'라는 뜻이다. 두 개의 지(至)로 구성되었다. 독음은 인(人)과 질(質)의 반절이다.

---

8) 고문자에서  古陶文 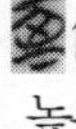 簡牘文 등으로 그렸다. 高(높을 고)의 생략된 모습이 의미부이고 至(이를 지)가 소리부로, 높은 평지를 뜻하는 墩臺(돈대)를 말한다. 『설문해자』에서는 高(높을 고)의 생략된 모습과 之(갈 지)가 의미부이고 至가 소리부인 구조라고 했는데, 자형이 조금 변해 지금처럼 되었다. 사람들이 높은 곳 끝까지 올라가(至) 사방을 살펴볼 수 있도록 높고 평탄하게 만든 樓臺(누대)를 말했으며, 이로부터 舞臺(무대), 플랫폼 등 그렇게 생긴 물체를 부르게 되었고, 정부의 관서나 정치 무대의 비유로 쓰이기도 했다. 간화자에서는 台(별 태)에 통합되었다.

제434부수
434 ■ 서(西)부수

7674

囧 : 西: 서녘 서: 襾-총6획: xī

（原文）

囧 : 鳥在巢上. 象形. 日在西方而鳥棲, 故因以爲東西之西. 凡西之屬皆从西.
㮕, 西或从木、妻. ㊉, 古文西. ㊉, 籀文西. 先稽切.

（譯譯）

'새가 둥지 위에 있는 모습(鳥在巢上)'이다. 상형이다. 해가 서쪽으로 기울면 새는
둥지로 돌아가 쉰다. 그래서 동서(東西)라고 할 때의 서(西)가 되었다.9) 서(西)부수
에 귀속된 글자들은 모두 서(西)가 의미부이다. 서(㮕)는 서(西)의 혹체자인데, 목
(木)과 처(妻)로 구성되었다. 서(㊉)는 서(西)의 고문체이다. 서(㊉)는 서(西)의 주문
체이다. 독음은 선(先)과 계(稽)의 반절이다.

7675

圍 : 覂: 천할 규 더러울 휴: 襾-총12획: xī

---

9) 고문자에서 甲骨文 金文 古陶文
簡牘文 帛書 石刻古文 등으로 그렸다. 원래 나뭇가지를 얽어 만든
새의 둥지를 그려 '서식하다'는 의미를 그렸다. 이후 둥지는 해가 지는 저녁이 되면 새가 어
김없이 날아드는 곳이고, 해는 서쪽으로 진다는 뜻에서 '서쪽'의 의미가 나왔고, 다시 西洋(서
양)이나 서양식을 뜻하게 되었다. 그러자 원래의 의미는 木(나무 목)을 더한 栖(새 깃들일 서)
로 되었고, 사람이 살 경우 다시 소리부를 妻(아내 처)로 바꾸어 棲(살 서)로 분화했는데, 아
내(妻)와 함께하는 가정이 인간의 '서식처'임을 보여주고 있다. 현대의 자형에서 西는 襾(덮을
아)와 닮아 보이지만, 전혀 다른 글자이다.

巂: 姓也. 从西圭聲. 戶圭切.

'성(姓)의 하나'이다. 서(西)가 의미부이고 규(圭)가 소리부이다. 독음은 호(戶)와 규(圭)의 반절이다.

> 제435부수
> 435 ▪ 로(鹵)부수

7676

: 鹵: 소금 로: 鹵-총11획: lǔ

原文

鹵 : 西方鹹地也. 从西省, 象鹽形. 安定有鹵縣. 東方謂之庳, 西方謂之鹵. 凡鹵
之屬皆从鹵. 郎古切.

飜譯

'서쪽 지방에 있는 소금 생산지(西方鹹地)'를 말한다. 서(西)의 생략된 부분이 의미
부이고, [중간 부분은] 소금(鹽)을 형상했다. 안정(安定)군에 노현(鹵縣)이 있다. 동방
에서는 '소금'을 척(庳)이라 하고, 서방에서는 로(鹵)라고 한다.10) 로(鹵)부수에 귀속
된 글자들은 모두 로(鹵)가 의미부이다. 독음은 랑(郎)과 고(古)의 반절이다.

7677

: 鹺: 소금기가 많아 짤 차: 鹵-총18획: cuó

---

10) 고문자에서 金文 石刻古文 등으로 그렸다. 금문에서부터 등장하는데, 소금을 정제하는
   모습을 그렸는데, 안쪽의 ※는 巖鹽(암염·돌소금)과 같은 소금의 원재료를 바깥쪽은 포대를 형
   상화한 것으로 보인다. 현대 중국의 간화자에서는 ※를 ×로 줄여 卤로 만들었다. 이후 소금물
   에서 소금이 만들어짐을 강조하여 水(물 수)를 더한 滷(소금밭 로)가 만들어지기도 했다. 『설
   문해자』에서는 鹵를 두고 "西(서녁 서)의 생략된 모습을 그렸고 (중간의 ※는) 소금을 그렸
   다."라고 했는데, 西가 새의 둥지처럼 얽은 대광주리를 지칭함을 고려한다면, 이는 소금 호수
   나 웅덩이에서 퍼낸 소금물을 대광주리에 담아 불순물을 제거하고, 다시 불에 끓여 만들어 내
   는 중국 전통의 소금 제조 방법(再製鹽·재제염)을 염두에 둔 해석이라 생각된다. 『설문해자』에
   의하면 그 당시 이미 安定(안정·지금의 감숙성에 있는 지명)이라는 곳에 소금을 생산하는 鹵
   縣(노현)이 있었고, 산서성 서남부의 中條山(중조산) 북쪽 기슭에는 길이 51리, 넓이 7리, 둘
   레 1백16리에 이르는 解池(해지)라는 유명한 소금 호수가 있었다고 한다. 간화자에서는 卤로
   줄여 쓴다.

原文

𪉘: 鹹也. 从鹵, 差省聲. 河內謂之𪉘, 沛人言若盧. 昨河切.

譯

'소금기가 많아 짜다(鹹)'라는 뜻이다.[11] 로(鹵)가 의미부이고, 차(差)의 생략된 부분이 소리부이다. 하내(河內) 지역에서는 소금을 차(𪉘)라 부르는데, 패(沛) 지역 사람들은 차(盧)와 비슷하게 부른다.[12] 독음은 작(昨)과 하(河)의 반절이다.

7678

鹹: 鹹: 짤 함: 鹵-총20획: xián

原文

鹹: 銜也. 北方味也. 从鹵咸聲. 胡毚切.

譯

'입에 머금다(銜)'라는 뜻이다. [오행에서] 북방 지역의 맛(北方味)을 대표한다. 로(鹵)가 의미부이고 함(咸)이 소리부이다.[13] 독음은 호(胡)와 참(毚)의 반절이다.

---

11) 『단주』에서 각 판본에서 차(𪉘)가 빠졌다고 하면서, 함차(鹹𪉘)가 되어야 한다고 했다. 이 설을 따랐다.

12) 하내(河內)는 지금의 하남성 황하 이북이 대부분 지역이고, 패(沛)는 안휘성 내에 있었다.

13) 고문자에서 𪉠石刻古文 등으로 그렸다. 鹵(소금 로)가 의미부고 咸(다 함)이 소리부로, '짠맛'을 말하는데, 소금(鹵)으로 대표되는 짠맛은 단맛, 쓴맛, 신맛, 매운맛 등에 비해 모두가 함께(咸) 느낄 수 있는 '공통'의 맛임을 말해 주고 있다. 간화자에서는 咸에 통합되었다.

제436부수

436 ■ 염(鹽)부수

7679

鹽: 鹽: 소금 염: 鹵-총24획: yán

原文

鹽: 鹹也.14) 从鹵監聲. 古者, 宿沙初作煮海鹽. 凡鹽之屬皆从鹽. 余廉切.

鑾譯

'소금(鹹)'을 말한다. 로(鹵)가 의미부이고 감(監)이 소리부이다. 먼 옛날, 숙사(宿沙)가 처음으로 바닷물을 끓여 소금을 만들었다.15) 염(鹽)부수에 귀속된 글자들은 모두 염(鹽)이 의미부이다. 독음은 여(余)와 렴(廉)의 반절이다.

7680

鹽: 鹽: 염지 고: 皿-총18획: gāo

原文

鹽: 河東鹽池. 袤五十一里, 廣七里, 周百十六里. 从鹽省, 古聲. 公戸切.

鑾譯

'하동(河東) 지역에 있는 염전(鹽池)'을 말한다. 길이가 51리(里), 너비가 7리, 둘레

---

14) 『단주』에서는 '鹹也' 다음에 "天生曰鹵, 人生曰鹽.(자연적으로 생긴 소금을 鹵, 사람이 인위적으로 만든 소금을 鹽이라고 한다.)"이 빠졌다고 하면서 보충해 넣었다. 현응(玄應)의 책에서도 『설문』을 인용하여 "天生曰鹵, 人生曰鹽."이라고 했다.

15) 고문자에서 🖼 簡牘文 등으로 그렸다. 鹵(소금 로)가 의미부고 監(볼 감)이 소리부로, 소금을 통칭하는데, 소금(鹵) 만드는 과정을 감독(監)하고 국가의 전매품이었던 소금의 질과 유통을 감시(監)한다는 뜻으로부터 '소금'의 의미를 그려냈다. 이후 눈(雪·설)의 비유로도 쓰였다. 간화자에서는 윗부분을 卜으로 간단하게 줄인 盐으로 쓴다.

가 160리에 이른다. 염(鹽)의 생략된 부분이 의미부이고, 고(古)가 소리부이다. 독음은 공(公)과 호(戶)의 반절이다.

7681

鹼: 鹼: 소금기 감: 鹵-총24획: jiān

原文

鹼: 鹵也. 从鹽省, 僉聲. 魚欠切.

譯

'소금(鹵)'을 말한다. 염(鹽)의 생략된 부분이 의미부이고, 첨(僉)이 소리부이다. 독음은 어(魚)와 흠(欠)의 반절이다.

제437부수
437 ▪ 호(戶)부수

7682

戶 : 戶: **지게 호**: 戶—총4획: hù

原文

戶: 護也. 半門曰戶. 象形. 凡戶之屬皆从戶. 𢨕, 古文戶从木. 矦古切.

飜譯

'호(護)와 같아 보호하다'라는 뜻이다. 문(門)의 반쪽을 호(戶)라고 한다. 상형이다.[16] 호(戶)부수에 귀속된 글자들은 모두 호(戶)가 의미부이다. 호(𢨕)는 호(戶)의 고문체인데, 목(木)으로 구성되었다. 독음은 후(矦)와 고(古)의 반절이다.

7683

扉 : 扉: **문짝 비**: 戶—총12획: fēi

原文

扉: 戶扇也. 从戶非聲. 甫微切.

飜譯

'지게문의 문짝(戶扇)'을 말한다. 호(戶)가 의미부이고 비(非)가 소리부이다.[17] 독음

---

16) 고문자에서 甲骨文 簡牘文 등으로 그렸다. 갑골문에서 '외짝 문'을 그렸고 이로부터 '집'의 뜻이 나왔다. 하지만, 戶는 창이 아래위로 난 규모 있는 집을 그린 宮(집 궁)이나 가축과 사람이 아래 위층으로 살도록 고안된 家(집 가)와는 달리, 문짝 하나만 달린 극히 서민적인 '방'에 가까운 집을 뜻한다. 『설문』의 설명처럼 '외짝 문'이 호(戶)라면, 양짝 문이 문(門)이다.

17) 戶(지게 호)가 의미부고 非(아닐 비)가 소리부로, '문짝'을 말하는데, 양쪽으로 나란히(非) 열고 닫도록 고안된 문(戶)이라는 뜻을 담았다.

은 보(甫)와 미(微)의 반절이다.

7684

扇: 扇: 사립문 선: 戶-총10획: shàn

原文

扇: 扉也. 从戶, 从翄聲.[18] 式戰切.

飜譯

'문짝(扉)'을 말한다. 호(戶)가 의미부이고, 시(翄)의 생략된 부분이 소리부이다.[19] 독음은 식(式)과 전(戰)의 반절이다.

7685

房: 房: 방 방: 戶-총8획: fáng

原文

房: 室在旁也. 从戶方聲. 符方切.

飜譯

'[정실의] 양쪽 곁으로 있는 방(室在旁)'을 말한다. 호(戶)가 의미부이고 방(方)이 소리부이다.[20] 독음은 부(符)와 방(方)의 반절이다.

---

18) '从翄'는 '翄省'이 되어야 옳다.

19) 고문자에서 扇簡牘文 등으로 그렸다. 羽(깃 우)와 戶(지게 호)로 구성되어, 깃털(羽)로 만든 여닫이문(戶) 모양의 '부채'를 말한다. 이후 그런 모양의 문짝이나 가리개 등을 뜻하게 되었고, 문이나 창문 등을 헤아리는 단위사로도 쓰였다.

20) 고문자에서 房房房簡牘文 등으로 그렸다. 戶(지게 호)가 의미부고 方(모 방)이 소리부로, 곁(方)에 위치한 방(戶)을 말하는데, 종묘의 문이나 큰 대문은 門(문 문)을 쓰고 곁으로 배치된 방들은 戶를 사용했다는 『주례』의 말은 이를 두고 한 것이다. 그래서 房은 집의 중앙에 놓인 正室(정실) 곁으로 배치된 側室(측실)을 말하며, 이후 이처럼 격자형으로 분할된 '방'을 뜻하게 되었다.

7686

戾 : 戾: 수레 옆문 태: 戶-총7획: tài

原文

戾 : 輨車旁推戶也. 从戶大聲. 讀與鈦同. 徒蓋切.

飜譯

'덮개 달린 수레의 밀어서 열 수 있는 양쪽 옆문(輨車旁推戶)'을 말한다. 호(戶)가 의미부이고 대(大)가 소리부이다. 체(鈦)와 같이 읽는다. 독음은 도(徒)와 개(蓋)의 반절이다.

7687

戹 : 戹: 좁을 액: 戶-총5획: è

原文

戹 : 隘也. 从戶乙聲. 於革切.

飜譯

'좁다(隘)'라는 뜻이다. 호(戶)가 의미부이고 을(乙)이 소리부이다. 독음은 어(於)와 혁(革)의 반절이다.

7688

扉 : 扉: 비로소 조: 聿-총10획: zhào

原文

扉 : 始開也. 从戶从聿. 治矯切.

飜譯

'처음으로 열다(始開)'라는 뜻이다. 호(戶)가 의미부이고 율(聿)도 의미부이다. 독음은 치(治)와 교(矯)의 반절이다.

7689

扆: 扆: 병풍 의: 戶-총10획: yǐ

原文

扆: 戶牖之閒謂之扆. 从戶衣聲. 於豈切.

飜譯

'문과 창문 사이(戶牖之閒)를 의(扆)라 한다.' 호(戶)가 의미부이고 의(衣)가 소리부이다. 독음은 어(於)와 기(豈)의 반절이다.

7690

扅: 扅: 닫을 갑·성 함: 戶-총9획: qù

原文

扅: 閉也. 从戶, 劫省聲. 口盍切.

飜譯

'[문을] 닫다(閉)'라는 뜻이다. 호(戶)가 의미부이고, 겁(劫)의 생략된 부분이 소리부이다. 독음은 구(口)와 합(盍)의 반절이다.

7691

扃: 扃: 빗장 경: 戶-총9획: jiōng

原文

扃: 外閉之關也. 从戶同聲. 古熒切.

飜譯

'밖에서 잠그는 빗장(外閉之關)'을 말한다. 호(戶)가 의미부이고 경(同)이 소리부이다. 독음은 고(古)와 형(熒)의 반절이다.

> 제438부수
> 438 ■ 문(門)부수

7692

門: 門: 문 문: 門-총8획: mén

原文

門: 聞也. 从二戶. 象形. 凡門之屬皆从門. 莫奔切.

譯

'문(聞)과 같아 문틈으로 듣다'라는 뜻이다. 두 개의 호(戶)로 구성되었다. 상형이
다.21) 문(門)부수에 귀속된 글자들은 모두 문(門)이 의미부이다. 독음은 막(莫)과 분
(奔)의 반절이다.

7693

閶: 閶: 천문 창: 門-총16획: chāng

原文

閶: 天門也. 从門昌聲. 楚人名門曰閶闔. 尺量切.

譯

'천문, 즉 하늘로 통하는 문(天門)'을 말한다. 문(門)이 의미부이고 창(昌)이 소리부

---

21)　고문자에서 **朋丽**甲骨文 **日日**金文 **昈 𝚫𝚫 門**古陶文 **𝚫𝚫 𝚫 門 門**簡牘文
昈 日日古璽文 등으로 그렸다. 문짝(戶·호)이 두 개로 구성된 양쪽 '문'을 그렸는데, 갑골문
에서는 문틀까지 사실적으로 그려졌다. 문은 벽이나 담에 의해 단절된 두 공간을 서로 통하게
한 소통의 장치였으며, 사람이나 물건이 드나드는 공간이었다. 그래서 門(문 문)은 '소통'에
그 주된 의미가 있지만 닫으면 단절되기에 '단절'의 뜻도 함께 가진다. 그래서 '문'이 원래 뜻
이며, 문처럼 생긴 조정 장치를 지칭하였으며, 또 같은 문을 사용한다는 뜻에서 가문의 뜻이
나왔으며, 다시 학술이나 종교의 '유파'를 지칭하게 되었다. 간화자에서는 门으로 줄여 쓴다.

이다. 초(楚) 지역 사람들은 문(門)을 창합(閶闔)이라 한다. 독음은 척(尺)과 량(量)의 반절이다.

7694

闈: 闈: 대궐 작은 문 위: 門-총17획: wéi

原文

闈: 宮中之門也. 从門韋聲. 羽非切.

飜譯

'궁궐에 있는 작은 문(宮中之門)'을 말하다. 문(門)이 의미부이고 위(韋)가 소리부이다. 독음은 우(羽)와 비(非)의 반절이다.

7695

閻: 閻: 사당문 염·엿볼 첨: 門-총21획: yán, qiàn

原文

閻: 閻謂之樀. 樀, 廟門也. 从門詹聲. 余廉切.

飜譯

'[사당으로 들어가는 문의] 처마(閻)를 적(樀)이라 한다.' 적(樀)은 또 '사당의 문(廟門)'을 말하기도 한다. 문(門)이 의미부이고 첨(詹)이 소리부이다. 독음은 여(余)와 렴(廉)의 반절이다.

7696

閎: 閎: 마을 문 굉: 門-총12획: hóng

原文

閎: 巷門也. 从門厷聲. 戶萌切.

（翻譯）

'마을의 문(巷門)'을 말한다. 문(門)이 의미부이고 굉(厷)이 소리부이다. 독음은 호(戶)와 맹(萌)의 반절이다.

7697

閨: 閨: 도장방 규: 門-총14획: guī

（原文）

閨: 特立之戶, 上圓下方, 有似圭. 从門圭聲. 古攜切.

（翻譯）

'홀로 세워진 문(特立之戶)'을 말하는데, 위는 둥글고 아래는 네모져, 규(圭)와 닮았다.22) 문(門)이 의미부이고 규(圭)가 소리부이다. 독음은 고(古)와 휴(攜)의 반절이다.

7698

閤: 閤: 쪽문 합: 門-총14획: gé

（原文）

閤: 門旁戶也. 从門合聲. 古沓切.

（翻譯）

'정문 옆쪽의 작은 문(門旁戶)'을 말한다. 문(門)이 의미부이고 합(合)이 소리부이다. 독음은 고(古)와 답(沓)의 반절이다.

7699

闒: 闒: 다락문 탑: 門-총18획: tà

---

22) 『이아·석궁(釋宮)』에서는 "궁궐 속의 문(宮中門: 궁중문)을 위(闈)라 하고, 그 작은 것(其小者: 소규모 궁중문)을 규(闈)라 하며, 작은 규(闈)를 합(閤: 작은 궁중문)이라 한다."고 했다. 그렇게 보면 크기에서 위(闈)>규(閨)>합(閤)의 순서가 되는 셈이다.

原文

闟: 樓上戶也. 从門翕聲. 徒盍切.

顱譯

‘다락의 작은 문(樓上戶)’을 말한다. 문(門)이 의미부이고 탑(翕)이 소리부이다. 독음은 도(徒)와 합(盍)의 반절이다.

7700

閈: 閈: 이문 한: 門-총11획: hàn

原文

閈: 門也. 从門干聲. 汝南平輿里門曰閈. 侯旰切.

顱譯

‘[동네 어귀에 세운] 문(門)’을 말한다. 문(門)이 의미부이고 간(干)이 소리부이다. 여남(汝南)군 평여(平輿)현의 마을에 있는 문을 한(閈)이라고 한다. 독음은 후(侯)와 간(旰)의 반절이다.

7701

閭: 閭: 이문 려: 門-총15획: lǘ

原文

閭: 里門也. 从門呂聲. 『周禮』: “五家爲比, 五比爲閭.” 閭, 侶也, 二十五家相羣侶也. 力居切.

顱譯

‘동네 어귀에 세운 문(里門)’을 말한다. 문(門)이 의미부이고 려(呂)가 소리부이다. 『주례·지관·대사도(大司徒)』에서 “5가(家)가 하나의 비(比)가 되고, 5비(比)가 하나의 려(閭)가 된다.”라고 했다. 려(閭)는 ‘짝(侶)’을 뜻하는데, 25가(家)가 서로 모여 짝을 이룬다는 뜻이다.[23] 독음은 력(力)과 거(居)의 반절이다.

7702

閻: 閻: 이문 염: 門-총16획: yán

原文

閻: 里中門也. 从門㩀聲. 壛, 閻或从土. 余廉切.

飜譯

'마을 가운데 있는 문(里中門)'을 말한다. 문(門)이 의미부이고 함(㩀)이 소리부이다. 염(壛)은 염(閻)의 혹체자인데, 토(土)로 구성되었다. 독음은 여(余)와 렴(廉)의 반절이다.

7703

闠: 闠: 성시 바깥문 궤: 門-총20획: huì

原文

闠: 市外門也. 从門貴聲. 胡對切.

飜譯

'시장의 바깥 문(市外門)'을 말한다. 문(門)이 의미부이고 귀(貴)가 소리부이다. 독음은 호(胡)와 대(對)의 반절이다.

7704

闉: 闉: 성곽 문 인: 門-총17획: yīn

原文

闉: 城內重門也. 从門垔聲. 『詩』曰: "出其闉闍." 於眞切.

───────────────

23) 고문자에서 ![金文] 金文 ![古陶文] 古陶文 등으로 그렸다. 門(문 문)이 의미부이고 呂(등뼈·음률 려)가 소리부로, 동네 어귀에 세운 문(門)을 말하며, 이로부터 '마을'이라는 뜻까지 나왔다. 간화자에서는 间로 쓴다.

───────────────

翻譯
'성 안에 설치된 이중문(城內重門)'을 말한다. 문(門)이 의미부이고 인(垔)이 소리부이다. 『시·정풍출기동문(出其東門)』에서 "성문 밖을 나서니(出其闉闍)"라고 노래했다. 독음은 어(於)와 진(眞)의 반절이다.

7705

闍: 闍: 망루 도: 門-총17획: dū

原文

闍: 闍闍也. 从門者聲. 當孤切.

翻譯
'성문 위의 망루(闉闍)'를 말한다. 문(門)이 의미부이고 자(者)가 소리부이다. 독음은 당(當)과 고(孤)의 반절이다.

7706

闕: 闕: 대궐 궐: 門-총18획: què

原文

闕: 門觀也. 从門欮聲. 去月切.

翻譯
'궁문 바깥의 양쪽 누대(門觀)'를 말한다. 문(門)이 의미부이고 궐(欮)이 소리부이다. 독음은 거(去)와 월(月)의 반절이다.

7707

閞: 閞: 문기둥 소루 변: 門-총13획: biàn

原文

閞: 門欂櫨也. 从門弁聲. 皮變切.

翻譯

'문기둥 위의 두공(門構欂)'을 말한다.[24] 문(門)이 의미부이고 변(弁)이 소리부이다. 독음은 피(皮)와 변(變)의 반절이다.

7708

閛: 閜: 문짝 해·혜: 門-총12획: xiè

原文

閜: 門扇也. 从門介聲. 胡介切.

翻譯

'문짝(門扇)'을 말한다. 문(門)이 의미부이고 개(介)가 소리부이다. 독음은 호(胡)와 개(介)의 반절이다.

7709

闔: 闔: 문짝 합: 門-총18획: hé

原文

闔: 門扇也. 一曰閉也. 从門盍聲. 胡臘切.

翻譯

'문짝(門扇)'을 말한다. 일설에는 '닫다(閉)'라는 뜻이라고도 한다. 문(門)이 의미부이고 합(盍)이 소리부이다. 독음은 호(胡)와 랍(臘)의 반절이다.

---

24) 두공(斗栱)은 한국, 중국, 일본의 전통적인 목조건축에서 처마를 받들기 위해 기둥 위에 복잡하게 엮은 까치발의 목조구조(木組構造)를 말한다. 지역과 시대에 따라 형식적인 변화가 있으나 기본적인 구조와 원리는 같으며 방형의 두(斗)와 수평의 공(栱)이 교차하게 짜여서 처마 끝을 높이 쳐들고 앞쪽 까치발을 받치고 있다. 송나라 때에는 포작(鋪作), 청대 관식(官式)으로는 두과(斗科), 강남에서는 패과(牌科)라 불리기도 했다. 특히 한국에서는 공포(栱包)라 불리며, 배치에 따라 주심포양식(柱心包樣式), 다포양식(多包樣式), 익공양식(翼工樣式) 등이 있다. 주심포양식은 남송 건축양식의 영향으로 받침대에 고형모양을 가한 것이다. 기둥 위에만 두고 기둥 사이에는 간두속(間斗束)을 두는 경우가 있다. 대표작으로 현존하는 것으로는 부석사 무량수전(14세기경) 등이 있다.(『미술대사전』(용어편), 1998)

제
12
권

7710

闑: 闑: 문에 세운 말뚝 얼: 門-총18획: niè

(原文)

闑: 門梱也. 从門臬聲. 魚列切.

(飜譯)

'문에 세운 작은 나무(門梱)'를 말한다.25) 문(門)이 의미부이고 얼(臬)이 소리부이다. 독음은 어(魚)와 렬(列)의 반절이다.

7711

閾: 閾: 문지방 역: 門-총16획: yù

(原文)

閾: 門榍也. 从門或聲. 『論語』曰 : "行不履閾." 𨵦, 古文閾从洫. 于逼切.

(飜譯)

'문지방(門榍)'을 말한다. 문(門)이 의미부이고 혹(或)이 소리부이다. 『논어』에서 "드나들 때에는 문지방을 밟지 않는다(行不履閾)"라고 했다. 역(𨵦)은 역(閾)의 고문체인데, 혁(洫)으로 구성되었다. 독음은 우(于)와 핍(逼)의 반절이다.

7712

閬: 閬: 솟을대문 랑: 門-총15획: làng

(原文)

閬: 門高也. 从門良聲. 巴郡有閬中縣. 來宕切.

---

25) 장순휘의 『설문약주』에서 "옛 사람들이 문의 중앙에 짧은 나무를 세워서 문이 방안으로 들어가지 않도록 멈추게 하는 것을 말한다"라고 했다.

譯

'높다랗게 만들어진 문(門高)'을 말한다. 문(門)이 의미부이고 량(良)이 소리부이다. 파군(巴郡)에 낭중현(閬中縣)이 있다.[26] 독음은 래(來)와 탕(宕)의 반절이다.

7713

闢: 闢: 열 벽: 門-총21획: pì

原文

闢: 開也. 从門辟聲. 闢, 『虞書』曰 : "闢四門." 从門从𥬼. 房益切.

譯

'열다(開)'라는 뜻이다. 문(門)이 의미부이고 벽(辟)이 소리부이다.[27] 벽(闢)은 『상서·우서(虞書)』에서 "사방의 문을 열어놓다(闢四門)"라고 했는데, 문(門)이 의미부이고 반(𥬼)도 의미부이다. 독음은 방(房)과 익(益)의 반절이다.

7714

闈: 闈: 문을 열 위: 門-총20획: kuǐ, wěi

原文

闈: 闢門也. 从門爲聲. 『國語』曰 : "闈門而與之言." 韋委切.

---

26) 랑중(閬中)은 사천성 남충시(南充市)에 있는 작은 도시인데, 현재 중국에서 고성(古城)에 가장 잘 보존된 네 곳의 하나이다. 옛날에는 보녕(保寧)이라 했고, 역대로 파촉 지역의 요충지이자 사천성 서북지역의 정치, 경제, 문화 중심지였으며, 장비(張飛)의 사당이 있는 곳으로도 유명하다.

27) 고문자에서 𦥑 𦥯金文 𨸏 𨸏古陶文 𨸏古璽文 𨸏簡牘文 등으로 썼는데, 門(문 문)이 의미부고 辟(임금 벽)이 소리부로, 開闢(개벽), 개척, 열다 등의 뜻인데, 門(문)이 갈라져(辟) 새로운 세계가 열리다는 뜻을 담았다. 간화자에서는 辟에 통합되었다. 辟은 辛(매울 신)과 尸(주검 시)와 口(입 구)로 구성되었는데, 辛은 형벌 칼을, 尸는 사람을, 口는 떨어져 나온 살점을 상징하여, 형벌 칼(辛)로 살점을 도려 낸 모습을 형상했다. 이로부터 갈라내다, 배척하다, 배제하다 등의 뜻이 생겼고, 최고 실력자인 '임금'이라는 뜻도 갖게 되었는데, 임금은 사형(大辟·대벽)과 같은 최고 형벌의 결정권을 가졌기 때문이다.

翻譯

'문을 열다(闢門)'라는 뜻이다. 문(門)이 의미부이고 위(爲)가 소리부이다. 『국어·노어(魯語)』(하)에서 "[침실] 문을 열고 그녀와 이야기를 나누었다(闈門而與之言)"고 했다. 독음은 위(韋)와 위(委)의 반절이다.

7715

闡: 闡: 열 천: 門-총20획: chǎn

原文

闡: 開也. 从門單聲. 『易』曰 : "闡幽." 昌善切.

翻譯

'열다(開)'라는 뜻이다. 문(門)이 의미부이고 단(單)이 소리부이다. 『역』에서 "그윽하게 숨겨진 것을 열어젖힌다(闡幽)"라고 했다.[28] 독음은 창(昌)과 선(善)의 반절이다.

7716

開: 開: 열 개: 門-총12획: kāi

原文

開: 張也. 从門从开. 閞, 古文. 苦哀切.

翻譯

'열어젖히다(張)'라는 뜻이다. 문(門)이 의미부이고 견(开)도 의미부이다. 개(閞)는 고문체이다. 독음은 고(苦)와 애(哀)의 반절이다.

---

28) 門(문 문)이 의미부고 單(홑 단)이 소리부로, 사냥(單)이나 전쟁에 나갔던 군사가 들어올 때 문(門)을 '활짝 열어' 환영하는 모습을 그렸고, 이로부터 闡明(천명·입장 따위를 드러내서 밝히다), 열어젖히다, 속을 열어 보이다 등의 뜻이 나왔다. 간화자에서는 單을 单으로 줄인 阐으로 쓴다.

7717

閩: 闓: 열 개: 門-총18획: kǎi

原文

闓: 開也. 从門豈聲. 苦亥切.

飜譯

'열다(開)'라는 뜻이다. 문(門)이 의미부이고 기(豈)가 소리부이다. 독음은 고(苦)와 해(亥)의 반절이다.

7718

閜: 閜: 크게 열릴 하: 門-총13획: xiǎ

原文

閜: 大開也. 从門可聲. 大杯亦爲閜. 火下切.

飜譯

'크게 활짝 열다(大開)'라는 뜻이다. 문(門)이 의미부이고 가(可)가 소리부이다. '커다란 잔(大杯)'도 하(閜)라고 한다. 독음은 화(火)와 하(下)의 반절이다.

7719

閘: 閘: 물문 갑: 門-총13획: zhá

原文

閘: 開閉門也. 从門甲聲. 烏甲切.

飜譯

'열고 닫는 문(開閉門)'을 말한다. 문(門)이 의미부이고 갑(甲)이 소리부이다. 독음은 오(烏)와 갑(甲)의 반절이다.

7720

閟: 閟: 문 닫을 비: 門-총13획: bì

原文

閟: 閉門也. 从門必聲. 『春秋傳』曰 : "閟門而與之言." 兵媚切.

飜譯

'문을 닫다(閉門)'라는 뜻이다. 문(門)이 의미부이고 필(必)이 소리부이다. 『춘추전』에서 "문을 걸어 잠그고 그녀와 이야기를 나누었다(閟門而與之言)"고 했다. 독음은 병(兵)과 미(媚)의 반절이다.

제12권

7721

閣: 閣: 문설주 각: 門-총14획: gé

原文

閣: 所以止扉也. 从門各聲. 古洛切.

飜譯

'사립문을 고정시키는 장치(所以止扉)'를 말한다. 문(門)이 의미부이고 각(各)이 소리부이다.29) 독음은 고(古)와 락(洛)의 반절이다.

7722

間: 間: 틈 한·사이 간: 門-총12획: xián, jiān, jiàn

原文

間: 隟也. 从門从月. 閒, 古文間. 古閑切.

---

29) 門(문 문)이 의미부이고 各(각각 각)이 소리부로, 사람의 발길이 도착하는(各) 곳에 세워진 문(門)을 말하며, 이후 문을 세워 만든 '樓閣(누각)'도 뜻하게 되었다. 또 누각을 만들어 책을 보관했던 藏書樓(장서루)를 지칭하였으며, 중앙 정부의 관청 이름으로 內閣(내각)을 말하기도 했다.

飜譯

‘틈(隙)’을 말한다. 문(門)이 의미부이고 월(月)도 의미부이다.[30] 한(閞)은 한(閑)의 고문체이다. 독음은 고(古)와 한(閑)의 반절이다.

7723

閜: 閜: 문 기울어질 아: 門-총16획: ě

原文

閜: 門傾也. 从門阿聲. 烏可切.

飜譯

‘문이 기울어지다(門傾)’라는 뜻이다. 문(門)이 의미부이고 아(阿)가 소리부이다. 독음은 오(烏)와 가(可)의 반절이다.

7724

閼: 閼: 가로막을 알: 門-총16획: è

原文

閼: 遮攤也. 从門於聲. 烏割切.

飜譯

‘가로막다(遮攤)’라는 뜻이다. 문(門)이 의미부이고 어(於)가 소리부이다. 독음은 오(烏)와 할(割)의 반절이다.

---

30) 고문자에서 晶胱閒金文 胱閒古陶文 閒閒曾簡牘文 閒閒閒古璽文 등으로 그렸다. 門(문 문)과 日(날 일)로 구성되었으나, 문(門) ‘틈’으로 스며드는 햇빛(日)을 그려 ‘틈새(隙·극)’를 말했다. 원래는 閒(틈 한사이 간)으로 써 문(門) ‘틈’으로 스며드는 달빛(月·월)이라는 의미를 그렸으나, 이후 달빛(月)이 햇빛(日)으로 바뀌어 이 자형이 되었다. 여기서 ‘사이’와 中間(중간) 혹은 空間(공간)의 뜻이 나왔고, 나아가 時間(시간)이라는 추상적 개념까지 뜻하게 되었다. 간화자에서는 间으로 쓴다.

7725

闟: 闟: 문 여닫기 쉬울 전: 門-총25획: zhuǎn

原文

闟: 開閉門利也. 从門縣聲. 一曰縷十紘也. 旨沇切.

飜譯

'문을 여닫기에 편하게 하는 장치(開閉門利)'를 말한다. 문(門)이 의미부이고 요(縣)가 소리부이다. 일설에는 '10굉(紘)으로 된 실의 가닥'을 말한다고도 한다.[31] 독음은 지(旨)와 연(沇)의 반절이다.

7726

閼: 閼: 문 닫는 소리 알·할: 門-총17획: yà

原文

閼: 門聲也. 从門曷聲. 乙鎋切.

飜譯

'문 닫는 소리(門聲)'를 말한다. 문(門)이 의미부이고 갈(曷)이 소리부이다. 독음은 을(乙)과 할(鎋)의 반절이다.

7727

闟: 闟: 양쪽 계단 사이 향: 門-총21획: hàng, xiàng

原文

闟: 門響也. 从門鄉聲. 許亮切.

飜譯

'문이 향한 방향(門響)'을 말한다.[32] 문(門)이 의미부이고 향(鄉)이 소리부이다. 독음

---

31) 『단주』에서 굉(紘)은 총(總)이 되어야 할 것이며, 80가닥(縷)이 1총(總)이라고 했다. 여하튼 실의 가닥수를 나타내는 단위이다.

은 허(許)와 량(亮)의 반절이다.

7728

闌: 闌: 가로막을 란: 門-총17획: lán

原文

闌: 門遮也. 从門柬聲. 洛干切.

飜譯

'문이 가로막다(門遮)'라는 뜻이다. 문(門)이 의미부이고 간(柬)이 소리부이다. 독음은 락(洛)과 간(干)의 반절이다.

7729

閑: 閑: 막을 한: 門-총12획: xián

原文

閑: 闌也. 从門中有木. 戶閒切.

飜譯

'가로막다(闌)'라는 뜻이다. 문(門) 중간에 나무가 가로막고 있음을 형상했다.[33] 독음은 호(戶)와 한(閒)의 반절이다.

7730

閉: 閉: 닫을 폐: 門-총11획: bì

---

32) 『단주』에서는 향(嚮)은 향(鄉)이 되어야 한다고 하면서 문향(門鄉)으로 적었다. 그리고 이렇게 말했다. "향(鄉)은 오늘날의 향(向)자이다. 그래서 문향(門鄉)은 문이 향하는 방향(門所向)을 말한다. 『이아·석궁(釋宮)』에서는 양 계단 사이(兩階閒)를 향(鄉)이라 한다고 했다."

33) 고문자에서 閑(簡牘文) 𨸜(帛書) 등으로 그렸다. 門(문 문)과 木(나무 목)으로 구성되어, 문(門) 사이에 나무(木)를 질러 울을 친 '마구간'을 그렸는데, 이후 사람이 들어오지 못하도록 문을 걸어 잠그다는 뜻에서 閑暇(한가)하다는 뜻이 생겼고, '겨를'이나 '틈'까지 뜻하게 되었다. 간화자에서는 闲으로 쓴다.

原文

閈: 閭門也. 从門;才, 所以距門也. 博計切.

飜譯

'문을 닫다(閭門)'라는 뜻이다. 문(門)이 의미부이고, 재(才)는 문을 걸어 잠그는 장치를 뜻한다.34) 독음은 박(博)과 계(計)의 반절이다.

7731

閡: 閡: 문 잠글 애: 門-총14획: hé

原文

閡: 外閉也. 从門亥聲. 五漑切.

飜譯

'밖에서 문을 걸어 잠그다(外閉)'라는 뜻이다. 문(門)이 의미부이고 해(亥)가 소리부이다. 독음은 오(五)와 개(漑)의 반절이다.

7732

闇: 闇: 닫힌 문 암: 門-총17획: àn

原文

闇: 閉門也. 从門音聲. 烏紺切.

飜譯

'문을 닫다(閉門)'라는 뜻이다. 문(門)이 의미부이고 음(音)이 소리부이다. 독음은 오(烏)와 감(紺)의 반절이다.

---

34) 고문자에서 𣌪𣌪 金文 𢆶𠩑 簡牘文 등으로 그렸다. 門(문 문)이 의미부고 才(재주 재)가 소리부로, 문(門)에 빗장을 채워 놓은 모습으로부터 '닫다', '걸어 잠그다', 마치다, 멈추다, 막다, 통하지 않다 등의 의미를 그렸는데, 스스로 마음의 문을 닫아 외부세계와의 모든 교류를 단절해 버리는 것을 自閉(자폐)라 한다. 간화자에서는 闭로 쓴다.

7733

關: 關(関): 빗장 관: 門-총19획: guān

原文

關: 以木橫持門戸也. 从門絲聲. 古還切.

飜譯

'문을 가로질러 잠그는 나무로 만든 빗장(以木橫持門戸)'을 말한다. 문(門)이 의미부이고 관(絲)이 소리부이다.35) 독음은 고(古)와 환(還)의 반절이다.

7734

鑰: 鑰: 빗장 약: 門-총25획: yuè

原文

鑰: 關下牡也. 从門龠聲. 以灼切.

飜譯

'세로로 내리꽂아 문을 잠그는 장치(關下牡)'를 말한다.36) 문(門)이 의미부이고 약

---

35) 고문자에서 金文 古陶文 簡牘文 古璽文 등으로
그렸다. 門(문 문)과 빗장을 실(幺·요)로 꽁꽁 묶어 놓은 모습을 그렸고, 이로부터 '빗장', '잠
그다', '폐쇄하다' 등의 뜻이 나왔다. 이후 출입을 통제하며 문을 잠그고 여는 성문이나 요새,
關門(관문), 關稅(관세) 등을 뜻하게 되었고, 중국의 函谷關(함곡관)이나 潼關(동관)을 말하기
도 한다. 간화자에서는 关으로 쓴다.
36) 『단주』에서 이렇게 말했다. "관(關)은 가로로 된 물체를 말하는데, 지금의 문(門)을 말한다.
관하모(關下牡)는 세로로 내리꽂아 문을 잠그는 나무(以直木上貫關)를 말하는데, 땅에다 꽂는
다(下插地). 이는 관(關)과 암수(牝牡)의 관계에 있다. 『한서(漢書)』에서 말한 '牡飛牝亡(가로
세로 빗장이 모두 날아가고 망가졌구나)'은 바로 이를 두고 한 말이다. 『예기·월령(月令)』에서
도 '脩鍵閉, 愼管籥.(암수 빗장 수리하고, 잠가놓은 자물쇠에 신중하라.)'이라 했는데, 『주』에
서 건(鍵)이 수컷이라면 폐(閉)는 암컷이다. 관약(管籥)은 문 따위를 잠그는 시건장치(搏鍵器)
를 말한다고 했다. 그렇다면 관하모(關下牡)는 건(鍵, 열쇠)을 말한다. 달리 약(籥)이라고도 한
다. 약(籥)은 바로 약(鑰)의 가차자이다. 자세히 구분하며 말하자면 건(鍵)과 약(鑰)은 두 가지
이지만, 뭉뚱그려 말하자면 하나의 물건이다."

(龠)이 소리부이다. 독음은 이(以)와 작(灼)의 반절이다.

7735

闐: 闐: 성할 전: 門-총18획: tián

原文

闐: 盛皃. 从門眞聲. 待秊切.

飜譯

'성한 모습(盛皃)'을 말한다. 문(門)이 의미부이고 진(眞)이 소리부이다. 독음은 대(待)와 년(秊)의 반절이다.

7736

闛: 闛: 성한 모양 당: 門-총19획: táng

原文

闛: 闛闛, 盛皃. 从門堂聲. 徒郞切.

飜譯

'당당(闛闛)'을 말하는데, '성한 모습(盛皃)'을 말한다. 문(門)이 의미부이고 당(堂)이 소리부이다. 독음은 도(徒)와 랑(郞)의 반절이다.

7737

閹: 閹: 내시 엄: 門-총16획: yān

原文

閹: 豎也. 宮中奄閹閉門者. 从門奄聲. 英廉切.

飜譯

'내시(豎)'를 말한다. 거세당한 궁중의 사람으로, 날이 저물면 문을 닫는 일을 하는 자이다. 문(門)이 의미부이고 엄(奄)이 소리부이다. 독음은 영(英)과 렴(廉)의 반절이다.

7738

閽: 閽: 문지기 혼: 門-총16획: hūn

原文

閽: 常以昏閉門隸也. 从門从昏, 昏亦聲. 呼昆切.

飜譯

'항상 날이 저물 때 문을 닫는 노비(常以昏閉門隸)'를 말한다. 문(門)이 의미부이고 혼(昏)도 의미부인데, 혼(昏)은 소리부도 겸한다. 독음은 호(呼)와 곤(昆)의 반절이다.

7739

闚: 闚: 엿볼 규: 門-총19획: kuī, kuì

原文

闚: 閃也. 从門規聲. 去隓切.

飜譯

'문틈으로 엿보다(閃)'라는 뜻이다. 문(門)이 의미부이고 규(規)가 소리부이다. 독음은 거(去)와 휴(隓)의 반절이다.

7740

闌: 闌: 대궐에 함부로 들어갈 란: 門-총27획: lán

原文

闌: 妄入宮掖也. 从門䜌聲. 讀若闌. 洛干切.

飜譯

'제멋대로 궁전의 문을 들어가다(妄入宮掖)'라는 뜻이다. 문(門)이 의미부이고 련(䜌)이 소리부이다. 란(闌)과 같이 읽는다. 독음은 락(洛)과 간(干)의 반절이다.

7741

兩: 兩: 높은 곳으로 오를 진: 門-총10획: zhèn

原文

兩: 登也. 从門、二. 二, 古文下字. 讀若軍敶之敶. 直刃切.

飜譯

'올라가다(登)'라는 뜻이다. 문(門)과 하(二)가 의미부인데, 하(二)는 하(下)의 고문체이다. 군진(軍敶)이라고 할 때의 진(敶)과 같이 읽는다. 독음은 직(直)과 인(刃)의 반절이다.

7742

閃: 閃: 번쩍할 섬: 門-총10획: shǎn

原文

閃: 闚頭門中也. 从人在門中. 失冉切.

飜譯

'문 사이로 머리를 내밀고 엿보다(闚頭門中)'라는 뜻이다. 사람(人)이 문(門) 가운데 있는 모습을 형상했다.[37] 독음은 실(失)과 염(冉)의 반절이다.

7743

閱: 閱: 검열할 열: 門-총15획: yuè

原文

閱: 具數於門中也. 从門, 說省聲. 弋雪切.

飜譯

---

37) 門(문 문)과 人(사람 인)으로 구성되어, 문(門) 사이로 사람(人)이 언뜻 스쳐 지나가는 모습을 그렸으며, 이로부터 순간적으로 번쩍거리거나 번뜩임을 뜻하게 되었으며, 살짝 피하다는 뜻도 나왔다.

'문 가운데서 숫자가 맞는지를 [하나하나씩] 검열하다(具數於門中)'라는 뜻이다. 문(門)이 의미부이고, 설(說)의 생략된 부분이 소리부이다. 독음은 익(弋)과 설(雪)의 반절이다.

7744

閱: 閱: 문 닫을 결: 門-총17획: què

（原文）

閱: 事已, 閉門也. 从門癸聲. 倾雪切.

（飜譯）

'일이 다 끝나 문을 닫다(事已, 閉門)'라는 뜻이다. 문(門)이 의미부이고 계(癸)가 소리부이다. 독음은 경(倾)과 설(雪)의 반절이다.

7745

闞: 闞: 바라볼 감: 門-총20획: kàn

（原文）

闞: 望也. 从門敢聲. 苦濫切.

（飜譯）

'바라다보다(望)'라는 뜻이다. 문(門)이 의미부이고 감(敢)이 소리부이다. 독음은 고(苦)와 람(濫)의 반절이다.

7746

闊: 闊: 트일 활: 門-총17획: kuò

（原文）

闊: 疏也. 从門活聲. 苦括切.

（飜譯）

'간격이 넓다(疏)'라는 뜻이다. 문(門)이 의미부이고 활(活)이 소리부이다.38) 독음은 고(苦)와 괄(括)의 반절이다.

7747

閔: 閔: 위문할 민: 門-총12획: mǐn

原文

閔: 弔者在門也. 从門文聲. 憂, 古文閔. 眉殞切.

飜譯

'조문하는 자가 문에 서 있음(弔者在門)'을 말한다. 문(門)이 의미부이고 문(文)이 소리부이다. 민(憂)은 민(閔)의 고문체이다. 독음은 미(眉)와 운(殞)의 반절이다.

7748

闖: 闖: 말이 문을 나오는 모양 틈: 門-총18획: chuǎng

原文

闖: 馬出門皃. 从馬在門中. 讀若郴. 丑禁切.

飜譯

'말이 문을 나오는 모습(馬出門皃)'을 말한다. 말(馬)이 문(門) 속에 있는 모습을 형상했다. 침(郴)과 같이 읽는다.39) 독음은 축(丑)과 금(禁)의 반절이다.

7749

闤: 闤: 거리 환: 門-총21획: huán

---

38) 門(문 문)이 의미부고 活(살 활)이 소리부로, '넓다', 廣闊(광활)하다는 뜻인데, 문(門)이란 모름지기 '넓게' 트였을 때 살아있는(活) 존재임을 웅변해 준다. 이후 시간이나 공간적 거리가 크다, 돈이 많다 등의 뜻도 나왔다. 달리 濶로도 쓰며, 간화자에서는 阔로 쓴다.

39) 門(문 문)과 馬(말 마)로 구성되어, 말(馬)이 문(門)에서 나오는 모습을 말하며, 이로부터 쑥 내밀다, 돌입하다, 난입하다는 뜻이 생겼다. 한국에서는 '틈'으로 읽히기도 한다. 간화자에서는 馬를 马로 줄여 闯으로 쓴다.

原文

閬: 市垣也. 从門睘聲. 戶關切.

飜譯

'시장의 담(市垣)'을 말한다. 문(門)이 의미부이고 경(睘)이 소리부이다. 독음은 호(戶)와 관(關)의 반절이다. [신부]

7750

闥: 闥: 문 달: 門-총21획: tà

原文

闥: 門也. 从門達聲. 他達切.

飜譯

'[궁중의 작은 길에 세운] 문(門)'을 말한다. 문(門)이 의미부이고 달(達)이 소리부이다. 독음은 타(他)와 달(達)의 반절이다. [신부]

7751

閌: 閌: 높은 문 항: 門-총12획: kāng

原文

閌: 閌閬, 高門也. 从門亢聲. 苦浪切.

飜譯

'항낭(閌閬)'을 말하는데, '높이 솟은 문(高門)'을 말한다. 문(門)이 의미부이고 항(亢)이 소리부이다. 독음은 고(苦)와 랑(浪)의 반절이다. [신부]

7752

閥: 閥: 공훈 벌: 門-총14획: fá

原文

闔: 閥閱, 自序也. 从門伐聲. 義當通用伐. 房越切.

翻譯

'벌열(閥閱) 즉 공훈'을 말한다.[40] 스스로 기록한 서문(自序)을 말한다. 문(門)이 의미부이고 벌(伐)이 소리부이다. 의미는 당연히 벌(伐)과 통용된다.[41] 독음은 방(房)과 월(越)의 반절이다. [신부]

7753

闃: 闃: 고요할 격: 門-총17획: jí

原文

闃: 靜也. 从門臭聲. 苦臭切.

翻譯

'고요하다(靜)'라는 뜻이다. 문(門)이 의미부이고 격(臭)이 소리부이다. 독음은 고(苦)와 격(臭)의 반절이다. [신부]

---

40) 『사기(史記)·고조공신후자년표(高祖功臣侯者年表)』에서 이렇게 말했다. "옛날에는 신하들의 공훈을 다섯 등급으로 나누었다. 덕(德)으로 종묘(宗廟)를 세우고 사직(社稷)을 안정시킨 자를 훈(勳), 계책으로써 공은 세운 자를 로(勞), 무력으로 공을 세운 자를 공(功), 공로의 등급을 분명하게 한 자(明其等)를 벌(伐), 자격과 경력을 갖춘 자(積日)를 열(閱)이라 했다."

41) 門(문 문)이 의미부고 伐(칠 벌)이 소리부로, 적을 정벌해(伐) 공을 세운 사람들이 함께 모여 살던 데서 유래했는데, 그들이 모여 살던 곳에는 커다란 문(門)을 세워 자신들의 공적을 기념하고 과시했다. 이로부터 '공훈'의 뜻이, 다시 門閥, 派閥(파벌), 특수한 지위를 가진 집단을 지칭하기도 했다.

제439부수
439 ■ 이(耳)부수

7754

目: 耳: 귀 이: 耳-총6획: ěr

原文

目: 主聽也. 象形. 凡耳之屬皆从耳. 而止切.

飜譯

'듣는 것을 주관하는 기관(主聽)'을 말한다. 상형이다.42) 이(耳)부수에 귀속된 글자
들은 모두 이(耳)가 의미부이다. 독음은 이(而)와 지(止)의 반절이다.

7755

耴: 耴: 귀뿌리 첩: 耳-총7획: zhé

原文

耴: 耳垂也. 从耳下垂. 象形. 『春秋傳』曰"秦公子輒"者, 其耳下垂, 故以爲名.
陟葉切.

飜譯

---

42) 고문자에서 甲骨文 金文 古陶文 簡牘文 古
璽文 石刻古文 등으로 그렸다. 귓바퀴와 귓불이 갖추어진 '귀'를 그렸으며, 이후 木耳(목
이) 버섯처럼 귀 모양의 물체나 솥의 귀(鼎耳·정이)처럼 물체의 양쪽에 붙은 것을 지칭하기도
했다. 또 소용돌이 모양의 귀는 여성의 성기와 닮아 생명과 연계 지어지기도 했으며, 신의 말
씀을 들을 수 있는 총명함을 상징하기도 한다. 둘째, 귀는 총명함의 상징이다. 원시 시절, 적
이나 야수의 접근을 남보다 먼저 감지할 수 있는 남다른 청각을 가진 자는 집단의 우두머리
가 되기에 충분했을 것이다. 또 신체의 중요 부위로서의 귀, 특히 축 늘어진 귀는 제왕의 권
위나 위대함, 吉祥(길상)을 상징하였다.

‘아래로 축 처진 귀(耳垂)’를 말한다. 귀(耳)가 아래로 처친 모습을 형상했다. 상형이다. 『춘추전』(『좌전』 양공 8년, B.C. 565)에서 말한 “진(秦)나라 공자(公子) 첩(輒)”은 귀가 아래로 처졌는데, 그 때문에 이름을 첩(輒)이라고 했다고 했다. 독음은 척(陟)과 엽(葉)의 반절이다.

7756

: 聑: **조금 늘어진 귀 점**: 耳-총11획: diān

原文

: 小垂耳也. 从耳占聲. 丁兼切.

飜譯

‘조금 처진 귀(小垂耳)’를 말한다. 이(耳)가 의미부이고 점(占)이 소리부이다. 독음은 정(丁)과 겸(兼)의 반절이다.

7757

: 耽: **즐길 탐**: 耳-총10획: dān

原文

: 耳大垂也. 从耳冘聲. 『詩』曰 : “士之耽兮.” 丁含切.

飜譯

‘귀가 크게 처진 것(耳大垂)’을 말한다. 이(耳)가 의미부이고 유(冘)가 소리부이다.[43] 『시·위풍·맹(氓)』에서 “남자가 빠지는 것은(士之耽兮)”이라고 노래했다. 독음은 정(丁)과 함(含)의 반절이다.

7758

: 聃: **귓바퀴 없을 담**: 耳-총10획: dān

43) 耳(귀 이)가 의미부고 冘(머뭇거릴 유)가 소리부로, 귓불(耳)이 아래로 늘어진(冘, 沈의 원래 글자) 모습으로부터 어떤 것에 耽溺(탐닉)하여 ‘좋아함’과 ‘즐기다’는 의미를 그렸다.

原文

聃: 耳曼也. 从耳冉聲. 㖠, 聃或从甘. 他甘切.

飜譯

'귓바퀴가 크고 길다(耳曼)'라는 뜻이다. 이(耳)가 의미부이고 염(冉)이 소리부이다. 담(㖠)은 담(聃)의 혹체자인데, 감(甘)로 구성되었다. 독음은 타(他)와 감(甘)의 반절이다.

7759

瞻: 瞻: 귀 처질 담: 耳-총19획: dān

原文

瞻: 垂耳也. 从耳詹聲. 南方瞻耳之國. 都甘切.

飜譯

'처진 귀(垂耳)'를 말한다. 이(耳)가 의미부이고 첨(詹)이 소리부이다. 남방에 귀가 어깨 위로까지 처진 사람들이 사는 나라(瞻耳國)가 있다.44) 독음은 도(都)와 감(甘)의 반절이다.

7760

耿: 耿: 빛날 경: 耳-총10획: gěng

原文

耿: 耳箸頰也. 从耳, 烓省聲. 杜林說: 耿, 光也. 从光, 聖省. 凡字皆左形右聲. 杜林非也. 古杏切.

飜譯

'귀가 뺨에까지 늘어지다(耳箸頰)'라는 뜻이다. 이(耳)가 의미부이고, 계(烓)의 생략

---

44) 담이국(儋耳國)은 달리 이이국(離耳國)이라고도 불리는데, 옛날 나라 이름이다. 해남도(海南島)의 서부에 있었다고 한다. 『한서(漢書)』의 기록에 의하면, "담이(儋耳)라는 것은 큰 귀를 가진 종족이라는 뜻이다"고 했다. 담이(儋耳)족은 큰 귀를 가진 특이한 신체적 특징에 의해 붙여진 이름으로 보인다.

된 부분이 소리부이다. 두림(杜林)은 "경(耿)은 빛(光)이라는 뜻인데, 광(光)이 의미부이고, 성(聖)의 생략된 부분이 소리부이다."라고 했다.45) 대부분의 형성자는 왼쪽이 의미부이고 오른쪽이 소리부이다. 두림(杜林)의 해석은 옳지 않다. 독음은 고(古)와 행(杏)의 반절이다.

7761

𦒴: 聯: 있달 련: 耳-총17획: lián

原文

𦒴: 連也. 从耳, 耳連於頰也 ; 从絲, 絲連不絕也. 力延切.

飜譯

'연결되다(連)'라는 뜻이다. 이(耳)가 의미부인데, 귀(耳)가 뺨에 연결되었기 때문이다, 사(絲)도 의미부인데, 실(絲)은 연결되어 끊이지 않음을 상징한다.46) 독음은 력(力)과 연(延)의 반절이다.

7762

聊: 聊: 귀 울 료: 耳-총11획: liáo

原文

聊: 耳鳴也. 从耳卯聲. 洛蕭切.

---

45) 고문자에서 𦔻金文 𦔻古璽文 등으로 그렸다. 『설문해자』에서는 耳(귀 이)가 의미부이고 炷(심지 주)의 생략된 모습이라고 했지만 그다지 설득력이 있어 보이지 않는다. 청나라 朱駿聲(주준성)의 『說文通訓定聲(설문통훈정성)』에서는 火(불 화)가 의미부이고 聖(성스러울 성)의 생략된 모습이 소리부라고 했는데, 큰 귀(耳)를 가진 성인(聖)처럼 불(火)처럼 밝게 빛나다는 뜻을 그린 것으로 보인다.

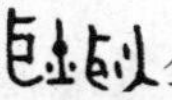

46) 고문자에서 𦗐古璽文 등으로 그렸다. 원래는 耳(귀 이)와 絲(실 사)로 구성되었는데, 絲가 �으로 변해 지금처럼 되었다. 『설문해자』에서는 "귀가 뺨에 붙어 있다"라고 했는데, 얼굴의 양끝에 실(絲)처럼 '연결된' 귀라는 이미지를 그렸다. 이로부터 연결되다는 뜻이, 다시 對聯(대련)에서처럼 쌍을 이루다는 뜻도 나왔다. 간화자에서는 䐁을 줄인 联으로 쓴다. 혹자는 귀족들이 귀에 귀걸이를 늘어트려 장식한 모습으로 보기도 한다.(허진웅, 2021)

翻譯

'이명, 즉 귀가 울리다(耳鳴)'라는 뜻이다. 이(耳)가 의미부이고 묘(卯)가 소리부이다. 독음은 락(洛)과 소(蕭)의 반절이다.

7763

聖: 聖: 성스러울 성: 耳-총13획: shèng

原文

聖: 通也. 从耳呈聲. 式正切.

翻譯

'온데 정통하다(通)'라는 뜻이다. 이(耳)가 의미부이고 정(呈)이 소리부이다.47) 독음은 식(式)과 정(正)의 반절이다.

7764

聰: 聰: 귀 밝을 총: 耳-총17획: cōng

原文

聰: 察也. 从耳悤聲. 倉紅切.

翻譯

'자세히 살피다(察)'라는 뜻이다. 이(耳)가 의미부이고 총(悤)이 소리부이다.48) 독음

---

47) 고문자에서 甲骨文 金文 簡牘文 古璽文 등으로 그렸다. 耳(귀 이)와 口(입 구)가 의미부이고 壬(좋을 정)이 소리부로, 남의 말을 귀담아듣는 사람이라는 의미를 그렸다. 갑골문에서는 사람(人)의 큰 귀(耳)와 입(口)을 그렸고, 금문에서는 사람(人)이 발돋움을 하고 선(壬) 모습을 그렸는데, 귀(耳)는 '뛰어난 청각을 가진 사람'을, 口는 말을 상징하여, 남의 말을 귀담아들어야 하는 존재가 지도자임을 형상화했다. 이로부터 보통 사람을 넘는 총명함과 지혜를 가진 존재나 성인을 말했으며, 학문이나 기술이 뛰어난 사람을 지칭하게 되었고, 특히 유가에서는 공자를 부르는 말로 쓰였다. 한국 속자에서는 文(글월 문)과 王(임금 왕)이 상하구조로 결합한 모습으로 쓰기도 하는데, 文王을 최고의 성인으로 인식하고자 한 모습이 반영되었다. 아니면 대성지성(大成至聖) 문선왕(文宣王) 즉 공자를 염두에 둔 것일 수도 있다. 간화자에서는 조으로 간단히 줄여 쓴다.

은 창(倉)과 홍(紅)의 반절이다.

7765

聽: 聽: 들을 청: 耳-총22획: tīng

原文

聽: 聆也. 从耳、悳, 壬聲. 他定切.

飜譯

'귀 기울여 듣다(聆)'라는 뜻이다. 이(耳)와 덕(悳)이 의미부이고, 정(壬)이 소리부이다.[49] 독음은 타(他)와 정(定)의 반절이다.

7766

聆: 聆: 들을 령: 耳-총11획: líng

原文

聆: 聽也. 从耳令聲. 郎丁切.

飜譯

'귀 기울여 듣다(聽)'라는 뜻이다. 이(耳)가 의미부이고 령(令)이 소리부이다. 독음은 랑(郎)과 정(丁)의 반절이다.

---

48) 고문자에서 簡牘文 등으로 그렸다. 耳(귀 이)가 의미부고 悤(바쁠 총)이 소리부로, 훤히 뚫린 밝은(悤) 귀(耳)로써 남의 말을 잘 들어 살핌을 말했고, 이로부터 '聰明(총명)함'의 뜻이 나왔다. 간화자에서는 悤을 总으로 줄여 聪으로 쓴다.

49) 고문자에서 金文 聽聽 簡牘文 古璽文 등으로 그렸다. 耳(귀 이)와 悳(덕 덕)이 의미부이고 壬(좋을 정)이 소리부로, 귀(耳)로 듣다는 뜻이다. 금문에서는 耳와 口(입 구)로 이루어져 말(口)을 귀(耳)로 듣다는 뜻을 그렸는데, 口가 두 개로 변하기도 했다. 소전에 들어 소리부인 壬이 더해졌으며, 곧은 마음(悳)으로 발돋움 한 채(壬) 귀(耳) 기울여 듣고 청을 들어준다는 뜻을 반영했다. 듣다는 뜻 이외에도 받아들이다, 판결하다, 판단하다 등의 뜻이 나왔다. 간화자에서는 听으로 쓰는데, 口가 의미부이고 斤(도끼 근)이 소리부인 구조로 변했다.

7767

職: 職: 벼슬 직: 耳-총18획: zhí

原文

職: 記微也. 从耳戠聲. 之弋切.

譯譯

'미세한 것을 기록하다(記微)'라는 뜻이다. 이(耳)가 의미부이고 시(戠)가 소리부이다.50) 독음은 지(之)와 익(弋)의 반절이다.

7768

聒: 聒: 떠들썩할 괄: 耳-총12획: guō

原文

聒: 驩語也. 从耳昏聲. 古活切.

譯譯

'떠들썩하게 하는 말(驩語)'을 말한다. 이(耳)가 의미부이고 괄(昏)이 소리부이다. 독음은 고(古)와 활(活)의 반절이다.

7769

聦: 聦: 소리 듣고 놀랄 구: 耳-총15획: yǔ

原文

---

50) 고문자에서 (金文) (簡牘文) 등으로 그렸다. 耳(귀 이)가 의미부고 戠(찰진 흙 시)가 소리부로, 직무, 직책이라는 뜻인데, 남의 말을 귀(耳)에 새기는(戠) 직책을 말해, 언제나 남의 자세한 사정을 귀담아듣고 남을 위해 봉사하는 것이 職務(직무)의 원뜻임을 웅변해 주고 있다. 달리 耳 대신 身(몸 신)이 들어간 軄으로 쓰기도 하는데, 이러한 직무는 몸소 실천해야 함을 강조했다. 간화자에서는 소리부 戠를 只(다만 지)로 간단히 바꾸어 职으로 쓴다.

聝: 張耳有所聞也. 从耳禹聲. 王矩切.

（飜譯）

'귀를 쫑긋하게 하여 듣는 바가 있음(張耳有所聞)'을 말한다. 이(耳)가 의미부이고 우(禹)가 소리부이다. 독음은 왕(王)과 구(矩)의 반절이다.

7770

聲: 聲: 소리 성: 耳-총17획: shēng

（原文）

聲: 音也. 从耳殸聲. 殸, 籀文磬. 書盈切.

（飜譯）

'악기의 소리(音)'를 말한다. 이(耳)가 의미부이고 성(殸)이 소리부이다. 성(殸)은 경(磬)의 주문(籀文)이다.[51] 독음은 서(書)와 영(盈)의 반절이다.

7771

聞: 聞: 들을 문: 耳-총14획: wén

（原文）

聞: 知聞也. 从耳門聲. 𦕢, 古文从昏. 無分切.

（飜譯）

'소리를 들어서 알다(知聞)'라는 뜻이다.[52] 이(耳)가 의미부이고 문(門)이 소리부이다.[53]

---

51) 고문자에서 🔣🔣🔣甲骨文 🔣🔣簡牘文 등으로 그렸다. 耳(귀 이)가 의미부이고 殸(소리 성)이 소리부로, 악기 연주(殸)를 귀(耳) 기울여 듣는 모습을 그렸고, 이로부터 '소리'를 지칭하게 되었다. 이후 음악, 소리, 명성, 소식 등의 뜻이 나왔고, 언어학 용어로 성모나 성조의 간칭으로 쓰이기도 한다. 간화자에서는 의미부뿐만 아니라 소리부까지 간단하게 줄인 声으로 쓴다.

52) 문(聞)을 서개의 『계전』에서는 성(聲)으로 썼다. 그렇게 되면 '소리를 알아듣다'는 뜻이 된다.

53) 고문자에서 🔣🔣🔣甲骨文 🔣🔣🔣🔣金文 🔣🔣簡牘文 🔣古璽文 🔣石刻古文 등으로 그렸다. 耳(귀 이)가 의미부고 門(문 문)이 소리부로, 문(門) 틈으로 귀(耳)를 대고 '들음'을 말하며, 이로부터 듣다, 알다, 지식, 소식, 알림, 소문 등의 뜻이 나왔다. 갑골문에서는

문(瞀)은 고문체인데, 혼(昏)으로 구성되었다. 독음은 무(無)와 분(分)의 반절이다.

7772

聘: 聘: 찾아갈 빙: 耳-총13획: pìn

原文

聘: 訪也. 从耳甹聲. 匹正切.

飜譯

'방문하다(訪)'라는 뜻이다. 이(耳)가 의미부이고 병(甹)이 소리부이다.[54] 독음은 필(匹)과 정(正)의 반절이다.

7773

聾: 聾: 귀머거리 롱: 耳-총22획: lóng

原文

聾: 無聞也. 从耳龍聲. 虛紅切.

飜譯

'들리지 않는 것(無聞)'을 말한다. 이(耳)가 의미부이고 룡(龍)이 소리부이다.[55] 독음은 허(虛)와 홍(紅)의 반절이다.

손을 귀에 대고 귀 기울여 듣는 모습을 형상화했다. 간화자에서는 闻으로 쓴다. 달리 䎧, 䏙 등으로 쓰기도 한다.

54) 고문자에서 簡牘文 등으로 그렸다. 耳(귀 이)가 의미부고 甹(말이 잴 병)이 소리부로, 방문하다, 초빙하다는 뜻인데, 물음을 구하고 귀담아듣기(耳) 위해 말을 달려(甹) 찾아가고 물어보다는 뜻을 그렸으며, 이로부터 招聘(초빙)에서처럼 훌륭한 사람을 모시다는 뜻도 생겼다.

55) 고문자에서 甲骨文 金文 古陶文 簡牘文 帛書 古璽文 등으로 그렸다. 耳(귀 이)가 의미부이고 龍(용 룡)이 소리부로, 귀(耳)가 먼 사람을 말한다. 간화자에서는 龍을 龙으로 줄여 聋으로 쓴다.

7774

徟: 徟: 날 때부터 귀머거리 용: 彳-총13획: sǒng

原文

徟: 生而聾曰徟. 从耳, 從省聲. 息拱切.

飜譯

'나면서부터 귀머거리가 된 것(生而聾)을 용(徟)이라 한다.' 이(耳)가 의미부이고, 종(從)의 생략된 부분이 소리부이다. 독음은 식(息)과 공(拱)의 반절이다.

7775

聍: 聍: 가는 귀 재: 耳-총16획: zǎi

原文

聍: 益梁之州謂聾爲聍, 秦晉聽而不聞, 聞而不達謂之聍. 从耳宰聲. 作亥切.

飜譯

'익주(益州)와 양주(梁州) 지역에서는 귀머거리(聾)를 재(聍)라고 하고, 진(秦)과 진(晉) 지역에서는 들어도 들리지가 않고(聽而不聞) 들어도 전달할 수 없는 것(聞而不達)을 재(聍)라고 한다.' 이(耳)가 의미부이고 재(宰)가 소리부이다. 독음은 작(作)과 해(亥)의 반절이다.

7776

聵: 聵: 배냇귀머거리 외: 耳-총18획: kuì

原文

聵: 聾也. 从耳貴聲. 聵, 聵或从㕯. 臣鉉等曰：當从蔽省, 義見蔽字注. 五怪切.

飜譯

'[천성으로] 귀머거리(聾)'라는 뜻이다. 이(耳)가 의미부이고 귀(貴)가 소리부이다. 외

(𦕈)는 외(聵)의 혹체자인데, 괴(敳)로 구성되었다. 신(臣) 서현 등은 이렇게 생각합니다. "당연히 '괴(敳)의 생략된 모습으로 구성되었다'가 되어야 합니다. 뜻은 괴(敳)자의 주석에 밝혀 두었습니다." 독음은 오(五)와 괴(怪)의 반절이다.

7777

聉 : 聉: 무지할 왈·듣지 못할 달: 耳-총11획: wā

原文

聉 : 無知意也. 从耳出聲. 讀若孼. 五滑切.

翻譯

'지각이 없다(無知意)[무지하다]'는 뜻이다. 이(耳)가 의미부이고 출(出)이 소리부이다. 얼(孼)과 같이 읽는다. 독음은 오(五)와 활(滑)의 반절이다.

7778

矖 : 矖: 귀머거리 얼: 耳-총23획: wài, wà

原文

矖 : 吳楚之外, 凡無耳者謂之矖. 言若斷耳爲盟. 从耳闋聲. 五滑切.

翻譯

'오(吳)와 초(楚)의 교외 지역에서는 귀가 없는 사람(無耳者)을 얼(矖)이라 한다.' 이는 [진(秦)과 진(晉) 지역에서] 귓불이 떨어지는 것(斷耳)을 월(明)이라 하는 것과 같은 이치이다.[56] 이(耳)가 의미부이고 결(闋)이 소리부이다. 독음은 오(五)와 활(滑)의 반절이다.

7779

耴 : 耴: 귀 꿰매는 형벌 철: 耳-총11획: chè

---

[56] 『단주』에서 "단이(斷耳)는 타이(墮耳)이다. 맹(盟)은 월(明)이 되어야 옳다. 잘못된 글자이다." 라고 했다.

原文

䩉 : 軍法以矢貫耳也. 从耳从矢.『司馬法』曰: "小罪聅, 中罪刖, 大罪剄." 恥列切.

飜譯

'군법에서 화살로 귀를 꿰는 형벌(軍法以矢貫耳)'을 말한다. 이(耳)가 의미부이고 시(矢)도 의미부이다.『사마법(司馬法)』에서 "작은 죄는 귀를 꿰매고(小罪聅), 중간 죄는 발꿈치를 자르고(中罪刖), 큰 죄는 목을 자른다(大罪剄)."라고 했다. 독음은 치(恥)와 렬(列)의 반절이다.

7780

聝 : 聝: 귀 벨 괵: 耳-총14획: guó

原文

聝 : 軍戰斷耳也.『春秋傳』曰: "以爲俘聝." 从耳或聲. 馘, 聝或从首. 古獲切.

飜譯

'군대의 전쟁에서 [적의] 귀를 자르다(軍戰斷耳)'라는 뜻이다.『춘추전』(『좌전』 성공 3년, B.C. 588)에서 "[신은] 포로가 되었습니다(以爲俘聝)"라고 했다. 이(耳)가 의미부이고 혹(或)이 소리부이다.[57] 괵(馘)은 괵(聝)의 혹체자인데, 수(首)로 구성되었다. 독음은 고(古)와 획(獲)의 반절이다.

7781

䏆 : 䏆: 귓불이 떨어질 월: 耳-총10획: wà, yuè

---

57) 고문자에서 ᾬᾭᾮᾯ 金文 등으로 그렸다. 首(머리 수)가 의미부이고 或(혹시 혹)이 소리부로, 적이나 포로의 귀를 베다는 뜻인데, 옛날의 전쟁에서는 이로써 전공을 헤아렸다. 자신의 영역(或)을 지키는 싸움(戈)에서 필연적으로 일어나게 되는 '목(首) 베기'를 형상화한 글자이며, 이로부터 베다, 포로, 끊다, 살육하다 등의 뜻이 나왔다. 목 대신 자른 귀(耳·이)로 戰功(전공)을 헤아렸다는 뜻에서 베어낸 귀를 뜻하기도 했다. 달리 首 대신 耳가 들어간 聝(벨 괵)으로 쓰기도 한다.

原文

𦖴 : 墮耳也. 从耳月聲. 魚厥切.

飜譯

'귀가 떨어지다(墮耳)'라는 뜻이다. 이(耳)가 의미부이고 월(月)이 소리부이다. 독음은 어(魚)와 궐(厥)의 반절이다.

7782

𦗁 : 䍦: 말의 귀치장 미: 耳-총17획: mí

原文

𦗁 : 乘輿金馬耳也. 从耳麻聲. 讀若渳水. 一曰若『月令』靡草之靡. 亡彼切.

飜譯

'천자가 타는 마차에 청동으로 장식한 말의 귀(乘輿金馬耳)'를 말한다. 이(耳)가 의미부이고 마(麻)가 소리부이다. 미수(渳水)라고 할 때의 미(渳)와 같이 읽는다. 일설에는 『월령』에 나오는 "미초(靡草: 쓰러져 눕는 풀)"의 미(靡)와 같이 읽는다고도 한다. 독음은 망(亡)과 피(彼)의 반절이다.

7783

𦖖 : 聇: 소리 금: 耳-총10획: qín

原文

聇 : 『國語』曰 : "回祿信於聇遂." 闕. 巨今切.

飜譯

『국어·주어(周語)』(상)에서 "[하나라가 흥할 때에는 융(融)이 숭산(崇山)에 내려왔고, 망할 때에는] 회록(回祿)이 금수(聇遂)에 연거푸 이틀 동안이나 나타났습니다."라고 했다. 상세한 내용은 알 수 없어 비워 둔다(闕). 독음은 거(巨)와 금(今)의 반절이다.

7784

聑: 聑: 편안할 접: 耳-총12획: tiē, zhé

原文

聑: 安也. 从二耳. 丁帖切.

飜譯

'편안하다(安)'라는 뜻이다. 두 개의 이(耳)로 구성되었다. 독음은 정(丁)과 첩(帖)의 반절이다.

7785

聶: 聶: 소곤거릴 섭: 耳-총18획: niè

原文

聶: 附耳私小語也. 从三耳. 尼輒切.

飜譯

'귀에다 대고 사적으로 소곤거리다(附耳私小語)'라는 뜻이다. 세 개의 이(耳)로 구성되었다. 독음은 니(尼)와 첩(輒)의 반절이다.

7786

聱: 聱: 말을 듣지 아니할 오: 耳-총17획: ào

原文

聱: 不聽也. 从耳敖聲. 五交切.

飜譯

'[남의 말을] 듣지 않다(不聽)'라는 뜻이다. 이(耳)가 의미부이고 오(敖)가 소리부이다. 독음은 오(五)와 교(交)의 반절이다. [신부]

제440부수
440 ■ 이(臣)부수

7787

㐖 : 臣: 턱 이: 臣-총7획: yí

原文

㐖 : 頤也. 象形. 凡臣之屬皆从臣. 嗄, 篆文臣. 𦣻, 籒文从首. 與之切.

飜譯

'턱(頤)'을 말한다.58) 상형이다. 이(臣)부수에 귀속된 글자들은 모두 이(臣)가 의미부이다. 이(嗄)는 이(臣)의 전서체이다. 이(𦣻)는 주문체인데, 수(首)로 구성되었다. 독음은 여(與)와 지(之)의 반절이다.

7788

㲈 : 配: 넓을 이: 己-총10획: yí

原文

㲈 : 廣臣也. 从臣巳聲. 㲈, 古文配从戶. 臣鉉等曰 : 今俗作㱘史切. 以爲階𨽸之𨽸. 與之切.

飜譯

'넓은 턱(廣臣)'을 말한다. 이(臣)가 의미부이고 이(巳)가 소리부이다. 이(㲈)는 이(配)의 고문체인데, 호(戶)로 구성되었다. 신(臣) 서현 등은 이렇게 생각합니다. "오늘날의 세속에서 장(㱘)과 사(史)의 반절로 읽고, 개이(階𨽸)의 이(𨽸)자로 여기고 있습니다." 독음은 여(與)와 지(之)의 반절이다.

---

58) 혈(頁)부수 함(頤)자의 풀이에서 "턱을 말한다(頤也)"라고 했다. 『단주』에서 이렇게 말했다. "이(臣)는 이(頤)의 고문이다. 그렇다면 함(頤)과 이(臣, 頤)는 전주이다. 『왕망전(王莽傳)』에서는 함(頥)으로 적었는데, 이것이 정자이다. 『방언(方言)』에서는 함(頜)으로 적었는데, 『설문』에서는 가차자로 썼다."

제441부수
441 ▪ 수(手)부수

7789

𠂹 : 手: 손 수: 手-총4획: shǒu

原文

𠂹 : 拳也. 象形. 凡手之屬皆从手. 𠂇, 古文手. 書九切.

飜譯

'손(拳)'을 말한다.59) 상형이다.60) 수(手)부수에 귀속된 글자들은 모두 수(手)가 의미
부이다. 수(𠂇)는 수(手)의 고문체이다. 독음은 서(書)와 구(九)의 반절이다.

7790

掌 : 掌: 손바닥 장: 手-총12획: zhǎng

原文

掌 : 手中也. 从手尚聲. 諸兩切.

---

59) 권(拳)의 풀이에서 "손을 말한다(手也)"고 했다. 그렇다면 수(手)와 권(拳)은 전주관계이다.『
   단주』에서는 이렇게 말했다. "지금 사람들은 편 손을 수(手)라 하고 쥔 손을 권(拳)이라 하는
   데, 사실은 같은 글자다. 그래서 수(手)와 권(拳) 두 글자를 호훈(互訓)했던 것이다."

60) 고문자에서 𠂹金文 𠂇古陶文 𠂹簡牘文 등으로 그렸다. '손'을 그렸으며, 금문에서부
   터 등장하는데, 손의 모습이 특이하게 그려졌다. 어찌 보면 나뭇잎의 잎맥이나 나뭇가지처럼
   보이기도 하는 이 글자는 사실 손의 뼈대를 형상화하여, 가운뎃손가락을 중심으로 네 손가락
   이 대칭으로 균등하게 펼쳐진 모습이다. 인류가 직립 보행을 하게 되면서 해방된 손은 도구를
   사용함으로써 문명을 발달시켜 나가는 가장 중요한 부위로 자리 잡았다. 그래서 手는 도구 사
   용의 상징이 되었고, 高手(고수)나 鼓手(고수)처럼 도구를 능수능란하게 사용하는 '사람' 그
   자체를 말하기도 했다. 또 손은 그 자체로도 도구였지만 打(칠 타)에서처럼 도구를 사용하는
   대표적 신체기관이었으며, 그런가 하면 拜(절 배)에서처럼 '손'은 자신을 낮추고 상대에게 존
   중을 표하는 부위이기도 했다.

飜譯

'손의 가운데(手中)[손바닥]'를 말한다. 수(手)가 의미부이고 상(尚)이 소리부이다.61)
독음은 제(諸)와 량(兩)의 반절이다.

7791

拇: 拇: 엄지손가락 무: 手-총8획: mǔ

原文

拇: 將指也. 从手母聲. 莫厚切.

飜譯

'엄지손가락(將指)'을 말한다. 수(手)가 의미부이고 모(母)가 소리부이다. 독음은 막
(莫)과 후(厚)의 반절이다.

7792

指: 指: 손가락 지: 手-총9획: zhǐ

原文

指: 手指也. 从手旨聲. 職雉切.

飜譯

'손가락(手指)'을 말한다. 수(手)가 의미부이고 지(旨)가 소리부이다.62) 독음은 직
(職)과 치(雉)의 반절이다.

---

61) 手(손 수)가 의미부고 尚(오히려 상)이 소리부로, '손바닥'을 말하는데, 위로(尚) 향한 손(手)
이라는 의미이다. 손바닥은 발바닥과 마찬가지로 아래로 향해 있기에, 이를 뒤집어 위로 향하
게 할 때 분명하게 드러나며 그것이 손바닥의 특징으로 인식되어, 분명하다, 확실하다 등의
뜻도 나왔다.

62) 고문자에서 ��金文 ��簡牘文 등으로 그렸다. 手(손 수)가 의미부고 旨(맛있을 지)가 소리
부로, 손가락(手指)을 말하는데, 맛있는 음식물을 찍어서 맛보는(旨) 손(手)의 부위라는 의미를
담았다.

7793

𢫋: 拳: 주먹 권: 手—총10획: quán

原文

𢫋: 手也. 从手𢍏聲. 巨員切.

譯

'손(手)'을 말한다. 수(手)가 의미부이고 권(𢍏)이 소리부이다.[63] 독음은 거(巨)와 원(員)의 반절이다.

7794

𢳎: 擘: 한 줌 완: 手—총13획: wàn

原文

𢳎: 手擘也. 楊雄曰 : "擘, 握也." 从手畍聲. 烏貫切.

譯

'한 웅큼(手擘)'을 말한다. 양웅(楊雄)은 "완(擘)이 꽉 쥐다(握)는 뜻이다"라고 했다. 수(手)가 의미부이고 왈(畍)이 소리부이다. 독음은 오(烏)와 관(貫)의 반절이다.

7795

攕: 攕: 손 길고 고울 섬: 手—총20획: xiān

原文

攕: 好手皃.『詩』曰 : "攕攕女手." 从手韱聲. 所咸切.

譯

'예쁜 손의 모습(好手皃)'을 말한다.『시·위풍·갈리(葛履)』에서 "섬섬옥수(攕攕女手)"라

---

63) 고문자에서 𢏚簡牘文 등으로 그렸다. 手(손 수)가 의미부이고 卷(굽을 권)이 소리부로, 손(手)을 말아(卷) 놓은 모습의 '주먹'을 말한다. 이후 짐승의 손발도 지칭하였고, 힘이나 拳術(권술) 등의 뜻이, 다시 구부리다는 뜻도 나왔다. 달리 手를 추가한 捲으로 쓰기도 한다.

고 했다. 수(手)가 의미부이고 섬(韱)이 소리부이다. 독음은 소(所)와 함(咸)의 반절이다.

7796

掣: 掣: 날씬할 삭: 手-총13획: shuō

原文

掣: 人臂皃. 从手削聲.『周禮』曰 : "輻欲其掣." 所角切.

翻譯

'사람 팔의 모습(人臂皃)'을 말한다. 수(手)가 의미부이고 삭(削)이 소리부이다.『주례·고공기·윤인(輪人)』에서 "수레의 바퀴살은 사람 팔처럼 날씬해야 한다(輻欲其掣)"라고 했다. 독음은 소(所)와 각(角)의 반절이다.

7797

摳: 摳: 출 구: 手-총14획: kōu

原文

摳: 繑也. 一曰摳衣升堂. 从手區聲. 口矦切.

翻譯

'허리띠를 훔쳐 매다(繑)'라는 뜻이다. 일설에는 '옷을 추어올린 채 당에 오르다(摳衣升堂)'라는 뜻이라고도 한다. 수(手)가 의미부이고 구(區)가 소리부이다. 독음은 구(口)와 후(矦)의 반절이다.

7798

攐: 攐: 추어올릴 건: 手-총19획: qiān

原文

攐: 摳衣也. 从手褰聲. 去虔切.

'옷을 추어올리다(摳衣)'라는 뜻이다. 수(手)가 의미부이고 건(褰)이 소리부이다. 독음은 거(去)와 건(虔)의 반절이다.

7799

撎: 揖할 예·의: 手─총15획: yì

原文

撎: 舉手下手也. 从手壹聲. 於計切.

'손을 올렸다가 아래로 내리고 [머리를 숙여] 절을 하다(舉手下手)'라는 뜻이다. 수(手)가 의미부이고 일(壹)이 소리부이다. 독음은 어(於)와 계(計)의 반절이다.

7800

揖: 읍 읍: 手─총12획: yī

原文

揖: 攘也. 从手咠聲. 一曰手箸胷曰揖. 伊入切.

'손을 [가슴팍까지] 올렸다가 아래로 내려 절을 하다(攘)'라는 뜻이다. 수(手)가 의미부이고 집(咠)이 소리부이다. 일설에는 '손을 가슴팍에 붙이는 것(手箸胷)을 읍(揖)이라고 한다'라고도 한다. 독음은 이(伊)와 입(入)의 반절이다.

7801

攘: 물리칠 양: 手─총20획: rǎng

原文

攘: 推也. 从手襄聲. 汝羊切.

飜譯

'밀쳐 물리치다(推)'라는 뜻이다. 수(手)가 의미부이고 양(襄)이 소리부이다. 독음은 여(汝)와 양(羊)의 반절이다.

7802

拱: 拱: 두 손 맞잡을 공: 手-총9획: gǒng

原文

拱: 斂手也. 从手共聲. 居竦切.

飜譯

'두 손을 마주잡[고 경의를 표하]다(斂手)'라는 뜻이다. 수(手)가 의미부이고 공(共)이 소리부이다.[64] 독음은 거(居)와 송(竦)의 반절이다.

7803

撿: 撿: 단속할 검: 手-총16획: jiǎn

原文

撿: 拱也. 从手僉聲. 良冉切.

飜譯

'두 손을 마주잡[고 경의를 표하]다(拱)'라는 뜻이다. 수(手)가 의미부이고 첨(僉)이 소리부이다. 독음은 량(良)과 염(冉)의 반절이다.

7804

捧: 捧: 절 배: 手-총14획: bài

---

64) 고문자에서 拱 簡牘文 등으로 그렸다. 手(손 수)가 의미부이고 共(함께 공)이 소리부로, 두 손(手)을 함께(共) 마주 잡음을 말하며, 이로부터 손을 맞잡다, 손을 묶다, 둘러싸다, 수수방관 하다, 왕이 정사를 챙기지 않다 등의 뜻도 나왔다.

原文

𢷎: 首至地也. 从手、𠦪. 𠦪音忽. 𢪱, 楊雄說: 拜从兩手下. 𢱭, 古文拜. 博怪切.

飜譯

'머리가 땅에 닿도록 절하다(首至地)'라는 뜻이다.[65] 수(手)와 홀(𠦪)이 의미부이다. 홀(𠦪)은 독음이 홀(忽)이다. 배(𢪱)는 양웅(楊雄)의 해설에 의하면, 배(拜)인데, 두 손을 내린 모습이다. 배(𢱭)는 배(拜)의 고문체이다. 독음은 박(博)과 괴(怪)의 반절이다.

7805

捾: 捾: 꺼낼 알: 手-총11획: wò

原文

捾: 搯捾也. 从手官聲. 一曰援也. 烏括切.

飜譯

'긁어서 끄집어내다(搯捾)'라는 뜻이다. 수(手)가 의미부이고 관(官)이 소리부이다. 일설에는 '당겨서 끌어내다(援)'는 뜻이라고도 한다. 독음은 오(烏)와 괄(括)의 반절이다.

7806

搯: 搯: 꺼낼 도: 手-총13획: tāo

原文

搯: 捾也. 从手舀聲. 『周書』曰: "師乃搯." 搯者, 拔兵刃以習擊刺. 『詩』曰: "左旋右搯." 土刀切.

飜譯

'끌어내다(捾)'라는 뜻이다. 수(手)가 의미부이고 요(舀)가 소리부이다. 『주서』(「태서(泰誓)」)에서 "군사들이 드디어 무기를 꺼냈다(師乃搯)"라고 했다. 도(搯)는 무기를

65) 계복의 『의증』에서는 "수(首)는 수(手)가 되어야 한다. '머리가 땅에 닿는다(首至地)'면 이는 돈수(頓首)가 된다"라고 하였다.

꺼내서 살상 연습을 하다는 뜻이다. 『시·정풍·청인(清人)』에서 "왼손으로 기를 돌렸다 오른손으로 칼을 뺏다 하네(左旋右揎)"라고 노래했다. 독음은 토(土)와 도(刀)의 반절이다.

7807

𢪏: 𢪏: 안을 공: 手-총10획: gǒng

原文

𢪏: 攤也. 从手𢀜聲. 居竦切.

飜譯

'끌어안다(攤)[포옹하다]'라는 뜻이다. 수(手)가 의미부이고 공(𢀜)이 소리부이다. 독음은 거(居)와 송(竦)의 반절이다.

7808

推: 推: 옮을 추: 手-총11획: tui

原文

推: 排也. 从手隹聲. 他回切.

飜譯

'손으로 밀어젖히다(排)'라는 뜻이다. 수(手)가 의미부이고 추(隹)가 소리부이다.66) 독음은 타(他)와 회(回)의 반절이다.

7809

捘: 捘: 밀칠 준: 手-총10획: zùn

---

66) 手(손 수)가 의미부고 隹(새 추)가 소리부로, 밀다는 뜻인데, 새(隹)의 속성처럼 앞으로 나아가도록(隹) 손(手)으로 밀다는 뜻을 담았다. 이후 類推(유추)하다, 미루다, 사양하다 등의 뜻도 나왔다.

原文

捘: 推也. 从手夋聲.『春秋傳』曰 : "捘衞侯之手." 子寸切.

飜譯

'손으로 밀어젖히다(推)'라는 뜻이다. 수(手)가 의미부이고 준(夋)이 소리부이다.『춘추전』(『좌전』 정공 8년, B.C. 502)에서 "위나라 국군의 손을 밀어젖혔다(捘衞侯之手)"라고 했다. 독음은 자(子)와 촌(寸)의 반절이다.

7810

排: 排: 밀칠 배: 手-총11획: pái

原文

排: 擠也. 从手非聲. 步皆切.

飜譯

'손으로 밀치다(擠)'라는 뜻이다. 수(手)가 의미부이고 비(非)가 소리부이다.[67] 독음은 보(步)와 개(皆)의 반절이다.

7811

擠: 擠: 밀 제: 手-총17획: jǐ

原文

擠 : 排也. 从手齊聲. 子計切.

飜譯

'손으로 밀치다(排)'라는 뜻이다. 수(手)가 의미부이고 제(齊)가 소리부이다. 독음은 자(子)와 계(計)의 반절이다.

---

67) 手(손 수)가 의미부고 非(아닐 비)가 소리부로, 자신과 다르거나 위배된다(非)고 하여 손(手)으로 '밀쳐내' 排斥(배척)함을 말하며, 이로부터 밀다, 배척하다, 격리하다는 뜻이 나왔으며, 소통하다는 뜻도 가진다. 또 양쪽으로 나란히 줄을 세우다는 뜻으로부터 줄을 지우다, 줄, 군대의 편제단위, 줄을 지어 공연하다는 뜻에서 '공연하다'의 뜻도 나왔다.

7812

桋: 抵: 거스를 저: 手-총8획: dǐ

原文

桋: 擠也. 从手氏聲. 丁礼切.

飜譯

'손으로 밀치다(擠)'라는 뜻이다. 수(手)가 의미부이고 저(氐)가 소리부이다. 독음은 정(丁)과 례(礼)의 반절이다.

7813

摧: 摧: 꺾을 최: 手-총14획: cuī

原文

摧: 擠也. 从手崔聲. 一曰挏也, 一曰折也. 昨回切.

飜譯

'손으로 밀치다(擠)'라는 뜻이다. 수(手)가 의미부이고 최(崔)가 소리부이다. 일설에는 '밀었다 당겼다 하다(挏)'라는 뜻이라고도 한다. 또 일설에는 '꺾다(折)'라는 뜻이라고도 한다. 독음은 작(昨)과 회(回)의 반절이다.

7814

拉: 拉: 꺾을 랍: 手-총8획: lā

原文

拉: 摧也. 从手立聲. 盧合切.

飜譯

'꺾다(摧)'라는 뜻이다. 수(手)가 의미부이고 입(立)이 소리부이다. 독음은 로(盧)와 합(合)의 반절이다.

7815

矬 : 挫: 꺾을 좌: 手-총10획: cuò

原文

矬 : 摧也. 从手坐聲. 則臥切.

諺譯

'꺾다(摧)'라는 뜻이다. 수(手)가 의미부이고 좌(坐=坐)가 소리부이다.[68] 독음은 칙(則)과 와(臥)의 반절이다.

7816

扶 : 扶: 도울 부: 手-총7획: fú

原文

扶 : 左也. 从手夫聲. 㹀, 古文扶. 防無切.

諺譯

'돕다(左)'라는 뜻이다. 수(手)가 의미부이고 부(夫)가 소리부이다.[69] 부(㹀)는 부(扶)의 고문체이다. 독음은 방(防)과 무(無)의 반절이다.

7817

將 : 將: 도울 장: 手-총8획: jiāng

原文

將 : 扶也. 从手爿聲. 七良切.

---

68) 手(손 수)가 의미부고 坐(앉을 좌)가 소리부로, 손(手)으로 부러트려 제자리에 앉히는(坐) 것을 말하며, 이로부터 부러지다, 挫折(좌절)하다, 꺾이다, 실패하다 등의 뜻이 나왔다.

69) 고문자에서 扶 金文 扶簡牘文 등으로 그렸다. 手(손 수)가 의미부고 夫(지아비 부)가 소리부로, 손(手)으로 사람(夫)을 옆에서 부축하다는 뜻에서 '돕다', 기대다는 뜻이 나왔다. 금문에서는 手 대신 又(또 우)나 攴(칠 복)이 쓰였는데, 의미는 같다.

（飜譯）

'돕다(扶)'라는 뜻이다. 수(手)가 의미부이고 장(爿)이 소리부이다. 독음은 칠(七)과 량(良)의 반절이다.

7818

𢮦 : 持: 가질 지: 手-총9획: chí

（原文）

𢮦 : 握也. 从手寺聲. 直之切.

（飜譯）

'꽉 쥐다(握)'라는 뜻이다. 수(手)가 의미부이고 사(寺)가 소리부이다.[70] 독음은 직(直)과 지(之)의 반절이다.

7819

𢴇 : 挈: 손에 들 설: 手-총10획: qiè

（原文）

𢴇 : 縣持也. 从手㓞聲. 苦結切.

（飜譯）

'거꾸로 들다(縣持)'라는 뜻이다. 수(手)가 의미부이고 갈(㓞)이 소리부이다. 독음은 고(苦)와 결(結)의 반절이다.

7820

𢬌 : 拑: 입 다물 겸: 手-총8획: qián

---

70) 手(손 수)가 의미부고 寺(절 사)가 소리부로, 손(手)으로 어떤 일을 하다(寺)는 뜻에서 손에 쥐다는 뜻이 나왔고, 다시 '쥐다'는 일반적인 의미로 확장되었으며, 持續(지속)하다, 다스리다, 관리하다 등의 뜻도 나왔다.

原文

㧊: 脅持也. 从手甘聲. 巨淹切.

飜譯

'[재갈을 물리고] 양쪽에서 팔짱을 끼다(脅持)'라는 뜻이다. 수(手)가 의미부이고 감(甘)이 소리부이다. 독음은 거(巨)와 엄(淹)의 반절이다.

7821

㩧: 揲: 셀 설: 手-총12획: shé

原文

揲: 閱持也. 从手枼聲. 今折切.

飜譯

'하나하나씩 집어가며 헤아리다(閱持)'라는 뜻이다. 수(手)가 의미부이고 엽(枼)이 소리부이다. 독음은 금(今)과 절(折)의 반절이다.

7822

摯: 摯: 잡을 지: 手-총15획: zhì

原文

摯: 握持也. 从手从執. 脂利切.

飜譯

'손으로 쥐다(握持)'라는 뜻이다. 수(手)가 의미부이고 집(執)도 의미부이다.[71] 독음은 지(脂)와 리(利)의 반절이다.

---

71) 고문자에서 ䷀ ䷀ ䷀甲骨文 ䷀ ䷀簡牘文 등으로 그렸다. 手(손 수)가 의미부고 執(잡을 집)이 소리부로, 손으로 잡다는 뜻인데, 포로를 체포하듯(執) 손(手)으로 잡음을 말한다. 이후 사람을 찾아갈 때 갖고 가는 예물이라는 뜻과 정성 가득하다는 뜻도 나왔다. 간화자에서는 執을 执으로 간단히 줄인 挚로 쓴다.

7823

操: 操: 잡을 조: 手-총16획: cāo

原文

操: 把持也. 从手喿聲. 七刀切.

飜譯

'손으로 잡다(把持)'라는 뜻이다. 수(手)가 의미부이고 소(喿)가 소리부이다.72) 독음은 칠(七)과 도(刀)의 반절이다.

7824

攫: 攫: 움켜쥘 국가지 잎이 넓게 펴진 모양 구: 手-총21획: jú

原文

攫: 爪持也. 从手矍聲. 居玉切.

飜譯

'손톱으로 꽉 쥐다(爪持)'라는 뜻이다. 수(手)가 의미부이고 구(矍)가 소리부이다. 독음은 거(居)와 옥(玉)의 반절이다.

7825

捦: 捦: 붙잡을 금: 手-총11획: qín

原文

捦: 急持衣裣也. 从手金聲. 擒, 捦或从禁. 巨今切.

飜譯

'급히 옷깃을 붙잡다(急持)'라는 뜻이다. 수(手)가 의미부이고 금(金)이 소리부이다.

---

72) 고문자에서 操簡牘文 등으로 그렸다. 手(손 수)가 의미부고 喿(울 소)가 소리부로, 손(手)으로 잡아 통제하고 操縱(조종)하다는 뜻이며, 이로부터 잡다, 조련하다, 악기를 연주하다, 언어를 구사하다, 품행 등의 뜻이 나왔다.

금(𢬵)은 금(捡)의 혹체자인데, 금(禁)으로 구성되었다. 독음은 거(㠯)와 금(今)의 반절이다.

7826

搏: 搏: 잡을 박: 手-총13획: bó

原文

搏: 索持也. 一曰至也. 从手尃聲. 補各切.

飜譯

'줄로 묶어서 잡다(索持)'라는 뜻이다. 일설에는 '이르다(至)'라는 뜻이라고도 한다. 수(手)가 의미부이고 부(尃)가 소리부이다.73) 독음은 보(補)와 각(各)의 반절이다.

7827

據: 據: 의거할 거: 手-총16획: jù

原文

據: 杖持也. 从手豦聲. 居御切.

飜譯

'지팡이를 짚고 잡다(杖持)'라는 뜻이다. 수(手)가 의미부이고 거(豦)가 소리부이다.74) 독음은 거(居)와 어(御)의 반절이다.

---

73) 고문자에서 𤘩甲骨文 𤳊𤲟𤳊 金文 등으로 그렸다. 手(손 수)가 의미부고 尃(펼 부)가 소리부로, 실패(尃)를 잡듯 손(手)으로 붙잡음을 말하며, 이로부터 서로 붙잡고 싸우는 것도 뜻하게 되었다.

74) 手(손 수)가 의미부이고 豦(원숭이 거)가 소리부로, 원래는 据(점거할 거)로 썼는데, 소리부인 居(있을 거)가 豦로 바뀌었다. 차지하다, 雄據(웅거)하다, 의지하다, 依據(의거)하다는 뜻이 나왔고, 다시 根據(근거), 證據(증거) 등의 뜻이 나왔다. 자리를 차지하고 어떤 지역을 점거하려면 격렬한(豦) 싸움이 필수적이었기에 居를 豦로 바꾸어 據로 변한 것으로 보인다. 간화자에서는 원래의 据으로 되돌아갔다.

7828

攝: 攝: 당길 섭: 手-총21획: shè

原文

攝: 引持也. 从手聶聲. 書涉切.

飜譯

'끌어 당겨 잡다(引持)'라는 뜻이다. 수(手)가 의미부이고 섭(聶)이 소리부이다. 독음은 서(書)와 섭(涉)의 반절이다.

7829

拑: 拑: 함께 가질 탐: 手-총7획: nán

原文

拑: 并持也. 从手廾聲. 他含切.

飜譯

'두 물체를 함께 잡다(并持)'라는 뜻이다. 수(手)가 의미부이고 염(廾)이 소리부이다. 독음은 타(他)와 함(含)의 반절이다.

7830

拊: 拊: 퍼질 포: 手-총8획: bù

原文

拊: 捪持也. 从手布聲. 普胡切.

飜譯

'어루만지면서 잡다(捪持)'라는 뜻이다. 수(手)가 의미부이고 포(布)가 소리부이다. 독음은 보(普)와 호(胡)의 반절이다.

7831

挾: 挾: 낄 **협**: 手-총10획: jiá, xiá

(原文)

挾: 俾持也. 从手夾聲. 胡頰切.

(飜譯)

'양쪽에서 끼고 잡다(俾持)'라는 뜻이다.[75] 수(手)가 의미부이고 협(夾)이 소리부이다. 독음은 호(胡)와 협(頰)의 반절이다.

7832

捫: 捫: 어루만질 **문**: 手-총11획: mén

(原文)

捫: 撫持也. 从手門聲.『詩』曰 : "莫捫朕舌." 莫奔切.

(飜譯)

'어루만지면서 잡다(撫持)'라는 뜻이다. 수(手)가 의미부이고 문(門)이 소리부이다.『시·대아억(抑)』에서 "내 혀는 아무도 건드리지 못하지만(莫捫朕舌)"이라고 노래했다. 독음은 막(莫)과 분(奔)의 반절이다.

7833

攬: 攬: 끌어 잡을 **람**: 手-총17획: lǎn

(原文)

攬: 撮持也. 从手監聲. 盧敢切.

(飜譯)

'손가락을 모아서 잡다(撮持)[거머쥐다]'라는 뜻이다. 수(手)가 의미부이고 감(監)이

---

75)『단주』에서 "비지(俾持)는 양쪽으로 껴서 부축하는 것을 말한다(俾夾而持之也)"라고 했다.

소리부이다. 독음은 로(盧)와 감(敢)의 반절이다.

7834

㩮: 攝: 가질 렵: 手-총18획: là, niè

㩮: 理持也. 从手巤聲. 良涉切.

'갈무리하여 잡다(理持)'라는 뜻이다. 수(手)가 의미부이고 엽(巤)이 소리부이다. 독음은 량(良)과 섭(涉)의 반절이다.

7835

握: 握: 쥘 악: 手-총12획: wò

握: 搤持也. 从手屋聲. 㨨, 古文握. 於角切.

'꽉 쥐다(搤持)'라는 뜻이다. 수(手)가 의미부이고 옥(屋)이 소리부이다.[76] 악(㨨)은 악(握)의 고문체이다. 독음은 어(於)와 각(角)의 반절이다.

7836

撣: 撣: 손에 들 탄: 手-총15획: dǎn, shàn

撣: 提持也. 从手單聲. 讀若行遟驒驒. 徒旱切.

---

[76] 手(손 수)가 의미부고 屋(집 옥)이 소리부로, 손(手)으로 쥐다는 뜻이며, 이로부터 주먹을 쥐다, 掌握(장악)하다 등의 뜻이 나왔다.

'끌어당겨서 손에 쥐다(提持)'라는 뜻이다. 수(手)가 의미부이고 단(單)이 소리부이다. "행지탄탄(行遲驒驒)"이라고 할 때의 탄(驒)과 같이 읽는다. 독음은 도(徒)와 한(旱)의 반절이다.

7837

把: 把: 잡을 파: 手-총7획: bǎ

原文

把: 握也. 从手巴聲. 搏下切.

飜譯

'꽉 쥐다(握)'라는 뜻이다. 수(手)가 의미부이고 파(巴)가 소리부이다.77) 독음은 박(搏)과 하(下)의 반절이다.

7838

搹: 搹: 쥘 격: 手-총13획: gé

原文

搹: 把也. 从手鬲聲. 扼, 搹或从戹. 於革切.

飜譯

'꽉 쥐다(把)'라는 뜻이다. 수(手)가 의미부이고 격(鬲)이 소리부이다. 격(扼)은 격(搹)의 혹체자인데, 액(戹)으로 구성되었다. 독음은 어(於)와 혁(革)의 반절이다.

7839

拏: 拏: 붙잡을 나: 手-총9획: ná

---

77) 手(손 수)가 의미부고 巴(땅 이름 파)가 소리부로, 꽉 쥐다는 뜻인데, 손(手)을 굽혀(巴) 단단
   히 쥐다는 뜻을 담았다. 이후 把握(파악)하다의 뜻이 나왔고, 손에 쥘 수 있는 것을 헤아리는
   단위로 쓰였다. 당나라 이후로는 목적어를 전치할 때 쓰는 문법소로도 쓰였다.

原文

挐: 牽引也. 从手奴聲. 女加切.

繙譯

'잡아끌다(牽引)'라는 뜻이다. 수(手)가 의미부이고 노(奴)가 소리부이다. 독음은 녀(女)와 가(加)의 반절이다.

7840

攜: 攜: 끌 휴: 手-총21획: xié

原文

攜: 提也. 从手巂聲. 戶圭切.

繙譯

'끌다(提)'라는 뜻이다. 수(手)가 의미부이고 휴(巂)가 소리부이다. 독음은 호(戶)와 규(圭)의 반절이다.

7841

提: 提: 끌 제: 手-총12획: tí

原文

提: 挈也. 从手是聲. 杜兮切.

繙譯

'손으로 끌다(挈)'라는 뜻이다. 수(手)가 의미부이고 시(是)가 소리부이다.78) 독음은 두(杜)와 혜(兮)의 반절이다.

---

78) 고문자에서 提簡牘文 등으로 그렸다. 手(손 수)가 의미부고 是(옳을 시)가 소리부로, 손(手)에 들다는 뜻이며, 이후 손으로 들어서 위로 끌어 올리다는 뜻이, 다시 앞당기다 등의 뜻이 나왔다.

7842

捵: 捵: 비빌 접: 手-총10획: zhé, niè, dié

原文

捵: 拈也. 从手耴聲. 丁愜切.

飜譯

'손가락으로 집다(拈)'라는 뜻이다. 수(手)가 의미부이고 첩(耴)이 소리부이다. 독음은 정(丁)과 협(愜)의 반절이다.

7843

拈: 拈: 집을 념·접: 手-총8획: niān

原文

拈: 捵也. 从手占聲. 奴兼切.

飜譯

'손가락으로 집다(捵)'라는 뜻이다. 수(手)가 의미부이고 점(占)이 소리부이다. 독음은 노(奴)와 겸(兼)의 반절이다.

7844

摛: 摛: 퍼질 리: 手-총14획: chī, lī

原文

摛: 舒也. 从手离聲. 丑知切.

飜譯

'손에서 놓다(舒)'라는 뜻이다. 수(手)가 의미부이고 리(离)가 소리부이다. 독음은 축(丑)과 지(知)의 반절이다.

7845

捨: 捨: 버릴 사: 手-총11획: shě

原文

捨: 釋也. 从手舍聲. 書冶切.

飜譯

'손에서 내버리다(釋)'라는 뜻이다. 수(手)가 의미부이고 사(舍)가 소리부이다.79) 독음은 서(書)와 야(冶)의 반절이다.

7846

厭: 厭: 누를 엽: 手-총18획: yè

原文

厭: 一指按也. 从手厭聲. 於協切.

飜譯

'한 손가락으로 누르다(一指按)'라는 뜻이다. 수(手)가 의미부이고 염(厭)이 소리부이다. 독음은 어(於)와 협(協)의 반절이다.

7847

按: 按: 누를 안: 手-총9획: àn

原文

按: 下也. 从手安聲. 烏旰切.

飜譯

'아래로 누르다(下)'라는 뜻이다. 수(手)가 의미부이고 안(安)이 소리부이다.80) 독음

---

79) 手(손 수)가 의미부고 舍(집 사)가 소리부로, 놓다, 놓아주다, 석방하다, 사면하다는 뜻인데, 손(手)에서 떠나다(舍)는 의미를 담았다.
80) 手(손 수)가 의미부고 安(편안할 안)이 소리부로, 편안하도록(安) 손(手)으로 누르다는 뜻이며,

은 오(烏)와 간(旰)의 반절이다.

7848

𢱡: 控: 당길 공: 手-총11획: kòng

原文

控: 引也. 从手空聲.『詩』曰 : "控于大邦." 匈奴名引弓控弦. 苦貢切.

繙譯

'끌어당기다(引)'라는 뜻이다. 수(手)가 의미부이고 공(空)이 소리부이다. 『시·용풍·재치(載馳)』에서 "큰 나라에 호소도 하고 싶지만(控于大邦)"이라고 노래했다.[81] 흉노(匈奴) 말에서 '활을 당기는 것(引弓)'을 '공현(控弦)'이라 한다. 독음은 고(苦)와 공(貢)의 반절이다.

7849

揗: 揗: 만질 순: 手-총12획: shǔn

原文

揗: 摩也. 从手盾聲. 食尹切.

繙譯

'손으로 문지르다(摩)'라는 뜻이다. 수(手)가 의미부이고 순(盾)이 소리부이다. 독음은 식(食)과 윤(尹)의 반절이다.

7850

掾: 掾: 도울 연: 手-총12획: yuàn

이로부터 按摩(안마) 등의 뜻이 나왔다. 이후 조사하다, 살피다는 뜻으로 쓰였고, 다시 자신의 의견을 지칭하는 말로도 쓰였다.
81) 공(控)은 호소하다는 뜻이며, 위나라에게 구원해 주기를 호소하다는 뜻이다.

原文

𢯪: 緣也. 从手象聲. 以絹切.

飜譯

'돕다(緣)'라는 뜻이다. 수(手)가 의미부이고 단(象)이 소리부이다. 독음은 이(以)와 견(絹)의 반절이다.

7851

𢬍: 拍: 어루만질 백: 手-총9획: pāi

飜譯

𢬍: 拊也. 从手百聲. 普百切.

飜譯

'손으로 어루만지다(拊)'라는 뜻이다. 수(手)가 의미부이고 백(百)이 소리부이다. 독음은 보(普)와 백(百)의 반절이다.

7852

拊: 拊: 어루만질 부: 手-총8획: fǔ

原文

拊: 揗也. 从手付聲. 芳武切.

飜譯

'손으로 쓰다듬다(揗)'라는 뜻이다. 수(手)가 의미부이고 부(付)가 소리부이다. 독음은 방(芳)과 무(武)의 반절이다.

7853

𢱢: 掊: 그러모을 부: 手-총11획: pǒu

제
12
권

原文

掊: 把也. 今鹽官入水取鹽爲掊. 从手㕻聲. 父溝切.

飜譯

'잡다(把)'라는 뜻이다. 오늘날 염관(鹽官: 소금 관리자)들은 물에 들어가 소금을 긁어 모으는 것(入水取鹽)을 부(掊)라고 한다. 수(手)가 의미부이고 부(㕻)가 소리부이다. 독음은 부(父)와 구(溝)의 반절이다.

7854

捋: 捋: 집어 딸 랄: 手—총10획: luō

原文

捋: 取易也. 从手寽聲. 郎括切.

飜譯

'손으로 가볍게 들다(取易)'라는 뜻이다. 수(手)가 의미부이고 율(寽)이 소리부이다. 독음은 랑(郎)과 괄(括)의 반절이다.

7855

撩: 撩: 다스릴 료: 手—총15획: liāo, liáo

原文

撩: 理也. 从手尞聲. 洛蕭切.

飜譯

'손으로 갈무리하다(理)'라는 뜻이다. 수(手)가 의미부이고 료(尞)가 소리부이다. 독음은 락(洛)과 소(蕭)의 반절이다.

7856

措: 措: 둘 조: 手—총11획: cuò

原文

措: 置也. 从手昔聲. 倉故切.

飜譯

'갖다 놓다(置)'라는 뜻이다. 수(手)가 의미부이고 석(昔)이 소리부이다. 독음은 창(倉)과 고(故)의 반절이다.

7857

插: 插: 꽂을 삽: 手-총12획: chā

原文

插: 刺肉也. 从手从臿. 楚洽切.

飜譯

'찔러 넣다(刺肉)'라는 뜻이다.[82) 수(手)가 의미부이고 삽(臿)도 의미부이다. 독음은 초(楚)와 흡(洽)의 반절이다.

7858

掄: 掄: 가릴 륜·론: 手-총11획: lún

原文

掄: 擇也. 从手侖聲. 盧昆切.

飜譯

'가려내다(擇)'라는 뜻이다. 수(手)가 의미부이고 륜(侖)이 소리부이다. 독음은 로(盧)와 곤(昆)의 반절이다.

---

82) 『단주』에서 이렇게 말했다. "각 판본에서는 내(內)를 육(肉)으로 적었는데, 이는 내(內)의 잘못이기에 바로 잡는다. 내(內)는 넣다(入)는 뜻이고, 자내(刺內)는 찔러 넣다(刺入)는 뜻이다."

7859

擇: 擇: 가릴 택: 手-총16획: zé

原文

擇: 柬選也. 从手睪聲. 丈伯切.

飜譯

'가려서 뽑다(柬選)'라는 뜻이다. 수(手)가 의미부이고 역(睪)이 소리부이다. 독음은 장(丈)과 백(伯)의 반절이다.

7860

捉: 捉: 잡을 착: 手-총10획: zhuō

原文

捉: 搤也. 从手足聲. 一曰握也. 側角切.

飜譯

'손으로 잡다(搤)'라는 뜻이다. 수(手)가 의미부이고 족(足)이 소리부이다. 일설에는 '꽉 쥐다(握)'라는 뜻이라고도 한다.[83] 독음은 측(側)과 각(角)의 반절이다.

7861

搤: 搤: 잡을 액: 手-총13획: è

原文

搤: 捉也. 从手益聲. 於革切.

飜譯

'손으로 잡다(捉)'라는 뜻이다. 수(手)가 의미부이고 익(益)이 소리부이다. 독음은 어(於)와 혁(革)의 반절이다.

---

83) 手(손 수)가 의미부고 足(발 족)이 소리부로, 손(手)으로 발(足)을 붙잡는 행위를 말하며, 이로부터 붙잡다, 捕捉(포착)하다, 체포하다 등의 뜻이 나왔다.

7862

挻: 挻: 늘일 연: 手-총10획: shān

原文

挻: 長也. 从手从延, 延亦聲. 式連切.

飜譯

'손으로 길게 늘이다(長)'라는 뜻이다. 수(手)가 의미부이고 연(延)도 의미부인데, 연(延)은 소리부도 겸한다. 독음은 식(式)과 련(連)의 반절이다.

7863

揃: 揃: 자를 전: 手-총12획: jiǎn

原文

揃: 搣也. 从手前聲. 卽淺切.

飜譯

'손으로 [머리칼을] 자르다(搣)'라는 뜻이다. 수(手)가 의미부이고 전(前)이 소리부이다. 독음은 즉(卽)과 천(淺)의 반절이다.

7864

搣: 搣: 비빌 멸: 手-총13획: mié

原文

搣: 批也. 从手威聲. 亡列切.

飜譯

'손으로 [머리칼을] 비비다(批)'라는 뜻이다. 수(手)가 의미부이고 멸(威)이 소리부이다. 독음은 망(亡)과 렬(列)의 반절이다.

7865

扯: 批: 주먹질할 자: 手-총9획: zǐ, jǐ, zhǐ

原文

扯: 捽也. 从手此聲. 側氏切.

飜譯

'머리채를 잡다(捽)'라는 뜻이다. 수(手)가 의미부이고 차(此)가 소리부이다. 독음은 측(側)과 씨(氏)의 반절이다.

7866

揤: 揤: 꺼두를 즉: 手-총12획: jí

原文

揤: 捽也. 从手卽聲. 魏郡有揤裴侯國. 子力切.

飜譯

'머리채를 잡다(捽)'라는 뜻이다. 수(手)가 의미부이고 즉(卽)이 소리부이다. 위군(魏郡)에 즉배(揤裴)라는 제후국이 있다. 독음은 자(子)와 력(力)의 반절이다.

7867

捽: 捽: 잡을 졸: 手-총11획: zuó

原文

捽: 持頭髮也. 从手卒聲. 昨没切.

飜譯

'머리채를 잡다(持頭髮)'라는 뜻이다. 수(手)가 의미부이고 졸(卒)이 소리부이다. 독음은 작(昨)과 몰(没)의 반절이다.

7868

撮: 撮: 취할 촬: 手-총15획: cuō

原文

撮: 四圭也. 一曰兩指撮也. 从手最聲. 倉括切.

譯譯

'[양을 재는 단위로] 4규(圭)를 1촬(撮)이라 한다.'[84] 일설에는 '손가락 두 개로 잡는 양'을 촬(撮)이라고도 한다.[85] 수(手)가 의미부이고 최(最)가 소리부이다. 독음은 창(倉)과 괄(括)의 반절이다.

7869

翰: 翰: 움킬 국: 大-총14획: jú

原文

翰: 撮也. 从手, 籟省聲. 居六切.

譯譯

'손가락 두 개로 [무엇인가를] 집다(撮)'라는 뜻이다. 수(手)가 의미부이고, 국(籟)의 생략된 부분이 소리부이다. 독음은 거(居)와 륙(六)의 반절이다.

---

84) 기장(黍) 64알을 1규(圭)라고 한다. 4규(圭)는 기장(黍) 256알의 양이다. 『단주』에서 이렇게 말했다. "『한서·율력지』에서 양을 측정하는 자는 규(圭)와 촬(撮)을 정확하게 해야 한다. 맹강(孟康)은 기장(黍) 64알이 1규(圭)라고 했다. 내 생각은 이렇다. 『광운(廣韻)』의 규(圭)자 해석에서 '맹자(孟子)는 기장(黍) 64알이 1규(圭)이고, 10규가 1합(合)이라고 했는데, 맹자(孟子)는 바로 맹강(孟康)을 말한다.'라고 했다. 『경전석문(經典釋文)·서록(序錄)』에도 『맹자주노자(孟子注老子)』 2권이 있는데, 혹자는 이것이 맹강(孟康)의 저작이라고도 한다. 맹강은 자가 공휴(公休)이다. 『손자산경(孫子筭經)』에서는 조(粟) 6알이 1규(圭)이고, 10규가 1촬(撮)이며, 10촬이 1초(抄)이고, 10초가 1작(勺)이고, 10작이 1합(合)이라고 하였다. 맹강의 설과는 다르다."

85) 계복의 『의증』에서는 양지(兩指)는 삼지(三指)가 되어야 옳다고 하면서, 두 손으로 집는 것(兩指)을 넘(拈), 세 손가락으로 집는 것(三指)를 촬(撮)이라 한다고 했다.

7870

摕: 摕: 빼앗을 제: 手-총14획: dì

原文

摕: 撮取也. 从手帶聲. 讀若『詩』曰“蝃蝀在東”. 𢶃, 摕或从折从示. 兩手急持人也. 都計切.

飜譯

'손으로 잡아 빼앗다(撮取)'라는 뜻이다. 수(手)가 의미부이고 대(帶)가 소리부이다. 『시·용풍·체동(蝃蝀)』에서 노래한 “체동재동(蝃蝀在東·무지개 동쪽에 떠 있어도)”의 체(蝃)와 같이 읽는다. 제(𢶃)는 제(摕)의 혹체자인데, 절(折)도 의미부이고 시(示)도 의미부이다. 두 손으로 급히 사람을 붙잡는 모습이다. 독음은 도(都)와 계(計)의 반절이다.

7871

捊: 捊: 거둘 부: 手-총10획: fú, pú

原文

捊: 引取也. 从手孚聲. 抱, 捊或从包. 臣鉉等曰：今作薄報切, 以爲裹褱字, 非是. 步矦切.

飜譯

'당겨서 빼앗다(引取)'라는 뜻이다. 수(手)가 의미부이고 부(孚)가 소리부이다. 부(抱)는 부(捊)의 혹체자인데, 포(包)로 구성되었다.[86] 신(臣) 서현 등은 이렇게 생각합니다. “오늘날 박(薄)과 보(報)의 반절로 읽고, 회포(裹褱)를 나타내는 글자라고 하지만, 이는 옳지 않습니다.” 독음은 보(步)와 후(矦)의 반절이다.

7872

揜: 揜: 가릴 엄: 手-총12획: yǎn

---

86) 『단주』에서는 이 다음에 “詩曰：原隰捊矣.”라는 6글자를 보충해 넣었다. 그리고 “이 6글자는 소서본(小徐本)에 들어 있으며, 『옥편(玉篇)』에서 인용한 『설문』에도 그렇게 되어 있다.”라고 하였다. “원습부의(原隰捊矣, 들판과 진펄에 나가서도)”는 『시경·소아·상체(常棣)』에 나오는 시이다.

原文

撿: 自關以東謂取曰撿. 一曰覆也. 从手弇聲. 衣檢切.

譯

'함곡관(關) 동쪽 지역에서는 빼앗다(取)는 것을 엄(撿)이라 한다.' 일설에는 '덮다(覆)'라는 뜻이라고도 한다. 수(手)가 의미부이고 엄(弇)이 소리부이다. 독음은 의(衣)와 검(檢)의 반절이다.

7873

授: 줄 수: 手-총11획: shòu

原文

授: 予也. 从手从受, 受亦聲. 殖酉切.

譯

'주다(予)'라는 뜻이다. 수(手)가 의미부이고 수(受)도 의미부인데, 수(受)는 소리부도 겸한다.[87] 독음은 식(殖)과 유(酉)의 반절이다.

7874

承: 받들 승: 手-총8획: chéng

原文

承: 奉也. 受也. 从手从卩从収. 署陵切.

譯

'받들다(奉)'라는 뜻이다. '주고받다(受)'라는 뜻이다. 수(手)가 의미부이고 절(卩)도 의미부이고 공(収)도 의미부이다.[88] 독음은 서(署)와 릉(陵)의 반절이다.

---

87) 手(손 수)가 의미부고 受(받을 수)가 소리부로, 손(手)으로 무엇인가를 건네주는(受) 모습을 그렸으며, 이로부터 주다, 傳授(전수)하다 등의 뜻이 나왔다. 원래는 受로 썼는데, 의미의 분화를 위해 手(손 수)를 더해 분화한 글자이다.

7875

挋: 닦을 진: 手-총9획: zhèn

原文

: 給也. 从手臣聲. 一曰約也. 章刃切.

飜譯

'공급하다(給)'라는 뜻이다. 수(手)가 의미부이고 신(臣)이 소리부이다. 일설에는 '묶다(約)'라는 뜻이라고도 한다. 독음은 장(章)과 인(刃)의 반절이다.

7876

摼: 닦을 근: 手-총14획: jìn

原文

: 拭也. 从手堇聲. 居焮切.

飜譯

'닦다(拭)'라는 뜻이다. 수(手)가 의미부이고 근(堇)이 소리부이다. 독음은 거(居)와 흔(焮)의 반절이다.

7877

攩: 무리 당: 手-총23획: dǎng

原文

: 朋羣也. 从手黨聲. 多朗切.

---

88) 고문자에서 甲骨文 金文 등으로 그렸다. 갑골문에서 앉은 사람(卩·절)을 두 손으로 받드는(廾·공) 모습이었으나 소전체에 들면서 手(손 수)가 더해졌고, 이후 자형이 조금 변해 지금처럼 되었다. 앉은 사람을 두 손으로 '받들다'가 원래 뜻이며, 이로부터 받들다, 받아들이다의 뜻이, 다시 繼承(계승)에서처럼 이전의 경험을 존중하며(承) 이어가다(繼)는 뜻이 나오게 되었다.

飜譯

'무리를 짓다(朋羣)'라는 뜻이다. 수(手)가 의미부이고 당(黨)이 소리부이다. 독음은 다(多)와 랑(朗)의 반절이다.

7878

擑: 接: 사귈 접: 手-총11획: jiē

原文

擑: 交也. 从手妾聲. 子葉切.

飜譯

'교제하다(交)'라는 뜻이다. 수(手)가 의미부이고 첩(妾)이 소리부이다. 독음은 자(子)와 엽(葉)의 반절이다.

7879

拂: 拂: 닦을 발: 手-총7획: bá, pō

原文

拂: 搣也. 从手市聲. 普活切.

飜譯

'손으로 닦다(搣)'라는 뜻이다. 수(手)가 의미부이고 불(市)이 소리부이다. 독음은 보(普)와 활(活)의 반절이다.

7880

挏: 挏: 밀었다 당겼다 할 동: 手-총9획: dòng

原文

挏: 攤引也. 漢有挏馬官, 作馬酒. 从手同聲. 徒總切.

譯

'안아서 끌어당기다(攬引)'라는 뜻이다. 한(漢)나라 때 동마관(挏馬官)이라는 관직이 있었는데, 마주(馬酒), 즉 말의 젖을 발효시켜 만드는 유즙을 전문적으로 만들었다.[89] 수(手)가 의미부이고 동(同)이 소리부이다. 독음은 도(徒)와 총(總)의 반절이다.

7881

招: 招: 부를 초: 手-총8획: zhāo

原文

招: 手呼也. 从手、召. 止搖切.

譯

'손짓으로 부르다(手呼)'라는 뜻이다. 수(手)와 소(召)가 모두 의미부이다.[90] 독음은 지(止)와 요(搖)의 반절이다.

7882

撫: 撫: 어루만질 무: 手-총15획: fǔ

原文

撫: 安也. 从手無聲. 一曰循也. 㧻, 古文从㲋、亡. 芳武切.

譯

'어루만져 편안하게 하다(安)'라는 뜻이다. 수(手)가 의미부이고 무(無)가 소리부이

---

89) 동마주(挏馬酒)는 말의 젖으로 만든 유즙(馬酪)을 말한다. 말의 젖으로 만들기 때문에 동마(挏馬)라 불렸고, 이의 맛이 술과 비슷했기 때문에 주(酒)가 붙여졌다. 이를 전문적으로 만드는 관직을 동마관(挏馬官)이라고 했다. 『한서(漢書)·예악지(禮樂志)』에서 "고위 관리들에게 동마주를 공급했다(給大官挏馬酒)"라고 했는데, 안사고(顏師古)의 주석에서 "말의 젖으로 만든 유즙(馬酪)은 맛이 술과 비슷했고, 마시면 취하기도 했다. 그래서 마주(馬酒)라고 했다."라고 했다.

90) 고문자에서 金文 등으로 그렸다. 手(손 수)가 의미부고 召(부를 소)가 소리부로, 손짓(手)으로 부르는(召) 것을 말하며, 이로부터 招待(초대)의 뜻이 생겼다. 손으로 부르는 것을 招, 말로 부르는 것을 召(부를 소)라 구분해 쓰기도 했다.

다. 일설에는 '쫓다(循)'라는 뜻이라고도 한다.91) 무(巻)는 고문체인데, 착(辵)과 망(亡)으로 구성되었다. 독음은 방(芳)과 무(武)의 반절이다.

7883

揗: 揗: 씻을 **민**: 手-총11획: mín

原文

揗: 撫也. 从手昏聲. 一曰摹也. 武巾切.

飜譯

'어루만지다(撫)'라는 뜻이다. 수(手)가 의미부이고 혼(昏)이 소리부이다. 일설에는 '베끼다(摹)'라는 뜻이라고도 한다. 독음은 무(武)와 건(巾)의 반절이다.

7884

揣: 揣: 잴 **췌**: 手-총12획: chuǎi

原文

揣: 量也. 从手耑聲. 度高曰揣. 一曰捶之. 初委切.

飜譯

'재다(量)'라는 뜻이다. 수(手)가 의미부이고 단(耑)이 소리부이다. '높이를 재는 것(度高)'을 췌(揣)라고 한다. 일설에는 '채찍질을 하다(捶)'라는 뜻이라고도 한다. 독음은 초(初)와 위(委)의 반절이다.

7885

抧: 抧: 열 지·칠 **재**: 手-총8획: zhǐ

---

91) 고문자에서 🅶簡牘文 등으로 그렸다. 手(손 수)가 의미부고 無(없을 무)가 소리부로, 손(手)으로 어루만져 아픔이나 걱정이 없어지도록(無) 하는 것을 말한다. 간독 문자에서 無 대신 亡(없을 무)가 쓰였는데 의미는 같다. 달리 橅로 쓰기도 하고, 간화자에서는 無를 无(없을 무)로 줄인 抚로 쓴다.

原文

抵: 開也. 从手只聲. 讀若抵掌之抵. 諸氏切.

飜譯

'열다(開)'라는 뜻이다. 수(手)가 의미부이고 지(只)가 소리부이다. 저장(抵掌)이라고 할 때의 저(抵)와 같이 읽는다. 독음은 제(諸)와 씨(氏)의 반절이다.

7886

摜: 摜: 익숙해질 관: 手-총14획: guàn

原文

摜: 習也. 从手貫聲. 『春秋傳』曰: "摜瀆鬼神." 古患切.

飜譯

'익숙해지다(習)'라는 뜻이다. 수(手)가 의미부이고 관(貫)이 소리부이다. 『춘추전』(『좌전』 소공 26년, B.C. 516)에서 "신령들을 모독하는데 습관이 되었다(摜瀆鬼神)"라고 했다. 독음은 고(古)와 환(患)의 반절이다.

7887

投: 投: 던질 투: 手-총7획: tóu

原文

投: 擿也. 从手从殳. 度侯切.

飜譯

'투척하다(擿)'라는 뜻이다. 수(手)가 의미부이고 수(殳)도 의미부이다.[92] 독음은 도(度)와 후(侯)의 반절이다.

---

[92] 고문자에서 投 殳 簡牘文 등으로 그렸다. 手(손 수)가 의미부고 殳(창 수)가 소리부로, 손(手)으로 창(殳)을 '던지다'는 뜻이며, 이로부터 投擲(투척)의 뜻이 나왔고, 손에 들었던 창을 내던지고 항복한다는 뜻에서 投降(투항)하다, 意氣投合(의기투합·마음이나 뜻이 서로 맞음)하다 등의 뜻도 나왔다.

7888

擿: 摘: 들출 적: 手-총18획: zhì

(原文)

擿: 搔也. 从手適聲. 一曰投也. 直隻切.

(飜譯)

'손으로 긁다(搔)'라는 뜻이다. 수(手)가 의미부이고 적(適)이 소리부이다. 일설에는 '던지다(投)'라는 뜻이라고도 한다. 독음은 직(直)과 척(隻)의 반절이다.

7889

搔: 搔: 긁을 소: 手-총13획: sāo

(原文)

搔: 括也. 从手蚤聲. 穌遭切.

(飜譯)

'[손톱으로] 긁다(括)'라는 뜻이다. 수(手)가 의미부이고 조(蚤)가 소리부이다. 독음은 소(穌)와 조(遭)의 반절이다.

7890

扴: 扴: 긁을 갈: 手-총7획: jiá

(原文)

扴: 刮也. 从手介聲. 古黠切.

(飜譯)

'긁다(刮)'라는 뜻이다. 수(手)가 의미부이고 개(介)가 소리부이다. 독음은 고(古)와 힐(黠)의 반절이다.

7891

摽: 摽: 칠 표: 手-총14획: biào, biāo

（原文）

摽: 擊也. 从手票聲. 一曰挈門壯也. 符少切.

（飜譯）

'가슴을 치다(擊)'라는 뜻이다. 수(手)가 의미부이고 표(票)가 소리부이다. 일설에는 '문의 빗장을 열다(挈門壯)'라는 뜻이라고도 한다. 독음은 부(符)와 소(少)의 반절이다.

7892

挑: 挑: 휠 도: 手-총9획: tiāo

（原文）

挑: 撓也. 从手兆聲. 一曰撽也. 『國語』曰：“郤至挑天.” 土凋切.

（飜譯）

'휘어지게 하다(撓)'라는 뜻이다. 수(手)가 의미부이고 조(兆)가 소리부이다. 일설에는 '손으로 두드리다(撽)'라는 뜻이라고도 한다. 『국어·주어(周語)』에서 “극지도천(郤至挑天: 극지가 하늘의 공을 훔쳐서 자신의 공으로 삼았다)”이라 했다.93) 독음은 토(土)와 조(凋)의 반절이다.

7893

抉: 抉: 도려낼 결: 手-총7획: jué

---

93) 원문분에서는 각지(郤至)로 되었으나 이는 극지(郤至)의 오류이다. 극지(郤至, ?~B.C. 574)는 희성(姬姓)이며 보씨(步氏)인데, 그의 선조 극보양(郤步揚)이 보(步) 땅에 책봉되었기에 이를 씨(氏)로 삼았다고 한다. 이름이 지(至)이고 시호는 소(昭)였다. 그래서 보통 극소자(郤昭子)라고 부른다. 진(晉)나라 당숙우(唐叔虞)의 17세손이다. 채읍지는 온(溫) 땅에 있었다. 형제 중 셋째였기에 당시 사람들은 온계(溫季)라 부르기도 했다. 춘추시대의 외교가이자 군사 전략가 였는데, 당형(堂兄)인 극기(郤錡)의 숙부였던 극주(郤犨)와 함께 삼극(三郤)이라 불렸다. 4대에 8경(卿)을 배출할 정도의 명문가였다.

原文

�: 挑也. 从手夬聲. 於說切.

飜譯

'도려내다(挑)'라는 뜻이다. 수(手)가 의미부이고 결(夬)이 소리부이다. 독음은 어(於)와 설(說)의 반절이다.

7894

撓: 撓: 어지러울 요: 手-총15획: náo

原文

撓: 擾也. 从手堯聲. 一曰捄也. 奴巧切.

飜譯

'어지럽다(擾)'라는 뜻이다. 수(手)가 의미부이고 요(堯)가 소리부이다. 일설에는 '손으로 담다(捄)'라는 뜻이라고도 한다. 독음은 노(奴)와 교(巧)의 반절이다.

7895

擾: 擾: 어지러울 요: 手-총20획: rǎo

原文

擾: 煩也. 从手夒聲. 而沼切.

飜譯

'번거롭게 하다(煩)'라는 뜻이다. 수(手)가 의미부이고 노(夒)가 소리부이다. 독음은 이(而)와 소(沼)의 반절이다.

7896

挶: 挶: 들것 국: 手-총10획: jū

原文

㨲: 戟持也. 从手局聲. 居玉切.

飜譯

'팔을 굽혀서 움켜쥐다(戟持)'라는 뜻이다. 수(手)가 의미부이고 국(局)이 소리부이다. 독음은 거(居)와 옥(玉)의 반절이다.

7897

㨲: 挶: 일할 거: 手-총11획: jū

原文

挶: 戟挶也. 从手居聲. 九魚切.

飜譯

'팔을 굽혀서 움켜쥐다(戟持)'라는 뜻이다. 수(手)가 의미부이고 거(居)가 소리부이다. 독음은 구(九)와 어(魚)의 반절이다.

7898

擖: 擖: 깎을 갈: 手-총16획: kā

原文

擖: 刮也. 从手葛聲. 一曰撻也. 口八切.

飜譯

'깎다(刮)'라는 뜻이다. 수(手)가 의미부이고 갈(葛)이 소리부이다. 일설에는 '매질을 하다(撻)'라는 뜻이라고도 한다. 독음은 구(口)와 팔(八)의 반절이다.

7899

摘: 摘: 딸 적: 手-총14획: zhāi

原文

摘: 拓果樹實也. 从手啻聲. 一曰指近之也. 他歷切.

飜譯

'과실을 손으로 따다(拓果樹實)'라는 뜻이다. 수(手)가 의미부이고 시(啻)가 소리부이다.94) 일설에는 '지적하다(指近之)'라는 뜻이라고도 한다.95) 독음은 타(他)와 력(歷)의 반절이다.

7900

撌: 깎을 할: 手-총13획: huá

原文

撌: 撌也. 从手害聲. 胡秸切.

飜譯

'깎아 내다(撌)'라는 뜻이다. 수(手)가 의미부이고 해(害)가 소리부이다. 독음은 호(胡)와 갈(秸)의 반절이다.

7901

撕: 던질 참: 手-총14획: shān, shàn

原文

撕: 暫也. 从手斬聲. 昨甘切.

飜譯

'잘라서 취하다(暫)'라는 뜻이다.96) 수(手)가 의미부이고 참(斬)이 소리부이다. 독음

---

94) 手(손 수)가 의미부고 啻(밑동 적)이 소리부로, 손(手)으로 씨나 열매(啻)를 따다는 뜻이다. 이로부터 선택하다, 잘라내다, 제거하다 등의 뜻이 나왔으며, 달리 啻 대신 適(갈 적)을 쓴 擿(들출 적)으로 쓰기도 한다.
95) 왕균의 『구두』에서 '지근지(指近之)'는 '척근지(斥近之)'의 잘못으로 보았다.
96) 잠(暫)은 참(斬)이 되어야 옳다. 『단주』에서 참(斬)은 끊다(截)는 뜻이라고 했다.

은 작(昨)과 감(甘)의 반절이다.

7902

挾: 挾: 꺾을 협: 手-총9획: xié

原文

挾: 摺也. 从手劦聲. 一曰拉也. 虛業切.

飜譯

'접다(摺)'라는 뜻이다. 수(手)가 의미부이고 협(劦)이 소리부이다. 일설에는 '꺾다(拉)'라는 뜻이라고도 한다. 독음은 허(虛)와 업(業)의 반절이다.

7903

摺: 摺: 접을 접: 手-총14획: zhé

原文

摺: 敗也. 从手習聲. 之涉切.

飜譯

'부수다(敗)'라는 뜻이다. 수(手)가 의미부이고 습(習)이 소리부이다. 독음은 지(之)와 섭(涉)의 반절이다.

7904

摔: 摔: 모을 추: 手-총13획: jiū

原文

摔: 束也. 从手秋聲. 『詩』曰 : "百祿是摔." 卽由切.

飜譯

'묶다(束)'라는 뜻이다. 수(手)가 의미부이고 추(秋)가 소리부이다. 『시·상송·장발(長發)』에서 "여러 가지 복이 다 모여 들었네(百祿是摔)"라고 노래했다. 독음은 즉(卽)

과 유(由)의 반절이다.

7905

㩜: 摟: 끌어 모을 루: 手-총14획: lōu

(原文)

㩜: 曳、聚也. 从手婁聲. 洛侯切.

(飜譯)

'끌다(曳)', '모으다(聚)'라는 뜻이다.[97] 수(手)가 의미부이고 루(婁)가 소리부이다. 독음은 락(洛)과 후(侯)의 반절이다.

7906

抎: 抎: 잃을 운: 手-총7획: yǔn

(原文)

抎: 有所失也.『春秋傳』曰:"抎子, 辱矣." 从手云聲. 于敏切.

(飜譯)

'잃어버리다(有所失)'라는 뜻이다.『춘추전』(『좌전』 성공 2년, B.C. 589)에서 "그대를 잃어버린다면 이는 나라의 수치이다(抎子, 辱矣.)"라고 했다. 수(手)가 의미부이고 운(云)이 소리부이다. 독음은 우(于)와 민(敏)의 반절이다.

7907

披: 披: 나눌 피: 手-총8획: pī

(原文)

披: 从旁持曰披. 从手皮聲. 敷羈切.

---

97)『단주』에서는 '曳、聚也.'의 설(曳)자 뒤에 야(也)가 빠졌다고 하면서 이는 '曳也, 聚也.'가 되어야 한다고 했다.

飜譯

'널을 양쪽 곁에서 나누어 당겨 들도록 한 당김 줄(从旁持)을 피(披)라고 한다.'[98] 수(手)가 의미부이고 피(皮)가 소리부이다. 독음은 부(敷)와 기(羈)의 반절이다.

7908

瘛 : 瘛: 어리석은 병 체: 广-총15획: chì

原文

瘛 : 引縱曰瘛. 从手, 瘛省聲. 尺制切.

飜譯

'끌어 당겨서 늘어지게 하는 것(引縱)을 체(瘛)라고 한다.' 수(手)가 의미부이고, 계(瘛)의 생략된 부분이 소리부이다. 독음은 척(尺)과 제(制)의 반절이다.

7909

掌 : 掌: 쌓을 자: 手-총10획: cuì, nǎo, zì

原文

掌 : 積也. 『詩』曰 : "助我擧掌." 摵頰旁也. 从手此聲. 前智切.

飜譯

'쌓다(積)'라는 뜻이다. 『시·소아거공(車攻)』에서 "잡은 짐승 쌓아두는 일을 도우네(助我擧掌)"라고 노래했다. 또 '[양생술에서] 뺨의 양편을 비비다(摵頰旁)'라는 뜻이다. 수(手)가 의미부이고 차(此)가 소리부이다. 독음은 전(前)과 지(智)의 반절이다.

---

98) 『단주』에서 이렇게 말했다. "『주례·사상례(士喪禮)』에서 '설피(設披, 당김 줄을 설치한다)'라고 했는데, 이의 주석에서 '피(披)는 관위에 삼과 버들로 감싸고(絡柳棺上) 널을 묶는 끈을 관통하여 맨다(貫結於戴). 사람들은 곁에서 이를 끌어 관이 기울어지거나 틈이 생기지 않도록 한다(人君旁牽之以備傾虧).'라고 했다. 또 '執披者旁四人'이라 했는데, 이의 주석에서 '앞뒤로 각 2명씩 나누어 잡는데(前後左右各二人), 이것이 곁에서 당겨 잡다는 뜻이 나오게 된 연유이다(此從旁持之義也)'라고 했다."

7910

𢱚: 掉: 흔들 도: 手-총11획: diào

（原文）

𢱚: 搖也. 从手卓聲.『春秋傳』曰 : “尾大不掉.” 徒弔切.

（飜譯）

'흔들다(搖)'라는 뜻이다. 수(手)가 의미부이고 탁(卓)이 소리부이다.『춘추전』(『좌전』 소공 11년, B.C. 531)에서 “[나무 가지가 너무 크면 잘리고] 꼬리가 너무 크면 흔들 수가 없는 법이다(尾大不掉)”라고 했다. 독음은 도(徒)와 조(弔)의 반절이다.

7911

摇: 搖: 흔들릴 요: 手-총13획: yáo

（原文）

摇: 動也. 从手䍃聲. 余招切.

（飜譯）

'흔들리어 움직이다(動)'라는 뜻이다. 수(手)가 의미부이고 요(䍃)가 소리부이다. 독음은 여(余)와 초(招)의 반절이다.

7912

𢲴: 搈: 움직일 용: 手-총13획: yǒng

（原文）

𢲴: 動搈也. 从手容聲. 余隴切.

（飜譯）

'움직여 흔들리다(動搈)'라는 뜻이다. 수(手)가 의미부이고 용(容)이 소리부이다. 독음은 여(余)와 롱(隴)의 반절이다.

7913

�: �: 당할 치: 手-총15획: zhì

(原文)

�: 當也. 从手貳聲. 直異切.

(飜譯)

'상당하다, 즉 어느 정도에 가깝다(當)'라는 뜻이다. 수(手)가 의미부이고 이(貳)가 소리부이다. 독음은 직(直)과 이(異)의 반절이다.

7914

㨩: 㨩: 모을 추: 手-총12획: jiū

(原文)

㨩: 聚也. 从手酋聲. 卽由切.

(飜譯)

'모으다(聚)'라는 뜻이다. 수(手)가 의미부이고 추(酋)가 소리부이다. 독음은 즉(卽)과 유(由)의 반절이다.

7915

掔: 掔: 끌 견: 手-총12획: qiān

(原文)

掔: 固也. 从手臤聲. 讀若『詩』“赤舄掔掔”. 苦閑切.

(飜譯)

'견고하게 하다(固)'라는 뜻이다. 수(手)가 의미부이고 견(臤)이 소리부이다. 『시·빈풍·낭발(狼跋)』에서 노래한 "적석견견(赤舄掔掔·붉은 신이 잘 어울리네)"의 견(掔)과 같이 읽는다.99) 독음은 고(苦)와 한(閑)의 반절이다.

7916

捧: 捧: 받들 봉: 手-총10획: fēng

原文

捧: 奉也. 从手夆聲. 敷容切.

譯

'받들다(奉)'라는 뜻이다. 수(手)가 의미부이고 봉(夆)이 소리부이다. 독음은 부(敷)와 용(容)의 반절이다.

7917

擧: 擧: 들 거: 手-총21획: yú

原文

擧: 對擧也. 从手輿聲. 以諸切.

譯

'[가마 등을 두 사람이] 마주 들다(對擧)'라는 뜻이다. 수(手)가 의미부이고 여(輿)가 소리부이다. 독음은 이(以)와 제(諸)의 반절이다.

7918

揚: 揚: 오를 양: 手-총12획: yáng

原文

揚: 飛擧也. 从手昜聲. 敭, 古文. 與章切.

譯

'날아오르다(飛)', '들다(擧)'라는 뜻이다. 수(手)가 의미부이고 양(昜)이 소리부이다.100) 양(敭)은 고문체이다. 독음은 여(與)와 장(章)의 반절이다.

---

99) 『단주』에서 "견견(擧擧)은 당연히 궤궤(几几)가 되어야 할 것"이라고 했다. 독음을 설명한 글 자가 표제자와 같으므로 단옥재의 말이 옳아 보인다.

7919

舉: 舉: 들 거: 手-총18획: jǔ

原文

舉: 對舉也. 从手與聲. 居許切.

飜譯

'마주 들다(對舉)'라는 뜻이다. 수(手)가 의미부이고 여(與)가 소리부이다.101) 독음은 거(居)와 허(許)의 반절이다.

제 12 권

7920

掀: 掀: 치켜들 흔: 手-총11획: xiān

原文

掀: 舉出也. 从手欣聲.『春秋傳』曰 : "掀公出於淖." 虛言切.

飜譯

'들고 나가다(舉出)'라는 뜻이다. 수(手)가 의미부이고 흔(欣)이 소리부이다.『춘추전』(『좌전』 성공 16년, B.C. 575)에서 "공의 수레를 진흙탕에서 번쩍 들어 꺼냈다(掀公出

---

100) 고문자에서 甲骨文 　 　 　 　 　 金文 簡牘文 등으로 그렸다. 手(손 수)가 의미부고 昜(볕 양)이 소리부로, '드날리다'는 뜻인데, 태양을 받들 듯(昜) 손(手)으로 높이 들어 올림을 말한다. 이로부터 천거하다, 인재를 들어 쓰다, 드러내다, 칭찬하다 등의 뜻도 나왔다. 원래는 달리 제단 위로 높이 비치는 태양을 그린 昜으로 썼으나 이후 手를 더해 의미를 강화한 글자이다. 달리 手 대신 攴(攵·칠 복)이 들어간 敭(오를 양)으로 쓰기도 한다. 달리 敡이나 颺으로 쓰기도 한다. 간화자에서는 昜을 𠃌으로 줄여 扬으로 쓴다.

101) 고문자에서 簡牘文 등으로 그렸다. 手(손 수)가 의미부이고 舁(마주들 여)가 소리부로, 손(手)으로 드는(舁) 것을 말한다. 이로부터 들다, 일으키다, 행하다, 흥기하다, 천거하다, 舉行(거행)하다의 뜻이 나왔고, 온 나라 온 국민이 함께 하다는 뜻에서 '舉國的(거국적)으로'라는 의미도 나왔다. 간화자에서는 윗부분을 간단히 줄이고 아래 부분의 手도 줄여 举로 쓴다.

於淖)"라고 말했다. 독음은 허(虛)와 언(言)의 반절이다.

7921

揭: 揭: 들 게: 手-총12획: jiē

원문

揭: 高舉也. 从手曷聲. 去例切.

역

'높이 들다(高舉)'라는 뜻이다. 수(手)가 의미부이고 갈(曷)이 소리부이다. 독음은 거(去)와 례(例)의 반절이다.

7922

抍: 抍: 들 승: 手-총7획: zhěng

원문

抍: 上舉也. 从手升聲.『易』曰 : "抍馬, 壯, 吉." 撜, 抍或从登. 蒸上切.

역

'위로 들어 올리다(上舉)'라는 뜻이다. 수(手)가 의미부이고 승(升)이 소리부이다.『역·명이(明夷)』에서 "말을 건져 올리고, 말이 건장해졌으니, 길하리라.(抍馬, 壯, 吉.)"라고 했다.[102] 승(撜)은 승(抍)의 혹체자인데, 등(登)로 구성되었다. 독음은 증(蒸)과 상(上)의 반절이다.

7923

振: 振: 떨칠 진: 手-총10획: zhèn

원문

---

102)『계전』에서는 "오늘날 세속에서는 승마(抍馬)를 증마(拯馬)로 적기도 하는데, 이는 옳지 않다."라고 했다.

捵: 舉救也. 从手辰聲. 一曰奮也. 章刃切.

飜譯

'들어서 구조하다(舉救)'라는 뜻이다. 수(手)가 의미부이고 진(辰)이 소리부이다. 일설에는 '떨치고 일어나다(奮)'라는 뜻이라고도 한다. 독음은 장(章)과 인(刃)의 반절이다.

7924

扛: 扛: 들 강: 手-총6획: gāng

原文

扛: 橫關對舉也. 从手工聲. 古雙切.

飜譯

'가로 지른 나무로 무거운 것을 마주 보고 들어 올리다(橫關對舉)'라는 뜻이다. 수(手)가 의미부이고 공(工)이 소리부이다. 독음은 고(古)와 쌍(雙)의 반절이다.

7925

扮: 扮: 꾸밀 분: 手-총7획: bàn

原文

扮: 握也. 从手分聲. 讀若粉. 房吻切.

飜譯

'꽉 쥐다(握)'라는 뜻이다. 수(手)가 의미부이고 분(分)이 소리부이다. 분(粉)과 같이 읽는다. 독음은 방(房)과 문(吻)의 반절이다.

7926

撟: 撟: 들 교: 手-총15획: jiǎo

原文

撟: 舉手也. 从手喬聲. 一曰撟, 擅也. 居少切.

譯譯

'손을 들다(擧手)'라는 뜻이다. 수(手)가 의미부이고 교(喬)가 소리부이다. 일설에는 교(撟)가 '제멋대로 하다(擅)'라는 뜻이라고도 한다. 독음은 거(居)와 소(少)의 반절이다.

7927

㧒: 㧒: 없앨 소: 手–총10획: shāo

原文

㧒: 自關巳西, 凡取物之上者爲撟㧒. 从手肖聲. 所交切.

譯譯

'함곡관 서쪽 지역에서는 질 좋은 물건을 골라 내는 것(取物之上者)을 교소(撟㧒)라고 한다.' 수(手)가 의미부이고 초(肖)가 소리부이다. 독음은 소(所)와 교(交)의 반절이다.

7928

擁: 擁: 안을 옹: 手–총21획: yǒng

原文

擁: 抱也. 从手雝聲. 於隴切.

譯譯

'포옹하다(抱)'라는 뜻이다. 수(手)가 의미부이고 옹(雝)이 소리부이다. 독음은 어(於)와 롱(隴)의 반절이다.

7929

㨄: 㨄: 담글 유: 手–총17획: rǔ

原文

㨄: 染也. 从手需聲. 『周禮』: "六曰㨄祭." 而主切.

飜譯

'물을 들이다(染)'라는 뜻이다. 수(手)가 의미부이고 수(需)가 소리부이다. 『주례·춘관·대축(大祝)』에서 "[아홉 가지 제례 중] 여섯 번째를 유제라고 한다(六曰擩祭)"라고 했다.[103] 독음은 이(而)와 주(主)의 반절이다.

7930

揄: 揄: 끌 유: 手-총12획: yú

原文

揄: 引也. 从手俞聲. 羊朱切.

飜譯

'끌어당기다(引)'라는 뜻이다. 수(手)가 의미부이고 유(俞)가 소리부이다. 독음은 양(羊)과 주(朱)의 반절이다.

7931

擊: 擊: 덜 반: 手-총14획: pán

原文

擊: 擊攫, 不正也. 从手般聲. 薄官切.

飜譯

'반획(擊攫)'을 말하는데, '손이 정상적이지 않다(不正)'는 뜻이다. 수(手)가 의미부이고 반(般)이 소리부이다. 독음은 박(薄)과 관(官)의 반절이다.

---

103) 고대 중국의 9가지 제사법의 하나로, 『주례·춘관·대축(大祝)』에 나온다. "여섯 번째를 유제라 한다(六曰擩祭)고 했는데, 정현(鄭玄)은 주석에서 정사농(鄭司農: 정중)의 말을 인용하여, 간과 폐와 절인채소를 젓갈에 담가 지내는 제사를 말한다(擩祭, 以肝肺菹擩鹽醢中以祭也.)고 했다."

7932

㩲: 攫: 잡을 획: 手-총17획: huò

原文

㩲: 攣攫也. 一曰布攫也, 一曰握也. 从手蒦聲. 一虢切.

飜譯

'반획(攣攫), 즉 손이 정상적이지 않음'을 말한다. 일설에는 '온데 흩어져 있다(布攫)'라는 뜻이라고도 한다. 또 일설에는 '꽉 쥐다(握)'라는 뜻이라고도 한다. 수(手)가 의미부이고 확(蒦)이 소리부이다. 독음은 일(一)과 괵(虢)의 반절이다.

7933

拚: 拚: 칠 변: 手-총8획: biàn

原文

拚: 拊手也. 从手弁聲. 皮變切.

飜譯

'손뼉을 치다(拊手)'라는 뜻이다. 수(手)가 의미부이고 변(弁)이 소리부이다. 독음은 피(皮)와 변(變)의 반절이다.

7934

擅: 擅: 멋대로 천: 手-총16획: shàn

原文

擅: 專也. 从手亶聲. 時戰切.

飜譯

'제멋대로 하다(專)'라는 뜻이다. 수(手)가 의미부이고 단(亶)이 소리부이다. 독음은 시(時)와 전(戰)의 반절이다.

7935

揆: 揆: 헤아릴 규: 手-총12획: kuí

原文

揆: 葵也. 从手癸聲. 求癸切.

飜譯

'헤아리다(葵)'라는 뜻이다. 수(手)가 의미부이고 계(癸)가 소리부이다. 독음은 구(求)와 계(癸)의 반절이다.

7936

擬: 擬: 헤아릴 의: 手-총17획: nǐ

原文

擬: 度也. 从手疑聲. 魚已切.

飜譯

'헤아리다(度)'라는 뜻이다. 수(手)가 의미부이고 의(疑)가 소리부이다.104) 독음은 어(魚)와 이(已)의 반절이다.

7937

損: 損: 덜 손: 手-총13획: sǔn

原文

損: 減也. 从手員聲. 穌本切.

飜譯

'덜어내다(減)'라는 뜻이다. 수(手)가 의미부이고 원(員)이 소리부이다.105) 독음은 소

---

104) 手(손 수)가 의미부고 疑(의심할 의)가 소리부로, 손(手)으로 의심나는(疑) 것을 '가리키다'는 뜻으로부터 추측하다, 모방하다, 유사하다 등의 뜻이 나왔다. 간화자에서는 疑를 以(써 이)로 간단하게 줄여 拟로 쓴다.

(穌)와 본(本)의 반절이다.

7938

失: 잃을 실: 大-총5획: shī

原文

失: 縱也. 从手乙聲. 式質切.

譯

'손에서 떨어트리다(縱)'라는 뜻이다. 수(手)가 의미부이고 을(乙)이 소리부이다.106)
독음은 식(式)과 질(質)의 반절이다.

7939

挩: 해탈할 탈: 手-총10획: tuō

原文

挩: 解挩也. 从手兌聲. 他括切.

譯

'해탈, 즉 허물을 벗다(解挩)'라는 뜻이다. 수(手)가 의미부이고 태(兌)가 소리부이다.
독음은 타(他)와 괄(括)의 반절이다.

7940

撥: 다스릴 발: 手-총15획: bō

---

105) 고문자에서 員 員 簡牘文 등으로 그렸다. 手(손 수)가 의미부고 員(수효 원)이 소리부로, 손
(手)으로 들어내어 줄이는 것을 말하며, 이로부터 줄어들다, 損傷(손상)되다, 야박하게 대하다,
병세가 나아지다 등의 뜻이 나왔다.

106) 고문자에서 失 簡牘文 등으로 그렸다. 원래는 手(손 수)가 의미부고 乙(새 을)이 소리부
로,『설문해자』의 해석처럼 "손(手)에서 놓쳐 잃어버리다"라는 뜻이었으나, 자형이 변해 지금
처럼 되었다. 이로부터 잃어버리다, 놓치다, 失手(실수)하다, 위반하다 등의 뜻이 나왔다.

原文

撥: 治也. 从手發聲. 北末切.

飜譯

'다스리다(治)'라는 뜻이다. 수(手)가 의미부이고 발(發)이 소리부이다. 독음은 북(北)과 말(末)의 반절이다.

7941

挹: 뜰 읍: 手-총10획: yì

原文

挹: 抒也. 从手邑聲. 於汲切.

飜譯

'푸다, 퍼내다(抒)'라는 뜻이다. 수(手)가 의미부이고 읍(邑)이 소리부이다. 독음은 어(於)와 급(汲)의 반절이다.

7942

抒: 풀 서: 手-총7획: shū

原文

抒: 挹也. 从手予聲. 神與切.

飜譯

'뜨다(挹)'라는 뜻이다. 수(手)가 의미부이고 여(予)가 소리부이다.107) 독음은 신(神)과 여(與)의 반절이다.

---

107) 手(손 수)가 의미부고 予(나 여)가 소리부로, 손(手)으로 풀어내는(予) 것을 말하는데, 抒情(서정)은 마음속의 情緒(정서)를 풀어낸다는 뜻이다.

7943

粗: 挋: 잡아당길 저: 手—총8획: zhā

原文

粗: 挋也. 从手且聲. 讀若樝棃之樝. 側加切.

翻譯

'뜨다(挋)'라는 뜻이다. 수(手)가 의미부이고 차(且)가 소리부이다. 사리(樝棃: 산사나무)라고 할 때의 사(樝)와 같이 읽는다. 독음은 측(側)과 가(加)의 반절이다.

7944

攫: 攫: 붙잡을 확: 手—총23획: jué

原文

攫: 扟也. 从手矍聲. 居縛切.

翻譯

'손으로 낚아채듯 붙잡다(扟)'라는 뜻이다. 수(手)가 의미부이고 확(矍)이 소리부이다. 독음은 거(居)와 박(縛)의 반절이다.

7945

扟: 扟: 당길 신: 手—총6획: shēn

原文

扟: 从上挋也. 从手刃聲. 讀若莘. 所臻切.

翻譯

'위에서 떠내다(从上挋)'라는 뜻이다. 수(手)가 의미부이고 신(刃)이 소리부이다. 신(莘)과 같이 읽는다. 독음은 소(所)와 진(臻)의 반절이다.

7946

拓: 拓: 주울 척: 手－총8획: tuò, tà

原文

拓: 拾也. 陳、宋語. 从手石聲. 摭, 拓或从庶. 之石切.

譯

'줍다(拾)'라는 뜻이다. 진(陳)과 송(宋) 지역의 말이다. 수(手)가 의미부이고 석(石)이 소리부이다. 척(摭)은 척(拓)의 혹체자인데, 서(庶)로 구성되었다. 독음은 지(之)와 석(石)의 반절이다.

7947

攈: 攈: 주울 군: 手－총19획: jùn

原文

攈: 拾也. 从手麇聲. 居運切.

譯

'줍다(拾)'라는 뜻이다. 수(手)가 의미부이고 균(麇)이 소리부이다. 독음은 거(居)와 운(運)의 반절이다.

7948

拾: 拾: 주울 습: 手－총9획: shí

原文

拾: 掇也. 从手合聲. 是執切.

譯

'줍다(掇)'라는 뜻이다. 수(手)가 의미부이고 합(合)이 소리부이다.108) 독음은 시(是)

---

108) 手(손 수)가 의미부고 合(합할 합)이 소리부로, 손(手)을 이용해 '한곳으로 모으다(合)'는 뜻이며, 이로부터 수습하다, 줍다, 정리하다, 수거하다의 뜻이 나왔다. 또 十(열 십)의 갖은자로

와 집(執)의 반절이다.

7949

糃: 掇: 주울 철: 手-총11획: duō

原文

糃: 拾取也. 从手叕聲. 都括切.

飜譯

'주워서 가지다(拾取)'라는 뜻이다. 수(手)가 의미부이고 철(叕)이 소리부이다. 독음은 도(都)와 괄(括)의 반절이다.

7950

㰆: 擐: 입을 환: 手-총16획: huàn

原文

㰆: 貫也. 从手瞏聲.『春秋傳』曰 : "擐甲執兵." 胡慣切.

飜譯

'꿰다(貫)'라는 뜻이다. 수(手)가 의미부이고 경(瞏)이 소리부이다.『춘추전』(『좌전』 성공 2년, B.C. 589)에서 "갑옷을 꿰차고 무기를 잡았다(擐甲執兵)"라고 했다. 독음은 호(胡)와 관(慣)의 반절이다.

7951

㮣: 揯: 바싹 당길 긍: 手-총12획: gēng

原文

㮣: 引、急也. 从手恆聲. 古恒切.

도 쓰인다.

翻譯

'끌어당기다(引)', '긴급하다(急)'라는 뜻이다. 수(手)가 의미부이고 긍(恆)이 소리부이다. 독음은 고(古)와 항(恒)의 반절이다.

7952

搙: 摍: 뽑을 숙: 手-총14획: suō

原文

搙: 蹴引也. 从手宿聲. 所六切.

翻譯

'뽑아 당기다(蹴引)'라는 뜻이다. 수(手)가 의미부이고 숙(宿)이 소리부이다. 독음은 소(所)와 륙(六)의 반절이다.

7953

擄: 攐: 멜 건·간: 手-총13획: qián

原文

擄: 相援也. 从手虔聲. 巨言切.

翻譯

'서로 돕다(相援)'라는 뜻이다. 수(手)가 의미부이고 건(虔)이 소리부이다. 독음은 거(巨)와 언(言)의 반절이다.

7954

援: 援: 당길 원: 手-총12획: yuán

原文

援: 引也. 从手爰聲. 雨元切.

飜譯

'끌어당기다(引)'라는 뜻이다. 수(手)가 의미부이고 원(爰)이 소리부이다. 독음은 우(雨)와 원(元)의 반절이다.

7955

擢 : 擂 끌 추·담 쌓고 흙 바를 류: 手-총15획: chōu

原文

擢 : 引也. 从手雷聲. 抽, 擂或从由. 擙, 擂或从秀. 敕鳩切.

飜譯

'끌어당기다(引)'라는 뜻이다. 수(手)가 의미부이고 유(雷)가 소리부이다. 추(抽)는 추(擂)의 혹체자인데, 유(由)로 구성되었다. 추(擙)는 추(擂)의 혹체자인데, 수(秀)로 구성되었다. 독음은 칙(敕)과 구(鳩)의 반절이다.

7956

擢 : 擢 뽑을 탁: 手-총17획: zhuó

原文

擢 : 引也. 从手翟聲. 直角切.

飜譯

'끌어당기다(引)'라는 뜻이다. 수(手)가 의미부이고 적(翟)이 소리부이다. 독음은 직(直)과 각(角)의 반절이다.

7957

拔 : 拔 뺄 발: 手-총8획: bá

原文

拔 : 擢也. 从手犮聲. 蒲八切.

제 12 권

飜譯

'뽑다(擢)'라는 뜻이다. 수(手)가 의미부이고 발(犮)이 소리부이다. 독음은 포(蒲)와 팔(八)의 반절이다.

7958

握: 握: 뽑을 알: 手-총12획: yà

原文

握: 拔也. 从手匽聲. 烏黠切.

飜譯

'뽑다(拔)'라는 뜻이다. 수(手)가 의미부이고 언(匽)이 소리부이다. 독음은 오(烏)와 힐(黠)의 반절이다.

7959

搞: 擣: 찧을 도: 手-총17획: dǎo

原文

搞: 手推也. 一曰築也. 从手壽聲. 都皓切.

飜譯

'손 방망이로 두들기다(手推)'라는 뜻이다.109) 일설에는 '담을 쌓다(築)'라는 뜻이라고도 한다. 수(手)가 의미부이고 주(壽)가 소리부이다. 독음은 도(都)와 호(皓)의 반절이다.

---

109) 서개의 『계전』에서 추(推)는 추(椎)로 되었다. 그래서 '손 방망이로 두들기다'로 옮겼다. 한국의 종이 제작법은 독특하였는데, 닥나무로 만든 종이를 다듬잇돌로 다듬어서 탄성을 높였는데 이를 도련지(擣鍊紙)라 했다. 중국에 보내는 공물로, 또 임금의 명령이나 중요한 문서 따위를 기록하는 데 쓰인 고급 한지였다.

7960

�握 : 攣: 걸릴 련: 手-총23획: luán

（原文）

攣 : 係也. 从手䜌聲. 呂員切.

（飜譯）

'줄로 매서 끌다(係)'라는 뜻이다. 수(手)가 의미부이고 연(䜌)이 소리부이다. 독음은 려(呂)와 원(員)의 반절이다.

7961

㨗 : 挺: 뺄 정: 手-총10획: tǐng

（原文）

挺 : 拔也. 从手廷聲. 徒鼎切.

（飜譯）

'뽑아내다(拔)'라는 뜻이다. 수(手)가 의미부이고 정(廷)이 소리부이다. 독음은 도(徒)와 정(鼎)의 반절이다.

7962

㩃 : 攓: 뽑을 건: 手-총15획: qiān

（原文）

攓 : 拔取也. 南楚語. 从手寒聲. 『楚詞』曰 : "朝攓批之木蘭." 九輦切.

（飜譯）

'뽑아 취하다(拔取)'라는 뜻이다. 남초(南楚) 지역의 말이다. 수(手)가 의미부이고 한(寒)이 소리부이다. 『초사(楚詞)·이소(離騷)』에서 "아침에 비산(批山)의 목란을 뽑았네(朝攓批之木蘭)."라고 했다. 독음은 구(九)와 련(輦)의 반절이다.

7963

愋: 探: 찾을 탐: 手-총11획: tàn

原文

愋: 遠取之也. 从手罙聲. 他含切.

飜譯

'먼데서 골라 뽑아오다(遠取之)'라는 뜻이다. 수(手)가 의미부이고 심(罙)이 소리부이다.110) 독음은 타(他)와 함(含)의 반절이다.

7964

撢: 撢: 더듬을 탐: 手-총15획: dǎn

原文

撢: 探也. 从手覃聲. 他紺切.

飜譯

'찾다(探)'라는 뜻이다. 수(手)가 의미부이고 담(覃)이 소리부이다. 독음은 타(他)와 감(紺)의 반절이다.

7965

捼: 捼: 비빌 뇌: 手-총11획: kuó, ruó

原文

捼: 推也. 从手委聲. 一曰兩手相切摩也. 奴禾切.

飜譯

'밀다(推)'라는 뜻이다. 수(手)가 의미부이고 위(委)가 소리부이다. 일설에는 '두 손을

---

110) 手(손 수)가 의미부고 深(깊을 심)의 생략된 부분이 소리부로, 손(手)으로 깊숙이 감추어진 것을 '찾다'는 뜻이며, 이로부터 취하다, 멀리서 가져오다, 探索(탐색)하다, 探問(탐문)하다, 정찰하다 등의 뜻이 나왔다.

서로 비비다(兩手相切摩)'라는 뜻이라고도 한다. 독음은 노(奴)와 화(禾)의 반절이다.

7966

擎: 擎: 칠 별: 手-총15획: piē

原文

擎: 別也. 一曰擊也. 从手敝聲. 芳滅切.

飜譯

'손으로 벌리다(別)'라는 뜻이다.[111] 일설에는 '치다(擊)'라는 뜻이라고도 한다. 수(手)가 의미부이고 폐(敝)가 소리부이다. 독음은 방(芳)과 멸(滅)의 반절이다.

7967

搣: 搣: 흔들 함: 手-총12획: hàn

原文

搣: 搖也. 从手咸聲. 胡感切.

飜譯

'흔들다(搖)'라는 뜻이다. 수(手)가 의미부이고 함(咸)이 소리부이다. 독음은 호(胡)와 감(感)의 반절이다.

7968

搦: 搦: 억누를 닉: 手-총13획: nuò

---

111) 『단주』에서는 각 판본에서 '別也'로 되었는데 의미가 통하지 않는다고 하면서 '飾也'가 되어야 한다고 했다. 그리고 식(飾)이 별(別)로 변한 과정에 대해 이렇게 말했다. "『문선(文選)·동소부(洞簫賦)』의 주(注)에서 『설문』을 인용하여 이렇게 말했다. '별(擎)은 식(飾)이라는 뜻이고, 식(飾)은 닦다(馭)는 의미이다. 건(巾)부수에 보인다. 식(飾)은 오늘날의 식(拭)자이다.' 아마도 원래는 식(馭)으로 적었을 것인데, 뜻은 같다. 그런데 자형이 쇄(刷)로 잘못 변했고, 다시 별(別)로 잘못 변한 것으로 보인다."

(原文)

搦: 按也. 从手弱聲. 尼革切.

(飜譯)

'손으로 누르다(按)'라는 뜻이다. 수(手)가 의미부이고 약(弱)이 소리부이다. 독음은
니(尼)와 혁(革)의 반절이다.

7969

㩻: 掎: 끌 기: 手-총11획: jǐ

(原文)

掎: 偏引也. 从手奇聲. 居綺切.

(飜譯)

'한쪽으로 치우치게 끌다(偏引)'라는 뜻이다. 수(手)가 의미부이고 기(奇)가 소리부이
다. 독음은 거(居)와 기(綺)의 반절이다.

7970

揮: 揮: 휘두를 휘: 手-총12획: huī

(原文)

揮: 奮也. 从手軍聲. 許歸切.

(飜譯)

'크게 휘두르다(奮)'라는 뜻이다. 수(手)가 의미부이고 군(軍)이 소리부이다. 독음은
허(許)와 귀(歸)의 반절이다.

7971

摩: 摩: 갈 마: 手-총15획: mó

原文

麼: 研也. 从手麻聲. 莫婆切.

飜譯

'갈다(研)'라는 뜻이다. 수(手)가 의미부이고 마(麻)가 소리부이다. 독음은 막(莫)과 파(婆)의 반절이다.

7972

搟: 撊: 손으로 칠 비: 手-총13획: pī

原文

撊: 反手擊也. 从手丵聲. 匹齊切.

飜譯

'[손바닥이 아닌] 손 등으로 치다(反手擊)'라는 뜻이다. 수(手)가 의미부이고 비(丵)가 소리부이다. 독음은 필(匹)과 제(齊)의 반절이다.

7973

攪: 攪: 어지러울 교: 手-총23획: jiǎo

原文

攪: 亂也. 从手覺聲. 『詩』曰 : "祗攪我心." 古巧切.

飜譯

'휘저어 어지럽히다(亂)'라는 뜻이다. 수(手)가 의미부이고 각(覺)이 소리부이다. 『시·소아·하인사(何人斯)』에서 "단지 내 마음만 휘저어 놓네(祗攪我心)"라고 노래했다. 독음은 고(古)와 교(巧)의 반절이다.

7974

攘: 攘: 짓찧을 용막힐 낭: 手-총13획: rǒng

原文

㨡: 推擣也. 从手茸聲. 而隴切.

飜譯

'몽치로 짓찧다(推擣)'라는 뜻이다.[112] 수(手)가 의미부이고 용(茸)이 소리부이다. 독음은 이(而)와 롱(隴)의 반절이다.

7975

撞: 撞: **칠 당**: 手-총15획: zhuàng

原文

撞: 卂擣也. 从手童聲. 宅江切.

飜譯

'신속하게 찧다(卂擣)'라는 뜻이다. 수(手)가 의미부이고 동(童)이 소리부이다. 독음은 댁(宅)과 강(江)의 반절이다.

7976

㧟: 捆: **의지할 인**: 手-총9획: yīn

原文

捆: 就也. 从手因聲. 於眞切.

飜譯

'의지하다(就)'라는 뜻이다. 수(手)가 의미부이고 인(因)이 소리부이다. 독음은 어(於)와 진(眞)의 반절이다.

7977

扔: 扔: **당길 잉**: 手-총5획: rēng

---

112) 7959-도(擣)의 주석에서처럼 추(推)는 추(椎)가 되어야 옳을 것으로 보인다.

原文

扔: 因也. 从手乃聲. 如乘切.

飜譯

'옛날 그대로(因)'라는 뜻이다. 수(手)가 의미부이고 내(乃)가 소리부이다. 독음은 여(如)와 승(乘)의 반절이다.

7978

挌: 括: 묶을 괄: 手-총9획: kuò

原文

挌: 絜也. 从手昏聲. 古活切.

飜譯

'동여매다(絜)'라는 뜻이다. 수(手)가 의미부이고 괄(昏)이 소리부이다.113) 독음은 고(古)와 활(活)의 반절이다.

7979

抲: 抲: 지휘할 하체포할 나멜 타: 手-총8획: hē

原文

抲: 抲攎也. 从手可聲.『周書』曰: "盡執, 抲." 虎何切.

飜譯

'지휘하다(抲攎)'라는 뜻이다. 수(手)가 의미부이고 가(可)가 소리부이다.『주서』(「주고(酒誥)」)에서 "모두 잡아들여, 그들을 [주나라 땅으로] 돌려보내라(盡執, 抲)"라고 했다. 독음은 호(虎)와 하(何)의 반절이다.

---

113) 手(손 수)가 의미부이고 舌(혀 설)이 소리부로, 소리를 낼 수 있는 혀(reed, 舌)가 만들어진 피리를 손(手)으로 묶어 笙(생황 생)처럼 생긴 다관 피리를 만드는 모습을 형상화했으며, 이로부터 함께 '묶다'나 包括(포괄)하다는 뜻이 나왔다. 달리 捪로 적기도 한다.

7980

擘: 擘: 엄지손가락 벽: 手—총17획: bò

原文

擘: 撝也. 从手辟聲. 博戹切.

翻譯

'손으로 찢다(撝)'라는 뜻이다. 수(手)가 의미부이고 벽(辟)이 소리부이다. 독음은 박(博)과 액(戹)의 반절이다.

7981

撝: 撝: 찢을 휘: 手—총15획: huī

原文

撝: 裂也. 从手爲聲. 一曰手指也. 許歸切.

翻譯

'손으로 갈라 찢다(裂)'라는 뜻이다. 수(手)가 의미부이고 위(爲)가 소리부이다. 일설에는 '손가락(手指)'을 말한다고도 한다. 독음은 허(許)와 귀(歸)의 반절이다.

7982

捇: 捇: 흙 팔 혁·덜 적: 手—총10획: huò

原文

捇: 裂也. 从手赤聲. 呼麥切.

翻譯

'손으로 가르다(裂)'라는 뜻이다. 수(手)가 의미부이고 적(赤)이 소리부이다. 독음은 호(呼)와 맥(麥)의 반절이다.

7983

抐: 扐: 손가락 사이 륵: 手-총5획: lè

原文

扐: 『易』筮, 再扐而後卦. 从手力聲. 盧則切.

飜譯

'『역』에서 시초점(筮)을 치는 방법인데, 두 손가락 사이로 시초를 끼운 다음 괘를 계산한다(再扐而後卦).' 수(手)가 의미부이고 력(力)이 소리부이다. 독음은 로(盧)와 칙(則)의 반절이다.

7984

技: 技: 재주 기: 手-총7획: jì

原文

技: 巧也. 从手支聲. 渠綺切.

飜譯

'손재주(巧)'를 말한다. 수(手)가 의미부이고 지(支)가 소리부이다.114) 독음은 거(渠)와 기(綺)의 반절이다.

7985

摹: 摹: 베낄 모: 手-총15획: mó

原文

摹: 規也. 从手莫聲. 莫胡切.

飜譯

114) 手(손 수)가 의미부이고 支(지탱할 지)가 소리부로, 손(手)으로 댓가지를 제거하고 갈라(支) 여러 가지 생활용품을 만든다는 뜻에서 '손재주'의 뜻이, 다시 '솜씨'와 技術(기술), 技巧(기교), 技能(기능) 등의 뜻이 나왔다.

'법도가 있다(規)'라는 뜻이다. 수(手)가 의미부이고 막(莫)이 소리부이다.115) 독음은 막(莫)과 호(胡)의 반절이다.

7986

抽: 拙: 졸할 졸: 手-총8획: zhuō

原文

抽: 不巧也. 从手出聲. 職說切.

譯

'손재주가 좋지 않다, 서툴다(不巧)'라는 뜻이다. 수(手)가 의미부이고 출(出)이 소리부이다. 독음은 직(職)과 설(說)의 반절이다.

7987

搭: 搭: 골무 답·가릴 탑: 手-총11획: tà

原文

搭: 縫指搭也. 一曰韜也. 从手沓聲. 讀若眔. 徒合切.

譯

'옷을 꿰맬 때 손가락에 쓰는 골무(縫指搭)'를 말한다. 일설에는 '활집(韜)'을 말한다고도 한다. 수(手)가 의미부이고 답(沓)이 소리부이다. 답(眔)과 같이 읽는다. 독음은 도(徒)와 합(合)의 반절이다.

7988

摶: 摶: 뭉칠 단: 手-총14획: tuán

---

115) 手(손 수)가 의미부고 莫(없을 막)이 소리부로, 손(手)으로 모사하는 것을 말하며 이로부터 모방하다의 뜻이 나왔다. 달리 模(법 모)와도 같이 써 규범이나 법도, 널리 구하다 등의 뜻도 가진다.

原文

摶: 圜也. 从手專聲. 度官切.

繇譯

'손으로 뭉쳐서 둥글게 만들다(圜)'라는 뜻이다. 수(手)가 의미부이고 전(專)이 소리부이다. 독음은 도(度)와 관(官)의 반절이다.

7989

捆: 搰: 밀칠 홀·재갈 먹일 혼: 手-총13획: hún

原文

捆: 手推之也. 从手圂聲. 戶骨切.

繇譯

'손으로 밀다(手推之)'라는 뜻이다. 수(手)가 의미부이고 혼(圂)이 소리부이다. 독음은 호(戶)와 골(骨)의 반절이다.

7990

捄: 捄: 담을 구: 手-총10획: jiù

原文

捄: 盛土於梩中也. 一曰擾也. 『詩』曰: "捄之陾陾." 从手求聲. 舉朱切.

繇譯

'손으로 흙을 삼태기에 담다(盛土於梩中)'라는 뜻이다. 일설에는 '어지럽다(擾)'라는 뜻이라고도 한다. 『시·대아면(緜)』에서 "삼태기에 척척 흙담아(捄之陾陾)"라고 노래했다. 수(手)가 의미부이고 구(求)가 소리부이다. 독음은 거(舉)와 주(朱)의 반절이다.

7991

拮: 拮: 일할 길·결·핍박할 갈: 手-총9획: jié

原文

拮: 手口共有所作也. 从手吉聲.『詩』曰 : "予手拮据." 古屑切.

飜譯

'손으로 움직이고 입으로 노래 부르며 일하는 것(手口共有所作)'을 말한다. 수(手)가 의미부이고 길(吉)이 소리부이다.『시·빈풍·치효(鴟鴞)』에서 "내 손과 발이 다 닳도록 (予手拮据)"이라고 노래했다. 독음은 고(古)와 설(屑)의 반절이다.

7992

榾: 掆: 팔 골: 手-총13획: hú

原文

榾: 掘也. 从手骨聲. 戶骨切.

飜譯

'파내다(掘)'라는 뜻이다. 수(手)가 의미부이고 골(骨)이 소리부이다. 독음은 호(戶)와 골(骨)의 반절이다.

7993

捆: 掘: 팔 굴: 手-총11획: jué

原文

捆: 掆也. 从手屈聲. 衢勿切.

飜譯

'구덩이를 파다(掆)'라는 뜻이다. 수(手)가 의미부이고 굴(屈)이 소리부이다. 독음은 구(衢)와 물(勿)의 반절이다.

7994

掩: 掩: 가릴 엄: 手-총11획: yǎn

原文

搚: 斂也. 小上曰掩. 从手奄聲. 衣檢切.

繙譯

'손으로 덮다(斂)'라는 뜻이다. 손으로 가볍게 위를 덮는 것(小上)을 엄(掩)이라고 한다. 수(手)가 의미부이고 엄(奄)이 소리부이다. 독음은 의(衣)와 검(檢)의 반절이다.

7995

摡: 씻을 개: 手-총14획: gài

原文

摡: 滌也. 从手旣聲.『詩』曰 : "摡之釜鬵." 古代切.

繙譯

'씻다(滌)'라는 뜻이다. 수(手)가 의미부이고 기(旣)가 소리부이다.『시·회풍·비풍(匪風)』에서 "가마솥을 씻을 것인가?(摡之釜鬵)"라고 노래했다.116) 독음은 고(古)와 대(代)의 반절이다.

7996

揟: 고기 잡을 서: 手-총12획: xū

原文

揟: 取水沮也. 从手胥聲. 武威有揟次縣. 相居切.

繙譯

'물속의 찌꺼기를 걸러내다(取水沮)'라는 뜻이다.117) 수(手)가 의미부이고 서(胥)가 소리부이다. 무위(武威)군에 서차현(揟次縣)이 있다. 독음은 상(相)과 거(居)의 반절이다.

---

116) 금본(今本)에서는 개(摡)가 개(溉)로 되었다. 심(鬵)은 큰 가마솥(釜)을 말한다.
117) 저(沮)는 지금의 사(渣: 찌꺼기)와 같다.

7997

播: 播: 뿌릴 파: 手-총15획: bō

原文

播: 穜也. 一曰布也. 从手番聲. 敤, 古文播. 補過切.

翻譯

'씨를 뿌리다(穜)'라는 뜻이다. 일설에는 '널리 펼치다(布)'라는 뜻이라고도 한다. 수(手)가 의미부이고 번(番)이 소리부이다. 파(敤)는 파(播)의 고문체이다. 독음은 보(補)와 과(過)의 반절이다.

7998

挃: 挃: 찌를 질: 手-총9획: zhì

原文

挃: 穫禾聲也. 从手至聲. 『詩』曰 : "穫之挃挃." 陟栗切.

翻譯

'곡식을 베는 소리(穫禾聲)'를 말한다. 수(手)가 의미부이고 지(至)가 소리부이다. 『시·주송양사(良耜)』에서 "써걱써걱 곡식을 베어(穫之挃挃)"라고 노래했다. 독음은 척(陟)과 률(栗)의 반절이다.

7999

掔: 掔: 찌를 치: 手-총12획: zhì

原文

掔: 剌也. 从手致聲. 一曰剌之財至也. 陟利切.

翻譯

'찌르다(剌)'라는 뜻이다. 수(手)가 의미부이고 치(致)가 소리부이다. 일설에는 '찔렀으나 곧바로 멈추는 것(剌之財至)'을 말한다고도 한다.118) 독음은 척(陟)과 리(利)의 반절이다.

8000

扤: 扤: 흔들릴 올: 手-총6획: wù

扤: 動也. 从手兀聲. 五忽切.

飜譯

'요동치다(動)'라는 뜻이다. 수(手)가 의미부이고 올(兀)이 소리부이다. 독음은 오(五)와 홀(忽)의 반절이다.

8001

掅: 掅: 꺾을 월: 手-총7획: yuè

原文

掅: 折也. 从手月聲. 魚厥切.

飜譯

'꺾다(折)'라는 뜻이다. 수(手)가 의미부이고 월(月)이 소리부이다. 독음은 어(魚)와 궐(厥)의 반절이다.

8002

摎: 摎: 맬 규: 手-총14획: jiū

原文

摎: 縛殺也. 从手翏聲. 居求切.

飜譯

---

118) 『단주』에서 재(財)는 지금의 재(纔)자와 같다고 했다.

'교살하다, 즉 목을 졸라 죽이다(絞殺)'라는 뜻이다. 수(手)가 의미부이고 요(翏)가 소리부이다. 독음은 거(居)와 구(求)의 반절이다.

8003

撻: 撻: 매질할 달: 手—총16획: tà

原文

撻: 鄕飮酒, 罰不敬, 撻其背. 从手達聲. 𢶒, 古文撻.『周書』曰: "遽以記之." 他達切.

飜譯

'향음주례(鄕飮酒禮)에서 불경한 자를 처벌할 때에는 그의 등을 회초리로 친다(罰不敬, 撻其背)'라고 하였다. 수(手)가 의미부이고 달(達)이 소리부이다. 달(𢶒)은 달(撻)의 고문체이다.『상서·주서(周書)』[119]에서 "매질을 하고 기록으로 남겨두었다(遽以記之)"라고 했다. 독음은 타(他)와 달(達)의 반절이다.

8004

㧪: 㧪: 붙잡을 릉: 手—총11획: líng

原文

㧪: 止馬也. 从手夌聲. 里甑切.

飜譯

'말을 멈추어 세우다(止馬)'라는 뜻이다. 수(手)가 의미부이고 릉(夌)이 소리부이다. 독음은 리(里)와 증(甑)의 반절이다.

---

119) 이 말은 「주서(周書)」에는 보이지 않는다. 그래서『단주』에서 주(周)는 우(虞)가 되어야 한다고 하면서 「고요모(皋陶謨)」에 나오는 글이라고 했다. 「익직」에도 이 말이 나온다.

8005

拼: 抨: 탄핵할 평: 手-총8획: pēng

原文

拼: 撣也. 从手平聲. 普耕切.

飜譯

'탄환을 쏘다(撣)'라는 뜻이다.[120] 수(手)가 의미부이고 평(平)이 소리부이다. 독음은 보(普)와 경(耕)의 반절이다.

8006

捲: 捲: 말 권: 手-총11획: juǎn, juàn

原文

捲: 气勢也. 从手卷聲. 『國語』曰: "有捲勇." 一曰捲, 收也. 巨員切.

飜譯

'기세(气勢)'를 말한다. 수(手)가 의미부이고 권(卷)이 소리부이다. 『국어·제어(齊語)』에서 "기개도 있고 용기도 있네(有捲勇)"라고 했다. 일설에는 권(捲)은 '거두어들이다(收)'라는 뜻이라고도 한다. 독음은 거(巨)와 원(員)의 반절이다.

8007

扱: 扱: 미칠 급: 手-총7획: xī

原文

扱: 收也. 从手及聲. 楚洽切.

飜譯

'거두어들이다(收)'라는 뜻이다. 수(手)가 의미부이고 급(及)이 소리부이다. 독음은

---

120) 서개의 『계전』에서 탄(撣)을 탄(彈)으로 적었다.

초(楚)와 흡(洽)의 반절이다.

8008

㨂: 摷: 두드릴 초: 手-총14획: jiǎo

原文

摷: 拘擊也. 从手巢聲. 子小切.

飜譯

'감금하고서 때리다(拘擊)'라는 뜻이다. 수(手)가 의미부이고 소(巢)가 소리부이다. 독음은 자(子)와 소(小)의 반절이다.

8009

捱: 挨: 칠 애: 手-총10획: āi

原文

捱: 擊背也. 从手矣聲. 於駭切.

飜譯

'등을 때리다(擊背)'라는 뜻이다. 수(手)가 의미부이고 의(矣)가 소리부이다. 독음은 어(於)와 해(駭)의 반절이다.

8010

撲: 撲: 칠 박: 手-총15획: pū

原文

撲: 挨也. 从手業聲. 蒲角切.

飜譯

'[채찍으로] 때리다(挨)'라는 뜻이다. 수(手)가 의미부이고 복(業)이 소리부이다. 독음은 포(蒲)와 각(角)의 반절이다.

8011

敲: 敲: 곁 매칠 교: 手-총17획: qiào, jiāo

原文

敲: 旁擊也. 从手敲聲. 苦弔切.

飜譯

'옆을 치다(旁擊)'라는 뜻이다. 수(手)가 의미부이고 교(敲)가 소리부이다. 독음은 고(苦)와 조(弔)의 반절이다.

8012

扚: 扚: 당길 적·손금 약: 手-총6획: diāo

原文

扚: 疾擊也. 从手勺聲. 都了切.

飜譯

'빠른 속도로 때리다(疾擊)'라는 뜻이다. 수(手)가 의미부이고 작(勺)이 소리부이다. 독음은 도(都)와 료(了)의 반절이다.

8013

抶: 抶: 매질할 질: 手-총8획: chì

原文

抶: 笞擊也. 从手失聲. 敕栗切.

飜譯

'볼기를 치다(笞擊)'라는 뜻이다. 수(手)가 의미부이고 실(失)이 소리부이다. 독음은 래(敕)와 률(栗)의 반절이다.

8014

扺: 抵: 손바닥 지: 手-총7획: zhǐ

原文

扺: 側擊也. 从手氏聲. 諸氏切.

飜譯

'옆에서 때리다(側擊)'라는 뜻이다. 수(手)가 의미부이고 씨(氏)가 소리부이다. 독음은 제(諸)와 씨(氏)의 반절이다.

제12권

8015

㧗: 抉: 때릴 앙: 手-총8획: yǎng

原文

㧗: 以車靷擊也. 从手央聲. 於兩切.

飜譯

'수레에 거는 가슴걸이로 때리다(以車靷擊)'라는 뜻이다. 수(手)가 의미부이고 앙(央)이 소리부이다. 독음은 어(於)와 량(兩)의 반절이다.

8016

㧌: 捸: 가릴 부: 手-총12획: bǔ, péi

原文

㧌: 衣上擊也. 从手保聲. 方苟切.

飜譯

'옷 위를 쳐서 먼지를 털어내다(衣上擊)'라는 뜻이다. 수(手)가 의미부이고 보(保)가 소리부이다. 독음은 방(方)과 구(苟)의 반절이다.

8017

捭: 捭: 칠 패: 手-총11획: bǎi

(原文)

捭: 兩手擊也. 从手卑聲. 北買切.

(飜譯)

‘두 손으로 사이를 벌려 때리다(兩手擊)’라는 뜻이다. 수(手)가 의미부이고 비(卑)가 소리부이다. 독음은 북(北)과 매(買)의 반절이다.

8018

捶: 捶: 종아리 칠 추: 手-총11획: chuí

(原文)

捶: 以杖擊也. 从手垂聲. 之壘切.

(飜譯)

‘지팡이로 때리다(以杖擊)’라는 뜻이다. 수(手)가 의미부이고 수(垂)가 소리부이다. 독음은 지(之)와 루(壘)의 반절이다.

8019

推: 推: 칠 각: 手-총13획: què

(原文)

推: 敲擊也. 从手雀聲. 苦角切.

(飜譯)

‘두드리면서 때리다(敲擊)’라는 뜻이다. 수(手)가 의미부이고 각(雀)이 소리부이다. 독음은 고(苦)와 각(角)의 반절이다.

8020

㨃: 撍: 가운데 맞출 영: 手—총14획: yǐng

原文

㨃: 中擊也. 从手竟聲. 一敬切.

飜譯

'가운데를 때리다(中擊)'라는 뜻이다. 수(手)가 의미부이고 경(竟)이 소리부이다. 독음은 일(一)과 경(敬)의 반절이다.

8021

拂: 拂: 떨 불: 手—총8획: fú

原文

拂: 過擊也. 从手弗聲. 敷物切.

飜譯

'지나가면서 때리다(過擊)'라는 뜻이다. 수(手)가 의미부이고 불(弗)이 소리부이다. 독음은 부(敷)와 물(物)의 반절이다.

8022

摼: 摼: 끌 경: 手—총14획: kēng

原文

摼: 擣頭也. 从手堅聲. 讀若"鏗尔舍瑟而作". 口莖切.

飜譯

'머리를 두들기다(擣頭)'라는 뜻이다. 수(手)가 의미부이고 견(堅)이 소리부이다. "갱이사슬이작(鏗尔舍瑟而作·견장이 한 번 울리니 거문고를 버리고 서는구나)"(『논어·선진(先進)』)이라고 할 때의 갱(鏗)과 같이 읽는다. 독음은 구(口)와 경(莖)의 반절이다.

8023

枕: 抌: 때릴 침: 手-총7획: shèn, zhěn

原文

枕: 深擊也. 从手冘聲. 讀若告言不正曰抌. 竹甚切.

譒譯

'심하게 때리다(深擊)'라는 뜻이다. 수(手)가 의미부이고 유(冘)가 소리부이다. 아뢰는 말이 바르지 못한 것(告言不正)을 침(抌)이라고 할 때의 침(抌)과 같이 읽는다. 독음은 죽(竹)과 심(甚)의 반절이다.

8024

毀: 擊: 상하게 칠 훼: 手-총17획: huǐ

原文

毀: 傷擊也. 从手、毀, 毀亦聲. 許委切.

譒譯

'상처가 나게 때리다(傷擊)'라는 뜻이다. 수(手)와 훼(毀)가 의미부인데, 훼(毀)는 소리부도 겸한다. 독음은 허(許)와 위(委)의 반절이다.

8025

擊: 擊: 부딪칠 격: 手-총17획: jī

原文

擊: 攴也. 从手毄聲. 古歷切.

譒譯

'때리다(攴)'라는 뜻이다. 수(手)가 의미부이고 격(毄)이 소리부이다.[121] 독음은 고

---

[121] 手(손 수)가 의미부이고 毄(부딪힐 격)이 소리부로, 원래 바퀴가 회전하며 격렬하게 부딪힘 (毄)을 말했는데, 격렬하게 부딪히듯(毄) 손(手)으로 '치는' 것도 지칭하게 되었으며, 이로부터

(古)와 력(歷)의 반절이다.

8026

扞: 扞: 막을 한: 手-총6획: hàn

原文

扞: 忮也. 从手干聲. 矦旰切.

飜譯

'손으로 막다(忮)'라는 뜻이다.122) 수(手)가 의미부이고 간(干)이 소리부이다. 독음은 후(矦)와 간(旰)의 반절이다.

8027

抗: 抗: 막을 항: 手-총7획: kàng

原文

抗: 扞也. 从手亢聲. 㤉, 抗或从木. 苦浪切.

飜譯

'막다(扞)'라는 뜻이다. 수(手)가 의미부이고 항(亢)이 소리부이다.123) 항(㤉)은 항(抗)의 혹체자인데, 목(木)으로 구성되었다. 독음은 고(苦)와 랑(浪)의 반절이다.

8028

捕: 捕: 사로잡을 포: 手-총10획: bǔ

原文

捕: 取也. 从手甫聲. 薄故切.

치다, 攻擊(공격)하다, 탄핵하다, 죽이다 등의 뜻이 나왔다. 간화자에서는 击으로 줄여 쓴다.
122) 『단주』에서 기(忮)는 지(枝)가 되어야 한다고 했다.
123) 手(손 수)가 의미부고 亢(목 항)이 소리부로, 손(手)으로 버텨(亢) 내다는 뜻이며, 이로부터 항거하다, 대적하다, 거절하다 등의 뜻이 나왔다.

翻譯

'체포하다(取)'라는 뜻이다. 수(手)가 의미부이고 보(甫)가 소리부이다.124) 독음은 박
(薄)과 고(故)의 반절이다.

8029

𥲤: 籍: 작살 착: 竹−총17획: jí, zhà, zhuó

原文

籍: 刺也. 从手, 籍省聲.『周禮』曰 : "籍魚鼈." 士革切.

翻譯

'[작살로] 찌르다(刺)'라는 뜻이다. 수(手)가 의미부이고, 적(籍)의 생략된 부분이 소리
부이다. 『주례·천관·별인(鼈人)』에서 "작살로 물고기와 자라를 잡는다(籍魚鼈)"라고
했다. 독음은 사(士)와 혁(革)의 반절이다.

8030

撚: 撚: 비틀 년: 手−총15획: niǎn

原文

撚: 執也. 从手然聲. 一曰蹂也. 乃殄切.

翻譯

'잡다(執)'라는 뜻이다.125) 수(手)가 의미부이고 연(然)이 소리부이다. 일설에는 '짓
밟다(蹂)'라는 뜻이라고도 한다. 독음은 내(乃)와 진(殄)의 반절이다.

---

124) 고문자에서 **甫 甫 甫 甫** 簡牘文 등으로 그렸다. 手(손 수)가 의미부고 甫(클 보)가 소리부
   로, 손(手)으로 '사로잡다'는 뜻이며, 이로부터 붙잡다, 逮捕(체포)하다의 뜻이 나왔다.
125) 『단주』에서 이렇게 말했다. "집(執)은 죄인을 체포하다(捕罪人)는 뜻이다. 이후 의미가 파생
   되어 잡아들이는 것의 통칭이 되었다. 『광운』에서는 연(撚)을 손으로 비벼서 꼬다(以手撚物)는
   뜻이라고 했다."

8031

絓: 挂: 그림족자 괘: 手-총9획: guà

原文

絓: 畫也. 从手圭聲. 古賣切.

飜譯

‘그리다(畫)’는 뜻이다. 수(手)가 의미부이고 규(圭)가 소리부이다. 독음은 고(古)와 매(賣)의 반절이다.

8032

拕: 扡: 끌 타: 手-총8획: tuō

原文

拕: 曳也. 从手它聲. 託何切.

飜譯

‘질질 끌다(曳)’라는 뜻이다. 수(手)가 의미부이고 타(它)가 소리부이다. 독음은 탁(託)과 하(何)의 반절이다.

8033

捈: 捈: 궁굴릴 도: 手-총10획: tú

原文

捈: 臥引也. 从手余聲. 同都切.

飜譯

‘가로로 눕혀 당기다(臥引)’라는 뜻이다. 수(手)가 의미부이고 여(余)가 소리부이다. 독음은 동(同)과 도(都)의 반절이다.

8034

抴: 抴: 끌 설·예: 手-총8획: yè

原文

抴: 捈也. 从手世聲. 余制切.

譒譯

'끌다(捈)'라는 뜻이다. 수(手)가 의미부이고 세(世)가 소리부이다. 독음은 여(余)와 제(制)의 반절이다.

8035

㩍: 㩍: 칠 편: 手-총12획: biàn

原文

㩍: 撫也. 从手扁聲. 婢沔切.

譒譯

'어루만지다(撫)'라는 뜻이다. 수(手)가 의미부이고 편(扁)이 소리부이다. 독음은 비(婢)와 면(沔)의 반절이다.

8036

撅: 撅: 옷 걷을 궤·칠 궐·걷을 게: 手-총15획: juē

原文

撅: 从手有所把也. 从手厥聲. 居月切.

譒譯

'손에 무엇인가를 쥐고 있음(手有所把)'을 말한다. 수(手)가 의미부이고 궐(厥)이 소리부이다. 독음은 거(居)와 월(月)의 반절이다.

8037

攎: 攎: 당길 로: 手-총19획: lú

原文

攎: 挐持也. 从手盧聲. 洛乎切.

飜譯

'붙잡고 있다(挐持)'라는 뜻이다. 수(手)가 의미부이고 로(盧)가 소리부이다. 독음은 락(洛)과 호(乎)의 반절이다.

8038

挐: 挐: 붙잡을 나: 手-총10획: ná

原文

挐: 持也. 从手如聲. 女加切.

飜譯

'붙잡다(持)'라는 뜻이다. 수(手)가 의미부이고 여(如)가 소리부이다. 독음은 녀(女)와 가(加)의 반절이다.

8039

搵: 搵: 잠길 온: 手-총13획: wèn

原文

搵: 没也. 从手昷聲. 烏困切.

飜譯

'물에 빠트리다(没)'라는 뜻이다. 수(手)가 의미부이고 온(昷)이 소리부이다. 독음은 오(烏)와 곤(困)의 반절이다.

8040

捀: 捀: 배 저을 방: 手-총13획: péng

原文

捀: 掩也. 从手夆聲. 北孟切.

翻譯

'가려 숨기다(掩)'라는 뜻이다. 수(手)가 의미부이고 방(夆)이 소리부이다. 독음은 북(北)과 맹(孟)의 반절이다.

8041

挌: 挌: 칠 격: 手-총9획: gé

原文

挌: 擊也. 从手各聲. 古覈切.

翻譯

'치다, 때리다(擊)'라는 뜻이다. 수(手)가 의미부이고 각(各)이 소리부이다. 독음은 고(古)와 핵(覈)의 반절이다.

8042

共: 拲: 수갑 공: 手-총10획: gǒng

原文

共: 兩手同械也. 从手从共, 共亦聲.『周禮』: "上辠, 桎拲而桎." 共, 拲或从木. 居竦切.

翻譯

'수갑, 즉 두 손을 한꺼번에 끼우는 형벌 도구(兩手同械)'를 말한다. 수(手)가 의미부이고 공(共)도 의미부인데, 공(共)은 소리부도 겸한다. 『주례·추관장수(掌囚)』에서 "중죄는 손에다 수갑을 채우고 발에는 족쇄를 채운다(上辠, 桎拲而桎)"라고 했다.

공(檾)은 공(㡙)의 혹체자인데, 목(木)으로 구성되었다. 독음은 거(居)와 송(竦)의 반절이다.

8043

栩 : 掫: 지킬 추: 手-총11획: zōu

原文

栩 : 夜戒守, 有所擊. 从手取聲. 『春秋傳』曰 : "賓將掫." 子侯切.

飜譯

'밤에 경계를 서고 야경을 돌 때 치는 것(夜戒守, 有所擊)'을 말한다. 수(手)가 의미부이고 취(取)가 소리부이다. 『춘추전』(『좌전』 소공 20년, B.C. 522)에서 "손님이 야경을 돌려고 했다(賓將掫)"라고 했다. 독음은 자(子)와 후(侯)의 반절이다.

8044

捐 : 捐: 버릴 연: 手-총10획: juān

原文

捐 : 棄也. 从手肙聲. 與專切.

飜譯

'버리다(棄)'라는 뜻이다. 수(手)가 의미부이고 연(肙)이 소리부이다.126) 독음은 여(與)와 전(專)의 반절이다.

8045

掤 : 掤: 전동 뚜껑 붕: 手-총11획: bīng

---

126) 고문자에서 🔲🔲🔲簡牘文 등으로 그렸다. 手(손 수)가 의미부고 肙(장구벌레 연)이 소리부로, 손(手)으로 버리다는 뜻이며, 이로부터 기부하다, 없애버리다, 소비하다 등의 뜻이 나왔다.

原文

掤: 所以覆矢也. 从手朋聲. 『詩』曰 : "抑釋掤忌." 筆陵切.

飜譯

'화살 통을 덮는 뚜껑(所以覆矢)'을 말한다. 수(手)가 의미부이고 붕(朋)이 소리부이다. 『시·정풍·대숙우전(大叔于田)』에서 "화살 통 뚜껑을 풀고(抑釋掤忌)"라고 노래했다. 독음은 필(筆)과 릉(陵)의 반절이다.

8046

扜: 扜: 당길 우: 手-총6획: yū

原文

扜: 指麾也. 从手亏聲. 億俱切.

飜譯

'[깃발을 흔들며] 지휘하다(指麾)'라는 뜻이다. 수(手)가 의미부이고 우(亏)가 소리부이다. 독음은 억(億)과 구(俱)의 반절이다.

8047

麾: 麾: 지휘할 휘: 麻-총23획: huī

原文

麾: 旌旗, 所以指麾也. 从手靡聲. 許爲切.

飜譯

'깃발(旌旗)'을 말하는데, 군대를 지휘하는데 쓰인다(所以指麾). 수(手)가 의미부이고 미(靡)가 소리부이다. 독음은 허(許)와 위(爲)의 반절이다.

8048

捷: 捷: 이길 첩: 手-총11획: jié

原文

捷: 獵也. 軍獲得也. 从手疌聲.『春秋傳』曰:"齊人來獻戎捷." 疾葉切.

繙譯

'사냥하듯 사로잡다(獵)'라는 뜻이다. '군사행위에서 어떤 것을 획득하다'라는 뜻이다. 수(手)가 의미부이고 섭(疌)이 소리부이다.127)『춘추전』(『좌전』 장공 31년, B.C. 663)에서 "제나라 사람들이 와서 융적을 격파하고 얻은 전리품을 헌상했다(齊人來獻戎捷)"라고 했다. 독음은 질(疾)과 엽(葉)의 반절이다.

8049

扣: 扣: 두드릴 구: 手-총6획: kòu

原文

扣: 牽馬也. 从手口聲. 丘后切.

繙譯

'말을 끌다(牽馬)'라는 뜻이다. 수(手)가 의미부이고 구(口)가 소리부이다. 독음은 구(丘)와 후(后)의 반절이다.

8050

掍: 掍: 섞을 혼: 手-총11획: hùn

原文

掍: 同也. 从手昆聲. 古本切.

繙譯

'같도록 하다(同)[한데 섞다]'라는 뜻이다. 수(手)가 의미부이고 곤(昆)이 소리부이다. 독음은 고(古)와 본(本)의 반절이다.

---

127) 고문자에서 𢦏金文 등으로 그렸다. 手(손 수)가 의미부고 疌(베틀 디딜판 섭)이 소리부로, 捷報(첩보)에서처럼 전쟁에서 '이기다'는 뜻이다. 전쟁에서 이긴 소식을 재빨리(疌) 전해야 하는 행위(手)이기 때문에 敏捷(민첩)에서처럼 '빠르다'는 뜻이 나왔다. 달리 捷으로 적기도 한다.

8051

揝: 揌: 여럿의 생각 **수**: 手-총12획: sōu

原文

揌: 衆意也. 一曰求也. 从手叟聲.『詩』曰：“束矢其揌.” 所鳩切.

譯

'여러 사람의 의견(衆意)'이라는 뜻이다. 일설에는 '구하다(求)'라는 뜻이라고도 한다. 수(手)가 의미부이고 수(叟)가 소리부이다.『시·노송반수(泮水)』에서 "화살은 다 발로 묶여 있고(束矢其揌)"라고 노래했다. 독음은 소(所)와 구(鳩)의 반절이다.

8052

換: 換: 바꿀 **환**: 手-총12획: huàn

原文

換: 易也. 从手奐聲. 胡玩切.

譯

'바꾸다(易)'라는 뜻이다. 수(手)가 의미부이고 환(奐)이 소리부이다.128) 독음은 호(胡)와 완(玩)의 반절이다.

8053

掖: 掖: 겨드랑이 **액**: 手-총11획: yè

原文

掖: 以手持人臂投地也. 从手夜聲. 一曰臂下也. 羊益切.

---

128) 手(손 수)가 의미부고 奐(빛날 환)이 소리부로, 奐에서 분화한 글자이다. 어떤 것을 집으로 가져와 바꾸는(奐) 행위(手)를 말하며, 이로부터 변경하다, 交換(교환)하다, 바꾸다의 뜻이 나왔다.

譯

'손으로 사람의 팔을 끼고 땅에다 내던지다(以手持人臂投地)'라는 뜻이다.129) 수(手)가 의미부이고 야(夜)가 소리부이다. 일설에는 '겨드랑이(臂下)'를 말한다고도 한다. 독음은 양(羊)과 익(益)의 반절이다.

8054

搲: 搲: 넓을 화: 手－총14획: huà

原文

搲: 橫大也. 从手瓠聲. 胡化切.

譯

'넓다(橫大)'라는 뜻이다. 수(手)가 의미부이고 호(瓠)가 소리부이다. 독음은 호(胡)와 화(化)의 반절이다. [신부]

8055

攙: 攙: 찌를 참: 手－총20획: chān

原文

攙: 剌也. 从手毚聲. 楚銜切.

譯

'찌르다(剌)'라는 뜻이다. 수(手)가 의미부이고 참(毚)이 소리부이다. 독음은 초(楚)와 함(銜)의 반절이다. [신부]

8056

搢: 搢: 꽂을 진: 手－총13획: jìn

---

129) 단옥재(段玉裁), 계복(桂馥), 왕균(王筠), 주준성(朱駿聲) 등 『설문』 사대가 모두 '투지(投地)'는 삭제되어야 한다고 했다. 그렇게 되면 '손으로 사람의 팔을 끼다'로 해석된다.

原文

搢: 插也. 从手晉聲. 搢紳前史皆作薦紳. 卽刃切.

飜譯

'꽂다(插)'라는 뜻이다. 수(手)가 의미부이고 진(晉)이 소리부이다. 진신(搢紳)을 이전의 역사서에서는 모두 천신(薦紳)으로 적었다. 독음은 즉(卽)과 인(刃)의 반절이다. [신부]

8057

掠: 掠: **노략질할 략**: 手-총11획: lüè

原文

掠: 奪取也. 从手京聲. 本音亮. 『唐韻』或作擽. 離灼切.

飜譯

'탈취하다(奪取)'라는 뜻이다. 수(手)가 의미부이고 경(京)이 소리부이다. 본래 음은 량(亮)이다. 『당운(唐韻)』에서는 달리 역(擽)으로 적기도 했다.[130] 독음은 리(離)와 작(灼)의 반절이다. [신부]

8058

掐: 掐: **딸 겹**: 手-총11획: qiā

原文

掐: 爪刺也. 从手臽聲. 苦洽切.

飜譯

'손톱으로 찌르다(爪刺)'라는 뜻이다. 수(手)가 의미부이고 함(臽)이 소리부이다. 독음은 고(苦)와 흡(洽)의 반절이다. [신부]

---

130) 手(손 수)가 의미부이고 京(서울 경)이 소리부로, 빼앗는 행위(手) 즉 노략질을 말하며, 이로부터 고문하다, 베다 등의 뜻도 나왔다.

8059

捻: 捻: 비틀 념: 手-총11획: niǎn

原文

捻: 指捻也. 从手念聲. 奴協切.

飜譯

'손가락으로 비틀다(指捻)'라는 뜻이다. 수(手)가 의미부이고 념(念)이 소리부이다.
독음은 노(奴)와 협(協)의 반절이다. [신부]

8060

拗: 拗: 꺾을 요: 手-총8획: ǎo

原文

拗: 手拉也. 从手幼聲. 於絞切.

飜譯

'손으로 꺾다(手拉)'라는 뜻이다. 수(手)가 의미부이고 유(幼)가 소리부이다. 독음은
어(於)와 교(絞)의 반절이다. [신부]

8061

摵: 摵: 털어낼 색: 手-총14획: suō, suǒ

原文

摵: 捎也. 从手戚聲. 沙劃切.

飜譯

'없애다(捎)'라는 뜻이다. 수(手)가 의미부이고 척(戚)이 소리부이다. 독음은 사(沙)와
획(劃)의 반절이다. [신부]

8062

捌: 捌: 깨뜨릴 팔: 手-총10획: bā

原文

捌: 方言云：無齒杷. 从手別聲. 百轄切.

飜譯

'『방언(方言)』에서 이빨이 없는 써레(無齒杷)를 말한다'라고 했다. 수(手)가 의미부이고, 별(別)이 소리부이다. 독음은 백(百)과 할(轄)의 반절이다. [신부]

8063

攤: 攤: 펼 탄: 手-총22획: tān

原文

攤: 開也. 从手難聲. 他干切.

飜譯

'열다(開)'라는 뜻이다. 수(手)가 의미부이고 난(難)이 소리부이다. 독음은 타(他)와 간(干)의 반절이다. [신부]

8064

抛: 抛: 던질 포: 手-총8획: pāo

原文

抛: 棄也. 从手从尤从力, 或从手尥聲. 案：『左氏傳』通用摽. 『詩』："摽有梅." 摽, 落也. 義亦同. 匹交切.

飜譯

'버리다(棄)'라는 뜻이다. 수(手)가 의미부이고 우(尤)도 의미부이고 력(力)도 의미부이다. 혹은 수(手)가 의미부이고 력(尥)이 소리부라고도 한다. 제(서현) 생각은 이렇습니다. 『좌씨전』에서는 표(摽)와 통용하였습니다. 『사소남』에서 노래한 "표유매(摽有梅·매실은 툭툭 떨어지고”의 표(摽)는 '떨어지다(落)'라는 뜻입니다. 이와 의미가 같습니다. 독음은 필(匹)과 교(交)의 반절이다. [신부]

8065

捈: 捈: 노름 저: 手-총14획: chū

제 12 권

原文

捈: 舒也. 又, 捈蒲, 戲也. 从手雩聲. 丑居切.

飜譯

'천천히 펴다(舒)'라는 뜻이다. 또 '저포(捈蒲)'를 말하는데, 놀이(戲)의 하나이다. 수(手)가 의미부이고 우(雩)가 소리부이다. 독음은 축(丑)과 거(居)의 반절이다. [신부]

8066

打: 打: 칠 타: 手-총5획: dǎ

原文

打: 擊也. 从手丁聲. 都挺切.

飜譯

'때리다(擊)'라는 뜻이다. 수(手)가 의미부이고 정(丁)이 소리부이다.131) 독음은 도(都)와 정(挺)의 반절이다. [신부]

---

131) 手(손 수)와 丁(넷째 천간 정)으로 이루어져, 못(丁)을 치는 손동작(手)을 그렸다. 이로부터 '때리다'는 뜻이 나왔으며, 이후 공격하다, 전쟁을 치르다, 사격하다, 붙잡다 등의 뜻이 나왔다.

제442부수
442 ■ 괴(冎)부수

8067

冎 : 冎: 등골뼈 괴·척: 冎-총11획: guāi

(原文)

冎 : 背呂也. 象脅肋也. 凡冎之屬皆从冎. 古懷切.

(飜譯)

'등뼈(背呂)'를 말한다. 옆구리의 갈빗대(脅肋)를 형상했다. 괴(冎)부수에 귀속된 글자들은 모두 괴(冎)가 의미부이다. 독음은 고(古)와 회(懷)의 반절이다.

8068

脊 : 脊: 등성마루 척: 肉-총10획: jǐ

(原文)

脊 : 背呂也. 从冎从肉. 資昔切.

(飜譯)

'등뼈(背呂)'를 말한다. 괴(冎)가 의미부이고 육(肉)도 의미부이다.132) 독음은 자(資)와 석(昔)의 반절이다.

---

132) 고문자에서 脊 脊 簡牘文 등으로 그렸다. 윗부분은 등골을 그렸고 아랫부분은 肉(고기 육)으로 구성되어 신체(肉)의 일부분인 '등골'을 말한다. 등골은 신체의 중추적 역할을 하는 부분이므로 이후 가장 중요한 부분이라는 뜻도 나왔다.

완역 설문해자

제12권
(하)

제443부수
443 ■ 녀(女)부수

제12권

8069

戌 : 女: 여자 녀: 女-총3획: nǔ, rǔ

原文

戌 : 婦人也. 象形. 王育說. 凡女之屬皆从女. 尼呂切.

飜譯

'여인(婦人)'을 말한다. 상형이다. 왕육(王育)의 해설이다.[133] 녀(女)부수에 귀속된 글자들은 모두 녀(女)가 의미부이다. 독음은 니(尼)와 려(呂)의 반절이다.

8070

姓 : 姓: 성 성: 女-총8획: xìng

原文

姓 : 人所生也. 古之神聖母, 感天而生子, 故稱天子. 从女从生, 生亦聲. 『春秋

---

133) 고문자에서 ⬚⬚⬚⬚甲骨文 ⬚⬚⬚⬚⬚金文 ⬚⬚古陶文 ⬚盟書 ⬚⬚⬚ ⬚⬚⬚⬚簡牘文 ⬚帛書 戌石刻古文 ⬚⬚古璽文 등으로 그렸다. 두 손을 앞으로 모으고 점잖게 앉은 여인의 모습을 그렸으며, 이로부터 '여자'의 통칭이 되었다. 이후 이인칭 대명사로도 사용되었다. 한자에서 女의 상징은 시대를 따라 변해왔다. 后(임금 후)에서처럼 처음에는 인류의 기원이자 무한한 생산성을 가진 위대한 존재로 인식되었으며, 母(어미 모)에서처럼 어미는 아이를 양육하고 문화를 전승하고 창조해 가는 주체로 인식되었다. 그래서 姸(고울 연)에서처럼 여성은 위대한 존재였고, 아름다움의 상징이었다. 하지만, 이후 인류사회가 부권 중심으로 옮겨가면서 여성은 모권사회에서 생산 활동의 절대 대부분을 책임질 만큼 강인하고 활동적인 존재였음에도 如(같을 여)에서처럼 나약하고 조용한 힘없는 존재로 인식되었다. 나아가 여성에 대한 인식 변화는 여기서 그치지 않았는데, 사회의 약자로 그 지위가 변하면서 여성은 姦(간사할 간)에서처럼 간사하고 투기 잘하는 비천한 존재로 그려졌다.

傳』曰：“天子因生以賜姓.”息正切.

(飜譯)

‘사람이 태어난 곳(人所生)’을 말한다. 옛날, 신성한 어머니가 하늘에 감응하여 아이를 낳았기 때문에, 천자(天子)라고 부른다. 녀(女)가 의미부이고 생(生)도 의미부인데, 생(生)은 소리부도 겸한다.[134] 『춘추전』(『좌전』 은공 8년, B.C. 715)에서 “천자는 [덕 있는 사람을 제후로 삼을 때] 태어난 곳에 근거해 성(姓)을 하사하고 [봉토에 따라 씨(氏)를 내립니다.](天子因生以賜姓.)”라고 했다. 독음은 식(息)과 정(正)의 반절이다.

8071

姜 ： 姜: 성 강: 女-총9획: jiāng

(原文)

姜 ： 神農居姜水, 以爲姓. 从女羊聲. 居良切.

(飜譯)

‘[신농씨의 성인데] 신농(神農)씨가 강수(姜水)에 살았기 때문에 강(姜)을 성으로 삼았다.’[135] 녀(女)가 의미부이고 양(羊)이 소리부이다.[136] 독음은 거(居)와 량(良)의 반절이다.

---

134) 고문자에서 🅰甲骨文 🅱金文 🅲簡牘文 🅳🅴🅵古璽文 등으로 그렸다. 女(여자 녀)가 의미부고 生(날 생)이 소리부로, ‘성’을 말하는데, 여자(女)가 낳았다(生)는 뜻으로, 자식의 혈통이 여성 중심으로 이어지던 모계사회의 모습을 반영했다. 이후 가족, 자손 등의 통칭으로도 썼다. 부계사회에 들면서 부계중심으로 이어지는 혈통을 氏(성씨 씨)라 구분해 불렀고, 이 때문에 이 둘이 결합한 姓氏라는 단어가 나왔다.

135) 강수(姜水)에 대해서, 『수경주(水經注)·위수(渭水)』에서는 “기수(岐水)가 강씨성(姜氏城)을 경과하면 강수(姜水)가 된다.”라고 하였고, 『국어』에서는 “황제는 희수를 근거지로 하여 성장했고, 염제는 강수를 근거지로 하여 성장했다.(黃帝以姬水成, 炎帝以姜水成.)”라고 했다. 이에 대해 『단주』에서도 이렇게 말했다. “이는 『국어·진어(晉語)』의 말이다. 사공계자(司空季子)의 말에 의하면 다음과 같다. ‘옛날 소전(少典)씨가 유교씨(有蟜氏)를 아내로 맞아들여 황제(黃帝)와 염제(炎帝)를 낳는데, 황제(黃帝)는 희수(姬水)를 기반으로 성장했고 염제(炎帝)는 강수(姜水)를 기반으로 성장했다. 성장하면서 덕(德)이 서로 다르게 되었다. 그래서 황제(黃帝)는 희(姬)성이 되었고 염제(炎帝)는 강(姜)성이 되었다.’ ……『수경주·위수편(渭水篇)』에서 기수(岐水)는 또 동쪽으로 흘러 강씨성(姜氏城)의 남쪽으로 지나 강수(姜水)가 된다고 했다. 『제왕세기(帝王世紀)』를 인용하여 염제(炎帝) 신농씨(神農氏)는 강성(姜姓)인데, 그의 어머니가 화

8072

姬: 姬: 성 희: 女-총9획: jī

原文

姬: 黃帝居姬水, 以爲姓. 从女臣聲. 居之切.

飜譯

'[황제의 성인데] 황제(黃帝)가 희수(姬水)에 살았기 때문에, 희(姬)를 성으로 삼았다.' 녀(女)가 의미부이고 이(臣)가 소리부이다. 독음은 거(居)와 지(之)의 반절이다.

8073

姞: 姞: 성 길: 女-총9획: jí

原文

姞: 黃帝之後百鯀姓, 后稷妃家也. 从女吉聲. 巨乙切.

飜譯

'황제(黃帝)의 후손인 백유(百鯀)의 성이며, 후직(后稷)의 아내의 집안이다.' 녀(女)가 의미부이고 길(吉)이 소리부이다. 독음은 거(巨)와 을(乙)의 반절이다.

8074

嬴: 嬴: 찰 영: 女-총16획: yíng

양(華陽)에 놀러갔다가 신과 감응하여 염제(炎帝)를 낳았으며, 강수(姜水)를 근거지로 하여 성장했다고 했다."

136) 고문자에서 ⸢甲骨文 ⸣⸢金文 ⸣⸢帛書 ⸣⸢古璽文 등으로 그렸다. 女(여자 녀)가 의미부이고 羊(양 양)이 소리부로, 원래 양(羊)을 치며 토템으로 삼아 감숙성·청해성·사천성 일대에 살던 중국 서북쪽의 '羌族(강족)'을 말했는데, 이후 성씨를 지칭하기 위해 儿(사람 인)을 女로 바꾸어 분화한 글자이다. 『설문해자』에서는 "神農(신농)씨가 姜水(강수)에 살았다"라고 했는데, 사람은 여성(女)에게서 태어나기 때문에 女가 의미부로 채택되었다.

原文

嬴: 少昊氏之姓也. 从女, 嬴省聲. 以成切.

飜譯

'소호씨(少昊氏)의 성이다.'137) 녀(女)가 의미부이고, 이(嬴)의 생략된 모습이 소리부이다. 독음은 이(以)와 성(成)의 반절이다.

8075

姚: 예쁠 요: 女-총9획: yáo

原文

姚: 虞舜居姚虛, 因以爲姓. 从女兆聲. 或爲姚, 嬈也. 『史篇』以爲: 姚, 易也. 余招切.

飜譯

'우순(虞舜)이 요허(姚虛)에 살았기 때문에 요(姚)를 성으로 삼았다.' 녀(女)가 의미부이고 요(兆)가 소리부이다. 혹자는 요(姚)가 '아리땁다(嬈)'라는 뜻이라고도 한다. 또 『사편(史篇)』에서는 '요(姚)가 쉽다(易)는 뜻이다'라고 했다. 독음은 여(余)와 초(招)의 반절이다.

---

137) 소호씨는 전설시대 오제(五帝)의 첫 머리를 장식하는 인물이다. 태호(太皞) 복희씨에 이어 일어난 동이족의 수령으로, 성은 기(己), 이름은 지(摯) 혹은 질(質)이라 했다. 『사기』에는 소호씨가 황제의 두 아들 중 하나인 현효(玄囂)로 나오며, 궁상(窮桑)에 도읍을 정했기 때문에 궁상씨라고 불렀다는 기록도 있다. 오행의 으뜸인 '금(金)' 자로 자신의 정치와 덕을 표시하고 '금덕(金德)으로 천하의 왕 노릇을 한다'는 설을 내세웠기 때문에 '금천씨'라고도 한다. 소호(少皞), 소호(少皓), 소호(少顥)라고도 하며, 청양씨, 운양씨(雲陽氏), 주선(朱宣)이라고도 불린다. 후세에 대화하현종강황제(大華夏顯宗康皇帝) 혹은 백제라고 불리었다. 84년간 재위하다가 100살로 세상을 떠났다고 한다. 『여씨춘추』·『세경(細徑)』·『통감외기(通鑑外紀)』 등에는 소호씨를 삼황오제의 하나로 꼽고 있다. 삼황오제는 중국 고대의 전설적인 제왕을 일컫는데, 삼황은 일반적으로 복희씨·신농씨·여와를 말하며, 여신인 여와 대신 수인씨나 황제를 넣기도 한다. 오제는 사마천의 『사기』에 의하면 황제·전욱·제곡·요·순을 말하는데, 황제를 삼황으로 꼽을 때는 '소호'를 오제에 넣기도 한다. 소호씨는 궁상(窮桑: 지금의 산동성 곡부 동북)에서 제위에 오른 뒤 곡부로 옮겼다. 죽어서는 엄(奄, 산동성 곡부현)에서 죽어 운양산(雲陽山, 산동성 곡부 서남)에 장사지냈다고 한다.(『중국인물사전』)

8076

嬀: 嬀: 성 규: 女-총15획: guī

原文

嬀: 虞舜居嬀汭, 因以爲氏. 从女爲聲. 居爲切.

飜譯

'우순(虞舜)이 규수(嬀水)와 예수(汭水)가 합쳐지는 곳에 살았기 때문에, 규(嬀)를 성으로 삼았다. 녀(女)가 의미부이고 위(爲)가 소리부이다. 독음은 거(居)와 위(爲)의 반절이다.

8077

妘: 妘: 성 운: 女-총7획: yún

原文

妘: 祝融之後姓也. 从女云聲. 䢵, 籀文妘从員. 王分切.

飜譯

'축융(祝融)의 후손의 성이다.'[138] 녀(女)가 의미부이고 운(云)이 소리부이다. 운(䢵)은 운(妘)의 주문체인데, 원(員)으로 구성되었다. 독음은 왕(王)과 분(分)의 반절이다.

---

138) 축융은 전설 속 고양씨 전욱 후예의 한 갈래로 축송(祝誦) 또는 축화(祝和)로 기록되기도 하였다. 모두 여덟 개 성씨로 나뉘어졌다고 한다. 제곡(帝嚳, 고신씨) 때 화정(火正)에 임명되었는데 불을 잘 다루었기 때문이다. 화정이란 불과 관련된 관직이었는데, 훗날 불의 신으로 받들어졌다. 일설에는 물을 담당했던 공공이 그의 아들이라 한다. 축융의 활동 지구는 지금의 하남성 정주 일대였다. 나중에 자리를 잃고 남쪽으로 옮겨 강수(江水, 장강) 지역에 정착하여 만족과 어울려 살았다. 축융의 한 갈래인 미(羋) 성은 훗날 서주 춘추를 거치면서 점차 강대해져 마침내 남방에서 초나라를 세웠다고 한다. 전설 속에서 축융은 나무를 비벼 불을 얻은 수인씨의 뒤를 이어 부싯돌로 불을 얻었고, 일찍이 화공으로 치우를 물리치기도 했다고 한다. 『예기』·『좌전』·『회남자』·『여씨춘추』 등에 그에 관한 단편적인 기록들이 남아 있다.(『중국인물사전』)

8078

姺: 姺: 나라 이름 신·선: 女-총9획: xīn, xiǎn

原文

姺: 殷諸侯爲亂, 疑姓也. 从女先聲.『春秋傳』曰：“商有姺邳.” 所臻切.

飜譯

'은(殷)의 제후들이 난을 일으켰는데, 선(姺)은 그들의 하나로 추정된다.[139] 녀(女)가 의미부이고 선(先)이 소리부이다.『춘추전』에서 “상(商)나라 때에는 신(姺)과 비(邳)가 있었다”라고 했다. 독음은 소(所)와 진(臻)의 반절이다.

8079

嬿: 嬿: 성씨 연: 女-총15획: rán, niàn

原文

嬿: 人姓也. 从女然聲. 奴見切.

飜譯

'사람의 성(人姓)'을 말한다. 녀(女)가 의미부이고 연(然)이 소리부이다. 독음은 노(奴)와 견(見)의 반절이다.

8080

妈: 妈: 성씨 호: 女-총7획: hào

原文

妈: 人姓也. 从女丑聲.『商書』曰：“無有作妈.” 呼到切.

飜譯

---

139)『단주』에서 이렇게 말했다. “하(夏)나라 때에는 관(觀)과 호(扈)가 있었고, 상(商)나라 때에는 신(姺)과 비(邳)가 있었고, 주(周)나라 때에는 서(徐)와 엄(奄)이 있었는데, 모두 당시의 난을 일으켰던 제후들이다.”

'사람의 성(人姓)'을 말한다. 녀(女)가 의미부이고 축(丑)이 소리부이다. 『상서·홍범(洪範)』에서 "사적으로 좋아하는 일을 하지 말라(無有作姷)"라고 했다. 독음은 호(呼)와 도(到)의 반절이다.

8081

媒: 娸: 더럽게 여길 기: 女-총11획: qī

原文

娸: 人姓也. 从女其聲. 杜林說: 娸, 醜也. 去其切.

飜譯

'사람의 성(人姓)'을 말한다. 녀(女)가 의미부이고 기(其)가 소리부이다. 두림(杜林)의 해설에 의하면, 기(娸)는 '추하다(醜)'라는 뜻이라고 한다. 독음은 거(去)와 기(其)의 반절이다.

8082

妵: 妵: 자랑할 타: 女-총6획: chà

原文

妵: 少女也. 从女乇聲. 坼下切.

飜譯

'소녀(少女)'라는 뜻이다. 녀(女)가 의미부이고 탁(乇)이 소리부이다. 독음은 탁(坼)과 하(下)의 반절이다.

8083

媒: 媒: 중매 매: 女-총12획: méi

原文

媒: 謀也, 謀合二姓. 从女某聲. 莫桮切.

翻譯
'일을 도모하다(謀)'라는 뜻인데, '성이 다른 두 사람을 중매하다(謀合二姓)'는 뜻이다. 녀(女)가 의미부이고 모(某)가 소리부이다.[140] 독음은 막(莫)과 배(桮)의 반절이다.

8084

妁: 妁: 중매 작: 女-총6획: zhuó

原文

妁: 酌也, 斟酌二姓也. 从女勺聲. 市勺切.

翻譯
'작(酌)과 같아 헤아리다'는 뜻인데, '성이 다른 두 사람을 연결시키다(斟酌二姓)'라는 뜻이다. 녀(女)가 의미부이고 작(勺)이 소리부이다. 독음은 시(市)와 작(勺)의 반절이다.

8085

嫁: 嫁: 시집갈 가: 女-총13획: jià

原文

嫁: 女適人也. 从女家聲. 古訝切.

翻譯
'여자가 다른 사람에게 시집가다(女適人)'라는 뜻이다. 녀(女)가 의미부이고 가(家)가 소리부이다.[141] 독음은 고(古)와 아(訝)의 반절이다.

---

140) 女(여자 녀)가 의미부고 某(아무 모)가 소리부로, 중매쟁이를 말하며, 이로부터 중매하다, 연결하다 등의 뜻이 나왔는데, 남녀를 연결키는 일을 하는(某, 謀의 원래 글자) 여자(女)라는 뜻을 담았다.

141) 고문자에서 嫁 嫁 簡牘文 등으로 그렸다. 女(여자 녀)가 의미부이고 家(집 가)가 소리부로, '시집가다'는 뜻인데, 여자(女)가 결혼하여 집(家)을 이루다는 뜻을 담았다. 이로부터 '가다', '이동하다', '팔다', '가지에 접을 붙이다' 등의 뜻이 나왔다.

8086

娶: 娶: 장가들 취: 女−총11획: qǔ

原文

娶: 取婦也. 从女从取, 取亦聲. 七句切.

譯

'여인을 아내로 맞아들이다(取婦)'라는 뜻이다. 녀(女)가 의미부이고 취(取)도 의미부인데, 취(取)는 소리부도 겸한다.[142] 독음은 칠(七)과 구(句)의 반절이다.

8087

婚: 婚: 혼인할 혼: 女−총11획: hūn

原文

婚: 婦家也. 『禮』: 娶婦以昏時, 婦人陰也, 故曰婚. 从女从昏, 昏亦聲. 㜛, 籒
文婚. 呼昆切.

譯

'신부의 집(婦家)'을 말한다. 『예기·사혼례(士婚禮)』에서 "아내를 맞아들이는 결혼은 해가 저물었을 때에 거행하는데, 여성이 음에 해당하기 때문이다. 그래서 [결혼을] 혼(昏)이 들어간 혼(婚)이라 부른다."라고 했다. 녀(女)가 의미부이고 혼(昏)도 의미부인데, 혼(昏)은 소리부도 겸한다.[143] 혼(㜛)은 혼(婚)의 주문체이다. 독음은 호(呼)와 곤(昆)의 반절이다.

---

142) 고문자에서 甲骨文 簡牘文 등으로 그렸다. 女(여자 녀)가 의미부고 取(취할 취)가 소리부로, 장가들다, 결혼하다는 뜻인데, 여성(女)을 강제로 빼앗아(取) 가는 방식으로 결혼하던 '奪取婚(탈취혼)'의 모습을 담았다.

143) 고문자에서 金文 盟書 등으로 그렸다. 女(여자 녀)가 의미부고 昏(어두울 혼)이 소리부로, 신부(女)를 맞이하여 결혼함을 말하는데, 고대의 결혼은 주로 날이 어두워지는 시간대인 昏時(혼시)에 이루어졌기에 昏이 소리부로 쓰였다.

8088

姻: 姻: 혼인 인: 女-총9획: yīn

原文

姻: 壻家也. 女之所因, 故曰姻. 从女从因, 因亦聲. 㛐, 籀文姻从鼎. 於眞切.

飜譯

'신랑의 집(壻家)'을 말한다. 여자가 기대는 대상이기 때문에 인(因)이 들어간 인(姻)이라 부른다. 녀(女)가 의미부이고 인(因)도 의미부인데, 인(因)은 소리부도 겸한다.144) 인(㛐)은 인(姻)의 주문체인데, 연(鼎)으로 구성되었다. 독음은 어(於)와 진(眞)의 반절이다.

8089

妻: 妻: 아내 처: 女-총8획: qī

原文

妻: 婦與夫齊者也. 从女从屮从又. 又, 持事, 妻職也. 㜒, 古文妻从𠂤、女. 𠂤, 古文貴字. 七稽切.

飜譯

'부인(婦)'을 말하는데, '남편(夫)과 나란히 하여 함께 사는 사람'이라는 뜻이다. 녀(女)가 의미부이고 철(屮)도 의미부이고 우(又)도 의미부이다. 우(又)는 일을 맡아서 하다(持事)는 뜻인데, 이것이 아내가 할 일(妻職)임을 말한다.145) 처(㜒)는 처(妻)의

---

144) 女(여자 녀)가 의미부고 因(인할 인)이 소리부로, 신랑 집(壻家·서가)을 뜻하는데, 여자(女)가 기대야 하는(因) 곳이라는 의미를 그렸다. 이후 결혼, 姻親(인친) 등을 뜻하게 되었다.

145) 고문자에서 𦥑𧻚串𦥑金文 𧻚妻𦥑簡牘文 등으로 그렸다. 女(여자 녀)와 又(또 우)와 가로획(一)으로 구성되어, 꿇어앉은 여자(女)의 뒤쪽에서 머리를 다듬어 주면서 비녀(一)를 꽂아 주는(又) 모습을 형상하여, 여성의 성인식을 반영한 글자인데, 자형이 변해 지금처럼 되었다. 『예기』에 의하면 여자가 15살이 되면 친지 친구들이 모인 가운데 가장인 아버지가 여식의 머리를 빗고서 비녀를 꽂아 준다고 했다. 이 나이를 지나면 여자는 성인의 대접을 받을 수 있었음과 동시에 다른 사람의 아내가 될 수 있었다. 이 때문에 妻에 '아내'나 아내로 삼다 등의

고문체인데, 귀(肖)와 녀(女)로 구성되었다. 귀(肖)는 귀(貴)의 고문체이다. 독음은 칠(七)과 계(稽)의 반절이다.

8090

婦: 婦: 며느리 부: 女-총11획: fù

原文

婦: 服也. 从女持帚灑掃也. 房九切.

飜譯

'복(服)과 같아 복종하다'라는 뜻이다. 여자(女)가 비(帚)를 들고 청소하는 모습을 형상했다.146) 독음은 방(房)과 구(九)의 반절이다.

8091

妃: 妃: 왕비 비: 女-총6획: fēi

原文

妃: 匹也. 从女己聲. 芳非切.

飜譯

'배필(匹)'을 말한다. 녀(女)가 의미부이고 기(己)가 소리부이다.147) 독음은 방(芳)과

뜻이 담기게 되었다.

146) 고문자에서 甲骨文 金文 簡牘文 등으로 그렸다. 女(여자 녀)와 帚(비 추)로 구성되어, 비를 든 여자의 모습을 그렸다. 집 청소 등의 가사 일이 전통적으로 여자의 몫이었기에 '결혼한 여자'를 지칭하게 되었다. 하지만, 갑골문에서 婦가 임금의 부인을 지칭하는 것으로 보아, 이는 단순한 집 청소가 아닌, 제사를 모시는 제단 청소를 말한 것으로 보인다. 여자의 출입이 엄격하게 금지되었던 제단이나 종묘를 청소하고 관리할 수 있었던 특권을 가진 직위가 바로 婦였으며, 이후 결혼한 여자에 대한 통칭으로 쓰이게 되었으며, 며느리라는 뜻도 나왔다. 간화자에서는 帚를 간단하게 줄여 쓴 妇로 쓴다.

147) 고문자에서 甲骨文 金文 등으로 그렸다. 女(여자 녀)가 의미부고 己(몸 기)가 소리부로, 자신(己)의 배우자(女)를 말하며 이로부터 '왕의 비'라는 뜻이 나왔는데, 남성 중심의 사고가 반영되었다. 혹자는 己가 남성을 뜻하여 남성(己)과 여성(女)이 서로 짝을 이룬

비(非)의 반절이다.

8092

媲: 媲: 평고대 비: 女-총13획: pì

原文

媲: 妃也. 从女毘聲. 匹計切.

譯

'배필(妃)'을 말한다. 녀(女)가 의미부이고 비(毘)가 소리부이다. 독음은 필(匹)과 계(計)의 반절이다.

8093

妊: 妊: 아이 밸 임: 女-총7획: rèn

原文

妊: 孕也. 从女从壬, 壬亦聲. 如甚切.

譯

'아이를 배다(孕)'라는 뜻이다. 녀(女)가 의미부이고 임(壬)도 의미부인데, 임(壬)은 소리부도 겸한다.148) 독음은 여(如)와 심(甚)의 반절이다.

8094

娠: 娠: 애 밸 신: 女-총10획: shēn

原文

모습에서 '배필'의 뜻이 나온 것으로 풀이하기도 한다.

148) 女(여자 녀)가 의미부고 壬(아홉째 천간 임)이 소리부로, 아이를 배는 것은 여성(女)이 책임을 지고 도맡아 해야(壬) 하는 일임을, 또 임신을 하면 그 어느 때보다 책임을 다하여 조심하고 세심해야 함을 반영했다. 그러한 의미를 더욱 강조하기 위해 壬 대신 任(맡길 임)을 쓴 姙으로 쓰기도 한다.

娠: 女妊身動也. 从女辰聲. 『春秋傳』曰:"后緡方娠." 一曰宮婢女隸謂之娠. 失人切.

[번역]

'뱃속에 든 아이가 움직이다(女妊身動)'라는 뜻이다. 녀(女)가 의미부이고 신(辰)이 소리부이다.[149] 『춘추전』(『좌전』 애공 원년, B.C. 494)에서 "후민(后緡)이 비로소 아이를 배었다"라고 했다.[150] 일설에는 궁의 여자 종이나 노비(宮婢女隸)를 신(娠)이라고도 한다. 독음은 실(失)과 인(人)의 반절이다.

8095

嫿: 嫴: 애 밸 주: 女-총13획: chǔ

[原文]

嫿: 婦人妊身也. 从女芻聲. 『周書』曰:"至于嫿婦." 側鳩切.

[번역]

'여자가 임신하다(婦人妊身)'라는 뜻이다. 녀(女)가 의미부이고 추(芻)가 소리부이다. 『서·주서·재재(梓材)』에서 "[약한 자를 공경해 주고] 임산부를 돌보아 주는 경지에까지 이르고(至于嫿婦)"라고 했다. 독음은 측(側)과 구(鳩)의 반절이다.

8096

孷: 孷: 토끼 새끼 반: 女-총16획: fàn

[原文]

孷: 生子齊均也. 从女从生, 免聲. 芳萬切.

[번역]

---

149) 『단주』에서 이렇게 말했다. "아이를 배고서 태아가 움직이는 것(妊而身動)을 신(娠)이라 하는데, 이는 자세히 구분해 한 말이다. 뭉뚱그려 말하면, 임(妊)과 신(娠)에 구분이 없다."

150) 후민(后緡)은 하(夏)나라 제5대 임금인 사상(姒相)의 부인인데, 유잉국(有仍國, 지금의 산동성 濟寧)의 수령이었던 유잉씨(有仍氏)의 딸로 알려졌다.

'많이 낳은 아이들이 모두 재주가 균등하다(生子齊均)'라는 뜻이다. 녀(女)가 의미부이고 생(生)도 의미부이고, 면(免)이 소리부이다. 독음은 방(芳)과 만(萬)의 반절이다.

8097

嫛: 嫛: 유순할 예: 女-총14획: yī

原文

嫛: 婗也. 从女殹聲. 烏雞切.

繙譯

'갓난 아이(婗)'를 말한다.[151] 녀(女)가 의미부이고 예(殹)가 소리부이다. 독음은 오(烏)와 계(雞)의 반절이다.

8098

婗: 婗: 갓난 아이 예: 女-총11획: ní

原文

婗: 嫛婗也. 从女兒聲. 一曰婦人惡兒. 五雞切.

繙譯

'갓난아이(嫛婗)'를 말한다. 녀(女)가 의미부이고 아(兒)가 소리부이다. 일설에는 '못생긴 여자의 모습(婦人惡兒)'을 말한다고도 한다. 독음은 오(五)와 계(雞)의 반절이다.

---

151) 『단주』에서는 각 판본에서 예(婗)의 앞에 예(嫛)자가 탈락되었기에 이를 보충하여 '嫛婗也'가 되어야 하며, 예예(嫛婗)는 분리될 수 없는 하나의 단어라고 했다. 그리고 다음과 같이 말했다. "『석명(釋名)』에서 사람이 처음 태어났을 때를 영아(嬰兒)라 하는데 달리 예예(嫛婗)라고도 한다고 했다. 예(嫛)는 시(是)와 같다. 이 사람(是人)이라는 뜻이다. 예(婗)는 태어날 때 내는 울음소리를 말한다. 『예기·잡기(雜記)』(하)에서 '中路嬰兒失其母焉(중로가 태어나자마자 어미가 돌아가셨습니다)'이라 했는데, 이의 주석에서 영(嬰)은 예미(鷖彌)와 같다고 했다. 내 생각에는 여기서 말한 예미(鷖彌)가 바로 예예(嫛婗)로, 같은 말이나 글자가 달라진 것이라 생각한다." 다음에 나오는 예(婗)자의 해석에서 '嫛婗也'라고 한 것을 보면 단옥재의 보충이 옳아 보인다.

8099

𣫭 : 母: 어미 모: 毋-총5획: mǔ

(原文)

𣫭 : 牧也. 从女, 象裹子形. 一曰象乳子也. 莫后切.

(飜譯)

'기르다(牧)'라는 뜻이다. 녀(女)가 의미부이고, 아이를 안은 모습을 그렸다. 일설에는 '아이에게 젖을 먹이는 모습(乳子)'을 형상했다고도 한다.[152] 독음은 막(莫)과 후(后)의 반절이다.

8100

嫗 : 嫗: 할미 구: 女-총14획: yù

(原文)

嫗 : 母也. 从女區聲. 衣遇切.

(飜譯)

'어미(母)'를 말한다. 녀(女)가 의미부이고 구(區)가 소리부이다. 독음은 의(衣)와 우(遇)의 반절이다.

8101

---

152) 고문자에서 𣫭𣫭𣫭𣫭 甲骨文 𣫭𣫭𣫭𣫭𣫭 金文 𣫭 古陶文 𣫭𣫭𣫭 簡牘文 𣫭帛書 𣫭古璽文 등으로 그렸다. 손을 모으고 앉은 여인(女·여)에 유방을 의미하는 두 점이 더해져 '어미'를 형상했다. 이것은 여자와 어머니의 차이가 젖에 있기 때문이다. 어머니는 젖으로 아이를 키운다. 아이가 젖을 뗄 무렵이 되면, 회초리로 아이를 가르치고 훈육하는데, 이것을 어머니의 주된 역할로 보았다. 그래서 태어나면서 체득하는 것과 관련된 한자에는 모두 母가 들어간다. 예컨대 태어나서 바로 배우는 언어가 母國語(모국어)이고, 태어나서 자신이 속한 문화를 체득하는 곳이 母國(모국)이다. 그래서 어머니는 敏(재빠를 민)에서처럼 익숙하고 편안한 존재이지, 유혹하고 싶은 '여자'는 아니다. 하지만, 비녀 여럿을 꽂아 화려하게 치장한 모습을 그린 毒(독 독)에서처럼 어머니(每)가 본연의 의무를 망각하게 되면 이제는 어머니가 아니라 남자를 유혹하는 음란한 여성이 되고 사회의 '독'으로 변한다.

媼: 媼: 할미 온: 女-총13획: ǎo

原文

媼: 女老偁也. 从女囚聲. 讀若奧. 烏皓切.

繹譯

'늙은 여자를 부르는 말(女老偁)[할미]'이다. 녀(女)가 의미부이고 온(囚)이 소리부이다. 오(奧)와 같이 읽는다. 독음은 오(烏)와 호(皓)의 반절이다.

8102

姁: 姁: 할미 후: 女-총8획: xǔ

原文

姁: 媼也. 从女句聲. 況羽切.

繹譯

'할미(媼)'를 말한다. 녀(女)가 의미부이고 구(句)가 소리부이다. 독음은 황(況)과 우(羽)의 반절이다.

8103

姐: 姐: 누이 저: 女-총8획: jiě

原文

姐: 蜀謂母曰姐, 淮南謂之社. 从女且聲. 兹也切.

繹譯

'촉(蜀) 지역에서는 어미(母)를 저(姐)라 부르고, 회남(淮南) 지역에서는 사(社)라 부른다. 녀(女)가 의미부이고 차(且)가 소리부이다.153) 독음은 자(兹)와 야(也)의 반절이다.

---

153) 女(여자 녀)가 의미부고 且(또 차)가 소리부로, 여성(女)인 어머니나 누이를 말하며, 나아가 나이 많은 여성이나 동년배의 여성을 높여 부를 때 쓰이는데, 여성(女)의 선조(且, 祖의 원래 글자)라는 의미를 담았다.

8104

姑: 姑: 시어미 고: 女-총8획: gū

(原文)

姑: 夫母也. 从女古聲. 古胡切.

(飜譯)

'남편의 어머니(夫母)[시어미]'를 말한다. 녀(女)가 의미부이고 고(古)가 소리부이다.154) 독음은 고(古)와 호(胡)의 반절이다.

8105

威: 威: 위엄 위: 女-총9획: wēi

(原文)

威: 姑也. 从女从戌. 漢律曰 : "婦告威姑." 於非切.

(飜譯)

'시어미(姑)'를 말한다. 녀(女)가 의미부이고 술(戌)도 의미부이다.155) 한나라 법률(漢律)에 "아내가 남편의 어머니[시어머니]를 고발했다(婦告威姑)"라고 했다. 독음은 어(於)와 비(非)의 반절이다.

8106

---

154) 고문자에서 金文 簡牘文 帛書 등으로 그렸다. 女(여자 녀)가 의미부이고 古(옛 고)가 소리부로, 남편의 어머니를 말하는데, 시집에 원래부터 있던 오래된 (古) 어머니(女)라는 뜻을 담았다. 이후 고모나 남편의 여형제를 뜻하였고 또 여성의 통칭으로도 쓰였으며, '잠시'라는 부사로도 가차되어 쓰였다.

155) 고문자에서 金文 簡牘文 등으로 그렸다. 女(여자 녀)와 戌(개 술)로 구성되어, 여성(女)이 무기(戌)를 든 모습으로, '시어머니'가 원래 뜻이며, 이로부터 威嚴(위엄)의 뜻이 나왔다. 이는 옛날 고대사회에서 마을의 우두머리가 여성이었고 그들이 권위를 가졌음을 보여준다.

妣: 妣: 죽은 어미 비: 女-총7획: bǐ

原文

妣: 殁母也. 从女比聲. 妣, 籒文妣省. 卑履切.

飜譯

'돌아가신 어머니(殁母)'를 말한다. 녀(女)가 의미부이고 비(比)가 소리부이다. 비(妣)는 비(妣)의 주문체인데, 생략된 모습이다. 독음은 비(卑)와 리(履)의 반절이다.

8107

姊: 姊: 손윗누이 자: 女-총8획: zǐ

原文

姊: 女兄也. 从女朿聲. 將几切.

飜譯

'손윗누이(女兄)'를 말한다. 녀(女)가 의미부이고 자(朿)가 소리부이다. 독음은 장(將)과 궤(几)의 반절이다.

8108

妹: 妹: 누이 매: 女-총8획: mèi

原文

妹: 女弟也. 从女未聲. 莫佩切.

飜譯

'손아래 여동생(女弟)'을 말한다. 녀(女)가 의미부이고 미(未)가 소리부이다. 독음은 막(莫)과 패(佩)의 반절이다.

8109

娣: 여동생 제: 女-총10획: dì

原文

娣: 女弟也. 从女从弟, 弟亦聲. 徒禮切.

飜譯

'여동생(女弟)'을 말한다.156) 녀(女)가 의미부이고 제(弟)도 의미부인데, 제(弟)는 소리부도 겸한다. 독음은 도(徒)와 례(禮)의 반절이다.

8110

媦: 여동생 위: 女-총12획: wèi

原文

媦: 楚人謂女弟曰媦. 从女胃聲. 『公羊傳』曰 : "楚王之妻媦." 云貴切.

飜譯

'초(楚) 지역 사람들은 여동생(女弟)을 위(媦)라 부른다.' 녀(女)가 의미부이고 위(胃)가 소리부이다. 『공양전』(환공 2년)에서 "초나라 왕의 아내의 여동생(楚王之妻媦)"이라고 했다. 독음은 운(云)과 귀(貴)의 반절이다.

8111

嫂: 형수 수: 女-총12획: sǎo

原文

嫂: 兄妻也. 从女叟聲. 穌老切.

---

156) 『단주』에서는 '同夫之女弟也'라고 하여 '同夫之'가 보충되어야 한다고 했다. 동부(同夫)라는 것은 남편이 같은 여자를 말한다(女子同事一夫). 『이아·석친(釋親)』에서 '여자가 한 남자에게 함께 시집갔을 때, 언니를 사(姒), 동생을 제(娣)라고 한다고 했다. 그렇다면 단순히 여동생이 아니라 한 남자에게 같이 시집간 여동생을 말한다. 고대 중국에서 귀족층의 경우 자매가 함께 시집가는 일이 많았다.

譯

'형의 아내 즉 형수(兄妻)'를 말한다. 녀(女)가 의미부이고 수(叜)가 소리부이다. 독음은 소(穌)와 로(老)의 반절이다.

8112

侄: 姪: 조카 질: 女-총9획: zhí

原文

姪: 兄之女也. 从女至聲. 徒結切.

譯

'형의 딸(兄之女)'을 말한다.[157] 녀(女)가 의미부이고 지(至)가 소리부이다.[158] 독음은 도(徒)와 결(結)의 반절이다.

8113

姨: 姨: 이모 이: 女-총9획: yí

原文

姨: 妻之女弟同出爲姨. 从女夷聲. 以脂切.

譯

'아내의 여동생 중 출가한 사람(妻之女弟同出)을 이(姨)라 부른다.' 녀(女)가 의미부이고 이(夷)가 소리부이다. 독음은 이(以)와 지(脂)의 반절이다.

---

157) 『단주』에서는 각 판본에서는 '兄之女也'로만 되었는데, 이는 불완전해 『이아』에 근거해 '女子謂兄弟之子也'로 보충한다고 했다. 『이아·석친(釋親)』에서는 '여자의 경우 형제의 자식을 질(姪)이라 한다고 했다. 또 『단주』에서는 당시 남자들이 형제의 자식을 질(姪)이라고도 불렀는데, 이는 잘못된 것이라고 했다.

158) 女(여자 녀)가 의미부고 至(이를 지)가 소리부로, 형제·자매의 아들을 말한다. 옛날에는 여자가 형제의 자녀를 부르는 말이었으나 晉(진) 이후로 남자도 형제의 아들을 侄이라 불렀다. 이후 동년배 남성의 친구의 자녀를 부르는 칭호로 쓰였다.

8114

娿: 娿: 여자 스승 아: 女-총8획: ē

原文

娿: 女師也. 从女加聲. 杜林說: 加教於女也. 讀若阿. 烏何切.

繙譯

'여자[의 도리를 가르치는] 스승(女師)'을 말한다.[159] 녀(女)가 의미부이고 가(加)가 소리부이다. 두림(杜林)에 의하면, '가르침(教)을 여자(女)에게 더해주는(加) 사람'을 말한다고 한다. 아(阿)와 같이 읽는다. 독음은 오(烏)와 하(何)의 반절이다.

8115

娒: 娒: 여자 스승 모: 女-총10획: mǔ

原文

娒: 女師也. 从女每聲. 讀若母. 莫后切.

繙譯

'여자[의 도리를 가르치는] 스승(女師)'을 말한다. 녀(女)가 의미부이고 매(每)가 소리부이다. 모(母)와 같이 읽는다. 독음은 막(莫)과 후(后)의 반절이다.

8116

媾: 媾: 화친할 구: 女-총13획: gòu

原文

媾: 重婚也. 从女冓聲. 『易』曰: "匪寇, 婚媾." 古候切.

159) 『단주』에서 이렇게 말했다. "『시·국풍·갈담』에서 '言告師氏(보모께 아뢰고)'라고 했는데, 『모전(毛傳)』에서 사(師)는 여사(女師)를 말한다고 했다. 옛날에는 여사(女師)가 부덕(婦德), 부언(婦言), 부용(婦容), 부공(婦功) 등을 가르쳤다. 이선(李善)이 인용한 『한서음의(漢書音義)』에서는 나이 50이 되어서도 아이가 없는 여성을 부(傅)로 삼았다고 했다."

(飜譯)

'겹혼인하다(重婚)'라는 뜻이다. 녀(女)가 의미부이고 구(冓)가 소리부이다.160) 『역·둔괘(屯卦)』에서 "침탈자가 나타나지 않으면 겹혼인을 하게 되리라(匪寇, 婚媾)"라고 했다. 독음은 고(古)와 후(候)의 반절이다.

8117

𡜊: 㛛: 예쁠 제: 女-총9획: chǐ

(原文)

𡜊: 美女也. 从女多聲. 𡜊, 㛛或从氏. 尺氏切.

(飜譯)

'아름다운 여인 즉 미녀(美女)'를 말한다. 녀(女)가 의미부이고 다(多)가 소리부이다. 제(𡜊)는 제(㛛)의 혹체자인데, 씨(氏)로 구성되었다. 독음은 척(尺)과 씨(氏)의 반절이다.

8118

妭: 妭: 예쁜 여자 발: 女-총8획: bá

(原文)

妭: 婦人美也. 从女犮聲. 蒲撥切.

(飜譯)

'예쁜 부인(婦人美)'을 말한다. 녀(女)가 의미부이고 발(犮)이 소리부이다. 독음은 포(蒲)와 발(撥)의 반절이다.

---

160) 고문자에서 🖼️甲骨文 🖼️🖼️🖼️金文 등으로 그렸다. 女(여자 녀)가 의미부이고 冓(짤 구)가 소리부로, 혼인관계(女)가 복잡하게 얽힌(冓) '겹혼인'을 말하며, 이로부터 회합하다, 교합하다 등의 뜻이 나왔다. 겹혼인은 사돈 사이에 다시 혼인이 이루어져서 겹사돈이 되다는 의미이다.

8119

嫨: 嫨: 겁낼 혜: 女-총13획: xī, xì

(原文)

嫨: 女隷也. 从女奚聲. 胡雞切.

(飜譯)

'여자 노비(女隷)[계집종]'를 말한다. 녀(女)가 의미부이고 해(奚)가 소리부이다. 독음은 호(胡)와 계(雞)의 반절이다.

8120

婢: 婢: 여자 종 비: 女-총11획: bì

(原文)

婢: 女之卑者也. 从女从卑, 卑亦聲. 便俾切.

(飜譯)

'신분이 낮은 여자(女之卑者)'를 말한다. 녀(女)가 의미부이고 비(卑)도 의미부인데, 비(卑)는 소리부도 겸한다. 독음은 편(便)과 비(俾)의 반절이다.

8121

奴: 奴: 종 노: 女-총5획: nú

(原文)

奴: 奴、婢, 皆古之辠人也. 『周禮』曰: "其奴, 男子入于辠隷, 女子入于舂藁." 从女从又. 㚢, 古文奴从人. 乃都切.

(飜譯)

'노(奴)와 비(婢)는 모두 옛날에는 죄인들이었다.' 『주례·추관·사려(司厲)』에서 "그러한 노비들의 경우, 남자는 형벌이나 노비를 관리하는 사람에게 보내고, 여자는 곡식을 찧거나 수확하는 일을 관리하는 사람에게 보낸다(其奴, 男子入于辠隷, 女子入于

春藳)"라고 했다. 녀(女)가 의미부이고 우(又)도 의미부이다.[161) 노(㚢)는 노(奴)의
고문체인데, 인(人)으로 구성되었다. 독음은 내(乃)와 도(都)의 반절이다.

8122

㚤 : 㚤 : 여자 벼슬 이름 익: 女-총6획: yì

原文

㚤 : 婦官也. 从女弋聲. 與職切.

譯

'여성 관리(婦官)[궁녀]'를 말한다. 녀(女)가 의미부이고 익(弋)이 소리부이다. 독음은
여(與)와 직(職)의 반절이다.

8123

嫡 : 嫡 : 별 이름 전: 女-총12획: qián

原文

嫡 : 甘氏『星經』曰: "太白上公, 妻曰女嫡. 女嫡居南斗, 食屬, 天下祭之. 曰明
星." 从女前聲. 昨先切.

譯

감씨(甘氏)의 『성경(星經)』[162)에 의하면 "[대신] 태백(太白)[태백성]의 호를 상공(上

---

161) 고문자에서 金文 古陶文 簡牘文 古璽文 등으
로 그렸다. 女(여자 녀)와 又(또 우)로 이루어져, 손(又)으로 여자(女)를 잡아 일을 시키는 모
습을 그렸으며, 이로부터 '종'과 奴婢(노비), 奴役(노역) 등의 뜻이 나왔다. 이후 자신을 겸손
하게 낮추어 부르는 말로도 쓰였다.
162) 『단주』에서 이렇게 말했다. "「천관서(天官書)」에서 옛날 천문에 관한 것을 전수받은 자가
제 감공이었다(昔之傳天數者在齊甘公)라고 했다. 서광(徐廣)에 의하면 혹자는 감공(甘公)의
이름이 덕(德)이라고 했는데, 본래 노(魯)나라 사람이다." 『성경(星經)』은 일명 『감석성경(甘石
星經)』이라고도 하는데, 고대 중국의 점성학에 관한 저작이다. 전하는 바에 의하면 감공(甘公)
즉 석신(石申)의 저작이라 한다. 『성경』은 상하 2권으로 되었으며, 별자리 이름을 표제로 하였
고, 성관(星官)에 따라 논술하였으며, 성좌도(星座圖)를 부록으로 달았다. 주로 점성학에 의한

公)이라 하고, 그의 아내(妻)를 여전(女嬋)[여전성]이라 하였다. 여전(女嬋)은 남두성 (南斗星)에 살았는데, 악귀(厲)를 먹어치울 수 있었기에, 천하 사람들이 모두 그녀에 게 제사를 드렸고, 명성(明星)[계명성]이라 불렀다."라고 했다. 녀(女)가 의미부이고 전(前)이 소리부이다. 독음은 작(昨)과 선(先)의 반절이다.

8124

媧: 媧: 사람 이름 왜·외·와괘: 女-총12획: wā

原文

媧: 古之神聖女, 化萬物者也. 从女咼聲. 㛪, 籒文媧从𨳌. 古蛙切.

飜譯

'먼 옛날의 신비스런 성녀로, 만물을 태어나게 했던 자(古之神聖女, 化萬物者)[여왜, 여와]'이다. 녀(女)가 의미부이고 괘(咼)가 소리부이다. 왜(㛪)는 왜(媧)의 주문체인데, 과(𨳌)로 구성되었다. 독음은 고(古)와 와(蛙)의 반절이다.

8125

娀: 娀: 나라 이름 융: 女-총9획: sōng

原文

娀: 帝高辛之妃, 偰母號也. 从女戎聲. 『詩』曰 : "有娀方將." 息弓切.

飜譯

'고신(高辛)씨의 부인으로, [상나라 시조인] 설(偰)의 어머니 이름(母號)'이다. 녀(女)가

징험을 말했고, 일부 천문학적 수치(入宿度와 去北辰度 등)가 포함되어 있다. 오늘날의 고증 과 추산에 의하면, 여기에 등장하는 적잖은 수치들은 여전히 전국(戰國) 시대의 것으로 확인 된다. 그러나 내용이 『사기』나 『한서』 등에서 인용한 내용과 차이를 보이고, 또 성관(星官)이 완전하지 않다. 이 때문에 오늘날 보이는 각 판본들은 대체로 당(唐)나라 사람들이 집일하여 1천여 년에 걸친 전래 과정에서 빠지고 탈락한 것들을 보완한 것으로 보고 있다. 비록 책은 원본이 아닌 위서이긴 하나 여기에 소개된 천문학적 자료들은 『사기·천관서(天官書)』와 『영대 비원(靈臺秘苑)』 등과 대조를 거쳐 중국 고대 천문학과 점성학 변천의 연구에 중요한 참고자 료가 되고 있다.

의미부이고 융(戎)이 소리부이다. 『시·상송(長發)』에서 "유융씨의 딸을 맞아오니(有娀方將)"라고 노래했다.163) 독음은 식(息)과 궁(弓)의 반절이다.

8126

𡚙: 娥: 예쁠 아: 女-총10획: é

原文

𡚙: 帝堯之女, 舜妻娥皇字也. 秦晉謂好曰娃娥. 从女我聲. 五何切.

飜譯

'요(堯) 임금의 딸로, 순(舜) 임금의 부인인 아황(娥皇)의 자(字)'이다. 진(秦)과 진(晉) 지역에서는 훌륭한 여자(好)를 경아(娃娥)라고 한다.164) 녀(女)가 의미부이고 아(我)가 소리부이다. 독음은 오(五)와 하(何)의 반절이다.

8127

𡡉: 嫄: 사람 이름 원: 女-총13획: yuán

原文

𡡉: 台國之女, 周棄母字也. 从女原聲. 愚袁切.

飜譯

'태국(台國) 즉 태(邰)나라의 여인으로, 주나라(周)의 시조인 기(棄)의 어머니의 자(字)'이다. 녀(女)가 의미부이고 원(原)이 소리부이다. 독음은 우(愚)와 원(袁)의 반절이다.

---

163) 이어지는 구는 "하늘이 자식을 점지하시어 상나라 조상을 낳게 하셨네."이다

164) 『단주』에서 이렇게 말했다. "『방언(方言)』에서 아(娥)는 훌륭하다는 뜻이다(好也). 진(秦) 지역에서는 아(娥)라 한다. 진(秦)과 진(晉) 사이 지역에서는 무릇 훌륭하고 나이 젊은 자(好而輕者)를 아(娥)라 한다. 한 무제(漢武帝) 때의 제도에 의하면, 첩여(倢伃), 경아(娃娥), 용화(俗華), 충의(充依) 등에게는 모두 작위가 주어졌다."

8128

嬿: 嬿: 아름다울 연: 女-총19획: yān

原文

嬿: 女字也. 从女燕聲. 於甸切.

飜譯

'여성의 이름(字)'이다. 녀(女)가 의미부이고 연(燕)이 소리부이다. 독음은 어(於)와 전(甸)의 반절이다.

제 12 권

8129

妸: 妸: 여자의 자 아: 女-총8획: ē

原文

妸: 女字也. 从女可聲. 讀若阿. 烏何切.

飜譯

'여성의 이름(字)'이다. 녀(女)가 의미부이고 가(可)가 소리부이다. 아(阿)와 같이 읽는다. 독음은 오(烏)와 하(何)의 반절이다.

8130

嬃: 嬃: 누님 수: 女-총15획: xū

原文

嬃: 女字也. 『楚詞』曰: "女嬃之嬋媛." 賈侍中說: 楚人謂姊爲嬃. 从女須聲. 相俞切.

飜譯

'여성의 이름(字)'이다. 『초사(楚詞)·이소(離騷)』에서 "손윗누이 선원(女嬃之嬋媛)"이라고 했다.[165] 가시중(賈侍中)께서는 초(楚)나라 사람들은 손윗누이(姊)를 수(嬃)라

---

165) 굴원(屈原)의 「이소(離騷)」에 "女嬋媛兮爲餘太息(누님인 선원이 세상과 어울리지 못한 지난

고 한다고 했다.[166] 녀(女)가 의미부이고 수(須)가 소리부이다. 독음은 상(相)과 유(俞)의 반절이다.

8131

婕: 婕: 궁녀 첩: 女-총11획: jié

（原文）

婕: 女字也. 从女疌聲. 子葉切.

（飜譯）

'여성의 이름(字)'이다. 녀(女)가 의미부이고 섭(疌)이 소리부이다. 독음은 자(子)와 엽(葉)의 반절이다.

8132

嬩: 嬩: 여자 이름 여: 女-총17획: yú

（原文）

嬩: 女字也. 从女與聲. 讀若余. 以諸切.

（飜譯）

'여성의 이름(字)'이다. 녀(女)가 의미부이고 여(與)가 소리부이다. 여(余)와 같이 읽는다. 독음은 이(以)와 제(諸)의 반절이다.

8133

靈: 靈: 신령스러울 령: 女-총20획: líng

날을 들추어 나를 여러 차례 꾸짖었다네.)"이라는 말이 나온다.
166) 『단주』에서 이렇게 말했다. "가시중의 말은 아마도 『초사(楚辭)』에 나오는 여수(女嬃)를 풀어서 한 말일 것이다. 왕일(王逸), 원산송(袁山松, 袁崧), 역도원(酈道元) 등은 모두 여수(女嬃)가 굴원(屈原)의 누이라고 했다. 단지 정현이 주석한 『주역』에서는 굴원의 여동생(屈原之妹) 이름이 여수(女須)라고 했다. 『시정의(詩正義)』에서 인용한 것에도 이렇게 되어 있다. 매(妹)자는 아마도 자(姊)자의 오류이지 싶다."

原文

嬣: 女字也. 从女寍聲. 郎丁切.

飜譯

'여성의 이름(字)'이다. 녀(女)가 의미부이고 영(寍)이 소리부이다. 독음은 랑(郎)과
정(丁)의 반절이다.

8134

嫽: 嫽: 외조모 료: 女-총15획: liáo

原文

嫽: 女字也. 从女尞聲. 洛蕭切.

飜譯

'여성의 이름(字)'이다. 녀(女)가 의미부이고 료(尞)가 소리부이다. 독음은 락(洛)과
소(蕭)의 반절이다.

8135

㛄: 㛄: 여자 이름 의: 女-총9획: yī

原文

㛄: 女字也. 从女衣聲. 讀若衣. 於稀切.

飜譯

'여성의 이름(字)'이다. 녀(女)가 의미부이고 의(衣)가 소리부이다. 의(衣)와 같이 읽
는다. 독음은 어(於)와 희(稀)의 반절이다.

8136

婤: 婤: 얼굴 얌전할 주: 女-총11획: zhōu

原文

婤: 女字也. 从女周聲. 職流切.

譯

'여성의 이름(字)'이다. 녀(女)가 의미부이고 주(周)가 소리부이다. 독음은 직(職)과 류(流)의 반절이다.

8137

娐: 妗: 예쁠 압: 女-총9획: hé

原文

娐: 女字也. 从女合聲. 『春秋傳』曰 : "嬖人婤娐." 一曰無聲. 烏合切.

譯

'여성의 이름(字)'이다. 녀(女)가 의미부이고 합(合)이 소리부이다. 『춘추전』(『좌전』 소공 7년, B.C. 535)에서 "[위나라 양공의] 총애하는 여인 주압(婤娐)"이라는 말이 있다. 일설에는 '소리가 없음(無聲)'을 말한다고도 한다. 독음은 오(烏)와 합(合)의 반절이다.

8138

妀: 妀: 여자 이름 기: 女-총6획: jǐ

原文

妀: 女字也. 从女己聲. 居擬切.

譯

'여성의 이름(字)'이다. 녀(女)가 의미부이고 기(己)가 소리부이다. 독음은 거(居)와 의(擬)의 반절이다.

姓: 姓: 사람 이름 주: 女-총8획: tǒu

原文

姓: 女字也. 从女主聲. 天口切.

飜譯

‘여성의 이름(字)’이다. 녀(女)가 의미부이고 주(主)가 소리부이다. 독음은 천(天)과 구(口)의 반절이다.

8140

: 姰: **계집 구**: 女-**총6획**: **jiǔ**

原文

: 女字也. 从女久聲. 舉友切.

飜譯

‘여성의 이름(字)’이다. 녀(女)가 의미부이고 구(久)가 소리부이다. 독음은 거(舉)와 우(友)의 반절이다.

8141

: 婼: **여자 이름 이**: 女-**총9획**: **èr**

原文

: 女號也. 从女耳聲. 仍吏切.

飜譯

‘여성의 이름(女號)’이다.[167] 녀(女)가 의미부이고 이(耳)가 소리부이다. 독음은 잉(仍)과 리(吏)의 반절이다.

8142

: 始: **처음 시**: 女-**총8획**: **shǐ**

原文

: 女之初也. 从女台聲. 詩止切.

---

167) 『단주』에서 각 판본에서는 호(號)로 되었으나, 『유편』과 『운회』에 근거해 자(字)로 고친다고 했다.

翻譯

'여성이 처음 낳다(女之初)'는 뜻이다. 녀(女)가 의미부이고 태(台)가 소리부이다.[168]
독음은 시(詩)와 지(止)의 반절이다.

8143

媚 : 媚: 아첨할 미: 女-총12획: mèi

原文

媚 : 說也. 从女眉聲. 美祕切.

翻譯

'기쁘게 하다(說)'라는 뜻이다. 녀(女)가 의미부이고 미(眉)가 소리부이다.[169] 독음은
미(美)와 비(祕)의 반절이다.

8144

嫵 : 嫵: 아리따울 무: 女-총15획: wǔ

原文

嫵 : 媚也. 从女無聲. 文甫切.

翻譯

'아리땁다(媚)'라는 뜻이다. 녀(女)가 의미부이고 무(無)가 소리부이다. 독음은 문(文)

---

168) 고문자에서 ⟨고문자⟩金文 ⟨고문자⟩簡牘文 등으로 그렸다. 女(여자 녀)가 의미부고 台
(기뻐할 이·별 태)가 소리부로, '아이를 가져 기뻐하는(台) 어미(女)'에서부터 만물의 '始作(시
작)'이라는 의미를 그렸는데, 이는 만물의 시작이 여성 혹은 암컷에서 시작되며 생명의 탄생과
모성의 시작이 바로 여성이라는 인식이 동양의 사상의 연원이요, 시작임을 보여준다. 이로부터
시작, 막, 비로소 등의 의미가 나왔다.

169) 고문자에서 ⟨고문자⟩甲骨文 ⟨고문자⟩金文 등으로 그렸다. 女(여자 녀)가 의미부고 眉(눈
썹 미)가 소리부로, 큰 눈썹(眉)을 가진 여인(女)으로부터, 아름다운 여성상을 그렸고, 아름답
다가 원래 뜻이었다. 그러나 이후 여성에 대한 부정적 인식이 강화되면서 뜻도 '아첨하다'로
바뀌었는데, 눈을 흘기면서 아첨하거나 유혹하는 여성이라는 이미지를 반영했다.

과 보(甫)의 반절이다.

8145

媄: 媄: 빛 고울 미: 女-총12획: měi

(原文)

媄: 色好也. 从女从美, 美亦聲. 無鄙切.

(飜譯)

'여성의 얼굴색이 좋다(色好)'라는 뜻이다. 녀(女)가 의미부이고 미(美)도 의미부인데, 미(美)는 소리부도 겸한다. 독음은 무(無)와 비(鄙)의 반절이다.

8146

嬌: 嬌: 아첨할 축: 女-총13획: xù

(原文)

嬌: 嬌也. 从女畜聲. 丑六切.

(飜譯)

'아리땁다(嬌)'라는 뜻이다. 녀(女)가 의미부이고 축(畜)이 소리부이다. 독음은 축(丑)과 륙(六)의 반절이다.

8147

嫷: 嫷: 고울 타: 女-총15획: tuǒ

(原文)

嫷: 南楚之外謂好曰嫷. 从女隋聲. 徒果切.

(飜譯)

'남초(南楚)의 교외 지역에서는 아름답다(好)는 것을 타(嫷)'라고 한다. 녀(女)가 의미부이고 수(隋)가 소리부이다. 독음은 도(徒)와 과(果)의 반절이다.

8148

姝: 예쁠 주: 女-총9획: shū

原文

姝: 好也. 从女朱聲. 昌朱切.

譯

'아름답다(好)'라는 뜻이다. 녀(女)가 의미부이고 주(朱)가 소리부이다. 독음은 창(昌)과 주(朱)의 반절이다.

8149

好: 좋을 호: 女-총6획: hǎo

原文

好: 美也. 从女、子. 呼皓切.

譯

'아름답다(美)'라는 뜻이다. 녀(女)와 자(子)가 모두 의미부이다.[170] 독음은 호(呼)와 호(皓)의 반절이다.

8150

嬹: 기쁠 흥: 女-총19획: xìng

原文

---

170) 고문자에서 甲骨文 金文 古陶文 簡牘文 등으로 그렸다. 女(여자 녀)와 子(아들 자)로 구성되어, 자식(子)을 안은 어미(女)를 그려 자식에 대한 어미의 사랑, 혹은 아이(子)를 생산하는 여자(女)가 좋다는 뜻에서 선호하다, 좋다, '좋아하다', 훌륭하다는 의미를 그렸으며, 이후 '매우'나 '잘'이라는 정도를 나타내는 부사어로도 쓰였다.

孈: 說也. 从女興聲. 許應切.

(飜譯)

'기뻐하다(說)'라는 뜻이다. 녀(女)가 의미부이고 흥(興)이 소리부이다. 독음은 허(許)와 응(應)의 반절이다.

8151

厴: 厴: 고요할 염: 女-총17획: yān

(原文)

厴: 好也. 从女厭聲. 於鹽切.

(飜譯)

'아름답다(好)'라는 뜻이다. 녀(女)가 의미부이고 염(厭)이 소리부이다. 독음은 어(於)와 염(鹽)의 반절이다.

8152

姝: 姝: 예쁠 주: 女-총7획: shū

(原文)

姝: 好也. 从女殳聲. 『詩』曰 : "靜女其姝." 昌朱切.

(飜譯)

'아름답다(好)'라는 뜻이다. 녀(女)가 의미부이고 수(殳)가 소리부이다. 『시·빈풍·정녀(靜女)』에서 "아리따운 얌전한 아가씨(靜女其姝)"라고 노래했다. 독음은 창(昌)과 주(朱)의 반절이다.

8153

姣: 姣: 예쁠 교: 女-총9획: jiāo

原文

姣: 好也. 从女交聲. 胡茅切.

飜譯

'아름답다(好)'라는 뜻이다. 녀(女)가 의미부이고 교(交)가 소리부이다. 독음은 호(胡)와 모(茅)의 반절이다.

8154

嬽: 媛: 아리따울 연: 女-총18획: yān

原文

嬽: 好也. 从女䁝聲. 讀若蜀郡布名. 委員切.

飜譯

'아름답다(好)'라는 뜻이다. 녀(女)가 의미부이고 언(䁝)이 소리부이다. 촉군(蜀郡)에서 나는 베(布)의 이름과 같이 읽는다.[171] 독음은 위(委)와 원(員)의 반절이다.

8155

娧: 娧: 더딜 태: 女-총10획: tuì

原文

娧: 好也. 从女兌聲. 杜外切.

飜譯

'아름답다(好)'라는 뜻이다. 녀(女)가 의미부이고 태(兌)가 소리부이다. 독음은 두(杜)와 외(外)의 반절이다.

---

171) 『단주』에서 이렇게 말했다. "멱(糸)부수에서 세(繐)는 촉(蜀) 땅에서 나는 흰색의 가는 베(白細布)를 말한다."

8156

媌: 媌: 눈매 고울 묘: 女-총12획: máo

原文

媌: 目裏好也. 从女苗聲. 莫交切.

飜譯

'눈 속의 눈동자가 아름답다(目裏好)'라는 뜻이다. 녀(女)가 의미부이고 묘(苗)가 소리부이다. 독음은 막(莫)과 교(交)의 반절이다.

8157

嫿: 嫿: 정숙할 획: 女-총15획: huà

原文

嫿: 靜好也. 从女畫聲. 呼麥切.

飜譯

'정숙하고 아름답다(靜好)'라는 뜻이다. 녀(女)가 의미부이고 화(畫)가 소리부이다. 독음은 호(呼)와 맥(麥)의 반절이다.

8158

婠: 婠: 품성 좋을 완: 女-총11획: wán

原文

婠: 體德好也. 从女官聲. 讀若楚卻宛. 一完切.

飜譯

'신체와 덕성이 모두 아름답다(體德好)'라는 뜻이다. 녀(女)가 의미부이고 관(官)이 소리부이다. 초(楚)나라 신하 이름인 각완(卻宛)[172]의 완(宛)과 같이 읽는다. 독음은

---

172) 이 말은 『좌전·소공』 25년 조에 보인다. 각완(卻宛)은 극완(郤宛)이 되어야 한다. 극완(郤宛, ?~B.C. 515)은 희성(姬姓)으로, 극(郤)씨 혹은 극백(郤伯)씨이며, 자는 자오(子惡)이다. 춘추시

일(一)과 완(完)의 반절이다.

8159

娙: 娙: 여관 이름 형: 女-총10획: yíng, kēng

原文

娙: 長好也. 从女巠聲. 五莖切.

飜譯

'[여성의 신체가] 늘씬하고 아름답다(長好)'라는 뜻이다. 녀(女)가 의미부이고 경(巠)이 소리부이다. 독음은 오(五)와 경(莖)의 반절이다.

8160

孂: 孂: 희고 환할 찬: 女-총22획: zàn

原文

孂: 白好也. 从女贊聲. 則旰切.

飜譯

'[여성의 피부가] 희고 아름답다(白好)'라는 뜻이다. 녀(女)가 의미부이고 찬(贊)이 소리부이다. 독음은 칙(則)과 간(旰)의 반절이다.

8161

孌: 孌: 순할 란: 女-총15획: luǎn, luàn

기 초나라 대부로, 대부 백종(伯宗)의 손자이자 태제(太宰) 백주리(伯州犁)의 아들이다. 조상의 음덕으로 관직에 들어 좌윤(左尹)까지 벼슬이 올랐다. 행실이 발라 양령종(陽令終)과 진진(晉陳)과 함께 초나라 소왕(昭王)을 보좌했던 이름난 세 신하의 한 사람으로 알려졌다. 그러나 간신 비무극(費無極)의 모함을 받아 죽었으며, 그의 아들 백비(伯嚭)는 오(吳)나라로 망명하고 말았다.

原文

孏: 順也. 从女𡆡聲.『詩』曰: "婉兮孏兮." 𡣘, 籀文孏. 力沇切.

翻譯

'온순하다(順)'라는 뜻이다. 녀(女)가 의미부이고 난(𡆡)이 소리부이다.『시·제풍·보전(甫田)과 『시·조풍·후인(候人)』에서 "젊고 예뻤는데(婉兮孏)"라고 노래했다. 란(𡣘)은 란(孏)의 주문체이다. 독음은 력(力)과 연(沇)의 반절이다.

8162

𡡓: 婇: 순직할 원: 女-총8획: yuǎn

原文

𡡓: 婉也. 从女夗聲. 於阮切.

翻譯

'온순하다(婉)'라는 뜻이다. 녀(女)가 의미부이고 원(夗)이 소리부이다. 독음은 어(於)와 완(阮)의 반절이다.

8163

婉: 婉: 순할 완: 女-총11획: wǎn

原文

婉: 順也. 从女宛聲.『春秋傳』曰: "太子痤婉." 於阮切.

翻譯

'온순하다(順)'라는 뜻이다. 녀(女)가 의미부이고 완(宛)이 소리부이다.『춘추전』(『좌전』 양공 26년, B.C. 547)에서 "태자(太子) 좌(痤)는 온순했다(婉)"라고 했다. 독음은 어(於)와 완(阮)의 반절이다.

8164

䏆 : 㼿: 목이 바를 등: 女-총9획: dòng

原文

䏆 : 直項兒. 从女同聲. 他孔切.

譯譯

'목을 뻣뻣하게 세우고 대드는 모양(直項兒)'을 말한다. 녀(女)가 의미부이고 동(同)이 소리부이다. 독음은 타(他)와 공(孔)의 반절이다.

8165

嫣 : 嫣: 싱긋 웃을 언: 女-총14획: yān

原文

嫣 : 長兒. 从女焉聲. 於建切.

譯譯

'[여성의 신체개] 늘씬한 모양(長兒)'을 말한다. 녀(女)가 의미부이고 언(焉)이 소리부이다. 독음은 어(於)와 건(建)의 반절이다.

8166

姌 : 姌: 가냘픈 모양 염: 女-총7획: rǎn

原文

姌 : 弱長兒. 从女冄聲. 而琰切.

譯譯

'[여성의 신체개] 가냘픈 모양(弱長兒)'을 말한다. 녀(女)가 의미부이고 염(冄)이 소리부이다. 독음은 이(而)와 염(琰)의 반절이다.

8167

嫋: 嫋: 예쁠 **뇨**: 女-총13획: niǎo

原文

嫋: 姍也. 从女从弱. 奴鳥切.

翻譯

'[여성의 신체가] 가냘픈 모양(姍)'을 말한다. 녀(女)가 의미부이고 약(弱)도 의미부이다. 독음은 노(奴)와 조(鳥)의 반절이다.

제
12
권

8168

孅: 孅: 가늘 **섬**: 女-총20획: xián

原文

孅: 銳細也. 从女韱聲. 息廉切.

翻譯

'가늘고 섬세하다(銳細)'라는 뜻이다. 녀(女)가 의미부이고 섬(韱)이 소리부이다. 독음은 식(息)과 렴(廉)의 반절이다.

8169

嫇: 嫇: 조심조심할 **명**: 女-총13획: míng

原文

嫇: 嬰嫇也. 从女冥聲. 一曰嫇嫇, 小人皃. 莫經切.

翻譯

'영명(嬰嫇) 즉 수줍어하다'라는 뜻이다. 녀(女)가 의미부이고 명(冥)이 소리부이다. 일설에는 '명명(嫇嫇)이 어린 아이의 모습(小人皃)'을 말한다고도 한다. 독음은 막(莫)과 경(經)의 반절이다.

8170

搖: 嫝: 예쁠 요: 女-총13획: yáo

原文

搖: 曲肩行皃. 从女䍃聲. 余招切.

飜譯

'어깨를 구부리고 걷는 모습(曲肩行皃)'을 말한다. 녀(女)가 의미부이고 요(䍃)가 소리부이다. 독음은 여(余)와 초(招)의 반절이다.

8171

嬛: 嬛: 경편할 현: 女-총16획: huán

原文

嬛: 材緊也. 从女瞏聲. 『春秋傳』曰 : "嬛嬛在疚." 許緣切.

飜譯

'재질이 견고함(材緊)'을 말한다. 녀(女)가 의미부이고 경(瞏)이 소리부이다. 『춘추전』(『좌전』 애공 16년, B.C. 479)에서 "외롭게 홀로 오랜 병중에 있었네(嬛嬛在疚)"라고 했다. 독음은 허(許)와 연(緣)의 반절이다.

8172

姽: 姽: 자늑자늑 걷는 모양 궤: 女-총9획: guǐ

原文

姽: 閑體, 行姽姽也. 从女危聲. 過委切.

飜譯

'우아한 모습으로 얌전하게 걷는 모양(閑體, 行姽姽)'을 말한다. 녀(女)가 의미부이고 위(危)가 소리부이다. 독음은 과(過)와 위(委)의 반절이다.

8173

髤 : 委: 맡길 위: 女-총8획: wěi

(原文)

髤 : 委隨也. 从女从禾. 於詭切.

(飜譯)

'자늑자늑하게 걷다(委隨)'라는 뜻이다. 녀(女)가 의미부이고 화(禾)도 의미부이
다.[173] 독음은 어(於)와 궤(詭)의 반절이다.

8174

𤗞 : 媒: 정숙할 와: 女-총11획: wǒ

(原文)

𤗞 : 妸也. 一曰女侍曰媒. 讀若騧, 或若委. 从女果聲. 孟軻曰: "舜爲天子, 二
女媒." 烏果切.

(飜譯)

'예쁘다(妸)'라는 뜻이다. 일설에는 여성이 시중드는 것(女侍)을 와(媒)라고도 한다. 왜
(騧)와 같이 읽는다. 혹은 위(委)와 같이 읽기도 한다. 녀(女)가 의미부이고 과(果)가
소리부이다. 맹가(孟軻)는 "순(舜) 임금이 천자(天子)가 되었을 때 두 여자[즉 아황과
녀녕]가 시중을 들었다(二女媒)"라고 했다.[174] 독음은 오(烏)와 과(果)의 반절이다.

---

173) 고문자에서 𤔲 𤔲甲骨文 𠂤簡牘文 등으로 그렸다. 禾(벼 화)와 女(여자 녀)로 구성되었
는데, 女는 부드럽고 유약함을 상징하고 禾는 아래로 늘어진 이삭을 그렸다. 이로부터 순종하
다, 예속되다, 부탁하다, 委任(위임)하다, 버리다, 방치하다, 아래로 늘어지다, 구불구불하다 등
의 뜻이 나왔다.

174) 『맹자·진심』(하)에 이런 말이 나온다. "孟子曰, 舜之飯糗茹草也, 若將終身焉, 及其爲天子也,
被袗衣鼓琴, 二女果, 若固有之.(맹자가 말했다. 순임금이 바싹 마른 곡물과 나물을 먹을 때에
는 마치 평생 동안 그렇게 하고 있을 것 같았다. 그러나 그가 천자가 되어서는 자수가 놓인
예복을 입고, 현을 연주하였고, 요의 두 딸이 그를 시중들었을 때에도 이러한 것들이 그에게
당연히 속하는 것과 같이 했다.)" 여기서 과(果)는 와(媒)로 '시녀'를 의미한다.

8175

婑: 婑: 예쁠 와: 女-총9획: nuǒ

原文

婑: 媒婑也. 一曰弱也. 从女厄聲. 五果切.

飜譯

'예쁘다(媒婑)'라는 뜻이다. 일설에는 '연약하다(弱)'는 뜻이라고도 한다. 녀(女)가 의미부이고 치(厄)가 소리부이다. 독음은 오(五)와 과(果)의 반절이다.

8176

姑: 姑: 약할 첨: 女-총8획: diǎn, shàn, chān

原文

姑: 小弱也. 一曰女輕薄善走也. 一曰多技藝也. 从女占聲. 或讀若占. 齒懾切.

飜譯

'작고 연약하다(小弱)'라는 뜻이다. 일설에는 '여성이 경쾌하게 잘 뛰어가는 것(女輕薄善走)'을 말한다고도 한다. 또 일설에는 '재주가 많음(多技藝)'을 말한다고도 한다. 녀(女)가 의미부이고 점(占)이 소리부이다. 혹자는 점(占)과 같이 읽는다고도 한다. 독음은 치(齒)와 섭(懾)의 반절이다.

8177

婆: 婆: 벙글거릴 첨: 女-총11획: chān

原文

婆: 姈也. 从女沾聲. 丑廉切.

飜譯

'[여자가] 방정맞음(姈)'을 말한다. 녀(女)가 의미부이고 첨(沾)이 소리부이다. 독음은 축(丑)과 렴(廉)의 반절이다.

8178

妗: 妗: 외숙모 금: 女-총7획: jìn

原文

妗: 婪妗也. 一曰善笑皃. 从女今聲. 火占切.

飜譯

'[여자가] 방정맞음(婪妗)'을 말한다. 일설에는 '잘 웃는 모습(善笑皃)'을 말한다고도
한다. 녀(女)가 의미부이고 금(今)이 소리부이다. 독음은 화(火)와 점(占)의 반절이다.

8179

㜍: 㜍: 무서워 몸을 움츠릴 교: 女-총20획: jiǎo

原文

㜍: 㩣身也. 从女簋聲. 讀若『詩』"糾糾葛屨". 居夭切.

飜譯

'경건하게 몸을 움츠리다(㩣身)'라는 뜻이다.[175] 녀(女)가 의미부이고 궤(簋)가 소리부
이다. 『시·위풍·갈루(葛屨)』와 『시·소아·대동(大東)』에서 노래한 "규규갈구(糾糾葛屨·칡
으로 엉성하게 얽은 신)"의 규(糾)와 같이 읽는다. 독음은 거(居)와 요(夭)의 반절이다.

8180

婧: 婧: 날씬할 정: 女-총11획: jìng

原文

婧: 㩣立也. 从女靑聲. 一曰有才也. 讀若韭菁. 七正切.

飜譯

---

175) 『단주』에서 이렇게 말했다. "송(㩣)은 경건함을 말한다(敬也). 립(立)과 속(束)이 모두 의미부
   이다. 스스로 단속하다는 뜻이다(自申束也). 몸을 경건하게 하여 스스로 단속하다는 의미이다."

'경건하게 몸을 움츠려 세우다(竦立)'라는 뜻이다. 녀(女)가 의미부이고 청(靑)이 소리부이다. 일설에는 '재주가 있다(有才)'라는 뜻이라고도 한다. 구청(韭菁)이라고 할 때의 청(菁)과 같이 읽는다. 독음은 칠(七)과 정(正)의 반절이다.

8181

𡚽: 婧: 엄전할 정: 女-총7획: jìng

原文

婧: 靜也. 从女青聲. 疾正切.

飜譯

'정숙하다(靜)'라는 뜻이다. 녀(女)가 의미부이고 정(井)이 소리부이다. 독음은 질(疾)과 정(正)의 반절이다.

8182

𡝫: 妚: 예쁠 핍: 女-총8획: fá

原文

妚: 婦人皃. 从女乏聲. 房法切.

飜譯

'여성의 모습(婦人皃)'을 말한다. 녀(女)가 의미부이고 핍(乏)이 소리부이다. 독음은 방(房)과 법(法)의 반절이다.

8183

嫙: 嫙: 예쁠 선: 女-총14획: xuán

原文

嫙: 好也. 从女旋聲. 似沿切.

飜譯

'아름답다(好)'라는 뜻이다. 녀(女)가 의미부이고 선(旋)이 소리부이다. 독음은 사(似)
와 연(沿)의 반절이다.

8184

𡥀： 齎: 좋을 제·공손할 재: 齊-총17획: qí

原文

𡥀： 材也. 从女齊聲. 祖雞切.

飜譯

'재(材)와 같아 재주가 있다'라는 뜻이다. 녀(女)가 의미부이고 제(齊)가 소리부이다.
독음은 조(祖)와 계(雞)의 반절이다.

8185

姤： 姤: 교활할 활: 女-총9획: kuò, huá, huó

原文

姤： 面醜也. 从女昏聲. 古活切.

飜譯

'얼굴이 못생겼음(面醜)'을 말한다. 녀(女)가 의미부이고 괄(昏)이 소리부이다. 독음
은 고(古)와 활(活)의 반절이다.

8186

嬥： 嬥: 날씬할 조: 女-총17획: tiǎo

原文

嬥： 直好皃. 一曰嬈也. 从女翟聲. 徒了切.

飜譯

'[여성의 신체가] 곧고 아름다운 모습(直好皃)'을 말한다. 일설에는 '아리땁다(嬈)'는

뜻이라고도 한다. 녀(女)가 의미부이고 적(翟)이 소리부이다. 독음은 도(徒)와 료(了)의 반절이다.

8187

親: 巍: 가는 허리 규: 女-총14획: guī

原文

親: 媞也. 从女規聲. 讀若癸. 秦晉謂細爲巍. 居隨切.

飜譯

'자세히 살피다(媞)'라는 뜻이다.[176] 녀(女)가 의미부이고 규(規)가 소리부이다. 계(癸)와 같이 읽는다. 진(秦)·진(晉) 지역에서는 가냘픈 것(細)을 규(巍)라고 한다. 독음은 거(居)와 수(隨)의 반절이다.

8188

媞: 媞: 안존할 제·시: 女-총12획: tí

原文

媞: 諦也. 一曰姸黠也. 一曰江淮之閒謂母曰媞. 从女是聲. 承旨切.

飜譯

'자세히 살피다(諦)'라는 뜻이다. 일설에는 '예쁘고 영리하다(姸黠)'라는 뜻이라고도 한다. 또 일설에 의하면, 강회(江淮) 지역에서는 어머니(母)를 제(媞)라 부른다고도 한다. 녀(女)가 의미부이고 시(是)가 소리부이다. 독음은 승(承)과 지(旨)의 반절이다.

8189

嫵: 嫵: 별 이름 무: 女-총12획: wù

---

176)『단주』에서 이렇게 말했다. "제(媞)는 체(諦)와 같은데, 체(諦)는 자세히 살피다(審)는 뜻이다."

原文

嫀: 不繇也. 从女敄聲. 亡遇切.

飜譯

'순종하지 않다(不繇)'라는 뜻이다.[177) 녀(女)가 의미부이고 무(敄)가 소리부이다. 독음은 망(亡)과 우(遇)의 반절이다.

8190

嫺: 嫺: **우아할 한**: 女-총15획: xián

原文

嫺: 雅也. 从女閒聲. 戶閒切.

飜譯

'우아하다(雅)'라는 뜻이다. 녀(女)가 의미부이고 한(閒)이 소리부이다. 독음은 호(戶)와 한(閒)의 반절이다.

8191

娭: 娭: **기쁠 이**: 女-총12획: yí

原文

娭: 說樂也. 从女巸聲. 許其切.

飜譯

'기쁘고 즐겁다(說樂)'라는 뜻이다. 녀(女)가 의미부이고 이(巸)가 소리부이다. 독음은 허(許)와 기(其)의 반절이다.

---

177) 『단주』에서 이렇게 말했다. "요(繇)는 순종하다는 뜻이다(隨從也). 불요(不繇)는 순종하지 않다는 뜻이다(不隨從也). 지금 이 글자를 사용하는 사람이 없다. 단지 별이름을 말하는 무녀(婺女), 지명을 말하는 무주(婺州) 등에서만 사용된다."

8192

睯 : 睯: 화려할 간: 女-총11획: qiān

⬢ 原文

睯 : 美也. 从女臤聲. 苦閑切.

⬢ 飜譯

'아름답다(美)'라는 뜻이다. 녀(女)가 의미부이고 견(臤)이 소리부이다. 독음은 고(苦)
와 한(閑)의 반절이다.

8193

娛 : 娛: 즐거워할 오: 女-총10획: yú

⬢ 原文

娛 : 樂也. 从女吳聲. 嘆俱切.

⬢ 飜譯

'즐겁다(樂)'라는 뜻이다. 녀(女)가 의미부이고 오(吳)가 소리부이다. 독음은 우(嘆)와
구(俱)의 반절이다.

8194

娭 : 娭: 계집종 애: 女-총10획: xī

⬢ 原文

娭 : 戲也. 从女矣聲. 一曰卑賤名也. 遏在切.

⬢ 飜譯

'장난질 치다(戲)[희롱하다]'라는 뜻이다. 녀(女)가 의미부이고 의(矣)가 소리부이다.
일설에는 '부인을 비천하게 이르는 이름(卑賤名)'이라고도 한다. 독음은 알(遏)과 재
(在)의 반절이다.

8195

媅: 媅: 즐거울 담: 女-총12획: dān

原文

媅: 樂也. 从女甚聲. 丁含切.

飜譯

'즐겁다(樂)'라는 뜻이다. 녀(女)가 의미부이고 심(甚)이 소리부이다. 독음은 정(丁)과 함(含)의 반절이다.

8196

娓: 娓: 장황할 미: 女-총10획: wěi

原文

娓: 順也. 从女尾聲. 讀若媚. 無匪切.

飜譯

'순종하다(順)'라는 뜻이다. 녀(女)가 의미부이고 미(尾)가 소리부이다. 미(媚)와 같이 읽는다. 독음은 무(無)와 비(匪)의 반절이다.

8197

嫡: 嫡: 정실 적: 女-총14획: dí

原文

嫡: 孎也. 从女啻聲. 都歷切.

飜譯

'삼가며 조심하다(孎)'라는 뜻이다. 녀(女)가 의미부이고 시(啻)가 소리부이다. 독음은 도(都)와 력(歷)의 반절이다.

8198

孎: 孎: 여자가 순직할 촉: 女−총24획: zhú

原文

孎: 謹也. 从女屬聲. 讀若人不孫爲孎. 之欲切.

飜譯

'삼가며 조심하다(謹)'라는 뜻이다. 녀(女)가 의미부이고 속(屬)이 소리부이다. 겸손하지 않은 사람(人不孫)을 촉(孎)이라 한다고 할 때의 촉(孎)과 같이 읽는다.[178] 독음은 지(之)와 욕(欲)의 반절이다.

8199

婉: 婉: 편안할 원: 女−총13획: wǎn

原文

婉: 宴婉也. 从女冤聲. 於願切.

飜譯

'편안하게 순종하는 아름다운 모습(宴婉)'을 말한다. 녀(女)가 의미부이고 원(冤)이 소리부이다. 독음은 어(於)와 원(願)의 반절이다.

8200

媕: 媕: 머뭇거릴 암: 女−총12획: ān

原文

媕: 女有心媕媕也. 从女弇聲. 衣檢切.

---

178) 앞의 '삼가다(謹)'라는 뜻과 '겸손하지 않은 사람(人不孫)'을 '촉(孎)'이라 한다는 것은 상호 모순되는 것처럼 보인다. 아마도 앞의 뜻은 옛날 뜻이고, 뒤의 뜻은 허신 당시의 뜻으로 파생 의미일 것이다. 한자에서 같은 글자에 두 가지 대칭되는 의미가 함께 든 경우가 많은데, 이를 반훈(反訓)이라 한다. 여기서는 허신 풀이 당시의 사용되는 용례를 가지고 와서 원래 뜻과 독음을 풀이한 것으로 보인다.

譯

'여자가 심사가 있어 머뭇거림(女有心娊娊)'을 말한다. 녀(女)가 의미부이고 엄(弇)이 소리부이다. 독음은 의(衣)와 검(檢)의 반절이다.

8201

燅: 燅: 살필 염: 女-총12획: rǎn

原文

燅: 諟也. 从女染聲. 而琰切.

譯

'자세히 살피다(諟)'라는 뜻이다. 녀(女)가 의미부이고 염(染)이 소리부이다. 독음은 이(而)와 염(琰)의 반절이다.

8202

嫥: 嫥: 전일할 전: 女-총14획: zhuān

原文

嫥: 壹也. 从女專聲. 一曰嫥嫥. 職緣切.

譯

'전일하다, 즉 마음과 힘을 모아 오직 한 곳에만 쓰다(壹)'라는 뜻이다. 녀(女)가 의미부이고 전(專)이 소리부이다. 일설에는 '전전(嫥嫥)과 같아 귀여운 모습'을 말한다고도 한다. 독음은 직(職)과 연(緣)의 반절이다.

8203

如: 如: 같을 여: 女-총6획: rú

原文

如: 从隨也. 从女从口. 人諸切.

翻譯

'[말한 대로] 따르다(从隨)'라는 뜻이다. 녀(女)가 의미부이고 구(口)도 의미부이다.[179)] 독음은 인(人)과 제(諸)의 반절이다.

8204

孈: 嫧: **가지런할 책**: 女-총14획: cè

原文

孈: 齊也. 从女責聲. 側革切.

翻譯

'가지런하다(齊)'라는 뜻이다. 녀(女)가 의미부이고 책(責)이 소리부이다. 독음은 측(側)과 혁(革)의 반절이다.

8205

㛐: 㛐: **삼갈 착**: 女-총10획: lài

原文

㛐: 謹也. 从女束聲. 讀若謹敕數數. 測角切.

翻譯

'삼가다(謹)'라는 뜻이다. 녀(女)가 의미부이고 속(束)이 소리부이다. '근칙삭삭(謹敕數數·매사에 몸가짐을 삼가고 스스로 조심하다)'이라고 할 때의 '삭(數)과 같이 읽는다. 독음은 측(測)과 각(角)의 반절이다.

---

179) 고문자에서 [甲骨文] 甲骨文 [金文] 金文 [古陶文] 古陶文 [簡牘文] 簡牘文 [石刻古文] 石刻古文 등으로 그렸다. 口(입 구)가 의미부고 女(여자 녀)가 소리부로, 남편이나 아버지의 명령(口)대로 따라야 하는 여성(女)이라는 의미로부터 '따르다'의 뜻이 나왔고, 다시 '뜻대로 따라 하다'는 의미로 쓰이게 되었다.

8206

孅: 嫐: 빠를 섬: 女-총16획: xiān

原文

孅: 敏疾也. 一曰莊敬兒. 从女僉聲. 息廉切.

飜譯

'민첩하고 빠르다(敏疾)'라는 뜻이다. 일설에는 '장엄하고 경건한 모습(莊敬兒)'을 말한다고도 한다. 녀(女)가 의미부이고 첨(僉)이 소리부이다. 독음은 식(息)과 렴(廉)의 반절이다.

8207

嬪: 嬪: 아내 빈: 女-총17획: pín

原文

嬪: 服也. 从女賓聲. 符眞切.

飜譯

'복종하는 사람(服)'이라는 뜻이다. 녀(女)가 의미부이고 빈(賓)이 소리부이다. 독음은 부(符)와 진(眞)의 반절이다.

8208

㜼: 藝: 이를 지: 女-총14획: zhì

原文

㜼: 至也. 从女執聲. 『周書』曰: "大命不藝." 讀若摯同. 一曰『虞書』雉藝. 脂利切.

飜譯

'이르다(至)'라는 뜻이다. 녀(女)가 의미부이고 집(執)이 소리부이다. 『주서』180)에서

---

180) 『주서』는 『상서』의 잘못이다. 『상서·서백감려』편을 말한다.

"큰명이 이르지 않네(大命不摯)"라고 했다. 집(摯)과 똑같이 읽는다. 일설에는 『우서(虞書)』에서 말했던 '치집(雉摯), 즉 꿩을 가져가 하는 상견례'를 말한다고도 한다.[181] 독음은 지(脂)와 리(利)의 반절이다.

8209

媠: 媠: 엎드릴 탑·답: 女-총11획: tà

媠: 倞伏也. 从女沓聲. 一曰伏意. 他合切.

'엎드리다(倞伏)'라는 뜻이다. 녀(女)가 의미부이고 답(沓)이 소리부이다. 일설에는 '마음으로 복종하다(伏意)'라는 뜻이라고도 한다. 독음은 타(他)와 합(合)의 반절이다.

8210

晏: 晏: 편안할 안: 女-총7획: yàn

晏: 安也. 从女、日. 『詩』曰: "以晏父母." 烏諫切.

'편안하다(安)'라는 뜻이다. 녀(女)와 일(日)이 모두 의미부이다.[182] 『시』에서 "이로서 부모님을 편안하게 해드리네(以晏父母)"라고 노래했다.[183] 독음은 오(烏)와 간

---

181) 옛날 선비들끼리 상견례하거나 혹은 선비가 임금을 알현할 때 예물로 꿩을 가져가던 일을 말한다. 이후 상견례 때의 예물로 의미가 확대되었다. '공자가 노자를 찾아뵈었다'는 고사의 한대 화상석에서도 이러한 모습이 잘 그려져, 공자가 노자를 만나러갈 때 가져간 꿩 두 마리가 그려져 있다.

182) 옛날 혼인에는 탈취혼의 습관이 있었는데, 이는 밤에 신부를 몰래 빼앗아 데려가던 습관을 말한다. 그래서 여성(女)은 해(日)가 있을 때 '안전함'을 느낀다는 의미를 반영하였을 것이다. 주병균(周秉鈞)의 이러한 해설은 참고할 만하다.

183) 『단주』에서 "현행 『모시』에는 이 구절이 없다. 아마도 「주남·갈담(葛覃)」의 '귀녕부모(歸寧父母:돌아가 부모님께 문안드리려 하네.)'의 이문(異文)으로 보인다."라고 했다.

(諫)의 반절이다.

8211

嬗: 嬗: 물려줄 선: 女-총16획: shàn

原文

嬗: 緩也. 从女亶聲. 一曰傳也. 時戰切.

飜譯

'완화하다, 너그럽다(緩)'라는 뜻이다. 녀(女)가 의미부이고 단(亶)이 소리부이다. 일설에는 '전수하다(傳)'라는 뜻이라고도 한다. 독음은 시(時)와 전(戰)의 반절이다.

8212

嫴: 嫴: 잠시 고: 女-총15획: gū

原文

嫴: 保任也. 从女辜聲. 古胡切.

飜譯

'담보하다(保任)'라는 뜻이다. 녀(女)가 의미부이고 고(辜)가 소리부이다. 독음은 고(古)와 호(胡)의 반절이다.

8213

嫛: 嫛: 비틀거릴 반: 女-총13획: pǎn

原文

嫛: 奢也. 从女般聲. 薄波切.

飜譯

'크게 떠벌리다(奢)'라는 뜻이다. 녀(女)가 의미부이고 반(般)이 소리부이다. 독음은 박(薄)과 파(波)의 반절이다.

8214

婆: 婆: 춤출 사: 女-총10획: suō

原文

婆: 舞也. 从女沙聲. 『詩』曰 : "市也娑娑." 素何切.

飜譯

'춤을 추다(舞)'라는 뜻이다. 녀(女)가 의미부이고 사(沙)가 소리부이다. 『시·진풍·동문지분(東門之枌)』에서 "시장에서 날렵하게 춤만 추네(市也娑娑)"라고 노래했다. 독음은 소(素)와 하(何)의 반절이다.

8215

㛥: 㛥: 짝 유: 女-총9획: yòu

原文

㛥: 耦也. 从女有聲. 讀若祐. 侑, 㛥或从人. 于救切.

飜譯

'짝[을 이루어 서로 돕다](耦)'을 말한다.[184] 녀(女)가 의미부이고 유(有)가 소리부이다. 우(祐)와 같이 읽는다. 유(侑)는 유(㛥)의 혹체자인데, 인(人)으로 구성되었다. 독음은 우(于)와 구(救)의 반절이다.

8216

姰: 姰: 미칠 순·적합할 균·여자가 단정할 현: 女-총9획: jūn

原文

---

184) 『단주』에서는 우(耦)에 이렇게 말했다. "밭을 갈면서 짝이 있다는 것은 서로를 도운다는 뜻이다. 그래서 의미가 파생되어 서로 돕는 것을 우(耦)라고 했다. 유(㛥)의 의미는 여기서 왔을 것이다." 그렇다면 유(㛥)는 단순히 '짝'이 아니라 '짝을 이루어 서로 돕다'는 뜻으로 해석된다.

姰： 鈞適也. 男女併也. 从女旬聲. 居匀切.

翻譯

'균등함(鈞適)'을 말하는데, 남녀의 지위가 같다(男女併)는 뜻이다. 녀(女)가 의미부이고 순(旬)이 소리부이다. 독음은 거(居)와 균(匀)의 반절이다.

8217

姕： 姕: 취하여 춤추는 모양 자: 女-총9획: zī

原文

姕： 婦人小物也. 从女此聲. 『詩』曰："屢舞姕姕." 卽移切.

翻譯

'여인들이 사용하는 소소한 물품(婦人小物)'을 말한다. 녀(女)가 의미부이고 차(此)가 소리부이다. 『시·소아빈지초연(賓之初筵)』에서 "너풀너풀 계속 춤추네(屢舞姕姕)"라고 노래했다. 독음은 즉(卽)과 이(移)의 반절이다.

8218

妓： 妓: 기생 기: 女-총7획: jì

原文

妓： 婦人小物也. 从女支聲. 讀若跂行. 渠綺切.

翻譯

'여인들이 사용하는 소소한 물품(婦人小物)'을 말한다. 녀(女)가 의미부이고 지(支)가 소리부이다. 기행(跂行, 벌레가 기어가다)이라고 할 때의 기(跂)와 같이 읽는다.[185] 독음은 거(渠)와 기(綺)의 반절이다.

---

185) 女(여자 녀)가 의미부이고 支(지탱할 지)가 소리부로, 娼妓(창기·몸을 팔던 천한 기생)를 말하는데, 사람들에 붙어서(支) 기생하며 사는 비천한 여자(女)라는 뜻을 담았다.

8219

嬰: 嬰: 갓난아이 영: 女-총17획: yīng

原文

嬰: 頸飾也. 从女、賏. 賏, 其連也. 於盈切.

飜譯

'목에 거는 장식물(頸飾)[목걸이]'을 말한다. 녀(女)와 영(賏)이 모두 의미부이다. 영(賏)은 조개(貝)가 연결되었음을 말한다.[186] 독음은 어(於)와 영(盈)의 반절이다.

8220

姦: 姦: 세 계집 둘 찬: 女-총8획: càn

原文

姦: 三女爲姦. 姦, 美也. 从女, 奻省聲. 倉案切.

飜譯

'여자 셋이면 찬(姦)이 되는데, 찬(姦)은 아름답다(美)는 뜻이다.'[187] 녀(女)가 의미부이고, 찬(奻)의 생략된 모습이 소리부이다. 독음은 창(倉)과 안(案)의 반절이다.

8221

媛: 媛: 미인 원: 女-총12획: yuàn

---

186) 고문자에서 甲骨文 金文 古陶文 簡牘文 등으로 그렸다. 女(여자 녀)가 의미부이고 賏(자개를 이어 꿴 목걸이 영)이 소리부로, 장난감 조개 목걸이(賏)를 할 정도의 어린 여자(女) 아이를 말하는데, 이후 갓 태어난 아이를 지칭하게 되었으며, 여성의 목걸이, (목걸이 등을) 갖다는 뜻도 나왔다.

187) 『단주』에서 이렇게 말했다. "『시·당풍(唐風)·주무(綢繆)』에서 '今夕何夕(오늘 저녁이야말로 어찌된 저녁인가?)'이라고 했는데, 이 찬(粲=姦)자는 『모전(毛傳)』에 보인다. 『모전』에서는 여자 셋이 모인 것을 찬(粲=姦)이라 한다. 남편 하나에 부인 둘을 말한다.(三女爲粲, 大夫一妻二妾.)" 그리고 "姦, 美也."에 대해서는 "이는 『국어·주어(周語)』의 말로, 여자 셋이 밀(密)나라의 강공(康公)에게 망명했는데, 그의 어미가 말했다. '짐승이 셋 모이면 군(羣)이 되고, 사람에 셋 모이면 중(衆)이 되고, 여자가 셋 모이면 찬(粲)이 된다.'"

原文

嬡: 美女也. 人所援也. 从女从爰. 爰, 引也.『詩』曰: "邦之媛兮." 玉眷切.

飜譯

'미녀(美女)'를 말한다. 사람들이 끌어당기는 존재(人所援)라는 뜻이다. 녀(女)가 의미부이고 원(爰)도 의미부인데, 원(爰)은 당기다(引)는 뜻이다.『시·용풍·군자해로(君子偕老)』에서 "나라의 미인일세(邦之媛兮)"라고 노래했다. 독음은 옥(玉)과 권(眷)의 반절이다.

8222

娉: 娉: 장가들 빙: 女-총10획: pīng

原文

娉: 問也. 从女甹聲. 匹正切.

飜譯

'중매쟁이가 신부 측의 이름을 물어보다(問)'라는 뜻이다. 녀(女)가 의미부이고 병(甹)이 소리부이다. 독음은 필(匹)과 정(正)의 반절이다.

8223

嫐: 嫐: 따를 록: 女-총11획: lù

原文

嫐: 隨從也. 从女彔聲. 力玉切.

飜譯

'따라가다(隨從)'라는 뜻이다. 녀(女)가 의미부이고 록(彔)이 소리부이다. 독음은 력(力)과 옥(玉)의 반절이다.

8224

妝 : 妝: 꾸밀 장: 女-총7획: zhuāng

原文

妝: 飾也. 从女, 牀省聲. 側羊切.

繹譯

'꾸미다(飾)'라는 뜻이다. 녀(女)가 의미부이고, 상(牀)의 생략된 모습이 소리부이다. 독음은 측(側)과 양(羊)의 반절이다.

8225

孌 : 孌: 아름다울 련: 女-총22획: lián

原文

孌: 慕也. 从女戀聲. 力沇切.

繹譯

'사모하다(慕)'라는 뜻이다. 녀(女)가 의미부이고 련(戀)이 소리부이다. 독음은 력(力)과 연(沇)의 반절이다.

8226

媟 : 媟: 깔볼 설: 女-총12획: xiè

原文

媟: 嬻也. 从女枼聲. 私列切.

繹譯

'깔보다(嬻)'라는 뜻이다. 녀(女)가 의미부이고 엽(枼)이 소리부이다.188) 독음은 사(私)와 렬(列)의 반절이다.

---

188) 『단주』에서는 이렇게 말했다. '깔보다'는 뜻의 설(媟)을 오늘날 사람들은 설의(褻衣)라고 할 때의 설(褻)자를 사용하며, 그리하여 설(褻)자가 쓰이고 대신 설(媟)자는 폐기되었다.

8227

牘 : 牘: 더럽힐 독: 女-총18획: dú

原文

牘: 媟牘也. 从女賣聲. 徒谷切.

飜譯

'깔보다(媟牘)'라는 뜻이다. 녀(女)가 의미부이고 매(賣)가 소리부이다. 독음은 도(徒)와 곡(谷)의 반절이다.

8228

窡 : 窡: 짧은 얼굴 찰: 穴-총16획: chuò, zhuó

原文

窡: 短面也. 从女窡聲. 丁滑切.

飜譯

'짧고 작은 얼굴(短面)'을 말이다. 녀(女)가 의미부이고 찰(窡)이 소리부이다. 독음은 정(丁)과 활(滑)의 반절이다.

8229

嬖 : 嬖: 사랑할 폐: 女-총16획: bì

原文

嬖: 便嬖、愛也. 从女辟聲. 博計切.

飜譯

'편폐(便嬖) 즉 지위가 낮은데도 총애를 얻은 사람'을 말한다. 또 '총애하다(愛)'라는 뜻이다. 녀(女)가 의미부이고 벽(辟)이 소리부이다. 독음은 박(博)과 계(計)의 반절이다.

8230

鬐 : 㜝: 어려울 계: 女-총16획: qì

原文

鬐 : 難也. 从女䜭聲. 苦賣切.

飜譯

'어렵다(難)'라는 뜻이다. 녀(女)가 의미부이고 격(䜭)이 소리부이다. 독음은 고(苦)와 매(賣)의 반절이다.

8231

妎 : 妎: 시새울 해: 女-총7획: hài

原文

妎 : 妒也. 从女介聲. 胡蓋切.

飜譯

'질투하다(妒)'라는 뜻이다. 녀(女)가 의미부이고 개(介)가 소리부이다. 독음은 호(胡) 와 개(蓋)의 반절이다.

8232

妒 : 妒: 투기할 투: 女-총7획: dù

原文

妒 : 婦妒夫也. 从女戶聲. 當故切.

飜譯

'부인이 남편을 질투하다(婦妒夫)'라는 뜻이다. 녀(女)가 의미부이고 호(戶)가 소리부 이다. 독음은 당(當)과 고(故)의 반절이다.

8233

媢: 媢: 강샘할 모: 女-총12획: mào

原文

媢: 夫妒婦也. 从女冒聲. 一曰相視也. 莫報切.

繙譯

'남편이 부인을 질투하다(夫妒婦)'라는 뜻이다. 녀(女)가 의미부이고 모(冒)가 소리부이다. 일설에는 '서로 쳐다보다(相視)'라는 뜻이다. 독음은 막(莫)과 보(報)의 반절이다.

8234

娛: 娛: 공교할 요: 女-총11획: yāo

原文

娛: 巧也. 一曰女子笑皃. 『詩』曰 : "桃之娛娛." 从女芺聲. 於喬切.

繙譯

'교묘하다(巧)'라는 뜻이다. 일설에는 '여자가 웃는 모습(女子笑皃)'을 말한다고도 한다. 『시·주남·도요(桃夭)』에서 "싱싱한 복숭아나무여(桃之娛娛)"라고 노래했다. 녀(女)가 의미부이고 요(芺)가 소리부이다. 독음은 어(於)와 교(喬)의 반절이다.

8235

佞: 佞: 아첨할 녕: 人-총7획: nìng

原文

佞: 巧讇高材也. 从女, 信省. 乃定切.

繙譯

'교묘하고 아첨 잘하면서 입담이 좋다(巧讇高材)'라는 뜻이다. 녀(女)가 의미부이고, 신(信)의 생략된 모습이 소리부이다. 독음은 내(乃)와 정(定)의 반절이다.

8236

嫈: 嫈: 예쁠 앵: 女-총13획: yīng

原文

嫈: 小心態也. 从女, 熒省聲. 烏莖切.

飜譯

'소심한 상태(小心態)'를 말한다. 녀(女)가 의미부이고, 형(熒)의 생략된 모습이 소리 부이다. 독음은 오(烏)와 경(莖)의 반절이다.

8237

嫪: 嫪: 사모할 로: 女-총14획: lào

原文

嫪: 媢也. 从女翏聲. 郎到切.

飜譯

'그리워하다(媢)'라는 뜻이다. 녀(女)가 의미부이고 료(翏)가 소리부이다. 독음은 랑 (郎)과 도(到)의 반절이다.

8238

婟: 婟: 연모할 고: 女-총11획: hù

原文

婟: 嫪也. 从女固聲. 胡誤切.

飜譯

'그리워하다(嫪)'라는 뜻이다. 녀(女)가 의미부이고 고(固)가 소리부이다. 독음은 호 (胡)와 오(誤)의 반절이다.

8239

麬: 姿: 맵시 자: 女-총9획: zī

原文

麬: 態也. 从女次聲. 即夷切.

飜譯

'자태(態)'를 말한다. 녀(女)가 의미부이고 차(次)가 소리부이다.[189] 독음은 즉(即)과 이(夷)의 반절이다.

8240

孏: 嬥: 시기할 처·교만할 저: 女-총14획: jù

原文

孏: 嬌也. 从女盧聲. 將預切.

飜譯

'교만하다(嬌)'라는 뜻이다. 녀(女)가 의미부이고 차(盧)가 소리부이다. 독음은 장(將)과 예(預)의 반절이다.

8241

妨: 妨: 방해할 방: 女-총7획: fáng

原文

妨: 害也. 从女方聲. 敷方切.

飜譯

'방해하다(害)'라는 뜻이다. 녀(女)가 의미부이고 방(方)이 소리부이다.[190] 독음은 부

---

189) 女(여자 녀)가 의미부고 次(버금 차)가 소리부로, 여성(女)의 자태나 모양을 말했는데, 이후 '맵시'를 지칭하는 일반적인 의미로 바뀌었으며, 또 아름답다, 자질, 재간 등의 뜻도 나왔다.

190) 고문자에서 𡥀簡牘文 등으로 그렸다. 女(여자 녀)가 의미부고 方(모 방)이 소리부로, 방해하

(敷)와 방(方)의 반절이다.

8242

妄: 妄: 허망할 망: 女-총6획: wàng

原文

妄: 亂也. 从女亡聲. 巫放切.

飜譯

'어지럽다(亂)'라는 뜻이다. 녀(女)가 의미부이고 망(亡)이 소리부이다. 독음은 무(巫)와 방(放)의 반절이다.

8243

媮: 媮: 아름다울 유·구차할 투: 女-총12획: tōu

原文

媮: 巧黠也. 从女兪聲. 託矦切.

飜譯

'교묘하다(巧黠)'라는 뜻이다. 녀(女)가 의미부이고 유(兪)가 소리부이다. 독음은 탁(託)과 후(矦)의 반절이다.

8244

姡: 姡: 탐할 호: 女-총9획: hù

原文

姡: 姡齫, 貪也. 从女污聲. 胡古切.

飜譯

다, 걸림돌이 되다는 뜻인데, 여자(女)가 줄지어(方) 있음에서 '妨害(방해)하여' 해롭다는 뜻을 담았다.

'호로(娿齲)'를 말하는데, '탐하다(貪)'라는 뜻이다. 녀(女)가 의미부이고 오(汚)가 소리부이다. 독음은 호(胡)와 고(古)의 반절이다.

8245

娝： 娝: 업신여길 소·언니 초: 女-총10획: shào

原文

娝: 小小侵也. 从女肖聲. 息約切.

飜譯

'조금씩 잠식하다(小小侵)'라는 뜻이다. 녀(女)가 의미부이고 초(肖)가 소리부이다. 독음은 식(息)과 약(約)의 반절이다.

8246

媠： 媠: 헤아릴 타: 女-총9획: duǒ, duò

原文

媠: 量也. 从女朵聲. 丁果切.

飜譯

'헤아리다(量)'라는 뜻이다. 녀(女)가 의미부이고 타(朵)가 소리부이다. 독음은 정(丁)과 과(果)의 반절이다.

8247

妯： 妯: 마음 움직일 동·동서 축: 女-총8획: zhóu

原文

妯: 動也. 从女由聲. 徒歷切.

飜譯

'[마음이] 동요하다(動)'라는 뜻이다. 녀(女)가 의미부이고 유(由)가 소리부이다. 독음은 도(徒)와 력(歷)의 반절이다.

8248

牒: 嫌: 싫어할 혐: 女-총13획: xián

原文

牒: 不平於心也. 一曰疑也. 从女兼聲. 戶兼切.

飜譯

'마음에 들지 않다(不平於心)'라는 뜻이다. 일설에는 '의심하다(疑)'라는 뜻이라고도 한다. 녀(女)가 의미부이고 겸(兼)이 소리부이다. 독음은 호(戶)와 겸(兼)의 반절이다.

8249

婚: 婚: 덜 성: 女-총12획: shěng

原文

婚: 減也. 从女省聲. 所景切.

飜譯

'덜어내다(減)'라는 뜻이다. 녀(女)가 의미부이고 성(省)이 소리부이다. 독음은 소(所)와 경(景)의 반절이다.

8250

婼: 婼: 거스를 야거역할 착: 女-총12획: chuò

原文

婼: 不順也. 从女若聲. 『春秋傳』曰 : "叔孫婼." 丑略切.

飜譯

'순종하지 않다(不順)'라는 뜻이다. 녀(女)가 의미부이고 약(若)이 소리부이다. 『춘추전』(『좌전』 소공 7년, B.C. 535)에 "숙손야(叔孫婼)"라는 사람이 나온다.191) 독음은 축

(丑)과 략(略)의 반절이다.

8251

婞: 婞: 강직할 행: 女-총11획: xìng

원문(原文)

婞: 很也. 从女幸聲. 『楚詞』曰: "鯀婞直." 胡頂切.

역주(繹譯)

'강직하다(很)'라는 뜻이다. 녀(女)가 의미부이고 행(幸)이 소리부이다. 『초사(楚詞)·이소(離騷)』에서 "곤은 강직하고 곧음 때문에 [죽었다](鯀婞直)"라고 했다. 독음은 호(胡)와 정(頂)의 반절이다.

8252

嫳: 嫳: 발끈할 별: 女-총15획: piè

원문(原文)

嫳: 易使怒也. 从女敝聲. 讀若擊擊. 匹滅切.

역주(繹譯)

'화를 잘 내다(易使怒)'라는 뜻이다. 녀(女)가 의미부이고 폐(敝)가 소리부이다. 격별(擊擊, 치다)이라고 할 때의 별(擊)과 같이 읽는다. 독음은 필(匹)과 멸(滅)의 반절이다.

8253

嫸: 嫸: 남의 말 어기기 좋아할 선: 女-총15획: zhǎn

원문(原文)

---

191) 숙손아(叔孫婼, ?~B.C. 517)는 춘추 시대 노(魯)나라의 대부이다. 숙손소(叔孫昭)라고도 하고, 숙손표(叔孫豹)의 서자(庶子)다. 가신(家臣) 수우(豎牛)에 의해 적통을 계승했지만 난역지죄(亂逆之罪)를 물어 수우를 주벌(誅伐)했다.

：好枝格人語也. 一曰靳也. 从女善聲. 旨善切.

飜譯

‘다른 사람의 말을 잘 잘라먹다(好枝格人語)’라는 뜻이다. 일설에는 ‘가슴걸이(靳)’를 말한다고도 한다. 녀(女)가 의미부이고 선(善)이 소리부이다. 독음은 지(旨)와 선(善)의 반절이다.

8254

：娺: **빠르고 용맹스러울 촬**: 女-**총11획**: **zhuī**

原文

：疾悍也. 从女叕聲. 讀若唾. 丁滑切.

飜譯

‘빠르고 용맹함(疾悍)’을 말한다. 녀(女)가 의미부이고 철(叕)이 소리부이다. 타(唾)와 같이 읽는다. 독음은 정(丁)과 활(滑)의 반절이다.

8255

：嬒: **알기 어려울 암·아름다울 엄**: 女-**총14획**: **ǎn, àn**

原文

：含怒也. 一曰難知也. 从女酓聲. 『詩』曰 : “碩大且嬒.” 五感切.

飜譯

‘분노를 머금다(含怒)’라는 뜻이다. 일설에는 ‘알기 어렵다(難知)’라는 뜻이라고도 한다. 녀(女)가 의미부이고 염(酓)이 소리부이다. 『시·진풍·택피(澤陂)』에서 “크고 또 아름답구나(碩大且嬒)”라고 노래했다. 독음은 오(五)와 감(感)의 반절이다.

8256

：娿: **아리따울 아**: 女-**총11획**: **é**

原文

阿: 婀娿也. 从女阿聲. 烏何切.

飜譯

‘머뭇거리며 결정을 내리지 못하다(婀娿)’라는 뜻이다.[192] 녀(女)가 의미부이고 아
(阿)가 소리부이다. 독음은 오(烏)와 하(何)의 반절이다.

8257

姸: 姸: 고울 연: 女-총9획: yán

原文

姸: 技也. 一曰不省録事. 一曰難侵也. 一曰惠也. 一曰安也. 从女开聲. 讀若
研. 五堅切.

飜譯

‘기교가 있다(技)’라는 뜻이다. 일설에는 ‘빠트리지 않고 일을 기록해 두다(不省録
事)’라는 뜻이라고도 한다. 또 일설에는 ‘침범하기 어렵다(難侵)’라는 뜻이라고도 한
다. 또 일설에는 ‘지혜롭다(惠)’라는 뜻이라고도 한다. 또 일설에는 ‘편안하다(安)’라
는 뜻이라고도 한다. 녀(女)가 의미부이고 견(开)이 소리부이다. 연(研)과 같이 읽는
다.[193] 독음은 오(五)와 견(堅)의 반절이다.

8258

娃: 娃: 예쁠 왜: 女-총9획: wá

原文

---

192) 『단주』에서 이렇게 말했다. "암아(婀娿)는 쌍성자이다. 『운회(韵會)』에서는 음아(陰阿)로 적
었는데, 이도(李燾)의 판본에서는 음아(陰娿)로 적었다. 『집운(集韵)』과 『유편(類篇)』도 마찬가
지이다. 『광운(廣韵)』에서 암아(婀娿)는 결정을 내리지 못하다(不決)는 뜻이라고 했다."
193) 女(여자 녀)가 의미부고 开(평평할 견)이 소리부로, 모가 나지 않고 잘 갈린 돌처럼 평평한
(开) 여자(女)가 곱고 아름답다는 뜻을 반영했다.

娃: 圜深目皃. 或曰吳楚之間謂好曰娃. 从女圭聲. 於佳切.

譯譯

'눈이 둥글고 깊이 파인 모습(圜深目皃)'을 말한다. 혹자는 오(吳)와 초(楚) 지역에서 아름답다(好)는 것을 왜(娃)라고 한다고 한다. 녀(女)가 의미부이고 규(圭)가 소리부이다. 독음은 어(於)와 가(佳)의 반절이다.

8259

陝: 陝: 무뚝뚝할 섬: 阜-총13획: shǎn

原文

陝: 不媱, 前却陜陜也. 从女陝聲. 失冉切.

譯譯

'아름답지 않다(不媱)'는 뜻인데, '다리가 앞으로 갔다가 뒤로 갔다가 하여 걷는 모습이 아름답지 않음(前却陜陜)'을 말한다. 녀(女)가 의미부이고 협(陝)이 소리부이다. 독음은 실(失)과 염(冉)의 반절이다.

8260

妜: 妜: 예쁜 모양 결·눈짓으로 뜻을 전할 열: 女-총7획: yuè

原文

妜: 鼻目間皃. 讀若煙火妜妜. 从女, 決省聲. 於說切.

譯譯

'코와 눈 사이의 모습(鼻目間皃)'을 말한다. 연화결결(煙火妜妜, 연기가 펄펄 나네)의 결(妜)과 같이 읽는다. 녀(女)가 의미부이고, 결(決)의 생략된 모습이 소리부이다. 독음은 어(於)와 설(說)의 반절이다.

8261

魖: 嬆: 어리석고 몸짓 많을 휴: 女-총21획: xī

原文

嬆: 愚戇多態也. 从女巂聲. 讀若陸. 式吹切.

飜譯

'어리석은 티가 많이 나다(愚戇多態)'라는 뜻이다. 녀(女)가 의미부이고 휴(巂)가 소리부이다. 휴(陸)와 같이 읽는다. 독음은 식(式)과 취(吹)의 반절이다.

8262

嫭: 嫭: 기뻐하지 않을 이·여인의 자태 엽: 女-총13획: huì, yè

原文

嫭: 不說也. 从女恚聲. 於避切.

飜譯

'기뻐하지 않다(不說)'라는 뜻이다. 녀(女)가 의미부이고 에(恚)가 소리부이다. 독음은 어(於)와 피(避)의 반절이다.

8263

嬲: 嬲: 성낼 묵: 女-총15획: mò

原文

嬲: 怒皃. 从女黑聲. 呼北切.

飜譯

'성을 내는 모습(怒皃)'을 말한다. 녀(女)가 의미부이고 흑(黑)이 소리부이다. 독음은 호(呼)와 북(北)의 반절이다.

제
12
권

8264

: 娍: **가벼울 월**: 女-총8획: yuè

原文

: 輕也. 从女戉聲. 王伐切.

飜譯

'[몸이] 가볍다(輕)'라는 뜻이다. 녀(女)가 의미부이고 월(戉)이 소리부이다. 독음은 왕(王)과 벌(伐)의 반절이다.

8265

: 嫖: **날랠 표**: 女-총14획: piáo

原文

: 輕也. 从女票聲. 匹招切.

飜譯

'[몸이] 가볍다(輕)'라는 뜻이다. 녀(女)가 의미부이고 표(票)가 소리부이다. 독음은 필(匹)과 초(招)의 반절이다.

8266

: 媣: **젊을 좌여자 이름 사**: 女-총10획: zuò, qiē

原文

: 訬疾也. 从女坐聲. 昨禾切.

飜譯

'[몸이] 재빠르다(訬疾)'라는 뜻이다. 녀(女)가 의미부이고 좌(坐)가 소리부이다. 독음은 작(昨)과 화(禾)의 반절이다.

8267

𡚸: 姎: 나 앙: 女-총8획: yāng

原文

𡚸: 女人自偁, 我也. 从女央聲. 烏浪切.

飜譯

'여자가 자신을 부를 때 쓰는 말(女人自偁)'인데, '나(我)'라는 뜻이다. 녀(女)가 의미부이고 앙(央)이 소리부이다. 독음은 오(烏)와 랑(浪)의 반절이다.

8268

嫿: 媁: 탐스러울 위: 女-총12획: wēi, wěi

原文

嫿: 不說皃. 从女韋聲. 羽非切.

飜譯

'기뻐하지 않는 모양(不說皃)'을 말한다. 녀(女)가 의미부이고 위(韋)가 소리부이다. 독음은 우(羽)와 비(非)의 반절이다.

8269

𡣴: 娷: 추할 휴: 女-총11획: huī

原文

𡣴: 姿娷, 姿也. 从女隹也. 一曰醜也. 許惟切.

飜譯

'자휴(姿娷)'를 말하는데, '제멋대로 구는 모습(姿)'이라는 뜻이다.[194] 녀(女)가 의미부이고 추(隹)라는 뜻이다. 일설에는 '못생기다(醜)'라는 뜻이라고도 한다. 독음은 허

---

194) 『단주』에서 이렇게 말했다. "각 판본에서는 자(姿)라고 적었는데, 지금 자(恣)로 바로잡는다. 심(心)부수에서 자(恣)는 제멋대로 하다(縱)는 뜻이라고 했다."

(許)와 유(惟)의 반절이다.

8270

娹: 娹: **지킬 현**: 女-총11획: xián

原文

娹: 有守也. 从女弦聲. 胡田切.

飜譯

'지키는 바가 있음(有守)[수절하다]'을 말한다. 녀(女)가 의미부이고 현(弦)이 소리부이다. 독음은 호(胡)와 전(田)의 반절이다.

8271

媥: 媥: **가벼울 편**: 女-총12획: piān

原文

媥: 輕皃. 从女扁聲. 芳連切.

飜譯

'가벼운 모습(輕皃)'을 말한다. 녀(女)가 의미부이고 편(扁)이 소리부이다. 독음은 방(芳)과 련(連)의 반절이다.

8272

嫚: 嫚: **업신여길 만**: 女-총14획: màn

原文

嫚: 侮易也. 从女曼聲. 謀患切.

飜譯

'업신여기다(侮易)'라는 뜻이다. 녀(女)가 의미부이고 만(曼)이 소리부이다. 독음은 모(謀)와 환(患)의 반절이다.

8273

煶: 媋: 빨리 말해 두서가 없을 삽·잡: 女-총12획: shà, chā

原文

媋: 疾言失次也. 从女臿聲. 讀若懾. 丑聶切.

飜譯

'말을 빨리 하는 바람에 두서가 없음(疾言失次)'을 말한다. 녀(女)가 의미부이고 삽(臿)이 소리부이다. 섭(懾)과 같이 읽는다. 독음은 축(丑)과 섭(聶)의 반절이다.

8274

嬬: 嬬: 아내 유: 女-총17획: rǔ, xū

原文

嬬: 弱也. 一曰下妻也. 从女需聲. 相兪切.

飜譯

'연약하다(弱)'라는 뜻이다. 일설에는 '지위가 낮은 첩(下妻)'을 말한다고도 한다. 녀(女)가 의미부이고 수(需)가 소리부이다. 독음은 상(相)과 유(兪)의 반절이다.

8275

㛏: 媂: 미련할 부·성씨 비: 女-총10획: pēi

原文

媂: 不肖也. 从女否聲. 讀若竹皮箁. 匹才切.

飜譯

'미련하다, 못나다(不肖)'라는 뜻이다. 녀(女)가 의미부이고 부(否)가 소리부이다. '대껍질(竹皮)을 부(箁)라고 한다'라고 할 때의 부(箁)와 같이 읽는다. 독음은 필(匹)과 재(才)의 반절이다.

8276

孅 : 嬯: 미련스러울 대: 女-총17획: tāi

(原文)

嬯: 遲鈍也. 从女臺聲. 闟嬯亦如之. 徒哀切.

(飜譯)

'미련하다(遲鈍)'라는 뜻이다. 녀(女)가 의미부이고 대(臺)가 소리부이다. 탑대(闟嬯·손을 맞잡고 노래를 부르다)도 이와 같이 쓴다. 독음은 도(徒)와 애(哀)의 반절이다.

8277

嬛 : 嬛: 여자 이름 담·부인의 늘씬한 모습 첨: 女-총15획: shěn, niǎn

(原文)

嬛: 下志貪頑也. 从女覃聲. 讀若深. 乃忝切.

(飜譯)

'뜻이 천하고 탐욕스럽다(下志貪頑)'라는 뜻이다. 녀(女)가 의미부이고 담(覃)이 소리부이다. 심(深)과 같이 읽는다. 독음은 내(乃)와 첨(忝)의 반절이다.

8278

嬠 : 嫪: 탐할 참·음란할 삼: 女-총14획: cǎn, chú, xuàn

(原文)

嫪: 婪也. 从女參聲. 七感切.

(飜譯)

'탐하다(婪)'라는 뜻이다. 녀(女)가 의미부이고 참(參)이 소리부이다. 독음은 칠(七)과 감(感)의 반절이다.

8279

婪: 婪: 탐할 람: 女-총11획: lán

原文

婪: 貪也. 从女林聲. 杜林說 : 卜者黨相詐驗爲婪. 讀若潭. 盧含切.

翻譯

'탐하다(貪)'라는 뜻이다. 녀(女)가 의미부이고 림(林)이 소리부이다.[195] 두림(杜林)은 '점쟁이들이 가짜 징조로 사람에게 점괘를 알리는데, 이를 람(婪)이라 한다(卜者黨相 詐驗爲婪)'라고 했다.[196] 담(潭)과 같이 읽는다. 독음은 로(盧)와 함(含)의 반절이다.

8280

嬾: 嬾: 게으를 란: 女-총19획: lán

原文

嬾: 懈也, 怠也. 一曰臥也. 从女賴聲. 洛旱切.

翻譯

'게으르다(懈), 태만하다(怠)'라는 뜻이다. 일설에는 '눕다(臥)'라는 뜻이라고도 한다. 녀(女)가 의미부이고 뢰(賴)가 소리부이다. 독음은 락(洛)과 한(旱)의 반절이다.

8281

婁: 婁: 별 이름 루: 女-총11획: lóu

原文

---

195) 고문자에서 [圖] 甲骨文 등으로 그렸다. 女(여자 녀)가 의미부이고 林(수풀 림)이 소리부로, 욕심을 내어 탐함을 말하는데, 여성(女)을 그런 존재로 인식했음이 반영되었다. 또 술잔이 한 순배 도는 것을 지칭하기도 한다. 달리 惏으로 쓰기도 한다.

196) 『단주』에서는 각 판본에서 당(黨)으로 적었는데 이를 당(攩)으로 고쳐 적는다고 했다. 당상 (攩相)은 가짜 모습을, 사험(詐諡)은 점괘를 속이다는 뜻이다.

𡚾: 空也. 从毋、中、女, 空之意也. 一曰婁, 務也. ，古文. 洛矦切.

譯 '속이 비다(空)'라는 뜻이다. 모(毋)와 중(中)과 녀(女)가 모두 의미부인데, 속이 비다는 뜻이다. 일설에, '루(婁)는 힘쓰다(務)'는 뜻이라고도 한다.[197] 루()는 고문체이다. 독음은 락(洛)과 후(矦)의 반절이다.

8282

娎: 娎: 기쁠 혈: 女-총10획: xiào

原文 娎: 娎娊也. 从女折聲. 許列切.

譯 '혈협(娎娊) 즉 득의양양함'을 말한다. 녀(女)가 의미부이고 절(折)이 소리부이다. 독음은 허(許)와 렬(列)의 반절이다.

8283

娊: 娊: 쉴 협: 女-총10획: qiè

原文 娊: 得志娊娊. 一曰娊息也, 一曰少气也. 从女夾聲. 呼帖切.

---

197) 고문자에서 𡚾𡚾簡牘文 𡚾石刻古文 등으로 그렸다. 갑골문에서 여성(女)의 머리 위로 두 손으로 무엇인가를 얹은 모습이며, 금문에서는 그것이 대를 엮어 만든 광주리임을 구체화했다. 소전체에 들면서 윗부분의 광주리가 毌(꿰뚫을 관)으로, 중간의 따리가 中(가운데 중)으로 변하여 지금의 자형이 되었다. 그래서 여자들이 머리에 이는 '대광주리'가 원래 뜻이다. 광주리를 머리에 일 때에는 따리를 받치고 얹어야 한다는 뜻에서 '겹치다', 중첩되다 등의 뜻을 가진다. 이후 별자리 이름으로 가차되어 28수(宿)의 하나를 지칭하게 되었다. 그러자 원래의 '광주리'라는 뜻은 竹(대 죽)을 더한 簍(대 채롱 루)로 분화했다. 간화자에서는 娄로 쓴다. 달리 𡜍로 쓰기도 한다.

'득의하여 기뻐함(得志姎姎)'을 말한다. 일설에, 협(姎)은 '숨을 쉬다(息)'라는 뜻이라고도 한다. 또 일설에는 '기가 적어 숨을 헉헉거리다(少气)'라는 뜻이라고도 한다. 녀(女)가 의미부이고 협(夾)이 소리부이다. 독음은 호(呼)와 첩(帖)의 반절이다.

8284

嬈： 嬈: 아리따울 **요**·번거로울 **뇨**: 女-총15획: ráo, rǎo

원문

嬈： 苛也. 一曰擾、戲弄也, 一曰嬥也. 从女堯聲. 奴鳥切.

번역

'자잘하다(苛)'라는 뜻이다. 일설에는 '번거롭다(擾), 희롱하다(戲弄)'라는 뜻이라고도 한다. 또 일설에는 '날씬하다(嬥)'라는 뜻이라고도 한다. 녀(女)가 의미부이고 요(堯)가 소리부이다. 독음은 노(奴)와 조(鳥)의 반절이다.

8285

嬰： 嫛: 미워할 **훼**: 女-총16획: huǐ

원문

嫛： 惡也. 一曰人皃. 从女毀聲. 許委切.

번역

'미워하다(惡)'라는 뜻이다. 일설에는 '못생긴 사람의 모습(人皃)'을 말한다고도 한다.[198] 녀(女)가 의미부이고 훼(毀)가 소리부이다. 독음은 허(許)와 위(委)의 반절이다.

8286

姍： 姍: 헐뜯을 **산**: 女-총8획: shān

---

198) 주준성의 『설문통훈정성』에서 "추악한 모습을 말한다"고 하였다.

原文

姍: 誹也. 一曰翼便也. 从女, 刪省聲. 所晏切.

飜譯

'비방하다(誹)'라는 뜻이다. 일설에는 '겨드랑이에서 나는 냄새(翼便)'를 말한다고도
한다.[199] 녀(女)가 의미부이고, 산(刪)의 생략된 모습이 소리부이다. 독음은 소(所)와
안(晏)의 반절이다.

8287

娵: 娵: 추하게 늙은 할미 주: 女-총12획: cù

原文

娵: 醜也. 一曰老嫗也. 从女酋聲. 讀若蹴. 七宿切.

飜譯

'추하다(醜)'라는 뜻이다. 일설에는 '늙은 할미(老嫗)'를 말한다고도 한다. 녀(女)가
의미부이고 추(酋)가 소리부이다. 축(蹴)과 같이 읽는다. 독음은 칠(七)과 숙(宿)의
반절이다.

8288

嫫: 嫫: 대단히 추할 모: 女-총14획: mó, mò

原文

嫫: 嫫母, 都醜也. 从女莫聲. 莫胡切.

飜譯

'모모(嫫母)'를 말하는데, '매우 못 생긴 여자(都醜)'를 말한다. 녀(女)가 의미부이고

---

199) 서개의 『계전』에서는 "비방한다는 뜻이다(誹也). 일설에는 여성에게서 나는 냄새를 말한다
고도 한다(一曰女臭也). 녀(女)가 의미부이고 산(刪)의 생략된 모습이 소리부이다. 일설에는
산(姍)은 겨드랑이에서 나는 냄새를 말한다고도 한다(翼便也). 『한서』에서는 주로 산(訕·헐뜯
다)의 의미로 쓰였다."

막(莫)이 소리부이다. 독음은 막(莫)과 호(胡)의 반절이다.

8289

斐: 斐: 계집종 비: 女-총11획: fēi

原文

斐: 往來斐斐也. 一曰醜兒. 从女非聲. 芳非切.

飜譯

'끝없이 왔다 갔다 하다(往來斐斐)'라는 뜻이다. 일설에는 '못생긴 모습(醜兒)'을 말한다고도 한다. 녀(女)가 의미부이고 비(非)가 소리부이다. 독음은 방(芳)과 비(非)의 반절이다.

8290

孃: 孃: 여자애 양: 女-총20획: niáng

原文

孃: 煩擾也. 一曰肥大也. 从女襄聲. 女良切.

飜譯

'번거롭게 하다(煩擾)'라는 뜻이다. 일설에는 '살이 찌다(肥大)'라는 뜻이라고도 한다. 녀(女)가 의미부이고 양(襄)이 소리부이다. 독음은 녀(女)와 량(良)의 반절이다.

8291

嬒: 嬒: 여자의 살결이 검을 회: 女-총16획: wèi

原文

嬒: 女黑色也. 从女會聲. 『詩』曰 : "嬒兮蔚兮." 古外切.

飜譯

'여자의 살결이 검다(女黑色)'라는 뜻이다. 녀(女)가 의미부이고 회(會)가 소리부이다. 『시·조풍후인(候人)』에서 "검은 구름 뭉게뭉게 일더니(薈兮蔚兮)"라고 노래했다. 독음은 고(古)와 외(外)의 반절이다.

8292

㛥: 㛥: 어릴 눈·예쁜 모양 연: 女-총12획: ruǎn

原文

㛥: 好皃. 从女耎聲. 而沇切.

飜譯

'아름다운 모습(好皃)'을 말한다. 녀(女)가 의미부이고 연(耎)이 소리부이다. 독음은 이(而)와 연(沇)의 반절이다.

8293

媕: 媕: 모함할 엄: 女-총11획: yàn, yuán

原文

媕: 誣挐也. 从女奄聲. 依劒切.

飜譯

'모함하여 비방하다(誣挐)'라는 뜻이다. 녀(女)가 의미부이고 엄(奄)이 소리부이다. 독음은 의(依)와 검(劒)의 반절이다.

8294

嚂: 嚂: 그르칠 람: 女-총17획: làn

原文

嚂: 過差也. 从女監聲. 『論語』曰 : "小人窮斯嚂矣." 盧瞰切.

飜譯

'너무 지나쳐서 모자람(過差)'을 말한다.200) 녀(女)가 의미부이고 감(監)이 소리부이다. 『논어·위령공(衛靈公)』에서 "소인들은 궁하면 말이 지나치게 되는 법이다(小人窮斯灠矣)"라고 했다. 독음은 로(盧)와 감(瞰)의 반절이다.

8295

螯: 螯: 업신여길 오: 女-총14획: ào

原文

螯: 侮易也. 从女敖聲. 五到切.

飜譯

'업신여기다(侮易)'라는 뜻이다. 녀(女)가 의미부이고 오(敖)가 소리부이다. 독음은 오(五)와 도(到)의 반절이다.

8296

婬: 婬: 음탕할 음: 女-총11획: yín

原文

婬: 私逸也. 从女㸒聲. 余箴切.

飜譯

'사사로이 일탈함(私逸)'을 말한다. 녀(女)가 의미부이고 음(㸒)이 소리부이다. 독음은 여(余)와 잠(箴)의 반절이다.

8297

姘: 姘: 제거할 평: 女-총9획: pīn

---

200) 『단주』에서 이렇게 말했다. "차특(差忒)이라는 것은 값어치가 제대로 맞지 않음(不相値)을 말한다. 마땅함을 얻지 못한 것(不得其當)을 과차(過差)라고 한다. 또한 오늘날에는 람(濫)자를 갖고 이를 표현한다. 「상송(商頌)」의 불참불람(不僭不濫)에서와 같이⋯⋯이러한 람(濫)자는 모두 람(灠)으로 쓸 수 있다. 그러나 람(濫)자가 성행하면서 람(灠)자는 사라지고 말았다."

原文

姘: 除也. 漢律 : "齊人予妻婢姦曰姘." 从女幷聲. 普耕切.

飜譯

'제거하다(除)'라는 뜻이다. 한나라 때의 법률(漢律)에 "제나라 사람들은 아내의 노비와 통간하는 것(齊人予妻婢姦)을 평(姘)이라 한다."라고 했다. 녀(女)가 의미부이고 병(幷)이 소리부이다. 독음은 보(普)와 경(耕)의 반절이다.

8298

奸: 奸: **범할 간**: 女-총6획: jiān

原文

奸: 犯婬也. 从女从干, 干亦聲. 古寒切.

飜譯

'범하여 강간하다(犯婬)'라는 뜻이다. 녀(女)가 의미부이고 간(干)도 의미부인데, 간(干)은 소리부도 겸한다.[201] 독음은 고(古)와 한(寒)의 반절이다.

8299

姅: 姅: **경도 반**: 女-총8획: bàn

原文

姅: 婦人汚也. 从女半聲. 漢律 : "見姅變, 不得侍祠." 博幔切.

飜譯

'여인들의 월경(婦人汚)'을 말한다. 녀(女)가 의미부이고 반(半)이 소리부이다. 한나라 때의 법률(漢律)에 "월경 중에 있는 여성은 제사를 받들 수 없다(見姅變, 不得侍

---

201) 고문자에서 奸 奸 簡牘文 등으로 그렸다. 女(여자 녀)가 의미부이고 干(방패 간)이 소리부로, 여자(女)를 범하는 행위를 말한다. 이후 '요구하다'의 뜻도 나왔으며, 현대 중국에서는 姦(간사할 간)의 간화자로도 쓰인다.

祠)"라고 했다. 독음은 박(博)과 만(慢)의 반절이다.

8300

娗: 모양낼 정·속일 전: 女-총10획: dìng, tíng

原文

娗: 女出病也. 从女廷聲. 徒鼎切.

飜譯

'자궁이 돌출되는 병(女出病)'을 말한다. 녀(女)가 의미부이고 정(廷)이 소리부이다. 독음은 도(徒)와 정(鼎)의 반절이다.

8301

婥: 예쁠 작: 女-총11획: chuò

原文

婥: 女病也. 从女卓聲. 奴教切.

飜譯

'여성의 병(女病)'을 말한다. 녀(女)가 의미부이고 탁(卓)이 소리부이다. 독음은 노(奴)와 교(教)의 반절이다.

8302

娷: 일 서로 부탁할 수: 女-총11획: zhuì

原文

娷: 諉也. 从女垂聲. 竹恚切.

飜譯

'일을 부탁하다(諉)'라는 뜻이다. 녀(女)가 의미부이고 수(垂)가 소리부이다. 독음은 죽(竹)과 에(恚)의 반절이다.

8303

懊: 嫐: 괴로워할 뇌: 女-총12획: nǎo

原文

嫐: 有所恨也. 从女𡥈聲. 今汝南人有所恨曰嫐. 奴皓切.

飜譯

'원한이 있음(有所恨)'을 말한다. 녀(女)가 의미부이고 뇌(𡥈)가 소리부이다. 오늘날 여남(汝南) 사람들은 원한이 있는 것(有所恨)을 뇌(嫐)라고 한다. 독음은 노(奴)와 호(皓)의 반절이다.

8304

媿: 媿: 창피 줄 괴: 女-총13획: kuì

原文

媿: 慙也. 从女鬼聲. 愧, 媿或从恥省. 俱位切.

飜譯

'부끄럽다(慙)'라는 뜻이다. 녀(女)가 의미부이고 귀(鬼)가 소리부이다. 괴(愧)는 괴(媿)의 혹체자인데, 치(恥)의 생략된 모습으로 구성되었다. 독음은 구(俱)와 위(位)의 반절이다.

8305

姦: 奻: 시끄럽게 송사할 난: 女-총6획: nuán

原文

奻: 訟也. 从二女. 女還切.

飜譯

'송사를 벌이다(訟)'라는 뜻이다. 두 개의 녀(女)로 구성되었다. 독음은 녀(女)와 환

(還)의 반절이다.

8306

姦 : 姦: 간사할 간: 女-총9획: jiān

原文

姦 : 私也. 从三女. 𢘒, 古文姦从心旱聲. 古顏切.

飜譯

'사통하다(私)'라는 뜻이다. 세 개의 녀(女)로 구성되었다.202) 간(𢘒)은 간(姦)의 고문체
인데, 심(心)이 의미부이고 한(旱)이 소리부이다. 독음은 고(古)와 안(顏)의 반절이다.

8307

嬙 : 嬙: 궁녀 장: 女-총16획: qiáng

原文

嬙 : 婦官也. 从女, 牆省聲. 才良切.

飜譯

'여성 관리(婦官)'를 말한다. 녀(女)가 의미부이고, 장(牆)의 생략된 모습이 소리부이
다. 독음은 재(才)와 량(良)의 반절이다. [신부]

8308

妲 : 妲: 여자의 자 달: 女-총8획: dá

原文

---

202) 고문자에서 [고문자] 金文 등으로 그렸다. 세 개의 女(여자 녀)로 구성되어, 여자(女)가 많
이 모이면 '간사해진다'라는 뜻을 그렸는데, 여성이 사회의 약자로 지위가 변하면서 간사하고
투기 잘하는 비천한 존재로 그려졌다. 이로부터 '사악하다', '악한 사람', '흉악함', '외도', '절
도' 등의 뜻이 나왔다. 간화자에서는 奸(범할 간)에 통합되었다.

妲: 女字. 妲己, 紂妃. 从女旦聲. 當割切.

譯

'여자의 자(女字)'를 말하는데, 달기(妲己)는 주(紂)임금의 부인이다(妃).203) 녀(女)가
의미부이고 단(旦)이 소리부이다. 독음은 당(當)과 할(割)의 반절이다. [신부]

8309

嬌: 嬌: 아리따울 교: 女-총15획: jiāo

原文

嬌: 姿也. 从女喬聲. 舉喬切.

譯

'아름다운 자태(姿)'를 말한다. 녀(女)가 의미부이고 교(喬)가 소리부이다.204) 독음은
거(舉)와 교(喬)의 반절이다. [신부]

8310

嬋: 嬋: 고울 선: 女-총15획: chán

原文

嬋: 嬋娟, 態也. 从女單聲. 市連切.

譯

'선연(嬋娟)'을 말하는데, '아름다운 자태(態)'를 말한다. 녀(女)가 의미부이고 단(單)
이 소리부이다.205) 독음은 시(市)와 련(連)의 반절이다. [신부]

---

203) 달기(妲己)는 자(字)가 달(妲)이고 성(姓)이 기(己)이다. 상(商)나라 유소(有蘇: 지금의 해남
海南 온현 溫縣) 출신으로 상나라의 마지막 왕인 주왕(紂王)의 비가 되었다고 전해진다. 그녀
는 그지없이 음란하여 주왕의 폭정을 방조했는데, 뒤에 주(周)나라 무왕(武王)이 주왕을 정벌
하고 나서 달기의 목을 베어 소백기(小白旗)에 매달았다고 한다.
204) 女(여자 녀)가 의미부이고 喬(높을 교)가 소리부로, 키가 늘씬한(喬) 여자(女)로부터 '아름다
움'을 그렸고, 이로부터 미녀, 요염함, 목소리 등이 맑고 부드럽다는 뜻이 나왔다. 간화자에서
는 喬를 乔로 줄인 娇로 쓴다.

8311

娟: 娟: 예쁠 연: 女-총10획: juān

原文

娟: 嬋娟也. 从女肙聲. 於緣切.

繙譯

'선연(嬋娟) 즉 아름다운 자태'를 말한다. 녀(女)가 의미부이고 연(肙)이 소리부이다.
독음은 어(於)와 연(緣)의 반절이다. [신부]

8312

嫠: 嫠: 과부 리: 女-총14획: lí

原文

嫠: 無夫也. 从女𠩺聲. 里之切.

繙譯

'남편이 없음(無夫)'을 말한다. 녀(女)가 의미부이고 리(𠩺)가 소리부이다. 독음은 리
(里)와 지(之)의 반절이다. [신부]

8313

姤: 姤: 만날 구: 女-총9획: gòu

原文

姤: 偶也. 从女后聲. 古候切.

繙譯

---

205) 女(여자 녀)가 의미부고 甹(홑 단)이 소리부로, 주로 嬋娟(선연)이라는 복합어로 쓰여 아름
다운 여자(女)를 말하며, '달'을 은유적으로 지칭하기도 한다. 간화자에서는 甹을 간단하게 줄
인 婵으로 쓴다.

'짝(偶)'을 말한다. 녀(女)가 의미부이고 후(后)가 소리부이다. 독음은 고(古)와 후(候)의 반절이다. [신부]

제444부수
444 ■ 무(毋)부수

8314

毋: 毋: 말 무: 毋-총4획: wú

原文

毋: 止之也. 从女, 有奸之者. 凡毋之屬皆从毋. 武扶切.

飜譯

'그치게 하다(止之)'라는 뜻이다. 녀(女)가 의미부이고, [가로획은] 간통한 자를 말한다.206) 무(毋)부수에 귀속된 글자들은 모두 무(毋)가 의미부이다. 독음은 무(武)와 부(扶)의 반절이다.

8315

毒: 毒: 음란할 애: 毋-총7획: ǎi

原文

毒: 人無行也. 从士从毋. 賈侍中說: 秦始皇母與嫪毒淫, 坐誅, 故世罵淫曰嫪毒. 讀若娭. 遏在切.

飜譯

'좋은 품행이 없는 사람(人無行)'을 말한다. 사(士)가 의미부이고 무(毋)도 의미부이다. 가시중(賈侍中)께서는 이렇게 말했다. "진시황(秦始皇)의 모친이 노애(嫪毒)와 음란하게 놀았다가 목이 잘렸는데, 그 때문에 음란한 자를 욕할 때 노애(嫪毒)라고 한다."207) 애(娭)와 같이 읽는다. 독음은 알(遏)과 재(在)의 반절이다.

---

206) 고문자에서 [金文] [簡牘文] [古璽文] 등으로 그렸다. 母(어미 모)에서 변형된 글자로, 부정사로 쓰여 '없다', '…하지 말라' 등의 뜻으로 쓰인다.

207) 노애(嫪毐)는 전국 시대 말기 진(秦)나라 사람으로, 환관이다. 선태후(宣太后)의 총애를 받아 장신후(長信侯)에 봉해졌다. 문하에 식객(食客)이 1천 명이었고, 가동(家僮)도 수천 명을 두었다. 진시황 정(政)의 즉위식 때 반란(叛亂)을 일으켰다가 실패한 뒤 피살되었다.(『중국역대인명 사전』)

제445부수
445 ▪ 민(民)부수

8316

民：民: 백성 민: 氏—총5획: mín

原文

民: 眾萌也. 从古文之象. 凡民之屬皆从民. 岜, 古文民. 彌鄰切.

飜譯

'무지한 대중(眾萌)'을 말한다. 고문(古文)의 모습을 따랐다.[208] 민(民)부수에 귀속된 글자들은 모두 민(民)이 의미부이다. 민(岜)은 민(民)의 고문체이다. 독음은 미(彌)와 린(鄰)의 반절이다.

8317

岷：氓: 백성 맹: 氏—총8획: méng

原文

氓: 民也. 从民亡聲. 讀若盲. 武庚切.

飜譯

'백성(民)'을 말한다. 민(民)이 의미부이고 망(亡)이 소리부이다. 맹(盲)과 같이 읽는다. 독음은 무(武)와 경(庚)의 반절이다.

---

208) 고문자에서 ＤＦＴＦＦ金文 ＸＸ匡簡牘文 Ｆ帛書 ＠石刻古文 등으로 그렸다. 원래 포로나 노예의 반항 능력을 줄이고자 한쪽 눈을 예리한 침으로 자해한 모습으로부터 '노예'라는 뜻을 그렸고 이로부터 신하의 뜻이 나왔는데, 이후 '백성', 民衆(민중), 대중 등의 의미로 확장되었다. 그리고 자형도 지금처럼 변했는데, 현대 옥편에서는 氏(성씨 씨)부수에 편입되었다.

제446부수
446 ■ 별(丿)부수

8318

丿 : 丿: 삐침 별: 丿-총1획: piě

(原文)

丿: 右戾也. 象左引之形. 凡丿之屬皆从丿. 房密切.

(飜譯)

'오른쪽에서 붓을 시작하여 왼쪽으로 구부린 획(右戾)[왼 삐침]'을 말한다. 왼쪽으로 끈 모습을 그렸다. 별(丿)부수에 귀속된 글자들은 모두 별(丿)이 의미부이다. 독음은 방(房)과 밀(密)의 반절이다.

8319

乂 : 乂: 벨 예: 丿-총2획: yì

(原文)

乂: 芟艸也. 从丿从乀, 相交. 㐅, 乂或从刀. 魚廢切.

(飜譯)

'풀을 베다(芟艸)'라는 뜻이다. 별(丿)이 의미부이고, 불(乀)도 의미부인데, 서로 교차된 모습을 따랐다. 예(㐅)는 예(乂)의 혹체자인데, 도(刀)로 구성되었다. 독음은 어(魚)와 폐(廢)의 반절이다.

8320

弗 : 弗: 아닐 불: 弓-총5획: fú

原文

弗: 撟也. 从丿从乀, 从韋省. 分勿切.

飜譯

'교정하다(撟)'라는 뜻이다. 별(丿)이 의미부이고 불(乀)도 의미부이며, 위(韋)의 생략된 모습도 의미부이다.[209] 독음은 분(分)과 물(勿)의 반절이다.

8321

乀: 乀: 파임 불: 丿-총1획: fú

原文

乀: 左戾也. 从反丿. 讀與弗同. 分勿切.

飜譯

'왼쪽에서 붓을 시작하여 오른쪽으로 구부린 획(左戾)[오른 삐침]'을 말한다. 별(丿)을 뒤집은 모습이다. 불(弗)과 똑같이 읽는다. 독음은 분(分)과 물(勿)의 반절이다.

---

209) 고문자에서 〔甲骨文〕, 〔金文〕, 〔盟書〕, 〔簡牘文〕, 〔帛書〕, 〔古璽文〕, 〔石刻古文〕 등으로 그렸다. 제대로 굽지 않은 화살을 실(己·기)로 동여매어 바로 잡는 모습을 그렸다. 이로부터 '바르지 않은' 것을 '바로잡다'는 뜻이 나왔고, 다시 부정사로 쓰였다. 또 미국 화폐 단위인 달러($)를 표시하는 글자로도 쓰인다.

제447부수
447 ▪ 예(厂)부수

8322

∫ : 厂: 끌 예: 丿-총2획: yì

原文

∫ : 抴也. 明也. 象抴引之形. 凡厂之屬皆从厂. 厬字从此. 余制切.

飜譯

'끌다(抴)'라는 뜻이다. '밝다(明)'라는 뜻이다.210) 끌어당기는 모습을 그렸다. 예(厂)부수에 귀속된 글자들은 모두 예(厂)가 의미부이다. 사(厬)자도 이 글자로 구성되었다. 독음은 여(余)와 제(制)의 반절이다.

8323

弋 : 弋: 주살 익: 弋-총3획: yì

原文

弋 : 橜也. 象折木衺銳著形. 从厂, 象物挂之也. 與職切.

飜譯

'말뚝(橜)'을 말한다. 나무를 잘라 예리한 것을 비스듬히 묶어 놓은 모습을 그렸다. 예(厂)가 의미부인데, 어떤 물체를 말뚝에다 달아 놓은 모습을 말한다.211) 독음은 여(與)와 직(職)의 반절이다.

---

210) 『단주』에서는 이 말의 의미를 알지 못하겠다고 했다.

211) 고문자에서 ✝✝✝金文 ✝✝✝ 簡牘文 ✝ 古璽文 등으로 그렸다. 弋은 주살, 즉 오뉘(화살 머리를 활시위에 끼우도록 에워 낸 부분)에 줄을 매어 쓰는 화살을 말한다. 고대 중국에서 화살을 아끼려고 화살에다 줄을 매고 화살을 쏜 후 다시 회수하여 쓸 수 있도록 고안한 장치이다. 이런 화살로 하는 활쏘기를 弋射(익사)라고 했다. 활 쏘는 연습을 할 때도 자주 사용되었다.

> ## 제448부수
> ## 448 ▪ 불(乁)부수

8324

乁 : 乁: 흐를 이: ノ-총1획: yí, jí

原文

乁: 流也. 从反厂. 讀若移. 凡乁之屬皆从乁. 弋支切.

飜譯

'흐르다(流)'라는 뜻이다. 예(厂)를 뒤집어 놓은 모습이다. 이(移)와 같이 읽는다. 이(乁)부수에 귀속된 글자들은 모두 이(乁)가 의미부이다. 독음은 익(弋)과 지(支)의 반절이다.

8325

也 : 也: 어조사 야: 乙-총3획: yě

原文

也: 女陰也. 象形. 乁, 秦刻石也字. 羊者切.

飜譯

'여성의 음부(女陰)'를 말한다. 상형이다.[212] 야(乁)는 진(秦)나라 각석자료에 보이는 야(也)자이다. 독음은 양(羊)과 자(者)의 반절이다.

---

212) 고문자에서 也 金文 也 也 也 簡牘文 也 秦刻石 등으로 그렸다. 자원이 불분명하다. 『설문해자』에서는 "여성의 음부를 그렸다"라고 했지만, 학자에 따라서는 뱀(它·사, 蛇의 원래 글자)을 그린 것으로, 혹은 여성들이 주로 사용하던 손 씻을 때 물을 따르던 그릇(匜·이)을 그렸다고 한다. 아마도 匜라는 그릇을 위에서 본 모습으로 보이며, 匜가 여성 전용 그릇이라는 뜻에서 '여성'을 뜻하게 되었고, 이후 也가 서술이나 의문을 나타내는 조사나 어기사로 가차되어 쓰이게 되자 匸(상자 방)을 더한 匜로 분화한 것으로 보인다.

제449부수

449 ■ 씨(氏)부수

8326

氏: 氏: 각시 씨: 氏-총4획: shì

原文

氏: 巴蜀山名岸脅之旁箸欲落墮者曰氏, 氏崩, 聞數百里. 象形, へ聲. 凡氏之屬皆从氏. 楊雄賦: 響若氏隤. 承旨切.

飜譯

파촉(巴蜀) 지역의 이름난 산 옆에 붙어 있는 방금이라도 떨어질 것 같은 바위(巴蜀山名岸脅之旁箸欲落墮者)를 씨(氏)라고 하는데, 이 바위가 붕괴되면 수 백리 밖에서도 들린다고 한다. 상형이다. 이(へ)가 소리부이다.213) 씨(氏)부수에 귀속된 글자들은 모두 씨(氏)가 의미부이다. 양웅(楊雄)의 부(賦)에서 "마치 큰 바위덩어리가 무너져 내리는 소리(響若氏隤)"라고 했다. 독음은 승(承)과 지(旨)의 반절이다.

---

213) 고문자에서 𐎛𐎛𐎛𐎛 甲骨文 𐎛𐎛𐎛𐎛 金文 𐎛𐎛𐎛𐎛 古陶文 𐎛 𐎛𐎛𐎛𐎛 簡牘文 등으로 그렸다. 자원에 대해서는 이견이 많지만, 갑골문을 보면 허리를 숙인 채 물건을 든 모습이라는 해석이 비교적 타당해 보인다. 氏에 '씨', '뿌리', '낮다', '들다' 등의 의미가 들어 있는 것으로 보아 손에 든 것은 '씨앗'이 아닌가라고 추정된다. 먼저, 씨를 뿌리는 모습에서 '씨'와 '뿌리'의 개념이 나왔는데, 氏族(씨족)이나 姓氏(성씨)는 이런 뜻을 반영하였다. 이후 씨를 뿌리려 허리를 굽힌 데서 '낮(추)다'의 뜻이 나왔는데, 금문의 자형은 이를 적극적으로 반영하였다. 이후 氏는 '씨'를 뿌리는 곳인 땅을 강조한 지사 부호(丶)를 더해 氏(근본 저)로 분화하여 '낮다'는 의미를 주로 표현했다. 하지만 氏와 氏는 지금도 자주 섞여 쓰인다. 또 한나라 때 서역에 있던 이민족인 月氏(월지)를 지칭하며, 한나라 때 흉노족이 임금의 정실부인을 부르던 閼氏(알지)를 말할 때 쓰이기도 하는데, 이때에는 '지'로 읽힘에 유의해야 한다.

8327

氒 : 氒: 그 궐: 氏–총6획: jué

原文

氒 : 木本. 从氏. 大於末. 讀若厥. 居月切.

飜譯

'나무의 뿌리(木本)'를 말한다. 씨(氏)가 의미부이다. 뿌리가 가지보다 큰 모습이
다.214) 궐(厥)과 같이 읽는다. 독음은 거(居)와 월(月)의 반절이다.

---

214) 『단주』에서는 각 판본에서는 하(丅)와 본(本) 두 글자가 없는데 이를 보충하여 '从氏丅, 本
大於末也.'로 고쳤다. 소서본(小徐)에서는 '从氏'라 했고, 대서본(大徐)에서는 '末也'라고 했는
데, 모두 틀렸다고 했다. 그렇게 되면 씨(氏)와 하(丅)가 모두 의미부이고, 뿌리(本)는 가지(末)
보다 크다.'로 해석되는데, 참고할만하다.

제450부수
450 ■ 저(氐)부수

8328

氐: 氏: 근본 저: 氏-총5획: dǐ

原文

氐: 至也. 从氏下箸一. 一, 地也. 凡氐之屬皆从氏. 丁礼切.

飜譯

'이르다(至)'라는 뜻이다. 씨(氏)의 아래쪽에 가로획[一]이 붙은 모습이다. 가로획(一)은 땅(地)을 뜻한다. 저(氐)부수에 귀속된 글자들은 모두 저(氐)가 의미부이다. 독음은 정(丁)과 례(礼)의 반절이다.

8329

㴿: 㾒: 엎드릴 인: 氏-총14획: yìn, zhì

原文

㴿: 臥也. 从氐亞聲. 於進切.

飜譯

'눕다(臥)'라는 뜻이다. 저(氐)가 의미부이고 인(亞)이 소리부이다. 독음은 어(於)와 진(進)의 반절이다.

8330

跌: 跌: 찌를 질·절: 氏-총10획: dié

原文

䟼: 觸也. 从氏失聲. 徒結切.

翻譯

'닿다, 접촉하다(觸)'라는 뜻이다. 저(氏)가 의미부이고 실(失)이 소리부이다. 독음은 도(徒)와 결(結)의 반절이다.

8331

𨻻: 㲾: 그르칠 효: 氏-총18획: xiào, hào

原文

𨻻: 闕.

翻譯

자세히 알 수 없어 비워 둔다(闕).

제
12
권

제451부수
451 ▪ 과(戈)부수

8332

戈: 戈: 창 과: 戈-총4획: gē

原文

戈: 平頭戟也. 从弋, 一橫之. 象形. 凡戈之屬皆从戈. 古禾切.

飜譯

'윗부분이 평평한 창(平頭戟)'을 말한다. 익(弋)이 의미부이고, 가로획[一]이 그것을 가로로 관통한 모습이다. 상형이다.[215] 과(戈)부수에 귀속된 글자들은 모두 과(戈)가 의미부이다. 독음은 고(古)와 화(禾)의 반절이다.

8333

肇: 肇: 창 조: 聿-총14획: zhào

原文

肇: 上諱. 直小切.

飜譯

임금의 이름이다(上諱).[216] 독음은 직(直)과 소(小)의 반절이다.

---

215) 고문자에서 甲骨文 金文 古陶文 簡牘文 帛書 古璽文 등으로 그렸다. 갑골문에서 긴 손잡이가 달린 낫 모양의 창을 그렸는데, 자형이 조금 변해 지금처럼 되었다. 이는 찌르기 좋도록 만들어진 矛(창 모)와는 달리 적을 베거나 찍기에 편리하도록 고안되었다. 戈는 고대 중국에서는 가장 대표적인 무기였고, 그래서 戈로 구성된 한자는 대부분 무기나 전쟁과 관련되어 있다.

216) 후한(後漢) 화제(和帝, 79~105, 재위기간 88~105)의 이름이다. 후한 제3대 황제인 장제(章帝)의 넷째 아들로 태어났다. 어머니는 귀인 양씨(貴人梁氏)이고 이름은 유조(劉肇)이다. 어머

8334

戎: 戎: 되 융: 戈-총9획: róng

原文

戎: 兵也. 从戈从甲. 如融切.

飜譯

'무기(兵)'를 말한다. 과(戈)가 의미부이고 갑(甲)도 의미부이다. 독음은 여(如)와 융(融)의 반절이다.

8335

戣: 戣: 양지창 규: 戈-총13획: kuí

原文

戣: 『周禮』: 侍臣執戣, 立于東垂. 兵也. 从戈癸聲. 渠追切.

飜譯

『주례』217)에서 "근위병들이 양지창을 들고 동당(東堂)의 곁으로 서 있다(侍臣執戣, 立于東垂)"라고 했다. 무기(兵)를 말한다. 과(戈)가 의미부이고 계(癸)가 소리부이다. 독음은 거(渠)와 추(追)의 반절이다.

니인 양귀인(梁貴人)은 장제(章帝)의 황후 두씨(竇氏)에게 살해당했다. 이복형 유경(劉慶)을 대신하여 태자가 되었고 88년 9살 때 즉위하였다. 정식 시호는 효화황제(孝和皇帝)이다. 나이가 어려 두태후(竇太后)가 수렴청정을 하여 태후(太后)의 오빠인 두헌(竇憲)이 외척으로 정권을 장악하였다. 나이가 듦에 따라 외척 두씨(竇氏) 토벌을 계획, 환관인 정중(鄭衆)을 모신으로 선택하여 92년 두헌(竇憲)의 실권을 박탈하고 두씨(竇氏) 일족을 정권에서 몰아내고 실권을 장악하였다. 그 후 화제는 측근 정치를 하게 되었고 이것이 환관 횡포의 효시가 되었다. 한편, 외정 면에서는 화제 재임 기간 중 반초(班超)의 공로로 서역의 50여 개국이 후한(後漢)에 복속하였다. 문화적으로는 92년에 반고(班固)·반소(班昭)에 의한 『한서(漢書)』가 편찬되었고, 105년 채륜(蔡倫)에 의한 제지법의 개량이 있었다. 묘호는 목종(穆宗)이다.(『두산백과』)
217) 「주서(周書)」의 잘못이며, 『서경·주서·고명(顧命)』에 보인다.

8336

戦: 戦: 방패 한: 戈-총11획: gān

(原文)

戦: 盾也. 从戈旱聲. 矦旰切.

(飜譯)

'방패(盾)'를 말한다. 과(戈)가 의미부이고 한(旱)이 소리부이다. 독음은 후(矦)와 간
(旰)의 반절이다.

8337

戟: 戟: 두 갈래진 창 극: 戈-총14획: jǐ

(原文)

戟: 有枝兵也. 从戈、軑. 『周禮』: "戟, 長丈六尺." 讀若棘. 紀逆切.

(飜譯)

'가지가 난 것처럼 갈래진 무기(有枝兵)'를 말한다. 과(戈)와 간(軑)이 모두 의미부이
다. 『주례·고공기』에서 "극(戟)은 길이가 1팔 6자이다(長丈六尺)"라고 했다. 극(棘)과
같이 읽는다. 독음은 기(紀)와 역(逆)의 반절이다.

8338

戛: 戛: 창 알: 戈-총11획: jiá

(原文)

戛: 戟也. 从戈从百. 讀若棘. 古黠切.

(飜譯)

'가지처럼 갈래진 창(戟)'을 말한다. 과(戈)가 의미부이고 수(百)도 의미부이다. 극
(棘)과 같이 읽는다. 독음은 고(古)와 힐(黠)의 반절이다.

8339

賊: 賊: **도둑 적**: 貝-총13획: zéi

原文

賊: 敗也. 从戈則聲. 昨則切.

翻譯

'패퇴시키다(敗)'라는 뜻이다. 과(戈)가 의미부이고 칙(則)이 소리부이다.[218] 독음은 작(昨)과 칙(則)의 반절이다.

8340

戍: 戍: **지킬 수**: 戈-총6획: shù

原文

戍: 守邊也. 从人持戈. 傷遇切.

翻譯

'변방을 지키다(守邊)'라는 뜻이다. 사람(人)이 무기(戈)를 쥔 모습이다.[219] 독음은 상(傷)과 우(遇)의 반절이다.

---

218) 고문자에서 賊 金文 賊 簡牘文 賊 帛書 등으로 그렸다. 원래 貝(조개 패)와 人(사람 인)과 戈(창 과)로 구성되어, 무기(戈)로써 사람(人)에게 해를 입히고 재산(貝)을 빼앗는 도둑이나 강도를 말한다. 이로부터 盜賊(도적), 상해를 입히다, 도둑놈, 사악하다 등의 뜻이 나왔다. 『설문해자』에서는 戈(창 과)가 의미부고 則(법칙 칙·곧 즉)이 소리부라고 했다.

219) 고문자에서 戍 甲骨文 戍 金文 戍 古陶文 戍 簡牘文 戍 石刻古文 등으로 그렸다. 戈(창 과)와 人(사람 인)으로 구성되어, 창(戈)을 들고 변방을 지키는 사람(人)을 그렸는데, 자형이 조금 변해 지금처럼 되었다. 지키다가 원래 뜻이고, 변방을 지키는 사람을 뜻하기도 하였다.

8341

戰: 戰: 싸울 전: 戈-총16획: zhàn

原文

戰: 鬭也. 从戈單聲. 之扇切.

飜譯

'만나서 싸우다(鬭)'라는 뜻이다. 과(戈)가 의미부이고 단(單)이 소리부이다.220) 독음은 지(之)와 선(扇)의 반절이다.

8342

戲: 戲: 탄식할 희: 戈-총17획: xì

原文

戲: 三軍之偏也. 一曰兵也. 从戈虛聲. 香義切.

飜譯

'삼군의 비주력부대(三軍之偏)'를 말한다. 일설에는 무기(兵)를 말한다고도 한다. 과(戈)가 의미부이고 희(虛)가 소리부이다.221) 독음은 향(香)과 의(義)의 반절이다.

---

220) 고문자에서 戰 戡 金文 戰 戰 簡牘文 戰 石刻古文 등으로 그렸다. 戈(창 과)가 의미부이고 單(홑 단)이 소리부로, 무기(戈)를 동원한 '전쟁'을 말하는데, 單이 사냥 도구의 일종임을 고려하면 싸움이라는 것이 戰爭(전쟁)과 사냥에서 출발하였음을 보여준다. 이후 다투다, 싸우다의 뜻이, 다시 戰慄(전율)에서처럼 두려워하다의 뜻도 나왔다. 간화자에서는 單을 占(차지할 점)으로 간단하게 줄인 战으로 쓴다.

221) 고문자에서 戲 戲 戲 戲 戲 金文 戲 古陶文 戲 簡牘文 戲 古璽文 등으로 그렸다. 戈(창 과)가 의미부고 虛(빌 허)가 소리부인데, 虛는 원래 虘(옛 질그릇 희)로 쓰던 것이 변해서 된 것이다. 원래는 받침대 위에 호랑이를 올려놓고(虛) 창(戈)으로 희롱하며 장난질 치던 모습에서 遊戲(유희)라는 뜻을 그렸다. 간화자에서는 虛를 간단한 부호 又(또 우)로 바꾸어 戲로 쓴다.

8343

跌： 跌: 날카로울 절: 戈-총11획: dié

原文

跌: 利也. 一曰剔也. 从戈呈聲. 徒結切.

飜譯

'날카롭다(利)'라는 뜻이다. 일설에는 '살을 발라내다(剔)'는 뜻이라고도 한다. 과(戈)가 의미부이고 정(呈)이 소리부이다. 독음은 도(徒)와 결(結)의 반절이다.

8344

或： 或: 혹 혹: 戈-총8획: huò

原文

或: 邦也. 从口从戈, 以守一. 一, 地也. 域, 或又从土. 臣鉉等曰 : 今無復或音. 于逼切.

飜譯

'나라(邦)'를 말한다. 위(口)가 의미부이고 과(戈)도 의미부인데, 이로써 일(一)을 지키고 있는 모습이다. 일(一)은 땅(地)을 말한다.222) 혹(域)은 혹체자인데, 또 토(土)로 구성되었다. 신(臣) 서현 등은 이렇게 생각합니다. "오늘날 더 이상 혹(或)이라는 독음은 존재하지 않습니다."223) 독음은 우(于)와 핍(逼)의 반절이다.

8345

戳： 截: 끊을 절: 戈-총15획: jié

---

222) 고문자에서 〔甲骨文〕 〔金文〕 〔古陶文〕 〔盟書〕 簡牘文 〔帛書〕 등으로 그렸다. 원래는 戈(창 과)가 의미부고 口(나라 국·에워쌀 위)이 소리부로, 國(나라 국)의 원래 글자이며, 창(戈)을 들고 성곽(口)을 지키는 모습을 그렸다. 이후 땅을 상징하는 가로획(一)이 다시 더해졌으며, 或이 '혹시'라는 뜻으로 쓰이게 되자 원래의 '나라'라는 뜻은 다시 口을 더한 國, 土(흙 토)를 더한 域(지경 역) 등으로 분화했다.

223) 이미 이 당시에 역(域)은 더 이상 '혹'으로 읽히지 않고, '역'으로 읽혔음을 말한 것이다.

原文

戳: 斷也. 从戈雀聲. 昨結切.

飜譯

'끊다(斷)'라는 뜻이다. 과(戈)가 의미부이고 작(雀)이 소리부이다. 독음은 작(昨)과 결(結)의 반절이다.

8346

魯: 戡: 죽일 감: 戈-총8획: kān

原文

魯: 殺也. 从戈今聲.『商書』曰 : “西伯旣戡黎.” 口舍切.

飜譯

'죽이다(殺)'라는 뜻이다. 과(戈)가 의미부이고 금(今)이 소리부이다.『상서』에서 “서백이 이미 여 땅을 점령했다(西伯旣戡黎)”라고 했다.224) 독음은 구(口)와 함(舍)의 반절이다.

8347

戕: 戕: 죽일 장: 戈-총8획: qiāng

原文

戕: 搶也. 他國臣來弑君曰戕. 从戈爿聲. 士良切.

飜譯

'죽이다(搶)'라는 뜻이다. 다른 나라의 신하가 와서 임금을 시해하는 것을 장(戕)이라 한다. 과(戈)가 의미부이고 장(爿)이 소리부이다. 독음은 사(士)와 량(良)의 반절이다.

---

224)『상서·서백감려(西伯戡黎)』에 나오는 글로, 지금은 감려(戡黎)를 감려(戡黎)로 쓴다.

8348

戮： 戮: 죽일 륙: 戈-총15획: lù

原文

戮： 殺也. 从戈翏聲. 力六切.

翻譯

'죽이다(殺)'라는 뜻이다. 과(戈)가 의미부이고 료(翏)가 소리부이다. 독음은 력(力)과 륙(六)의 반절이다.

8349

戡： 戡: 칠 감: 戈-총13획: kān

原文

戡： 刺也. 从戈甚聲. 竹甚切.

翻譯

'[창으로] 찌르다(刺)'라는 뜻이다. 과(戈)가 의미부이고 심(甚)이 소리부이다. 독음은 죽(竹)과 심(甚)의 반절이다.

8350

戭： 戭: 창 인: 戈-총15획: yǎn

原文

戭： 長槍也. 从戈寅聲.『春秋傳』有擣戭. 弋刃切.

翻譯

'긴 창(長槍)'을 말한다.[225] 과(戈)가 의미부이고 인(寅)이 소리부이다.『춘추전』(『좌전』 문공 18년, B.C. 609)에 도인(擣戭)이라는 사람이 보인다. 독음은 익(弋)과 인(刃)

---

225)『단주』에서는 "창(槍)은 거(歫)라는 뜻인데, 긴 물체로 상대를 찌르다(以長物相刺)는 뜻이다."고 했다.

의 반절이다.

8351

戈: 戋: 다칠 재: 戈-총7획: zāi

原文

戋: 傷也. 从戈才聲. 祖才切.

飜譯

'상해를 입히다(傷)'라는 뜻이다. 과(戈)가 의미부이고 재(才)가 소리부이다. 독음은 조(祖)와 재(才)의 반절이다.

8352

戩: 戩: 멸할 전: 戈-총14획: jiǎn

原文

戩: 滅也. 从戈晉聲.『詩』曰 : "實始戩商." 卽淺切.

飜譯

'멸망시키다(滅)'라는 뜻이다. 과(戈)가 의미부이고 진(晉)이 소리부이다.『시·노송비궁(閟宮)』에서 "실제로 상나라를 멸망시켰네(實始戩商)"라고 노래했다. 독음은 즉(卽)과 천(淺)의 반절이다.

8353

戔: 戔: 다할 첨: 戈-총8획: jiān

原文

戔: 絕也. 一曰田器. 从从持戈. 古文讀若咸. 讀若『詩』云"攕攕女手". 子廉切.

飜譯

'끊다(絕)'라는 뜻이다. 일설에는 '사냥할 때 쓰는 기물(田器)'이라고도 한다. 나란히 선 두 사람(从)이 창(戈)을 든 모습을 그렸다. 고문에서는 함(咸)과 같이 읽는다.『시·위풍·갈루(葛屨)』에서 노래한 "섬섬여수(攕攕女手·갓 시집온 여인의 고운 손)"의 섬(攕)과 같이 읽는다. 독음은 자(子)와 렴(廉)의 반절이다.

8354

武: 굳셀 무: 止-총8획: wǔ

原文

楚莊王曰 : "夫武, 定功戢兵. 故止戈爲武." 文甫切.

誣譯

초(楚)나라 장왕(莊王)이 이렇게 말했다.[226] "무력(武)이라는 것은 공을 확정하고 전쟁을 종식시킨다. 그래서 지(止)와 과(戈)가 합쳐져 무(武)가 된다."[227] 독음은 문(文)과 보(甫)의 반절이다.

---

226) 『좌전』 선공(宣公) 12년 조에 보인다. 『단주』에서 이렇게 말했다. "이는 초(楚)나라 장왕(莊王)의 말로써 무(武)자의 의미를 해석한 것이다. 장왕이 '문자에서 지(止)와 과(戈)가 합쳐지면 무(武)가 된다'라고 했다. 이는 창힐(倉頡)이 창제한 고문(古文)이다. 안정을 취하고 병력을 거두어들일 수 있는 것은 오직 무력뿐이라는 말은 전쟁(戈)을 그치게 한다(止)는 글자의 의미에 부합한다. 회의의 의미가 이미 분명하므로 따로 '지(止)와 과(戈)가 모두 의미이다'라는 설명을 붙이지 않았다.……『시·대아(大雅)』의 '履帝武敏(상제의 발자국과 엄지발가락을 밟으시고 감응을 받으시어)'이라는 말에 대해 『전(傳)』에서 무(武)는 족적(迹)을 말한다고 했는데, 이는 다른 의미이다."

227) 고문자에서 [甲骨文] [金文] [古陶文] [帛書] [簡牘文] [古璽文] [石刻古文] 등으로 그렸다. 戈(창 과)와 止(발 지)로 구성되어, 무기(戈)를 메고 가는(止) '씩씩한 모습'을 그렸다. 이후 戈가 弋(주살 익)으로 변해 지금처럼 되었다. 이를 전쟁(戈)을 그치게(止) 하는 것이 바로 '무력(武)'이라 풀이하기도 하지만 이는 대단히 위험한 생각이다. 무력보다 대화나 협상이 전쟁을 그치게 하는 더욱 유효한 수단일 수 있기 때문이다. '씩씩하다'가 원래 뜻이며, 이로부터 '용맹하다', '결단력이 있다' 등의 뜻이 나왔고, 다시 무력의 뜻도 나왔다. 또 동주 때에는 길이 단위로도 쓰여 6尺(척)을 1步(보)라 하였고 步의 절반 길이를 1武라 했다.

8355

戢 : 戢: 그칠 집·거둘 즙: 戈-총13획: jì

原文

戢 : 藏兵也. 从戈咠聲.『詩』曰 : "載戢干戈." 阻立切.

飜譯

'무기를 거두어 감추어버리다(藏兵)'라는 뜻이다. 과(戈)가 의미부이고 집(咠)이 소리부이다. 『시·주송시매(時邁)』에서 "방패와 창 모아 감추고(載戢干戈)"라고 노래했다. 독음은 조(阻)와 립(立)의 반절이다.

8356

戠 : 戠: 찰진 흙 시: 戈-총13획: chì, shì, zhú

原文

戠 : 闕. 从戈从音. 之弋切.

飜譯

알 수 없어 비워 둔다(闕). 과(戈)가 의미부이고 음(音)도 의미부이다.228) 독음은 지(之)와 익(弋)의 반절이다.

---

228) 허신도 정확한 의미를 알 수 없어 비워둔다고 했다. 그러나 戠는 戈(창 과)와 音(소리 음)으로 구성되었는데, 章(글 장)에서 볼 수 있는 것처럼, 音은 칼이나 날카로운 것으로 무늬를 새겨 넣었음을 말하고, 戈는 낫 모양으로 된 '창'을 뜻하여 새겨 넣는 도구를 상징한다. 그래서 戠는 어떤 문양이나 무늬를 새겨 넣다가 원래 뜻이다. 이는 識(알 식), 幟(기 치), 織(짤 직), 職(벼슬 직) 등에서 그 흔적을 찾을 수 있다. 戠에 그런 원래의 뜻은 사라지고 '찰흙'이나 '진흙'이라는 의미만 남았는데, 옛날 청동기 문양이나 글씨를 넣을 때 찰흙으로 만든 거푸집에다 새겨 넣었기 때문이 아닐까 추정된다.

8357

戔: 戔: 쌓일 전·해칠 잔: 戈-총8획: jiān

戔: 賊也. 从二戈. 『周書』曰 : "戔戔巧言." 昨千切.

'해치다(賊)'라는 뜻이다. 두 개의 과(戈)로 구성되었다.229) 『주서』에서 "끝없이 천박한 교묘한 말(戔戔巧言)"이라고 했다. 독음은 작(昨)과 천(千)의 반절이다.

---

229) 고문자에서 ⫶⫶甲骨文 ⫶簡牘文 ⫶ ⫶古璽文 등으로 그렸다. 갑골문에서 두 개의 戈(창 과)로 구성되었는데, 戈는 전쟁의 상징이다. 그래서 반복되는 전쟁(戈)을 거쳐 시체들이 즐비하게 쌓였음을 말하였고, 이로부터 '해치다'는 뜻도 나왔다. 이후 의미를 더욱 명확하게 하려고 歹(부서진 뼈 알)을 더한 殘(해칠 잔)으로 분화했다. 간화자에서는 초서체로 간단하게 줄여 戋으로 쓴다.

제452부수

452 ■ 월(戉)부수

8358

戉: 戉: 도끼 월: 戈-총5획: yuè

原文

戉: 斧也. 从戈ㄥ聲.『司馬法』曰: "夏執玄戉, 殷執白戚, 周左杖黄戉, 右秉白髦." 凡戉之屬皆从戉. 王伐切.

飜譯

'큰 도끼(斧)'를 말한다. 과(戈)가 의미부이고 궐(ㄥ)이 소리부이다.230)『사마법(司馬法)』에서 "하나라 때에는 검은 도끼를 잡았고, 은나라 때에는 흰 도끼를 잡았고, 주나라 때에는 왼쪽에 누른 도끼를 잡고 오른쪽에는 흰 창을 잡았다(夏執玄戉, 殷執白戚, 周左杖黄戉, 右秉白髦)."라고 했다. 월(戉)부수에 귀속된 글자들은 모두 월(戉)이 의미부이다. 독음은 왕(王)과 벌(伐)의 반절이다.

8359

戚: 戚: 겨레 척: 戈-총11획: qī

原文

戚: 戉也. 从戉尗聲. 倉歷切.

飜譯

'도끼(戉)'를 말한다. 월(戉)이 의미부이고 숙(尗)이 소리부이다.231) 독음은 창(倉)과

---

230) 金(쇠 금)이 의미부고 戉(도끼 월)이 소리부로, 쇠(金)로 만든 도끼(戉)를 말하는데, 날이 둥근 도끼를 그린 戉(도끼 월)에서 의미를 강화하고자 金을 더해 분화한 글자이다.

231) 고문자에서 _{金文} _{簡牘文} 등으로 그렸다. 戊(다섯째 천간 무)가 의미부이고 叔(아재비

력(歷)의 반절이다.

숙)이 소리부로, '겨레'를 말한다. 소전체에서는 戉(도끼 월)이 의미부고 未(콩 숙)이 소리부로, 도끼(戉)를 말했는데, 예서에서 戉이 같은 뜻의 戚로 변해 지금의 자형이 되었다. 이후 친근하다, 친밀하다는 뜻으로 쓰였고, 가까운 '겨레'라는 뜻도 가지게 되었다.

제453부수

453 ■ 아(我)부수

8360

𢦴: 我: 나 아: 戈-총7획: wǒ

原文

𢦴: 施身自謂也. 或說我, 頃頓也. 从戈从𠂡. 𠂡, 或說古垂字. 一曰古殺字. 凡我之屬皆从我. 㦵, 古文我. 五可切.

譯

'자기 자신을 부를 때 쓰는 호칭이다(施身自謂).' 혹자는 아(我)는 기울다(頃頓)는 뜻이라고도 한다. 과(戈)가 의미부이고 수(↑)도 의미부이다. 수(↑)에 대해 혹자는 수(垂)의 고문체라고도 한다. 일설에는 살(殺)의 고문체라고도 한다.232) 아(我)부수에 귀속된 글자들은 모두 아(我)가 의미부이다. 아(㦵)는 아(我)의 고문체이다. 독음은 오(五)와 가(可)의 반절이다.

---

232) 고문자에서 甲骨文 金文 古陶文 簡牘文 石刻古文 등으로 그렸다. 원래 날이 여럿 달린 특수한 창을 그렸는데, 갑골문 당시 이미 '우리'라는 집체적 의미로만 쓰여, 원래의 의미를 추정하기가 쉽지 않다. 我(나 아)가 '우리'라는 일인칭 대명사로 쓰이게 된 것을 보통 가차에 의한 것으로 보지만, 我에 羊(양) 장식물이 더해진 의장용 칼인 義(옳을 의)가 공동체 속에서 지켜야 할 '의리'를 그렸음을 고려해 볼 때, 我는 적을 치기 위한 대외용 무기가 아니라 내부의 적을 처단하고 내부(즉 우리)의 결속을 다지기 위한 대내용 무기로 보이며, 여기서부터 '우리'라는 뜻이 나왔을 것으로 보인다. 이러한 추정은 羲(숨 희)에서도 증명되는데, 羲는 갑골문에서 義와 머리가 잘린 돼지의 모습을 그려, 조상신에게 공동체의 안녕을 빌고 단결을 도모하고자 치렀던 제사 때 쓰던 희생물을 말한다. 이후 희생물이 兮(어조사 혜)로 변하고 뜻도 '숨'으로 가차되자, 원래의 '희생'이라는 뜻은 牛(소 우)를 더한 犧(희생 희)로 분화하였다.

8361

義 : 義: 옳을 의: 羊-총13획: yì

原文

義 : 己之威儀也. 從我、羊. 羛,『墨翟書』義从弗. 魏郡有羛陽鄕, 讀若錡. 今屬鄴, 本內黃北二十里. 宜寄切.

繙譯

'자기 자신의 위엄 있는 거동(己之威儀)'을 말한다. 아(我)와 양(羊)이 모두 의미부이다.[233] 의(羛)는『묵적서(墨翟書)』(즉『묵자』)에 의하면, 의(義)인데 불(弗)로 구성되었다. 위군(魏郡)에 의양향(羛陽鄕)이라는 곳이 있는데, 기(錡)로 읽힌다. 지금은 업(鄴)에 귀속되었다. 원래는 내황(內黃)의 북쪽 20리 되는 곳에 있었다. 독음은 의(宜)와 기(寄)의 반절이다.

제
12
권

---

[233] 고문자에서 ﹖﹖﹖﹖甲骨文 ﹖﹖﹖﹖﹖金文 ﹖﹖古陶文 ﹖﹖簡牘文 ﹖﹖古璽文 등으로 그렸다. 羊(양 양)과 我(나 아)로 구성되어, 날이 여럿 달린 창(我)에 양(羊) 장식이 더해진 '의장용 창'으로부터, 종족 내부의 결속을 도모하는 배반을 응징하는 '정의로움'의 뜻을 그렸다. 이후 정의와 도덕에 부응하는 규범으로 자리 잡았으며, 명분, 이치, 선량함 등의 뜻까지 나왔다. 간화자에서는 초서체로 간단하게 줄인 义로 쓴다.

제454부수

454 ■ 궐(亅)부수

8362

亅 : 亅: 갈고리 궐: 亅-총1획: jué

原文

亅: 鉤逆者謂之亅. 象形. 凡亅之屬皆从亅. 讀若橜. 衢月切.

飜譯

'갈고리를 거꾸로 한 모습(鉤逆者)을 궐(亅)이라 한다.' 상형이다. 궐(亅)부수에 귀속된 글자들은 모두 궐(亅)이 의미부이다. 궐(橜)과 같이 읽는다. 독음은 구(衢)와 월(月)의 반절이다.

8363

亅 : 亅: 새 잡는 창애 궐: 亅-총1획: jué, zhuì

原文

亅: 鉤識也. 从反亅. 讀若捕鳥罬. 居月切.

飜譯

'갈고리표로 표식을 하다(鉤識)'라는 뜻이다. 궐(亅)을 반대로 뒤집은 모습이다. 새 잡는 그물을 뜻하는 철(罬)과 같이 읽는다. 독음은 거(居)와 월(月)의 반절이다.

제455부수
455 ■ 금(珡)부수

8364

珡: 珡: 거문고 금: 玉-총12획: qín

原文

珡: 禁也. 神農所作. 洞越. 練朱五弦, 周加二弦. 象形. 凡珡之屬皆从珡. 䥅,
古文珡从金. 巨今切.

飜譯

'금(禁)과 같아 [사악한 마음을] 금하게 하다'라는 뜻이다. 신농(神農)이 만들었다. 아
래 판에 소리가 나오는 구멍이 있다(洞越).[234] 붉은 색의 삶은 비단으로 5가닥의 현
을 만드는데, 주나라 때 2개의 현이 더해졌다. 상형이다.[235] 금(珡)부수에 귀속된 글
자들은 모두 금(珡)이 의미부이다. 금(䥅)은 금(珡)의 고문체인데, 금(金)으로 구성되
었다. 독음은 거(巨)와 금(今)의 반절이다.

8365

瑟: 瑟: 큰 거문고 슬: 玉-총13획: sè

原文

---

234) 『단주』에서 이렇게 말했다. "동(洞)자는 당연히 동(迵)이 되어야 한다. 동(迵)은 통과하다(通
達)는 뜻이다. 월(越)은 금슬 아래쪽에 난 구멍(琴瑟底之孔)을 말한다. 그래서 동공(迵孔)은
거문고의 뱃속을 비게 하고 두 개의 구멍을 뚫어 관통시켰다는 뜻이다."

235) 고문자에서 簡牘文 등으로 그렸다. 소전체에서 줄이 여럿 달린 '거문고'를 그린 상형자
였지만, 『설문해자』의 고문에서는 여기에 소리부인 金(쇠 금)이 더해진 모습을 했다. 이후 소
리부인 金이 수(이제 금)으로, 윗부분의 거문고가 玉(옥 옥)이 두 개 합쳐진 모습으로 변해 지
금의 자형이 되었다. 달리 珡, 琹 등으로도 쓴다.

瑟: 庖犧所作弦樂也. 从珡必聲. 𤨾, 古文瑟. 所櫛切.

轉譯

'포희씨가 만든 현악기(庖犧所作弦樂)'를 말한다. 금(珡)이 의미부이고 필(必)이 소리부이다.236) 슬(𤨾)은 슬(瑟)의 고문체이다. 독음은 소(所)와 즐(櫛)의 반절이다.

8366

琵: 琵: 비파 비: 玉-총12획: pí

原文

琵: 琵琶, 樂器. 从珡比聲. 房脂切.

轉譯

'비파(琵琶)'를 말하는데, 악기이다. 금(珡)이 의미부이고 비(比)가 소리부이다. 독음은 방(房)과 지(脂)의 반절이다. [신부]

8367

琶: 琶: 비파 파: 玉-총12획: pá

原文

琶: 琵琶也. 从珡巴聲. 義當用枇杷. 蒲巴切.

轉譯

'비파(琵琶)'를 말한다. 금(珡)이 의미부이고 파(巴)가 소리부이다. 의미로 본다면 당연히 비파(枇杷)라고 써야 할 것이다. 독음은 포(蒲)와 파(巴)의 반절이다. [신부]

---

236) 고문자에서 𤨾簡牘文 등으로 그렸다. 원래 거문고를 그린 상형자였으나, 『설문해자』의 소전체에서부터 珡(거문고 금)이 의미부고 必(반드시 필)이 소리부인 형성구조로 변했다. 고대의 타는 악기의 하나인 '거문고'를 말하는데, 춘추시대 때 이미 유행했으며, 언제나 琴(금)이나 笙(생)과 합주를 한다. 琴과 비슷하게 생겼으며, 50弦(현), 25현, 15현 등의 여러 가지가 있었으나, 지금은 25현과 16현으로 된 두 종류가 있다.

제12권

제456부수
456 ■ 은(乚)부수

8368

乚 : 乚: 숨을 은: 乙-총1획: yǐn

原文

乚 : 匿也, 象迟曲隱蔽形. 凡乚之屬皆从乚. 讀若隱. 於謹切.

飜譯

'숨기다(匿)'라는 뜻인데, 굽혀서 숨긴 모습을 형상했다. 은(乚)부수에 귀속된 글자들은 모두 은(乚)이 의미부이다. 은(隱)과 같이 읽는다. 독음은 어(於)와 근(謹)의 반절이다.

8369

直 : 直: 곧을 직: 目-총8획: zhí

原文

直 : 正見也. 从乚从十从目. 㥔, 古文直. 除力切.

飜譯

'똑바로 보다(正見)'라는 뜻이다. 은(乚)이 의미부이고, 십(十)도 의미부이며, 목(目)도 의미부이다.237) 직(㥔)은 직(直)의 고문체이다. 독음은 제(除)와 력(力)의 반절이다.

---

237) 고문자에서 甲骨文 金文 直直古陶文 盟書 簡牘文 등 으로 그렸다. 갑골문에서 눈(目) 위로 세로획이 곧게 그려진 모습인데, 세로획은 똑바른 시선을 상징한다. 이후 세로획이 十(열 십)으로 바뀌었고, 길을 뜻하는 彳(조금 걸을 척)의 변형인 乚이 더해져 지금의 자형이 되었다. '똑바로 보다'가 원래 뜻이고 이로부터 '곧다', 正直(정직) 하다, 합리적이다, 직접, 있는 그대로 등의 뜻이 나왔다. 간화자에서는 直으로 쓴다.

제457부수
457 ▪ 망(亡)부수

8370

匕 : 匕(亡): 잃을 망·없을 무: 人-총3획: wáng

原文

匕 : 逃也. 从入从乚. 凡亡之屬皆从亡. 武方切.

譯

'도망하다(逃)'라는 뜻이다. 입(入)이 의미부이고 은(乚)도 의미부이다.[238] 망(亡)부수에 귀속된 글자들은 모두 망(亡)이 의미부이다. 독음은 무(武)와 방(方)의 반절이다.

8371

乍 : 乍: 잠깐 사: ノ-총5획: zhà

原文

乍 : 止也, 一曰亡也. 从亡从一. 鉏駕切.

譯

'그치게 하다(止)'라는 뜻이다. 일설에는 '도망하다(亡)'라는 뜻이라고도 한다. 망(亡)이 의미부이고 가로획[一]도 의미부이다.[239] 독음은 서(鉏)와 가(駕)의 반절이다.

---

238) 고문자에서 甲骨文 金文 古陶文 盟書 簡牘文 帛書 古璽文 石刻古文 등으로 그렸다. 刀(칼 도)와 점으로 이루어져, 칼(刀)의 날이 있는 면을 가리켰으며, 이로부터 '날'이라는 뜻이 나왔다. 칼의 날은 어떤 것은 베거나 깎아낼 수 있다는 뜻에서 없다, 없어지다, 逃亡(도망)하다, 망하다, 잃다, 죽다 등의 뜻이 나왔다. 그러자 원래 뜻은 金(쇠 금)을 더한 鋩(칼날 망)을 만들어 분화했다. '없다'는 뜻으로 쓰일 때에는 '무'로 읽는다.

239) 『단주』에서 망(亡)은 도망가다는 뜻이고 가로획[一]은 그것을 막다는 뜻이라고 하면서, 이렇

8372

𦭖 : 望: 바랄 망: 月―총11획: wàng

原文

𦭖 : 出亡在外, 望其還也. 从亡, 朢省聲. 巫放切.

飜譯

'집을 나가 바깥에서 돌아다니는 사람을 집안사람들이 되돌아오기를 바라다(出亡在外, 望其還)'라는 뜻이다. 망(亡)이 의미부이고, 망(朢)의 생략된 모습이 소리부이다.240) 독음은 무(巫)와 방(放)의 반절이다.

8373

𣚨 : 無: 없을 무: 火―총12획: wú

原文

𣚨 : 亡也. 从亡無聲. 㤙, 奇字无, 通於元者. 王育說: 天屈西北爲无. 武扶切.

飜譯

게 말했다. "사(乍)와 무(毋)는 뜻이 같다. 무(毋)는 어떤 이가 강간을 하였으나 어떤 사람[一]이 그것을 가로 막는 모습이며, 그래서 무(毋)라고 한다. 망(亡)은 어떤 사람이 도망을 하였으나 어떤 사람[一]이 그것을 가로막고 있는 모습이며, 그래서 사(乍)라고 한다. 둘 다 거세게 사람을 핍박하다(咄咄逼人)는 말이다. 도망가는 자(亡者)와 그것을 저지하는 자(止亡者)는 필시 갑자기 그렇게 된 것일 것(倉猝)이므로, 그래서 창졸(倉猝, 갑자기)이라는 말을 뜻하게 되었다."

240) 고문자에서 𣦵 甲骨文 𣦵 金文 𣦵 簡牘文 𣦵 石刻古文 등으로 그렸다. 月(달 월)과 壬(정)이 의미부이고 亡(망할 망)이 소리부인데, 원래는 뒤꿈치를 들고 '보름' 달(月)을 바라보는 사람의 모습을 그렸고 이로부터 바라보다, 기대하다의 뜻이 나왔고, 명성, 명망가 등의 뜻도 나왔다. 또 옛날 산천, 일월, 星辰(성신) 등에게 지내던 제사를 지칭하기도 한다. 이후 소리부인 亡(없을 망)이 더해져 지금처럼 되었으며, 그러자 달(月)을 보며 존재하지 않는(亡) 어떤 것을 渴望(갈망)하고 기원하는 모습이 더욱 구체화 되었다. 달리 朢, 𦭖 등으로 쓰기도 한다.

'없다(亡)'라는 뜻이다. 망(亡)이 의미부이고, 무(無)가 소리부이다.241) 무(兂)는 무(无)의 기자(奇字)인데, 원(元)자의 한 획이 위로 관통한 모습이다. 왕육(王育)에 의하면, 하늘이 서북쪽으로 기운 모습(天屈西北)이 무(无)라고 했다. 독음은 무(武)와 부(扶)의 반절이다.

8374

匃: 匃: 빌 개: 勹-총5획: gài

原文

匃: 气也. 逯安說：亡人爲匃. 古代切.

飜譯

'구하다(气)'라는 뜻이다.242) 녹안(逯安)은 '사람(人)이 없으면(亡) 구하게 되는 법, 그래서 구하다(匃)는 뜻이 나왔다고 했다. 독음은 고(古)와 대(代)의 반절이다.

---

241) 고문자에서 甲骨文 金文 古陶文 盟書
簡牘文 帛書 石刻古文 등으로 그렸다. 갑골문에서 無와 舞(춤출 무)는 같은 글자였으며, 모두 손에 술 같은 장식물이나 불을 들고 춤추는 모습을 그렸다. 그래서 '춤추다'가 원래 뜻인데, 자형이 변해 지금처럼 되었으며, 아랫부분의 灬(火, 불 화)는 사람의 발이 잘못 변한 것으로 불과는 관련이 없다. 이후 '없다'는 뜻으로 가차되어 주로 부정사로 쓰이게 되었고, 그러자 원래 뜻은 두 발을 그린 舛(어그러질 천)을 더해 舞로 분화했다.『설문해자』에서는 无(없을 무)를 無의 奇字(기자)로 제시하기도 했다. 현대 중국의 간화자에서는 无에 통합되었다.

242)『단주』에서 이렇게 말했다. "기(气)는 운기(雲气)를 말한다. 독음이 같음으로써 기구(气求, 바라다)와 기여(气與) 등의 기(气)자로 가차되었다. 세속에서는 기구(气求)라는 뜻일 때에는 입성으로, 기여(气與)라는 뜻일 때에는 거성으로 구분해 읽는다. 개(匃)를 기(气)로 뜻풀이한 것도 두 가지 의미를 두 가지 독음으로 구분한 것이다."

제458부수
458 ■ 혜(匸)부수

8375

匸 : 匸: 감출 혜: 匸-총2획: xǐ

原文

匸: 衺徯, 有所俠藏也. 从乚, 上有一覆之. 凡匸之屬皆从匸. 讀與徯同. 胡礼切.

譒譯

'겨드랑이 속에 숨긴 것이 있어 비스듬하게 서 있음(衺徯, 有所俠藏)'을 말한다. 은(乚)이 의미부인데, 그 위로 가로획[一]이 덮은 모습이다. 혜(匸)부수에 귀속된 글자들은 모두 혜(匸)가 의미부이다. 혜(徯)와 똑같이 읽는다.243) 독음은 호(胡)와 례(礼)의 반절이다.

8376

匶 : 區: 지경 구: 匸-총11획: qū

原文

---

243) 匸도 匚(상자 방)과 마찬가지로 어떤 물건을 넣어둘 수 있는 상자를 그렸고, 이로부터 '넣어두다', '감추다' 등의 뜻이 나왔다. 匸와 匚은 匸이 각진 획으로 그려졌다는 것을 제외하면 별다른 의미적, 형태적 차이를 갖지 않는다. 그래서 현대 중국의 많은 한자사전에서는 구분 없이 통합해 쓰고 있다. 匸부수에 귀속된 글자를 보면, 區(지경 구)가 대표적인데, 이는 많은 물품(品·品)들이 상자(匸) 속에 든 모습으로부터, '물건을 감추다'는 뜻을 그렸고, 이로부터 물건을 감추어 두는 곳이라는 뜻이, 다시 어떤 일정한 區域(구역)이라는 뜻이 나왔다. 또 医(동개 예)는 활과 화살을 꽂아 넣어 등에 짊어지도록 한 簡介(통개)를 말하는데, 흔히 가죽을 사용하여 활은 반만 들어가고 화살은 아랫부분만 들어가게 한다. 나머지 匿(숨을 닉)은 若(같을 약)이 소리부로, 상자(匸) 속에 '숨기다'는 뜻이다. 하지만 匹(필 필)은 상자와는 관련이 없으며, 주름이 여러 갈래로 진 '베'의 모습을 그린 상형자이다. 그래서 '베'가 원래 뜻이고, 베를 헤아리는 단위로 쓰였다.

匼 : 踦區, 藏匿也. 从品在匸中. 品, 眾也. 豈俱切.

(飜譯)

'기구(踦區)'를 말하는데, '숨기어 은닉하다(藏匿)'라는 뜻이다. 품(品)이 상자(匸) 속에 있음을 말한다. 품(品)은 많다(眾)는 뜻이다.244) 독음은 기(豈)와 구(俱)의 반절이다.

8377

匿 : 匿: 숨을 닉: 匸-총11획: nì

(原文)

匿 : 亡也. 从匸若聲. 讀如羊驕箠. 女力切.

(飜譯)

'도망하다(亡)'라는 뜻이다. 혜(匸)가 의미부이고 약(若)이 소리부이다.245) 양추추(羊驕箠, 수레를 끄는 양을 때리는 채찍 끝에 다는 쇠)라고 할 때의 추(箠)와 같이 읽는다.246) 독음은 녀(女)와 력(力)의 반절이다.

8378

匧 : 匧: 천할 루: 匸-총7획: lòu

---

244) 고문자에서 ⿱⿱⿱甲骨文 ⿱金文 ⿱盟書 ⿱簡牘文 ⿱古璽文 등으로 그렸다. 品(물건 품)과 匸(상자 방)으로 구성되었는데, 많은 물품(品)들이 상자(匸) 속에 든 모습으로부터 물건을 감추다는 뜻을 그렸고, 이로부터 물건을 감추어 두는 곳이라는 뜻이 나왔다. 갑골문에서는 여러 기물(品)에 선을 그어 그곳을 다른 곳과 구분해 둠으로써 '區別(구별)하다', '區域(구역)'이라는 의미를 강조했다. 이후 지역의 뜻이, 다시 행정 단위까지 지칭하게 되었으며, 성으로도 쓰인다. 간화자에서는 品을 간단한 부호로 줄인 区로 쓴다.

245) 고문자에서 ⿱⿱金文 ⿱⿱簡牘文 등으로 그렸다. 匸(상자 방)이 의미부이고 若(같을 약)이 소리부로, 상자(匸) 속에 '숨기다'는 뜻이며, 이로부터 감추다, 속이다, 숨다, 隱匿(은닉) 등의 뜻이 나왔다.

246) 『단주』에서 이렇게 말했다. "여기에는 잘못 탈락한 글자가 있다. "당연히 '양추지(羊箠鷙)의 지(鷙)와 같이 읽는다(讀若羊箠鷙之鷙)"가 되어야 한다고 했는데, 금(金)부수에서 지(鷙)는 채찍 끝에 달린 쇠(羊箠耑鐵)를 말한다고 했다. 상세한 것은 금(金)부수를 참조하라."

原文

匚: 側逃也. 从匸丙聲. 一曰箕屬. 盧候切.

飜譯

'옆으로 도망치다(側逃)'라는 뜻이다. 혜(匸)가 의미부이고 병(丙)이 소리부이다. 일설에는 '키(箕)'의 일종이라고도 한다. 독음은 로(盧)와 후(候)의 반절이다.

8379

匽: 匽: 엎드릴 언: 匸-총9획: yǎn

原文

匽: 匿也. 从匸㫰聲. 於蹇切.

飜譯

'숨기다(匿)'라는 뜻이다. 혜(匸)가 의미부이고 언(㫰)이 소리부이다. 독음은 어(於)와 건(蹇)의 반절이다.

8380

医: 医: 의원 의·동개 예: 匸-총7획: yì

原文

医: 盛弓弩矢器也. 从匸从矢. 『國語』曰 : "兵不解医." 於計切.

飜譯

'활이나 화살이나 쇠뇌를 담는 기물(盛弓弩矢器)[동개]'을 말한다. 혜(匸)가 의미부이고 시(矢)도 의미부이다. 『국어·제어(齊語)』에서 "병사들이 숨겨둔 동개를 해제하지 않았다(兵不解医)"라고 했다.247) 독음은 어(於)와 계(計)의 반절이다.

---

247) 동개는 활과 화살을 꽂아 넣어 등에 지도록 만든 물건을 말한다. 흔히 가죽으로 만드는데, 활은 반만 들어가고 화살은 아랫부분만 들어가도록 만든다. '병불해예(兵不解医)'는 전쟁을 치지 않겠다고 거두어 숨겨둔 동개를 다시는 풀 일이 없었다는 뜻이다.

8381

匹 : 匹: 필 필: 匚-총4획: pǐ

原文

匹 : 四丈也. 从八、匚. 八揲一匹, 八亦聲. 普吉切.

譯

'[베] 4장(四丈)'을 말한다. 팔(八)과 혜(匚)가 모두 의미부이다. 펼쳐진 것(八)을 여덟 번 접으면 한 필(匹)이 되는데, 팔(八)은 소리부도 겸한다.248) 독음은 보(普)와 길(吉)의 반절이다.

---

248) 고문자에서 匠匠匠匠匠 金文 匠 匠 簡牘文 등으로 그렸다. 현행 옥편에서 匚(상자방)부수에 귀속되었지만, 상자(匚)와는 관련이 없으며, 원래는 주름이 여러 갈래로 진 '베'의 모습을 그린 상형자이다. 그래서 '베'가 원래 뜻이고, 베를 헤아리는 단위로 쓰였다. 베 1필은 4丈(장)의 길이를 말한다. 이후 말(馬·마)을 헤아리는 단위로까지 확대되었다. 베는 중요한 혼수품이었던지 配匹(배필)에서처럼 짝이나 배우자의 의미로까지 쓰이게 되었다.

제459부수
459 ■ 방(匚)부수

8382

匚 :　匚: 상자 **방**: 匚-총2획: fāng

(原文)

匚 : 受物之器. 象形. 凡匚之屬皆从匚. 讀若方. ㊋, 籒文匚. 府良切.

(飜譯)

'물건을 담는 기물(受物之器)'을 말한다.　상형이다.　방(匚)부수에 귀속된 글자들은
모두 방(匚)이 의미부이다.　방(方)과 같이 읽는다.[249] 방(㊋)은 방(匚)의 주문체이다.
독음은 부(府)와 량(良)의 반절이다.

8383

匠 :　匠: 장인 **장**: 匚-총6획: jiàng

(原文)

匠 : 木工也. 从匚从斤. 斤, 所以作器也. 疾亮切.

---

249) 匚은 물건을 넣어둘 수 있는 네모꼴의 상자를 그렸으며, 이로부터 '상자'를 지칭하게 되었
다. 예컨대, 匠(장인 장)은 자귀(斤·근) 같은 연장을 상자(匚) 속에 넣어 둔 모습을 그려 그것
이 공구함임을 보여준다. 또 匣(갑 갑)은 작고 덮개를 갖춘 상자를 말한다. 그리고 匡(바룰
광)은 그릇을 담는 대그릇을 말했으나 네모꼴의 상자처럼 '반듯하다'는 뜻을 갖게 되었고, 그
러자 竹(대 죽)을 더한 筐(광주리 광)으로 분화했으며, 木(나무 목)이 더해진 框(문테 광)도 같
은 뜻이다. 匪(대상자 비)도 筐과 비슷한 대상자를 말했으나, 匪賊(비적)과 같이 非(아닐 비)의
뜻으로 쓰이게 되자 다시 竹을 더해 篚로 분화했다. 그런가 하면, 匱(함 궤)를 구성하는 貴(귀
할 귀)는 원래 두 손으로 삼태기를 이용해 흙을 들어내는 모습이며, 이로부터 '남겨두다', '귀
한 것' 등의 뜻이 생긴 글자이다. 이에 비해, 匝(돌 잡)과 匜(주전자 이)는 '상자'와는 별 관계
가 없는 글자들이다.

飜譯

‘목수(木工)’를 말한다. 방(匚)이 의미부이고 근(斤)도 의미부이다. 근(斤)은 기물을 만드는 도구를 말한다.250) 독음은 질(疾)과 량(亮)의 반절이다.

8384

匧: 匧: **상자 협**: 匚-총9획: xiá

原文

匧: 藏也. 从匚夾聲. 篋, 匧或从竹. 苦叶切.

飜譯

‘감추다(藏)’라는 뜻이다. 방(匚)이 의미부이고 협(夾)이 소리부이다. 협(篋)은 협(匧)의 혹체자인데, 죽(竹)으로 구성되었다. 독음은 고(苦)와 협(叶)의 반절이다.

8385

匡: 匡: **바룰 광**: 匚-총6획: kuāng

原文

匡: 飲器, 筥也. 从匚坒聲. 筐, 匡或从竹. 去王切.

飜譯

‘음식 기물(飲器)’을 말하는데, 광주리(筥)를 말한다. 방(匚)이 의미부이고 왕(坒)이 소리부이다.251) 광(筐)은 광(匡)의 혹체자인데, 죽(竹)으로 구성되었다. 독음은 거

---

250) 고문자에서 匠匠古陶文 匠古璽文 등으로 그렸다. 斤(도끼 근)이 의미부고 匚(상자 방)이 소리부로, 자귀(斤) 같은 연장을 상자(匚) 속에 넣어 둔 모습을 그려, 그것이 공구함임을 보여준다. 斤은 목공에 쓰이던 대표적인 연장이었기에, 이로부터 수공업에 종사하는 일이나 사람을 뜻하게 되었고, 匠人(장인) 정신을 뜻하기도 하였다.

251) 고문자에서 匡匡金文 匡古陶文 등으로 그렸다. 匚(상자 방)이 의미부이고 王(임금 왕)이 소리부로, 그릇을 담는 대그릇(匚)을 말했으나 네모꼴의 상자처럼 ‘반듯하다’는 뜻을 갖게 되었다. 그러자 원래 뜻은 竹(대 죽)을 더한 筐(광주리 광)으로 분화했으며, 木(나무 목)이 더해진 框(문테 광)도 같은 뜻이다.

(去)와 왕(王)의 반절이다.

8386

匜: 匜: 주전자 이: 匚-총5획: yí

(原文)

匜: 似羹魁, 柄中有道, 可以注水. 从匚也聲. 移尔切.

(飜譯)

'국자를 닮았는데, 손잡이 가운데 물이 흐르는 길이 있어, 물을 따를 수 있다(似羹魁, 柄中有道, 可以注水).' 방(匚)이 의미부이고 야(也)가 소리부이다. 독음은 이(移)와 이(尔)의 반절이다.

8387

匴: 匴: 관 상자 산: 匚-총16획: suàn

(原文)

匴: 渌米籔也. 从匚算聲. 穌管切.

(飜譯)

'쌀을 가려내는 조리 같은 기물(渌米籔)'을 말한다. 방(匚)이 의미부이고 산(算)이 소리부이다. 독음은 소(穌)와 관(管)의 반절이다.

8388

匶: 匶: 상자 감·작은 잔 공: 匚-총26획: gòng

(原文)

匶: 小桮也. 从匚贛聲. 㮲, 匶或从木. 古送切.

(飜譯)

'작은 잔(小桮)'을 말한다. 방(匚)이 의미부이고 공(贛)이 소리부이다. 감(㮲)은 감

(匿)의 혹체자인데, 목(木)으로 구성되었다. 독음은 고(古)와 송(送)의 반절이다.

8389

匪: 匪: 대상자 비: 匚-총10획: fěi

原文

匪: 器, 似竹筐. 从匚非聲. 『逸周書』曰 : "實玄黃于匪." 非尾切.

飜譯

'기물(器)인데, 대광주리(竹筐)와 비슷하다. 방(匚)이 의미부이고 비(非)가 소리부이다. 『일주서』에서 "검게 물들인 비단과 누렇게 물들인 비단을 대상자에 가득 담네(實玄黃于匪)"라고 했다.[252] 독음은 비(非)와 미(尾)의 반절이다.

8390

匿: 匿: 헌 그릇 창: 匚-총12획: cāng

原文

匿: 古器也. 从匚倉聲. 七岡切.

飜譯

'옛날의 기물이름(古器)'이다. 방(匚)이 의미부이고 창(倉)이 소리부이다. 독음은 칠(七)과 강(岡)의 반절이다.

8391

匜: 匜: 삼태기 초: 匚-총9획: diào

原文

---

252) 匚(상자 방)이 의미부고 非(아닐 비)가 소리부로, 광주리(筐·광)와 비슷한 대(竹)상자를 말했으나, 匪賊(비적)과 같이 아니다(非), 옳지 않다의 뜻으로 가차되어 쓰이게 되자 원래 뜻은 竹(대 죽)을 더한 篚(대상자 비)로 분화했다.

匎: 田器也. 从匚攸聲. 徒聊切.

🔵 翻譯

'농사에 사용하는 기구(田器)'를 말한다. 방(匚)이 의미부이고 유(攸)가 소리부이다. 독음은 도(徒)와 료(聊)의 반절이다.

8392

匴: 匴: 농기구 익: 匚-총13획: yì

🔵 原文

匴: 田器也. 从匚異聲. 與職切.

🔵 翻譯

'농사에 사용하는 기구(田器)'를 말한다. 방(匚)이 의미부이고 이(異)가 소리부이다. 독음은 여(與)와 직(職)의 반절이다.

8393

匫: 匫: 헌 그릇 홀: 匚-총10획: hū

🔵 原文

匫: 古器也. 从匚曶聲. 呼骨切.

🔵 翻譯

'옛날의 기물이름(古器)'이다. 방(匚)이 의미부이고 흘(曶)이 소리부이다. 독음은 호(呼)와 골(骨)의 반절이다.

8394

匬: 匬: 노적가리 유: 匚-총11획: yǔ

🔵 原文

匬: 甌, 器也. 从匚俞聲. 度矦切.

飜譯

'사발(甌)'을 말하는데, 기물(器)이다. 방(匸)이 의미부이고 유(俞)가 소리부이다. 독음은 도(度)와 후(矦)의 반절이다.

8395

匱: 匱: 함 궤: 匸-총14획: guì

原文

匱: 匣也. 从匸貴聲. 求位切.

飜譯

'갑(匣)'을 말한다. 방(匸)이 의미부이고 귀(貴)가 소리부이다. 독음은 구(求)와 위(位)의 반절이다.

8396

匵: 匵: 궤 독: 匸-총17획: dú

原文

匵: 匱也. 从匸賣聲. 徒谷切.

飜譯

'궤짝(匱)'을 말한다. 방(匸)이 의미부이고 매(賣)가 소리부이다. 독음은 도(徒)와 곡(谷)의 반절이다.

8397

匣: 匣: 갑 갑: 匸-총7획: xiá

原文

匣: 匱也. 从匸甲聲. 胡甲切.

飜譯

'궤짝(匣)'을 말한다. 방(匚)이 의미부이고 갑(甲)이 소리부이다. 독음은 호(胡)와 갑(甲)의 반절이다.

8398

匯: 匯: 물 합할 회: 匚-총13획: huì

原文

匯: 器也. 从匚淮聲. 胡罪切.

飜譯

'기물의 일종(器)'이다. 방(匚)이 의미부이고 회(淮)가 소리부이다. 독음은 호(胡)와 죄(罪)의 반절이다.

8399

柩: 柩: 널 구: 木-총9획: jiù

原文

柩: 棺也. 从匚从木, 久聲. 匶, 籒文柩. 曰救切.

飜譯

'널(棺)'을 말한다. 방(匚)이 의미부이고 목(木)도 의미부이고, 구(久)가 소리부이다. 구(匶)는 구(柩)의 주문체이다. 독음은 일(曰)와 구(救)의 반절이다.

8400

匰: 匰: 주독 단: 匚-총14획: dān

原文

匰: 宗廟盛主器也. 『周禮』曰 : "祭祀共匰主." 从匚單聲. 都寒切.

飜譯

'종묘에서 신주를 넣어두는 기물(宗廟盛主器)'을 말한다. 『주례·춘관사무(司巫)』에서

"제사 때에는 신주를 모셔놓은 주독을 가져온다(祭祀共匰主)"라고 하였다. 방(匚)이 의미부이고 단(匰)이 소리부이다. 독음은 도(都)와 한(寒)의 반절이다.

제460부수
460 ▪ 곡(曲)부수

8401

凷 : 曲: 굽을 곡: 曰-총6획: qū

原文

凷 : 象器曲受物之形. 或說曲, 蠶薄也. 凡曲之屬皆从曲. ㄴ, 古文曲. 丘玉切.

飜譯

중간이 굽어 물건을 담을 수 있는 기물의 모습을 형상했다(象器曲受物之形). 혹자는 굽은 것이 누에를 담는 채반(蠶薄)이라고도 한다.253) 곡(曲)부수에 귀속된 글자들은 모두 곡(曲)이 의미부이다. 곡(ㄴ)은 곡(曲)의 고문체이다. 독음은 구(丘)와 옥(玉)의 반절이다.

8402

𦘔 : 豐: 뼈가 구불퉁구불퉁할 곡: 玉-총11획: qū

原文

𦘔 : 骪曲也. 从曲玉聲. 丘玉切.

飜譯

'뼈가 구불텅하다(骪曲)'라는 뜻이다. 곡(曲)이 의미부이고 옥(玉)이 소리부이다. 독음은 구(丘)와 옥(玉)의 반절이다.

---

253) 고문자에서 ㄴㄴ金文 ㄴ➤簡牘文 등으로 그렸다. 갑골문에서 대나 버들을 굽혀 엮어 놓은 광주리의 모습을 그렸는데, 이로부터 '굽다'는 뜻이 나왔고, 曲線(곡선), 歪曲(왜곡), 曲解(곡해) 등의 의미도 나왔다. 『설문해자』에서도 '물건을 담을 수 있게 한 네모진 기물을 말하는데, 일설에는 누에 칠 때 쓰는 채반을 말한다.'라고 했다. 현대 중국에서는 麯(누룩 국)과 麴(누룩 국)의 간화자로도 쓰인다.

8403

𥧖: 𦥯: 옛 그릇 도: 爪−총16획: tāo

原文

𥧖: 古器也. 从曲𦥯聲. 土刀切.

譱譯

'옛날의 기물(古器)'을 말한다. 곡(曲)이 의미부이고 요(𦥯)가 소리부이다. 독음은 토(土)와 도(刀)의 반절이다.

제461부수
461 ■ 치(甾)부수

8404

甾: 甾: 꿩 치: 田－총8획: zāi

甾: 東楚名缶曰甾. 象形. 凡甾之屬皆从甾. 甾, 古文. 側詞切.

飜譯

'동초(東楚) 지역에서는 장군(缶)을 치(甾)라 부른다.' 상형이다. 치(甾)부수에 귀속된 글자들은 모두 치(甾)가 의미부이다. 치(甾)는 고문체이다. 독음은 측(側)과 사(詞)의 반절이다.

8405

䉕: 䉕: 삽 잡: 田－총16획: chā

原文

䉕: 㼜也, 古田器也. 从甾疌聲. 楚洽切.

飜譯

'삽(㼜)'을 말하는데, '옛날의 농기구(古田器)'이다. 치(甾)가 의미부이고 섭(疌)이 소리부이다. 독음은 초(楚)와 흡(洽)의 반절이다.

8406

畚: 畚: 동구미·삼태기 분: 田－총13획: běn

原文

畚: 畚屬, 蒲器也, 所以盛穜. 从甾弁聲. 布忖切.

翻譯

'삼태기(畚)의 일종'인데, '부들로 짠 기물(蒲器)'로, 씨앗을 담는데 쓴다(所以盛穜). 치(甾)가 의미부이고 변(弁)이 소리부이다. 독음은 포(布)와 촌(忖)의 반절이다.

8407

甡: 甡: 삼태기 병: 田-총16획: píng

原文

甡: 㪅也. 从甾并聲. 杜林以爲竹筥, 楊雄以爲蒲器. 讀若軿. 薄經切.

翻譯

'곡식을 담는 기물(㪅)'이다. 치(甾)가 의미부이고 병(并)이 소리부이다. 두림(杜林)은 대나무로 만든 광주리(竹筥)라고 했고, 양웅(楊雄)은 부들로 만든 기물(蒲器)이라고 했다. 병(軿)과 같이 읽는다. 독음은 박(薄)과 경(經)의 반절이다.

8408

甗: 甗: 양병 로: 田-총14획: lú

原文

甗: 㽶也. 从甾虍聲. 讀若盧同. 甌, 籒文甗. 甗, 篆文甗. 洛乎切.

翻譯

'아가리가 작은 독(㽶)'을 말한다. 치(甾)가 의미부이고 호(虍)가 소리부이다. 로(盧)와 똑같이 읽는다. 로(甌)는 로(甗)의 주문체이다. 로(甗)는 로(甗)의 전서체이다. 독음은 락(洛)과 호(乎)의 반절이다.

제12
권

제462부수
462 ▪ 와(瓦)부수

8409

瓦: 瓦: 기와 와: 瓦-총5획: wǎ

原文

瓦: 土器已燒之總名. 象形. 凡瓦之屬皆从瓦. 五寡切.

飜譯

'불에 구운 토기의 총칭(土器已燒之總名)'이다. 상형이다.[254] 와(瓦)부수에 귀속된 글자들은 모두 와(瓦)가 의미부이다. 독음은 오(五)와 과(寡)의 반절이다.

8410

瓿: 瓿: 오지그릇 방: 瓦-총9획: fǎng

原文

瓿: 周家搏埴之工也. 从瓦方聲. 讀若抿破之抿. 分兩切.

飜譯

'『주례』에서 말한 점토를 이기는 장인(周家搏埴之工)'을 말한다.[255] 와(瓦)가 의미부이고 방(方)이 소리부이다. 와파(抿破)[256]라고 할 때의 와(抿)와 같이 읽는다. 독

---

254) 고문자에서 古陶文 簡牘文 등으로 그렸다. 『설문해자』에서는 "불에 구운 토기의 총칭이다"라고 풀이했는데, 기와가 서로 연이어져 있는 모습을 그렸다. 『설문해자』의 말처럼 항아리, 병, 단지, 동이는 물론 벽돌 등, 불에 구운 토기면 모두 瓦로 지칭했으나 이후 '기와'가 가장 대표적인 물품으로 남음으로써 '기와'를 지칭하게 되었다. 그래서 瓦로 구성된 글자들은 흙을 불에 구워 만든 각종 물품과 관련되어 있다.
255) 『단주』에서 이렇게 말했다. "'고공기(考工記)』에서 진흙을 이겨 만드는 도공의 도기와 질그릇(搏埴之工陶瓿)이라 했는데, 정현의 주석에서는 박지(搏之)는 손으로 치다(拍)는 뜻이며, 식(埴)은 점토(黏土)를 말한다고 했다."

음은 분(分)과 량(兩)의 반절이다.

8411

甄: 甄: 질그릇 견: 瓦-총14획: zhēn

原文

甄: 匋也. 从瓦垔聲. 居延切.

飜譯

'질그릇(匋)'을 말한다. 와(瓦)가 의미부이고 인(垔)이 소리부이다. 독음은 거(居)와 연(延)의 반절이다.

8412

甍: 甍: 용마루 맹: 瓦-총16획: méng

原文

甍: 屋棟也. 从瓦, 夢省聲. 莫耕切.

飜譯

'용마루(屋棟)'를 말한다. 와(瓦)가 의미부이고, 몽(夢)의 생략된 모습이 소리부이다. 독음은 막(莫)과 경(耕)의 반절이다.

8413

甑: 甑: 시루 증: 瓦-총17획: zèng

原文

甑: 甗也. 从瓦曾聲. 𤭁, 籒文甑从鬲. 子孕切.

飜譯

---

256) 서호의 『단주전』에서는 와(瓾)가 방(瓶)의 오자일 것이라고 했다.

'시루(甑)'를 말한다. 와(瓦)가 의미부이고 증(曾)이 소리부이다. 증(鬸)은 증(甑)의 주문체인데, 력(鬲)으로 구성되었다. 독음은 자(子)와 잉(孕)의 반절이다.

8414

甗: 甗: 시루 언: 瓦-총21획: yǎn

(原文)

甗: 甑也. 一曰穿也. 从瓦鬳聲. 讀若言. 魚蹇切.

(飜譯)

'시루(甑)'를 말한다. 커다란 구멍이 하나 있다(一穿).[257] 와(瓦)가 의미부이고 권(鬳) 이 소리부이다. 언(言)과 같이 읽는다. 독음은 어(魚)와 건(蹇)의 반절이다.

8415

甋: 甋: 작은 독 이: 瓦-총10획: yí

(原文)

甋: 甌瓿謂之甋. 从瓦台聲. 與之切.

(飜譯)

'작은 동이(甌)나 단지(瓿)를 이(甋)라고 한다.' 와(瓦)가 의미부이고 태(台)가 소리부 이다. 독음은 여(與)와 지(之)의 반절이다.

---

257) 『단주』에서는 "일천(一穿, 구멍이 하나)"이 되어야 한다고 하면서 다음과 같이 풀이했다. "정중(鄭司農)이 이르길, 언(甗)은 바닥이 없는 시루(無底甑)를 말한다고 했다. 바닥이 없다는 것, 그것이 소위 일천(一穿)이다. 증(甑)은 구멍이 7개이고 크기가 작은데, 언(甗)은 구멍이 하나이고 크기가 크다. 구멍이 하나이면서 크다면 바닥이 없는 것이다. 증(甑)자의 해석에서 언(甗)을 말한다고 했는데, 이는 섞어서 말한 것이다. 여기서처럼 증(甑)은 구멍이 하나라고 하면 구분해 말한 것이다. 뭉뚱그려 말한다면 언(甗) 역시 증(甑)에 속한다고 해야 할 것이나, 구분해서 말하자면 언(甗)은 구멍이 하나에 한정되는 것만은 아닐 것이다."

8416

觴 : 甇: 큰 동이 당: 瓦-총13획: dàng

原文

甇 : 大盆也. 从瓦尚聲. 丁浪切.

譯

'큰 동이(大盆)'를 말한다. 와(瓦)가 의미부이고 상(尚)이 소리부이다. 독음은 정(丁)과 랑(浪)의 반절이다.

8417

甌 : 甌: 사발 구: 瓦-총16획: ōu

原文

甌 : 小盆也. 从瓦區聲. 烏矦切.

譯

'작은 동이(小盆)'를 말한다. 와(瓦)가 의미부이고 구(區)가 소리부이다. 독음은 오(烏)와 후(矦)의 반절이다.

8418

甕 : 瓮: 독 옹: 瓦-총9획: wèng

原文

瓮 : 罌也. 从瓦公聲. 烏貢切.

譯

'양병(罌)'을 말한다. 와(瓦)가 의미부이고 공(公)이 소리부이다. 독음은 오(烏)와 공(貢)의 반절이다.

8419

㼋 : 瓨: 항아리 강: 瓦-총8획: jiāng, hóng

原文

㼋 : 似罌, 長頸. 受十升. 讀若洪. 从瓦工聲. 古雙切.

翻譯

'양병과 닮았으나, 목이 길며, 10되가 들어간다(似罌, 長頸. 受十升).' 홍(洪)과 같이 읽는다. 와(瓦)가 의미부이고 공(工)이 소리부이다. 독음은 고(古)와 쌍(雙)의 반절이다.

8420

瓮 : 瓮: 주발 완: 瓦-총10획: fàn, wǎn

原文

瓮 : 小盂也. 从瓦夗聲. 烏管切.

翻譯

'작은 사발(小盂)'을 말한다. 와(瓦)가 의미부이고 원(夗)이 소리부이다. 독음은 오(烏)와 관(管)의 반절이다.

8421

瓴 : 瓴: 동이 령: 瓦-총10획: líng

原文

瓴 : 瓮, 似瓶也. 从瓦令聲. 郎丁切.

翻譯

'독을 말하는데 앵병과 비슷하다(瓮, 似瓶).' 와(瓦)가 의미부이고 령(令)이 소리부이다. 독음은 랑(郎)과 정(丁)의 반절이다.

8422

𤭛: 甄: 방화수독 비: 瓦-총13획: pí

原文

𤭛: 罌謂之甄. 从瓦卑聲. 部迷切.

繼譯

'앵병(罌)을 비(甄)라고 한다.' 와(瓦)가 의미부이고 비(卑)가 소리부이다. 독음은 부(部)와 미(迷)의 반절이다.

8423

甂: 甂: 자배기 변: 瓦-총14획: biān

原文

甂: 似小瓿. 大口而卑. 用食. 从瓦扁聲. 芳連切.

繼譯

'작은 단지 비슷하다. 아가리는 크고 키가 작다. 음식 그릇이다.(似小瓿. 大口而卑. 用食.)' 와(瓦)가 의미부이고 편(扁)이 소리부이다. 독음은 방(芳)과 련(連)의 반절이다.

8424

瓿: 瓿: 단지 부: 瓦-총13획: bù

原文

瓿: 甂也. 从瓦音聲. 蒲口切.

繼譯

'단지(甂)'를 말한다. 와(瓦)가 의미부이고 부(音)가 소리부이다. 독음은 포(蒲)와 구(口)의 반절이다.

8425

𤬅： 䚾: 질그릇 용: 瓦-총15획: róng

（原文）

𤬅： 器也. 从瓦容聲. 與封切.

（諺譯）

'기물 이름(器)'이다. 와(瓦)가 의미부이고 용(容)이 소리부이다. 독음은 여(與)와 봉(封)의 반절이다.

8426

甓： 甓: 벽돌 벽: 瓦-총18획: pì

（原文）

甓： 瓴甓也. 从瓦辟聲.『詩』曰 : "中唐有甓." 扶歷切.

（諺譯）

'영벽(瓴甓) 즉 벽돌'을 말한다. 와(瓦)가 의미부이고 벽(辟)이 소리부이다.『시·진풍·방유작소(防有鵲巢)』에서 "뜰 가운데 길엔 오지벽돌 깔렸네(中唐有甓)"라고 노래했다. 독음은 부(扶)와 력(歷)의 반절이다.

8427

甃： 甃: 벽돌담 추: 瓦-총14획: zhòu

（原文）

甃： 井壁也. 从瓦秋聲. 側救切.

（諺譯）

'벽돌로 쌓은 우물의 담(井壁)'을 말한다. 와(瓦)가 의미부이고 추(秋)가 소리부이다. 독음은 측(側)과 구(救)의 반절이다.

8428

甈: 甈: 항아리 계: 瓦-총15획: qì

原文

甈: 康瓠, 破罌. 从瓦臬聲. 㷿, 甈或从埶. 魚例切.

飜譯

'강호(康瓠) 즉 깨진 양병(破罌)'을 말한다. 와(瓦)가 의미부이고 얼(臬)이 소리부이다. 계(㷿)는 계(甈)의 혹체자인데, 예(埶)로 구성되었다. 독음은 어(魚)와 례(例)의 반절이다.

8429

㼷: 㼷: 그릇을 닦을 창·반기와 상: 瓦-총16획: shuǎng, chuǎng

原文

㼷: 瑳垢瓦石. 从瓦爽聲. 初兩切.

飜譯

'기와나 돌의 때를 지우다(瑳垢瓦石)'라는 뜻이다. 와(瓦)가 의미부이고 상(爽)이 소리부이다. 독음은 초(初)와 량(兩)의 반절이다.

8430

甄: 甄: 기와 깨지는 소리 렵: 瓦-총14획: liè

原文

甄: 蹈瓦聲. 从瓦臿聲. 零帖切.

飜譯

'기와를 밟아 깨지는 소리(蹈瓦聲)'를 말한다. 와(瓦)가 의미부이고 연(臿)이 소리부이다. 독음은 령(零)와 첩(帖)의 반절이다.

8431

衔: 𤭖: 풀무자루 함: 瓦-총9획: hán, qiàn

原文

衔: 治橐𤭖也. 从瓦今聲. 胡男切.

飜譯

'풀무의 자루(治橐𤭖)'를 말한다.258) 와(瓦)가 의미부이고 금(今)이 소리부이다. 독음은 호(胡)와 남(男)의 반절이다.

8432

𤮃: 甋: 깨뜨려질 쇄: 瓦-총13획: suì

原文

𤮃: 破也. 从瓦卒聲. 穌對切.

飜譯

'깨다, 부수다(破)'라는 뜻이다. 와(瓦)가 의미부이고 졸(卒)이 소리부이다. 독음은 소(穌)와 대(對)의 반절이다.

8433

瓯: 瓯: 패할 판: 瓦-총9획: bǎn

原文

瓯: 敗也. 从瓦反聲. 布綰切.

---

258) 『단주』에서 치(治)는 야(冶)가 되어야 옳다고 했다. 그리고 이렇게 설명했다. "야탁(冶橐)은 배낭(排囊)을 말한다. 배(排)는 보(普)와 배(拜)의 반절인데, 달리 배(韛)로 적거나 탁(橐)으로 적는다. 야금을 하는 자는 가죽으로 만든 주머니로 바람을 내뿜어 불에다 불어 넣는다. 노자(老子)가 말했던 탁(橐)이 바로 그것이다. 풀무를 잡는 손잡이를 판(瓯)이라 하는데, 간(𤭖)은 병(柄)과 같다. 판(瓯)은 간혹 금(肣)으로 잘못 쓰기도 한다. 『광운(廣韵)』에서는 '풀무 주머니에 달린 손잡이로 풀무질을 한다.'라고 했다."

翻譯

'깨진 기와조각(敗)'을 말한다. 와(瓦)가 의미부이고 반(反)이 소리부이다. 독음은 포(布)와 관(綰)의 반절이다.

8434

瓷: 오지그릇 자: 瓦-총11획: cí

原文

瓷: 瓦器. 从瓦次聲. 疾資切.

翻譯

'오지그릇(瓦器)'을 말한다. 와(瓦)가 의미부이고 차(次)가 소리부이다. 독음은 질(疾)과 자(資)의 반절이다. [신부]

8435

瓻: 술 단지 치: 瓦-총12획: chī

原文

瓻: 酒器. 从瓦, 稀省聲. 丑脂切.

翻譯

'술그릇(酒器)'을 말한다. 와(瓦)가 의미부이고, 희(稀)의 생략된 모습이 소리부이다. 독음은 축(丑)과 지(脂)의 반절이다. [신부]

제463부수

463 ▪ 궁(弓)부수

8436

弓: 弓: 활 궁: 弓-총3획: gōng

原文

弓: 以近窮遠. 象形. 古者揮作弓.『周禮』六弓: 王弓、弧弓以射甲革甚質; 夾
弓、庾弓以射干矦鳥獸; 唐弓、大弓以授學射者. 凡弓之屬皆从弓. 居戎切.

飜譯

'가까운 데서 먼 곳으로 도달하게 하는 무기(以近窮遠)'를 말한다. 상형이다.259) 옛
날 휘(揮)라는 사람이 활(弓)을 만들었다.『주례·하관사궁시(司弓矢)』에 보면 여섯
가지 활이 있는데, 왕궁(王弓)과 호궁(弧弓)은 갑옷이나 가죽으로 된 단단한 재질을
쏘는데 사용하고, 협궁(夾弓)과 유궁(庾弓)은 들개나 철새나 짐승을 쏘는 데 쓰고,
당궁(唐弓)과 대궁(大弓)은 활쏘기를 연습하는데 사용한다. 궁(弓)부수에 귀속된 글
자들은 모두 궁(弓)이 의미부이다. 독음은 거(居)와 융(戎)의 반절이다.

8437

䪘: 䪘: 활 돈: 弓-총11획: dūn

原文

---

259) 고문자에서 〔갑골문 형태들〕甲骨文 〔금문 형태들〕金文 〔고도문 형태〕古陶文 〔간독문 형태〕簡牘文 〔고새문 형태〕古璽文 〔석각고문 형태〕石刻古文
등으로 그렸다. 갑골문에서 활을 그렸는데, 활시위가 얹힌 때도 있고 풀린 경우도 보인다. 활
은 고대사회에서 식량으로 쓸 짐승을 잡는 도구로 쓰였으며, 야수나 적의 침입을 막아내는 유
용한 무기이기도 했다. 弓으로 구성된 한자는 활을 직접 지칭하거나, 활과 관련된 여러 기능
및 특성과 의미적 관련을 맺는다.

韠: 畫弓也. 从弓韋聲. 都昆切.

飜譯

'무늬를 그려 넣은 활(畫弓)[화궁]'을 말한다. 궁(弓)이 의미부이고 순(韋)이 소리부이다. 독음은 도(都)와 곤(昆)의 반절이다.

8438

弭: 弭: **활고자 미**: 弓-총9획: mǐ

原文

弭: 弓無緣, 可以解轡紛者. 从弓耳聲. 㳚, 弭或从兒. 縣婢切.

飜譯

'활의 양 끝 머리, 즉 활고자를 실로 매지 않고 뿔로 꾸민 것(弓無緣)'을 말하는데, 널브러진 말고삐를 정리하는데 쓸 수 있다(可以解轡紛者). 궁(弓)이 의미부이고 이(耳)가 소리부이다. 미(㳚)는 미(弭)의 혹체자인데, 아(兒)로 구성되었다. 독음은 면(縣)과 비(婢)의 반절이다.

8439

弮: 弮: **뿔활 현**: 弓-총10획: xuān

原文

弮: 角弓也, 洛陽名弩曰弮. 从弓肙聲. 烏玄切.

飜譯

'뿔로 만든 활(角弓)[각궁]'을 말하는데, 낙양(洛陽) 지역에서는 쇠뇌(弩)를 현(弮)이라 한다. 궁(弓)이 의미부이고 연(肙)이 소리부이다. 독음은 오(烏)와 현(玄)의 반절이다.

8440

弧: 弧: **활 호**: 弓-총8획: hú

原文

弧: 木弓也. 从弓瓜聲. 一曰往體寡, 來體多曰弧. 戶吳切.

飜譯

'나무로 만든 활(木弓)[목궁]'이다. 궁(弓)이 의미부이고 고(瓜)가 소리부이다. 일설에는 '활시위를 풀었을 때 밖으로 휘어진 각도가 적고, 활을 당겼을 때 안으로 굽은 각도가 큰 활(往體寡, 來體多)'을 호궁(弧弓)이라고도 한다.260) 독음은 호(戶)와 오(吳)의 반절이다.

8441

弨: 弨: 시위 느슨할 초: 弓-총8획: chāo

原文

弨: 弓反也. 从弓召聲. 『詩』曰 : "彤弓弨兮." 尺招切.

飜譯

'[시위를 풀어서] 활이 반대로 뒤집혀 진 것(弓反)'을 말한다. 궁(弓)이 의미부이고 소(召)가 소리부이다. 『시·소아동궁(彤弓)』에서 "줄이 느슨한 붉은 활(彤弓弨兮)"이라고 노래했다. 독음은 척(尺)과 초(招)의 반절이다.

8442

彏: 彏: 활굽이 권: 弓-총21획: quán

原文

彏: 弓曲也. 从弓雚聲. 九院切.

飜譯

'활이 굽어 구부정하다(弓曲)'라는 뜻이다. 궁(弓)이 의미부이고 관(雚)이 소리부이

---

260) 왕체(往體)는 활시위를 풀었을 때 활짱이 밖으로 휘어지는 상태를 말하며, 내체(來體)는 활을 한껏 당겼을 때 활짱이 안으로 굽어지는 모양을 말한다.

다. 독음은 구(九)와 원(院)의 반절이다.

8443

彊: 彄: 활고자 구: 弓-총14획: kōu

原文

彄: 弓弩端, 弦所居也. 从弓區聲. 恪矦切.

譯

'활의 양 끝 머리(弓弩端)[활고재]'를 말하는데, 시위를 매는 곳(弦所居)이다. 궁(弓)이 의미부이고 구(區)가 소리부이다. 독음은 각(恪)과 후(矦)의 반절이다.

8444

䌶: 㺯: 활 날카로울 요: 弓-총21획: yáo

原文

㺯: 弓便利也. 从弓繇聲. 讀若燒. 火招切.

譯

'쓰기에 편한 활(弓便利)'을 말한다. 궁(弓)이 의미부이고 요(繇)가 소리부이다. 소(燒)와 같이 읽는다. 독음은 화(火)와 초(招)의 반절이다.

8445

張: 張: 베풀 장: 弓-총11획: zhāng

原文

張: 施弓弦也. 从弓長聲. 陟良切.

譯

'활의 시위[즉 활대에 걸어서 켕기는 줄]를 얹다(施弓弦)'라는 뜻이다. 궁(弓)이 의미부이고 장(長)이 소리부이다. 독음은 척(陟)과 량(良)의 반절이다.

8446

彠: 彠: 당길 확: 弓-총23획: huò

原文

彠: 弓急張也. 从弓矍聲. 許縛切.

繙譯

'활을 팽팽하게 당기다(弓急張)'라는 뜻이다. 궁(弓)이 의미부이고 확(矍)이 소리부이다. 독음은 허(許)와 박(縛)의 반절이다.

8447

弸: 弸: 화살 소리 붕: 弓-총11획: bēng

原文

弸: 弓彊皃. 从弓朋聲. 父耕切.

繙譯

'활이 강한 모양(弓彊皃)'을 말한다. 궁(弓)이 의미부이고 붕(朋)이 소리부이다. 독음은 부(父)와 경(耕)의 반절이다.

8448

彊: 彊: 굳셀 강: 弓-총16획: qiáng

原文

彊: 弓有力也. 从弓畺聲. 巨良切.

繙譯

'힘이 있는 활(弓有力)'을 말한다. 궁(弓)이 의미부이고 강(畺)이 소리부이다. 독음은 거(巨)와 량(良)의 반절이다.

8449

彎: 彎: 굽을 만: 弓-총22획: wān

原文

彎: 持弓關矢也. 从弓䜌聲. 烏關切.

飜譯

'[왼손으로] 활을 잡고 [오른손으로] 화살을 당기다(持弓關矢)'라는 뜻이다. 궁(弓)이 의미부이고 연(䜌)이 소리부이다. 독음은 오(烏)와 관(關)의 반절이다.

8450

引: 引: 끌 인: 弓-총4획: yǐn

原文

引: 開弓也. 从弓、丨. 余忍切.

飜譯

'활을 당기다(開弓)'라는 뜻이다. 궁(弓)과 곤(丨)이 모두 의미부이다.261) 독음은 여(余)와 인(忍)의 반절이다.

8451

弙: 弙: 활 겨눌 오: 弓-총6획: wū

原文

弙: 滿弓有所鄉也. 从弓于聲. 哀都切.

飜譯

'활을 가득 당겨 목표물을 향해 조준하다(滿弓有所鄉)'라는 뜻이다. 궁(弓)이 의미부

---

261) 고문자에서 引 簡牘文 등으로 그렸다. 弓(활 궁)과 丨(뚫을 곤)으로 구성되었는데, 『설문해자』에서 활(弓)의 시위가 직선(丨)으로 팽팽하게 당겨진 상태를 말한다고 했다. 팽팽하게 조율된 활시위는 곧 당겨지게 될 터, 이로부터 '당기다'나 '끌다'의 뜻이 나왔다.

이고 우(于)가 소리부이다. 독음은 애(哀)와 도(都)의 반절이다.

8452

弘: 弘: 넓을 홍: 弓-총5획: hóng

제
12
권

原文

弘: 弓聲也. 从弓厶聲. 厶, 古文肱字. 胡肱切.

飜譯

'활이 날아가는 소리(弓聲)'를 말한다. 궁(弓)이 의미부이고 꿩(厶)이 소리부이다. 꿩(厶)은 꿩(肱)의 고문체이다.262) 독음은 호(胡)와 꿩(肱)의 반절이다.

8453

彊: 彊: 활 부릴 새: 玉-총22획: sāi

原文

彊: 弛弓也. 从弓璽聲. 斯氏切.

飜譯

'활을 부리다(弛弓)[활시위를 풀다]'라는 뜻이다. 궁(弓)이 의미부이고 새(璽)가 소리부이다. 독음은 사(斯)와 씨(氏)의 반절이다.

8454

弛: 弛: 늦출 이: 弓-총6획: chí

---

262) 고문자에서 甲骨文 金文 등으로 그렸다. 갑골문에서 활(弓)에 지사 부호 (一)가 더해졌는데, 이후 이 부호가 厶(사사 사)로 변해 지금의 자형이 되었다. 이 부호는 화살이 시위를 떠날 때 내는 큰 소리를 상징하였으며, 이로부터 '크다', '강력하다', '확대하다'의 뜻이 나왔다.

原文

弛: 弓解也. 从弓从也. 㢮, 弛或从虒. 施氏切.

譯

'활시위를 풀다(弓解)'라는 뜻이다. 궁(弓)이 의미부이고 야(也)도 의미부이다.263) 이 (㢮)는 이(弛)의 혹체자인데, 사(虒)로 구성되었다. 독음은 시(施)와 씨(氏)의 반절이다.

8455

弢: 弢: 활집 도: 弓-총8획: tāo

原文

弢: 弓衣也. 从弓从㡀. 㡀, 垂飾, 與鼓同意. 土刀切.

譯

'활의 집(弓衣)'을 말한다. 궁(弓)이 의미부이고 도(㡀)도 의미부이다. 도(㡀)는 장식 (垂飾)을 말하며, '북'을 뜻하는 고(鼓: 鼓와 같음)와 의미가 같다. 독음은 토(土)와 도 (刀)의 반절이다.

8456

弩: 弩: 쇠뇌 노: 弓-총8획: nŭ

原文

弩: 弓有臂者. 『周禮』四弩: 夾弩、庾弩、唐弩、大弩. 从弓奴聲. 奴古切.

譯

'사람의 팔 같은 발사장치가 있는 활, 즉 쇠뇌(弓有臂者)'를 말한다. 『주례·하관사궁 시(司弓矢)』에 의하면 협노(夾弩), 유노(庾弩), 당노(唐弩), 대노(大弩)의 네 가지가

---

263) 弓(활 궁)과 也(어조사 야)로 구성되었는데, 弓은 활을 그렸고, 也는 여성이 사용하던 물 그 릇(匜·이)으로 여성을 상징한다. 전장에서 경계를 느슨하게 하는 것을 弛라 하는데, 이는 활 (弓)시위를 당겨 팽팽히 하고, 美人計(미인계)로 대표되는 여성(也)의 유혹을 경계한 글자로 추정된다.

있다. 궁(弓)이 의미부이고 노(奴)가 소리부이다. 독음은 노(奴)와 고(古)의 반절이다.

8457

鷇: 彀: 당길 구: 弓-총13획: gōu

原文

鷇: 張弩也. 从弓殼聲. 古候切.

譯

'쇠뇌를 당기다(張弩)'라는 뜻이다. 궁(弓)이 의미부이고 각(殼)이 소리부이다. 독음은 고(古)와 후(候)의 반절이다.

8458

彍: 彍: 당길 확: 弓-총15획: guō

原文

彍: 弩滿也. 从弓黃聲. 讀若郭. 苦郭切.

譯

'쇠뇌를 잔뜩 당기다(弩滿)'라는 뜻이다. 궁(弓)이 의미부이고 황(黃)이 소리부이다. 곽(郭)과 같이 읽는다. 독음은 고(苦)와 곽(郭)의 반절이다.

8459

彈: 彈: 쏠 필: 弓-총14획: bì

原文

彈: 躲也. 从弓畢聲.『楚詞』曰 : "羿焉彈日." 卑吉切.

譯

'화살을 쏘다(躲)'라는 뜻이다. 궁(弓)이 의미부이고 필(畢)이 소리부이다.『초사천문(天問)』에서 "후예가 어떻게 태양을 쏘았던가?(羿焉彈日)"라고 했다.264) 독음은 비

(卑)와 길(吉)의 반절이다.

8460

彈: 彈: 탄알 탄: 弓-총15획: dàn

原文

彈: 行丸也. 从弓單聲. 弛, 彈或从弓持丸. 徒案切.

飜譯

'탄환을 나아가게 하다(行丸)'라는 뜻이다. 궁(弓)이 의미부이고 단(單)이 소리부이다.265) 탄(弛)은 탄(彈)의 혹체자인데, 탄알이 장전된 활의 모습을 그렸다. 독음은 도(徒)와 안(案)의 반절이다.

8461

發: 發: 쏠 발: 癶-총12획: fā

原文

發: 躲發也. 从弓癹聲. 方伐切.

---

264) 후예(后羿)는 이예(夷羿)로도 쓰는데, 유궁씨(有窮氏) 부락의 수령이다. 요(堯)임금의 신하였다. 하(夏)나라 임금 태강(太康)을 내쫓고 그 땅을 점령했는데, 나중에 한착(寒浞)에게 살해당했다. 활을 잘 쏘았다고 한다. 전설에 따르면 요임금 때 하늘에 해가 열 개나 나타나서 곡식과 초목이 다 말라죽어 사람들이 굶주리게 되었다. 게다가 맹수와 긴 뱀(長蛇)까지 나타나 해를 끼쳤다. 요임금이 그에게 활로 아홉 개의 해를 떨어드리게 하고 맹수와 긴 뱀도 죽이게 하자 백성들이 모두 기뻐했다. 『맹자(孟子)·이루(離婁)』(下)에 "방몽(逢蒙)이 예(羿)에게 활 쏘는 법을 배워 예의 기술을 다 배우고는 천하에 오직 예만이 자기보다 낫다고 여겨 예를 죽였다."라고 했다. 예의 아내 항아(姮娥)가 남편이 먹던 불사약을 먹고는 달로 달아났다고 한다.(『중국역대인명사전』)

265) 고문자에서 ☖☖☖☖甲骨文 등으로 그렸다. 弓(활 궁)이 의미부고 單(홑 단)이 소리부로, 갑골문에서는 활(弓)에 돌 구슬이 장착된 모습을 그렸고, 이후 單이 더해져 지금의 자형이 되었다. 사냥이나 전쟁(單)에 쓰는 활(弓)로부터 '彈丸(탄환)'이라는 의미를 그렸으며, 이로부터 '튕기다', 발사하다, 탄성 등의 뜻이 나왔으며, (악기나 솜 등을) 타다는 뜻도 나왔다. 간화자에서는 單을 单으로 간단히 줄여 弹으로 쓴다.

翻譯

'화살을 쏘다(躲發)'라는 뜻이다. 궁(弓)이 의미부이고 발(發)이 소리부이다. 독음은 방(方)과 벌(伐)의 반절이다.

8462

羿 : 羿: 제후 이름 예: 弓-총9획: yì

原文

羿 : 帝嚳躲官, 夏少康滅之. 从弓开聲. 『論語』曰 : "羿善躲." 五計切.

翻譯

'제곡(帝嚳) 때 화살 관리하던 관리였는데, 하나라 때 소강(少康)이 죽여버렸다(帝嚳躲官, 夏少康滅之).'[266] 궁(弓)이 의미부이고 견(开)이 소리부이다. 『논어·헌문(憲問)』에서 "후예가 활을 잘 쏘았다(羿善躲)"라고 했다. 독음은 오(五)와 계(計)의 반절이다.

---

266) 제곡(帝嚳)은 중국 고대의 전설상의 제왕(帝王)으로, 고신씨(高辛氏)라고도 한다. 황제(皇帝)의 증손이요, 제요(帝堯)의 할아버지라고도 말한다. 원비(元妃)는 주(周) 나라 왕조(王朝)의 건설자 후직(后稷), 곧 기(棄)를 낳은 유태씨(有邰氏)의 딸 강원(姜原)이다. 또 소강(少康)은 하(夏) 나라 제6대 국군(國君)이다. 상(相)의 아들이고, 저(杼)의 아버지다. 한착(寒浞)이 사람을 보내 상을 살해한 뒤 상의 비(妃)가 달아나 소강을 낳았다. 하나라의 유신(遺臣) 미(靡)가 나중에 병사를 이끌고 한착을 잡아 죽이고는 소강을 세워 국군으로 삼았다. 재위할 때 하나라는 비교적 강성했는데, 역사에서는 소강중흥(少康中興)이라 부른다.(『중국역대인명사전』)

제464부수
464 ▪ 강(弜)부수

8463

弜: 弜: 강할 강: 弓-총6획: jiàng

原文

弜: 彊也. 从二弓. 凡弜之屬皆从弜. 其兩切.

飜譯

'강(彊)과 같아 강하다'라는 뜻이다. 두 개의 궁(弓)으로 구성되었다. 강(弜)부수에 귀속된 글자들은 모두 강(弜)이 의미부이다. 독음은 기(其)와 량(兩)의 반절이다.

8464

弼: 弼: 도울 필: 弓-총12획: bì

原文

弼: 輔也. 重也. 从弜西聲. 㢸, 弼或如此. 㢸、𢏢, 並古文弼. 房密切.

飜譯

'보좌하다(輔)'라는 뜻이다. 또 '다시하다(重)'라는 뜻이다. 강(弜)이 의미부이고 첨(西)이 소리부이다.[267] 필(㢸)은 필(弼)의 혹체인데, 이렇게 쓴다. 필(㢸)과 필(𢏢)은 모두 필(弼)의 고문체이다. 독음은 방(房)과 밀(密)의 반절이다.

---

267) 고문자에서 𢏢𢏢金文 𢏢簡牘文 𢏢帛書 𢏢石刻古文 등으로 그렸다. 弜(강할 강)이 의미부고 西(핥을 첨)이 소리부였는데, 西이 百(일백 백)으로 변해 지금의 자형이 되었다. 원래는 뒤틀린 활(弓)이나 쇠뇌를 바로잡는 도구를 말했으며, 뒤틀린 것을 바로잡아준다는 뜻에서 輔弼(보필)에서처럼 '돕다'는 뜻이 나왔다.

제465부수
465 ■ 현(弦)부수

8465

弦: **弦**: 시위 **현**: 弓–총8획: xuán

原文

弦: 弓弦也. 从弓, 象絲軫之形. 凡弦之屬皆从弦. 胡田切.

飜譯

'활의 시위(弓弦)'를 말한다. 궁(弓)이 의미부인데, 시위를 매는 곳을 실로 동여매어 놓은 모습을 그렸다(象絲軫之形).268) 현(弦)부수에 귀속된 글자들은 모두 현(弦)이 의미부이다. 독음은 호(胡)와 전(田)의 반절이다.

8466

盭: **盭**: 어그러질 **려**: 皿–총20획: lí

原文

盭: 弼戾也. 从弦省, 从盩. 讀若戾. 郞計切.

飜譯

'활이 어그러지다(弼戾)'라는 뜻이다. 현(弦)의 생략된 모습이 의미부이고, 주(盩)도 의미부이다. 려(戾)와 같이 읽는다. 독음은 랑(郞)과 계(計)의 반절이다.

---

268) 고문자에서 𢎜簡牘文 등으로 그렸다. 弓(활 궁)이 의미부고 玄(검을 현)이 소리부로, 실(玄)이 활(弓)에 매여진 것으로부터 '활의 시위'라는 뜻을 그렸으며, 이후 현악기의 줄이나 반월형을 지칭하기도 했다. 때로는 玄이 糸(가는 실 멱)으로 대체되어, 絃(악기 줄 현)으로 쓰기도 하는데 의미는 같다. 현대 중국에서는 絃의 간화자로도 쓰인다.

8467

𥾣: 鈔: 묘할 묘: 玄-총9획: miǎo

原文

𥾣: 急戾也. 从弦省, 少聲. 於霄切.

飜譯

'시위를 단단하게 매는 바람에 현이 어그러지다(急戾)'라는 뜻이다. 현(弦)의 생략된 모습이 의미부이고, 소(少)가 소리부이다. 독음은 어(於)와 소(霄)의 반절이다.

8468

𥾾: 鴶: 이루지 못하고 어그러질 예: 玄-총14획: yì

原文

𥾾: 不成, 遂急戾也. 从弦省, 曷聲. 讀若瘞葬. 於罽切.

飜譯

'일이 성사되지 않아 조급하고 어그러짐(不成, 遂急戾)'을 말한다. 현(弦)의 생략된 모습이 의미부이고, 갈(曷)이 소리부이다. 예장(瘞葬)이라고 할 때의 예(瘞)와 같이 읽는다. 독음은 어(於)와 계(罽)의 반절이다.

제466부수
466 ■ 계(系)부수

8469

系 : 系: 이을 계: 糸-총7획: xì

原文

系: 繫也. 从糸丿聲. 凡系之屬皆从系. 䌛, 系或从㱿、處. 𢏇, 籒文系从爪、絲. 胡計切.

飜譯

'실을 잡아매다(繫)'라는 뜻이다. 멱(糸)이 의미부이고 별(丿)이 소리부이다.269) 계(系)부수에 귀속된 글자들은 모두 계(系)가 의미부이다. 계(䌛)는 계(系)의 혹체자인데, 격(㱿)과 처(處)로 구성되었다. 계(𢏇)는 계(系)의 주문체인데, 조(爪)와 사(絲)로 구성되었다. 독음은 호(胡)와 계(計)의 반절이다.

8470

孫 : 孫: 손자 손: 子-총10획: sūn

原文

孫: 子之子曰孫. 从子从系. 系, 續也. 思魂切.

飜譯

'아들의 아들, 즉 손자(子之子)를 손(孫)이라 한다.' 자(子)가 의미부이고 계(系)도

---

269) 고문자에서 🖹🖹🖹 甲骨文 🖹🖹 金文 🖹古陶文 등으로 그렸다. 원래 손(爪·조)으로 실(糸)을 잡은 모습을 그렸는데, 爪가 삐침 획(丿)으로 줄어 지금처럼 되었다. 누에고치를 삶고 거기서 실을 뽑아내는 모습이며, 고치에서 나온 실들이 서로 연이어진 모습에서 '이어지다'의 뜻이 나왔다. 현대 중국에서는 繫(맬 계)나 係(걸릴 계)의 간화자로도 쓰인다.

의미부인데, 계(系)는 '계속 이어지다(續)'라는 뜻이다.270) 독음은 사(思)와 혼(魂)의 반절이다.

8471

縣: 縣: 햇솜 면·깃술 묘: 糸-총15획: mián

（原文）

縣: 聯微也. 从系从帛. 武延切.

（飜譯）

'미세한 실로 연결하다(聯微)'라는 뜻이다. 계(系)가 의미부이고 백(帛)도 의미부이다. 독음은 무(武)와 연(延)의 반절이다.

8472

繇: 繇: 말미암을 요: 糸-총18획: yáo

（原文）

繇: 隨從也. 从系䍃聲. 余招切.

（飜譯）

'따라가다(隨從)'라는 뜻이다. 계(系)가 의미부이고 요(䍃)가 소리부이다. 독음은 여(余)와 초(招)의 반절이다.

---

270) 고문자에서 [甲骨文] [金文] [古陶文] 盟書 [簡牘文] [古璽文] 등으로 그렸다. 원래 子(아들 자)와 糸(가는 실 멱)으로 구성되어, 실(糸)처럼 끊임없이 이어지는 손자(子)를 말하며, 이로부터 자손, 후손의 뜻이 나왔다. 소전체에서 糸을 系(이을 계)로 바꾸어 의미를 더욱 명확히 했고, 간화자에서는 系를 小(작을 소)로 바꾼 孙으로 써, 어린(小) 자손(子)이라는 뜻을 그렸다.

완역 설문해자

제13권
(상)

제467부수
467 ▪ 멱(糸)부수

8473

糸: 糸: 가는 실 사멱: 糸-총6획: mì

原文

糸: 細絲也. 象束絲之形. 凡糸之屬皆从糸. 讀若覛. ⅋, 古文糸. 莫狄切.

飜譯

'가는 실(細絲)'을 말한다. 비단 실타래를 묶어 놓은 모습을 그렸다(束絲之形). 멱(糸)부수에 귀속된 글자들은 모두 멱(糸)이 의미부이다. 맥(覛)과 같이 읽는다.1) 멱(⅋)은 멱(糸)의 고문체이다. 독음은 막(莫)과 적(狄)의 반절이다.

8474

繭: 繭: 고치 견: 糸-총19획: jiǎn

原文

繭: 蠶衣也. 从糸从虫, 萮省. 㡭, 古文繭从糸、見. 古典切.

---

1) 고문자에서 ⅋⅋甲骨文 ⅋金文 등으로 그렸다. 이의 중간은 꼰 실타래를, 아래위는 첫머리와 끝머리를 그렸는데, 지금은 실타래와 끝머리만 남았다. 그래서 糸은 비단실(silk)이 원래 뜻이며, 糸이 둘 모인 絲(실 사)와 대비해 '가는' 것을 말한다. 여기서 파생된 系(이을 계)는 삶은 고치에서 손(爪·조)으로 뽑아낼 때 실(糸)의 '연이어진' 모습을, 幺(작을 요)는 아래위의 머리가 없는 실타래만 그려 '작음'을 나타냈다. '실크(silk)'가 絲의 대역어인 것에서도 볼 수 있듯, 비단은 중국의 대표적 물산이었고 갑골문이 쓰였던 상나라 때 이미 이의 제조 공정과 관련 글자들이 여럿 등장할 정도로 일찍부터 중요하고 다양한 기능을 담당해 왔다. 이 때문에 糸으로 구성된 글자들은 繩(줄 승), 索(동아줄 삭), 縷(실 루), 紀(벼리 기)에서처럼 각종 '실', 經(날 경)이나 織(짤 직)에서처럼 '베 짜기', 紫(자줏빛 자), 綠(초록빛 록), 紅(붉을 홍), 紺(감색 감)에서처럼 베의 염색과 관련하여 각종 '색깔'을 나타내게 되었다.

⬛翻譯
'누에고치(繭衣)'를 말한다. 멱(糸)이 의미부이고 충(虫)과 치(屮)의 생략된 모습도 의미부이다.[2) 견(𧗸)은 견(繭)의 고문체인데, 멱(糸)과 견(見)으로 구성되었다. 독음은 고(古)와 전(典)의 반절이다.

8475

繅: 繅: 고치 켤 소: 糸-총17획: xiāo

⬛原文
繅: 繹繭爲絲也. 从糸巢聲. 穌遭切.

⬛翻譯
'누에고치를 뽑아 실을 만들다(繹繭爲絲)'라는 뜻이다. 멱(糸)이 의미부이고 소(巢)가 소리부이다. 독음은 소(穌)와 조(遭)의 반절이다.

8476

繹: 繹: 풀어낼 역: 糸-총19획: yì

⬛原文
繹: 抽絲也. 从糸睪聲. 羊益切.

⬛翻譯
'실을 뽑아내다(抽絲)'라는 뜻이다. 멱(糸)이 의미부이고 역(睪)이 소리부이다. 독음

---

2) 고문자에서 𧶠 簡牘文 등으로 그렸다. 원래는 爾(너 이)의 생략된 모습과 糸(가는 실 멱)과 虫(벌레 충)으로 구성되었다. 爾는 누에가 실을 토해 만든 고치의 모습으로 추정되는데, 글자를 구성하는 冖(덮을 멱)은 어떤 테두리를, 爻(효 효)는 실이 교차한 모습을, 나머지 윗부분은 실을 토해 내는 누에의 모습으로 해석할 수 있다. 또 糸은 누에가 만들어낸 '비단실'을, 虫은 누에의 상징이다. 이들이 합쳐지는 과정에서 형체가 약간 변해 繭이 되었으며, '누에고치'를 뜻한다. 달리 糸이 의미부이고 見(볼 견)이 소리부인 䌑으로, 혹은 누에고치를 그린 爾(너 이)와 벌레를 뜻하는 虫으로 구성된 蠒(누에고치 견)으로 쓰기도 한다. 간화자에서는 아랫부분을 虫으로 줄인 茧으로 쓴다.

은 양(羊)과 익(益)의 반절이다.

8477

緒: 緒: 실마리 서: 糸-총14획: xù

原文

緒: 絲耑也. 从糸者聲. 徐呂切.

繙譯

'실의 끝부분(絲耑)'을 말한다. 멱(糸)이 의미부이고 자(者)가 소리부이다. 독음은 서(徐)와 려(呂)의 반절이다.

8478

緬: 緬: 가는 실 면: 糸-총15획: miǎn

原文

緬: 微絲也. 从糸面聲. 彌沇切.

繙譯

'미세한 실(微絲)'을 말한다. 멱(糸)이 의미부이고 면(面)이 소리부이다. 독음은 미(彌)와 연(沇)의 반절이다.

8479

純: 純: 생사 순: 糸-총10획: chún

原文

純: 絲也. 从糸屯聲.『論語』曰: "今也純, 儉." 常倫切.

繙譯

'비단실(絲)'을 말한다. 멱(糸)이 의미부이고 둔(屯)이 소리부이다.3)『논어·자한(子罕)』에서 "오늘날 [의식용 모자를 만드는데] 생사를 사용하는 것은 검소함을 따랐기 때문이다.(今也純, 儉.)"라고 했다. 독음은 상(常)과 륜(倫)의 반절이다.

8480

綃: 綃: 생사 초: 糸-총13획: xiāo

<원문>

綃: 生絲也. 从糸肖聲. 相幺切.

<역주>

'[삶지 않은] 생사(生絲)'를 말한다. 멱(糸)이 의미부이고 초(肖)가 소리부이다. 독음은 상(相)과 요(幺)의 반절이다.

8481

緒: 緒: 굵은 실 개: 糸-총15획: kāi

<원문>

緒: 大絲也. 从糸皆聲. 口皆切.

<역주>

'굵은 실(大絲)'을 말한다. 멱(糸)이 의미부이고 개(皆)가 소리부이다. 독음은 구(口)와 개(皆)의 반절이다.

8482

統: 統: 실 만연할 황: 糸-총12획: huāng

<원문>

---

3) 고문자에서 ![甲骨文] 甲骨文 ![金文] 金文 ![簡牘文] 簡牘文 ![石刻古文] 石刻古文 등으로 그렸다. 糸(가는 실 멱)이 의미부고 屯(진 칠 둔)이 소리부로, 비단실(糸)을 말한다. 봄날 언덕에서 막 돋아나는 새싹(屯)처럼 아무런 무늬나 색을 더하거나 가공하지 않은 '純粹(순수)한' 비단실인 생사(糸)를 말하며, 이로부터 순수하다, 純潔(순결)하다의 뜻이 나왔다.

絖: 絲曼延也. 从糸尣聲. 呼光切.

(飜譯)

‘길게 늘어진 실(絲曼延)’을 말한다. 멱(糸)이 의미부이고 황(尣)이 소리부이다. 독음은 호(呼)와 광(光)의 반절이다.

8483

絎: 紇: 질 낮은 명주실 흘: 糸−총9획: hé

(原文)

絎: 絲下也. 从糸气聲.『春秋傳』有臧孫紇. 下沒切.

(飜譯)

‘질이 떨어지는 비단실(絲下)’을 말한다. 멱(糸)이 의미부이고 기(气)가 소리부이다. 『춘추전』(『좌전』 양공 23년, B.C. 550)에 장손흘(臧孫紇)이라는 사람이 보인다. 독음은 하(下)와 몰(沒)의 반절이다.

8484

紙: 紙: 실 찌꺼기 저: 糸−총11획: dī

(原文)

紙: 絲滓也. 从糸氏聲. 都兮切.

(飜譯)

‘실의 찌꺼기(絲滓)’를 말한다. 멱(糸)이 의미부이고 저(氏)가 소리부이다. 독음은 도(都)와 혜(兮)의 반절이다.

8485

絓: 絓: 걸릴 괘: 糸−총12획: guà

(原文)

絓: 繭滓絓頭也. 一曰以囊絮練也. 从糸圭聲. 胡卦切.

譯
'누에고치의 찌꺼기가 머리에 걸린 것(繭滓絓頭)'을 말한다.[4] 일설에는 '포대에 실이나 솜을 넣어 깨끗하게 빠는 것(以囊絮練)'을 말한다고도 한다. 멱(糸)이 의미부이고 규(圭)가 소리부이다. 독음은 호(胡)와 괘(卦)의 반절이다.

8486

纅: 纅: 색실 약: 糸-총21획: lì

原文
纅: 絲色也. 从糸樂聲. 以灼切.

譯
'색을 입힌 비단실(絲色)'을 말한다. 멱(糸)이 의미부이고 악(樂)이 소리부이다. 독음은 이(以)와 작(灼)의 반절이다.

8487

縗: 縗: 토리 쇄: 糸-총17획: suī

原文
縗: 著絲於筟車也. 从糸崔聲. 穌對切.

譯
'물레에 실을 얹는 것(著絲於筟車)'을 말한다. 멱(糸)이 의미부이고 최(崔)가 소리부이다. 독음은 소(穌)와 대(對)의 반절이다.

---

4) 『단주』에서 이렇게 말했다. "이는 고치를 켤 때 고치실에 매듭이 지어져, 엉기는 것이 생기는 것을 말한다(繅時繭絲成結, 有所絓礙). 여공이 실잣기를 마친 후 따로 정리하여 사용했기에, 이로부터 걸리다(挂礙)는 의미로 쓰이게 되었다. 『집운(集韵)』이나 『유편(類篇)』 등에서 모두 '繭滓也, 一曰絓頭.'라고 했는데 이는 고본(古本)을 인용한 것이다. '一曰絓頭'라고 한 것은 '일명 괘두라고 한다(一名絓頭)는 뜻이다."

8488

經: 經: 날 경: 糸-총13획: jīng

原文

經: 織也. 从糸巠聲. 九丁切.

飜譯

'베를 짤 때의 날줄(織)'을 말한다.[5] 멱(糸)이 의미부이고 경(巠)이 소리부이다.[6] 독음은 구(九)와 정(丁)의 반절이다.

8489

織: 織: 짤 직: 糸-총18획: zhī

原文

織: 作布帛之總名也. 从糸戠聲. 之弋切.

飜譯

'베나 비단의 총칭(作布帛之總名)'이다. 멱(糸)이 의미부이고 시(戠)가 소리부이다.[7] 독음은 지(之)와 익(弋)의 반절이다.

---

5) 『단주』에서 『태평어람(太平御覽)』(권826)에 근거해 볼 때 '從絲' 두 글자를 보충해 '織從絲也' 가 되어야 한다고 했다. 그래야만 정확한 해석이 된다. '從絲'는 '세로줄' 즉 '날줄'을 말한다.

6) 고문자에서 巠經巠金文 經軽經簡牘文 등으로 그렸다. 糸(가는 실 멱)이 의미부이고 巠(지하수 경)이 소리부로, 날실 즉 베틀(巠)의 세로 선(糸)을 말한다. 날실은 베를 짤 때 가장 중요하여, 날실의 분포가 베의 길이와 넓이와 조밀도를 결정한다. 이 때문에 일의 가장 중요한 부분, 변하지 않는 것 등을 뜻하게 되었고, 이로부터 經書(경서)나 經典(경전) 등의 뜻도 나왔다. 또 베를 짜듯 일이나 사람을 관리하고 운영함을 비유하게 되었다. 간화자에서는 经으로 쓴다.

7) 고문자에서 戠金文 織簡牘文 등으로 그렸다. 糸(가는 실 멱)이 의미부이고 戠(찰진 흙 시)가 소리부로, 비단실(糸)로 무늬를 새겨 넣으며(戠) 베를 짜는 것을 말한다. 간화자에서는 소리부 戠를 只(다만 지)로 간단히 바꾸어 织으로 쓴다.

8490

原文

絾: 絾: 베 짤 식: 糸-총12획: zhì, shì

飜譯

絾: 樂浪挈令, 織, 从糸从式.

飜譯

‘낙랑(樂浪) 지역에서는 나무판에다 새겨 둔 법령(挈令)’에서 직(織)자를 [식(絾)자로] 썼는데8), 멱(糸)이 의미부이고 식(式)도 의미부이다.

8491

紝: 紝: 짤 임: 糸-총10획: rèn

原文

紝: 機縷也. 从糸壬聲. 𢇍, 紝或从任. 如甚切.

飜譯

‘베틀로 베를 짜다(機縷)’라는 뜻이다. 멱(糸)이 의미부이고 임(壬)이 소리부이다. 임(𢇍) 은 임(紝)의 혹체자인데, 임(任)으로 구성되었다. 독음은 여(如)와 심(甚)의 반절이다.

8492

綜: 綜: 잉아 종: 糸-총14획: zōng, zèng

---

8) 『단주』에서 이렇게 말했다. “낙랑(樂浪)은 한(漢)나라의 유주(幽州)에 속하는 군(郡) 이름이다. 결령(挈令)에 대해서는 『한서·장탕전(張湯傳)』에 ‘정위결령(廷尉挈令)’이라는 말이 있는데, 위 소(韋昭)의 주석에서 나무판자에 글을 새기다는 뜻이라고 했다(在板挈也). 『후한서·응소전(應 劭傳)』에서는 ‘정위판령(廷尉板令)’이라 했고, 『사기』에서는 혈령(絜令)으로 적기도 했다. 『한 서·연왕단전(燕王旦傳)』에서는 또 ‘광록결령(光祿挈令)’이라 했는데, 결(挈)은 계(栔)가 되어야 옳다. 계(栔)는 새기다(刻)는 뜻이다. 낙랑군(樂浪郡)에서 나무판에 새겨둔 법령(栔於板之令)이 라는 말이다. 거기서는 직(織)자를 이렇게 썼다는 말이다. 이렇게 기록해 둔 것은 글자가 육서 의 법칙에는 분명히 부합하나 그렇게 사용할 수 없는 것이기 때문이었다. 이는 한나라 때의 법령(漢令)에서 력(鬲)자를 력(厤)으로 적었다 기록해 둔 것과 같은 이치이다.”

原文

綜: 機縷也. 从糸宗聲. 子宋切.

飜譯

'실을 교차시켜 베를 짜다(機縷)'라는 뜻이다.⁹⁾ 멱(糸)이 의미부이고 종(宗)이 소리부
이다. 독음은 자(子)와 송(宋)의 반절이다.

8493

綹: 綹: 끈목 류: 糸-총14획: liǔ

原文

綹: 緯十縷爲綹. 从糸咎聲. 讀若柳. 力久切.

飜譯

'열 가닥의 실로 꼰 끈(緯十縷)을 류(綹)라고 한다.' 멱(糸)이 의미부이고 구(咎)가
소리부이다. 류(柳)와 같이 읽는다. 독음은 력(力)과 구(久)의 반절이다.

8494

緯: 緯: 씨 위: 糸-총15획: wěi

原文

緯: 織橫絲也. 从糸韋聲. 云貴切.

飜譯

'베를 짤 때의 씨줄, 즉 가로줄(織橫絲)'을 말한다. 멱(糸)이 의미부이고 위(韋)가 소

---

9) 『단주』에서 이렇게 말했다. "이는 삼실로 만드는 포(布)와 비단실로 만드는 백(帛)을 겸해서
하는 말이기도 하다. 현응(玄應)의 책(『일체경음의』)에서 『설문』을 인용하여 '기루를 말한다
(機縷也)라고 했는데, 기루(機縷)는 실을 가지고 교차되게 짜는 것을 말한다.……또 『
삼창(三倉)』을 인용하여 종(綜)은 날줄을 갈무리하다(理經)는 뜻이라고 했는데, 이는 기루(機
縷)가 실로 서로 교차되게 짜는 것임을 말해 준다. 줄(繩)을 굽혀 날줄(經)을 갈무리하고 그것
으로 하여금 열거나 합치게(開合) 할 수 있게 했다. 지금도 이를 종(綜)이라 한다. 여기서 파
생되어 겸종(兼綜, 종합하다)이나 착종(錯綜, 뒤엉키다)의 뜻도 나오게 되었다."

리부이다.10) 독음은 운(云)과 귀(貴)의 반절이다.

8495

繜: 緷: 깃 다발 혼·곤: 糸-총15획: gǔn, yùn

原文

繜: 緯也. 从糸軍聲. 王問切.

譯譯

'베를 짤 때의 씨줄(緯)'을 말한다. 멱(糸)이 의미부이고 군(軍)이 소리부이다. 독음은 왕(王)과 문(問)의 반절이다.

8496

繢: 績: 수놓을 궤·토끝 회: 糸-총18획: guì

原文

績: 織餘也. 从糸貴聲. 胡對切.

譯譯

'베를 짜고 남은 자투리(織餘)'를 말한다.11) 멱(糸)이 의미부이고 귀(貴)가 소리부이다. 독음은 호(胡)와 대(對)의 반절이다.

---

10) 고문자에서 🖋🖋簡牘文 등으로 그렸다. 糸(가는 실 멱)이 의미부고 韋(에워쌀·다룸가죽 위)가 소리부로, 베를 짤 때의 가로로 들어가는 실(糸)을 말하며, 經(날 경)과 상대되는 개념으로 쓴다. 그래서 동서 방향을 緯라 하고 남북 방향을 經이라 한다. 또 經書(경서)와는 달리 견강부회한 말을 일삼는 책을 이와 상대하여 緯書라 부르기도 한다. 간화자에서는 韋를 韦로 줄인 纬로 쓴다.
11) 『단주』에서는 여기에 '一曰畫也(일설에는 밑그림을 말한다고도 한다)'라는 말을 『운회(韻會)』에 근거해 보충해 넣었다. 그리고 이렇게 말했다. "지금 전하는 소서(小徐, 서개)의 『계전(繫傳)』본에서는 이 부분이 모두 빠졌다. 그러나 황공소(黃公紹)가 『운회(韻會)』를 편찬할 때만 해도 아직 이 말이 존재했었다. 이로부터 소서본에 원래 이 네 글자가 있었음을 알 수 있다."

8497

統: 統: 큰 줄기 **통**: 糸-총12획: tǒng

原文

統: 紀也. 从糸充聲. 他綜切.

飜譯

'실의 벼리(紀)'를 말한다. 멱(糸)이 의미부이고 충(充)이 소리부이다.[12] 독음은 타(他)와 종(綜)의 반절이다.

8498

紀: 紀: 벼리 **기**: 糸-총9획: jì

原文

紀: 絲別也. 从糸己聲. 居擬切.

飜譯

'실의 다른 쪽 벼리(絲別)'를 말한다. 멱(糸)이 의미부이고 기(己)가 소리부이다.[13] 독음은 거(居)와 의(擬)의 반절이다.

8499

繦: 繦: 포대기 **강**: 糸-총17획: qiáng

原文

繦: 帑類也. 从糸强聲. 居兩切.

---

12) 糸(가는 실 멱)이 의미부고 充(찰 충)이 소리부로, 실(糸)의 첫머리를 말했는데, 이로부터 총괄하다, 우두머리, 계통, 전통 등의 뜻이 나왔다.

13) 己를 고문자에서 甲骨文 己金文 古陶文 簡牘文 帛書 등으로 그렸다. 糸(가는 실 멱)이 의미부이고 己(몸 기)가 소리부로, 끈을 그린 己가 일인칭 대명사로 가차되어 쓰이자 糸을 더해 분화한 글자이다. 새끼 매듭(己)으로 사건을 기록할 수 있는 줄(糸)을 말하며, 이로부터 사물의 뼈대나 중심이라는 뜻이 나왔다.

『繹譯』

'거칠게 짠 실(觕類)'을 말한다. 멱(糸)이 의미부이고 강(强)이 소리부이다. 독음은 거(居)와 량(兩)의 반절이다.

8500

纇 : 纇: 실마디 뢰: 糸-총21획: luì

『原文』

纇 : 絲節也. 从糸頪聲. 盧對切.

『繹譯』

'실의 마디(絲節)'를 말한다. 멱(糸)이 의미부이고 뢰(頪)가 소리부이다. 독음은 로(盧)와 대(對)의 반절이다.

8501

紿 : 紿: 속일 태: 糸-총11획: dài

『原文』

紿 : 絲勞卽紿. 从糸台聲. 徒亥切.

『繹譯』

'실이 낡은 것을 태(紿)라고 한다(絲勞卽紿).'14) 멱(糸)이 의미부이고 태(台)가 소리부이다. 독음은 도(徒)와 해(亥)의 반절이다.

8502

納 : 納: 바칠 납: 糸-총10획: nà

---

14) 『단주』에서 이렇게 말했다. "즉(卽)은 즉(則)이 되어야 옳다. 고서에서 즉(卽)과 즉(則)은 자주 잘못 쓰이곤 한다. '絲勞敝則爲紿(실이 낡으면 紿가 된다)'라고 했는데, 태(紿)는 사람이 게으른 것처럼 느슨해짐(怠)을 말한다. 옛날에는 자주 이(詒)로 가차되기도 했는데, 언(言)부수에서 이(詒)는 상대를 속이다(相欺詒)는 뜻이라고 했다."

原文

納 : 絲溼納納也. 从糸内聲. 奴荅切.

飜譯

'실이 습기를 먹어 축축함(絲溼納納)'을 말한다. 멱(糸)이 의미부이고 내(内)가 소리부이다.15) 독음은 노(奴)와 답(荅)의 반절이다.

8503

紡 : 紡: 자을 방: 糸-총10획: fǎng

原文

紡 : 網絲也. 从糸方聲. 妃兩切.

飜譯

'비단실로 짠 그물(網絲)'을 말한다.16) 멱(糸)이 의미부이고 방(方)이 소리부이다. 독음은 비(妃)와 량(兩)의 반절이다.

8504

絕 : 絕: 끊을 절: 糸-총12획: jué

原文

絕 : 斷絲也. 从糸从刀从卪. 𢇍, 古文絕. 象不連體, 絕二絲. 情雪切.

飜譯

'실을 잘라 끊다(斷絲)'라는 뜻이다. 멱(糸)이 의미부이고 도(刀)도 의미부이고 절(卪)

---

15) 고문자에서 甲骨文 金文 簡牘文 石刻古文 등으로 그렸다. 糸(가는 실 멱)이 의미부이고 内(안 내)가 소리부로, 비단(糸)을 들여오다(内)는 뜻을 담았으며, 이로부터 받아들이다, 바치다, 收納(수납)하다, 취하다 등의 뜻이 나왔다.

16) 『단주』에서는 '網絲也'로는 의미가 통하지 않는다고 하면서 '紡絲也'로 고쳤다. 그리고 이렇게 말했다. "당나라 판본에서는 망(網)을 요(拗)로 적었는데 더욱 오류이다. 지금 고쳐 쓴 '紡絲也'는 오늘날 사용하는 말이다." '紡絲也'가 되면 '실을 자다는 뜻이다'가 되어 매우 자연스럽다.

도 의미부이다.17) 절(

)은 절(絕)의 고문체인데, 물체가 끊긴 모습을 그렸으며, 두 가닥의 실을 끊은 모습이다. 독음은 정(情)과 설(雪)의 반절이다.

8505

繼: 繼: 이을 계: 糸-총20획: jì

(原文)

繼: 續也. 从糸、

. 一曰反

爲繼. 古詣切.

(飜譯)

'이어지게 하다(續)'라는 뜻이다. 멱(糸)과 계(

)가 모두 의미부이다. 일설에는 단(

)을 반대로 뒤집은 것이 계(繼)라고도 한다.18) 독음은 고(古)와 예(詣)의 반절이다.

8506

續: 續: 이을 속: 糸-총21획: xù

(原文)

續: 連也. 从糸賣聲. 賡, 古文續从庚、貝. 臣鉉等曰 : 今俗作古行切. 似足切.

(飜譯)

'연결하다(連)'라는 뜻이다. 멱(糸)이 의미부이고 매(賣)가 소리부이다. 속(賡)은 속(續)

---

17) 고문자에서

金文

簡牘文 등으로 그렸다. 원래는

으로 써 4개의 糸(가는 실 멱)과 刀(칼 도)로 구성되어, 칼(刀)로 실(糸)을 자르는 모습을 그려, '끊다'는 의미를 나타냈다. 소전체에서 들면서 소리부 卪(卩·병부 절)이 추가되어, 사람이 앉아(卩) 칼(刀)로 실(糸)을 자르는 모습을 강조했고, 이후 刀와 卩이 합쳐져 色(빛 색)으로 변해 지금의 자형이 되었다. 그래서 실(糸)을 칼(刀)로 끊다가 원래 뜻이며, 이로부터 斷絕(단절)되다, 끊기다 등의 뜻이 나왔고, 막다른 곳이라는 뜻도 나왔다. 이후 다시 絕對(절대)와 絕色(절색)의 뜻이 나왔고, 8구로 된 律詩(율시)의 절반을 끊어 만든 시라는 뜻에서 絕句(절구)를 뜻하기도 하였다.

18) 고문자에서

金文

簡牘文 등으로 그렸다. 糸(가는 실 멱)이 의미부이고

(이을 계)가 소리부로, '잇다'는 뜻이다. 이는 칼(刀·도)로 실(幺·작을 요)을 끊는 모습을 그린

(끊을 단·斷의 원래 글자)의 반대 모양인

로써 '끊어짐'의 반대 의미를 그렸고, 여기에 다시 糸을 더해 끊어진 것을 '실로 잇다'는 뜻을 나타냈다. 간화자에서는 继로 쓴다.

의 고문체인데, 경(庚)과 패(貝)로 구성되었다. 신(臣) 정현 등은 이렇게 생각합니다. "오늘날의 세속에서는 고(古)와 행(行)의 반절로 읽습니다. 독음은 사(似)와 족(足)의 반절이다.

8507

纘: 纘: 이을 찬: 糸-총25획: zuǎn

原文

纘: 繼也. 从糸贊聲. 作管切.

飜譯

'잇다(繼)'라는 뜻이다. 멱(糸)이 의미부이고 찬(贊)이 소리부이다. 독음은 작(作)과 관(管)의 반절이다.

8508

紹: 紹: 이을 소: 糸-총11획: shào

原文

紹: 繼也. 从糸召聲. 一曰紹, 緊糾也. 𦃟, 古文紹从邵. 市沼切.

飜譯

'잇다(繼)'라는 뜻이다. 멱(糸)이 의미부이고 소(召)가 소리부이다. 일설에는 소(紹)를 단단하게 묶다(緊糾)는 뜻으로 풀이하기도 한다. 소(𦃟)는 소(紹)의 고문체인데, 소(邵)로 구성되었다. 독음은 시(市)와 소(沼)의 반절이다.

8509

繟: 繟: 치우쳐 늘어질 천: 糸-총18획: chǎn

原文

繟: 偏緩也. 从糸羨聲. 昌善切.

翻譯

'한쪽으로 치우쳐 늘어지다(偏緩)'라는 뜻이다. 멱(糸)이 의미부이고 선(羨)이 소리부이다. 독음은 창(昌)과 선(善)의 반절이다.

8510

縊: 縊: 느슨할 정: 糸-총15획: tǐng, yíng, tīng

原文

縊: 緩也. 从糸盈聲. 讀與聽同. 縪, 縊或从呈. 他丁切.

翻譯

'느슨하다(緩)'라는 뜻이다. 멱(糸)이 의미부이고 영(盈)이 소리부이다. 청(聽)과 똑같이 읽는다. 정(縪)은 정(縊)의 혹체자인데, 정(呈)으로 구성되었다. 독음은 타(他)와 정(丁)의 반절이다.

8511

縱: 縱: 늘어질 종: 糸-총17획: zòng

原文

縱: 緩也. 一曰舍也. 从糸從聲. 足用切.

翻譯

'느슨하다(緩)'라는 뜻이다. 일설에는 '버리다(舍)'는 뜻이라고도 한다. 멱(糸)이 의미부이고 종(從)이 소리부이다. 독음은 족(足)과 용(用)의 반절이다.

8512

紓: 紓: 느슨할 서: 糸-총10획: shū

原文

紓: 緩也. 从糸予聲. 傷魚切.

飜譯

'느슨하다(緩)'라는 뜻이다. 멱(糸)이 의미부이고 여(予)가 소리부이다. 독음은 상(傷)과 어(魚)의 반절이다.

8513

繎: 繎: 실 약해질 연: 糸-총18획: rán

原文

繎: 絲勞也. 从糸然聲. 如延切.

飜譯

'실이 엉켜 정리하기가 힘들다(絲勞)'라는 뜻이다.[19] 멱(糸)이 의미부이고 연(然)이 소리부이다. 독음은 여(如)와 연(延)의 반절이다.

8514

紆: 紆: 굽을 우: 糸-총9획: yū

原文

紆: 詘也. 从糸于聲. 一曰縈也. 億俱切.

飜譯

'[실이] 구불구불하다(詘)'라는 뜻이다. 멱(糸)이 의미부이고 우(于)가 소리부이다. 일설에는 '얽히다(縈)'라는 뜻이라고도 한다. 독음은 억(億)과 구(俱)의 반절이다.

---

19) 『단주』에서 이렇게 말했다. "노(勞)를 『옥편(玉篇)』에서는 영(縈)으로 적었는데, 『옥편』이 맞다. 다음에 이어지는 우(紆)자와 의미가 비슷하기 때문이다. 혹자는 영(縈)자가 왜 여기에 배열되지 않았는가라고 묻기도 한다. 그것은 바로 뒤에서 나오는 쟁(縟)이나 영(縈)자 등은 끈(繩)이라는 의미와 관련되었고, 여기서 말하는 연(繎)이나 우(紆)는 실(絲)이라는 의미와 관련되었기 때문이다. 『광운(廣韵)』에서는 '실이 느슨해진 모양(絲勞皃)을 말한다'고 했다."

8515

絴: 絴: 곧을 행: 糸-총14획: xìng

原文

絴: 直也. 从糸幸聲. 讀若陘. 胡頂切.

飜譯

'[실이] 곧다(直)'라는 뜻이다. 멱(糸)이 의미부이고 행(幸)이 소리부이다. 형(陘)과 같이 읽는다. 독음은 호(胡)와 정(頂)의 반절이다.

8516

纖: 纖: 가늘 섬: 糸-총23획: xiān

原文

纖: 細也. 从糸䎬聲. 息廉切.

飜譯

'[실이] 가늘다(細)'라는 뜻이다. 멱(糸)이 의미부이고 섬(䎬)이 소리부이다.20) 독음은 식(息)과 렴(廉)의 반절이다.

8517

細: 細: 가늘 세: 糸-총11획: xì

原文

細: 微也. 从糸囟聲. 穌計切.

飜譯

'[실이] 가늘다(微)'라는 뜻이다. 멱(糸)이 의미부이고 신(囟)이 소리부이다.21) 독음은

---

20) 糸(가는 실 멱)이 의미부고 䎬(산 부추 섬)이 소리부로, 가는(䎬) 무늬를 가진 직물(糸)을 말하며, 이로부터 가늘다, 미세하다의 뜻이 나왔다. 간화자에서는 소리부 䎬을 千(일천 천)으로 간단하게 줄인 纤으로 쓴다.

소(穌)와 계(計)의 반절이다.

8518

繆: 繆: 깃술 묘: 糸-총15획: miáo

(原文)

繆: 旄絲也. 从糸苗聲.『周書』曰: "惟繆有稽." 武儦切.

(飜譯)

'깃대 장식에 쓰는 가는 실(旄絲)'을 말한다. 멱(糸)이 의미부이고 묘(苗)가 소리부이다.『서·주서·여형(呂刑)』에서 "[여러 범죄자들을 조사할 때에는] 잘 심문하고 또 잘 따져 보시오(惟繆有稽)"라고 했다. 독음은 무(武)와 표(儦)의 반절이다.

8519

縒: 縒: 실 엉킬 착ㆍ가지런하지 않을 치: 糸-총16획: cī

(原文)

縒: 參縒也. 从糸差聲. 楚宜切.

(飜譯)

'가지런하지 않다(參縒)'라는 뜻이다. 멱(糸)이 의미부이고 차(差)가 소리부이다. 독음은 초(楚)와 의(宜)의 반절이다.

8520

繙: 繙: 되풀이 풀이할 번: 糸-총18획: fán

---

21) 고문자에서 ☒ 簡牘文 등으로 그렸다. 원래는 糸(가는 실 멱)이 의미부고 囟(정수리 신)이 소리부로, 비단실(糸)의 가닥이나 머리카락(囟)처럼 '가늘다'는 뜻이었는데, 예서에서 囟이 형체가 비슷한 田(밭 전)으로 변해 지금의 자형이 되었다. 가늘다는 뜻으로부터 纖細(섬세)하다, 微細(미세)하다, 정교하다, 중요하지 않다 등의 뜻까지 나왔다.

(原文)

繙: 冕也. 从糸番聲. 附袁切.

(飜譯)

'뒤엉키다(冕)'라는 뜻이다.22) 멱(糸)이 의미부이고 번(番)이 소리부이다. 독음은 부(附)와 원(袁)의 반절이다.

8521

縮: 縮: 줄일 축: 糸-총17획: suō

(原文)

縮: 亂也. 从糸宿聲. 一曰蹴也. 所六切.

(飜譯)

'엉키어 어지럽다(亂)'라는 뜻이다. 멱(糸)이 의미부이고 숙(宿)이 소리부이다. 일설에는 '밟다(蹴)'라는 뜻이라고도 한다. 독음은 소(所)와 륙(六)의 반절이다.

8522

紊: 紊: 어지러울 문: 糸-총10획: wěn

(原文)

紊: 亂也. 从糸文聲. 『商書』曰: "有條而不紊." 亡運切.

(飜譯)

'엉키어 어지럽다(亂)'라는 뜻이다. 멱(糸)이 의미부이고 문(文)이 소리부이다. 『상서·반경(盤庚)』에서 "조리가 있어 어지럽지 않다(有條而不紊)"라고 했다. 독음은 망(亡)

---

22) 왕균의 『구두』에 의하면 면(冕)은 원(冤)이 되어야 옳으며, 앞의 표제자와 연이어 번원(繙冤)으로 읽어야 하며, 뒤엉키다는 뜻이라고 했다. 『단주』에서는 이렇게 말했다. "『옥편(玉篇)』에서 번(繙)은 원통하다(冤)는 뜻이라고 했다. 『집운(集韵)』에서 인용한 『설문』에서도 마찬가지이다. 아마도 번(繙)자가 중복되었기에 삭제했을 것인데, 번원(繙冤)이 첩운임을 알지 못했던 것이다."

과 운(運)의 반절이다.

8523

絟: 級: 등급 급: 糸-총10획: jí

原文

絟: 絲次弟也. 从糸及聲. 居立切.

飜譯

'실의 등급(絲次弟)'을 말한다. 멱(糸)이 의미부이고 급(及)이 소리부이다. 독음은 거(居)와 립(立)의 반절이다.

8524

總: 總: 거느릴 총: 糸-총17획: zǒng

原文

總: 聚束也. 从糸悤聲. 作孔切.

飜譯

'한데 모아서 묶다(聚束)'라는 뜻이다. 멱(糸)이 의미부이고 총(悤)이 소리부이다.[23] 독음은 작(作)과 공(孔)의 반절이다.

8525

纅: 纅: 묶을 국: 糸-총14획: jú

---

23) 고문자에서 𥾔𥾔簡牘文 등으로 그렸다. 糸(가는 실 멱)이 의미부고 悤(바쁠 총)이 소리부로, 실이나 머리 등을 한데 모아서 실(糸)로 묶는 것을 말했고, 이로부터 함께 모으다, 한데 모으다, 총괄하다, 개괄하다의 뜻이 나왔고, 언제나, 줄곧, 여하튼 간에 등의 뜻도 나왔다. 總角(총각)은 머리를 뿔(角)처럼 묶은(總) 사람이라는 뜻인데, 이는 결혼하지 않았음의 표지였다. 간화자에서는 总으로 간단하게 줄여 쓴다.

原文

臝: 約也. 从糸具聲. 居玉切.

飜譯

'묶다(約)'라는 뜻이다. 멱(糸)이 의미부이고 구(具)가 소리부이다. 독음은 거(居)와 옥(玉)의 반절이다.

8526

約: 約: 묶을 약: 糸-총9획: yuē

原文

約: 纏束也. 从糸勺聲. 於略切.

飜譯

'감아서 묶다(纏束)'라는 뜻이다. 멱(糸)이 의미부이고 작(勺)이 소리부이다. 독음은 어(於)와 략(略)의 반절이다.

8527

繚: 繚: 감길 료: 糸-총18획: liáo

原文

繚: 纏也. 从糸尞聲. 盧鳥切.

飜譯

'감다(纏)'라는 뜻이다. 멱(糸)이 의미부이고 료(尞)가 소리부이다. 독음은 로(盧)와 조(鳥)의 반절이다.

8528

纏: 纏: 얽힐 전: 糸-총21획: chán

原文

纏: 繞也. 从糸廛聲. 直連切.

飜譯

'얽어 묶다(繞)'라는 뜻이다. 멱(糸)이 의미부이고 전(廛)이 소리부이다. 독음은 직(直)과 련(連)의 반절이다.

8529

繞: 繞: 두를 요: 糸-총18획: rào

原文

繞: 纏也. 从糸堯聲. 而沼切.

飜譯

'감다(纏)'라는 뜻이다. 멱(糸)이 의미부이고 요(堯)가 소리부이다. 독음은 이(而)와 소(沼)의 반절이다.

8530

紾: 紾: 비틀 진: 糸-총11획: zhěn

原文

紾: 轉也. 从糸㐱聲. 之忍切.

飜譯

'돌려 꼬다(轉)'라는 뜻이다. 멱(糸)이 의미부이고 진(㐱)이 소리부이다. 독음은 지(之)와 인(忍)의 반절이다.

8531

繯: 繯: 엷은 비단 환얽을 현: 糸-총19획: huán

原文

縗: 落也. 从糸睘聲. 胡畎切.

譯

'실을 꼬아서 땋다(落)'라는 뜻이다.[24) 멱(糸)이 의미부이고 경(睘)이 소리부이다. 독음은 호(胡)와 견(畎)의 반절이다.

8532

辮: 辮: 땋을 변: 辛-총20획: biàn

原文

辮: 交也. 从糸辡聲. 頻犬切.

譯

'교차시켜 땋다(交)'라는 뜻이다. 멱(糸)이 의미부이고 변(辡)이 소리부이다. 독음은 빈(頻)과 견(犬)의 반절이다.

8533

結: 結: 맺을 결: 糸-총12획: jié

原文

結: 締也. 从糸吉聲. 古屑切.

譯

'맺다(締)'라는 뜻이다. 멱(糸)이 의미부이고 길(吉)이 소리부이다. 독음은 고(古)와 설(屑)의 반절이다.

---

24) 『단주』에 의하면, "락(落)은 오늘날의 락(絡)자이다. 옛날에는 락(落)을 빌려와서 썼고 락(絡)으로 쓰지는 않았다. 포락(包絡: 실을 꼬아서 땋다)을 말한다. 『장자(莊子)』의 '낙마수(落馬首)', 『한서(漢書)』의 '호락(虎落)'도 모두 락(落)으로 적었다. 나뭇잎이 떨어진다는 것(木落)은 바로 사물이 성장했음의 상징이다(物成之象). 그래서 낙성(落成)이라 하고, 포락(包落)이라 한다. 모두 성취(成就)라는 의미를 가져왔다."

8534

縎 : 縎: 맺힐 골: 糸-총16획: gǔ

原文

縎 : 結也. 从糸骨聲. 古忽切.

譯

'매듭을 지우다(結)'라는 뜻이다. 멱(糸)이 의미부이고 골(骨)이 소리부이다. 독음은 고(古)와 홀(忽)의 반절이다.

8535

締 : 締: 맺을 체: 糸-총15획: dì

原文

締 : 結不解也. 从糸帝聲. 特計切.

譯

'풀리지 않게 매듭을 지우다(結不解)'라는 뜻이다. 멱(糸)이 의미부이고 제(帝)가 소리부이다. 독음은 특(特)과 계(計)의 반절이다.

8536

縛 : 縛: 묶을 박: 糸-총16획: fù

原文

縛 : 束也. 从糸専聲. 符钁切.

譯

'묶다(束)'라는 뜻이다. 멱(糸)이 의미부이고 부(専)가 소리부이다. 독음은 부(符)와 곽(钁)의 반절이다.

8537

繃: 繃: 묶을 붕: 糸-총17획: bēng

원문

繃: 束也. 从糸崩聲.『墨子』曰: "禹葬會稽, 桐棺三寸, 葛以繃之." 補盲切.

번역

'묶다(束)'라는 뜻이다. 멱(糸)이 의미부이고 붕(崩)이 소리부이다.『묵자절장(節葬)』에서 "우 임금을 회계에 장사지냈는데, 오동나무로 만든 관의 두께가 세 치였고, 칡넝쿨로 묶었다.(禹葬會稽, 桐棺三寸, 葛以繃之.)"라고 했다. 독음은 보(補)와 맹(盲)의 반절이다.

8538

絿: 絿: 급박할 구: 糸-총13획: qiú

원문

絿: 急也. 从糸求聲.『詩』曰: "不競不絿." 巨鳩切.

번역

'조급하다(急)'라는 뜻이다. 멱(糸)이 의미부이고 구(求)가 소리부이다.『시·상송장발(長發)』에서 "다투지도 않고 서두르지도 않네(不競不絿)"라고 노래했다. 독음은 거(巨)와 구(鳩)의 반절이다.

8539

絅: 絅: 끌어 죌 경: 糸-총11획: jiǒng

원문

絅: 急引也. 从糸同聲. 古熒切.

번역

'급하게 끌어당기다(急引)'라는 뜻이다. 멱(糸)이 의미부이고 경(同)이 소리부이다.

독음은 고(古)와 형(熒)의 반절이다.

8540

紤 : 綵: 흐트러진 실 패: 糸-총12획: pài

原文

綵 : 散絲也. 从糸𣪊聲. 匹卦切.

飜譯

'흐트러진 실(散絲)'을 말한다. 멱(糸)이 의미부이고 파(𣪊)가 소리부이다. 독음은 필(匹)과 괘(卦)의 반절이다.

8541

纞 : 纞: 고르지 않을 라: 糸-총25획: luò

原文

纞 : 不均也. 从糸羸聲. 力臥切.

飜譯

'고르지 않다(不均)'라는 뜻이다. 멱(糸)이 의미부이고 리(羸)가 소리부이다. 독음은 력(力)과 와(臥)의 반절이다.

8542

給 : 給: 넉넉할 급: 糸-총12획: jǐ

原文

給 : 相足也. 从糸合聲. 居立切.

飜譯

'상대를 풍족하게 해주다(相足)'라는 뜻이다.[25] 멱(糸)이 의미부이고 합(合)이 소리부이다.[26] 독음은 거(居)와 립(立)의 반절이다.

8543

綝: 綝: 말릴 **침**: 糸-총14획: chēn

原文

綝: 止也. 从糸林聲. 讀若郴. 丑林切.

譒譯

'그치게 하다(止)'라는 뜻이다. 멱(糸)이 의미부이고 림(林)이 소리부이다. 침(郴)과 같이 읽는다. 독음은 축(丑)과 림(林)의 반절이다.

8544

縪: 縪: 그칠 **필**: 糸-총17획: bì

原文

縪: 止也. 从糸畢聲. 卑吉切.

譒譯

'그치게 하다(止)라는 뜻이다. 멱(糸)이 의미부이고 필(畢)이 소리부이다. 독음은 비(卑)와 길(吉)의 반절이다.

---

25) 『단주』에서 이렇게 말했다. "다른 사람 밑에 사는 것에 만족하려면 반드시 그 사람이 풍족해야 하고 그런 다음에 전체가 온전해질 수 있는 법이다(足居人下, 人必有足而後體全). 그래서 완족(完足, 완전무결하다)이라는 단어가 나왔다. 상족(相足)은 저들이 부족한 것을 여기서 풍족하게 해준다는 뜻이다. 그래서 합(合)이 의미부로 들게 되었다." 그러나 서호(徐灝)의 『설문해자주전(說文解字注箋)』에서는 '끊어진 실(糸)을 연결하여 이어 붙여 합치다(合)는 뜻'이라고 했고, 주준성의 『설문통훈정성』에서도 '서로 이어붙이다'는 뜻으로 해석해, 단옥재와 견해를 달리 했다.

26) 고문자에서 **[羚] [給]** 簡牘文 등으로 그렸다. 糸(가는 실 멱)이 의미부이고 合(합할 합)이 소리부로, 서호(徐灝)의 『설문해자주전(說文解字注箋)』에서 말한 것처럼 '끊어진 실(糸)을 연결하여 합치다(合)는 뜻'이며, 이로부터 넉넉하다, 풍족하다는 뜻이 나왔고, 다시 넉넉하도록 '주다', '供給(공급)하다'는 뜻도 나왔다.

8545

糿: 紈: 흰 비단 환: 糸-총9획: wán

原文

紈: 素也. 从糸丸聲. 胡官切.

譯

'흰 비단(素)'을 말한다. 멱(糸)이 의미부이고 환(丸)이 소리부이다. 독음은 호(胡)와
관(官)의 반절이다.

8546

終: 終: 끝날 종: 糸-총11획: zhōng

原文

終: 絿絲也. 从糸冬聲. 夃, 古文終. 職戎切.

譯

'급하게 묶다(絿絲)'라는 뜻이다.[27] 멱(糸)이 의미부이고 동(冬)이 소리부이다.[28] 종
(夃)은 종(綜)의 고문체이다. 독음은 직(職)과 융(戎)의 반절이다.

---

27) 『단주』에서는 이렇게 말했다. "구(絿)자는 오류일 것이라 생각한다. 아마도 다음에 이어지는
글자, 즉 집(緂)자가 잘못 들어온 것일 것이다. 서로 잇게 하다(相屬)는 뜻을 가져온 것이다. 『
광운(廣韵)』에서 종(終)은 극(極, 다하다)의 뜻이고, 궁(窮, 다하다)의 뜻이고, 경(竟, 다하다)의
뜻이라고 했다. 종(終)은 동(冬)으로 써야 할 것이다. 동(冬)은 사계절이 끝나는 계절이다. 그
래서 '다하다'라는 뜻이 나왔다. 세속에서는 사계절의 끝인 겨울을 동(冬), 다하다나 궁극 등
의 뜻을 종(終)으로 나누어 구분해 사용하고 있다. 그리하여 동(冬)은 그 파생의미를 상실하게
되었고, 종(終)은 그 본래의미를 잃게 되었다. 종(夃)이 있고서 동(夃, 冬의 고문체)이 있었으
며, 동(冬)자가 나오고서 그 다음에 종(終)자가 생겼다. 이것이 글자가 만들어지는 순서이다.
그러나 독음과 의미에 있어서는 종(終)의 고문체가 먼저 있었다."

28) 고문자에서 ⚇⚇⚇甲骨文 ⚇⚇⚇金文 ⚇⚇古陶文 ⚇⚇簡牘文 등으로 그렸다. 糸(가
는 실 멱)이 의미부고 冬(겨울 동)이 소리부로, 실(糸) 끝에 달린 실패(冬)를 그려, 베 짜기(糸)
를 하는 겨울(冬)이 계절의 '마지막'임을 그렸다. 이로부터 끝, 죽다, 궁극, 다하다는 뜻이 나
왔고, 또 12년을 헤아리는 시간 단위로도 쓰였다.

8547

繍: 緤: 합할 집·접: 糸-총18획: jié

原文

緤: 合也. 从糸从集. 讀若捷. 姊入切.

飜譯

'합하다(合)'라는 뜻이다. 멱(糸)이 의미부이고 집(集)도 의미부이다. 첩(捷)과 같이 읽는다. 독음은 자(姊)와 입(入)의 반절이다.

8548

繒: 繒: 비단 증: 糸-총18획: zēng

原文

繒: 帛也. 从糸曾聲. 綜, 籒文繒从宰省. 楊雄以爲漢律祠宗廟丹書告. 疾陵切.

飜譯

'비단(帛)'을 말한다. 멱(糸)이 의미부이고 증(曾)이 소리부이다.[29] 증(綜)은 증(繒)의 주문체인데, 재(宰)의 생략된 모습으로 구성되었다. 양웅(楊雄)에 의하면[30], 한나라

---

[29] 고문자에서 𦅻 𦅻古陶文 등으로 그렸다. 糸(가는 실 멱)이 의미부고 曾(일찍 증)이 소리부로, 가는 실(糸)을 겹겹이(曾) 교차시켜 만들어 낸 '비단'을 말한다.

[30] 양웅(B.C. 53~A.D. 18)은 전한 촉군(蜀郡, 사천성) 성도(成都) 사람으로, 자는 자운(子雲)이다. 어릴 때부터 배우기를 좋아했고, 많은 책을 읽었으며, 사부(辭賦)에도 뛰어났다. 청년시절에 동향의 선배인 사마상여(司馬相如)의 작품을 통해 배운 문장력을 인정받아, 성제(成帝) 때 궁정문인의 한 사람이 되었다. 40여 살 때 처음으로 경사(京師)에 가서 문장으로 부름을 받아, 성제의 여행에 수행하며 쓴 「감천부(甘泉賦)」과 「하동부(河東賦)」, 「우렵부(羽獵賦)」, 「장양부(長楊賦)」 등을 썼는데, 화려한 문장이면서도 성제의 사치를 꼬집는 풍자도 잊지 않았다. 이후 급사황문시랑(給事黃門侍郞)에 임명되었다. 나중에 왕망(王莽) 밑에서도 일해 대부(大夫)가 되었다. 천록각(天祿閣)에서 책을 교정했다. 시대에 적응하지 못한 자신의 불우한 원인을 묘사한 「해조(解嘲)」와 「해난(解難)」도 독특한 여운을 주는 산문이다. 학자로서 각 지방의 언어를 집성한 『방언(方言)』과 『역경(易經)』에 기본을 둔 철학서 『태현경(太玄經)』, 『논어』의 문체를 모방한 『법언(法言)』, 『훈찬편(訓纂篇)』 등을 저술했다.(『중국역대인명사전』)

때의 법률에서 종묘에 제사를 지낼 때 붉은 글씨로 써서 알린다고 했다. 독음은 질(疾)과 릉(陵)의 반절이다.

8549

繝: 繝: 비단 위: 糸-총15획: wèi

原文

繝: 繒也. 从糸胃聲. 云貴切.

飜譯

'비단(繒)'을 말한다. 멱(糸)이 의미부이고 위(胃)가 소리부이다. 독음은 운(云)과 귀(貴)의 반절이다.

8550

絩: 絩: 실 수효 조: 糸-총12획: dào, tiǎo

原文

絩: 綺絲之數也. 『漢律』曰: "綺絲數謂之絩, 布謂之總, 綬組謂之首." 从糸兆聲. 治小切.

飜譯

'무늬 있는 비단을 짜는 실 가닥의 숫자(綺絲之數)[비단의 올 쉬]'를 말한다. 한나라 때의 법률(漢律)에 "무늬 있는 비단을 짜는 올 수를 조(絩)라 하고, 베를 짜는 올 수를 총(總)이라 하고, 끈을 짜는 올 수를 수(首)라고 한다.(綺絲數謂之絩, 布謂之總, 綬組謂之首.)"라고 했다. 멱(糸)이 의미부이고 조(兆)가 소리부이다. 독음은 치(治)와 소(小)의 반절이다.

8551

綺: 綺: 비단 기: 糸-총14획: qǐ

原文

綺: 文繒也. 从糸奇聲. 袪彼切.

飜譯

'무늬가 놓인 비단(文繒)'을 말한다. 멱(糸)이 의미부이고 기(奇)가 소리부이다. 독음은 거(袪)와 피(彼)의 반절이다.

8552

縠: 縠: 주름 비단 곡: 糸-총16획: hú

原文

縠: 細縛也. 从糸彀聲. 胡谷切.

飜譯

'주름진 새하얀 비단(細縛)'을 말한다. 멱(糸)이 의미부이고 각(彀)이 소리부이다. 독음은 호(胡)와 곡(谷)의 반절이다.

8553

縛: 縛: 흴 전: 糸-총17획: zuān

原文

縛: 白鮮色也. 从糸專聲. 持沇切.

飜譯

'새하얀 비단(白鮮色)'을 말한다. 멱(糸)이 의미부이고 전(專)이 소리부이다. 독음은 지(持)와 연(沇)의 반절이다.

8554

縑: 縑: 합사 비단 겸: 糸-총16획: jiān

原文

縑: 幷絲繒也. 从糸兼聲. 古甛切.

飜譯

'두 세 가닥 실을 합쳐서 짠 비단(幷絲繒)[합사 비단]'을 말한다. 멱(糸)이 의미부이고 겸(兼)이 소리부이다. 독음은 고(古)와 첨(甛)의 반절이다.

8555

綈: 綈: 깁 제: 糸-총13획: tí

原文

綈: 厚繒也. 从糸弟聲. 杜兮切.

飜譯

'올이 굵은 비단(厚繒)'을 말한다. 멱(糸)이 의미부이고 제(弟)가 소리부이다. 독음은 두(杜)와 혜(兮)의 반절이다.

8556

練: 練: 익힐 련: 糸-총15획: liàn

原文

練: 湅繒也. 从糸柬聲. 郎甸切.

飜譯

'뜨거운 잿물에 비단을 불려 물에 빨다(湅繒)'라는 뜻이다. 멱(糸)이 의미부이고 간(柬)이 소리부이다. 독음은 랑(郎)과 전(甸)의 반절이다.

8557

縞: 縞: 명주 호: 糸-총16획: gǎo

原文

縞: 鮮色也. 从糸高聲. 古老切.

飜譯

'흰색 비단(鮮色)'을 말한다. 멱(糸)이 의미부이고 고(高)가 소리부이다. 독음은 고(古)와 로(老)의 반절이다.

8558

縭: 緦: 명주 시: 糸-총25획: shī

原文

縭: 粗緒也. 从糸璽聲. 式支切.

飜譯

'거칠게 짠 비단(粗緒)'을 말한다. 멱(糸)이 의미부이고 새(璽)가 소리부이다. 독음은 식(式)과 지(支)의 반절이다.

8559

紬: 紬: 명주 주: 糸-총11획: chóu

原文

紬: 大絲繒也. 从糸由聲. 直由切.

飜譯

'굵은 실로 짠 비단(大絲繒)'을 말한다. 멱(糸)이 의미부이고 유(由)가 소리부이다. 독음은 직(直)과 유(由)의 반절이다.

8560

縘: 縘: 발 고운 비단 계: 糸-총14획: qǐ

原文

闌: 致繒也. 一曰微幟, 信也, 有齒. 从糸𣬛聲. 康礼切.

飜譯

'결이 고운 비단(致繒)'을 말한다. 일설에는 '표식(微幟)'을 말하는데, 믿음의 상징(信)으로 쓰이며, 윗부분이 톱날처럼 들쑥날쑥하게 되었다(齒). 멱(糸)이 의미부이고 계(𣬛)가 소리부이다. 독음은 강(康)과 례(礼)의 반절이다.

8561

綾: 綾: 비단 릉: 糸-총14획: líng

原文

綾: 東齊謂布帛之細曰綾. 从糸夌聲. 力膺切.

飜譯

'동제(東齊) 지역에서는 가늘고 얇은 포백(布帛)을 릉(綾)이라 한다.' 멱(糸)이 의미부이고 릉(夌)이 소리부이다. 독음은 력(力)과 응(膺)의 반절이다.

8562

縵: 縵: 무늬 없는 비단 만: 糸-총17획: màn

原文

縵: 繒無文也. 从糸曼聲. 漢律曰: "賜衣者縵表白裏." 莫半切.

飜譯

'무늬가 들지 않은 비단(繒無文)'을 말한다. 멱(糸)이 의미부이고 만(曼)이 소리부이다. 한나라 때의 법률(漢律)에 의하면, "하사하는 옷의 겉감은 무늬가 들지 않은 비단으로 하고 안감은 흰색 비단으로 한다(賜衣者縵表白裏)"라고 했다. 독음은 막(莫)과 반(半)의 반절이다.

8563

繡: 수 수: 糸-총18획: xiù

原文

繡: 五采備也. 从糸肅聲. 息救切.

飜譯

'다섯 가지 색깔이 다 갖추어진 자수(五采備)'를 말한다. 멱(糸)이 의미부이고 숙(肅)이 소리부이다.31) 독음은 식(息)과 구(救)의 반절이다.

8564

絢: 무늬 현: 糸-총12획: xuàn

原文

絢: 『詩』云: "素以爲絢兮." 从糸旬聲. 許掾切.

飜譯

『시』에서 "흰색 바탕이 무늬를 더욱 빛나게 하는구나(素以爲絢兮)"라고 노래했다.32)

---

31) 고문자에서 繡簡牘文 등으로 그렸다. 糸(가는 실 멱)이 의미부고 肅(엄숙할 숙)이 소리부로, 비단(糸)에 정교하게 새겨 넣은 수(肅)를 말하며, 이로부터 수를 놓다, 실로 무늬를 넣다의 뜻이, 다시 수를 놓은 옷이나 모직물, 문신 등의 뜻도 나왔다. 간화자에서는 綉(수놓을 수)에 통합되었다.

32) 『단주』에서 이렇게 말했다. "이는 『일시(逸詩)』로, 『논어·팔일(八佾)』편에 보인다. 마융(馬融)에 의하면, 현(絢)은 문채가 나는 모양(文貌)을 말한다. 정현(鄭康成)의 『예기주(禮注)』에서는 화려하게 무늬가 든 것(采成文)을 현(絢)이라 한다고 했다. 『논어』에 대한 주석에서도 글자들이 모여 문장을 이루는 것(文成章)을 현(絢)이라 한다고 했다. 허신이 현(絢)자를 수(繡)와 회(繪)자 사이에 배치한 것은 오색으로 무늬를 이루었기 때문이다. 그래서 정현이 말한 의미와 거의 같다. 정현은 '회사후소(繪事後素)'에 대해서도 그림을 그릴 때에는 먼저 여러 색깔을 분포시켜 놓고, 그런 다음에 흰색으로 그들 사이를 구분하여, 무늬가 이루어지게 한다.(畫繪先布衆采, 然後以素分其閒, 以成其文.)라고 했다. 그러나 주자(朱子)는 후소(後素)를 흰색 바탕 다음에 채색을 한다(後於素)로 해석했다. 즉 먼저 흰색으로 바탕을 삼고 그런 다음에 여러 색으로 채색을 한다(先以粉地爲質, 而後施五采.)는 말이다. 허신이 순(絢)자를 수(繡)자와 회(繪)자 사이에 넣었는데, 수(繡)와 회(繪)에 대해 모두 다섯 가지 채색(五采)이라 풀이하였으니, 허신

멱(糸)이 의미부이고 순(旬)이 소리부이다. 독음은 허(許)와 연(掾)의 반절이다.

8565

繪: 繪: 그림 회: 糸-총19획: huì

원文

繪: 會五采繡也.『虞書』曰：“山龍華蟲作繪.”『論語』曰：“繪事後素.” 从糸會
聲. 黃外切.

翻譯

‘다섯 가지 색깔을 합쳐서 수를 놓다(會五采繡)’라는 뜻이다.『서·우서·고요모(皐陶謨)』
에서 “[해와 달과] 산과 용과 꽃과 벌레로 무늬를 만든다(山龍華蟲作繪)”라고 했다.『
논어·팔일(八佾)』에서도 “회사후소(繪事後素: 그림은 흰색 바탕 위에다 채색을 더하는 법이
다)”라고 했다. 멱(糸)이 의미부이고 회(會)가 소리부이다.33) 독음은 황(黃)과 외(外)의
반절이다.

8566

緀: 緀: 무늬 처: 糸-총14획: qī

원文

緀: 白文皃.『詩』曰：“緀兮斐兮, 成是貝錦.” 从糸妻聲. 七稽切.

翻譯

‘흰색 비단에 무늬를 놓은 모양(白文皃)’을 말한다.34)『시·소아·항백(巷伯)』에서 “얼
룩덜룩 아름답게, 조개무늬 비단이 짜였네(緀兮斐兮, 成是貝錦)”라고 노래했다. 멱
(糸)이 의미부이고 처(妻)가 소리부이다. 독음은 칠(七)과 계(稽)의 반절이다.

도 흰색 바탕에다 여러 색을 한다는 뜻을 받아들인 것이 아니겠는가?(蓋許用白受采之恉與)”
33) 糸(가는 실 멱)이 의미부고 會(모일 회)가 소리부로, 비단(糸)에다 놓은 채색 수를 말한다. 수
를 놓으려면 밑그림을 그려야 하기에, 그림을 그리다, 묘사하다, 繪畵(회화) 등의 뜻이 나왔다.
간화자에서는 會를 会로 줄여 绘로 쓴다.
34)『단주』에서는『운회』에 근거하여 백(白)을 백(帛)으로 고친다고 했다.

8567

絲: 絖: 쌀알을 수놓은 무늬 미: 糸-총12획: mí, mǐ

(原文)

絖: 繡文如聚細米也. 从糸从米, 米亦聲. 莫礼切.

(飜譯)

‘작은 쌀알을 모아 놓은 듯 세밀하게 놓은 수(繡文如聚細米)’를 말한다. 멱(糸)이 의미부이고 미(米)도 의미부인데, 미(米)는 소리부도 겸한다. 독음은 막(莫)과 례(礼)의 반절이다.

8568

絹: 絹: 명주 견: 糸-총13획: juàn

(原文)

絹: 繒如麥䅌. 从糸昌聲. 吉掾切.

(飜譯)

‘청보리 색을 띤 비단(繒如麥䅌)’을 말한다. 멱(糸)이 의미부이고 연(昌)이 소리부이다. 독음은 길(吉)과 연(掾)의 반절이다.

8569

綠: 綠: 푸를 록: 糸-총14획: lù

(原文)

綠: 帛青黃色也. 从糸彔聲. 力玉切.

(飜譯)

‘청황색을 띤 비단(帛青黃色)’을 말한다. 멱(糸)이 의미부이고 록(彔)이 소리부이다.35) 독음은 력(力)과 옥(玉)의 반절이다.

8570

縹: 縹: 옥색 표: 糸-총17획: piāo

<原文>

縹: 帛青白色也. 从糸票聲. 敷沼切.

<飜譯>

'청백색을 띤 비단(帛青白色)'을 말한다. 멱(糸)이 의미부이고 표(票)가 소리부이다. 독음은 부(敷)와 소(沼)의 반절이다.

8571

繍: 繍: 옥색 비단 육: 糸-총13획: huò, yù

<原文>

繍: 帛青經縹緯. 一曰育陽染也. 从糸育聲. 余六切.

<飜譯>

'청색의 날실[세로 방향의 실]과 청백색의 씨실[가로 방향의 실]로 짠 비단(帛青經縹緯)'을 말한다. 일설에는 '육양(育陽) 지역에서 나는 염색한 베'를 말한다고도 한다.[36] 멱(糸)이 의미부이고 육(育)이 소리부이다. 독음은 여(余)와 륙(六)의 반절이다.

8572

絑: 絑: 붉을 주: 糸-총12획: zhū

---

35) 고문자에서 甲骨文 簡牘文 등으로 그렸다. 糸(가는 실 멱)이 의미부이고 彔(나무 깎을 록)이 소리부로, 파란색과 노란색을 섞어 만든 초록빛의 비단(糸)을 말했는데, 이후 초록색의 통칭으로 쓰였다. 간화자에서는 绿으로 쓴다.

36) 『단주』에서 이렇게 말했다. "육양(育陽)은 한나라 때 남군(南郡)에 속한 현(縣)으로, 육수(育水)의 북쪽에 있었다. 그래서 육양(育陽)이라 불렸다. 육(育)과 육(繍)은 첩운 관계에 있다. 육수(育水)를 수(水)부수에서는 육수(淯水)라 적었다." 지금은 육양(淯陽)으로 적으며, 지금의 하남성 남양시(南陽市) 완성구(宛城區) 와점진(瓦店鎮) 일대를 말한다.

原文

絑 : 純赤也. 『虞書』"丹朱"如此. 从糸朱聲. 章俱切.

飜譯

'순수한 적색(純赤)'을 말한다. 『서·우서·고요모(皋陶謨)』에서 "[요 임금의 아들인] 단주(丹朱)"의 주(朱)자가 이와 같다고 했다. 멱(糸)이 의미부이고 주(朱)가 소리부이다. 독음은 장(章)과 구(俱)의 반절이다.

8573

纁 : 纁: 분홍빛 훈: 糸-총20획: xūn

原文

纁 : 淺絳也. 从糸熏聲. 許云切.

飜譯

'옅은 붉은색 즉 분홍색(淺絳)'을 말한다. 멱(糸)이 의미부이고 훈(熏)이 소리부이다. 독음은 허(許)와 운(云)의 반절이다.

8574

絀 : 絀: 물리칠 출: 糸-총11획: chù

原文

絀 : 絳也. 从糸出聲. 丑律切.

飜譯

'짙은 붉은색(絳)'을 말한다. 멱(糸)이 의미부이고 출(出)이 소리부이다. 독음은 축(丑)과 률(律)의 반절이다.

8575

絳 : 絳: 진홍 강: 糸-총12획: jiàng

原文

絳: 大赤也. 从糸夆聲. 古巷切.

飜譯

'매우 진한 붉은색(大赤)'을 말한다. 멱(糸)이 의미부이고 강(夆)이 소리부이다. 독음은 고(古)와 항(巷)의 반절이다.

8576

綰: 綰: 얽을 관: 糸-총14획: wǎn

原文

綰: 惡也, 絳也. 从糸官聲. 一曰綃也. 讀若雞卵. 烏版切.

飜譯

'조잡한 붉은색(惡絳)'을 말한다.[37] 멱(糸)이 의미부이고 관(官)이 소리부이다. 일설에는 '생사(綃)'를 말한다고도 한다. 계란(雞卵)이라고 할 때의 란(卵)과 같이 읽는다. 독음은 오(烏)와 판(版)의 반절이다.

8577

縉: 縉: 꽂을 진: 糸-총16획: jìn

原文

縉: 帛赤色也. 『春秋傳』"縉雲氏", 『禮』有"縉緣". 从糸晉聲. 卽刃切.

飜譯

'붉은색 비단(帛赤色)'을 말한다. 『춘추전』(『좌전』 문공 18년, B.C. 609)에 "[옛날의 제왕] 진운씨(縉雲氏)"[38]라고 했고, 『예(禮)』[39]에 "진연(縉緣)"이라는 말이 나온다. 멱

---

37) 『단주』의 교정을 따라 "惡絳也"로 고친다. 그는 이렇게 말했다. "각 판본에서 악(惡)자 다음에 야(也)자가 더 들어갔는데, 지금 삭제한다. 이는 비(粃)자의 설명에서 악미(惡米: 질이 나쁜 쌀)를 말한다. 혹은 계(繫)자의 설명에서 악서(惡絮: 질이 떨어지는 솜)를 말한다고 한 것과 같다. 그래서 이는 조잡한 붉은색(絳色之惡者)을 말한다."

(糸)이 의미부이고 진(晉)이 소리부이다. 독음은 즉(即)과 인(刃)의 반절이다.

8578

絸: 絸: 붉은 비단 천: 糸-총14획: qiàn

原文

絸: 赤繒也. 以⁴⁰⁾茜染, 故謂之絸. 从糸青聲. 倉絢切.

飜譯

'붉은색 비단(赤繒)'을 말한다. 꼭두서니 풀(茜: 천)로 색을 들였기 때문에 천(絸)이라 한다. 멱(糸)이 의미부이고 청(青)이 소리부이다. 독음은 창(倉)과 현(絢)의 반절이다.

8579

緹: 緹: 붉은 비단 제: 糸-총15획: tí

原文

緹: 帛丹黄色. 从糸是聲. 祇, 緹或从氏. 他禮切.

飜譯

'주황색 비단(帛丹黄色)'을 말한다. 멱(糸)이 의미부이고 시(是)가 소리부이다. 제(祇)는 제(緹)의 혹체자인데, 씨(氏)로 구성되었다. 독음은 타(他)와 례(禮)의 반절이다.

8580

縓: 縓: 분홍빛 전: 糸-총16획: quán

---

38) 진운씨(縉雲氏)는 황제(黄帝) 때의 관직 이름이라 하기도 하고, 혹자는 황제(黄帝)의 호라고 하기도 한다. '전설시대'의 씨족 혹은 부락으로서의 진운씨(縉雲氏)는 『좌전(左傳)』 문공(文公) 18년 조에 처음 보이는데, 진운씨(縉雲氏)는 "염제(炎帝)의 후손(苗裔)"으로, "황제(黄帝) 때 진운(縉雲)이라는 관직을 맡았었다"라고 했다.
39) 『단주』에서 이렇게 말했다. "허신이 말한 『예(禮)』는 『예경(禮經)』 즉 오늘날 말하는 『의례(儀禮)』를 말한다. 『의례』의 제17편에는 진연(縉緣)이라는 언급이 없다. 고증이 필요하다."
40) 『단주』에서는 종(从)으로 되었다.

原文

緗: 帛赤黃色. 一染謂之縓, 再染謂之䞓, 三染謂之纁. 从糸原聲. 七絹切.

飜譯

'적황색 비단(帛赤黃色)'을 말한다. 한 번 색을 들인 것을 전(縓)이라 하고, 두 번 들인 것을 정(䞓)이라 하고, 세 번 들인 것을 훈(纁)이라 한다. 멱(糸)이 의미부이고 원(原)이 소리부이다. 독음은 칠(七)과 견(絹)의 반절이다.

8581

紫: 紫: 자줏빛 자: 糸-총11획: zǐ

原文

紫: 帛青赤色. 从糸此聲. 將此切.

飜譯

'청적색 비단(帛青赤色)'을 말한다. 멱(糸)이 의미부이고 차(此)가 소리부이다.41) 독음은 장(將)과 차(此)의 반절이다.

8582

紅: 紅: 붉을 홍: 糸-총9획: hóng

原文

紅: 帛赤白色. 从糸工聲. 戶公切.

飜譯

'적백색 비단(帛赤白色)'을 말한다. 멱(糸)이 의미부이고 공(工)이 소리부이다. 독음은 호(戶)와 공(公)의 반절이다.

---

41) 고문자에서 [金文], [簡牘文] 등으로 그렸다. 糸(가는 실 멱)이 의미부이고 此(이 차)가 소리부로, 자주색 비단(糸)을 말하며, 이로부터 '자주색'을 뜻하게 되었다.

8583

繱: 繱: 비단의 푸른 빛깔 총: 糸-총21획: cōng

原文

繱: 帛青色. 从糸蔥聲. 倉紅切.

譯

'청색 비단(帛青色)'을 말한다. 멱(糸)이 의미부이고 총(蔥)이 소리부이다. 독음은 창(倉)과 홍(紅)의 반절이다.

8584

紺: 紺: 감색 감: 糸-총11획: gàn

原文

紺: 帛深青揚赤色. 从糸甘聲. 古暗切.

譯

'깊은 청색을 띠면서 붉은색 빛이 나는 비단(帛深青揚赤色)'을 말한다. 멱(糸)이 의미부이고 감(甘)이 소리부이다. 독음은 고(古)와 암(暗)의 반절이다.

8585

綥: 綥: 연둣빛 기: 糸-총14획: qì

原文

綥: 帛蒼艾色. 从糸畀聲.『詩』: "縞衣綥巾." 未嫁女所服. 一曰不借綥. 蕢, 綥或从其. 渠之切.

譯

'쑥색의 푸른 비단(帛蒼艾色)'을 말한다. 멱(糸)이 의미부이고 비(畀)가 소리부이다.『시·위풍·출기동문(出其東門)』에서 "흰 옷에 푸른 수건 쓴 처자(縞衣綥巾)"라고 노래했는데, 시집가지 않은 여자가 입는 옷을 말한다. 일설에는 '불차기(不借綥)'를 말한다고도 한다.42) 기(藄)는 기(綥)의 혹체자인데, 기(其)로 구성되었다. 독음은 거(渠)와 지(之)의 반절이다.

8586

繰: 繰: 야청 통견 조·고치 켤 소: 糸-총19획: zǎo

原文

繰: 帛如紺色. 或曰: 深繒. 从糸喿聲. 讀若喿. 親小切.

飜譯

'감색 비단(帛如紺色)'을 말한다. 혹자는 '진한 감색 비단(深繒)'을 말한다고도 한다. 멱(糸)이 의미부이고 소(喿)가 소리부이다. 소(喿)와 같이 읽는다. 독음은 친(親)과 소(小)의 반절이다.

8587

緇: 緇: 검은 비단 치: 糸-총14획: zī

原文

緇: 帛黑色. 从糸甾聲. 側持切.

飜譯

'검은색 비단(帛黑色)'을 말한다. 멱(糸)이 의미부이고 치(甾)가 소리부이다. 독음은 측(側)과 지(持)의 반절이다.

---

42) 불차기(不借綥)는 초혜반(艸鞵襻), 즉 '짚신의 끈'을 말한다. 옛날 초혜(草鞋) 중 비단으로 만든 것을 리(履), 베로 만든 것을 불차(不借)라고 했다. 황생(黃生)의 『자고(字詁)』에 의하면, 불차(不借)를 『제민요술(齊民要術)』에서는 불석(不惜)으로 적었는데, 극히 보잘 것 없는 존재라 진흙땅에 더럽혀져도 '아깝지 않다'는 뜻을 담았으며, 불석(不惜)이 불차(不借)로 잘못 전해진 것이라고 했다. 그러나 『단주』에서는 『급취편(急就篇)』에서 이미 불차(不借)라 적었고, 『이아·석명(釋名)』에서 박석(搏腊)이라 적었다고 했다. 불차(不借)에 대해 혹자는 너무나 일상적인 것이어서 '빌릴 수 없는 것'이라는 의미를 담았다고 하기도 한다.

8588

纔: 纔: 겨우 재·참새머리 빛 비단 삼: 糸-총23획: cái

原文

纔: 帛雀頭色. 一曰微黑色, 如紺. 纔, 淺也. 讀若讒. 从糸毚聲. 七咸切.

飜譯

'참새 머리색을 띤 비단(帛雀頭色)'을 말한다. 일설에는 '약한 검은색(微黑色)'이라고도 한다. 감색(紺)과 비슷하나, 재(纔)는 더 연한 색이다(淺). 참(讒)과 같이 읽는다. 멱(糸)이 의미부이고 참(毚)이 소리부이다. 독음은 칠(七)과 함(咸)의 반절이다.

8589

綝: 綝: 청백색 비단 담: 糸-총16획: tǎn

原文

綝: 帛騅色也. 从糸剡聲. 『詩』曰: "毳衣如綝." 土敢切.

飜譯

'오추마, 즉 검푸른 털에 흰색 털이 섞인 말 색깔의 비단(帛騅色)'을 말한다. 멱(糸)이 의미부이고 섬(剡)이 소리부이다. 『시·왕풍·대거(大車)』에서 "부드럽고 오추마 색 비단 옷 입었도다(毳衣如綝)"라고 노래했다. 독음은 토(土)와 감(敢)의 반절이다.

8590

綟: 綟: 연둣빛 려: 糸-총14획: lì

原文

綟: 帛戾艸染色. 从糸戾聲. 郎計切.

飜譯

'강아지 풀(莫)로 물들인 색이 나는 비단(帛戾艸染色)'을 말한다.43) 멱(糸)이 의미부이고 려(戾)가 소리부이다. 독음은 랑(郎)과 계(計)의 반절이다.

8591

紑: 紑: 산뜻할 부: 糸-총10획: fóu

原文

紑: 白鮮衣皃. 从糸不聲.『詩』曰：“素衣其紑.” 匹丘切.

飜譯

‘깨끗하고 선명한 흰옷의 모습(白鮮衣皃)’을 말한다. 멱(糸)이 의미부이고 불(不)이 소리부이다. 『시·주송사의(絲衣)』에서 “제복은 정결하고(素衣其紑)”라고 노래했다.44) 독음은 필(匹)과 구(丘)의 반절이다.

8592

緂: 緂: 옷 채색 선명할 담: 糸-총14획: tān

原文

緂: 白鮮衣皃. 从糸炎聲. 謂衣采色鮮也. 充三切.

飜譯

‘깨끗하고 선명한 흰옷의 모습(白鮮衣皃)’을 말한다. 멱(糸)이 의미부이고 염(炎)이 소리부이다. 이는 의복의 색깔이 선명함을 말한 것이다. 독음은 충(充)과 삼(三)의 반절이다.

8593

繻: 繻: 고운 명주 수: 糸-총20획: xù

原文

繻: 繒采色. 从糸需聲. 讀若『易』“繻有衣”. 相俞切.

---

43) 여초(戾草)는 달리 낭미초(狼尾草)라 하는데, 강아지풀을 말한다.
44) 소의(素衣)는 금본 『시경』에서는 사의(絲衣)로 되었는데, 제사 때 입는 옷을 말한다.

飜譯

‘채색 비단(繒采色)’을 말한다. 멱(糸)이 의미부이고 수(需)가 소리부이다. 『역·기제(旣濟)』(육사효)에서 말한 “수유의(繻有衣)”[45]라고 할 때의 수(繻)와 같이 읽는다. 독음은 상(相)과 유(俞)의 반절이다.

8594

縟: 縟: 화문 놓을 욕: 糸-총16획: rù

原文

縟: 繁采色也. 从糸辱聲. 而蜀切.

飜譯

‘번잡한 오색 무늬(繁采色)’를 말한다. 멱(糸)이 의미부이고 욕(辱)이 소리부이다. 독음은 이(而)와 촉(蜀)의 반절이다.

8595

纚: 纚: 갓끈 리·머리싸개 사: 糸-총25획: lì, shǐ

原文

纚: 冠織也. 从糸麗聲. 所綺切.

飜譯

‘갓을 쓸 때 머리를 묶는데 쓰도록 짠 띠(冠織)’를 말한다. 멱(糸)이 의미부이고 려(麗)가 소리부이다. 독음은 소(所)와 기(綺)의 반절이다.

8596

紘: 紘: 갓끈 굉: 糸-총10획: hóng

---

45) 『역·기제(旣濟)』(육사효)에서 “수유의(繻有衣) 즉 ‘물이 새는데 천을 가지고’, 종일계(終日戒) 즉 ‘종일토록 경계함이니라.’라고 했다.

原文

絃: 冠卷也. 从糸厷聲. 紭, 絃或从弘. 戶萌切.

飜譯

'갓의 끈(冠卷)'을 말한다. 멱(糸)이 의미부이고 굉(厷)이 소리부이다. 굉(紭)은 굉(絃)의 혹체자인데, 홍(弘)으로 구성되었다. 독음은 호(戶)와 맹(萌)의 반절이다.

8597

紞: 紞: 귀막이 끈 담: 糸-총10획: dǎn

原文

紞: 冕冠塞耳者. 从糸冘聲. 都感切.

飜譯

'갓이나 면류관의 양쪽으로 매다는 귀막이 옥을 매는 끈(冕冠塞耳者)'을 말한다. 멱(糸)이 의미부이고 유(冘)가 소리부이다. 독음은 도(都)와 감(感)의 반절이다.

8598

纓: 纓: 갓끈 영: 糸-총23획: yīng

原文

纓: 冠系也. 从糸嬰聲. 於盈切.

飜譯

'갓의 끈(冠系)'을 말한다. 멱(糸)이 의미부이고 영(嬰)이 소리부이다. 독음은 어(於)와 영(盈)의 반절이다.

8599

紻: 紻: 갓끈 앙: 糸-총11획: yǎng

原文

紻: 纓卷也. 从糸央聲. 於兩切.

飜譯

'갓의 끈(纓卷)'을 말한다. 멱(糸)이 의미부이고 앙(央)이 소리부이다. 독음은 어(於)와 량(兩)의 반절이다.

8600

緌: 緌: 갓끈 유: 糸-총14획: ruí

原文

緌: 系冠纓也. 从糸委聲. 儒隹切.

飜譯

'갓을 매는 끈(系冠纓)'을 말한다. 멱(糸)이 의미부이고 위(委)가 소리부이다. 독음은 유(儒)와 추(隹)의 반절이다.

8601

緄: 緄: 띠 곤: 糸-총14획: gǔn

原文

緄: 織帶也. 从系昆聲. 古本切.

飜譯

'짜서 만든 띠(織帶)'를 말한다. 계(系)가 의미부이고 곤(昆)이 소리부이다. 독음은 고(古)와 본(本)의 반절이다.

8602

紳: 紳: 큰 띠 신: 糸-총11획: shēn

原文

紳: 大帶也. 从糸申聲. 失人切.

翻譯

'큰 띠(大帶)'를 말한다. 멱(糸)이 의미부이고 신(申)이 소리부이다. 독음은 실(失)과 인(人)의 반절이다.

8603

紆: 紆: 띠 늘어질 천: 糸-총18획: chén

原文

紆: 帶緩也. 从糸單聲. 昌善切.

翻譯

'띠를 느슨하게 풀어 늘어지게 하다(帶緩)'라는 뜻이다. 멱(糸)이 의미부이고 단(單)이 소리부이다. 독음은 창(昌)과 선(善)의 반절이다.

8604

綬: 綬: 인끈 수: 糸-총14획: shòu

原文

綬: 韍維也. 从糸受聲. 植酉切.

翻譯

'폐슬을 허리띠에 매는 끈(韍維)'을 말한다. 멱(糸)이 의미부이고 수(受)가 소리부이다. 독음은 식(植)과 유(酉)의 반절이다.

8605

組: 組: 끈 조: 糸-총11획: zǔ

原文

組: 綬屬. 其小者以爲冕纓. 从糸且聲. 則古切.

飜譯

'인끈의 일종(綬屬)'이다. 작은 것은 면류관의 끈으로도 쓴다. 멱(糸)이 의미부이고 차(且)가 소리부이다. 독음은 칙(則)과 고(古)의 반절이다.

8606

縞: 縞: 자청색 인끈 왜: 糸-총15획: guā

原文

縞: 綬紫青也. 从糸咼聲. 古蛙切.

飜譯

'자청색의 인끈(綬紫青)'을 말한다. 멱(糸)이 의미부이고 괘(咼)가 소리부이다. 독음은 고(古)와 와(蛙)의 반절이다.

8607

縌: 縌: 인끈 역: 糸-총16획: nì

原文

縌: 綬維也. 从糸逆聲. 宜戟切.

飜譯

'인끈(綬維)'을 말한다. 멱(糸)이 의미부이고 역(逆)이 소리부이다. 독음은 의(宜)와 극(戟)의 반절이다.

8608

纂: 纂: 모을 찬: 糸-총20획: zuǎn

原文

纂: 似組而赤. 从糸算聲. 作管切.

飜譯

'조(組)라는 인끈과 비슷하나 붉은색이다.' 멱(糸)이 의미부이고 산(算)이 소리부이다.46) 독음은 작(作)과 관(管)의 반절이다.

8609

紐: 纽: 끈 뉴: 糸-총10획: niǔ

原文

紐: 系也. 一曰結而可解. 从糸丑聲. 女久切.

飜譯

'실로 매다(系)'라는 뜻이다. 일설에는 '풀 수 있도록 묶은 매듭(結而可解)'을 말한다고도 한다. 멱(糸)이 의미부이고 축(丑)이 소리부이다. 독음은 녀(女)와 구(久)의 반절이다.

8610

綸: 纶: 낚싯줄 륜: 糸-총14획: lún

原文

綸: 青絲綬也. 从糸侖聲. 古還切.

飜譯

'푸른 실로 만든 인끈(青絲綬)'을 말한다. 멱(糸)이 의미부이고 륜(侖)이 소리부이다.47) 독음은 고(古)와 환(還)의 반절이다.

---

46) 糸(가는 실 멱)이 의미부고 算(셀 산)이 소리부로, 여러 사람의 글을 계산해(算)가며 한데 모아 실(糸)로 '엮어' 책을 만드는 것을 말하며 이로부터 編纂(편찬)의 뜻이 나왔다. 달리 纂이나 缵 등으로도 쓴다.

47) 糸(가는 실 멱)이 의미부고 侖(둥글 륜)이 소리부로, 낚싯줄이나 현악기의 줄 등 여러 다양한 용도로 돌려가며(侖) 쓸 수 있는 실(糸)을 말한다. 간화자에서는 侖을 仑으로 줄여 纶으로 쓴다.

8611

綖: 綖: 띠 술 정: 糸-총13획: tīng

원문
綖: 系緩也. 从糸廷聲. 他丁切.

번역
'인끈을 매다(系緩)'라는 뜻이다. 멱(糸)이 의미부이고 정(廷)이 소리부이다. 독음은 타(他)와 정(丁)의 반절이다.

8612

絙: 絙: 끈목 환: 糸-총12획: gēng

원문
絙: 緩也. 从糸亙聲. 胡官切.

번역
'[끈을] 느슨하게 하다(緩)'라는 뜻이다. 멱(糸)이 의미부이고 선(亙)이 소리부이다. 독음은 호(胡)와 관(官)의 반절이다.

8613

繐: 繐: 가늘고 설핀 베 세: 糸-총18획: suì

원문
繐: 細疏布也. 从糸惠聲. 私銳切.

번역
'가늘고 성긴 베(細疏布)'를 말한다. 멱(糸)이 의미부이고 혜(惠)가 소리부이다. 독음은 사(私)와 예(銳)의 반절이다.

8614

纂: 纂: 무성할 박: 日-총18획: bó

原文

纂: 頸連也. 从糸, 暴省聲. 補各切.

飜譯

'옷에 옷깃을 연결시키다(頸連)'라는 뜻이다. 멱(糸)이 의미부이고, 폭(暴)의 생략된 모습이 소리부이다. 독음은 보(補)와 각(各)의 반절이다.

8615

紟: 紟: 옷고름 금: 糸-총10획: jīn

原文

紟: 衣系也. 从糸今聲. 縊, 籒文从金. 居音切.

飜譯

'옷고름, 즉 옷을 여미도록 하는 띠(衣系)'를 말한다. 멱(糸)이 의미부이고 금(今)이 소리부이다. 금(縊)은 주문체인데, 금(金)으로 구성되었다. 독음은 거(居)와 음(音)의 반절이다.

8616

緣: 緣: 가선 연: 糸-총15획: yuán

原文

緣: 衣純也. 从糸彖聲. 以絹切.

飜譯

'가선, 즉 옷의 가장자리를 다른 헝겊으로 가늘게 싸서 돌리는 헝겊(衣純)'을 말한다. 멱(糸)이 의미부이고 단(彖)이 소리부이다.[48) 독음은 이(以)와 견(絹)의 반절이다.

8617

纀: 옷의 폭을 자를 복: 糸-총20획: pú

原文

纀: 裳削幅謂之纀. 从糸僕聲. 博木切.

飜譯

'의복의 폭을 자르는 것(裳削幅)을 복(纀)이라 한다.'[49) 멱(糸)이 의미부이고 복(僕)이 소리부이다. 독음은 박(博)과 목(木)의 반절이다.

8618

絝: 바지 고: 糸-총12획: kù

原文

絝: 脛衣也. 从糸夸聲. 苦故切.

飜譯

'정강이까지 오는 바지(脛衣)'를 말한다.[50) 멱(糸)이 의미부이고 과(夸)가 소리부이다. 독음은 고(苦)와 고(故)의 반절이다.

---

48) 고문자에서 **綠 綠**簡牘文 등으로 그렸다. 糸(가는 실 멱)이 의미부고 彖(단 단)이 소리부로, 옷의 가장자리(彖)를 따라 실(糸)로 장식하다가 원래 뜻이며, 가장자리는 외부와 연결되는 부위이므로 因緣(인연)이라는 뜻까지 나왔다.

49) 『단주』에 의하면 이는 『이아·석기(釋器)』의 말이라고 한다. 곽박은 '위로 가면서 폭을 줄여 나간 두루마기를 말한다(削殺其幅, 深衣之裳也.)'라고 했다. 심의(深衣)는 옛날 상의와 하의가 한데 붙은 복장의 일종으로, 제후나 대부나 사가(士家)에서 일상적으로 입던 옷이었으며, 서민은 일상적인 예복으로 입었다. 한국에서는 '유학자들이 입던 겉옷'을 말한다.

50) 『단주』에서는 이렇게 말했다. "오늘날 소위 말하는 투고(套袴)를 말하는데, 좌우로 각 하나씩 가랑이를 나눈 옷이다(左右各一, 分衣兩脛). 옛날에 말하던 고(絝)인데, 달리 건(褰)이라고도 하며, 탁(襗)이라고도 하는데, 모두 의(衣)부수에 보인다. 오늘날의 만당고(滿當袴, 가랑이가 무릎까지 내려오게 지은 짧은 홑고의)의 경우, 옛날에는 곤(幝)이라 불렸으며, 달리 총(幒)이라 불렸는데, 모두 건(巾)부수에 보인다. 이들은 구분하여 살펴야 할 명칭들이다."

8619

繑: 繑: 바지 끈 교: 糸-총18획: qiāo

原文

繑: 絝紐也. 从糸喬聲. 牽搖切.

飜譯

'바지를 묶는 끈(絝紐)'을 말한다. 멱(糸)이 의미부이고 교(喬)가 소리부이다. 독음은 견(牽)과 요(搖)의 반절이다.

8620

緥: 緥: 포대기 보: 糸-총15획: bǎo

原文

緥: 小兒衣也. 从糸保聲. 博抱切.

飜譯

'어린 아이를 싸는 포대기(小兒衣)'를 말한다. 멱(糸)이 의미부이고 보(保)가 소리부이다. 독음은 박(博)과 포(抱)의 반절이다.

8621

繜: 繜: 누를 준: 糸-총18획: zūn

原文

繜: 薉貉中, 女子無絝, 以帛爲脛空, 用絮補核, 名曰繜衣, 狀如襜褕. 从糸尊聲. 子昆切.

飜譯

'예맥족(薉貉族) 여자들이 입던 무고(無絝)라는 바지'를 말한다. 그들은 정강이까지 통으로 비게 하고, 담핵(膽核: 속)을 솜으로 넣어 누빈 비단 옷을 입는데, 이를 준의(繜衣)라 한다. 그 형상이 행주치마(襜褕)를 닮았다.[51] 멱(糸)이 의미부이고 존(尊)이 소리부이다. 독음은 자(子)와 곤(昆)의 반절이다.

8622

綊: 綊: 끈목 피·비단 무늬 파: 糸-총11획: bèi

綊: 條屬. 从糸皮聲. 讀若被, 或讀若水波之波. 博禾切.

'끈의 일종(條屬)'이다.[52] 멱(糸)이 의미부이고 피(皮)가 소리부이다. 피(被)와 같이 읽는다. 혹은 수파(水波)의 파(波)와 같이 읽기도 한다. 독음은 박(博)과 화(禾)의 반절이다.

8623

縚: 條: 끈 조: 糸-총13획: tāo

---

51) 『단주』에서는 이렇게 말했다. "무고(無絝)라는 것은 좌우로 난 가랑이가 없는 바지를 말한다(無左右各一之絝也). 백(帛)은 『급취편(急就篇)』에 의하면 포(布)가 되어야 한다. 공(空)과 강(腔)은 고금자이다. 핵(核)은 핵(覈)이 되어야 옳으며, 과핵(果覈)의 파생의미이다. 정강이까지 비게 비단으로 만들고(帛爲脛腔), 솜으로 그것을 감싸서 만든다(褚以絮而裹之). 오늘날 강동(江東) 지역에서 여인들이 입는 권반(卷胖) 같은 것이다. 반(胖)의 독음은 여(如)와 방(滂)의 반절음의 거성인데, 이를 준의(縛衣)라고 하며, 달리 모준(母縛)이라고도 한다. 『급취편(急就篇)』에서 '禪衣蔽膝布母縛'이라고 했는데, 폐슬(蔽鄒)과 준의(縛衣)와 첨(襜) 이 세 가지가 비슷했을 것이다. 그래서 모양이 첨(襜) 같다고 했던 것이다. 의(衣)부수에서 첨(襜)은 앞을 가리는 옷(衣蔽前)을 말한다고 했고, 또 직거(直裾)를 첨유(襜褕)라고 한다고도 했다. 그래서 여기서는 '상여첨(狀如襜: 襜처럼 생겼다)'이라고 해야지 '첨유(襜褕)'라고 하여 유(褕)자가 더 들어가서는 아니 된다."

52) 『단주』에서는 이렇게 말했다. "『급취편』을 보면 월(緎)과 단(緞)과 순(紃) 세 글자가 서로 연결되어 있기에, 이 셋은 필시 의미가 비슷했을 것이다. 단(緞)은 원래 피(綊)로 적었을 것이다. 전서체에서 피(皮)와 가(叚)자의 모습이 비슷해 잘못 변한 것으로 보인다. 그리고 가(緞)는 다시 단(緞)으로 잘못 변했을 것이다. 혹자는 이 때문에 피(綊)를 신의 뒷부분에 붙이는 베 조각으로 설명하기도 하는데, 사실 여부는 알 수 없다."

綯: 扁緒也. 从糸攸聲. 土刀切.

飜譯

'넙적하게 짠 띠(扁緒)'를 말한다. 멱(糸)이 의미부이고 유(攸)가 소리부이다. 독음은 토(土)와 도(刀)의 반절이다.

8624

緎: 緎: 채색 비단 월: 糸-총11획: yuè

原文

緎: 采彰也. 一曰車馬飾. 从糸戉聲. 王伐切.

飜譯

'채색이 화려한 비단(采彰)'을 말한다. 일설에는 '거마를 도안으로 그려 넣은 장식물(車馬飾)'이라고도 한다. 멱(糸)이 의미부이고 월(戉)이 소리부이다. 독음은 왕(王)과 벌(伐)의 반절이다.

8625

縱: 縱: 물들인 비단 종: 糸-총14획: zōng

原文

縱: 緎屬. 从糸, 从從省聲. 足容切.

飜譯

'채색이 화려한 비단의 일종(緎屬)'이다. 멱(糸)이 의미부이고, 종(從)의 생략된 모습이 소리부이다. 독음은 족(足)과 용(容)의 반절이다.

8626

紃: 紃: 끈 순: 糸-총9획: xún

原文

紃: 圜采也. 从糸川聲. 詳遵切.

飜譯

'채색이 화려한 비단으로 짠 동그란 띠(圜采)'를 말한다. 멱(糸)이 의미부이고 천(川)
이 소리부이다. 독음은 상(詳)과 준(遵)의 반절이다.

8627

繩: 縺: 더할 중: 糸-총15획: chóng

原文

繩: 增益也. 从糸重聲. 直容切.

飜譯

'늘어나다(增益)'라는 뜻이다. 멱(糸)이 의미부이고 중(重)이 소리부이다. 독음은 직
(直)과 용(容)의 반절이다.

8628

纕: 纕: 팔 걷어붙일 양: 糸-총23획: yáng

原文

纕: 援臂也. 从糸襄聲. 汝羊切.

飜譯

'팔을 걷어붙여 팔뚝을 드러내다(援臂)'라는 뜻이다. 멱(糸)이 의미부이고 양(襄)이
소리부이다.53) 독음은 여(汝)와 양(羊)의 반절이다.

---

53) 양(襄)을 고문자에서 갑골문(甲骨文), 금문(金文), 고도문(古陶文), 간독문(簡牘文), 석각고문(石刻古
文) 등으로 썼는데, 『설문해자』에서는 衣(옷 의)가 의미부고 녕(孃)이 소리부로, 옷(衣)을 벗고
밭을 가는 것을 말한다고 했다. 하지만, 갑골문에 의하면 소가 끄는 쟁기를 두 손으로 잡은
모습과 쟁기에 의해 흙이 일어나는 모습을 그려, 쟁기로 흙을 뒤집는 모습을 형상화했다. 그
래서 이는 解衣耕(해의경)이라는 경작법을 반영한 것으로 추정된다. 즉 날이 가물 때 파종을

8629

繣: 繣: 맬 수: 糸-총24획: chuì

原文

繣: 維綱, 中繩. 从糸巂聲. 讀若畫, 或讀若維. 戶圭切.

飜譯

'그물의 벼리로, 중심 되는 줄(維綱, 中繩)'을 말한다. 멱(糸)이 의미부이고 휴(巂)가 소리부이다. 획(畫)과 같이 읽는다. 혹은 유(維)와 같이 읽기도 한다. 독음은 호(戶)와 규(圭)의 반절이다.

8630

綱: 綱: 벼리 강: 糸-총14획: gāng

原文

綱: 維紘繩也. 从糸岡聲. 𢇇, 古文綱. 古郎切.

飜譯

'벼리(維紘繩) 즉 잡아당겨 그물을 오므렸다 폈다 하는 그물의 위쪽 코를 꿰어 놓은 줄'을 말한다. 멱(糸)이 의미부이고 강(岡)이 소리부이다.[54] 강(𢇇)은 강(綱)의 고문 체이다. 독음은 고(古)와 랑(郎)의 반절이다.

하려면 표층을 걷어내고 그 속의 습윤한 땅에 씨를 뿌리고 다시 마른 흙을 덮어 수분을 보존하게 하는데 이러한 경작법을 襄이라 불렀으며, 달리 解衣耕이라 했다. 땅의 표피 흙을 걷어낸다는 뜻에서 양보의 뜻이 나왔는데, 이후 言(말씀 언)을 더한 讓(사양할 양)으로 분화했다. 또 마른 흙을 걷어내면 부드러운 흙이 나온다는 뜻에서 '부드럽다'는 뜻도 나왔는데, 이후 土(흙 토)를 더한 壤(흙 양)으로 분화했다. 그리고 '걷어내다'는 뜻은 手(손 수)를 더한 攘(물리칠 양)으로 분화했다. 여기서 말한 纕 역시 襄에서 파생한, 금문의 𤔼을 계승한 解衣耕의 구체적 모습을 반영한 것으로 볼 수 있다.

54) 糸(가는 실 멱)이 의미부이고 岡(산등성이 강)이 소리부로, '벼리'를 말하는데, 그물을 버티는 강한(岡) 줄(糸)이라는 뜻을 담았다. 이로부터 三綱五倫(삼강오륜)에서처럼 사물의 요체나 법도 등의 뜻이 나왔고, 다시 약속이나 다스림 등을 뜻하게 되었다. 간화자에서는 纲으로 쓴다.

8631

繶: 繶: 가는 끈 운: 糸-총16획: yún

原文

繶: 持綱紐也. 从糸員聲. 『周禮』曰: "繶寸." 爲贇切.

飜譯

'벼리를 아래위로 내리고 올리는 끈(持綱紐)'을 말한다. 멱(糸)이 의미부이고 원(員)이 소리부이다. 『주례·고공기·재인(梓人)』에서 "벼리를 아래위로 내리고 올리는 끈은 길이를 1치로 한다(繶寸)"고 하였다. 독음은 위(爲)와 윤(贇)의 반절이다.

8632

縿: 縿: 실 침: 糸-총13획: qīn

原文

縿: 絳綫也. 从糸, 侵省聲. 『詩』曰: "貝冑朱綅." 子林切.

飜譯

'옷을 꿰는 진홍색 실(絳綫)'을 말한다. 멱(糸)이 의미부이고, 침(侵)의 생략된 모습이 소리부이다. 『시·노송·비궁(閟宮)』에서 "조개장식 갑옷을 붉은 실로 꿰맸네(貝冑朱綅)"라고 노래했다. 독음은 자(子)와 림(林)의 반절이다.

8633

縷: 縷: 실 루: 糸-총17획: lǔ, lóu

原文

縷: 綫也. 从糸婁聲. 力主切.

飜譯

'실(綫)'을 말한다. 멱(糸)이 의미부이고 루(婁)가 소리부이다.[55] 독음은 력(力)과 주

(主)의 반절이다.

8634

縖: 綫: 실 선: 糸-총14획: xiàn

原文

綫: 縷也. 从糸戔聲. 帴, 古文綫. 私箭切.

飜譯

'실(縷)'을 말한다. 멱(糸)이 의미부이고 전(戔)이 소리부이다.[56] 선(帴)은 선(綫)의 고문체이다. 독음은 사(私)와 전(箭)의 반절이다.

8635

紈: 紇: 실 한 오라기 결·혈: 糸-총11획: jué, xué

原文

紈: 縷一枚也. 从糸穴聲. 乎決切.

飜譯

'실 한 오라기(縷一枚)'를 말한다. 멱(糸)이 의미부이고 혈(穴)이 소리부이다. 독음은 호(乎)와 결(決)의 반절이다.

8636

縫: 縫: 꿰맬 봉: 糸-총17획: féng

---

55) 고문자에서 ![글자] 簡牘文 등으로 그렸다. 糸(가는 실 멱)이 의미부이고 婁(별 이름 루)가 소리부로, 비단실(糸)을 겹겹이(婁) 꼬아 만든 '실'을 말한다. 간화자에서는 婁를 娄로 줄인 缕로 쓴다.

56) 糸(가는 실 멱)이 의미부고 泉(샘 천)이 소리부로, 누에고치로부터 샘물(泉)이 흘러나오듯 길게 뽑아 만든 '실(糸)'을 말하며, 이후 실의 통칭이 되었다. 또 실처럼 긴 것, 길게 뻗은 길, 사상이나 정치의 노선 등도 지칭하게 되었다. 달리 소리부 泉 대신 戔(쌓일 전)을 쓴 綫(실 선)으로 쓰기도 한다. 간화자에서는 綫을 다시 줄여 线으로 쓴다.

原文

縫: 以鍼紩衣也. 从糸逢聲. 符容切.

飜譯

'바늘로 옷을 꿰매다(以鍼紩衣)'라는 뜻이다. 멱(糸)이 의미부이고 봉(逢)이 소리부이다. 독음은 부(符)와 용(容)의 반절이다.

8637

緁: 緁: 꿰맬 첩: 糸-총14획: qī

原文

緁: 緁衣也. 从糸疌聲. 緝, 緁或从習. 七接切.

飜譯

'옷을 꿰매다(緁衣)'라는 뜻이다. 멱(糸)이 의미부이고 섭(疌)이 소리부이다. 첩(緝)은 첩(緁)의 혹체자인데, 습(習)으로 구성되었다. 독음은 칠(七)과 접(接)의 반절이다.

8638

紩: 紩: 기울 질: 糸-총11획: zhì

原文

紩: 縫也. 从糸失聲. 直質切.

飜譯

'바늘로 옷을 꿰매다(縫)'라는 뜻이다. 멱(糸)이 의미부이고 실(失)이 소리부이다. 독음은 직(直)과 질(質)의 반절이다.

8639

緛: 緛: 쪼그라들 연: 糸-총15획: ruǎn

原文

繻: 衣戚也. 从糸耎聲. 而沇切.

飜譯

'옷이 주름지다(衣戚)'라는 뜻이다. 멱(糸)이 의미부이고 연(耎)이 소리부이다. 독음은 이(而)와 연(沇)의 반절이다.

8640

組: 組: 기울 탄: 糸-총11획: zhàn

原文

組: 補縫也. 从糸旦聲. 丈莧切.

飜譯

'옷을 깁다(補縫)'라는 뜻이다.[57] 멱(糸)이 의미부이고 단(旦)이 소리부이다. 독음은 장(丈)과 현(莧)의 반절이다.

8641

繕: 繕: 기울 선: 糸-총18획: shàn

原文

繕: 補也. 从糸善聲. 時戰切.

飜譯

'옷을 수선하다(補)'라는 뜻이다. 멱(糸)이 의미부이고 선(善)이 소리부이다.[58] 독음

---

57) 『단주』에서 이렇게 말했다. "보(補)는 옷을 보완하다(完衣)라는 뜻이다. 옛날에는 옷을 기운 곳이 풀어지는 것(衣縫解)을 단(袒)이라 했다. 의(衣)부수에 보인다. 오늘날 세속에서 말하는 탄(綻, 옷이 터지다)이 그것이다. 터진 옷을 바늘로 기워 수선하는 것(以鍼補之)을 탄(組)이라고 한다. 『예기·내칙(內則)』에서 '衣裳綻裂, 紉鍼請補綴.(옷이 헤져 터져서 바늘로 꿰매기를 청했다.)'이라고 한 것이 바로 그것이다. 이로부터 의미가 파생하여 꼭 낡아 터진 옷이 아니라 해도 꿰매 깁는 것(不必故衣)도 봉탄(縫組)이라 하게 되었다."

은 시(時)와 전(戰)의 반절이다.

8642

結: 結: 사복 설: 糸-총12획: xiè

原文

結: 『論語』曰: "結衣長, 短右袂." 从糸舌聲. 私列切.

飜譯

『논어·향당(鄕黨)』에서 "집에서 입는 옷은 길게 하고, 오른쪽 소매는 조금 짧게 만든다(結衣長, 短右袂)"라고 했다. 멱(糸)이 의미부이고 설(舌)이 소리부이다. 독음은 사(私)와 렬(列)의 반절이다.

8643

纍: 纍: 갇힐 류·맬 루: 糸-총21획: léi

原文

纍: 綴得理也. 一曰大索也. 从糸畾聲. 力追切.

飜譯

'조리 있게 꿰매다(綴得理)'라는 뜻이다. 일설에는 '큰 동아줄(大索)'을 말한다고도 한다. 멱(糸)이 의미부이고 뢰(畾)가 소리부이다. 독음은 력(力)과 추(追)의 반절이다.

8644

縭: 縭: 신 꾸미개 리: 糸-총17획: lí

原文

縭: 以絲介履也. 从糸离聲. 力知切.

---

58) 고문자에서 繕簡牘文 등으로 그렸다. 糸(가는 실 멱)이 의미부고 善(착할 선)이 소리부로, 실(糸)로 잘(善) 깁다는 뜻이며, 이로부터 修繕(수선)하다는 뜻이 나왔다.

翻譯

'실로 신위에 수를 놓다(以絲介履)'라는 뜻이다. 멱(糸)이 의미부이고 리(离)가 소리부이다. 독음은 력(力)과 지(知)의 반절이다.

8645

綹: 綹: 칼자루 감을 구: 糸-총15획: gōu

原文

綹: 刀劍綹也. 从糸矦聲. 古矦切.

翻譯

'칼이나 검의 자루에 감는 실(刀劍綹)'을 말한다. 멱(糸)이 의미부이고 후(矦)가 소리부이다. 독음은 고(古)와 후(矦)의 반절이다.

8646

繄: 繄: 창 전대 예: 糸-총17획: yì

原文

繄: 戟衣也. 从糸殹聲. 一曰赤黑色繒. 烏雞切.

翻譯

'창을 넣는 집(戟衣)'을 말한다. 멱(糸)이 의미부이고 예(殹)가 소리부이다. 일설에는 '검붉은 색 비단(赤黑色繒)'을 말한다고도 한다. 독음은 오(烏)와 계(雞)의 반절이다.

8647

縿: 縿: 기폭 삼: 糸-총17획: shān

原文

縿: 旌旗之斿也. 从糸參聲. 所銜切.

翻譯

'깃발의 끝에 다는 술(旌旗之斿)'을 말한다. 멱(糸)이 의미부이고 삼(參)이 소리부이다. 독음은 소(所)와 함(銜)의 반절이다.

8648

繐: 徽: 아름다울 휘: 彳-총17획: huī

原文

繐: 衺幅也. 一曰三糾繩也. 从糸, 微省聲. 許歸切.

翻譯

'다리에 비스듬히 감는 띠(衺幅)'를 말한다. 일설에는 '세 가닥으로 된 끈(三糾繩)'을 말한다고도 한다. 멱(糸)이 의미부이고, 미(微)의 생략된 모습이 소리부이다.59) 독음은 허(許)와 귀(歸)의 반절이다.

8649

繲: 絜: 맺을 별: 糸-총13획: biè, biē

原文

繲: 扁緖也. 一曰弩臂鉤帶. 从糸折聲. 并列切.

翻譯

'넙적하게 짠 띠(扁緖)'를 말한다. 일설에는 '쇠뇌의 허리에 놓인 갈고리(弩臂鉤帶)'를 말한다고도 한다. 멱(糸)이 의미부이고 절(折)이 소리부이다. 독음은 병(并)과 렬(列)의 반절이다.

---

59) 고문자에서 � 石刻古文 등으로 그렸다. 糸(가는 실 멱)이 의미부고 微(작을 미)의 생략된 모습이 소리부로, 실(糸)로 미세하게(微) 새겨 넣은 '徽章(휘장)'을 말한다.

8650

紉: 紉: 새끼 인: 糸-총9획: rèn

原文

紉: 繟繩也. 从糸刃聲. 女鄰切.

飜譯

'한 가닥으로 만든 끈(繟繩)'을 말한다. 멱(糸)이 의미부이고 인(刃)이 소리부이다. 독음은 녀(女)와 린(鄰)의 반절이다.

8651

繩: 繩: 줄 승: 糸-총19획: shéng

原文

繩: 索也. 从糸, 蠅省聲. 食陵切.

飜譯

'동아줄(索)'을 말한다. 멱(糸)이 의미부이고, 승(蠅)의 생략된 모습이 소리부이다.[60] 독음은 식(食)과 릉(陵)의 반절이다.

8652

絣: 絣: 꼴 쟁: 糸-총14획: zhēng

原文

絣: 紡末縈繩. 一曰急弦之聲. 从糸爭聲. 讀若旌. 側莖切.

飜譯

---

60) 고문자에서 𥿈 簡牘文 등으로 그렸다. 糸(가는 실 멱)이 의미부고 黽(힘쓸 민·맹꽁이 맹·땅이름 면)이 소리부로, 실(糸)로 만든 줄을 말하며, 옛날 목공들이 직선을 잴 때 쓰던 繩墨(승묵)을 말하며, 이로부터 곧다, 바로잡다, 재다, 법도 등의 뜻이 나왔다. 간화자에서는 黽을 黾으로 줄여 绳으로 쓴다.

'아직 둥글게 감아 두지 않은 구불구불한 끈(約未縈繩)'을 말한다. 일설에는 '현을 팽팽하게 당기다(急弦之)'는 뜻이라고도 한다. 멱(糸)이 의미부이고 쟁(爭)이 소리부이다. 정(旌)처럼 읽는다. 독음은 측(側)과 경(莖)의 반절이다.

8653

縈: 縈: 얽힐 영: 糸-총16획: yíng

原文

縈: 收韏也. 从糸, 熒省聲. 於營切.

飜譯

'빙빙 감다(收韏)'라는 뜻이다. 멱(糸)이 의미부이고, 형(熒)의 생략된 모습이 소리부이다. 독음은 어(於)와 영(營)의 반절이다.

8654

絇: 絇: 신코 장식 구: 糸-총11획: qú

原文

絇: 纑繩絇也. 从糸句聲. 讀若鳩. 其俱切.

飜譯

'실을 꼬아 합쳐 만든 끈(纑繩絇)'을 말한다.[61] 멱(糸)이 의미부이고 구(句)가 소리부이다. 구(鳩)와 같이 읽는다. 독음은 기(其)와 구(俱)의 반절이다.

8655

縋: 縋: 매어달 추: 糸-총16획: zhuì

原文

---

61) 『단주』에서 이렇게 말했다. "노(纑)는 베의 가닥(布縷)을 말한다. 승(繩)은 굵은 줄(索)을 말한다. 구(絇)는 꼬아 합치는 것(糾合)을 말한다."

縋: 以繩有所縣也.『春秋傳』曰："夜縋納師." 从糸追聲. 持僞切.

[飜譯]

'끈으로 무엇인가를 거꾸로 매달다(以繩有所縣)'라는 뜻이다.『춘추전』(『좌전』양공 19년, B.C. 554)에서 "밤을 틈타 줄을 성 아래로 내려 제(齊)나라의 군사들을 성안으로 들어오게 하였다(夜縋納師)"라고 했다. 멱(糸)이 의미부이고 추(追)가 소리부이다. 독음은 지(持)와 위(僞)의 반절이다.

8656

絭: 絭: 멜빵 권: 糸-총12획: juàn

[原文]

絭: 攘臂繩也. 从糸季聲. 居願切.

[飜譯]

'소매 따위를 걷어 올려 어깨에 걸어 메는 끈(攘臂繩)'을 말한다. 멱(糸)이 의미부이고 권(季)이 소리부이다. 독음은 거(居)와 원(願)의 반절이다.

8657

緘: 緘: 봉할 함: 糸-총15획: jiān

[原文]

緘: 束篋也. 从糸咸聲. 古咸切.

[飜譯]

'상자를 봉하고 끈으로 묶다(束篋)'라는 뜻이다.[62] 멱(糸)이 의미부이고 함(咸)이 소리부이다. 독음은 고(古)와 함(咸)의 반절이다.

---

62)『단주』에서는 소이(所目) 2자를 보충하여 '所目束匧也(상자를 봉하여 묶는 끈)'라고 했다. 그리고 이렇게 말했다. "협(篋)은 상자(筍)를 말한다. 속(束)은 줄로 묶다(縛)는 뜻이다. 묶는 것을 함(緘)이라 한다. 이로부터 의미가 파생되어 제(齊) 지역 사람들은 관을 묶는 것(棺束)을 함(緘)이라 했는데,『예기·상대기(喪大記)』에서는 이를 함(咸)으로 적었다."

8658

縢: 滕: 봉할 등: 糸-총16획: téng

原文

縢: 緘也. 从糸朕聲. 徒登切.

飜譯

'끈으로 묶어 봉하다(緘)'라는 뜻이다. 멱(糸)이 의미부이고 짐(朕)이 소리부이다. 독음은 도(徒)와 등(登)의 반절이다.

8659

編: 編: 엮을 편: 糸-총15획: biān

原文

編: 次簡也. 从糸扁聲. 布玄切.

飜譯

'죽간을 순서대로 묶다(次簡)'라는 뜻이다.63) 멱(糸)이 의미부이고 편(扁)이 소리부이다. 독음은 포(布)와 현(玄)의 반절이다.

8660

維: 維: 바 유: 糸-총14획: wéi

原文

維: 車蓋維也. 从糸隹聲. 以追切.

---

63) 『단주』에서 이렇게 말했다. "실로 대쪽을 차례대로 묶어 배열한 것을 편(編)이라 한다. 공자(孔子)께서 『주역』을 읽으면서 '위편삼절(韋編三絕)'이라 했다. 책(冊)자의 해설에서 '긴 대쪽 하나와 짧은 대쪽 하나를 그렸고, 그 중간 부분을 두 줄로 엮어 놓은 모습을 그렸다고 했다. (象其札一長一短, 中有二編之形.) 그렇다면 죽간을 나란히 나열하여 아래 위 두 줄로 엮은 것이다. 그래서 푸른 실로 『고공기』를 엮었다(得青絲編考工記)라는 말이 있게 된 것이다."

譯

'수레 덮개를 묶는 줄(車蓋維)'을 말한다. 멱(糸)이 의미부이고 추(隹)가 소리부이다.64) 독음은 이(以)와 추(追)의 반절이다.

8661

紱: 紱: 수레의 앞판 복: 糸-총12획: fú

原文

紱: 車紱也. 从糸伏聲. 綍, 紱或从艸. 鞴, 紱或从革葡聲. 平祕切.

譯

'수레의 앞판을 덮는 장식물(車紱)'을 말한다. 멱(糸)이 의미부이고 복(伏)이 소리부이다. 복(綍)은 복(紱)의 혹체자인데, 초(艸)로 구성되었다. 복(鞴)도 복(紱)의 혹체자인데, 혁(革)이 의미부이고 비(葡)가 소리부이다. 독음은 평(平)과 필(祕)의 반절이다.

8662

紅: 紅: 말의 장식 정: 糸-총11획: zhēng

原文

紅: 乘輿馬飾也. 从糸正聲. 諸盈切.

譯

'천자가 타는 수레와 말의 장식(乘輿馬飾)'을 말한다. 멱(糸)이 의미부이고 정(正)이 소리부이다. 독음은 제(諸)와 영(盈)의 반절이다.

---

64) 糸(가는 실 멱)이 의미부고 隹(새 추)가 소리부로, 새를 잡는 그물처럼 수레의 지붕을 잡아매 주는 '밧줄'을 말했는데, 이후 매다, 유지하다 등의 뜻이 나왔고, 큰 기강(四維·사유)을 지칭하였다. 또 수학의 기본 개념으로 '차원'을 말하기도 한다. 또 唯(오직 유)나 惟(생각할 유)와 함께 통용되어 발어사로 쓰였다.

8663

綊: 綊: 말갈기 실 협: 糸-총13획: xié

原文

綊: 紝綊也. 从糸夾聲. 胡頰切.

飜譯

'정협(紝綊) 즉 천자가 타는 수레와 말의 장식'을 말한다. 멱(糸)이 의미부이고 협(夾)이 소리부이다. 독음은 호(胡)와 협(頰)의 반절이다.

8664

緐: 緐: 많을 번: 糸-총13획: fán, pán

原文

緐: 馬髦飾也. 从糸每聲. 『春秋傳』曰: "可以稱旌緐乎?" 緐, 緐或从弁. 弁, 籀文弁. 附袁切.

飜譯

'말의 갈기에 다는 장식(馬髦飾)'을 말한다. 멱(糸)이 의미부이고 매(每)가 소리부이다. 『춘추전』(『좌전』 애공 23년, B.C. 472)에서 "말의 갈기에 단 장식이라 할 수 있는가?(可以稱旌緐乎?)"라고 했다. 번(緐)은 번(緐)의 혹체자인데, 변(弁)으로 구성되었다. 변(弁)은 변(弁)의 주문체이다. 독음은 부(附)와 원(袁)의 반절이다.

8665

繮: 繮: 고삐 강: 糸-총19획: jiāng

原文

繮: 馬紲也. 从糸畺聲. 居良切.

飜譯

'말의 고삐(馬紲)'를 말한다. 멱(糸)이 의미부이고 강(畺)이 소리부이다. 독음은 거

(居)와 량(良)의 반절이다.

8666

紛: 紛: 어지러워질 분: 糸-총10획: fēn

原文

紛: 馬尾韜也. 从糸分聲. 撫文切.

飜譯

'말 꼬리를 넣는 집(馬尾韜)'을 말한다. 멱(糸)이 의미부이고 분(分)이 소리부이다.[65]
독음은 무(撫)와 문(文)의 반절이다.

8667

紂: 紂: 껑거리끈 주: 糸-총9획: zhòu

原文

紂: 馬緧也. 从糸, 肘省聲. 除柳切.

飜譯

'말의 껑거리끈(馬緧)'을 말한다.[66] 멱(糸)이 의미부이고, 주(肘)의 생략된 부분이 소
리부이다. 독음은 제(除)와 류(柳)의 반절이다.

8668

緧: 緧: 껑거리 추: 糸-총15획: qiū

---

65) 고문자에서 紛 簡牘文 등으로 그렸다. 糸(가는 실 멱)이 의미부고 分(나눌 분)이 소리부로,
『설문해자』에서는 말꼬리를 잡아매는 데 쓰는 外皮(외피)를 말한다고 했다. 이후 紛雜(분잡)하
다, 많다 등의 뜻이 나왔다.
66) 껑거리는 길마(짐을 싣거나 수레를 끌기 위하여 소나 말 따위의 등에 얹는 기구)를 얹을 때
에, 마소의 궁둥이에 막대를 가로 대고 그 양 끝에 줄을 매어 길마의 뒷가지에 좌우로 잡아매
게 되어 있는 물건을 말한다. 길마가 마소의 등에서 쉽게 움직이지 않도록 하는 데 쓰인다.
껑거리끈은 껑거리막대의 양 끝에 매어 길마의 뒷가지와 연결하는 줄을 말한다.

原文

緧: 馬紂也. 从糸酋聲. 七由切.

飜譯

'말의 껑거리끈(馬紂)'을 말한다. 멱(糸)이 의미부이고 추(酋)가 소리부이다. 독음은 칠(七)과 유(由)의 반절이다.

8669

絆: 絆: 줄 반: 糸-총11획: bàn

原文

絆: 馬縶也. 从糸半聲. 博幔切.

飜譯

'말의 발을 잡아매는 끈(馬縶)'을 말한다. 멱(糸)이 의미부이고 반(半)이 소리부이다. 독음은 박(博)과 만(幔)의 반절이다.

8670

纈: 纈: 두 앞발을 동일 수: 糸-총18획: xǔ

原文

纈: 絆前兩足也. 从糸須聲. 漢令: 蠻夷卒有纈. 相主切.

飜譯

'앞의 두 발을 얽어매다(絆前兩足)'라는 뜻이다. 멱(糸)이 의미부이고 수(須)가 소리부이다. 한나라 때의 법령(漢令)에서 "남방 이민족들의 병졸이 죄를 지으면 두 발을 실로 묶는 형벌에 처한다(蠻夷卒有纈)"라고 했다. 독음은 상(相)과 주(主)의 반절이다.

8671

紖: 紖: 고삐 진: 糸-총10획: zhèn

原文

紖: 牛系也. 从糸引聲. 讀若弞. 直引切.

譯

'소의 코를 얽어매는 끈, 즉 고삐(牛系)'를 말한다. 멱(糸)이 의미부이고 인(引)이 소리부이다. 신(弞)과 같이 읽는다. 독음은 직(直)과 인(引)의 반절이다.

8672

縼: 縼: 잡아맬 선: 糸-총17획: xuán

原文

縼: 以長繩繫牛也. 从糸旋聲. 辭戀切.

譯

'긴 줄로 소를 잡아매다(以長繩繫牛)'라는 뜻이다. 멱(糸)이 의미부이고 선(旋)이 소리부이다. 독음은 사(辭)와 련(戀)의 반절이다.

8673

縻: 縻: 고삐 미: 糸-총17획: mí

原文

縻: 牛轡也. 从糸麻聲. 紒, 縻或从多. 靡爲切.

譯

'소의 고삐(牛轡)'를 말한다. 멱(糸)이 의미부이고 마(麻)가 소리부이다. 미(紒)는 미(縻)의 혹체자인데, 다(多)로 구성되었다. 독음은 미(靡)와 위(爲)의 반절이다.

8674

絏 : 絏: 고삐 설: 糸-총11획: xiè

原文

絏 : 系也. 从糸世聲.『春秋傳』曰:"臣負羈絏." 緤, 絏或从枼. 私列切.

翻譯

'줄로 얽어매다(系)'라는 뜻이다. 멱(糸)이 의미부이고 세(世)가 소리부이다.『춘추전
』(『좌전』 희공 24년, B.C. 636)에서 "제가 말고삐를 잡고 [군주를 쫓아 천하를 도는 와중에
그간 저지른 죄가 너무 큽니다.](臣負羈絏)"라고 했다. 설(緤)은 설(絏)의 혹체자인데, 엽
(枼)으로 구성되었다. 독음은 사(私)와 렬(列)의 반절이다.

8675

纆 : 纆: 두 겹 세 겹으로 꼰 노 묵: 糸-총18획: mò

原文

纆 : 索也. 从糸黑聲. 莫北切.

翻譯

'끈(索)'을 말한다. 멱(糸)이 의미부이고 흑(黑)이 소리부이다. 독음은 막(莫)과 북(北)
의 반절이다.

8676

絚 : 絚: 동아줄 긍: 糸-총15획: gēng

原文

絚 : 大索也. 一曰急也. 从糸恆聲. 古恒切.

翻譯

'크고 튼튼하게 꼰 동아줄(大索)'을 말한다. 일설에는 '급하다(急)'라는 뜻이라고도
한다. 멱(糸)이 의미부이고 항(恆)이 소리부이다. 독음은 고(古)와 항(恒)의 반절이다.

8677

繘: 繘: 두레박줄 율: 糸-총18획: lù

原文

繘: 綆也. 从糸矞聲. 䌈, 古文从絲. 㻴, 籒文繘. 余聿切.

飜譯

'두레박의 줄(綆)'을 말한다. 멱(糸)이 의미부이고 율(矞)이 소리부이다. 율(䌈)은 고문체인데, 사(絲)로 구성되었다. 율(㻴)은 율(繘)의 주문체이다. 독음은 여(余)와 율(聿)의 반절이다.

8678

綆: 綆: 두레박줄 경: 糸-총13획: gěng

原文

綆: 汲井綆也. 从糸更聲. 古杏切.

飜譯

'우물을 긷는 두레박의 줄(汲井綆)'을 말한다. 멱(糸)이 의미부이고 경(更)이 소리부이다. 독음은 고(古)와 행(杏)의 반절이다.

8679

絠: 絠: 활시위 퉁길 개: 糸-총12획: gǎi

原文

絠: 彈彄也. 从糸有聲. 弋宰切.

飜譯

'[화살을 쏜 뒤] 활시위가 퉁기다(彈彄)'라는 뜻이다. 멱(糸)이 의미부이고 유(有)가 소리부이다. 독음은 익(弋)과 재(宰)의 반절이다.

8680

鸛: 鸛: 생 실오라기 작: 糸-총19획: zhuó

原文

鸛: 生絲縷也. 从糸敫聲. 之若切.

繙譯

'생사로 만든 실오라기(生絲縷)'를 말한다. 멱(糸)이 의미부이고 교(敫)가 소리부이다. 독음은 지(之)와 약(若)의 반절이다.

8681

繴: 繴: 덮치기 그물 벽: 糸-총19획: bì

原文

繴: 繴謂之罿, 罿謂之罬, 罬謂之罦. 捕鳥覆車也. 从糸辟聲. 博戹切.

繙譯

'벽(繴)을 동(罿: 새그물)이라 하고, 동(罿)을 철(罬: 새그물)이라 하고, 철(罬)을 부(罦: 그물)라 한다.' 이들은 모두 새를 위에서 덮어 잡는 그물(捕鳥覆車)이다. 멱(糸)이 의미부이고 벽(辟)이 소리부이다. 독음은 박(博)과 액(戹)의 반절이다.

8682

緡: 緡: 낚싯줄 민: 糸-총14획: mín

原文

緡: 釣魚繁也. 从糸昏聲. 吳人解衣相被, 謂之緡. 武巾切.

繙譯

'물고기를 잡는 낚싯줄(釣魚繁)'을 말한다. 멱(糸)이 의미부이고 혼(昏)이 소리부이다. 오(吳) 지역 사람들은 옷을 벗어서 서로를 덮어주곤 하는데(解衣相被) 이를 민

(縟)이라고도 한다. 독음은 무(武)와 건(巾)의 반절이다.

8683

絮: 絮: 솜 서: 糸-총12획: xù

原文

絮: 敝緜也. 从糸如聲. 息據切.

飜譯

'해진 헌솜(敝緜)'을 말한다. 멱(糸)이 의미부이고 여(如)가 소리부이다.[67] 독음은 식(息)과 거(據)의 반절이다.

8684

絡: 絡: 헌솜 락: 糸-총12획: luò

原文

絡: 絮也. 一曰麻未漚也. 从糸各聲. 盧各切.

飜譯

'헌솜(絮)'을 말한다. 일설에는 '아직 물에 담그지 않은 삼(麻未漚)'을 말한다고도 한다. 멱(糸)이 의미부이고 각(各)이 소리부이다. 독음은 로(盧)와 각(各)의 반절이다.

8685

纊: 纊: 솜 광: 糸-총21획: guāng

原文

---

67) 고문자에서 🅰️簡牘文 등으로 그렸다. 糸(가는 실 멱)이 의미부고 如(같을 여)가 소리부로, '솜'을 말하는데, 비단(糸)처럼(如) 부드럽고 포근한 물질임을 반영했다. 솜은 면화로부터 만들어지지만, 중국에서는 일찍부터 비단이 발달했기 때문에 糸이 들어갔고, 이후 '면화'를, 다시 면화를 타서 만든 '솜'을 뜻하게 되었다.

纊: 絮也. 从糸廣聲.『春秋傳』曰: "皆如挾纊." 絖, 纊或从光. 苦謗切.

[飜譯]

'헌솜(絮)'을 말한다. 멱(糸)이 의미부이고 광(廣)이 소리부이다.『춘추전』(『좌전』선공 12년, B.C. 579)에서 "[삼군의 군사들이] 모두 솜옷을 입은듯 따뜻해 했다(皆如挾纊)"라고 했다. 광(絖)은 광(纊)의 혹체자인데, 광(光)으로 구성되었다. 독음은 고(苦)와 방(謗)의 반절이다.

8686

紙: **紙: 종이 지: 糸-총10획: zhǐ**

[原文]

紙: 絮一苫也. 从糸氏聲. 諸氏切.

[飜譯]

'발에 뜬 솜 찌꺼기(絮一苫)[종이]'를 말한다. 멱(糸)이 의미부이고 씨(氏)가 소리부이다.68) 독음은 제(諸)와 씨(氏)의 반절이다.

8687

緮: **緮: 헌솜을 탈 부: 糸-총14획: fǔ**

[原文]

緮: 治敝絮也. 从糸音聲. 芳武切.

[飜譯]

'해진 헌솜을 새로 타다(治敝絮)'라는 뜻이다. 멱(糸)이 의미부이고 부(音)가 소리부이다. 독음은 방(芳)과 무(武)의 반절이다.

---

68) 고문자에서 紙簡牘文 등으로 그렸다. 糸(가는 실 멱)이 의미부고 氏(각시 씨, 氏와 같은 글자)가 소리부로, '종이'를 말하며, 공문을 헤아리는 단위사로도 쓰였다. 지금은 종이를 나무로 만들지만, 紙에는 실(糸)과 같은 섬유질을 잘게 분쇄하여 물속에 가라앉혔다가(氏) 발로 떠서 말려 만들던 초기 단계의 종이 제작 방법이 반영되었다.

8688

絮: 絮: 삼거웃 녀: 糸-총11획: rú

原文

絮: 絜縕也. 一曰敝絮. 从糸奴聲.『易』曰: "需有衣絮." 女余切.

飜譯

'솜을 모아서 동여매다(絜縕)'라는 뜻이다. 일설에는 '해진 헌솜(敝絮)'을 말한다고도 한다. 멱(糸)이 의미부이고 노(奴)가 소리부이다.『역·기제(旣濟)』(육사효사)에서 "새 솜으로 만든 따뜻한 옷을 입어야 하나 여전히 해진 헌솜으로 만든 옷을 입고 있네 (需有衣絮)"라고 했다. 독음은 녀(女)와 여(余)의 반절이다.

8689

繫: 繫: 맬 계: 糸-총19획: jì

原文

繫: 繫褫也. 一曰惡絮. 从糸𣪠聲. 古詣切.

飜譯

'매다(繫褫)'라는 뜻이다. 일설에는 '질 낮은 솜(惡絮)'을 말한다고도 한다. 멱(糸)이 의미부이고 격(𣪠)이 소리부이다.[69] 독음은 고(古)와 예(詣)의 반절이다.

8690

縭: 縭: 헌솜 리: 糸-총16획: lí

原文

---

69) 𣪠(부딪힐 격)이 의미부이고 系(이을 계)가 소리부로, 굴대의 끝 연결 부분(𣪠)을 실로 잡아 매다(系)는 뜻으로부터 '묶다'는 의미를 그렸다. 이로부터 매다, 마음에 넣어 두다, 구금하다 등의 뜻도 나왔다. 간화자에서는 系에 통합되었다.

纅: 繫纅也. 一曰維也. 从糸虒聲. 郎兮切.

翻譯

'얽어매다(繫纅)'라는 뜻이다. 일설에는 '밧줄(維)'을 말한다고도 한다. 멱(糸)이 의미부이고 사(虒)가 소리부이다. 독음은 랑(郎)과 혜(兮)의 반절이다.

8691

緝: 緝: 낳을 집: 糸-총15획: jī

原文

緝: 績也. 从糸咠聲. 七入切.

翻譯

'삼 껍질 등으로 실을 만들다(績)[길쌈하다]'라는 뜻이다. 멱(糸)이 의미부이고 집(咠)이 소리부이다. 독음은 칠(七)과 입(入)의 반절이다.

8692

絘: 絘: 삼 삼을 차: 糸-총12획: zì

原文

絘: 績所緝也. 从糸次聲. 七四切.

翻譯

'삼 껍질 등으로 실을 만들다(績所緝)[삼다]'라는 뜻이다. 멱(糸)이 의미부이고 차(次)가 소리부이다. 독음은 칠(七)과 사(四)의 반절이다.

8693

績: 績: 실 낳을 적: 糸-총17획: jī

原文

績: 緝也. 从糸責聲. 則歷切.

翻譯

'삼 껍질 등으로 실을 만들다(緝)'라는 뜻이다. 멱(糸)이 의미부이고 책(責)이 소리부
이다. 독음은 칙(則)과 력(歷)의 반절이다.

8694

纑: 纑: 실 로: 糸-총22획: lú

原文

纑: 布縷也. 从糸盧聲. 洛乎切.

翻譯

'삼으로 만든 실(布縷)'을 말한다. 멱(糸)이 의미부이고 로(盧)가 소리부이다. 독음은
락(洛)과 호(乎)의 반절이다.

8695

紨: 紨: 베 이름 부: 糸-총11획: fū

原文

紨: 布也. 一曰粗紬. 从糸付聲. 防無切.

翻譯

'베(布)'를 말한다. 일설에는 '질 낮은 명주(粗紬)'를 말한다고도 한다. 멱(糸)이 의미
부이고 부(付)가 소리부이다. 독음은 방(防)과 무(無)의 반절이다.

8696

繐: 繐: 가는 천 세: 糸-총17획: suì

原文

繐: 蜀細布也. 从糸彗聲. 祥歲切.

翻譯

'촉(蜀) 땅에서 나는 섬세한 베(細布)'를 말한다. 멱(糸)이 의미부이고 혜(彗)가 소리부이다. 독음은 상(祥)과 세(歲)의 반절이다.

8697

絺: 絺: 칡베 치: 糸-총13획: chī

原文

絺: 細葛也. 从糸希聲. 丑脂切.

翻譯

'칡 섬유로 짠 가는 베(細葛)'를 말한다. 멱(糸)이 의미부이고 희(希)가 소리부이다. 독음은 축(丑)과 지(脂)의 반절이다.

8698

綌: 綌: 칡베 격: 糸-총13획: xì

原文

綌: 粗葛也. 从糸谷聲. 帢, 綌或从巾. 綺戟切.

翻譯

'칡 섬유로 짠 거친 베(粗葛)'를 말한다. 멱(糸)이 의미부이고 곡(谷)이 소리부이다. 격(帢)은 격(綌)의 혹체자인데, 건(巾)으로 구성되었다. 독음은 기(綺)와 극(戟)의 반절이다.

8699

縐: 縐: 주름질 추: 糸-총16획: zhòu

原文

縐: 絺之細也. 『詩』曰: "蒙彼縐絺." 一曰蹴也. 从糸芻聲. 側救切.

鷸譯

'치(絺)보다 더 가는 베'를 말한다. 『시·용풍·군자해로(君子偕老)』에서 "고운 모시 걸치고(蒙彼縐絺)"라고 노래했다. 일설에는 '주름이 지다(蹴)'라는 뜻이라고도 한다. 멱(糸)이 의미부이고 추(芻)가 소리부이다. 독음은 측(側)과 구(救)의 반절이다.

8700

絟: 絟: 가는 베 전: 糸-총12획: jí, quān

原文

絟: 細布也. 从糸全聲. 此緣切.

鷸譯

'가는 베(細布)'를 말한다. 멱(糸)이 의미부이고 전(全)이 소리부이다. 독음은 차(此)와 연(緣)의 반절이다.

8701

紵: 紵: 모시 저: 糸-총11획: zhù

原文

紵: 檾屬. 細者爲絟, 粗者爲紵. 从糸宁聲. 䋷, 紵或从緒省. 直呂切.

鷸譯

'어저귀(檾)의 일종'이다.[70] 가는 것은 전(絟)을 만들고, 굵은 것은 저(紵: 모시)를 만든다. 멱(糸)이 의미부이고 저(宁)가 소리부이다. 저(䋷)는 저(紵)의 혹체자인데, 서(緒)의 생략된 모습으로 구성되었다. 독음은 직(直)과 려(呂)의 반절이다.

---

70) 어저귀는 아욱과의 한해살이풀이다. 줄기는 높이가 1.5미터 정도이며, 잎은 어긋나고 둥근 모양으로 가장자리에 둔한 톱니가 있다. 8~9월에 노란 오판화가 줄기 끝의 잎겨드랑이에서 피고 열매는 삭과(蒴果)를 맺는다. 줄기로 로프와 마대를 만들고 씨는 한약재로 쓴다. 인도가 원산지로 한국, 일본, 중국 등지에 분포한다.

8702

緦: 緦: 시마복 시: 糸-총15획: sī

原文

緦: 十五升布也. 一曰兩麻一絲布也. 从糸思聲. 𢄐, 古文緦从糸省. 息茲切.

譯

'6백 가닥의 씨줄을 넣어 짠 베(十五升布)'를 말한다.[71] 일설에는 '두 가닥의 삼실에 한 가닥의 비단실을 넣어 짠 베(兩麻一絲布)'를 말한다고도 한다. 멱(糸)이 의미부이고 사(思)가 소리부이다. 시(𢄐)는 시(緦)의 고문체인데, 멱(糸)의 생략된 모습으로 구성되었다. 독음은 식(息)과 자(茲)의 반절이다.

---

71) 『예경』에서 80가닥(縷: 올)의 실을 1승(升)이라 하는데, 이는 허신이 말한 종(稯)일 것이다. 그런데 15승(升)은 6백 가닥의 실로 뽑은 것을 말한다. 이 때문에 『단주』에서는 각 판본에서 '抽其半(그 절반을 뽑는다)'이라는 세 글자가 빠졌다고 하면서, 이를 보충하여 '十五升抽其半布也'가 되어야 한다고 했다. 그래야 6백 가닥이 되기 때문이다. 그리고 이렇게 말했다. "시(緦)는 베 이름(布名)이다. 대공(大功)이나 소공(小功) 같은 것도 모두 베 이름이다. 경전에서 시마삼월(緦麻三月)이라고 했는데, 주석에서 시마(緦麻)는 시포(緦布)로 만든 상복(喪裳)과 마(麻)로 만든 질대(絰帶)를 말한다(緦麻, 緦布衰裳而麻絰帶也.)고 했다. 금본(今本)의 주석에서는 두 번째 나오는 시(緦)자를 삭제해 버렸는데, 이 때문에 문맥이 통하지 않게 되었다. 『전(傳)』에서 시(緦)에 대해서 '15승의 절반을 뽑아내고, 그 올에는 가공을 하고, 그 포에는 가공을 하지 않는데 이를 緦라 한다. 너비는 2자 2치로 한다.(十五升抽其半, 有事其縷, 無事其布曰緦. 凡布幅廣二尺二寸.)'라고 했다. 『예경(禮經)』에서는 80가닥(縷)을 1승(升)이라 한다고 했다. 그렇다면 허신이 말한 '布八十縷(포는 80가닥으로 한다)'는 종(稯)을 말한 것이다. 참최(斬衰)복은 3승(升)과 3승(升)반(半), 제최(齊衰)복은 4승(升)으로 한다. 혜최(繐衰)복 소공(小功)의 올 수(縷)는 4승(升)반, 대공(大功)은 8승(升)에서 9승(九升)으로 한다. 소공(小功)은 10승(升)에서 11승(升)으로 한다. 사포(緦布) 조복(朝服)의 올 수는 7승(升) 반으로 한다. 이처럼 승(升)의 수를 각기 달리 한다. 그러나 모두 합쳐 2자(尺) 2치(寸)의 너비로 베를 짠다. 15승(升)에서 절반을 빼버린다고 했는데, 15승은 조복(朝服)의 승수(升數)이다. 그 절반을 빼버리면 7승 반이 된다. 조복(朝服)이 15승으로 한다는 것은 베가 조밀하다는 뜻이다. 사(緦)는 그 절반을 사용한다는 것은 베가 성기다는 뜻이다. 이를 두고 사(緦)라고 한 것에 대해 정현은 올의 수를 다스릴 때 실처럼 가늘게 하기 때문이라 했는데, 『전』에서 말한 '有事其縷(그 올에는 가공을 하고)'가 그것이다 혜최(繐衰)에 소공(小功)의 올 수를 쓴다는 것은 승수(升數)가 절반에도 미치지 못한다는 것이다. 시(緦)에 조복(朝服)의 올 수를 쓰면서 승수(升數)는 단지 그 절반만 사용했는데, 이는 상황에 따라 적용하게 한 성인이 깊은 뜻이 아니겠는가?"

8703

緆: 緆: 고운 베 석: 糸-총14획: xì, yì

原文

緆: 細布也. 从糸易聲. 繺, 緆或从麻. 先擊切.

飜譯

'가는 베(細布)'를 말한다. 멱(糸)이 의미부이고 역(易)이 소리부이다. 석(繺)은 석(緆)의 혹체자인데, 마(麻)로 구성되었다. 독음은 선(先)과 격(擊)의 반절이다.

8704

緰: 緰: 비단 투·요: 糸-총15획: tóu

原文

緰: 緰貲, 布也. 从糸俞聲. 度矦切.

飜譯

'요자(緰貲)라는 비단'을 말하는데, '[상등품의 고운] 베(布)'를 말한다. 멱(糸)이 의미부이고 유(俞)가 소리부이다. 독음은 도(度)와 후(矦)의 반절이다.

8705

縗: 縗: 상복 이름 최: 糸-총16획: cuī

原文

縗: 服衣. 長六寸, 博四寸, 直心. 从糸衰聲. 倉回切.

飜譯

'상복의 상의(服衣)'를 말한다. 길이는 6치(寸), 너비는 4치이며, 가운데가 가슴 부위에 놓인다. 멱(糸)이 의미부이고 쇠(衰)가 소리부이다. 독음은 창(倉)과 회(回)의 반절이다.

8706

絰: 絰: 질 질: 糸-총12획: dié

原文

絰: 喪首戴也. 从糸至聲. 徒結切.

飜譯

'상례 때 머리에 두르는 테(喪首戴)'를 말한다. 멱(糸)이 의미부이고 지(至)가 소리부이다. 독음은 도(徒)와 결(結)의 반절이다.

8707

緶: 緶: 꿰맬 편: 糸-총15획: biàn

原文

緶: 交枲也. 一曰緶衣也. 从糸便聲. 房連切.

飜譯

'모시풀을 교차시켜 땋은 것(交枲)'을 말한다. 일설에는 '양쪽 가장자리를 꿰매 만든 옷(緶衣)'을 말한다고도 한다. 멱(糸)이 의미부이고 편(便)이 소리부이다. 독음은 방(房)과 련(連)의 반절이다.

8708

縞: 縞: 신 호: 糸-총10획: kuà, huà

原文

縞: 履也. 一曰靑絲頭履也. 讀若阡陌之陌. 从糸戶聲. 亡百切.

飜譯

'신발(履)'을 말한다. 일설에는 '신의 코를 푸른 비단실로 만든 신(靑絲頭履)'을 말한다고도 한다. 천맥(阡陌)이라고 할 때의 맥(陌)과 같이 읽는다. 멱(糸)이 의미부이고

호(戶)가 소리부이다. 독음은 망(亡)과 백(百)의 반절이다.[72]

8709

絣: 絣: 미투리 봉: 糸-총15획: běng, pěng

原文

絣: 枲履也. 从糸封聲. 博蠓切.

飜譯

'모시풀로 만든 신(枲履)'을 말한다. 멱(糸)이 의미부이고 봉(封)이 소리부이다. 독음은 박(博)과 몽(蠓)의 반절이다.

8710

絠: 絠: 신 한 켤레 량: 糸-총14획: liǎng

原文

絠: 履兩枚也. 一曰絞也. 从糸从兩, 兩亦聲. 力讓切.

飜譯

'신발 두 짝, 즉 한 켤레(履兩枚)'를 말한다. 일설에는 '실을 꼬다(絞)'라는 뜻이라고도 한다. 멱(糸)이 의미부이고 량(兩)도 의미부인데, 량(兩)은 소리부도 겸한다. 독음은 력(力)과 양(讓)의 반절이다.

8711

絜: 絜: 헤아릴 혈: 糸-총12획: jié

原文

---

72) 『단주』에서 이렇게 말했다. "대서본(大徐)에서 망(亡)과 백(百)의 반절이라 했는데, 곽박(郭景純)은 하(下)와 와(瓦)의 반절이라 했다. 다른 독음으로 화(畫)도 있다. 고음은 제5부에 속했다."

: 麻一耑也. 从糸初聲. 古屑切.

（飜譯）

'삼 한 묶음(麻一耑)'을 말한다. 멱(糸)이 의미부이고 갈(初)이 소리부이다. 독음은 고(古)와 설(屑)의 반절이다.

8712

繆: 繆: 얽을 무: 糸-총17획: móu

（原文）

繆: 枲之十絜也. 一曰綢繆. 从糸翏聲. 武彪切.

（飜譯）

'모시풀 열 묶음(枲之十絜)'을 말한다. 일설에는 '비단 열 단(綢繆)'을 말한다고도 한다. 멱(糸)이 의미부이고 료(翏)가 소리부이다. 독음은 무(武)와 표(彪)의 반절이다.

8713

綢: 綢: 얽힐 주·쌀 도: 糸-총14획: chóu

（原文）

綢: 繆也. 从糸周聲. 直由切.

（飜譯）

'료(繆)와 같아 모시풀 열 단'을 말한다. 멱(糸)이 의미부이고 주(周)가 소리부이다. 독음은 직(直)과 유(由)의 반절이다.

8714

縕: 縕: 헌솜 온: 糸-총16획: yùn

（原文）

縕: 紼也. 从糸盟聲. 於云切.

原文

'얽혀 엉클어진 삼(紼)'을 말한다.[73] 멱(糸)이 의미부이고 온(盟)이 소리부이다. 독음은 어(於)와 운(云)의 반절이다.

8715

紼: 紼: 얽힌 삼 불: 糸-총11획: fú

原文

紼: 亂系也. 从糸弗聲. 分勿切.

鸌譯

'얽혀 엉클어진 삼(亂系)'을 말한다. 멱(糸)이 의미부이고 불(弗)이 소리부이다. 독음은 분(分)과 물(勿)의 반절이다.

8716

絣: 絣: 이을 병·명주 붕: 糸-총12획: bēng

原文

絣: 氐人殊縷布也. 从糸幷聲. 北萌切.

鸌譯

'저족 사람들(氐人)이 사용하는 각기 다른 색깔로 짠 베(殊縷布)'를 말한다. 멱(糸)이

---

73) 『단주』에서 이렇게 말했다. "『예기·옥조(玉藻)』에서 '광(纊)으로는 솜옷(繭)을 만들고, 온(縕)으로는 핫옷(袍)을 만든다'라고 했다. 『주』에서 광(纊)은 새 솜(新絮)을 말한다고 했다. 온(縕)은 오늘날 말하는 '광(纊)과 헌솜(故絮)'을 말한다. '광(纊)과 헌솜(故絮)'이라 한 것은 새 솜을 헌솜과 섞어 옷을 만들기 때문이다. 정현의 해설과 허신의 해설이 차이를 보인다. 의(衣)부수에서 '以絮曰襺, 以縕曰袍.(솜으로는 襺을 만들고, 縕으로는 袍를 만든다.)'라고 했는데, 허신은 실이나 솜에 새것과 헌것을 구분하지 않았다. 이미 광(纊)이라 했는데도, 헝클어진 삼(亂麻)을 온(縕)이라고 했다. 공안국(孔安國)의 『논어(論語)』 해설에서는 온(縕)은 시저(枲著)를 말한다고 했는데, 허신이 근거한 바이기도 하다. 「괴통전(蒯通傳)」에서 '束縕乞火'라 했는데, 안사고의 주석에서 온(縕)은 엉클어진 삼(亂麻)을 말한다고 했다."

의미부이고 병(幷)이 소리부이다. 독음은 북(北)과 맹(萌)의 반절이다.

8717

紕: 紕: **가선 비**: 糸-총10획: pī

(原文)

紕: 氐人繝也. 讀若『禹貢』紕珠. 从糸比聲. 卑履切.

(飜譯)

'저족 사람들(氐人)이 짠 카펫(繝)'을 말한다. 『우공(禹貢)』의 빈주(紕珠)라고 할 때의 빈(紕)과 같이 읽는다. 멱(糸)이 의미부이고 비(比)가 소리부이다. 독음은 비(卑)와 리(履)의 반절이다.

8718

繼: 繼: **털 이불 계**: 糸-총23획: jì

(原文)

繼: 西胡毳布也. 从糸罽聲. 居例切.

(飜譯)

'서방의 호족들이 털로 짠 베(西胡毳布)'를 말한다. 멱(糸)이 의미부이고 계(罽)가 소리부이다. 독음은 거(居)와 례(例)의 반절이다.

8719

縊: 縊: **목맬 액**: 糸-총16획: yì

(原文)

縊: 經也. 从糸益聲.『春秋傳』曰: "夷姜縊." 於賜切.

(飜譯)

'목을 매다(經)'라는 뜻이다. 멱(糸)이 의미부이고 익(益)이 소리부이다.『춘추전』(『좌전』 환공 16년, B.C. 696)에서 "이강(夷姜)이 스스로 목을 매 죽었다(縊)"라고 했다. 독음은 어(於)와 사(賜)의 반절이다.

8720

綏： 綏: 편안할 **수**: 糸-총13획: suí

原文

綏： 車中把也. 从糸从妥. 息遺切.

譯

'[수레를 탈 때 잡고 올라설 수 있도록 한] 수레 중간에 있는 줄(車中把)'을 말한다. 멱(糸)이 의미부이고 타(妥)도 의미부이다. 독음은 식(息)과 유(遺)의 반절이다.

8721

彝： 彝: 떳떳할 **이**: ⺕-총18획: yì

原文

彝： 宗廟常器也. 从糸；糸, 蒸也. 廾持米, 器中寶也. 彑聲. 此與爵相似. 『周禮』："六彝： 雞彝、鳥彝、黃彝、虎彝、蟲彝、斝彝. 以待祼將之禮." 霧、䌾, 皆古文 彝. 以脂切.

譯

'종묘에 상시 진설하는 기물(宗廟常器)'을 말한다. 멱(糸)이 의미부인데, 멱(糸)은 '그 것을 덮는 비단(蒸)'을 말한다. 두 손(廾)으로 쌀(米)을 받든 모습인데, 쌀은 기물 속 의 보물임을 뜻한다(器中寶). 계(彑)가 소리부이다. 이 기물은 작(爵)과 비슷하게 생 겼다.74) 『주례·춘관소종백(小宗伯)』에서 "여섯 가지 이(六彝)가 있는데, 계이(雞彝),

---

74) 고문자에서 （甲骨文） （金文 등으로 그렸다. 彑(⺕·고슴도치 머 리 계)와 糸(가는실 멱)과 廾(두 손으로 받들 공)이 의미부이고 米(쌀 미)가 소리부로, 실(糸) 로 묶은 돼지머리(⺕)와 쌀(米)을 두 손으로 받들고(廾) 제단에 바치는 모습을 그렸는데, 갑골 문과 금문에서 날개가 묶인 닭이나 새를 두 손으로 받든 모습을 그렸고, 아래쪽으로 핏방울이

조이(鳥彝), 황이(黃彝), 호이(虎彝), 충이(蟲彝), 가이(斝彝)가 그것이다. 술을 땅에 뿌리는 관(祼)제사를 드릴 때 쓰는 예기이다."라고 했다. 이(鸁)와 이(鱭)는 모두 이(彝)의 고문체이다. 독음은 이(以)와 지(脂)의 반절이다.

8722

緻: 緻: 밸 치: 糸-총15획: zhì

原文

緻: 密也. 从糸致聲. 直利切.

飜譯

'빽빽하다(密)'라는 뜻이다. 멱(糸)이 의미부이고 치(致)가 소리부이다. 독음은 직(直)과 리(利)의 반절이다.

8723

緗: 緗: 담황색 상: 糸-총15획: xiāng

原文

緗: 帛淺黃色也. 从糸相聲. 息良切.

飜譯

'옅은 황색 비단(帛淺黃色)'을 말한다. 멱(糸)이 의미부이고 상(相)이 소리부이다. 독음은 식(息)과 량(良)의 반절이다. [신부]

떨어지는 모습과 머리 부분에 삐침 획(丿)이 더해져 제사상에 바쳐지는 죽인 희생물임을 형상화하기도 했다. 이로부터 신에게 드리는 제사처럼 '반드시 지켜져야 할 법칙', 제사에 사용되는 청동 기물을 뜻하게 되었고, 그러한 제사가 가지는 정당성으로부터 '옳고' '떳떳하다'는 뜻까지 나왔다. 그래서 彝器(이기)는 제사에 쓰는 청동그릇을, 彝倫(이륜)이나 彝訓(이훈) 등은 사람이 항상 지켜야 할 윤리(倫)와 교훈(訓)을 말한다.

8724

緋: 緋: 붉은빛 비: 糸-총14획: fēi

原文

緋: 帛赤色也. 从糸非聲. 甫微切.

譯譯

'붉은색 비단(帛赤色)'을 말한다. 멱(糸)이 의미부이고 비(非)가 소리부이다. 독음은 보(甫)와 미(微)의 반절이다. [신부]

8725

緅: 緅: 검붉을 추: 糸-총14획: zōu

原文

緅: 帛青赤色也. 从糸取聲. 子疾切.

譯譯

'청적색의 비단(帛青赤色)'을 말한다. 멱(糸)이 의미부이고 취(取)가 소리부이다. 독음은 자(子)와 후(疾)의 반절이다. [신부]

8726

繖: 繖: 일산 산: 糸-총18획: sàn

原文

繖: 蓋也. 从糸散聲. 穌旱切.

譯譯

'덮개(蓋)'를 말한다. 멱(糸)이 의미부이고 산(散)이 소리부이다. 독음은 소(穌)와 한(旱)의 반절이다. [신부]

8727

練: 練: 베 소: 糸-총13획: shū

原文

練: 布屬. 从糸束聲. 所菹切.

飜譯

'베의 일종(布屬)'이다. 멱(糸)이 의미부이고 속(束)이 소리부이다. 독음은 소(所)와 저(菹)의 반절이다. [신부]

8728

縡: 縡: 일 재: 糸-총16획: zǎi

原文

縡: 事也. 从糸宰聲. 子代切.

飜譯

'일(事)'을 말한다. 멱(糸)이 의미부이고 재(宰)가 소리부이다. 독음은 자(子)와 대(代)의 반절이다. [신부]

8729

繾: 繾: 곡진할 견: 糸-총20획: juǎn

原文

繾: 繾綣, 不相離也. 从糸遣聲. 去演切.

飜譯

'견권(繾綣)'을 말하는데, '서로 떨어지지 않다(不相離)'라는 뜻이다. 멱(糸)이 의미부이고 견(遣)이 소리부이다. 독음은 거(去)와 연(演)의 반절이다. [신부]

8730

綣： 綣: 정다울 권: 糸-총14획: quǎn

原文

綣： 繾綣也. 从糸卷聲. 去阮切.

飜譯

'견권(繾綣)'을 말하는데, '서로 떨어지지 않다'라는 뜻이다. 멱(糸)이 의미부이고 권(卷)이 소리부이다. 독음은 거(去)와 완(阮)의 반절이다. [신부]

제468부수
468 ■ 소(素)부수

8731

**:** 素: **흴 소**: 糸-총10획: sù

原文

: 白緻繒也. 从糸、𠂹, 取其澤也. 凡素之屬皆从素. 桑故切.

飜譯

'흰색으로 된 가는 비단(白緻繒)'을 말한다. 멱(糸)과 수(𠂹)가 모두 의미부인데, 반들반들한 윤기가 아래로 퍼지다는 의미를 가져왔다.[75] 소(素)부수에 귀속된 글자들은 모두 소(素)가 의미부이다. 독음은 상(桑)과 고(故)의 반절이다.

8732

**:** 䌹: **흰 비단 국**: 糸-총19획: jú

原文

: 素屬. 从素収聲. 居玉切.

飜譯

'흰색으로 된 가는 비단의 일종(素屬)'이다. 소(素)가 의미부이고 공(収)이 소리부이다. 독음은 거(居)와 옥(玉)의 반절이다.

---

75) 고문자에서 金文 簡牘文 등으로 그렸다. 糸(가는 실 멱)이 의미부고 垂(드리울 수)의 생략된 모습이 소리부로, 물을 들이지 않은 생 명주(生絹·생견)를 말한다. 명주의 본래 색인 '흰색'을 뜻하며, 다시 본질이나 바탕, 素朴(소박)함이나 벼슬을 하지 않은 사람을 뜻하게 되었다. 또 비단이 필사 재료로 사용되었던 데서 '종이'를 뜻하기도 한다.

8733

絿: 絿: 흰 비단 약: 糸-총13획: yào, yuè

原文

絿: 白約, 縞也. 从素勺聲. 以灼切.

飜譯

‘백약(白約)’을 말하는데, ‘흰 비단(縞)’을 말한다. 소(素)가 의미부이고 작(勺)이 소리
부이다. 독음은 이(以)와 작(灼)의 반절이다.

8734

繂: 繂: 흰 비단 률: 糸-총21획: lǜ

原文

繂: 素屬. 从素率聲. 所律切.

飜譯

‘흰색으로 된 가는 비단의 일종(素屬)’이다. 소(素)가 의미부이고 솔(率)이 소리부이
다. 독음은 소(所)와 률(律)의 반절이다.

8735

繛: 繛: 늘어질 작: 糸-총18획: chuò

原文

繛: 緩也. 从素卓聲. 綽, 繛或省. 昌約切.

飜譯

‘늘어지다(緩)’라는 뜻이다. 소(素)가 의미부이고 탁(卓)이 소리부이다. 작(綽)은 작
(繛)의 혹체자인데, 생략된 모습이다. 독음은 창(昌)과 약(約)의 반절이다.

8736

緩: 繛: 더딜 완: 糸-총19획: huǎn

原文

緩: 繛也. 从素, 爰省. 緩, 繛或省. 胡玩切.

譯

'늘어지다(繛)'라는 뜻이다. 소(素)가 의미부이고, 원(爰)의 생략된 모습이 소리부이다. 완(緩)은 완(繛)의 혹체자인데, 생략된 모습이다. 독음은 호(胡)와 완(玩)의 반절이다.

제469부수
469 ▪ 사(絲)부수

8737

絲: 絲: **실 사**: 糸-총12획: sī

原文

絲: 蠶所吐也. 从二糸. 凡絲之屬皆从絲. 息茲切.

飜譯

'누에가 토해 낸 실(蠶所吐)'을 말한다. 2개의 멱(糸)으로 구성되었다.[76] 사(絲)부수
에 귀속된 글자들은 모두 사(絲)가 의미부이다. 독음은 식(息)과 자(茲)의 반절이다.

8738

轡: 轡: **고삐 비**: 車-총22획: pèi

原文

轡: 馬轡也. 从絲从軎. 與連同意. 『詩』曰:"六轡如絲." 兵媚切.

飜譯

'말의 고삐(馬轡)'를 말한다. 사(絲)가 의미부이고 세(軎)도 의미부이다. 연(連)자의
구성 원리와 같다.[77] 『시·소아·황황자화(皇皇者華)』에서 "여섯 줄 고삐 실처럼 나란

---

76) 고문자에서 甲骨文 金文 簡牘文 등으로 그렸다. 두 개의 糸
(가는 실 멱)으로 결합되었는데, 糸은 비단 실타래를 그렸다. 그래서 絲는 비단실을 뜻한다.
영어의 'silk'나 우리말의 '실'이라는 말은 모두 여기에서 근원한 것으로 알려졌다. 비단실은
가늘고 세밀한 것이 특징이므로 '가늘다'는 뜻이 나왔고, 극히 미세한 부분을 뜻하게 되었다.
무게나 길이 단위로도 쓰였는데, 10絲가 1豪(호)에 해당하였으니, 터럭보다 더 가늘고 가벼운
것으로 인식되었음을 볼 수 있다. 간화자에서는 아랫부분을 한 획으로 줄여 丝로 쓴다.

77) 고문자에서 甲骨文 金文 古陶文 古璽文 등으로 그렸다. 絲(실 사)

하네(六轡如絲)"라고 노래했다. 독음은 병(兵)과 미(媚)의 반절이다.

8739

絆: 絲: 북에 실 꿸 관: 幺-총10획: guān

原文

絲: 織絹從糸貫杼也. 從絲省, 卝聲. 古還切.

譯

'비단을 짤 때 실이 북을 통과해 가는 모습(織絹糸貫杼)'을 말한다. 사(絲)의 생략된 모습이 의미부이고, 관(卝)이 소리부이다. 독음은 고(古)와 환(還)의 반절이다.

와 專(굴대 끝 세)로 이루어져, 굴대 끝(專)에서 실(絲)로 연결한 고삐를 말하며, 이후 재갈도 뜻하게 되었다.

제470부수

470 ■ 솔(率)부수

8740

率: 率: 거느릴 솔: 玄-총11획: shuài

原文

率: 捕鳥畢也. 象絲罔, 上下其竿柄也. 凡率之屬皆从率. 所律切.

飜譯

'새 잡는 그물(捕鳥畢)'을 말한다. [중간부분은] 실로 짠 그물을, 아래 위는 그것의 장대와 손잡이를 그렸다.[78] 솔(率)부수에 귀속된 글자들은 모두 솔(率)이 의미부이다. 독음은 소(所)와 률(律)의 반절이다.

---

78) 고문자에서 ![甲骨文]甲骨文 ![金文]金文 ![簡牘文]簡牘文 ![古璽文]古璽文 등으로 그렸다. 금문에서 중간은 실타래 모양이고 양쪽으로 점이 여럿 찍힌 모습이다. 중간의 실타래는 동아줄을 말하고 양쪽의 점은 동아줄에서 삐져나온 까끄라기를 상징한다. 동아줄은 비단실이 아닌 삼베나 새끼줄로 만들 수밖에 없다. 그래서 비단실과는 달리 양쪽으로 삐져나온 까끄라기가 그려졌다. 그래서 率의 원래 뜻은 '동아줄'이다. 동아줄은 배를 묶거나 어떤 거대한 물체를 끄는 데 사용된다. 그래서 率에는 率先(솔선)에서처럼 이끌다는 뜻이, 또 이끄는 것에 따라가다는 뜻이 생겼다. 이때에는 輕率(경솔)에서처럼 '솔'로 읽힌다. 한편, 동아줄의 이끌다는 의미를 살려 무리를 이끄는 지도자나 우두머리라는 의미에서 '장수'라는 뜻이 파생되었고, 이 경우에는 '수'로 읽히며 帥(장수 수·준수할 솔)와 같이 쓰기도 한다. 지도자와 우두머리는 타인의 본보기가 되고 '모범'이 되어야 하며, 대중의 표본이 되어야 한다. 이러한 의미에서 率에는 다시 '표준'이라는 뜻이, 그리고 어떤 표준에 근거해 계산하다는 의미까지 생겼다. 이 경우에는 比率(비율)이나 換率(환율)에서처럼 '율'로 읽힌다.

제471부수
471 ■ 충(虫)부수

8741

ᘓ : 虫: 벌레 훼·충: 虫-총6획: huǐ, chóng

原文

ᘓ : 一名蝮, 博三寸, 首大如擘指. 象其臥形. 物之微細, 或行, 或毛, 或羸, 或介, 或鱗, 以虫爲象. 凡虫之屬皆从虫. 許偉切.

飜譯

'일명 복(蝮)이라고도 하는데 살무사를 말한다.' 너비가 3치(寸)이고, 머리는 엄지손가락(擘指)만 하다. 누워있는 모습을 그렸기에 [획이 꼬부라졌다]. 미세한 움직이는 벌레 중에는 기어가는 것(行)도 있고, 털이 있는 것(毛)도 있고, 애벌레처럼 살을 드러낸 것(羸)도 있고, 딱딱한 껍질을 가진 것(介)도 있고, 비늘이 있는 것(鱗)도 있는데, 모두 충(虫)으로 형상했다.79) 충(虫)부수에 귀속된 글자들은 모두 충(虫)이 의미부이다. 독음은 허(許)와 위(偉)의 반절이다.

8742

蝮 : 蝮: 살무사 복: 虫-총15획: fù

原文

---

79) 고문자에서 ꓘꓘ 甲骨文 ꕐꕐꕐ 金文 ꕐꕐꕐ 簡牘文 등으로 그렸다. 갑골문에서 세모꼴의 머리에 긴 몸통을 가진 살모사를 닮았다. 그래서 虫(벌레 충)은 '뱀'이 원래 뜻이고, 이후 파충류는 물론 곤충, 나아가 "기어 다니거나 날아다니는, 털이 있거나 없는, 딱지나 비늘을 가진" 모든 생물을 지칭하게 되었다. 그러자 원래 뜻은 它(뱀 타·사)를 더해 蛇(뱀 사)로 분화했고, 虫을 둘 합해 蚰(벌레 곤), 셋 합해 蟲(벌레 충)을 만들었다. 현대 중국에서는 蟲의 간화자로도 쓰인다.

蝮: 虫也. 从虫复聲. 芳目切.

飜譯

'살무사(虫)'를 말한다. 충(虫)이 의미부이고 복(复)이 소리부이다. 독음은 방(芳)과 목(目)의 반절이다.

8743

騰: 騰: 등사 등: 虫-총16획: téng

原文

騰: 神蛇也. 从虫朕聲. 徒登切.

飜譯

'[운무를 일으켜 몸을 감춘다는] 신령스런 뱀(神蛇)'을 말한다. 충(虫)이 의미부이고 짐(朕)이 소리부이다. 독음은 도(徒)와 등(登)의 반절이다.

8744

蚦: 蚦: 비단뱀 염: 虫-총10획: rán

原文

蚦: 大蛇. 可食. 从虫冄聲. 人占切.

飜譯

'큰 뱀(大蛇)'을 말하는데, 먹을 수 있다. 충(虫)이 의미부이고 염(冄)이 소리부이다. 독음은 인(人)과 점(占)의 반절이다.

8745

蟨: 蟨: 지렁이 근: 虫-총17획: qǐn

原文

蟨: 螼也. 从虫堇聲. 弃忍切.

飜譯

'지렁이(螾)'를 말한다. 충(虫)이 의미부이고 근(堇)이 소리부이다. 독음은 기(弃)와 인(忍)의 반절이다.

8746

蚓: 螾: 지렁이 인: 虫-총17획: yǐn

原文

螾: 側行者. 从虫寅聲. 蚓, 螾或从引. 余忍切.

飜譯

'옆으로 기어가는 벌레(側行者)'를 말한다. 충(虫)이 의미부이고 인(寅)이 소리부이다. 인(蚓)은 인(螾)의 혹체자인데, 인(引)으로 구성되었다. 독음은 여(余)와 인(忍)의 반절이다.

8747

蝓: 蝓: 나나니벌 옹: 虫-총16획: wēng

原文

蝓: 蟲, 在牛馬皮者. 从虫翁聲. 烏紅切.

飜譯

'벌레(蟲)의 이름[등에]'인데, 소나 말의 가죽에 붙어산다. 충(虫)이 의미부이고 옹(翁)이 소리부이다. 독음은 오(烏)와 홍(紅)의 반절이다.

8748

蝬: 蝬: 옹종 종: 虫-총17획: zōng

原文

蝬: 蝓蝬也. 从虫從聲. 子紅切.

飜譯

'옹종(蝤蛑) 즉 등에'를 말한다. 충(虫)이 의미부이고 종(從)이 소리부이다. 독음은 자(子)와 홍(紅)의 반절이다.

8749

𧕙: 蠁: 번데기 향: 虫-총19획: xiǎng

原文

𧕙: 知聲蟲也. 从虫鄕聲. 蛦, 司馬相如：蠁从向. 許兩切.

飜譯

'지성충(知聲蟲)'을 말한다.[80] 충(虫)이 의미부이고 향(鄕)이 소리부이다. 향(蛦)은 사마상여(司馬相如)의 설에 의하면 향(蠁)인데, 향(向)으로 구성되었다. 독음은 허(許)와 량(兩)의 반절이다.

8750

蛁: 蛁: 참매미 조: 虫-총11획: diāo

原文

蛁: 蟲也. 从虫召聲. 都僚切.

飜譯

'벌레(蟲)의 이름'이다. 충(虫)이 의미부이고 소(召)가 소리부이다. 독음은 도(都)와 료(僚)의 반절이다.

---

80) 지성충(知聲蟲)은 멸구(浮塵子) 등과 같은 벼의 해충을 말한다. 달리 지용(地蛹)이라 하는데 잠용(蠶蛹)보다 크며 땅 속에 숨어 산다. 『이아(爾雅)·석충(釋蟲)』에서 '국맥(國貉)은 충향(蟲蠁)이다'라고 했는데, 형병(邢昺)의 『소(疏)』에서 '이는 용충(蛹蟲: 번데기)을 말하는데, 오늘날 세속에서는 향(蠁)이라 부른다. 일명 국맥(國貉)이라 하기도 하고 다른 이름으로 충향(蟲蠁)이라고도 한다. 고대인들은 이 벌레가 소리에 반응하는 능력이 있어 길을 잃었을 때 지성충(知聲蟲)을 손에 잡고 있으면 잃은 길을 벗어날 수 있다고 여겼다.

8751

蕞: 蕞: 벌레 최: 虫－총18획: cuì

原文

蕞: 蟲也. 从虫㝡聲. 祖外切.

飜譯

'벌레(蟲)의 이름'이다. 충(虫)이 의미부이고 체(㝡)가 소리부이다. 독음은 조(祖)와 외(外)의 반절이다.

8752

蛹: 蛹: 번데기 용: 虫－총13획: yǒng

原文

蛹: 繭蟲也. 从虫甬聲. 余隴切.

飜譯

'고치 속에 든 번데기(繭蟲)'를 말한다. 충(虫)이 의미부이고 용(甬)이 소리부이다. 독음은 여(余)와 롱(隴)의 반절이다.

8753

蜼: 蜼: 번데기 회: 虫－총16획: huì

原文

蜼: 蛹也. 从虫鬼聲. 讀若潰. 胡罪切.

飜譯

'번데기(蛹)'를 말한다. 충(虫)이 의미부이고 귀(鬼)가 소리부이다. 궤(潰)와 같이 읽는다. 독음은 호(胡)와 죄(罪)의 반절이다.

8754

蛔: 蛕: 거위 회: 虫-총12획: huí

原文

蛔: 腹中長蟲也. 从虫有聲. 戶恢切.

飜譯

'뱃속에 들어 있는 기다란 벌레, 즉 회충(腹中長蟲)'을 말한다. 충(虫)이 의미부이고 유(有)가 소리부이다. 독음은 호(戶)와 회(恢)의 반절이다.

8755

蟯: 蟯: 요충 요: 虫-총18획: náo

原文

蟯: 腹中短蟲也. 从虫堯聲. 如招切.

飜譯

'뱃속에 들어 있는 길이가 짧은 벌레, 즉 요충(腹中短蟲)'을 말한다. 충(虫)이 의미부 이고 요(堯)가 소리부이다. 독음은 여(如)와 초(招)의 반절이다.

8756

雖: 雖: 비록 수: 隹-총17획: suī

原文

雖: 似蜥蜴而大. 从虫唯聲. 息遺切.

飜譯

'도마뱀과 비슷하나 그것보다 좀 큰 것(似蜥蜴而大)[영원(蠑螈)]'을 말한다.[81] 충(虫)

---

81) 영원(蠑螈)은 도롱뇽 비슷한데, 양서강(兩棲綱) 유미목(有尾目) 영원과의 총칭으로, 몸길이 10~15cm이다. 약 16속 40종이 알려져 있으며, 북반구의 온대지방에 널리 분포한다. 수중생활을 하며, 피부는 매끄럽고 비늘이 없으며 습기를 띤다. 두부는 약간 편평하고 넓다. 꼬리는 측

이 의미부이고 유(唯)가 소리부이다.82) 독음은 식(息)과 유(遺)의 반절이다.

8757

虺: 虺: 살무사 훼: 虫-총9획: huǐ

原文

虺: 虺以注鳴.『詩』曰:"胡爲虺蜥." 从虫兀聲. 許偉切.

翻譯

'입으로 우는 살모사(虺以注鳴)'를 말한다.『시·소아정월(正月)』에서 "어찌하여 독사나 도마뱀처럼 되려는가?(胡爲虺蜥)"라고 노래했다. 충(虫)이 의미부이고 올(兀)이 소리부이다. 독음은 허(許)와 위(偉)의 반절이다.

8758

蜥: 蜥: 도마뱀 석: 虫-총14획: xī

原文

蜥: 蜥易也. 从虫析聲. 先擊切.

翻譯

편 되어 길며, 후반부는 지느러미 모양으로 되어 헤엄치는 데 알맞게 발달되어 있다. 네 다리로 땅위를 천천히 걸으며, 발가락은 앞다리에 4개, 뒷다리에 5개 있다. 온몸이 작은 혹으로 덮여 있으며, 이선(耳腺)이 발달하였다. 번식기의 수컷에는 아름다운 혼인색이 나타나며, 암컷 앞에서 구애의 춤을 춘다. 수컷이 정포(精包)를 배출하면 암컷이 배출강으로 받아 넣으며 정자는 암컷의 수정낭 안에서 장기간 생존한다. 알은 산란 때에 가서 수정되며, 1개씩 수초(水草)에 낳아 붙인다. 유생은 깃털 모양의 바깥 아가미가 있으며, 처음에는 다리가 없다. 새끼는 1~4년 동안 땅 위에서 생장하다가 수중생활로 들어간다. 곤충·지렁이류·갑각류 등 살아 있는 소형 무척추동물을 먹는다.(『두산백과』)

82) 고문자에서 [金文] 金文 [簡牘文] 簡牘文 등으로 그렸다. 虫(벌레 충)이 의미부고 唯(오직 유)가 소리부로, 벌레(虫)의 이름으로 도마뱀처럼 생겼으나 그보다는 크다. 이후 唯와 같이 쓰여 어기조사로 쓰였고, '누구'라는 의문 대명사로 가차되었다. 간화자에서는 隹(새 추)를 생략한 虽로 쓴다.

'도마뱀(蜥易)'을 말한다. 충(虫)이 의미부이고 석(析)이 소리부이다. 독음은 선(先)과 격(擊)의 반절이다.

8759

蝘: 蝘: 수궁 언: 虫-총15획: yǎn

原文

蝘: 在壁曰蝘蜓, 在艸曰蜥易. 从虫匽聲. 𧊳, 蝘或从蚰. 於殄切.

翻譯

'벽에 붙어사는 것을 수궁(蝘蜓)이라 하고, 풀 속에 사는 것을 도마뱀(蜥易)이라 한다.' 충(虫)이 의미부이고 언(匽)이 소리부이다. 언(𧊳)은 언(蝘)의 혹체자인데, 곤(蚰)으로 구성되었다. 독음은 어(於)와 진(殄)의 반절이다.

8760

蜓: 蜓: 수궁 전: 虫-총13획: tíng

原文

蜓: 蝘蜓也. 从虫廷聲. 一曰蝘蜓. 徒典切.

翻譯

'수궁(蝘蜓)'을 말한다. 충(虫)이 의미부이고 정(廷)이 소리부이다. 일설에는 '지렁이(蝘蜓)'를 말한다고도 한다. 독음은 도(徒)와 전(典)의 반절이다.

8761

蚖: 蚖: 영원 원: 虫-총10획: yuán

原文

蚖: 榮蚖, 蛇醫, 以注鳴者. 从虫元聲. 愚袁切.

翻譯

‘영원(榮蚖)’[83]을 말하며, 달리 ‘사의(蛇醫)’라고도 하는데, 입으로 소리를 낸다(以注鳴者). 충(虫)이 의미부이고 원(元)이 소리부이다. 독음은 우(愚)와 원(袁)의 반절이다.

8762

蠸: 蠸: 노린재 권: 虫-총24획: quán

原文

蠸: 蟲也. 一曰大螫也. 讀若蜀都布名. 从虫雚聲. 巨員切.

翻譯

‘벌레 이름이다(蟲)[노린재].’[84] 일설에는 ‘독벌레인 대석(大螫)’을 말한다고도 한다. 촉도(蜀都)에서 나는 베 이름(布名)과 같이 읽는다. 충(虫)이 의미부이고 관(雚)이 소리부이다. 독음은 거(巨)와 원(員)의 반절이다.

8763

螟: 螟: 마디충 명: 虫-총16획: míng

原文

螟: 蟲食穀葉者. 吏冥冥犯法卽生螟. 从虫从冥, 冥亦聲. 莫經切.

翻譯

‘곡식의 잎을 갉아 먹는 벌레(蟲食穀葉者)’를 말한다. 관리들의 부정부패 등 범법이

---

83) ‘영원(榮蚖)’은 도롱뇽목 영원과의 동물을 통틀어 이르는 말로, 몸은 가늘고 길다. 세로로 납작한 긴 꼬리를 가지고 있으며 네발은 짧고 물갈퀴가 있다. 붉은 배 영원 따위가 있다.

84) 노린재는 노린재아목에 속하는 곤충의 총칭이다. 『재물보(才物譜)』와 『물명고(物名考)』에는 수과(守瓜)를 표준어로 하고 이명(異名)으로 권(蠸)과 여부(輿父)를 들었다. 『재물보』에서는 “오이 밭에 있는 누른 갑(甲)의 작은 벌레이며 즐겨 오이 잎을 먹는다.”고 하였고, 『물명고』에서는 “오이 밭에 있는 누른 갑의 작은 벌레”라 하였다. 방언으로는 노래이·노레이·노린재이 등이라고도 한다. 노린재라는 말이 언제부터 사용되었는지는 확실하지 않으나, 1920년에 출판된 『조선어사전(朝鮮語辭典)』에 이 말이 들어 있고, 노린재 또는 이와 비슷한 말을 쓰는 지방이 많은 것으로 보아 그 기원은 오래된 것으로 추정된다.(『한국민족문화대백과』)

심하면 마디충이 생겨난다. 충(虫)이 의미부이고 명(冥)도 의미부인데, 명(冥)은 소리부도 겸한다. 독음은 막(莫)과 경(經)의 반절이다.

8764

蟘: 蟘: 황충 특: 虫-총18획: tè

原文

蟘: 蟲, 食苗葉者. 吏乞貸則生蟘. 从虫从貸, 貸亦聲. 『詩』曰: "去其螟蟘." 徒得切.

飜譯

'벌레(蟲)의 이름'인데, 벼나 초목의 잎을 갉아 먹는다. 관리들이 뇌물을 많이 먹으면 메뚜기(蟘)가 생겨난다. 충(虫)이 의미부이고 대(貸)도 의미부인데, 대(貸)는 소리부도 겸한다. 『시·소아대전(大田)』에서 "명충과 황충을 제거하여(去其螟蟘)"라고 노래했다.[85] 독음은 도(徒)와 득(得)의 반절이다.

8765

蟣: 蟣: 서캐 기: 虫-총18획: jǐ

原文

蟣: 蟣子也. 一曰齊謂蛭曰蟣. 从虫幾聲. 居狶切.

飜譯

'이의 알(蟣子)[서캐]'을 말한다. 일설에는 제(齊)나라에서는 거머리(蛭)를 기(蟣)라고 한다고도 한다. 충(虫)이 의미부이고 기(幾)가 소리부이다. 독음은 거(居)와 희(狶)의 반절이다.

8766

蛭: 蛭: 거머리 질: 虫-총12획: zhì

85) 금본에서는 특(蟘)이 특(螣)으로 되었다.

原文

蝷: 蟣也. 从虫至聲. 之日切.

飜譯

'거머리(蟣)'를 말한다. 충(虫)이 의미부이고 지(至)가 소리부이다. 독음은 지(之)와 일(日)의 반절이다.

8767

蝚: 蝚: 거머리 유: 虫-총15획: yóu, qiú

原文

蝚: 蛭蝚, 至掌也. 从虫柔聲. 耳由切.

飜譯

'지유(蛭蝚) 즉 거머리'를 말하는데, 지장(至掌)이라고도 한다. 충(虫)이 의미부이고 유(柔)가 소리부이다. 독음은 이(耳)와 유(由)의 반절이다.

8768

蛣: 蛣: 장구벌레 길: 虫-총12획: jiáo

原文

蛣: 蛣蚰, 蝎也. 从虫吉聲. 去吉切.

飜譯

'길굴(蛣蚰) 즉 장구벌레'를 말하는데, 갈(蝎)이라고도 한다. 충(虫)이 의미부이고 길(吉)이 소리부이다. 독음은 거(去)와 길(吉)의 반절이다.

8769

蚰: 蚰: 나무좀 벌레 굴·벌레 이름 절: 虫-총11획: qū, zhuō

原文

虫: 蛞蚰也. 从虫出聲. 區勿切.

飜譯

‘길굴(蛞蚰) 즉 장구벌레’를 말한다. 충(虫)이 의미부이고 출(出)이 소리부이다. 독음은 구(區)와 물(勿)의 반절이다.

8770

蟫: 蟫: 빈대좀 담: 虫-총18획: yín

原文

蟫: 白魚也. 从虫覃聲. 余箴切.

飜譯

‘백어(白魚) 즉 빈대좀’을 말한다.[86] 충(虫)이 의미부이고 담(覃)이 소리부이다. 독음은 여(余)와 잠(箴)의 반절이다.

8771

蛵: 蛵: 잠자리 형: 虫-총13획: xīng

原文

蛵: 丁蛵, 負勞也. 从虫巠聲. 戶經切.

飜譯

‘정형(丁蛵) 즉 잠자리’를 말하는데, 부로(負勞)라고도 한다. 충(虫)이 의미부이고 경(巠)이 소리부이다. 독음은 호(戶)와 경(經)의 반절이다.

---

86) 『단주』에서 이렇게 말했다. “옷이나 책 속에 백충(白蟲) 가루가 은 색깔처럼 널려 있기 때문에 이렇게 부른다. 달리 병어(蛃魚)라고도 하는데, 『본초경(本艸經)』에서는 이를 의어(衣魚)라고 했다.”

8772

蜭: 蜭: 쐐기 함: 虫-총14획: hàn

（原文）

蜭: 毛蠹也. 从虫臽聲. 乎感切.

（飜譯）

'모두(毛蠹) 즉 쐐기'를 말한다. 충(虫)이 의미부이고 함(臽)이 소리부이다. 독음은 호(乎)와 감(感)의 반절이다.

8773

蟜: 蟜: 독충 교: 虫-총18획: jiǎo

（原文）

蟜: 蟲也. 从虫喬聲. 居夭切.

（飜譯）

'벌레 이름(蟲)'이다. 충(虫)이 의미부이고 교(喬)가 소리부이다. 독음은 거(居)와 요(夭)의 반절이다.

8774

蚝: 蚝: 쐐기 자: 虫-총12획: cì

（原文）

蚝: 毛蟲也. 从虫戋聲. 千志切.

（飜譯）

'모두(毛蠹) 즉 쐐기'를 말한다. 충(虫)이 의미부이고 재(戋)가 소리부이다. 독음은 천(千)과 지(志)의 반절이다.

8775

舂: 畫: 별자리 이름 규: 虫-총12획: kuí, wā

<원문>

舂: 蠸也. 从虫圭聲. 烏蝸切.

<번역>

'전갈(蠸)'을 말한다. 충(虫)이 의미부이고 규(圭)가 소리부이다. 독음은 오(烏)와 와(蝸)의 반절이다.

8776

蚔: 蚔: 청개구리 기: 虫-총10획: qí

<원문>

蚔: 畫也. 从虫氏聲. 巨支切.

<번역>

'전갈(畫)'을 말한다. 충(虫)이 의미부이고 씨(氏)가 소리부이다. 독음은 거(巨)와 지(支)의 반절이다.

8777

蠆: 蠆: 전갈 채: 虫-총15획: chài

<원문>

蠆: 毒蟲也. 象形. 蠤, 蠆或从蚰. 丑芥切.

<번역>

'독충(毒蟲)의 일종[전갈]'이다. 상형이다. 채(蠤)는 채(蠆)의 혹체자인데, 곤(蚰)으로 구성되었다. 독음은 축(丑)과 개(芥)의 반절이다.

8778

蟗: 蟗: 나무굼벵이 추: 虫-총15획: qiú

原文

蟗: 蟗蠰也. 从虫酋聲. 字秋切.

飜譯

'추재(蟗蠰) 즉 나무굼벵이'를 말한다. 충(虫)이 의미부이고 추(酋)가 소리부이다. 독음은 자(字)와 추(秋)의 반절이다.

8779

蠰: 蠰: 굼벵이 제: 虫-총20획: qí

原文

蠰: 蠰蠹也. 从虫齊聲. 徂兮切.

飜譯

'제조(蠰蠹) 즉 나무굼벵이'를 말한다. 충(虫)이 의미부이고 제(齊)가 소리부이다. 독음은 조(徂)와 혜(兮)의 반절이다.

8780

蝎: 蝎: 나무좀 갈: 虫-총15획: xiē

原文

蝎: 蟗蝤也. 从虫曷聲. 胡葛切.

飜譯

'추제(蟗蝤) 즉 나무굼벵이'를 말한다. 충(虫)이 의미부이고 갈(曷)이 소리부이다. 독음은 호(胡)와 갈(葛)의 반절이다.

8781

强: 强: 굳셀 강: 弓-총11획: qiáng

强: 蚚也. 从虫弘聲. 䖰, 籀文强从蚰从彊. 巨良切.

'쌀벌레(蚚)'를 말한다. 충(虫)이 의미부이고 홍(弘)이 소리부이다. 강(䖰)은 강(强)의 주
문체인데, 곤(蚰)도 의미부이고 강(彊)도 의미부이다. 독음은 거(巨)와 량(良)의 반절이다.

8782

蚚: 蚚: 쌀바구미 기: 虫-총10획: qí

蚚: 强也. 从虫斤聲. 巨衣切.

'쌀벌레(强)'를 말한다. 충(虫)이 의미부이고 근(斤)이 소리부이다. 독음은 거(巨)와
의(衣)의 반절이다.

8783

蜀: 蜀: 나라 이름 촉: 虫-총13획: shǔ

蜀: 葵中蠶也. 从虫, 上目象蜀頭形, 中象其身蜎蜎. 『詩』曰: "蜎蜎者蜀." 市玉切.

'뽕나무에 사는 누에처럼 생긴 벌레(葵中蠶)'를 말한다. 충(虫)이 의미부이고, 윗부분
의 눈은 벌레의 머리 모습이고, 중간 부분은 장구벌레처럼 휘어진 몸통을 그렸다.[87]

---

87) 고문자에서 ![甲骨文] 甲骨文 ![金文] 金文 ![古陶文] 古陶文 ![簡牘文] 簡牘文 등으로 그렸다.

『시·빈풍동산(東山)』에서 "꿈틀꿈틀 뽕나무 벌레 기어가네(蜎蜎者蜀)"라고 노래했다. 독음은 시(市)와 옥(玉)의 반절이다.

8784

蠲: 蠲: 밝을 견: 虫-총23획: juān

原文

蠲: 馬蠲也. 从虫、目, 益聲. 纽, 象形.『明堂月令』曰: "腐艸爲蠲." 古玄切.

飜譯

'마견(馬蠲)이라는 벌레[노래기]'를 말한다. 충(虫)과 목(目)이 모두 의미부이고, 익(益)이 소리부이다. 纽는 상형이다.[88]『명당월령(明堂月令)』(즉『예가월령』)에서 "썩은 풀더미에서 마견이 생겨난다(腐艸爲蠲)"라고 했다. 독음은 고(古)와 현(玄)의 반절이다.

8785

蜱: 蜱: 진드기 비: 虫-총16획: bī

原文

蜱: 齧牛蟲也. 从虫毘聲. 邊兮切.

飜譯

'설우충(齧牛蟲) 즉 진드기'를 말한다. 충(虫)이 의미부이고 비(毘)가 소리부이다. 독음은 변(邊)과 혜(兮)의 반절이다.

원래는 머리가 크게 돌출된 구부린 모양의 애벌레를 그렸으나, 이후 사천성 지역에 있던 나라 이름을 지칭하게 되었고, 그러자 다시 虫(벌레 충)을 더한 蠋(나비 애벌레 촉)으로 분화했다. 角(뿔 각)이 더해진 觸(닿을 촉)은 애벌레(蜀)가 더듬이(角·각)를 내밀어 다른 물체와 '접촉함'을 그렸고, 金(쇠 금)이 더해진 鐲(팔찌 탁)은 애벌레(蜀)가 구부린 모양처럼 둥글게 만들어진 금속(金·금) 팔찌를 말한다.

88)『단주』에서는 "从虫, 罒象形, 益聲."으로 고쳤으며, "촉(蜀)으로 구성되었다고 하지 않은 것은 견(蠲: 노래기)이 촉수가 달린 벌레(蜀)가 아니기 때문이다. 또 촉(蜀)부수가 따로 설정되지 않았기 때문이기도 하다."라고 했다.

8786

蠖: 蠖: 진사 확: 虫-총20획: huò

原文

蠖: 尺蠖, 屈申蟲. 从虫蒦聲. 烏郭切.

飜譯

‘척확(尺蠖) 즉 자벌레’를 말하는데, 몸을 굽혔다 폈다 하면서 나가는 벌레(屈申蟲)이다. 충(虫)이 의미부이고 확(蒦)이 소리부이다. 독음은 오(烏)와 곽(郭)의 반절이다.

8787

蝝: 蝝: 누리새끼 연: 虫-총15획: yuán

原文

蝝: 復陶也. 劉歆說: 蝝, 蚍蜉子. 董仲舒說: 蝗子也. 从虫彖聲. 與專切.

飜譯

‘복도(復陶) 즉 [아직 날개가 나지 않은] 메뚜기 새끼’를 말한다. 유흠(劉歆)의 설에 의하면, 연(蝝)은 왕개미나 하루살이의 알(蚍蜉子)이라고 한다. 그러나 동중서(董仲舒)는 ‘메뚜기 알(蝗子)’이라고 했다. 충(虫)이 의미부이고 단(彖)이 소리부이다. 독음은 여(與)와 전(專)의 반절이다.

8788

螻: 螻: 땅강아지 루: 虫-총17획: lóu

原文

螻: 螻蛄也. 从虫婁聲. 一曰蟹、天螻. 洛矦切.

飜譯

‘누고(螻蛄) 즉 땅강아지’를 말한다. 충(虫)이 의미부이고 루(婁)가 소리부이다. 일설에는 혹(蟚)이나 천루(天螻)라고 한다고도 한다. 독음은 락(洛)과 후(矦)의 반절이다.

8789

蛄: 蛄: 땅강아지 고: 虫−총11획: gū

原文

蛄: 螻蛄也. 从虫古聲. 古乎切.

繙譯

'누고(螻蛄) 즉 땅강아지'를 말한다. 충(虫)이 의미부이고 고(古)가 소리부이다. 독음은 고(古)와 호(乎)의 반절이다.

8790

蠪: 蠪: 개미 롱: 虫−총22획: lóng

原文

蠪: 丁螘也. 从虫龍聲. 盧紅切.

繙譯

'정의(丁螘) 즉 개미'를 말한다. 충(虫)이 의미부이고 룡(龍)이 소리부이다. 독음은 로(盧)와 홍(紅)의 반절이다.

8791

蛾: 蛾: 나방 아: 虫−총13획: é, yí

原文

蛾: 羅也. 从虫我聲. 五何切.

繙譯

'나(羅) 즉 나방'을 말한다. 충(虫)이 의미부이고 아(我)가 소리부이다. 독음은 오(五)와 하(何)의 반절이다.

8792

鐀: 蟻: 개미 의: 虫-총16획: yǐ

原文

鐀: 蚍蜉也. 从虫豈聲. 魚綺切.

譯

'비부(蚍蜉) 즉 개미'를 말한다. 충(虫)이 의미부이고 기(豈)가 소리부이다. 독음은 어(魚)와 기(綺)의 반절이다.

8793

蚳: 蚳: 개미 알 지: 虫-총11획: chí

原文

蚳: 蟻子也. 从虫氏聲. 『周禮』有蚳醢. 讀若祁. 𧊧, 籒文蚳从䖵. 𧉥, 古文蚳
从辰、土. 直尼切.

譯

'개미의 알(蟻子)'을 말한다. 충(虫)이 의미부이고 저(氏)가 소리부이다. 『주례·천관해인(醢人)』에 '지해(蚳醢) 즉 개미 알로 만든 젓갈'이 나온다. 기(祁)와 같이 읽는다. 지(𧊧)는 지(蚳)의 주문체인데, 곤(䖵)으로 구성되었다. 지(𧉥)는 지(蚳)의 고문체인데, 진(辰)과 토(土)로 구성되었다. 독음은 직(直)과 니(尼)의 반절이다.

8794

蠜: 蠜: 누리 번: 虫-총21획: fán

原文

蠜: 𨂀蠜也. 从虫樊聲. 附袁切.

（飜譯）
‘부번(𧎮蟩) 즉 메뚜기’를 말한다. 충(虫)이 의미부이고 번(樊)이 소리부이다. 독음은 부(附)와 원(袁)의 반절이다.

8795

𧒻 : 蟀: 귀뚜라미 솔: 虫-총15획: shuài

（原文）
𧒻 : 悉蟀也. 从虫帥聲. 所律切.

（飜譯）
‘실솔(悉蟀) 즉 귀뚜라미’를 말한다. 충(虫)이 의미부이고 솔(帥)이 소리부이다. 독음은 소(所)와 률(律)의 반절이다.

8796

蝒 : 蝒: 매미 면: 虫-총15획: mián

（原文）
蝒 : 馬蝒也. 从虫面聲. 武延切.

（飜譯）
‘마조(馬蝒) 즉 매미’를 말한다. 충(虫)이 의미부이고 면(面)이 소리부이다. 독음은 무(武)와 연(延)의 반절이다.

8797

蟷 : 蟷: 버마 제비 당: 虫-총19획: dāng

（原文）
蟷 : 蟷蠰, 不過也. 从虫當聲. 都郎切.

'당랑(蟷蠰) 즉 사마귀'를 말하는데, 불과(不過)라고 부르기도 한다. 충(虫)이 의미부이고 당(當)이 소리부이다. 독음은 도(都)와 랑(郎)의 반절이다.

8798

蠰: 蠰: 연가시 상·사마귀 낭: 虫-총23획: náng

原文

蠰: 蟷蠰也. 从虫襄聲. 汝羊切.

翻譯

'당랑(蟷蠰) 즉 사마귀'를 말한다. 충(虫)이 의미부이고 양(襄)이 소리부이다. 독음은 여(汝)와 양(羊)의 반절이다.

8799

蜋: 蜋: 사마귀 랑: 虫-총13획: láng

原文

蜋: 堂蜋也. 从虫良聲. 一名斫父. 魯當切.

翻譯

'당랑(堂蜋) 즉 사마귀'를 말한다. 충(虫)이 의미부이고 양(良)이 소리부이다. 일명 기부(斫父)라고도 한다. 독음은 로(魯)와 당(當)의 반절이다.

8800

蛸: 蛸: 갈거미 소: 虫-총13획: xiāo

原文

蛸: 蟲蛸, 堂蜋子. 从虫肖聲. 相邀切.

翻譯

'비소(蟲蛸) 즉 사마귀의 알(堂蜋子)'을 말한다. 충(虫)이 의미부이고 초(肖)가 소리부이다. 독음은 상(相)과 요(邀)의 반절이다.

8801

𦕎: 蚲: 풍뎅이 병: 虫-총12획: píng

原文

蚲: 蟺蟥, 以翼鳴者. 从虫幷聲. 薄經切.

翻譯

'율황(蟺蟥) 즉 풍뎅이'를 말하는데, 날개로 우는 소리를 낸다. 충(虫)이 의미부이고 병(幷)이 소리부이다. 독음은 박(薄)과 경(經)의 반절이다.

8802

𧑗: 蟺: 투구풍뎅이 율: 虫-총18획: yù

原文

蟺: 蟺蟥也. 从虫矞聲. 余律切.

翻譯

'율황(蟺蟥) 즉 풍뎅이'를 말한다. 충(虫)이 의미부이고 율(矞)이 소리부이다. 독음은 여(余)와 률(律)의 반절이다.

8803

𧒒: 蟥: 풍뎅이 황: 虫-총18획: huáng

原文

蟥: 蟺蟥也. 从虫黄聲. 乎光切.

譯
'율황(蟥蟥) 즉 풍뎅이'를 말한다. 충(虫)이 의미부이고 황(黃)이 소리부이다. 독음은 호(乎)와 광(光)의 반절이다.

8804

螔: 螔: 바구미 시: 虫-총15획: shī

原文

螔: 蛄螔, 强羋也. 从虫施聲. 式支切.

譯
'고시(蛄螔) 즉 쌀바구미'를 말하는데, 강미(强羋)라고도 한다.[89] 충(虫)이 의미부이고 시(施)가 소리부이다. 독음은 식(式)과 지(支)의 반절이다.

8805

蛅: 蛅: 쐐기 점: 虫-총11획: zhān

原文

蛅: 蛅斯, 墨也. 从虫占聲. 職廉切.

譯
'점사(蛅斯) 즉 쐐기'를 말하는데, 검은색(墨)이다. 충(虫)이 의미부이고 점(占)이 소리부이다. 독음은 직(職)과 렴(廉)의 반절이다.

8806

蜆: 蜆: 가막조개 현: 虫-총13획: xiǎn

---

89) 쌀 바구미는 왕바구밋과의 곤충이다. 몸의 길이는 3~4mm이며, 검은 갈색이고 앞 등판과 앞 날개에 작은 점무늬가 있다. 주둥이는 암컷이 수컷보다 가늘고 긴데, 광택이 있다. 곡물 속에서 부화한 애벌레가 곡물을 갉아 먹는다. 한국, 일본, 인도, 유럽 등지에 분포한다.

原文

蜆: 縊女也. 从虫見聲. 胡典切.

飜譯

'액녀(縊女) 즉 도롱이나방'을 말한다.[90) 충(虫)이 의미부이고 견(見)이 소리부이다. 독음은 호(胡)와 전(典)의 반절이다.

8807

蜰: 蜚: 바퀴 비: 虫-총14획: féi

原文

蜰: 盧蜚也. 从虫肥聲. 符非切.

飜譯

'노비(盧蜚) 즉 바퀴벌레'를 말한다. 충(虫)이 의미부이고 비(肥)가 소리부이다. 독음은 부(符)와 비(非)의 반절이다.

8808

蚗: 蚗: 벵이 각: 虫-총15획: jué

原文

蚗: 渠蚗. 一曰天社. 从虫却聲. 其虐切.

飜譯

'거각(渠蚗)[쇠똥구리]'을 말한다. 일설에는 '천사(天社)'라고도 한다.[91) 충(虫)이 의미

---

90) 곽박의 『이아주』에서 "작고 검은 곤충인데, 붉은 머리를 가졌다. 스스로 목을 매달아 죽기를 좋아하기에 액녀(縊女)라 부르게 되었다."고 했다. 『이아소』에 의하면, 『설문』에서 "현(蜆)은 허물을 벗고 나비가 되다(蛻爲蝶)는 뜻이다."라고 했는데, 현행본 『설문』에는 이 말이 보이지 않는다. 다만 『설문고림』의 「고본고(古本考)」에 의하면 『육서고』에서 인용한 『설문』 촉본(蜀本)에 그렇게 되었다고 했다.

91) 천사(天社)는 쇠똥구리를 말한다. 『단주』에서는 천사(天社)의 사(社)를 달리 주(柱)로 적기도 하며 『광운』에서는 신(神)으로 적었다고 했다. 그리고 이렇게 말했다. "거각(渠蚗)은 바로 길

부이고 각(却)이 소리부이다. 독음은 기(其)와 학(虐)의 반절이다.

8809

蜾: 蜾: 나나니벌 과: 虫-총19획: guǒ

原文

蜾: 蜾蠃, 蒲盧, 細要土蠭也. 天地之性, 細要, 純雄, 無子.『詩』曰："螟蛉有
子, 蜾蠃負之." 从虫𧒾聲. 蝀, 蜾或从果. 古火切.

譯

'과라(蜾蠃)[나나니벌]'를 말한다. 포로(蒲盧)라고도 하는데, 허리가 가는 토종 벌(細要
土蠭)을 말한다. 천지간에 존재하는 사물의 본성으로 볼 때, 세요(細要)나 순웅(純
雄)은 새끼를 낳지 못한다(無子).92)『시·소아소완(小宛)』에서 "뽕나무 벌레 새끼를
나나니벌이 업고 다니네(螟蛉有子, 蜾蠃負之)"라고 노래했다. 충(虫)이 의미부이고
과(𧒾)가 소리부이다. 과(蝀)는 과(蜾)의 혹체자인데, 과(果)로 구성되었다. 독음은

강(蛣蜣)이 변한 것이 아닌가 한다.『옥편』에서 강(蜣)과 각(蜠)이 같은 글자라고 했기 때문이
다.『이아·석충(釋蟲)』에서도 길강(蛣蜣)은 강랑(蜣蜋)이라고 했다.『장자(莊子)』에서 '길강의
지혜는 둥근 환을 굴리는데 있다(蛣蜣之智在於轉丸)'라고 했다. 도은거(陶隱居)도 '사람의 똥
속에 들어가 똥을 둥글게 환으로 말아 밀고 다니기를 좋아하는데, 세속에서는 이를 추환(推
丸)이라 부른다.(憙入人糞中, 取屎丸而郤推之, 俗名爲推丸.)'라고 했다. 나원(羅願)도 '한번 앞
으로 간 다음 두 발로 이를 끌고, 한번 뒤로 간 다음 밀고 간다. 구덩이에다 밀어 넣고서는
둥근 환으로 만든다. 며칠이 지나지 않아 그 속에서 강랑(蜣蜋)이 나온다.(一前行以後兩足曳
之, 一自後而推致焉. 乃坎地納丸, 不數日有蜣蜋自其中出.)'라고 했다. 내 생각으로는 이 벌레
가 앞으로 밀어서 둥근 환을 만들기 때문에(前郤推丸), 그래서 거각(渠蜠)이라 했을 것이라
생각한다.……『광아(廣雅)』에서 천추(天柱)는 강랑(蜣蜋)을 말한다고 했다."
92) 나나니벌이 마디충 나방의 애벌레를 잡아다가 자기 새끼로 만든다는 말이 있는데, 이를 반영
한 서술이다.『단주』에서 이렇게 말했다. "『중용주(中庸注)』에서 '포로(蒲盧)를 과라(果蠃)라고
하는데 토종 벌(土蜂)을 말한다. 포로(蒲盧)는 뽕나무 벌레의 새끼를 가져와 변화시켜 자기 새
끼로 만든다.'『열자(列子)』에서는 '순자(純雌, 암놈만 있는 것)를 대요(大腰)라 부르고, 순웅
(純雄, 수놈만 있는 것)을 치봉(穉蜂)이라 부른다고 했다.『회남자(淮南)』에서도 '정충은 움직
이면서 독으로 쏘아 죽인다(貞蟲之動以毒螫)'라고 했는데, 고유의 주석에서 정충(貞蟲)은 세요
봉(細要蜂)을 말하는데, 나과(蜾蠃)의 일종이다. 암수 교합 없이 알을 낳는 것을 정(貞)이라
한다(無牝牡之合曰貞)라고 했다."

고(古)와 화(火)의 반절이다.

8810

蠃: 蠃: **나나니벌 라**: 虫-총19획: luó

(原文)

蠃: 蜾蠃也. 从虫羸聲. 一曰虒蝓. 郎果切.

(飜譯)

'과라(蜾蠃) 즉 나나니벌'을 말한다. 충(虫)이 의미부이고 라(羸)가 소리부이다. 일설에는 '사유(虒蝓) 즉 달팽이'를 말한다고도 한다. 독음은 랑(郎)과 과(果)의 반절이다.

8811

蠕: 蠕: **뽕나무 벌레 령**: 虫-총23획: líng

(原文)

蠕: 螟蠕, 桑蟲也. 从虫需聲. 卽丁切.

(飜譯)

'명령(螟蠕)'을 말하는데, 뽕나무 벌레(桑蟲)이다. 충(虫)이 의미부이고 령(需)이 소리부이다. 독음은 즉(卽)과 정(丁)의 반절이다.

8812

蛺: 蛺: **나비 협**: 虫-총13획: jiá

(原文)

蛺: 蛺蜨也. 从虫夾聲. 兼叶切.

(飜譯)

'협접(蛺蜨) 즉 나비'를 말한다. 충(虫)이 의미부이고 협(夾)이 소리부이다. 독음은 겸(兼)과 협(叶)의 반절이다.

8813

蜨: 蜨: 나비 접: 虫-총14획: dié

原文

蜨: 蛺蜨也. 从虫疌聲. 徒叶切.

飜譯

'협접(蛺蜨) 즉 나비'를 말한다. 충(虫)이 의미부이고 섭(疌)이 소리부이다. 독음은 도(徒)와 협(叶)의 반절이다.

8814

蚩: 蚩: 어리석을 치: 虫-총10획: chī

原文

蚩: 蟲也. 从虫之聲. 赤之切.

飜譯

'벌레 이름(蟲)'이다. 충(虫)이 의미부이고 지(之)가 소리부이다. 독음은 적(赤)과 지(之)의 반절이다.

8815

蝂: 蝂: 가뢰 반: 虫-총16획: bān

原文

蝂: 蝂蝥, 毒蟲也. 从虫般聲. 布還切.

飜譯

'반모(蝂蝥) 즉 가뢰'를 말하는데, 독이 있는 벌레(毒蟲)이다.[93] 충(虫)이 의미부이고

---

93) 가뢰는 가룻과의 곤충을 통틀어 이르는 말로, 몸의 길이는 1~3cm이고 길쭉하며, 광택이 있는 검은색이다. 날개가 퇴화하여 날지 못하고 농작물에 해를 준다. 먹가뢰, 황가뢰, 청가뢰 따위

반(般)이 소리부이다. 독음은 포(布)와 환(還)의 반절이다.

8816

蝥: 蝥: 해충 모: 虫-총15획: máo

原文

蝥: 蟊蝥也. 从虫敄聲. 莫交切.

飜譯

'반모(蟊蝥) 즉 곡식의 뿌리를 갉아먹는 해충인 가뢰'를 말한다. 충(虫)이 의미부이고 무(敄)가 소리부이다. 독음은 막(莫)과 교(交)의 반절이다.

8817

蟠: 蟠: 서릴 반: 虫-총18획: pán

原文

蟠: 鼠婦也. 从虫番聲. 附袁切.

飜譯

'서부(鼠婦) 즉 쥐며느리'를 말한다.[94] 충(虫)이 의미부이고 번(番)이 소리부이다. 독음은 부(附)와 원(袁)의 반절이다.

8818

蚚: 蚚: 쥐며느리 이: 虫-총10획: yī

原文

───────────

가 있다. 비슷한 말로 땅가뢰, 반모(斑蝥), 지담(地膽), 토반모, 토반묘 등이 있다.

94) 서부(鼠婦) 즉 쥐며느리는 쥐며느릿과의 절지동물로, 몸의 길이는 1cm 정도이고 타원형이며, 어두운 갈색이다. 가슴마디는 7개, 배마디는 6개이다. 썩은 나무나 마루 밑 따위의 습한 곳에 사는데 자극을 받으면 몸을 둥글게 움츠리고 죽은 시늉을 한다. 비슷한 말로, 서고(鼠姑), 이위(蚜蜮), 지계(地鷄), 초혜충(Koreoniscus racovitzai) 등이 있다.(『두산백과』)

蛜: 蛜威, 委黍. 委黍, 鼠婦也. 从虫, 伊省聲. 於脂切.

飜譯

'이위(蛜威) 즉 위서(委黍)'를 말하는데, 위서(委黍)는 '서부(鼠婦) 즉 쥐며느리'를 말한다. 충(虫)이 의미부이고, 이(伊)의 생략된 모습이 소리부이다. 독음은 어(於)와 지(脂)의 반절이다.

8819

蜙: 蜙: 베짱이 송: 虫-총14획: sōng

原文

蜙: 蜙蝑, 以股鳴者. 从虫松聲. 蚣, 蜙或省. 臣鉉等曰：今俗作古紅切, 以爲蜈蚣, 蟲
名. 息恭切.

飜譯

'송서(蜙蝑) 즉 베짱이'를 말하는데, 다리를 비벼서 울음소리를 낸다. 충(虫)이 의미부이고 송(松)이 소리부이다. 송(蚣)은 송(蜙)의 혹체자인데, 생략된 모습이다. 신(臣)서현 등은 이렇게 생각합니다. "오늘날의 세속에서는 고(古)와 홍(紅)의 반절로 읽고, 오송(蜈蚣: 지네)이라는 벌레 이름으로 쓰입니다." 독음은 식(息)과 공(恭)의 반절이다.

8820

蝑: 蝑: 베짱이 서: 虫-총15획: xū

原文

蝑: 蜙蝑也. 从虫胥聲. 相居切.

飜譯

'송서(蜙蝑) 즉 베짱이'를 말한다. 충(虫)이 의미부이고 서(胥)가 소리부이다. 독음은 상(相)과 거(居)의 반절이다.

제13권

8821

蟅: 蟅: 쥐며느리 자: 虫-총17획: zhè

原文

蟅: 蟲也. 从虫庶聲. 之夜切.

飜譯

'벌레 이름(蟲)'이다. 충(虫)이 의미부이고 서(庶)가 소리부이다. 독음은 지(之)와 야(夜)의 반절이다.

8822

蝗: 蝗: 누리 황: 虫-총15획: huáng

原文

蝗: 螽也. 从虫皇聲. 乎光切.

飜譯

'누리(螽)'를 말한다. 충(虫)이 의미부이고 황(皇)이 소리부이다. 독음은 호(乎)와 광(光)의 반절이다.

8823

蜩: 蜩: 매미 조: 虫-총14획: tiáo

原文

蜩: 蟬也. 从虫周聲.『詩』曰: "五月鳴蜩." 𦠿, 蜩或从舟. 徒聊切.

飜譯

'매미(蟬)'를 말한다. 충(虫)이 의미부이고 주(周)가 소리부이다.『시·빈풍·칠월(七月)』에서 "오월에는 매미 울고(五月鳴蜩)"라고 노래했다. 조(𦠿)는 조(蜩)의 혹체자인데, 주(舟)로 구성되었다. 독음은 도(徒)와 료(聊)의 반절이다.

8824

蟬: 蟬: 매미 선: 虫-총18획: chán

原文

蟬: 以旁鳴者. 从虫單聲. 市連切.

飜譯

'날개로 울음소리를 내는 곤충(以旁鳴者)'을 말한다. 충(虫)이 의미부이고 단(單)이
소리부이다.[95] 독음은 시(市)와 련(連)의 반절이다.

8825

蜺: 蜺: 무지개 예: 虫-총14획: ní

原文

蜺: 寒蜩也. 从虫兒聲. 五雞切.

飜譯

'한조(寒蜩) 즉 가을매미'를 말한다. 충(虫)이 의미부이고 아(兒)가 소리부이다. 독음
은 오(五)와 계(雞)의 반절이다.

8826

螇: 螇: 씽씽매미 혜: 虫-총16획: xī

原文

螇: 螇鹿, 蛁蟟也. 从虫奚聲. 胡雞切.

飜譯

---

95) 虫(벌레 충)이 의미부고 單(홑 단)이 소리부로, '매미'를 말하는데, 목숨을 다해(單) 자손을
번식시키는 곤충(虫)이라는 뜻을 담았다. 수놈은 교미를 마치면 죽고 암놈은 알을 낳으면 죽
는 곤충이 매미이다. 또 매미의 날개처럼 대단히 얇은 베를 지칭했으며, 매미 날개처럼 장식
이 달린 옛날의 관(蟬冠·선관)을 지칭하기도 했다.

'혜록(螇鹿) 즉 씽씽매미'를 말하는데, 조료(蛁蟟)라고도 한다. 충(虫)이 의미부이고 해(奚)가 소리부이다. 독음은 호(胡)와 계(雞)의 반절이다.

8827

蚗: 蚗: 쓰르라미 결: 虫-총10획: jué

原文

蚗: 蚗蚗, 蛁蟟也. 从虫夬聲. 於悅切.

飜譯

'이결(蚗蚗) 즉 쓰름매미[96]'를 말하는데, 조료(蛁蟟)라고도 한다. 충(虫)이 의미부이고 쾌(夬)가 소리부이다. 독음은 어(於)와 열(悅)의 반절이다.

8828

蛦: 蛦: 말매미 면: 虫-총10획: mián

原文

蛦: 蚗蚗, 蟬屬. 讀若周天子赧. 从虫丏聲. 武延切.

飜譯

'이결(蚗蚗) 즉 쓰름매미'를 말하는데, 매미(蟬)의 일종이다. 주(周)나라 천자 난(赧)이라고 할 때의 난(赧)과 같이 읽는다. 충(虫)이 의미부이고 면(丏)이 소리부이다. 독음은 무(武)와 연(延)의 반절이다.

8829

蛚: 蛚: 귀뚜라미 렬: 虫-총12획: liè

---

96) 쓰름매미는 매밋과의 곤충으로, 몸의 길이는 3.1cm 정도이며, 어두운 황록색에 검은 얼룩무늬가 있다. 몸통 가운데에는 팔자(八字) 무늬가 있고 배 쪽은 검은 갈색이다. 날개는 투명하고 적자색으로 광택이 난다. 한국, 중국, 몽골 등지에 분포한다. 비슷한 말에 쓰르라미(Meimuna mongolica)가 있다.(『두산백과』)

原文

㛿: 蜻蛚也. 从虫列聲. 良薛切.

飜譯

'청렬(蜻蛚) 즉 귀뚜라미'를 말한다. 충(虫)이 의미부이고 렬(列)이 소리부이다. 독음은 량(良)과 설(薛)의 반절이다.

8830

蜻: 蜻: 귀뚜라미 청: 虫-총14획: qīng

原文

蜻: 蜻蛚也. 从虫青聲. 子盈切.

飜譯

'청렬(蜻蛚) 즉 귀뚜라미'를 말한다. 충(虫)이 의미부이고 청(青)이 소리부이다. 독음은 자(子)와 영(盈)의 반절이다.

8831

蛉: 蛉: 잠자리 령: 虫-총11획: líng

原文

蛉: 蜻蛉也. 从虫令聲. 一名桑根. 郎丁切.

飜譯

'청령(蜻蛉) 즉 잠자리'를 말한다. 충(虫)이 의미부이고 령(令)이 소리부이다. 일명 '상랑(桑根)'이라고도 한다. 독음은 랑(郎)과 정(丁)의 반절이다.

8832

蠓: 蠓: 눈에놀이 몽: 虫-총20획: měng

原文

蠓: 蠛蠓也. 从虫蒙聲. 莫孔切.

飜譯

'멸몽(蠛蠓) 즉 잔다등에'를 말한다.97) 충(虫)이 의미부이고 몽(蒙)이 소리부이다. 독음은 막(莫)과 공(孔)의 반절이다.

8833

蠦: 蠦: 하루살이 략: 虫-총16획: lüè

原文

蠦: 蟲蠦也. 一曰蜉游. 朝生莫死者. 从虫叝聲. 离灼切.

飜譯

'거략(蟲蠦) 즉 하루살이'를 말한다. 일설에는 '부유(蜉游)'라고도 한다. 아침에 태어나 저녁에 죽는 벌레이다. 충(虫)이 의미부이고 극(叝)이 소리부이다. 독음은 리(离)와 작(灼)의 반절이다.

8834

蜹: 蜹: 파리매 예: 虫-총14획: ruì

原文

蜹: 秦晉謂之蜹, 楚謂之蚊. 从虫芮聲. 而銳切.

飜譯

'[모기를 말하는데] 진(秦)과 진(晉) 지역에서는 예(蜹)라 하고, 초(楚) 지역에서는 문(蚊)이라 한다.' 충(虫)이 의미부이고 예(芮)가 소리부이다. 독음은 이(而)와 예(銳)의 반절이다.

---

97) 잔다등에는 흡혈성 등에와 진디등엣과의 곤충을 통틀어 이르는 말이다. 모기와 비슷하며 눈에 띄지 않을 정도로 매우 작다. 떼를 지어 사람이나 짐승의 몸에 붙어 피를 빨아 먹는다. 비슷한 말로 멸몽, 부진자 등이 있다.(『두산백과』)

8835

𧍕: 蠨: 갈거미 소: 虫─총18획: xiāo

原文

𧍕: 蠨蛸, 長股者. 从虫肅聲. 穌彫切.

翻譯

'소소(蠨蛸) 즉 갈거미'를 말한다. 다리가 긴 거미이다. 충(虫)이 의미부이고 숙(肅)이 소리부이다. 독음은 소(穌)와 조(彫)의 반절이다.

8836

蛵: 蛵: 벌레 성: 虫─총15획: shěng, nìng

原文

蛵: 蟲也. 从虫省聲. 息正切.

翻譯

'벌레 이름(蟲)'이다. 충(虫)이 의미부이고 성(省)이 소리부이다. 독음은 식(息)과 정(正)의 반절이다.

8837

蛶: 蛶: 벌레 이름 렬: 虫─총13획: liè

原文

蛶: 商何也. 从虫寽聲. 力輟切.

翻譯

'상하(商何)'를 말한다. 충(虫)이 의미부이고 률(寽)이 소리부이다. 독음은 력(力)과 철(輟)의 반절이다.

8838

蜡: 蜡: 납향 랍·구더기 처·사: 虫-총14획: là, zhà

原文

蜡: 蠅胆也. 『周禮』: "蜡氏掌除骴." 从虫昔聲. 鉏駕切.

飜譯

'승저(蠅胆) 즉 파리의 유충[구더기]'을 말한다. 『주례·추관·사씨(蜡氏)』에서 "사씨(蜡氏)는 남은 뼈를 치우는 일을 관장한다(蜡氏掌除骴)"라고 했다. 충(虫)이 의미부이고 석(昔)이 소리부이다. 독음은 서(鉏)와 가(駕)의 반절이다.

8839

蝡: 蝡: 굼실거릴 윤·굼틀거릴 연: 虫-총15획: ruǎn

原文

蝡: 動也. 从虫耎聲. 而沇切.

飜譯

'꿈틀거리다(動)'라는 뜻이다.[98] 충(虫)이 의미부이고 연(耎)이 소리부이다. 독음은 이(而)와 연(沇)의 반절이다.

8840

蚑: 蚑: 길 기: 虫-총10획: qí

原文

蚑: 行也. 从虫支聲. 巨支切.

飜譯

'[벌레가] 기어가다(行)'라는 뜻이다. 충(虫)이 의미부이고 지(支)가 소리부이다. 독음

---

98) 『단주』에서 "벌레가 움직이는 것(蟲之動)을 연(蝡)이라 한다"라고 했다.

은 거(巨)와 지(支)의 반절이다.

8841

蠉: 蠉: 장구벌레 현: 虫-총19획: xuān

原文

蠉: 蟲行也. 从虫瞏聲. 香沇切.

飜譯

'벌레가 기어가다(蟲行)'라는 뜻이다. 충(虫)이 의미부이고 경(瞏)이 소리부이다. 독음은 향(香)과 연(沇)의 반절이다.

8842

蚕: 蚕: 벌레가 기어갈 천: 虫-총9획: chǎn

原文

蚕: 蟲曳行也. 从虫屮聲. 讀若騁. 丑善切.

飜譯

'벌레가 몸을 오므렸다가 폈다가 하면서 나아가다(蟲曳行)'라는 뜻이다. 충(虫)이 의미부이고 철(屮)이 소리부이다. 빙(騁)과 같이 읽는다. 독음은 축(丑)과 선(善)의 반절이다.

8843

蝓: 蝓: 벌 밑구멍 유: 虫-총17획: yú

原文

蝓: 螽醜蝓, 垂腴也. 从虫欲聲. 余足切.

飜譯

'종추(螽醜) 즉 누리 같은 곤충들의 배 밑(蝓)'을 말하는데, 아래로 축 처진 살찐 모습(垂腴)이다.[99] 충(虫)이 의미부이고 욕(欲)이 소리부이다. 독음은 여(余)와 족(足)의 반절이다.

8844

蝙: 蝙: 파리가 날개를 움직일 선: 虫-총16획: shàn

原文

蝙: 蠅醜蝙, 搖翼也. 从虫扇聲. 式戰切.

譯譯

'파리 같은 곤충들의 날갯짓(蠅醜蝙), 즉 날개를 흔드는 것(搖翼)'을 말한다. 충(虫)이 의미부이고 선(扇)이 소리부이다. 독음은 식(式)과 전(戰)의 반절이다.

8845

蛻: 蛻: 허물 태·세: 虫-총13획: tuì

原文

蛻: 蛇蟬所解皮也. 从虫, 挩省. 輸芮切.

譯譯

'뱀이나 매미 같은 것들이 벗는 껍질, 즉 허물(蛇蟬所解皮)'을 말한다. 충(虫)과 탈(挩)의 생략된 모습이 의미부이다. 독음은 수(輸)와 예(芮)의 반절이다.

8846

螫: 螫: 벌레가 독침을 쏠 학: 虫-총12획: hē

原文

螫: 螫也. 从虫, 若省聲. 呼各切.

譯譯

'[독충이] 독침을 쏘다(螫)'라는 뜻이다. 충(虫)이 의미부이고, 약(若)의 생략된 부분이

---

99) 여치나 벌 등의 배가 불룩하게 나와 아래로 처진 모양을 말한다.

소리부이다. 독음은 호(呼)와 각(各)의 반절이다.

8847

螫: 螫: 쏠 석: 虫-총17획: shì

原文

螫: 蟲行毒也. 从虫赦聲. 施隻切.

翻譯

'벌레가 독을 쏘다(蟲行毒)'라는 뜻이다. 충(虫)이 의미부이고 사(赦)가 소리부이다. 독음은 시(施)와 척(隻)의 반절이다.

8848

蝁: 蝁: 살무사 악: 虫-총14획: è

原文

蝁: 鈌也. 从虫亞聲. 烏各切.

翻譯

'살무사(鈌)'를 말한다. 충(虫)이 의미부이고 아(亞)가 소리부이다. 독음은 오(烏)와 각(各)의 반절이다.

8849

蛘: 蛘: 근질근질할 양: 虫-총12획: yáng

原文

蛘: 搔蛘也. 从虫羊聲. 余兩切.

翻譯

'가려워 긁다(搔蛘)'라는 뜻이다. 충(虫)이 의미부이고 양(羊)이 소리부이다. 독음은 여(余)와 량(兩)의 반절이다.

8850

𩜌: 餙: 좀먹을 식: 虫-총17획: shí

(原文)

𩜌: 敗創也. 从虫、人、食, 食亦聲. 乗力切.

(飜譯)

'살이 썩어서 벌레가 생기다(敗創)'라는 뜻이다. 충(虫)과 인(人)과 식(食)이 모두 의미부인데, 식(食)은 소리부도 겸한다. 독음은 승(乗)과 력(力)의 반절이다.

8851

蛟: 蛟: 교룡 교: 虫-총12획: jiāo

(原文)

蛟: 龍之屬也. 池魚滿三千六百, 蛟來爲之長, 能率魚飛. 置笱水中, 即蛟去. 从虫交聲. 古肴切.

(飜譯)

'용(龍)의 일종이다.'[100] 못 속의 물고기가 3천6백 마리가 넘으면, 교룡이 와서 그들의 우두머리가 되고, 물고기들을 이끌고서 날아가 버린다. 통발을 물속에 설치해 놓으면 교룡은 즉시 떠나 버린다. 충(虫)이 의미부이고 교(交)가 소리부이다.[101] 독음은 고(古)와 효(肴)의 반절이다.

8852

螭: 螭: 교룡 리: 虫-총17획: chī

---

100) 『단주』에서는 각 판본에 '龍之屬也'라고 되었는데, 『운회(韵會)』에 근거해 '龍屬, 無角曰蛟.(용의 일종인데, 뿔이 없는 것을 蛟라고 한다.)'로 바로 잡는다고 했다.
101) 虫(벌레 충)이 의미부이고 交(사귈 교)가 소리부로, 파충류(虫)의 일종인 蛟龍(교룡)을 말한다. 또 鮫(상어 교)와도 통용되어 '상어'를 뜻하기도 한다.

原文

蠄: 若龍而黃, 北方謂之地螻. 从虫离聲. 或云無角曰螭. 丑知切.

飜譯

'용과 같이 생겼으나 누런색이며(若龍而黃), 북방에서는 이를 지루(地螻)라 부른다.' 충(虫)이 의미부이고 리(离)가 소리부이다. 혹자는 뿔이 없는 용을 리(螭)라 하기도 한다. 독음은 축(丑)과 지(知)의 반절이다.

8853

虯: 虬: 규룡 규: 虫-총8획: qiú

原文

虯: 龍子有角者. 从虫丩聲. 渠幽切.

飜譯

'뿔이 돋은 어린 용(龍子有角者)'을 말한다. 충(虫)이 의미부이고 규(丩)가 소리부이다. 독음은 거(渠)와 유(幽)의 반절이다.

8854

蜦: 蜦: 굼틀굼틀 갈 륜: 虫-총14획: lǔn, lùn

原文

蜦: 蛇屬, 黑色, 潛于神淵, 能興風雨. 从虫侖聲. 讀若戾艸. 螁, 蜦或从戾. 力屯切.

飜譯

'뱀의 일종인데(蛇屬), 검은색이며(黑色), 신령스런 연못에 숨어 살며(潛于神淵), 바람과 비를 일으킬 수 있다(能興風雨).' 충(虫)이 의미부이고 륜(侖)이 소리부이다. 려초(戾艸)라고 할 때의 려(戾)와 같이 읽는다. 륜(螁)은 륜(蜦)의 혹체자인데, 루(戾)로 구성되었다. 독음은 력(力)과 둔(屯)의 반절이다.

8855

蠊: 蠊: 팽활 렴: 虫-총16획: lián

原文

蠊: 海蟲也. 長寸而白, 可食. 从虫兼聲. 讀若嗛. 力鹽切.

譯

'바다에 사는 조개의 일종(海蟲)'이다. 길이는 1치(寸)이고 흰색이며, 식용할 수 있다. 충(虫)이 의미부이고 렴(兼)이 소리부이다. 겸(嗛)과 같이 읽는다. 독음은 력(力)과 염(鹽)의 반절이다.

8856

蜃: 蜃: 무명조개 신: 虫-총13획: shèn

原文

蜃: 雉入海, 化爲蜃. 从虫辰聲. 時忍切.

譯

'꿩이 바다로 들어가면 조개로 변한다(雉入海, 化爲蜃).'[102] 충(虫)이 의미부이고 진(辰)이 소리부이다.[103] 독음은 시(時)와 인(忍)의 반절이다.

---

102) 『단주』에서는 『운회』와 『광운』에 근거하여 앞에다 '大蛤'을 보충해 넣어 "大蛤, 雉入水所化.(대합을 말한다. 꿩이 큰물에 들어가 변한 것이다.)'로 고쳤다. 그리고 이렇게 말했다. "나원(羅願)의 해설에 의하면, 『예기·월령(月令)』에서 구월에는 참새가 바다로 들어가 대합이 되고, 시월에는 꿩이 바다에 들어가 조개가 된다.(九月雀入大水爲蛤, 十月雉入大水爲蜃.)라고 했다. 참새보다 꿩이 크기 때문에 대(大)를 붙였고, 그래서 큰 조개(大蛤)라고 했던 것이다."
또 '入海(바다로 들어간다)'를 '入水(물로 들어간다)'로 바꾼 것에 대해 이렇게 말했다. "『대대예기·하소정(夏小正)』에서부터 '구월에는 참새가 바다로 들어가 대합이 되고, 시월에는 꿩이 회수에 들어가 조개가 된다.(九月雀入于海爲蛤, 十月玄雉入于淮爲蜃.)'라고 했다. 그래서 『국어(國語)』에서 조간자(趙簡子)가 한 말도 이와 똑같다. 그러나 『여씨춘추』와 「월령(月令)」에서는 '入大水'라고 했는데, 정현은 계추(季秋) 부분에서는 대수(大水)를 바다(海)라고 했고, 맹동(孟冬) 부분에서는 대수(大水)를 회수(淮)라고 풀이했는데, 이는 「소정(小正)」의 설에 근거한 것이다. 이렇게 볼 때 허신이 '雉入海'라고 했을 리 없음을 알 수 있다."
103) 虫(벌레 충)이 의미부고 辰(때 신·지지 진)이 소리부로, '대합조개'를 말하는데, 조개를 그린

8857

蛤: 蛤: 대합조개 합: 虫-총12획: gé, è

原文

蛤: 蜃屬. 有三, 皆生於海. 千歲化爲蛤, 秦謂之牡厲. 又云百歲燕所化. 魁蛤,
一名復累, 老服翼所化. 从虫合聲. 古沓切.

飜譯

'조개의 일종(蜃屬)'이다. 이에는 세 가지가 있는데, 모두 바다에서 난다. 천 년이 지
나면 합(蛤: 굴)이 되는데, 진(秦) 지역에서는 모려(牡厲)라고 부른다. 또 [해합(海蛤)
은] 백 년 된 제비가 변해서 된다고도 한다.104) 괴합(魁蛤)은 일명 복루(復累)라고도
하는데, 오래된 박쥐가 변해서 된 것이라고도 한다. 충(虫)이 의미부이고 합(合)이
소리부이다. 독음은 고(古)와 답(沓)의 반절이다.

8858

螷: 螷: 조개 비: 虫-총17획: pí

原文

螷: 階也. 脩爲螷, 圜爲蠇. 从虫、庳. 蒲猛切.

飜譯

'조개(階)'를 말한다. 길게 생긴 것을 비(螷)라 하고, 둥글게 생긴 것을 려(蠇)라고
한다. 충(虫)과 비(庳)가 모두 의미부이다. 독음은 포(蒲)와 맹(猛)의 반절이다.

8859

蝸: 蝸: 달팽이 와: 虫-총15획: wō

辰에 의미를 더욱 명확하게 하고자 虫을 더해 분화한 글자이다.

104) 『단주』에서는 이 부분을 '海蛤者, 百歲燕所化也.'라고 하여 '海蛤者'를 보충해 넣었다. 그래야
말이 통한다.

原文

蝸: 蝸蠃也. 从虫咼聲. 亡華切.

飜譯

'달팽이(蝸蠃)'를 말한다. 충(虫)이 의미부이고 괘(咼)가 소리부이다. 독음은 망(亡)과 화(華)의 반절이다.

8860

蚌: 蚌: 방합 방: 虫-총10획: bàng

原文

蚌: 蜃屬. 从虫丰聲. 步項切.

飜譯

'대합의 일종(蜃屬)'이다. 충(虫)이 의미부이고 봉(丰)이 소리부이다. 독음은 보(步)와 항(項)의 반절이다.

8861

蠣: 蠣: 굴 려: 虫-총19획: lì

原文

蠣: 蚌屬. 似蟯, 微大, 出海中, 今民食之. 从虫萬聲. 讀若賴. 力制切.

飜譯

'조개의 일종(蚌屬)[굴]'이다. 렴(蟯)과 비슷하나 조금 더 크고, 바다에서 나는데, 지금 사람들은 이를 식용으로 쓴다. 충(虫)이 의미부이고 만(萬)이 소리부이다. 뢰(賴)와 같이 읽는다. 독음은 력(力)과 제(制)의 반절이다.

8862

蝓: 蝓: 달팽이 유: 虫-총15획: yú

原文

蝓: 虒蝓也. 从虫俞聲. 羊朱切.

飜譯

'사유(虒蝓) 즉 달팽이'를 말한다. 충(虫)이 의미부이고 유(俞)가 소리부이다. 독음은 양(羊)과 주(朱)의 반절이다.

8863

蜎: 蜎: 장구벌레 연: 虫-총13획: yuān

原文

蜎: 蜎也. 从虫𣍘聲. 在沈切.

飜譯

'장구벌레(蜎)'를 말한다. 충(虫)이 의미부이고 연(𣍘)이 소리부이다. 독음은 재(在)와 연(沈)의 반절이다.

8864

蟺: 蟺: 지렁이 선: 虫-총19획: shàn

原文

蟺: 夗蟺也. 从虫亶聲. 常演切.

飜譯

'[지렁이 등이] 몸을 굽히고 구불구불 기어가는 모양(夗蟺)'을 말한다. 충(虫)이 의미부이고 단(亶)이 소리부이다. 독음은 상(常)과 연(演)의 반절이다.

8865

蚴: 蚴: 뱀이 꿈틀거릴 유: 虫-총15획: yōu

原文

糊: 蚰蟉也. 从虫幽聲. 於蚪切.

飜譯

'[뱀 등이] 몸을 굽히고 구불구불 기어가는 모양(蚰蟉)'을 말한다. 충(虫)이 의미부이고 유(幽)가 소리부이다. 독음은 어(於)와 규(蚪)의 반절이다.

8866

蟉: 蟉: 머리 흔들 료: 虫-총17획: liú

原文

糊: 蚰蟉也. 从虫翏聲. 力幽切.

飜譯

'[뱀 등이] 몸을 굽히고 구불구불 기어가는 모양(蚰蟉)'을 말한다. 충(虫)이 의미부이고 료(翏)가 소리부이다. 독음은 력(力)과 유(幽)의 반절이다.

8867

蟄: 蟄: 숨을 칩: 虫-총17획: zhé

原文

蟄: 藏也. 从虫執聲. 直立切.

飜譯

'몸을 감추다(藏)'라는 뜻이다. 충(虫)이 의미부이고 집(執)이 소리부이다. 독음은 직(直)과 립(立)의 반절이다.

8868

蚨: 蚨: 파랑강충이 부: 虫-총10획: fú

原文

蚨: 青蚨, 水蟲, 可還錢. 从虫夫聲. 房無切.

飜譯

'청부(青蚨) 즉 파랑강충이'를 말하는데[105], 물에 사는 벌레로, 가환전(可還錢)을 말한다.[106] 충(虫)이 의미부이고 부(夫)가 소리부이다. 독음은 방(房)과 무(無)의 반절이다.

8869

蜠: 蜠蠅: 국축 국: 虫-총14획: jú, qú

原文

蜠: 蜠鼀, 詹諸, 以脰鳴者. 从虫匊聲. 居六切.

飜譯

'국축(蜠鼀) 즉 두꺼비'를 말하는데, 섬서(詹諸)라고도 하며, 목덜미(脰)로 운다. 충(虫)이 의미부이고 국(匊)이 소리부이다. 독음은 거(居)와 륙(六)의 반절이다.

8870

蝦: 蝦: 새우 하: 虫-총15획: há

原文

蝦: 蝦蟆也. 从虫叚聲. 乎加切.

飜譯

---

105) 파랑강충이는 줄강충잇과의 몸빛이 푸른 곤충을 통틀어 이르는 말이다. 몸은 매미와 비슷하나 작고, 더듬이는 길고 홑눈이 두 개이다. 농작물의 진을 빨아 먹는다.

106) 가환전(可還錢)은 돈의 이름인데, 다시 돌아오는 돈이라고 하는데, 강충이의 피를 돈에다 발라두면 이렇게 된다고 한다. 이에 대해서 『단주』에서 이렇게 말했다. "이 이야기는 『귀곡자(鬼谷子)』, 『회남자·만필술(萬畢術)』, 『수신기(搜神記)』, 『동장기목초습유(棟藏器木艸拾遺)』 등에 보이지만, 이런 돈이 지금도 있는지 알 수 없다."

'하마(蝦蟆) 즉 두꺼비'를 말한다. 충(虫)이 의미부이고 가(叚)가 소리부이다.107) 독음은 호(乎)와 가(加)의 반절이다.

8871

𧔢: 蟆: 두꺼비 마: 虫-총17획: má

原文

𧔢: 蝦蟆也. 从虫莫聲. 莫遐切.

翻譯

'하마(蝦蟆) 즉 두꺼비'를 말한다. 충(虫)이 의미부이고 막(莫)이 소리부이다. 독음은 막(莫)과 하(遐)의 반절이다.

8872

蠵: 蠵: 바다거북 휴: 虫-총24획: xī

原文

蠵: 大龜也. 以胃鳴者. 从虫巂聲. 蠵, 司馬相如說: 蠵从夐. 戶圭切.

翻譯

'큰 거북이(大龜)'를 말한다. 위(胃)를 이용해 울음소리를 낸다. 충(虫)이 의미부이고 휴(巂)가 소리부이다. 휴(蠵)는 사마상여(司馬相如)의 설에 의하면 휴(蠵)자인데, 형(夐)으로 구성되었다. 독음은 호(戶)와 규(圭)의 반절이다.

8873

蠤: 蠤: 벌레 이름 점: 虫-총17획: jiàn

---

107) 虫(벌레 충)이 의미부고 叚(빌 가)가 소리부로, '새우'를 말하는데, 구우면 붉게(叚) 변하는 갑각류 생물(虫)이라는 뜻을 담았다. 또 새우가 물속에 살기 때문에 어류로 인식되어 魚가 더해진 鰕(새우 하)로 쓰기도 하며, 간화자에서는 叚를 下(아래 하)로 바꾼 虾로 쓴다.

原文

漸: 蟳離也. 从虫, 漸省聲. 慈染切.

飜譯

'점리(蟳離)라는 물고기 이름'이다. 충(虫)이 의미부이고, 점(漸)의 생략된 모습이 소리부이다. 독음은 자(慈)와 염(染)의 반절이다.

8874

蟹: 게 해: 虫-총19획: xiè

原文

蟹: 有二敖八足, 旁行, 非蛇鮮之穴無所庇. 从虫解聲. 蠏, 蟹或从魚. 胡買切.

飜譯

'두 개의 집게와 여덟 개의 발을 가졌으며, 옆으로 다니는데, 뱀이나 장어의 굴이 아니면 숨을 곳이 없다. 충(虫)이 의미부이고 해(解)가 소리부이다. 해(蠏)는 해(蟹)의 혹체자인데, 어(魚)로 구성되었다. 독음은 호(胡)와 매(買)의 반절이다.

8875

蛫: 곤충 이름 궤: 虫-총12획: guǐ

原文

蛫: 蟹也. 从虫危聲. 過委切.

飜譯

'게(蟹)'를 말한다. 충(虫)이 의미부이고 위(危)가 소리부이다. 독음은 과(過)와 위(委)의 반절이다.

8876

蜮: 물여우 역: 虫-총14획: yù

原文

蜮: 短狐也. 似鼈, 三足, 以气躲害人. 从虫或聲. 䘝, 蜮又从國. 臣鉉等曰: 今俗

作古獲切, 以爲蝦蟆之別名. 于逼切.

飜譯

'단호(短狐) 즉 물여우'를 말한다.108) 자라(鼈)를 닮았는데, 발은 세 개이며, 기(气)를 쏘아서 사람에게 해를 입힌다.109) 충(虫)이 의미부이고 혹(或)이 소리부이다. 역(䘝)은 역(蜮)인데, 또 국(國)으로 구성되었다. 신(臣) 서현 등은 이렇게 생각합니다. "오늘날의 세속에서는 고(古)와 획(獲)의 반절로 읽고, 하마(蝦蟆: 두꺼비)의 별칭으로 사용합니다." 독음은 우(于)와 핍(逼)의 반절이다.

8877

蝁: 蝁: 악어 악: 虫-총12획: è

原文

蝁: 似蜥易, 長一丈, 水潛, 呑人卽浮, 出日南. 从虫屵聲. 吾各切.

飜譯

'도마뱀(蜥易)과 비슷한데, 길이는 1길(丈)이고, 물속에 잠수해 살며, 사람을 삼키면 수면 위로 올라온다.' 베트남 경내에 있는 일남(日南)군에서 난다. 충(虫)이 의미부이고 역(屵)이 소리부이다. 독음은 오(吾)와 각(各)의 반절이다.

---

108) 날도랫과 곤충의 애벌레이다. 몸의 줄기는 높이가 2~6cm이며, 분비액으로 원통 모양의 고치를 만들어 그 속에 들어가 물 위를 떠돌아다니며 작은 곤충을 잡아먹는다. 여름에 나비가 된다. 낚싯밥으로 쓴다. 비슷한 말로, 계귀충(溪鬼蟲), 단호(短狐), 사공(射工), 사슬(沙蝨), 사영(射影), 수노(水弩), 수호(水狐), 포창(抱槍), 함사(舍沙) 등이 있다.(『두산백과』)

109) 『단주』에서는 이렇게 말했다. "육기(陸璣)의 『홍범전(洪範傳)·소(疏)』에 의하면, 물가의 언덕에 있던 사람의 그림자가 물속에 어리면 그 비치는 그림자를 쏴서 죽인다고 한다. 안사고에 의하면, 단호(短狐)는 사공(射工)을 말하는데 달리 수노(水弩)라고도 부른다고 한다. 육전(陸佃)과 나원(羅願)도 모두 입속에 각노(角弩)처럼 생긴 것이 가로로 나 있는데, 사람 소리를 들으면 이를 화살삼아 물의 힘을 이용해 사람에게 쏜다. 맞게 되면 상처가 생기고, 그림자가 맞아도 병이 든다고 했다."

8878

蝄: 蝄: 도깨비 망: 虫-총12획: wǎng

原文

蝄: 蝄蜽, 山川之精物也. 淮南王說: 蝄蜽, 狀如三歲小兒, 赤黑色, 赤目, 長耳, 美髮. 从虫网聲. 『國語』曰: "木石之怪夔蝄蜽." 文兩切.

飜譯

'망량(蝄蜽) 즉 도깨비'를 말하는데, 산천의 정기가 모여 만들어 낸 요정이다. 회남왕(淮南王)의 설에 의하면, 도깨비(蝄蜽)는 세 살 난 아이의 모습을 하였으며, 몸은 적흑색이고, 눈은 붉은색이며, 긴 귀와 아름다운 머리칼을 가졌다고 한다. 충(虫)이 의미부이고 망(网)이 소리부이다. 『국어·노어(魯語)』에서 "나무와 돌의 정기가 모여 만들어낸 괴물로 기(夔)와 망량(蝄蜽)이 있다"라고 했다. 독음은 문(文)과 량(兩)의 반절이다.

8879

蜽: 蜽: 도깨비 량: 虫-총14획: liǎng

原文

蜽: 蝄蜽也. 从虫兩聲. 良獎切.

飜譯

'망량(蝄蜽) 즉 도깨비'를 말한다. 충(虫)이 의미부이고 량(兩)이 소리부이다. 독음은 량(良)과 장(獎)의 반절이다.

8880

蝯: 蝯: 긴팔원숭이 원: 虫-총15획: yuán

原文

蝯: 善援, 禺屬. 从虫爰聲. 雨元切.

'잘 타고 오르는 동물로 원숭이의 일종(善援, 禺屬)'이다. 충(虫)이 의미부이고 원(爰)이 소리부이다. 독음은 우(雨)와 원(元)의 반절이다.

8881

蠗: 蠗: 작은 조개 **탁**: 虫-총20획: zhuó

原文

蠗: 禺屬. 从虫翟聲. 首角切.

飜譯
'원숭이의 일종(禺屬)'이다. 충(虫)이 의미부이고 적(翟)이 소리부이다. 독음은 수(首)와 각(角)의 반절이다.

8882

蜼: 蜼: 원숭이 **유**: 虫-총14획: wèi

原文

蜼: 如母猴, 卬鼻, 長尾. 从虫隹聲. 余季切.

飜譯
'원숭이와 같이 생겼으나 콧구멍이 위로 향했고 꼬리가 길다(如母猴, 卬鼻, 長尾).' 충(虫)이 의미부이고 추(隹)가 소리부이다. 독음은 여(余)와 계(季)의 반절이다.

8883

蚼: 蚼: 개미 **구**: 虫-총11획: gǒu

原文

蚼: 北方有蚼犬, 食人. 从虫句聲. 古厚切.

🦎譯

'북방 지역에 구견(蚼犬)이라는 개가 있는데, 사람을 잡아먹는다.'[110] 충(虫)이 의미부이고 구(句)가 소리부이다. 독음은 고(古)와 후(厚)의 반절이다.

8884

🦎 蛩: 메뚜기 공: 虫-총12획: qióng

原文

🦎: 蛩蛩, 獸也. 一曰秦謂蟬蛻曰蛩. 从虫巩聲. 渠容切.

🦎譯

'공공(蛩蛩)'을 말하는데, [괴기하게 생긴 전설상의] 짐승(獸)의 일종이다. 일설에는 진(秦) 지역에서는 매미의 허물(蟬蛻)을 공(蛩)이라 한다고 한다. 충(虫)이 의미부이고 공(巩)이 소리부이다. 독음은 거(渠)와 용(容)의 반절이다.

8885

🦎: 蟨: 쥐 궐: 虫-총18획: jué

原文

🦎: 鼠也. 一曰西方有獸, 前足短, 與蛩蛩、巨虛比, 其名謂之蟨. 从虫厥聲. 居月切.

🦎譯

'쥐(鼠)'를 말한다. 일설에는 '서쪽 지역에 짐승이 있는데, 앞 다리가 짧고, 말처럼 생긴 공공(蛩蛩)과 노새처럼 생긴 거비화(巨虛比)와 비슷한데, 이를 궐(蟨)이라 부른다.'라고 한다. 충(虫)이 의미부이고 궐(厥)이 소리부이다. 독음은 거(居)와 월(月)의 반절이다.

---

110) 도견(蚼犬)이라고도 하는데, 『산해경(山海經)·해내북경(海內北經)』에 나온다. 이렇게 말했다. "도견(蚼犬)은 개처럼 생겼는데, 푸른색을 띤다. 사람을 잡아먹는데, 머리부터 삼킨다." 이에 대해 곽박(郭璞)의 주석에서는 "도(蚼)는 도(陶)와 독음이 같은데, 달리 구(蚼)라고도 하는데 독음은 구(鉤)이다."라고 했다.

8886

蝙: 蝙: 박쥐 편: 虫-총15획: biān

原文

蝙: 蝙蝠也. 从虫扁聲. 布玄切.

譯

'편복(蝙蝠) 즉 박쥐'를 말한다. 충(虫)이 의미부이고 편(扁)이 소리부이다. 독음은 포(布)와 현(玄)의 반절이다.

8887

蝠: 蝠: 박쥐 복: 虫-총15획: fú

原文

蝠: 蝙蝠, 服翼也. 从虫畐聲. 方六切.

譯

'편복(蝙蝠) 즉 박쥐'를 말하는데, 복익(服翼)이라 부르기도 한다. 충(虫)이 의미부이고 복(畐)이 소리부이다. 독음은 방(方)과 륙(六)의 반절이다.

8888

蠻: 蠻: 오랑캐 만: 虫-총25획: mán

原文

蠻: 南蠻, 蛇種. 从虫䜌聲. 莫還切.

譯

'남방 이민족(南蠻)'을 말하는데, 뱀(蛇)이 많은 지역에 사는 종족이다. 충(虫)이 의미부이고 련(䜌)이 소리부이다.111) 독음은 막(莫)과 환(還)의 반절이다.

---

111) 고문자에서 金文 등으로 그렸다. 虫(벌레 충)이 의미부고 䜌(어지러울 련)이 소리부로,

8889

閩: 閩: 종족 이름 민: 門-총14획: mǐn

原文

閩: 東南越, 蛇穜. 从虫門聲. 武巾切.

飜譯

‘동남방의 월족(東南越)’을 말하는데, 뱀(蛇)이 많은 지역에 사는 종족이다. 충(虫)이 의미부이고 문(門)이 소리부이다.112) 독음은 무(武)와 건(巾)의 반절이다.

8890

虹: 虹: 무지개 홍: 虫-총9획: hóng

原文

虹: 蟎蝀也. 狀似蟲. 从虫工聲. 『明堂月令』曰: "虹始見." 螏, 籒文虹从申. 申, 電也. 戶工切.

飜譯

‘체동(蟎蝀) 즉 무지개’를 말한다. 모습이 살모사를 닮았다. 충(虫)이 의미부이고 공(工)이 소리부이다.113) 『명당월령』(즉 『예기·월령(月令)』)에서 "무지개가 처음 나타났다(虹始見)"라고 했다. 홍(螏)은 홍(虹)의 주문체인데, 신(申)으로 구성되었다. 신(申)은

중국 남방의 이민족을 말하는데, 뱀(虫)을 토템으로 삼던 민족이라 전해진다. 이민족을 멸시한 데서 야만적, 물정을 잘 알지 못하다 등의 뜻도 나왔다. 간화자에서는 虄을 亦(또 역)으로 간단히 줄여 蛮으로 쓴다.

112) 虫(벌레 충)이 의미부고 門(문 문)이 소리부로, 중국 동남쪽에 사는 越(월)족을 부르는 말로, 소수민족을 벌레(虫) 같은 존재로 멸시하여 부르던 말이라고도 하나, 뱀(虫)을 토템으로 삼는 민족이라는 뜻을 담은 것으로 보인다. 또 그들이 사는 곳이라는 뜻에서 복건성을 지칭하기도 한다. 간화자에서는 闽으로 쓴다.

113) 고문자에서 🐉🐉 甲骨文 등으로 그렸다. 虫(벌레 충)이 의미부고 工(장인 공)이 소리부인데, 갑골문에서는 두 마리의 용(虫)이 물을 내 뿜어 '무지개'를 만드는 모습을 그렸는데, 이후 지금처럼 형성구조로 변했다.

전(電)의 본래글자이다. 독음은 호(戶)와 공(工)의 반절이다.

8891

𧎟: 螮: 무지개 체: 虫-총17획: dì

原文

𧎟: 螮蝀, 虹也. 从虫帶聲. 都計切.

飜譯

'체동(螮蝀) 즉 무지개'를 말하는데, 홍(虹)이라고도 한다. 충(虫)이 의미부이고 대(帶)가 소리부이다. 독음은 도(都)와 계(計)의 반절이다.

8892

蝀: 蝀: 무지개 동: 虫-총14획: dōng

原文

蝀: 螮蝀也. 从虫東聲. 多貢切.

飜譯

'체동(螮蝀) 즉 무지개'를 말한다. 충(虫)이 의미부이고 동(東)이 소리부이다. 독음은 다(多)와 공(貢)의 반절이다.

8893

蠥: 蠥: 근심 얼: 虫-총22획: niè

原文

蠥: 衣服、歌謠、艸木之怪, 謂之祅. 禽獸、蟲蝗之怪, 謂之蠥. 从虫辥聲. 魚列切.

飜譯

'의복(衣服)이나 가요(歌謠)나 초목(艸木)에 나타나는 괴이한 현상을 요(祅)라고 하고, 짐승(禽獸)이나 벌레나 곤충(蟲蝗)에 나타나는 기이한 현상을 얼(蠥)이라 한다.

충(虫)이 의미부이고 설(辥)이 소리부이다. 독음은 어(魚)와 렬(列)의 반절이다.

8894

蜑: 蜑: 오랑캐 이름 단: 虫-총13획: dàn

原文

蜑: 南方夷也. 从虫延聲. 徒旱切.

飜譯

'남방의 이민족(南方夷)'을 말한다. 충(虫)이 의미부이고 연(延)이 소리부이다. 독음은 도(徒)와 한(旱)의 반절이다. [신부]

8895

蟪: 蟪: 쓰르라미 혜: 虫-총18획: huì

原文

蟪: 蟪蛄, 蟬也. 从虫惠聲. 曰械切.

飜譯

'혜고(蟪蛄) 즉 쓰르라미'를 말하는데, 매미(蟬)의 일종이다. 충(虫)이 의미부이고 혜(惠)가 소리부이다. 독음은 왈(曰)과 역(械)의 반절이다. [신부]

8896

蠛: 蠛: 눈에놀이 멸: 虫-총21획: miè

原文

蠛: 蠛蠓, 細蟲也. 从虫蔑聲. 亡結切.

飜譯

'멸몽(蠛蠓) 즉 눈에 놀이'를 말하는데, 작은 벌레(細蟲)이다. 충(虫)이 의미부이고 멸(蔑)이 소리부이다. 독음은 망(亡)과 결(結)의 반절이다. [신부]

8897

虴: 虴: 벼메뚜기 책: 虫-총9획: zhé

原文

虴: 虴蜢, 艸上蟲也. 从虫乇聲. 陟格切.

飜譯

'책맹(虴蜢) 즉 벼메뚜기'를 말하는데, 풀 위에 사는 곤충이다. 충(虫)이 의미부이고 탁(乇)이 소리부이다. 독음은 척(陟)과 격(格)의 반절이다. [신부]

8898

蜢: 蜢: 벼메뚜기 맹: 虫-총14획: měng

原文

蜢: 虴蜢也. 从虫孟聲. 莫杏切.

飜譯

'책맹(虴蜢) 즉 벼메뚜기'를 말한다. 충(虫)이 의미부이고 맹(孟)이 소리부이다. 독음은 막(莫)과 행(杏)의 반절이다. [신부]

8899

蟋: 蟋: 귀뚜라미 실: 虫-총17획: xī

原文

蟋: 蟋蟀也. 从虫悉聲. 息七切.

飜譯

'실솔(蟋蟀) 즉 귀뚜라미'를 말한다. 충(虫)이 의미부이고 실(悉)이 소리부이다. 독음은 식(息)과 칠(七)의 반절이다. [신부]

8900

螳: 螳: 사마귀 당: 虫-총17획: táng

原文

螳: 螳蜋也. 从虫堂聲. 徒郎切.

翻譯

'당랑(螳蜋) 즉 사마귀'를 말한다. 충(虫)이 의미부이고 당(堂)이 소리부이다. 독음은 도(徒)와 랑(郎)의 반절이다. [신부]

완역 설문해자

제13권
(하)

제472부수
472 ■ 곤(蚰)부수

8901

蚰: 벌레 곤: 虫-총12획: kūn

原文

鍫: 蟲之總名也. 从二虫. 凡蚰之屬皆从蚰. 讀若昆. 古魂切.

飜譯

'벌레를 총체적으로 일컫는 말(蟲之總名)'이다. 두 개의 충(虫)으로 구성되었다. 곤(蚰)부수에 귀속된 글자들은 모두 곤(蚰)이 의미부이다. 곤(昆)과 같이 읽는다. 독음은 고(古)와 혼(魂)의 반절이다.

8902

蠶: 누에 잠: 虫-총24획: cán

原文

蠶: 任絲也. 从蚰朁聲. 昨含切.

飜譯

'실을 만들어내는 벌레(任絲)[누에]'를 말한다. 곤(蚰)이 의미부이고 참(朁)이 소리부이다.114) 독음은 작(昨)과 함(含)의 반절이다.

---

114) 고문자에서 甲骨文 簡牘文 등으로 그렸다. 蚰(벌레 곤)이 의미부고 朁(일찍이 참)이 소리부로, 실을 만들어 내는 곤충(蚰)인 누에를 말했다. 갑골문에서는 누에를 그렸고, 소전체에 들면서 소리부 朁이 더해져 지금의 형성구조로 바뀌었다. 이후 귀하디귀한 비단실을 토해내는 하늘(天)이 내린 신비한 벌레(虫)라는 뜻의 형성구조인 蚕으로 바꾸어 쓰기도 했는데, 간화자에서도 蚕으로 쓴다.

8903

蛾 : 蛾: 나방 아: 虫-총19획: é

原文

蛾: 蠶化飛蟲. 从虫我聲. 蚁, 或从虫. 五何切.

飜譯

'누에가 변한 나방(蠶化飛蟲)'을 말한다. 곤(虫)이 의미부이고 아(我)가 소리부이다. 아(蚁)는 혹체자인데, 충(虫)으로 구성되었다. 독음은 오(五)와 하(何)의 반절이다.

8904

蚤 : 蚤: 벼룩 조: 虫-총16획: zǎo

原文

蚤: 齧人跳蟲. 从虫叉聲. 叉, 古爪字. 蚤, 蚤或从虫. 子皓切.

飜譯

'사람을 물고 잘 뛰는 벌레인 이(齧人跳蟲)'를 말한다. 곤(虫)이 의미부이고 조(叉)가 소리부이다. 조(叉)는 조(爪)의 고문체이다.115) 조(蚤)는 조(蚤)의 혹체자인데, 충(虫)으로 구성되었다. 독음은 자(子)와 호(皓)의 반절이다.

8905

蝨 : 蝨: 이 슬: 虫-총15획: shī

原文

---

115) 고문자에서 ⿱叉虫 簡牘文 등으로 그렸다. 虫(벌레 충)이 의미부고 叉(손톱 조, 爪의 옛
   글자)가 소리부로, 손(叉)으로 벼룩(虫)을 잡는 모습을 그렸고, 이로부터 '벼룩'을 뜻하게 되었
   다. 이후 독음이 같은 早(일찍 조)와 통용되어 새벽이나 아침을 뜻하기도 하였다. 『설문해자』
   에서는 虫(벌레 곤)이 의미부이고 叉가 소리부인 蚤로 썼으나, 虫이 虫으로 줄어 지금의 자형
   이 되었다.

蝨: 齧人蟲. 从䖵卂聲. 所櫛切.

翻譯

'사람을 무는 벌레인 이(齧人蟲)'를 말한다. 곤(䖵)이 의미부이고 신(卂)이 소리부이다. 독음은 소(所)와 즐(櫛)의 반절이다.

8906

螽: 螽: 누리 종: 虫-총15획: zhōng

原文

螽: 蝗也. 从䖵夂聲. 촜, 古文終字. 蚛, 螽或从虫眾聲. 職戎切.

翻譯

'누리(蝗)'를 말한다. 곤(䖵)이 의미부이고 치(夂)가 소리부이다. 종(촜)은 종(終)의 고문체이다. 종(蚛)은 종(螽)의 혹체자인데, 충(虫)이 의미부이고 중(眾)이 소리부이다. 독음은 직(職)과 융(戎)의 반절이다.

8907

蠤: 蠤: 벌레 전: 虫-총19획: zhān

原文

蠤: 蟲也. 从䖵, 展省聲. 知衍切.

翻譯

'벌레의 일종(蟲)'이다. 곤(䖵)이 의미부이고, 전(展)의 생략된 모습이 소리부이다. 독음은 지(知)와 연(衍)의 반절이다.

8908

蠽: 蠽: 쓰르라미 절: 虫-총27획: jié

（原文）

蝍: 小蟬蜩也. 从蚰蜨聲. 子列切.

（飜譯）

'작은 매미(小蟬蜩)'를 말한다. 곤(蚰)이 의미부이고 절(蜨)이 소리부이다. 독음은 자(子)와 렬(列)의 반절이다.

8909

蠽: 蠽: 거미 찰: 虫-총28획: zhá, zhuó

（原文）

蠽: 蠽蟊, 作罔蛛蟊也. 从蚰蠿聲. 蠿, 古絕字. 側八切.

（飜譯）

'찰무(蠽蟊)'를 말하는데, '거미줄을 잘 만드는 거미(作罔蛛蟊)'를 말한다. 곤(蚰)이 의미부이고 절(蠿)이 소리부인데, 절(蠿)은 절(絕)의 고문체이다. 독음은 측(側)과 팔(八)의 반절이다.

8910

蟊: 蟊: 해충 무: 虫-총17획: máo

（原文）

蟊: 蠽蟊也. 从蚰矛聲. 莫交切.

（飜譯）

'찰무(蠽蟊)'를 말한다. 곤(蚰)이 의미부이고 모(矛)가 소리부이다. 독음은 막(莫)과 교(交)의 반절이다.

8911

蠰: 蠰: 땅강아지 녕: 虫-총24획: níng

原文

蟹: 蟲也. 从虵窬聲. 奴丁切.

飜譯

'벌레의 일종(蟲)[땅강아지]'이다. 곤(虵)이 의미부이고 녕(窬)이 소리부이다. 독음은 노(奴)와 정(丁)의 반절이다.

8912

蟊: 蟊: 굼벵이 조: 虫-총23획: cáo

原文

蟊: 蠾蟊也. 从虵曹聲. 財牢切.

飜譯

'재조(蠾蟊)[풍뎅이의 애벌레]'를 말한다. 곤(虵)이 의미부이고 조(曹)가 소리부이다. 독음은 재(財)와 뢰(牢)의 반절이다.

8913

蠹: 蠹: 땅강아지 할: 虫-총25획: xiá

原文

蠹: 蟻蛄也. 从虵舝聲. 胡葛切.

飜譯

'루고(蟻蛄) 즉 땅강아지'를 말한다. 곤(虵)이 의미부이고 할(舝)이 소리부이다. 독음은 호(胡)와 갈(葛)의 반절이다.

8914

蟲: 蟲: 사마귀 비: 虫-총20획: pí, bī

原文

蠈: 蟲蛸也. 从蚰卑聲. 蠈, 蟲或从虫. 匹標切.

飜譯

'비소(蟲蛸)[사마귀의 알]'를 말한다. 곤(蚰)이 의미부이고 비(卑)가 소리부이다. 비(蠈)는 비(蟲)의 혹체자인데, 충(虫)으로 구성되었다. 독음은 필(匹)과 표(標)의 반절이다.

8915

蠭: 蜂: 벌 봉: 虫-총23획: fēng

原文

蠭: 飛蟲螫人者. 从蚰逢聲. 羴, 古文省. 敷容切.

飜譯

'날아다니면서 사람에게 독을 쏘는 벌레(飛蟲螫人者)[벌]'를 말한다. 곤(蚰)이 의미부이고 봉(逢)이 소리부이다. 봉(羴)은 고문체인데, 생략된 모습이다. 독음은 부(敷)와 용(容)의 반절이다.

8916

蠠: 蠠: 꿀 밀: 虫-총27획: mì

原文

蠠: 蠭甘飴也. 一曰螟子. 从蚰鼏聲. 蜜, 蠠或从宓. 彌必切.

飜譯

'벌이 만들어낸 달달한 꿀(蠭甘飴)'을 말한다. 일설에는 '마디충의 알(螟子)'을 말한다고도 한다. 곤(蚰)이 의미부이고 멱(鼏)이 소리부이다. 밀(蜜)은 밀(蠠)의 혹체자인데, 복(宓)으로 구성되었다. 독음은 미(彌)와 필(必)의 반절이다.

8917

蠗 : 蠗: 하루살이 거: 虫—총17획: qú

原文

蠗 : 蠗蠄也. 从蚰巨聲. 强魚切.

繙譯

'거략(蠗蠄) 즉 하루살이'를 말한다. 곤(虵)이 의미부이고 거(巨)가 소리부이다. 독음은 강(强)과 어(魚)의 반절이다.

8918

蠠 : 蠠: 모기 문: 虫—총17획: wén

原文

蠠 : 齧人飛蟲. 从蚰民聲. 蠠, 蠠或从昏, 以昏時出也. 蚊, 俗蠠从虫从文. 無分切.

繙譯

'사람을 무는 날아다니는 벌레(齧人飛蟲)[모기]'를 말한다. 곤(虵)이 의미부이고 민(民)이 소리부이다. 문(蠠)은 문(蠠)의 혹체자로, 혼(昏)으로 구성되었는데, 날이 어두워졌을 때(昏時) 출현하기 때문이다. 문(蚊)은 문(蠠)의 속체자인데, 충(虫)이 의미부이고 문(文)도 의미부이다. 독음은 무(無)와 분(分)의 반절이다.

8919

蝱 : 蝱: 등에 맹: 虫—총15획: méng

原文

蝱 : 齧人飛蟲. 从蚰亡聲. 武庚切.

繙譯

'사람을 무는 날아다니는 벌레(齧人飛蟲)[등에]'를 말한다. 곤(虵)이 의미부이고 망(亡)이 소리부이다. 독음은 무(武)와 경(庚)의 반절이다.

8920

蠹: 蠹: 좀 두: 虫-총24획: tán

原文

蠹: 木中蟲. 从蚰橐聲. 蠹, 蠹或从木, 象蟲在木中形, 譚長說. 當故切.

飜譯

'나무속에 사는 벌레(木中蟲)[나무좀]'를 말한다. 곤(蚰)이 의미부이고 탁(橐)이 소리부이다. 두(蠹)는 두(蠹)의 혹체자인데, 목(木)으로 구성되었다. 벌레(蟲)가 나무(木)속에 든 모습을 그렸다. 담장(譚長)의 해설이다. 독음은 당(當)과 고(故)의 반절이다.

8921

蠡: 蠡: 좀먹을 려: 虫-총21획: lǐ

原文

蠡: 蟲齧木中也. 从蚰彖聲. 蠡, 古文. 盧啓切.

飜譯

'벌레가 나무속을 갉아먹다(蟲齧木中)'라는 뜻이다. 곤(蚰)이 의미부이고 단(彖)이 소리부이다. 려(蠡)는 고문체이다. 독음은 로(盧)와 계(啓)의 반절이다.

8922

蝤: 蝤: 집게벌레 구: 虫-총19획: qiú

原文

蝤: 多足蟲也. 从蚰求聲. 蝤, 蝤或从虫. 巨鳩切.

飜譯

'발이 여럿 달린 벌레(多足蟲)'를 말한다. 곤(蚰)이 의미부이고 구(求)가 소리부이다. 구(蝤)는 구(蝤)의 혹체자인데, 충(虫)으로 구성되었다. 독음은 거(巨)와 구(鳩)의 반절이다.

8923

𧒭： 蚹: 왕개미 부: 虫-총29획: fú

原文

𧒭： 蚍蚹也. 从蚰橐聲. 𧓎, 蚹或从虫从孚. 縛牟切.

飜譯

'비부(蚍蚹) 즉 왕개미'를 말한다. 곤(虫)이 의미부이고 표(橐)가 소리부이다. 부(𧓎)는 부(蚹)의 혹체자인데, 충(虫)도 의미부이고 부(孚)도 의미부이다. 독음은 박(縛)과 모(牟)의 반절이다.

8924

𧓖： 蠲: 벌레 먹을 전: 虫-총25획: juǎn

原文

𧓖： 蟲食也. 从蚰雋聲. 子兖切.

飜譯

'벌레가 빨아먹다(蟲食)'라는 뜻이다. 곤(虫)이 의미부이고 준(雋)이 소리부이다. 독음은 자(子)와 연(兖)의 반절이다.

8925

𧍘： 蠢: 꿈틀거릴 준: 虫-총21획: chǔn

原文

𧍘： 蟲動也. 从蚰春聲. 𧍘, 古文蠢从戈.『周書』曰: "我有載于西." 尺尹切.

飜譯

'벌레가 움직이다(蟲動)'라는 뜻이다. 곤(虫)이 의미부이고 춘(春)이 소리부이다.116)

준(𧕱)은 준(蠢)의 고문체인데, 재(𢦏)로 구성되었다. 『상서·주서(周書)』에서 "큰 어려움의 움직임이 서쪽 땅에 있구나(我有截于西)"라고 했다.[117] 독음은 척(尺)과 윤(尹)의 반절이다.

---

116) 蚰(벌레 곤)이 의미부고 春(봄 춘)이 소리부로, 벌레(蚰)들이 봄날(春·춘) 긴 겨울잠에서 깨어나 '꿈틀대며' 蠢動(준동)하는 모습을 그렸으며, 이로부터 꿈틀거리다, 우둔하다 등의 뜻이 나왔다.

117) 『단주』에서 이렇게 말했다. "『상서·대고(大誥)』에서 '서쪽 땅에 큰 재난이 있을 것이다. 서쪽 땅 사람들도 편하지 못할 것인데, 이미 꿈틀거리고 있구나.(有大艱于西土, 西土人亦不靜, 越兹蠢.)'라고 했다. 『설문』에서 쓴 준(截)은 공자 댁 벽속에서 나온 고문 진본의 글자이다. 문장이 조금 다른 것은 허신이 다 인용하지 않고 개괄해서 설명했기 때문일 것이다."

제473부수
473 ▪ 충(蟲)부수

8926

蟲: 蟲: 벌레 충: 虫─총18획: chóng

原文

蟲: 有足謂之蟲, 無足謂之豸. 从三虫. 凡蟲之屬皆从蟲. 直弓切.

繹譯

'발이 달린 벌레를 충(蟲)이라 하고, 발이 없는 벌레를 치(豸)라고 한다.' 세 개의 충(虫)으로 구성되었다.[118] 충(蟲)부수에 귀속된 글자들은 모두 충(蟲)이 의미부이다. 독음은 직(直)과 궁(弓)의 반절이다.

8927

蟊: 蟊: 뿌리 잘라 먹는 벌레 무: 虫─총22획: máo

原文

蟊: 蟲食艸根者. 从蟲, 象其形. 吏抵冒取民財則生. 螽, 蟊或从秋. 蛑, 古文蟊从虫从牟. 臣鉉等按 : 虫部已有, 莫交切. 作蟹蝥蟲. 此重出. 莫浮切.

繹譯

'풀의 뿌리를 갉아먹는 벌레(蟲食艸根者)'를 말한다. 충(蟲)이 의미부이고, 그 모습을 형상했다. 관리들이 백성들의 재산을 제멋대로 취하게 되면 생겨난다. 무(螽)는 무(蟊)의 혹체자인데, 무(秋)로 구성되었다. 무(蛑)는 무(蟊)의 고문체인데, 충(虫)이 의미부이고 모(牟)도 의미부이다. 신(臣) 서현 등은 이렇게 생각합니다. "충(虫)부수에 이미 나

---

118) 고문자에서 𤈶𤈶𤈶𤈶𤈶簡牘文 𤈶石刻古文 등으로 그렸다. 세 개의 虫(벌레 충)으로 구성되어, '벌레'를 말하며, 간화자에서는 虫에 통합되었다.

왔습니다. 막(莫)과 교(交)의 반절이며, 반모충(蟊蟊蟲: 진딧물)을 뜻합니다. 여기서 중복 출현하였습니다." 독음은 막(莫)과 부(浮)의 반절이다.

8928

蠯: 蠯: 왕개미 비: 虫-총28획: pí

原文

蠯: 蚍蜉, 大螘也. 从蟲𣬠聲. 𧒓, 蠯或从虫比聲. 房脂切.

飜譯

'비부(蚍蜉) 즉 왕개미'를 말하는데, 대의(大螘)라고도 한다. 충(蟲)이 의미부이고 비(𣬠)가 소리부이다. 비(𧒓)는 비(蠯)의 혹체자인데, 충(虫)이 의미부이고 비(比)가 소리부이다. 독음은 방(房)과 지(脂)의 반절이다.

8929

蠲: 蠲: 모기 린: 虫-총28획: lìn

原文

蠲: 蠹也. 从蟲㒼聲. 武巾切.

飜譯

'모기(蠹)'를 말한다. 충(蟲)이 의미부이고 진(㒼)이 소리부이다. 독음은 무(武)와 건(巾)의 반절이다.

8930

蜚: 蜚: 바퀴벌레 비: 虫-총26획: fěi

原文

蜚: 臭蟲, 負蠜也. 从蟲非聲. 蜚, 蜚或从虫. 房未切.

飜譯

'취충(臭蟲) 즉 바퀴벌레'를 말하는데, 부번(負蠜)이라고도 한다. 충(蟲)이 의미부이고 비(非)가 소리부이다. 비(蜚)는 비(蠹)의 혹체자인데, 충(虫)으로 구성되었다. 독음은 방(房)과 미(未)의 반절이다.

8931

𧌂 : 蠱: 독 고: 虫-총23획: gǔ

蠱 : 腹中蟲也. 『春秋傳』曰: "皿蟲爲蠱." "晦淫之所生也." 梟桀死之鬼亦爲蠱. 从蟲从皿. 皿, 物之用也. 公戶切.

'뱃속에 사는 벌레(腹中蟲)'를 말한다. 『춘추전』(『좌전』 소공 원년, B.C. 541)에서 "명(皿)과 충(蟲)이 합쳐져 고(蠱)가 된다."라고 했다. 또 "이러한 독충은 한 밤중 음란한 일을 할 때 생겨난다."라고 했다. 목이 잘려 효수되거나 몸이 갈기갈기 찢어져 죽은 귀신(梟桀死之鬼)도 고(蠱)로 변할 수 있다. 충(蟲)이 의미부이고 명(皿)도 의미부인데, 명(皿)은 이런 벌레를 담는데 사용되는 기물을 뜻한다.[119] 독음은 공(公)과 호(戶)의 반절이다.

제13권

---

119) 고문자에서 𧌂 𧌂 甲骨文 𧌂 盟書 등으로 그렸다. 蟲(벌레 충)과 皿(그릇 명)으로 구성되어, 뱃속 벌레(蟲)를 말한다. 사람을 해칠 목적으로 그릇(皿) 안의 음식 속에 인공 배양하여 음식과 함께 뱃속으로 들어가게 하는 독충(蟲)을 말하며, 이로부터 독기라는 뜻이 나왔다. 간화자에서는 蟲을 虫(벌레 충·훼)으로 줄인 蛊로 쓴다.

제474부수

474 ■ 풍(風)부수

8932

𩖅 : 風: 바람 풍: 風－총9획: fēng

原文

𩖅 : 八風也. 東方曰明庶風, 東南曰清明風, 南方曰景風, 西南曰涼風, 西方曰
閶闔風, 西北曰不周風, 北方曰廣莫風, 東北曰融風. 風動蟲生. 故蟲八日而
化. 从虫凡聲. 凡風之屬皆从風. 𠙴, 古文風. 方戎切.

飜譯

'팔방의 여덟 가지 바람(八風)'을 말한다.120) 동방의 바람을 명서풍(明庶風)이라 하
고, 동남방의 바람을 청명풍(清明風)이라 하고, 남방의 바람을 경풍(景風)이라 하고,
서남방의 바람을 량풍(涼風)이라 하고, 서방의 바람을 팡합풍(閶闔風)이라 하고, 서
북방의 바람을 부주풍(不周風)이라 하고, 북방의 바람을 광막풍(廣莫風)이라 하고,

---

120) 갑골문에 이미 사방풍에 관한 이야기가 등장한다. 대표적인 것이 『갑골문합집』 제14294편인
데, 전문은 다음과 같다. "東方曰析, 風曰劦, 南方曰因, 風曰凱, 西方曰韋, 風曰彝, 北方曰伏,
風曰𠈂.(동방의 신을 석(析)이라 하고, 동방의 바람 신을 협(劦)이라 한다. 남방의 신을 인(因)
이라 하고, 남방의 바람 신을 미(凱)라 한다. 서방의 신을 위(韋)라 하고, 서방의 바람 신을 이
(彝)라 한다. 북방의 신을 복(伏)이라 하고, 북방의 바람 신을 역(𠈂)이라 한다."
『산해경(山海經)·대황동경(大荒東經)』에도 이런 기록이 보인다. "절단(折丹)이라는 사람이 있
는데, 동방을 관장하는 신을 석(析)이라 하며, 내뿜는 바람을 준(俊)이라 한다. 동방의 극지방
에 있으면서 바람을 내뿜고 들이 쉰다.(有人名曰折丹, 東方曰析, 來風曰俊, 處東極以出入
風.)" 또 『산해경·대황남경(大荒南經)』에서는 이렇게 말했다. "인인호(因因乎)라는 신이 있는
데, 남방을 관장하는 신을 인호(因乎)라 하고, 바람을 내뿜는 신을 호민(乎民)이라 하는데, 남
방의 극지방에 처하면서 바람을 내뿜고 들이 쉰다.(有神名曰因因乎, 南方曰因乎, 夸風曰乎民,
處南極以出入風.)" 이들 표현이 위의 갑골 편과 매우 유사해, 놀라움을 금치 못하게 한다. 이
는 상나라 때의 사방신(四方神)과 사방의 바람 이름에 대한 인식이 약 1천 년 간이나 전해져
전국시대 때까지 기억으로 존재했음을 말해 준다. 동시에 『산해경』 같은 전래 문헌들이 결코
허위로 날조된 것이 아니라 상당한 근거를 갖고 있음을 보여주기도 한다.

동북방의 바람을 융풍(融風)이라 한다. 바람이 불면 벌레가 생겨난다. 그래서 벌레는 8일이 지나면 변화하여 형체가 생긴다. 충(虫)이 의미부이고 범(凡)이 소리부이다.[121] 풍(風)부수에 귀속된 글자들은 모두 풍(風)이 의미부이다. 풍(凬)은 풍(風)의 고문체이다. 독음은 방(方)과 융(戎)의 반절이다.

8933

飉: 飉: 북풍 량: 風-총17획: liáng

原文

飉: 北風謂之飉. 从風, 涼省聲. 呂張切.

譯

'북풍(北風)을 량(飉)이라 한다.' 풍(風)이 의미부이고, 량(涼)의 생략된 모습이 소리부이다. 독음은 려(呂)와 장(張)의 반절이다.

---

121) 고문자에서 ꠰꠰ 甲骨文 ꠰꠰ 簡牘文 등으로 그렸다. 虫(벌레 충)이 의미부고 凡(무릇 범)이 소리부로, 봉새(虫)가 일으키는 바람(凡)을 말한다. 갑골문에서 鳳(봉새 봉)과 같이 쓰였는데, 높다란 볏과 화려한 날개와 긴 꼬리를 가진 봉새를 그렸다. 어떤 경우에는 발음을 표시하기 위해 凡(帆의 원래 글자)을 첨가하기도 했는데, 돛을 그린 凡이 더해진 것은 돛단배를 움직이는 바람의 중요성을 강조하려는 것이기도 했다. 소전체에 들면서 鳳의 鳥(새 조)를 虫으로 바꾸어 風으로 분화시켰는데, 한자에서 새나 물고기나 곤충이나 짐승 등이 모두 '虫'의 범주에 귀속될 수 있었기 때문이다. 중국의 신화에서처럼 고대 중국인들은 바람의 생성원리를 잘 이해하지 못해 커다란 봉새의 날갯짓에 의해 '바람'이 만들어진다고 생각했고 그래서 鳳과 風이 같이 쓰였다. 상나라 때의 갑골문에 이미 동서남북의 사방 신이 등장하며 사방 신이 관장하는 바람에 제사를 올렸다는 기록도 보이는데, 바람은 비와 함께 농작물의 수확에 가장 영향을 주는 요소 중의 하나였던 때문이다. 이처럼 風의 원래 뜻은 '바람'이다. 바람은 한꺼번에 몰려와 만물의 생장에 영향을 주기 때문에 風俗(풍속), 風氣(풍기), 作風(작풍)에서처럼 한꺼번에 몰려다니는 '유행'이라는 뜻을 갖게 되었고, 國風(국풍)에서처럼 특정 지역의 풍속을 대표하는 노래나 가락을 뜻하기도 했으며, 다시 風聞(풍문)에서처럼 '소식'이라는 뜻도 갖게 되었다. 風으로 구성된 한자는 '바람'의 종류를 지칭하기도 한다. 간화자에서는 风으로 줄여 쓴다.

8934

飓: 颮: 산들바람 혈: 風-총14획: xuè

原文

颮: 小風也. 从風朮聲. 翾聿切.

飜譯

'작은 바람(小風)[산들바람]'을 말한다. 풍(風)이 의미부이고 출(朮)이 소리부이다. 독음은 현(翾)과 율(聿)의 반절이다.

8935

飇: 飆: 폭풍 표: 風-총21획: biāo

原文

飆: 扶搖風也. 从風猋聲. 颮, 飆或从包. 甫遙切.

飜譯

'폭풍(扶搖風)'을 말한다. 풍(風)이 의미부이고 표(猋)가 소리부이다.[122] 표(颮)는 표(飆)의 혹체자인데, 포(包)로 구성되었다. 독음은 보(甫)와 요(遙)의 반절이다.

8936

飄: 飄: 회오리바람 표: 風-총20획: piāo

原文

飄: 回風也. 从風票聲. 撫招切.

飜譯

'회오리바람(回風)'을 말한다. 풍(風)이 의미부이고 표(票)가 소리부이다.[123] 독음은

---

122) 風(바람 풍)이 의미부고 猋(개가 달리는 모양 표)가 소리부로, 폭풍을 말하는데, 사나운 개가 여럿 달려들듯(猋) 휘몰아치는 '폭풍(風)'을 말하며, 『설문해자』에서는 飆(폭풍 표)로 썼다.

123) 風(바람 풍)이 의미부고 票(불똥 튈 표)가 소리부로, 불꽃이 치솟듯(票) 휘말려 하늘로 솟아

무(撫)와 초(招)의 반절이다.

8937

颯: 颯: 바람 소리 삽: 風-총14획: sà

原文

颯: 翔風也. 从風立聲. 穌合切.

飜譯

'빙빙 돌아 올라가는 회오리바람(翔風)'을 말한다.[124] 풍(風)이 의미부이고 립(立)이 소리부이다.[125] 독음은 소(穌)와 합(合)의 반절이다.

8938

飂: 飂: 높이 부는 바람 료·류: 風-총20획: liáo, liù

原文

飂: 高風也. 从風翏聲. 力求切.

飜譯

'높이 부는 바람(高風)'을 말한다. 풍(風)이 의미부이고 료(翏)가 소리부이다. 독음은 력(力)과 구(求)의 반절이다.

8939

颮: 颮: 빠른 바람 홀: 風-총17획: hū

오르는 '회오리바람'을 말하며, 이로부터 바람에 날리다는 뜻도 나왔다. 달리 飈로 쓰기도 하며, 간화자에서는 風을 风으로 줄여 飙로 쓴다.
124) 『단주』에서는 각 판본에서 '翔風也'로 되었는데, 『문선(文選)·풍부(風賦)』의 주석에 근거해 '風聲也(바람소리를 말한다)'로 고쳤으며, 『광운(廣韻)』에서도 그렇게 되어 있다고 했다.
125) 風(바람 풍)이 의미부고 立(설 립)이 소리부로, 바람(風)이 부는 소리를 말하며, 또 바람처럼 빠른 모습을 뜻하기도 한다.

原文

颮: 疾風也. 从風从忽, 忽亦聲. 呼骨切.

飜譯

'질풍(疾風) 즉 빠른 바람'을 말한다. 풍(風)이 의미부이고 홀(忽)도 의미부인데, 홀(忽)은 소리부도 겸한다. 독음은 호(呼)와 골(骨)의 반절이다.

8940

颭: 颭: 큰 바람 위: 風-총18획: wèi

原文

颭: 大風也. 从風胃聲. 王勿切.

飜譯

'대풍(大風) 즉 큰 바람'을 말한다. 풍(風)이 의미부이고 위(胃)가 소리부이다. 독음은 왕(王)과 물(勿)의 반절이다.

8941

颰: 颰: 큰 바람 율: 風-총13획: xué, yù

原文

颰: 大風也. 从風日聲. 于筆切.

飜譯

'대풍(大風) 즉 큰 바람'을 말한다. 풍(風)이 의미부이고 일(日)이 소리부이다. 독음은 우(于)와 필(筆)의 반절이다.

8942

颺: 颺: 날릴 양: 風-총18획: yáng

原文

颺: 風所飛揚也. 从風昜聲. 與章切.

飜譯

'바람에 흩날리다(風所飛揚)'라는 뜻이다. 풍(風)이 의미부이고 양(昜)이 소리부이다. 독음은 여(與)와 장(章)의 반절이다.

8943

颲: 폭풍 률·리: 風-총16획: lì

原文

颲: 風雨暴疾也. 从風利聲. 讀若栗. 力質切.

飜譯

'폭풍우가 치다(風雨暴疾)'라는 뜻이다. 풍(風)이 의미부이고 리(利)가 소리부이다. 율(栗)과 같이 읽는다. 독음은 력(力)과 질(質)의 반절이다.

8944

颲: 사나운 바람 렬: 風-총15획: liè

原文

颲: 烈風也. 从風劣聲. 讀若劣. 良薛切.

飜譯

'세찬 바람(烈風)'을 말한다.[126] 풍(風)이 의미부이고 열(劣)이 소리부이다. 열(劣)과

---

126) 『단주』에서는 '烈風也'를 '颲颲也'로 고친다고 하면서 이렇게 말했다. "『시(詩)』에서 '二之日栗烈(섣달엔 추위 매서워진다네)'이라 했는데, 율렬(栗烈)을 『설문』 빙(仌)부수에서는 율렬(凓冽)로 썼다. 육덕명의 『음의(音義)』에서는 빙(仌)부수를 언급하지 않고서, 『설문』에서 율렬(颲颲)로 적었다고 했다. 아마도 첩운에 의한 독음이 같아서 생긴 오류일 것이다. 이로써 고본(古本)에서 말하는 율렬(颲颲)은 연면어(緜聯語)임을 알 수 있다. 『광운(廣韵)』 질(質)운의 율(颲)자에서 율렬(颲颲)은 폭풍(暴風)을 말한다고 했다."

같이 읽는다. 독음은 량(良)과 설(薛)의 반절이다.

8945

颸: 颸: 선선한 바람 시: 風-총18획: sī

原文

颸: 涼風也. 从風思聲. 息茲切.

繙譯

'서늘한 바람(涼風)'을 말한다. 풍(風)이 의미부이고 사(思)가 소리부이다. 독음은 식(息)과 자(茲)의 반절이다. [신부]

8946

颼: 颼: 바람이 우수수 불 수: 風-총18획: sōu

原文

颼: 颼颼也. 从風叟聲. 所鳩切.

繙譯

'바람이 우수수 불다(颼颼)'라는 뜻이다. 풍(風)이 의미부이고 수(叟)가 소리부이다. 독음은 소(所)와 구(鳩)의 반절이다. [신부]

8947

颭: 颭: 물결 일 점: 風-총14획: zhǎn

原文

颭: 風吹浪動也. 从風占聲. 隻冉切.

繙譯

'바람이 불어 물결이 일다(風吹浪動)'라는 뜻이다. 풍(風)이 의미부이고 점(占)이 소리부이다. 독음은 척(隻)과 염(冉)의 반절이다. [신부]

제475부수

475 ■ 타(它)부수

8948

它 : 它: 다를 타·뱀 사: 宀─총5획: tā

(原文)

它 : 虫也. 從虫而長, 象冤曲垂尾形. 上古艸居患它, 故相問無它乎. 凡它之屬
皆从它. 蛇, 它或从虫. 臣鉉等曰 : 今俗作食遮切. 託何切.

(飜譯)

'뱀(虫)'을 말한다. 충(虫)으로 구성되었는데 이를 길게 늘인 모습이다. 몸통은 굽었
고 꼬리는 늘어진 모습을 그렸다.[127] 옛날에는 초지에 살았기 때문에 뱀이 큰 걱정
거리였다. 그래서 서로 안부를 물을 때 '[간밤에] 뱀은 없었나요?(無它乎)'라고 물었
다. 타(它)부수에 귀속된 글자들은 모두 타(它)가 의미부이다. 타(蛇)는 타(它)의 혹
체자인데, 충(虫)으로 구성되었다. 신(臣) 서현 등은 이렇게 생각합니다. "오늘날의 세속에
서는 식(食)과 차(遮)의 반절로 읽습니다." 독음은 탁(託)과 하(何)의 반절이다.

---

127) 고문자에서 甲骨文 金文 古陶文 簡牘文 등으로
그렸다. 갑골문에서 큰 뱀을 그렸는데 자형이 변해 지금처럼 되었다. 뱀 입 위로 사람의 발을
그리기도 했고, 거기에다 길이 더해지기도 하여, 길에 나타나 사람의 발을 무는 뱀임을 형상
화하기도 했다. 이후 '다른 것'이나 '기타'라는 대명사로 가차되자 원래 뜻은 虫을 더한 蛇(뱀
사)로 분화했다.

제476부수
476 ■ 귀(龜)부수

8949

龜: 龜: 나라 이름 **구**·거북 **귀**·틀 **균**: 龜-총16획: guī

原文

龜: 舊也. 外骨內肉者也. 从它, 龜頭與它頭同. 天地之性, 廣肩無雄; 龜鼈之
類, 以它爲雄. 象足甲尾之形. 凡龜之屬皆从龜. ⻱, 古文龜. 居追切.

[번역]

'구(舊)와 같아 오래 살다'라는 뜻이다. 바깥은 뼈로 되었고 안은 살로 되었다. 타
(它)로 구성되었는데, 거북의 머리가 뱀의 머리를 닮았기 때문이다. 천지의 본성을
살펴보면, 어깨가 넓으면 수컷의 기질이 없는 법이다. 거북이나 자라 무리들은 뱀
(它)을 수컷으로 삼는다(雄).[128] 발(足)과 딱지(甲)와 꼬리(尾)의 모습을 그렸다.[129]

---

128) 『단주』에서 이렇게 말했다. "『열자(列子)』에 의하면 순자(純雌, 암놈만 있는 것)를 대요(大
腰)라 부르고, 순웅(純雄, 수놈만 있는 것)을 치봉(稺蜂)이라 부른다고 했다. 장담(張湛)의 『열
자주』에서 대요(大腰)는 거북이나 자라 같은 것을 말한다(龜鼈之類也)고 했다. 치(稺)는 어리
다(小)는 뜻이다. 허신이 과(蝸)와 라(蠃)자를 설명하면서도 『열자』의 이 부분을 언급했다(앞
의 8809-蝸, 8810-蠃자 참조). 내 생각에, 타(它)를 수컷으로 삼는다고 한 것은 그것의 새끼가
모두 뱀의 새끼(它子)가 된다는 말이다. 그래서 글자에 타(它)가 들어갔을 것이다. 이는 구(龜)
가 타(它)로 구성된 이유에 대한 또 다른 해설이 될 것이다."

129) 고문자에서 🐢🐢🐢 甲骨文 🐢🐢 金文 🐢🐢 古陶文 🐢 簡牘文 등으로 그렸다.
거북을 그대로 그렸는데, 갑골문에서는 측면에서 본 모습을 금문에서는 위에서 본 모습을 그
렸다. 볼록 내민 거북의 머리(龜頭·귀두), 둥근 모양에 갈라진 무늬가 든 등딱지, 발, 꼬리까지
구체적으로 잘 그려졌다. 소전체와 예서체에서 거북의 측면 모습이 정형화되었고 지금의 龜가
되었다. 거북은 수 천 년을 산다고 할 정도로 장수의 상징이었기 때문에 그 어떤 동물보다 신
비한 동물로, 그래서 신의 계시를 잘 전해줄 수 있다고 생각했다. 게다가 중앙을 중심으로 동
서남북의 네 방향으로 튀어나와 모가 진 모습은 당시 사람들이 생각했던 땅의 모형과 유사했
기 때문에, 이 지상 세계에서 일어나는 모든 일을 신과 교통시킬 수 있다고 생각했으며, 그것
이 거북딱지를 가지고 점을 치게 된 주된 이유였을 것이다. 거북딱지를 점복에 사용할 때에는
먼저 홈을 파, 면을 얇게 만들고 그곳을 불로 지지면 卜(점 복)자 모양의 균열이 생기는데, 이

귀(龜)부수에 귀속된 글자들은 모두 귀(龜)가 의미부이다. 귀(𠂤)는 귀(龜)의 고문체
이다. 독음은 거(居)와 추(追)의 반절이다.

8950

𫝀： 絟: 거북이름 종: 糸-총8획: tóng

原文

𫝀： 龜名. 从龜夂聲. 夂, 古文終字. 徒冬切.

飜譯

'거북의 이름(龜名)'이다. 귀(龜)가 의미부이고 종(夂)이 소리부이다. 종(夂)은 종(終)
의 고문체이다. 독음은 도(徒)와 동(冬)의 반절이다.

8951

𫝀： 鼃: 거북껍질 가장자리 염: 龜-총21획: nán, rán

原文

𫝀： 龜甲邊也. 从龜冄聲. 天子巨鼃, 尺有二寸, 諸矦尺, 大夫八寸, 士六寸. 没閻切.

飜譯

'거북딱지의 가장자리(龜甲邊)'를 말한다. 귀(龜)가 의미부이고 염(冄)이 소리부이다.
천자가 사용하는 거북딱지는 가장자리 간의 거리(너비)가 1자(尺) 2치(寸)이며, 제후
가 사용하는 거북딱지는 가장자리 간의 거리가 1자이고, 대부가 사용하는 거북딱지
는 가장자리 간의 거리가 8치이고, 사(士)가 사용하는 거북딱지는 가장자리 간의 거
리가 6치이다. 독음은 몰(没)와 염(閻)의 반절이다.

갈라진 모습을 보고 길흉을 점친다. 그래서 龜는 '거북'이 원래 뜻이지만 龜裂(균열)에서처럼
'갈라지다'는 뜻도 가지는데, 이때에는 '균'으로 읽힘에 유의해야 한다. 또 지금의 庫車(고차)
부근의 실크로드 상에 있던 서역의 옛 나라 이름인 '쿠짜(龜玆·구자)'를 표기할 때도 쓰이며,
龜尾(구미)와 같이 국명이나 지명으로 쓰이면 '구'로 읽힌다. 간화자에서는 龟로 쓴다.

제477부수
477 ▪ 민(黽)부수

8952

黽: 黽: 힘쓸 민·맹꽁이 맹: 黽-총13획: mǐn, miǎn

原文

黽: 鼃黽也. 从它, 象形. 黽頭與它頭同. 凡黽之屬皆从黽. 𪓰, 籒文黽. 莫杏切.

飜譯

'맹꽁이(鼃黽)'를 말한다. 타(它)로 구성되었으며, 상형이다. 맹꽁이의 머리가 뱀의 머리와 같이 생겼기 때문이다.[130) 민(黽)부수에 귀속된 글자들은 모두 민(黽)이 의미부이다. 민(𪓰)은 민(黽)의 주문체이다. 독음은 막(莫)과 행(杏)의 반절이다.

8953

鼈: 鼈: 자라 별: 黽-총25획: biē

原文

鼈: 甲蟲也. 从黽敝聲. 并列切.

飜譯

---

130) 고문자에서 甲骨文 金文 등으로 그렸다. 黽은 갑골문과 금문에서 개구리의 위에서 본 모습을 그렸는데, 머리와 둥근 몸통과 두 앞 다리와 뒷다리가 사실적으로 그려졌다. 소전체에 오면서 정형화되었는데, 머리통과 불룩한 배를 가진 몸과 꼬리까지 그려졌다. 개구리는 꼬리가 없지만, 올챙이 때 났던 꼬리로부터 변해왔음을 상징적으로 표현했다. 黽은 '개구리'가 원래 뜻인데, 이후 '맹꽁이'를 뜻하게 되었다. 黽으로 구성된 한자를 보면, 黿(자라 원)이나 鼇(자라 오)나 鼈(자라 별)에서처럼 개구리처럼 양서류이면서 모양도 비슷하게 생긴 '자라'나 '거북'을, 다시 鼉(악어 타)에서처럼 '악어'까지 뜻하게 되었다. 또 모양의 유사성 때문인지 鼄(거미 주)에서처럼 '거미'를 나타내기도 했다.

'자라(甲蟲)'를 말한다. 민(黽)이 의미부이고 페(敝)가 소리부이다.[131] 독음은 병(幷)과 렬(列)의 반절이다.

8954

黿: 黿: 자라 원: 黽-총17획: yuán

黿: 大鼈也. 从黽元聲. 愚袁切.

'큰 자라(大鼈)'를 말한다. 민(黽)이 의미부이고 원(元)이 소리부이다. 독음은 우(愚)와 원(袁)의 반절이다.

8955

黿: 黿: 개구리 와비로소 왜: 黽-총19획: wā

黿: 蝦蟇也. 从黽圭聲. 烏媧切.

'두꺼비(蝦蟇)'를 말한다. 민(黽)이 의미부이고 규(圭)가 소리부이다. 독음은 오(烏)와 왜(媧)의 반절이다.

8956

黿: 黿: 두꺼비 축: 黽-총18획: cù

---

131) 고문자에서 ![글자] 簡牘文 등으로 그렸다. 黽(힘쓸 민·맹꽁이 맹·땅이름 면)이 의미부고 敝(해질 페)가 소리부로, 鱉(자라 별)과 같이 쓰며, '자라(黿)'를 말한다. 거북과 비슷하나 몸체가 조금 둥글고 등이 볼록 솟았다. 식용이나 약용으로 쓰며, 甲蟲(갑충)이나 甲魚(갑어)로 불리는데, 속어에서는 '王八(왕팔)'이라는 말로 이를 지칭하기도 한다.

<원문>

黿: 䖒黿, 詹諸也. 其鳴詹諸, 其皮黿黿, 其行䖒䖒. 从黽从䖒, 䖒亦聲. 䵓, 黿 或从酋. 七宿切.

<번역>

'녹축(䖒黿) 즉 두꺼비'를 말하는데, 섬서(詹諸)라고도 부른다. 우는 소리는 섬서(詹諸)하고, 거죽(피부)은 축축(黿黿)하고, 걸음걸이는 녹록(䖒䖒)하다.[132] 민(黽)이 의미부이고 록(䖒)도 의미부인데, 록(䖒)은 소리부도 겸한다. 축(䵓)은 축(黿)의 혹체자인데, 추(酋)로 구성되었다. 독음은 칠(七)과 숙(宿)의 반절이다.

8957

鼀黿: 鼀黿: 두꺼비 시: 黽-총27획: shī

<원문>

黿: 醜黿, 詹諸也. 『詩』曰: "得此醜黿." 言其行黿黿. 从黽爾聲. 式支切.

<번역>

'추시(醜黿) 즉 두꺼비'를 말하는데, 섬서(詹諸)라고도 한다. 『시·패풍·신대(新臺)』에서 "[고운님을 찾아 헤맸는데] 이 두꺼비 같은 자가 걸렸네(得此醜黿)"라고 노래했는데, 그 행동이 느릿느릿함을 말했다. 민(黽)이 의미부이고 이(爾)가 소리부이다. 독음은 식(式)과 지(支)의 반절이다.

---

132) 『단주』에서 이렇게 보충 설명했다. "그 울음소리는 섬서(詹諸)하고"라고 했는데, 하마(蝦蟆)는 합합(呷呷)하는 소리를 낼 수 있지만 섬서(蟾蜍)는 소리를 내지 못한다. 섬서(詹諸)는 그 더듬거리는 소리를 형상한 이름이다. 그래서 이름을 그렇게 붙이게 된 것이다. 이를 세속에서는 섬저(蟾蠩)라 쓰기도 하고 또 섬서(蟾蜍)라 쓰기도 한다. "그 거죽(피부)은 축축하다(黿黿)"라고 했는데 축축(黿黿)은 축축(蹙蹙)과 같은 말이다. 몸집이 크고 등은 검은색이며 뾰루지 같은 것이 돌무더기처럼 쌓여 있다. 이는 이 동물을 축(黿)이나 녹축(䖒黿)이라 이름 붙이게 된 연유를 말한 것이다. 이의 의미는 아마도 오므리고 웅크려 있는 모습(拳局)에서 취해 왔을 것이다. "그 걸음걸이는 녹녹하다(䖒䖒)"라고 했는데, 녹녹(䖒䖒)은 발을 들고 있지만 제대로 나아가지 못하는 모습을 말한다. 섬저(蟾蜍)는 뛰지 못하는 동물이다. 지담초(菌䖒, 즉 地蕈)는 담장(圍) 위로 천천히 퍼져 나가는 식물로, 예리한 물건이 아니다. 그래서 그 모습으로 걸어가는 모습을 형상한 것이다. 이는 이 동물을 녹축(䖒黿)이라 이름 붙이게 된 연유를 말한 것이다.

8958

鼉: 鼉: 악어 타: 黽-총25획: tà

原文

鼉: 水蟲. 似蜥易, 長大. 从黽單聲. 徒何切.

飜譯

'물에 사는 악어(水蟲)'를 말하는데, 도마뱀(蜥易)을 닮았으나 더 크고 길다. 민(黽)이 의미부이고 단(單)이 소리부이다. 독음은 도(徒)와 하(何)의 반절이다.

8959

鼷: 鼷: 개구리 혜: 黽-총23획: xí

原文

鼷: 水蟲也. 薉貉之民食之. 从黽奚聲. 胡雞切.

飜譯

'물에 사는 개구리(水蟲)'를 말한다. 예맥족(薉貉)들은 이를 식용한다. 민(黽)이 의미부이고 해(奚)가 소리부이다. 독음은 호(胡)와 계(雞)의 반절이다.

8960

鼩: 鼩: 구벽 구: 黽-총18획: qú

原文

鼩: 鼀屬, 頭有兩角, 出遼東. 从黽句聲. 其俱切.

飜譯

'개구리의 일종(鼀屬)'인데, 머리에 뿔이 둘 있으며, 요동(遼東) 지역에서 난다. 민(黽)이 의미부이고 구(句)가 소리부이다. 독음은 기(其)와 구(俱)의 반절이다.

제
13
권

8961

𪓯: 蠅: 파리 승: 虫-총19획: yíng

(原文)

𪓯: 營營靑蠅. 蟲之大腹者. 从黽从虫. 余陵切.

(飜譯)

'잉잉거리며 날아다니는 파리(營營靑蠅)'를 말한다. 배가 불룩한 곤충이다. 민(黽)이 의미부이고 충(虫)도 의미부이다.[133] 독음은 여(余)와 릉(陵)의 반절이다.

8962

鼅: 鼅: 거미 지: 黽-총24획: zhī

(原文)

鼅: 鼅鼄, 蟊也. 从黽, 斦省聲. 蜘, 或从虫. 陟离切.

(飜譯)

'지주(鼅鼄) 즉 거미'를 말하는데, 무(蟊)라고도 한다.[134] 민(黽)이 의미부이고, 지(斦)의 생략된 모습이 소리부이다. 지(蜘)는 혹체자인데, 충(虫)으로 구성되었다. 독음은 척(陟)과 리(离)의 반절이다.

8963

鼄: 鼄: 거미 주: 黽-총19획: zhū

(原文)

鼄: 鼅鼄也. 从黽朱聲. 蛛, 鼄或从虫. 陟輸切.

---

133) 虫(벌레 충)이 의미부고 黽(힘쓸 민·맹꽁이 맹·땅이름 면)이 소리부로, '파리'를 말하는데, 맹꽁이(黽)처럼 배가 볼록한 벌레(虫)라는 의미를 담았다. 간화자에서는 黽을 黾으로 줄여 蝇으로 쓴다.

134) 『단주』에서는 각 판본에서 주(鼄)가 빠졌다고 하면서 '鼄蟊也'로 고쳐 넣었다.

蠅譯

'지주(鼅鼄) 즉 거미'를 말한다. 민(黽)이 의미부이고 주(朱)가 소리부이다. 주(絑)는 주(鼄)의 혹체자인데, 충(虫)으로 구성되었다. 독음은 척(陟)과 수(輸)의 반절이다.

8964

黿: 黿: 아침 조: 黽−총18획: zāo

原文

黿: 匽黿也. 讀若朝. 楊雄說: 匽黿, 蟲名. 杜林以爲朝旦, 非是. 从黽从旦. 鼌, 篆文从皀. 直遙切.

蠅譯

'언조(匽黿) 즉 바다거북'을 말한다. 조(朝)와 같이 읽는다. 양웅(楊雄)에 의하면, 언조(匽黿)는 동물 이름(蟲名)이라고 했다. 그러나 두림(杜林)은 아침(朝旦)이라는 뜻이라고 했는데, 이는 옳지 않다. 민(黽)이 의미부이고 단(旦)이 소리부이다.[135] 조(鼌)는 전서체인데, 급(皀)으로 구성되었다. 독음은 직(直)과 요(遙)의 반절이다.

8965

鼇: 鼇: 자라 오: 黽−총24획: áo

原文

鼇: 海大鼇也. 从黽敖聲. 五牢切.

蠅譯

'바다에 사는 큰 거북(海大鼇)'을 말한다. 민(黽)이 의미부이고 오(敖)가 소리부이다. 독음은 오(五)와 뢰(牢)의 반절이다.

---

135) 日(날 일)이 의미부고 黽(힘쓸 민·맹꽁이 맹·땅이름 면)이 소리부로, 바다거북(黽)을 말한다. 또 朝(아침 조)와 통용되어 해(日)가 뜨는 아침을 말하기도 한다.

제478부수
478 ■ 란(卵)부수

8966

卵: 卵: 알 란: 卩-총7획: luǎn

原文

卵: 凡物無乳者卵生. 象形. 凡卵之屬皆从卵. 盧管切.

飜譯

‘젖을 먹지 않는 동물은 모두 알에서 난다(凡物無乳者卵生).’ 상형이다.136) 란(卵)부수에 귀속된 글자들은 모두 란(卵)이 의미부이다. 독음은 로(盧)와 관(管)의 반절이다.

8967

毈: 毈: 알 곯을 단: 殳-총16획: duàn

原文

毈: 卵不孚也. 从卵段聲. 徒玩切.

飜譯

‘알이 부화하지 않다(卵不孚)’라는 뜻이다. 란(卵)이 의미부이고 단(段)이 소리부이다. 독음은 도(徒)와 완(玩)의 반절이다.

---

136) 고문자에서 卵 卵 卵 簡牘文 등으로 그렸다. 卵(알 란)은 수초에 붙어 있는 물고기의 알을 그렸는데, 이후 ‘알’을 총칭하게 되었으며, 기르다, 고환, 남성 생식기를 뜻하기도 한다. 현행 옥편에서는 卩(병부 절)부수에 귀속시켰다.

제479부수
479 ▪ 이(二)부수

8968

二: 二: 두 이: 二-총2획: èr

(原文)

二: 地之數也. 从偶一. 凡二之屬皆从二. 弍, 古文. 而至切.

(飜譯)

'땅을 상징하는 숫자(地之數)'이다. 일(一)이 짝을 이룬 모습을 그렸다.[137] 이(二)부수에 귀속된 글자들은 모두 이(二)가 의미부이다. 이(弍)는 고문체이다. 독음은 이(而)와 지(至)의 반절이다.

8969

亟: 亟: 빠를 극: 二-총9획: jí

(原文)

亟: 敏疾也. 从人从口, 从又从二. 二, 天地也. 紀力切.

(飜譯)

'민첩하고 빠르다(敏疾)'라는 뜻이다. 인(人)이 의미부이고 구(口)도 의미부이고, 우(又)도 의미부이고 이(二)도 의미부이다. 이(二)는 하늘과 땅(天地)을 뜻한다.[138] 독

---

137) 고문자에서 ![甲骨文] 甲骨文 ![金文] 金文 ![古陶文] 古陶文 ![盟書] 盟書 ![簡牘文] 簡牘文 ![帛書] 帛書 등으로 그렸다. 갑골문에서 一(한 일)을 둘 포갠 것으로 '두 개'를 나타냈다. 1615년 만들어진 『字彙(자휘)』에서부터 시작해 현대 옥편에서는 二를 따로 부수로 세웠지만, 一이 이미 부수로 설정된 상태에서 二를 독립된 부수로 세워야 하는지에 대해서는 의문이 남는다. 『설문해자』에서는 짝수를 말하며 '땅의 숫자' 즉 陰(음)의 숫자를 상징한다고 했다.

138) 고문자에서 ![甲骨文] 甲骨文 ![金文] 金文 ![盟書] 盟書 ![簡牘文] 簡牘文 등으로 그렸다. 갑골

음은 기(紀)와 력(力)의 반절이다.

8970

頤: 恒(恆): 항상 항: 心-총9획: héng

原文

頤: 常也. 从心从舟, 在二之閒上下. 心以舟施, 恆也. 亙, 古文恆从月.『詩』
曰:“如月之恆. ”胡登切.

繙譯

‘항상(常)’이라는 뜻이다. 심(心)이 의미부이고 주(舟)도 의미부인데, 하늘과 땅(二)
사이에 아래위로 놓인 모습이다. 생각하는 마음을 배에 실어 왔다 갔다 하며(心以舟
施) 영원히 잊지 않는다(恆)는 뜻이다.139) 항(亙)은 항(恆)의 고문체인데, 월(月)로
구성되었다.『시』에서 “달처럼 항구하소서(如月之恆)”라고 노래했다. 독음은 호(胡)
와 등(登)의 반절이다.

문에서 땅 위에 선 사람의 측면 모습과 사람의 끝 부분인 머리 위로 가로획이 더해진 모습으
로부터 가장 높은 곳이라는 뜻을 그렸고, 이로부터 極端(극단)이라는 뜻이 나왔다. 이후 금문
에서는 口(입 구)가 더해졌고 다시 攴(칠 복)이 더해져, 빨리 말하도록(口) 매를 치는(攴) 모습
을 그렸는데, 이로부터 ‘빠르다’는 뜻이 나왔고, 자형이 조금 변해 지금처럼 되었다. 그러자
원래 뜻은 木(나무 목)을 더한 極(다할 극)으로 분화했는데, 極은 집을 지을 때 가장 위쪽 끝
에다 거는 마룻대(棟·동)를 말한다.

139) 고문자에서 I I 甲骨文 田金文 簡牘文 帛書 古璽文 등으로
그렸다. 心(마음 심)이 의미부고 亘(걸칠 긍)이 소리부로, 언제나 변치 않는(亘) 일정한 마음
(心)을 말했다. 이로부터 恒常(항상), 항구, 영원, 일상의, 보편적인, 오래가다 등의 뜻이 나왔
다. 갑골문에서는 二(두 이)와 月(달 월)로 구성된 亙으로 썼는데, 아래위의 두 획(二)은 하늘
과 땅을, 중간의 달(月)은 이지러졌다가 다시 차기를 반복하는 영원불변의 달을 뜻하여, 변하
지 않는 영원함을 말했다. 이후 心을 더해 변하지 않는(亘) 마음(心)임을 강조했고, 소전체에
서는 月이 형체가 비슷한 舟(배 주)로 변했다가 예서 이후 다시 日(날 일)로 변해 지금의 자
형이 되었다.

8971

亘: 亘: 베플 선: 二-총6획: xuán

原文

亘: 求亘也. 从二从囘. 囘, 古文回, 象亘回形. 上下, 所求物也. 須緣切.

飜譯

'구하는 바가 있어 돌아오다(求亘)'라는 뜻이다.140) 이(二)가 의미부이고 회(囘)도 의미부이다. 회(囘)는 회(回)의 고문체이며, 소용돌이치는 모습(亘回形)을 그렸다. 아래위를 뜻하는 이(二)는 구하고자 하는 예물을 뜻한다.141) 독음은 수(須)와 연(緣)의 반절이다.

8972

竺: 竺: 대나무 축: 竹-총8획: zhú

原文

竺: 厚也. 从二竹聲. 冬毒切.

飜譯

'두텁다(厚)'라는 뜻이다. 이(二)가 의미부이고 죽(竹)이 소리부이다.142) 독음은 동(冬)과 독(毒)의 반절이다.

---

140) 『단주』에서 각 판본에서 '求亘也'로 되었는데, '求回也'로 바로 잡는다고 했다.

141) 고문자에서 甲骨文 金文 등으로 그렸다. 원래는 回(돌 회)와 二(두 이)로 구성되어, 물길이 휘감기어 '선회함(回)'을 그렸다. 亘(펼 선·굳셀 환)에서 분화한 글자로, 물길이 끊임없이 이어짐을 말했고, 다시 '두루 미치다', '가로 지르다', '끝까지 가다' 등의 뜻을 갖게 되었다. 亘과는 다른 글자임에 유의해야 한다.

142) 二(두 이)가 의미부고 竹(대 죽)이 소리부로, 대나무(竹)를 말하며, 대(竹)로 만든 고대 악기를 말하기도 한다. 옛날 인도를 天竺(천축)이라 번역하기도 한다. 달리 竺으로 쓰기도 한다.

8973

凡: 凡: 무릇 범: 几-총3획: fán

原文

凡: 最括也. 从二, 二, 偶也. 从绅, 绅, 古文及. 浮芝切.

譯

'한데 모아서 총괄하다(最括)'라는 뜻이다. 이(二)가 의미부인데, 이(二)는 짝(偶)을 뜻한다. 급(绅)도 의미부인데, 급(绅)은 급(及)의 고문체이다.[143] 독음은 부(浮)와 범(芝)의 반절이다.

---

143) 고문자에서 ⿰ 甲骨文 ⿰ 金文 ⿰ 簡牘文 등으로 그렸다. 갑골문에서 베로 만든 네모꼴의 '돛'을 그렸다. 이후 凡이 '무릇', 일상적인, 평상의, 平凡(평범)하다 등의 의미로 가차되자, 원래의 뜻을 나타낼 때에는 巾(수건 건)을 더해 帆(돛 범)을 만들어 분화했다. 달리 九으로 쓰기도 한다.

제480부수
480 ▪ 토(土)부수

8974

土: 土: 흙 토: 土-총3획: tǔ

原文

土: 地之吐生物者也. 二象地之下、地之中, 物出形也. 凡土之屬皆从土. 它魯切.

釋譯

'만물을 자라게 하는 땅(地之吐生物者)'을 말한다. 이(二)는 땅의 아랫부분과 중간 부분을 뜻하고, [세로획은] 만물이 자라나는 모습을 그렸다.[144] 토(土)부수에 귀속된 글자들은 모두 토(土)가 의미부이다. 독음은 타(它)와 로(魯)의 반절이다.

8975

坔: 地: 땅 지: 土-총6획: dì

原文

坔: 元气初分, 輕清陽爲天, 重濁陰爲地. 萬物所陳劉也. 从土也聲. 墬, 籒文地 从隊. 徒内切.

---

144) 고문자에서 甲骨文 金文 古陶文 簡牘文 土帛書 등으로 그렸다. 갑골문에서 땅(一) 위에 뭉쳐 세워 놓은 흙의 모습으로부터 흙, 土地(토지), 대지 등의 뜻을 그렸다. 어떤 경우에는 처럼 그려 그 주위로 점을 그려 술을 뿌리며 숭배하던 토지 신의 모습을 형상화하기도 했다. 황토 대지 위에서, 정착 농경을 일찍부터 시작했던 고대 중국인들이었기에 흙(土)은 중요한 숭배대상이자 다양한 상징을 담게 되었다. 地(땅 지)에서와 같이 흙(土)은 만물을 낳고 자라게 하는 생산성의 상징이었으며, 在(있을 재)와 같이 만물을 존재하게 하는 상징이었다. 하지만, 이후 흙은 농촌의 상징이었고, 이로부터 향토색이 짙다, 土俗(토속)적이라는 뜻이, 다시 촌스럽다, 사투리, 촌뜨기 등의 뜻도 나왔다.

飜譯

'[태초에] 원기가 처음 나누어졌을 때, 가볍고 맑은 양에 해당하는 기운은 위로 올라가 하늘이 되었고, 무겁고 탁한 음에 해당하는 기운은 가라앉아 땅이 되었다.(元气初分, 輕清陽爲天, 重濁陰爲地).' 만물이 존재하는 곳이다. 토(土)가 의미부이고 야(也)가 소리부이다.[145] 지(堅)는 지(地)의 주문체인데, 전(隊)으로 구성되었다.[146] 독음은 도(徒)와 내(內)의 반절이다.

8976

坤: 坤: 땅 곤: 土-총8획: kūn

原文

坤 : 地也. 『易』之卦也. 从土从申. 土位在申. 苦昆切.

飜譯

'땅(地)'을 말한다. 『역』의 괘(卦)를 말하기도 한다. 토(土)가 의미부이고 신(申)도 의미부이다. 토(土)의 신위는 신(申)에 자리하는데 [서남방을 뜻한다].[147] 독음은 고(苦)와 곤(昆)의 반절이다.

---

145) 고문자에서 金文 盟書 簡牘文 등으로 그렸다. 土(흙 토)가 의미부이고 也(어조사 야)가 소리부로 '땅'을 말하는데, 만물을 생산하는(也) 대지(土)라는 의미를 담았으며, 이로부터 대지, 지구, 육지, 영토, 토지, 지방, 지위, 바탕 등의 뜻이 나왔다. 달리 '대지'는 물(水·수)과 흙(土)으로 구성되었다는 뜻에서 坔, 산(山)과 물(水)과 흙(土)으로 구성되었다는 뜻에서 墨, 혹은 흙(土)으로 둘러싸였다(防·방)는 뜻에서 壁 등으로 쓰기도 했다.

146) 『단주』에서는 소서본(小徐本)을 따라 '象聲'이 되어야 한다고 했다. 그리고 이렇게 말했다. "려(蠡), 해(像), 지(墜)자 등은 모두 시(象)를 소리부로 삼고 있다. 시(象)는 고음에서 제16부에 속했다. 지(地)자의 고음은 본래 제16부와 제17부에 있었다. 만약 대서본처럼 전(隊)으로 구성되었다고 한다면, 전(隊)의 독음은 도(徒)와 완(玩)의 반절이어서 더더욱 오류가 커진다. 한나라 사람들은 지(地)보다 지(墜)자를 더 많이 썼다."

147) 고문자에서 古璽文 石刻古文 등으로 그렸다. 土(흙 토)가 의미부이고 申(아홉째 지지 신)이 소리부로, 흙(土)과 번개(申)가 더해져 음과 양의 기운이 만나 무한한 에너지를 만들어 내는 번개(申)처럼 모든 생물을 생장 가능하게 하는 흙(土)을 가진 '땅'을 말한다. 여성, 어머니, 서쪽의 상징으로도 쓰이며, 『주역』에서 땅을 뜻하는 팔괘의 하나(☷)이기도 하다. 달리 堃(땅 곤)으로 쓰기도 하는데, 사방(方·방) 팔방(方)으로 흩어진 땅(土)이라는 뜻을 담았다.

8977

坮 : 垓: 지경 해: 土−총9획: gāi

原文

垓 : 兼垓八極地也.『國語』曰: "天子居九垓之田." 从土亥聲. 古哀切.

飜譯

'팔방(八方)의 멀고 넓은 범위, 곧 온 세상을 모두 아우른 땅(兼垓八極地)'을 말한다.
『국어·정어(鄭語)』에서 "천자는 구해의 모든 땅을 차지한다(天子居九垓之田)"라고 했
다.148) 토(土)가 의미부이고 해(亥)가 소리부이다. 독음은 고(古)와 애(哀)의 반절이다.

8978

塏 : 墺: 물가 오: 土−총16획: ào

原文

墺 : 四方土可居也. 从土奧聲. 垏, 古文墺. 於六切.

飜譯

'사람이 살 수 있는 사방의 땅(四方土可居)'을 말한다. 토(土)가 의미부이고 오(奧)가
소리부이다. 오(垏)는 오(墺)의 고문체이다. 독음은 어(於)와 륙(六)의 반절이다.

8979

塌 : 堣: 땅 이름 우: 土−총12획: yǔ

---

148)『단주』에서 이렇게 말했다. "『국어·정어(鄭語)』에서 '王者居九畡之田, 收經入以食兆民.(천자
는 구해의 모든 땅에 살면서, 거기서 거둔 세금으로 천하 백성을 먹여 살린다.)'이라고 했는데,
위소의 주석에서 구해(九畡)는 구주(九州)의 궁극수를 말한다고 했다. 또『국어·초어(楚語)』에
서도 '天子之田九畡, 以食兆民.(천자의 땅은 구해에 이르며, 그것으로 모든 백성들을 먹여 살
린다.)'이라 했는데, 위소의 주석에서 구해(九畡)는 구주(九州)내의 모든 땅을 헤아리는 궁극의
숫자라고 했다."

原文

堣: 堣夷, 在冀州陽谷. 立春日, 日值之而出. 从土禺聲. 『尚書』曰: "宅堣夷."
嗯俱切.

飜譯

'우이(堣夷) 즉 동쪽 바닷가의 땅'을 말하는데, 기주(冀州)의 양곡(陽谷)에 있다. 입춘일(立春日)에 해가 바로 거기에서 뜬다. 토(土)가 의미부이고 우(禺)가 소리부이다. 『서·상서·요전(堯典)』에서 "[희중(羲仲)에게 따로 명하시어] 우이 땅[동쪽 바닷가 땅]에 살게 하셨는데 [바로 양곡이라는 곳이다](宅堣夷)."라고 했다. 독음은 우(嗯)와 구(俱)의 반절이다.

8980

堣: 埆: 기를 목: 土-총8획: mǔ

原文

埆: 朝歌南七十里地. 『周書』: "武王與紂戰于埆野." 从土母聲. 莫六切.

飜譯

'조가(朝歌) 남쪽으로 70리 되는 곳에 있는 땅 이름(朝歌南七十里地)'이다. 『서·주서·목서서(牧書序)』에서 "무왕(武王)이 주왕(紂王)과 목야(埆野)에서 전쟁을 치렀다(武王與紂戰于埆野)"라고 했다.149) 토(土)가 의미부이고 모(母)가 소리부이다. 독음은

---

149) 목야(埆野)는 『수경주(水經注)·청수(淸水)』에 나오는 지명인데, 지금은 보통 목야(牧野)로 쓴다. 주나라 무왕과 은나라 마지막 왕인 주왕(紂王)이 결전을 벌였던 곳이다. 이 전쟁으로 상나라는 망하고 주나라가 세상의 주인이 되었다. 이 역사적인 전쟁은 1976년 섬서성 임동에서 「이궤(利簋)」가 출토되면서 역사적 사실로 증명되었다. 「이궤」에서는 그날의 전쟁을 이렇게 기록하고 있다. "주나라 무왕께서 상나라의 주(紂)왕을 정벌한 것은 갑자일 이른 새벽이었다. (이 일이 있기 전) 세(歲)라는 제사를 드리고 점을 친 적이 있는데, 승리할 것이라는 길조를 얻었었다. 과연 하루 만에 상나라의 수도를 점령할 수 있었다. 신미일 무왕께서는 난(闌)이라는 주둔지에서 이(利)라는 관리에게 청동을 하사품으로 내렸다. (이는) 하사품으로 받은 청동으로 선조인 단공을 추모하면서 보귀한 청동 기물을 주조했다.(武王征商, 唯甲子朝. 歲鼎, 克昏夙有商. 辛未, 王在闌師. 賜有事利金, 用作檀公寶尊彝.)" 무왕이 갑자일에 상나라를 정벌하였다고 했는데 이는 『상서』나 『일주서(逸周書)』 등과 같은 전통적 문헌의 기록과도 완전히 일

막(莫)과 륙(六)의 반절이다.

8981

坡: 坡: 고개 파: 土-총8획: pō

原文

坡: 阪也. 从土皮聲. 滂禾切.

飜譯

'비탈(阪)'을 말한다. 토(土)가 의미부이고 피(皮)가 소리부이다. 독음은 방(滂)과 화(禾)의 반절이다.

8982

坪: 坪: 평평할 평: 土-총8획: píng

原文

坪: 地平也. 从土从平, 平亦聲. 皮命切.

飜譯

'평평한 땅(地平)[평지]'을 말한다. 토(土)가 의미부이고 평(平)도 의미부인데, 평(平)은 소리부도 겸한다. 독음은 피(皮)와 명(命)의 반절이다.

8983

均: 均: 고를 균: 土-총7획: jūn

原文

均: 平徧也. 从土从匀, 匀亦聲. 居匀切.

飜譯

치하고 있다.

'평평하게 하다(平), 두루 고르게 하다(徧)'라는 뜻이다. 토(土)가 의미부이고 균(勻)도 의미부인데, 균(勻)은 소리부도 겸한다.[150] 독음은 거(居)와 균(勻)의 반절이다.

8984

壤: 壤: 흙 양: 土-총20획: răng

原文

壤: 柔土也. 从土襄聲. 如兩切.

訓譯

'부드러운 흙(柔土)'을 말한다. 토(土)가 의미부이고 양(襄)이 소리부이다.[151] 독음은 여(如)와 량(兩)의 반절이다.

---

150) 고문자에서 金文 簡牘文 古璽文 등으로 그렸다. 土(흙 토)가 의미부이고 勻(고를 균)이 소리부로, 흙(土)을 고르게 하다(勻)는 뜻이며, 이로부터 고르다, 공평하다, 平均(평균), 전면적인, 보편적인, 동등하다, 조화롭다 등의 뜻이 나왔다. 勻은 원래 손(又)과 두 점(二)으로 이루어졌는데, 두 점은 동등함을 상징하여 손으로 균등하게 나눈다는 의미를 형상했는데, 이후 손이 勹(쌀 포)로 변해 지금의 글자가 되었다. 그래서 勻은 '똑같이 둘(二)로 나누어지는 것'을 의미하며, 均分(균분)하다는 뜻을 가진다.

151) 고문자에서 簡牘文 등으로 그렸다. 襄(도울 양)이 소리부로, 겉을 걷어낸(襄) 속의 부드러운 흙(土)을 말하며, 이로부터 土壤(토양), 흙을 걷어내다, 경작지, 땅, 영토 등의 뜻이 나왔다. 襄(도울 양)을 고문자에서 甲骨文 金文 古陶文 簡牘文 石刻古文 등으로 적었는데, 『설문해자』에서는 衣(옷 의)가 의미부고 𤕦(어지러울 양)이 소리부로, 옷(衣)을 벗고 밭을 가는 것을 말한다고 했다. 하지만, 갑골문에 의하면 소가 끄는 쟁기를 두 손으로 잡은 모습과 쟁기에 의해 흙이 일어나는 모습을 그려, 쟁기로 흙을 뒤집는 모습을 형상화했다. 그래서 이는 解衣耕(해의경)이라는 경작법을 반영한 것으로 추정된다. 즉 날이 가물 때 파종을 하려면 표층을 걷어내고 그 속의 습윤한 땅에 씨를 뿌리고 다시 마른 흙을 덮어 수분을 보존하게 하는데 이러한 경작법을 襄이라 불렀으며, 달리 解衣耕이라 했다. 땅의 표피 흙을 걷어낸다는 뜻에서 양보의 뜻이 나왔는데, 이후 言(말씀 언)을 더한 讓(사양할 양)으로 분화했다. 또 마른 흙을 걷어내면 부드러운 흙이 나온다는 뜻에서 '부드럽다'는 뜻도 나왔는데, 이후 土(흙 토)를 더한 壤(흙 양)으로 분화했다. 그리고 '걷어내다'는 뜻은 手(손 수)를 더한 攘(물리칠 양)으로 분화했다.

8985

塙: 塙: 단단할 각: 土-총13획: què

原文

塙: 堅不可拔也. 从土高聲. 苦角切.

飜譯

'뒤집을 수 없는 단단한 땅(堅不可拔)'을 말한다. 토(土)가 의미부이고 고(高)가 소리부이다. 독음은 고(苦)와 각(角)의 반절이다.

8986

墽: 墽: 메마른 땅 교: 土-총16획: jiào

原文

墽: 磽也. 从土敫聲. 口交切.

飜譯

'교(磽)와 같아 메마른 땅'을 말한다. 토(土)가 의미부이고 교(敫)가 소리부이다. 독음은 구(口)와 교(交)의 반절이다.

8987

壚: 壚: 흑토 로: 土-총19획: lù

原文

壚: 剛土也. 从土盧聲. 洛乎切.

飜譯

'단단한 흙(剛土)'을 말한다.[152] 토(土)가 의미부이고 로(盧)가 소리부이다. 독음은

---

152) 『단주』에서는 각 판본에서 흑(黑)자가 빠졌다고 하면서 '黑剛土也'로 고쳤다. 그렇게 되면 '단단한 검은 흙'이 된다. 이어지는 8988-성(埁)자의 해석에서 '赤剛土也(단단한 붉은 흙)'라고 한 것을 보면 단옥재의 해설이 옳아 보인다.

락(洛)과 호(乎)의 반절이다.

8988

埫: 埫: 붉은 흙 성: 土-총13획: xīng

埫: 赤剛土也. 从土, 觲省聲. 息營切.

飜譯

'단단한 붉은 흙(赤剛土)'을 말한다. 토(土)가 의미부이고, 성(觲)의 생략된 모습이 소리부이다. 독음은 식(息)과 영(營)의 반절이다.

8989

埴: 埴: 찰흙 식·치: 土-총11획: zhí

原文

埴: 黏土也. 从土直聲. 常職切.

飜譯

'점토(黏土) 즉 찰흙'을 말한다. 토(土)가 의미부이고 직(直)이 소리부이다. 독음은 상(常)과 직(職)의 반절이다.

8990

坴: 坴: 언덕 륙: 土-총8획: liù

原文

坴: 土塊坴坴也. 从土坴聲. 讀若逐. 一曰坴梁. 力竹切.

飜譯

'커다란 흙덩이(土塊坴坴)'를 말한다. 토(土)가 의미부이고 록(坴)이 소리부이다. 축(逐)과 같이 읽는다. 일설에는 '육량(坴梁)이라는 지명'을 말한다고도 한다.[153] 독음은 력(力)과 죽(竹)의 반절이다.

8991

堚: 堚: 흙 혼: 土-총12획: huán

原文

堚: 土也. 洛陽有大堚里. 从土軍聲. 戶昆切.

飜譯

'흙(土)'을 말한다. 낙양(洛陽)에 대혼리(大堚里)라는 곳이 있다.[154] 토(土)가 의미부이고 군(軍)이 소리부이다. 독음은 호(戶)와 곤(昆)의 반절이다.

8992

墣: 墣: 흙덩이 복: 土-총15획: fǔ, piāo, pú

原文

墣: 塊也. 从土菐聲. 圤, 墣或从卜. 匹角切.

飜譯

'흙덩어리(塊)'를 말한다. 토(土)가 의미부이고 복(菐)이 소리부이다. 복(圤)은 복(墣)의 혹체자인데, 복(卜)으로 구성되었다. 독음은 필(匹)과 각(角)의 반절이다.

8993

凷: 凷: 흙덩이 괴: 凵-총5획: kuài

153) 육량(坴梁)은 월(越)나라 땅이다. 『사기(史記)·진본기(秦本紀)』(33년 조)에 의하면 진(秦)나라에서 가인(賈人)과 췌서(贅婿)를 보내 남월(南越)을 정벌하였고, 육량(坴梁)의 땅을 빼앗았다고 했다. 원래 육(坴)으로 적었으나 소전 단계에서 부(阜)를 더해 육(陸)자가 되었다.

154) 혼(堚)의 독음은 『당운(唐韻)』에서 호(戶)와 곤(昆)의 반절이라 했고, 『운회(韻會)』에서는 호(胡)와 곤(昆)의 반절이며 혼(魂)과 같이 읽는다고 했다. 『단주』에 의하면, 문헌에서 종종 낙양에 대군리(土軍里)가 있다고 하는데, 이는 토혼리(土堚里)의 오류이고, 토혼리(土堚里)는 대혼리(大堚里)를 말한다고 하였다.

原文

凷: 墣也. 从土, 一屈象形. 塊, 凷或从鬼. 苦對切.

譯

'흙덩어리(墣)'를 말한다. 토(土)가 의미부이고, 일(一)을 굽혀서 [감(凵)이 되었는데 흙을 담은 모습을] 그렸다.[155) 괴(塊)는 괴(凷)의 혹체자인데, 귀(鬼)로 구성되었다. 독음은 고(苦)와 대(對)의 반절이다.

8994

堛: 堛: 흙덩이 벽: 土-총12획: bì

原文

堛: 凷也. 从土畐聲. 芳逼切.

譯

'흙덩어리(凷)'를 말한다. 토(土)가 의미부이고 복(畐)이 소리부이다. 독음은 방(芳)과 픽(逼)의 반절이다.

8995

壊: 壊: 심을 종: 土-총12획: zōng

原文

壊: 穜也. 一曰内其中也. 从土㙇聲. 子紅切.

譯

'파종하다, 심다(穜)'라는 뜻이다. 일설에는 '속[안]으로 넣다(内其中)'라는 뜻이라고도

---

155) 土(흙 토)가 의미부이고 鬼(귀신 귀)가 소리부인 구조로, 커다란(鬼) 흙(土)덩어리가 원래 뜻이다. 이후 덩어리처럼 뭉쳐진 것이나 그런 것을 헤아리는 단위사로도 사용되었으며, 또 응어리진 마음을 뜻하기도 한다. 『설문해자』에서는 土(흙 토)와 凵(입 벌릴 감)으로 된 凷(흙덩이 괴)로 써, 구덩이(凵) 속의 흙덩이(土)를 그렸는데, 凵이 鬼로 변해 지금의 자형이 되었다. 간화자에서는 새로운 형성구조인 块로 쓰는데, 떼어낸(夬·쾌) 흙덩이(土)라는 뜻을 담았다.

한다. 토(土)가 의미부이고 종(爱)이 소리부이다. 독음은 자(子)와 홍(紅)의 반절이다.

8996

膌: 塍: 밭두둑 승: 土-총13획: chéng

原文

膌: 稻中畦也. 从土朕聲. 食陵切.

飜譯

'논 가운데로 난 두둑(稻中畦)'을 말한다. 토(土)가 의미부이고 짐(朕)이 소리부이다. 독음은 식(食)과 릉(陵)의 반절이다.

8997

坺: 坺: 파 일굴 발: 土-총8획: bá

原文

坺: 治也. 一曰臿土謂之坺.『詩』曰: "武王載坺." 一曰塵皃. 从土发聲. 蒲撥切.

飜譯

'다스리다(治)'라는 뜻이다. 일설에는 '가래질(臿土)'을 파(坺)라고 하기도 한다.156)『시·상송·장발(長發)』에서 "용맹하신 탕 임금께선 깃발 꽂아 세우시고(武王載坺)"라고 노래했다.157) 일설에는 '먼지 날리는 모습(塵皃)'을 말한다고도 한다. 토(土)가 의미부이고 발(发)이 소리부이다. 독음은 포(蒲)와 발(撥)의 반절이다.

---

156)『단주』에서는 '坺土也, 一臿土謂之坺.(흙을 갈아엎는 것을 말한다. 한번 삽을 뜨는 것을 발(坺)이라 한다)'로 고쳤다. 참고할만 하다.

157) 금본에서는 패(旆)로 되었다.『단주』에서 이렇게 말했다. "『시(詩)』에서 '무왕재발(武王載坺)'이라 했는데, 「상송(商頌)·장발(長發)」의 글이다. 금시(今詩)에서는 발(坺)을 패(旆)로 적었는데,『모전』에서 패(旆)는 깃발(旗)을 말한다고 했다. 내 생각에,『모시(毛詩)』에서는 당연히 본래 발(坺)로 적었을 것이다.『모전』에서 발(坺)은 깃발(旗)을 말한다고 했다. 발(坺)을 깃발(旗)로 뜻풀이 한 것은 발(坺)이 바로 패(旆)의 동음가차에 의한 것임을 보여준다."

8998

垼: 垼: 굴뚝 역: 土-총7획: yì

原文

垼: 陶竈窻也. 从土, 役省聲. 營隻切.

飜譯

'[질그릇을 굽는] 가마의 굴뚝(陶竈窻)'을 말한다. 토(土)가 의미부이고, 역(役)의 생략된 모습이 소리부이다. 독음은 영(營)과 척(隻)의 반절이다.

8999

萁: 基: 터 기: 土-총11획: jī

原文

萁: 牆始也. 从土其聲. 居之切.

飜譯

'담의 시작점(牆始)'을 말한다. 토(土)가 의미부이고 기(其)가 소리부이다.158) 독음은 거(居)와 지(之)의 반절이다.

9000

垣: 垣: 담 원: 土-총9획: yuán

原文

垣: 牆也. 从土亘聲. 䡇, 籒文垣从𣂠. 雨元切.

飜譯

'[나지막한] 담(牆)'을 말한다. 토(土)가 의미부이고 선(亘)이 소리부이다.159) 원(䡇)은

---

158) 고문자에서 𦀠 𦀡金文 𤯨 𤯨古陶文 등으로 그렸다. 土(흙 토)가 의미부이고 其(그 기)가 소리부로, 키(其)처럼 생긴 삼태기로 흙(土)을 들어내고 땅을 다져 만든 건축물의 基礎(기초) 터를 말한다. 이로부터 가장 아래쪽, 사물의 근본, 시작, 기초를 놓다, 사업 등의 뜻이 나왔다.

원(垣)의 주문체인데, 곽(𣄰)으로 구성되었다. 독음은 우(雨)와 원(元)의 반절이다.

9001

圪: 圪: 흙더미 우뚝할 을: 土-총6획: gē

原文

圪: 牆高也.『詩』曰: "崇墉圪圪." 从土乞聲. 魚迄切.

釋譯

'높은 담(牆高)'을 말한다.『시·대아황의(皇矣)』에서 "숭나라 성은 높고 컸네(崇墉圪圪)"라고 노래했다 토(土)가 의미부이고 흘(乞)이 소리부이다. 독음은 어(魚)와 흘(迄)의 반절이다.

9002

堵: 堵: 담 도: 土-총12획: dǔ

原文

堵: 垣也. 五版爲一堵. 从土者聲. 𪬪, 籀文从𣄰. 當古切.

釋譯

'담(垣)'을 말한다. 판축(版築)으로 다섯 겹을 쌓은 것을 1도(堵)라고 한다. 토(土)가 의미부이고 자(者)가 소리부이다. 도(𪬪)는 주문체인데, 곽(𣄰)으로 구성되었다. 독음은 당(當)과 고(古)의 반절이다.

9003

壁: 壁: 벽 벽: 土-총16획: bì

---

159) 고문자에서 𡐔金文 𡑏簡牘文 𡔝石刻古文 등으로 그렸다. 土(흙 토)가 의미부고 亘(뻗칠 긍베풀 선)이 소리부로, 둘레를 따라(亘) 낮게 쌓은 흙(土) 담을 말했는데, 이후 성이라는 뜻도 생겼다.

原文

壁: 垣也. 从土辟聲. 比激切.

飜譯

'담(垣)'을 말한다. 토(土)가 의미부이고 벽(辟)이 소리부이다.160) 독음은 비(比)와 격(激)의 반절이다.

9004

墫: 墺: 에워싼 담 료: 土-총15획: liáo

原文

墫: 周垣也. 从土寮聲. 力沼切.

飜譯

'에워싼 담(周垣)'을 말한다. 토(土)가 의미부이고 료(寮)가 소리부이다. 독음은 력(力)과 소(沼)의 반절이다.

9005

墲: 堨: 보 알: 土-총12획: ài, è

原文

墲: 壁間隙也. 从土曷聲. 讀若謁. 魚列切.

飜譯

'벽 사이로 난 틈(壁間隙)'을 말한다. 토(土)가 의미부이고 갈(曷)이 소리부이다. 알(謁)과 같이 읽는다. 독음은 어(魚)와 렬(列)의 반절이다.

---

160) 고문자에서 🔳壁簡牘文 등으로 그렸다. 土(흙 토)가 의미부고 辟(임금 벽)이 소리부로, 어떤 영역을 서로 갈라놓은(辟) 흙 담(土)을 말하며, 이로부터 障壁(장벽), 벽처럼 생긴 물체, 군대의 보루 등을 지칭하게 되었다.

9006

埒: 埒: 바자울 랄: 土-총10획: liè

原文

埒: 卑垣也. 从土寽聲. 力輟切.

飜譯

'낮은 담(卑垣)'을 말한다. 토(土)가 의미부이고 률(寽)이 소리부이다. 독음은 력(力)과 철(輟)의 반절이다.

9007

堪: 堪: 견딜 감: 土-총12획: kān

原文

堪: 地突也. 从土甚聲. 口含切.

飜譯

'돌출된 땅(地突)'을 말한다. 토(土)가 의미부이고 심(甚)이 소리부이다. 독음은 구(口)와 함(含)의 반절이다.

9008

堀: 堀: 굴 굴: 土-총11획: kū

原文

堀: 突也. 『詩』曰: "蜉蝣堀閱." 从土, 屈省聲. 苦骨切.

飜譯

'돌(突)과 같아 굴'을 말한다. 『시·조풍부유(浮游)』에서 "하루살이 굴 파고 나올 때 같네(蜉蝣堀閱)"라고 노래했다. 토(土)가 의미부이고, 굴(屈)의 생략된 모습이 소리부이다. 독음은 고(苦)와 골(骨)의 반절이다.

9009

堂: 堂: 집 당: 土-총11획: táng

原文

堂: 殿也. 从土尚聲. 峃, 古文堂. 𡫳, 籀文堂从高省. 徒郞切.

飜譯

'큰 집(殿)'을 말한다. 토(土)가 의미부이고 상(尚)이 소리부이다.[161] 당(峃)은 당(堂)의 고문체이다. 당(𡫳)은 당(堂)의 주문체인데, 고(高)의 생략된 모습으로 구성되었다. 독음은 도(徒)와 랑(郞)의 반절이다.

9010

垛: 垛: 살받이터 타: 土-총9획: duǒ

原文

垛: 堂塾也. 从土朵聲. 丁果切.

飜譯

'당숙(堂塾) 즉 대문 양옆으로 붙어 있는 방'을 말한다. 토(土)가 의미부이고 타(朵)가 소리부이다. 독음은 정(丁)과 과(果)의 반절이다.

9011

坫: 坫: 경계 점: 土-총8획: diàn

---

161) 고문자에서 金文   古陶文   簡牘文 등으로 그렸다. 土(흙 토)가 의미부이고 尚(오히려 상)이 소리부로, 흙(土)을 다진 기단 위에 높게(尚) 세운 '집'이라는 뜻으로, 집의 前室(전실)을 말한다. 어떤 의식을 거행하거나 근무를 하던 곳을 말했는데, 점차 '집'이라는 뜻으로 확장되었으며, 같은 집에서 산다는 뜻에서 '사촌'을 뜻하였고, 堂堂(당당)에서처럼 크고 위엄이 있음을 말하기도 했다. 『설문해자』의 주문에서는 尚 대신 高(높을 고)가 들어가 높다랗게(高) 세워진 집임을 더욱 강조했다.

原文

坫: 屏也. 从土占聲. 都念切.

繙譯

'가림 막으로 쓸 수 있는 담(屏)'을 말한다.162) 토(土)가 의미부이고 점(占)이 소리부
이다. 독음은 도(都)와 념(念)의 반절이다.

9012

壟: 壟: 바를 롱·룡·몽: 土-총13획: lǒng

原文

壟: 涂也. 从土瀧聲. 力尰切.

繙譯

'바르다(涂)'라는 뜻이다. 토(土)가 의미부이고 방(瀧)이 소리부이다. 독음은 력(力)과
종(尰)의 반절이다.

9013

垷: 垷: 진흙 현: 土-총10획: xiàn

原文

垷: 涂也. 从土見聲. 胡典切.

繙譯

'바르다(涂)'라는 뜻이다. 토(土)가 의미부이고 견(見)이 소리부이다. 독음은 호(胡)와

---

162) 『이아 석궁』에서 궤(塊)를 점(坫)이라 한다고 했는데, 곽박의 주석에서 점(坫)은 단(端, 집
모서리의 단)을 말하는데, 당의 모퉁이에 있다(在堂隅)고 했다. 『단주』에서는 이렇게 말했다.
"내 생각에, 단(端)은 원래 체(墆)로 적었을 것인데, 높은 모양을 말하며, 흙으로 만든다. 높으
면 가려 막을 수가 있다(屏蔽). 그래서 허신이 '가리다는 뜻이다(屏也)'라고 했던 것이다. 속자
로는 점(店)으로 적기도 하는데, 최표(崔豹)에 의하면 점(店)은 놓다(置)는 뜻이며, 물건을 쌓
아두고 사고팔고 하는 곳(置貨鬻物)을 말한다고 했다." 『이아음의』에서는 『설문』에서 "屏墻"
이라 한다고 했는데, 장(墻)이 더 들어갔다.

전(典)의 반절이다.

9014

墐: 墐: 매흙질할 근: 土-총14획: jìn

原文

墐: 涂也. 从土堇聲. 渠吝切.

飜譯

'바르다(涂)'라는 뜻이다. 토(土)가 의미부이고 근(堇)이 소리부이다. 독음은 거(渠)와 린(吝)의 반절이다.

9015

墍: 墍: 맥질할 기: 土-총14획: xì

原文

墍: 仰涂也. 从土旣聲. 其冀切.

飜譯

'머리를 들고 위를 바르다(仰涂)'라는 뜻이다. 토(土)가 의미부이고 기(旣)가 소리부이다. 독음은 기(其)와 기(冀)의 반절이다.

9016

堊: 堊: 백토 악: 土-총11획: è

原文

堊: 白涂也. 从土亞聲. 烏各切.

飜譯

'희게 바르다(白涂)'라는 뜻이다. 토(土)가 의미부이고 아(亞)가 소리부이다.[163] 독음은 오(烏)와 각(各)의 반절이다.

9017

墀: 墀: 계단 위의 공지 지: 土-총14획: chí

原文

墀: 涂地也. 从土犀聲. 禮: "天子赤墀." 直泥切.

飜譯

'바닥을 바르다(涂地)'라는 뜻이다. 토(土)가 의미부이고 서(犀)가 소리부이다. 예제에 의하면 "천자의 궁전은 바닥을 붉게 칠한다(天子赤墀)"라고 했다. 독음은 직(直)과 니(泥)의 반절이다.

9018

墼: 墼: 날벽돌 격: 土-총16획: jī

原文

墼: 瓴適也. 一曰未燒也. 从土𣪊聲. 古歷切.

飜譯

'벽돌(瓴適)'을 말한다. 일설에는 '아직 굽지 않은 토기(未燒)'를 말한다고도 한다. 토(土)가 의미부이고 격(𣪊)이 소리부이다. 독음은 고(古)와 력(歷)의 반절이다.

9019

坌: 坌: 쓸어버릴 분: 土-총8획: fèn

原文

坌: 塺除也. 从土弁聲. 讀若糞. 方問切.

---

163) 土(흙 토)가 의미부고 亞(버금 아)가 소리부로, 白土(백토)를 말하는데, 시신을 매장할 때 묘실(亞)에 수분이 스며들지 않도록 넣은 흙(土)이라는 뜻을 담았다. 간화자에서는 亞를 亚로 줄인 垩으로 쓴다.

飜譯

‘소제하다, 청소하다(埽除)’라는 뜻이다. 토(土)가 의미부이고 변(弁)이 소리부이다. 분(糞)과 같이 읽는다. 독음은 방(方)과 문(問)의 반절이다.

9020

埽: 埽: 쓸 소: 土-총11획: sào

原文

埽: 棄也. 从土从帚. 穌老切.

飜譯

‘내다버리다(棄)’라는 뜻이다. 토(土)가 의미부이고 추(帚)도 의미부이다. 독음은 소(穌)와 로(老)의 반절이다.

9021

在: 在: 있을 재: 土-총6획: zài

原文

在: 存也. 从土才聲. 昨代切.

飜譯

‘존재하게 하다(存)’라는 뜻이다. 토(土)가 의미부이고 재(才)가 소리부이다.164) 독음은 작(昨)과 대(代)의 반절이다.

---

164) 고문자에서 　甲骨文　金文　古陶文　簡牘文　古璽文　石刻古文 등으로 그렸다. 土(흙 토)가 의미부이고 才(재주 재)가 소리부로, ‘있다’는 뜻인데, 才에서 분화한 글자이다. 풀이 자라나는 모습을 그린 才에 土가 더해져, 새 싹이 움트고(才) 있는 곳(土)이 바로 대지이며, 그 대지 위로 생명이 탄생하고 존재함을 나타냈다. 이로부터 存在(존재), 實在(실재), 실존 등의 뜻이 생겼다. 또 시간, 장소, 정황, 범위 등을 나타내는 문법소로도 쓰였으며, 현대 중국어에서는 동사 앞에 놓여 현재 진행을 나타내는 문법소로도 쓰인다.

9022

坐: 坐: 앉을 좌: 土-총7획: zuò

原文

坐 : 止也. 从土, 从留省. 土, 所止也. 此與留同意. 㘴, 古文坐. 但臥切.

飜譯

'멈추어 머물다(止)'라는 뜻이다. 토(土)가 의미부이고, 류(留)의 생략된 모습도 의미부이다. 토(土)는 멈추는 곳(所止)을 말한다.165) 이는 류(留)와 의미가 같다. 좌(㘴)는 좌(坐)의 고문체이다. 독음은 단(但)과 와(臥)의 반절이다.

9023

坻: 坻: 머무를 지: 土-총7획: zhǐ

原文

坻 : 箸也. 从土氏聲. 諸氏切.

飜譯

'달라붙어 있다(箸)'라는 뜻이다. 토(土)가 의미부이고 씨(氏)가 소리부이다. 독음은 제(諸)와 씨(氏)의 반절이다.

9024

塡: 塡: 메울 전: 土-총13획: tián

原文

塡 : 塞也. 从土眞聲. 陟鄰切. 又, 待秊切.

---

165) 고문자에서 𡉉 𡊁 簡牘文 등으로 그렸다. 土(흙 토)와 두 개의 人(사람 인)으로 구성되어, 쌓은 흙(土)을 중심으로 양쪽으로 사람(人)이 앉아 제사를 드리는 모습을 그렸으며, 이로부터 그런 자리를 지칭하게 되었다. 이후 사람이 앉을 수 있는 좌석, 탈것을 타다, 제자리에 놓다 등의 뜻도 나왔는데, 구조물을 뜻할 때에는 广(집 엄)을 더해 座(자리 좌)로 분화했다.

정역

'메워 넣다, 채워 넣다(塞)'라는 뜻이다. 토(土)가 의미부이고 진(眞)이 소리부이다. 독음은 척(陟)과 린(鄰)의 반절이다. 또 대(待)와 년(秊)의 반절이다.

9025

坦: 坦: 평평할 탄: 土-총8획: tǎn

原文

坦: 安也. 从土旦聲. 他但切.

정역

'편안하다(安)'라는 뜻이다. 토(土)가 의미부이고 단(旦)이 소리부이다. 독음은 타(他)와 단(但)의 반절이다.

9026

坒: 坒: 섬돌 비: 土-총7획: bì

原文

坒: 地相次比也. 衞大夫貞子名坒. 从土比聲. 毗至切.

정역

'땅이 차례대로 연이어져 있다(地相次比)'라는 뜻이다.[166] 위(衞)나라 대부 정자(貞子)의 이름이 비(坒)였다. 토(土)가 의미부이고 비(比)가 소리부이다. 독음은 비(毗)와 지(至)의 반절이다.

9027

堤: 堤: 둑 제·대략 시: 土-총12획: dī

---

166) 『단주』에서 이렇게 말했다. "『소서본(小徐)』과 『유편』과 『운회』에서는 '차비(次坒)'로 적었는데, 대서본(大徐)에서는 '차비(次比)'로 적었다."

原文

堤: 滯也. 从土是聲. 丁礼切.

飜譯

'막히다(滯)'라는 뜻이다. 토(土)가 의미부이고 시(是)가 소리부이다.[167] 독음은 정(丁)과 례(礼)의 반절이다.

9028

壎: 壎: 질나발 훈: 土-총17획: xūn

原文

壎: 樂器也. 以土爲之, 六孔. 从土熏聲. 況袁切.

飜譯

'악기 이름(樂器)[질나발]'이다. 흙으로 만들고, 구멍이 6개이다. 토(土)가 의미부이고 훈(熏)이 소리부이다. 독음은 황(況)과 원(袁)의 반절이다.

9029

封: 封: 봉할 봉: 寸-총9획: fēng

原文

封: 爵諸矦之土也. 从之从土从寸, 守其制度也. 公侯, 百里; 伯, 七十里; 子男, 五十里. 坣, 古文封省. 坴, 籒文从丰. 府容切.

飜譯

'제후에게 토지를 하사하다(爵諸矦之土)'라는 뜻이다. 지(之)가 의미부이고 토(土)도 의미부이고 촌(寸)도 의미부인데, 그러한 제도를 지키다는 뜻이다.[168] 공(公)과 후

---

167) 고문자에서 堤簡牘文 등으로 그렸다. 土(흙 토)가 의미부고 是(옳을 시)가 소리부로, 흙(土)을 쌓아 물이 머물거나 들지 않게 만든 堤防(제방)을 말한다. 달리 土 대신 阜(언덕 부)가 들어간 隄(둑 제)로 쓰기도 한다.

(侯)에게는 사방 1백 리 되는 땅을, 백(伯)에게는 사방 70리 되는 땅을, 자(子)와 남(男)에게는 사방 50리 되는 땅을 하사한다. 봉(坴)은 봉(封)의 고문체인데, 생략된 모습이다. 봉(坴)은 주문체인데, 봉(半)으로 구성되었다. 독음은 부(府)와 용(容)의 반절이다.

9030

璽 : 璽 옥새 새: 土−총17획: xǐ

原文

璽 : 王者印也. 所以主土. 从土爾聲. 壐, 籒文从玉. 斯氏切.

飜譯

'왕의 인장(王者印)'을 말한다. 영토를 주관할 수 있는 바가 된다. 토(土)가 의미부이고 이(爾)가 소리부이다.[169] 새(壐)는 주문체인데, 옥(玉)으로 구성되었다. 독음은 사(斯)와 씨(氏)의 반절이다.

9031

墨 : 墨 먹 묵: 土−총15획: mò

---

168) 고문자에서 ꝑ ꝑ ꝑ ꝑ ꝑ 金文 ꝑ ꝑ 古陶文 ꝑ 簡牘文 ꝑ ꝑ 古璽文 등으로 그렸다. 圭(홀 규)와 寸(마디 촌)으로 구성되었는데, 원래는 손(又)으로 나무를 잡고 흙(土) 위에 심는 모습을 그렸다. 고대 사회에서 관할 지역의 경계를 표시할 때 주로 나무를 심어 표시했기에, 封은 임금이 제후들에게 작위의 수여와 함께 나누어 주는 땅(封地·봉지)을 뜻했고, 그런 행위를 分封(분봉)이라 했다. 심은 나무가 잘 자라려면 나무를 중심으로 흙을 북돋워주어야 한다. 이로부터 封墳(봉분)에서처럼 흙을 북돋우어 볼록하게 만든 것으로 뜻하게 되었고, 자형도 土가 중복된 圭와 寸의 결합으로 변했다.

169) 고문자에서 ꝑ ꝑ 古陶文 ꝑ 簡牘文 ꝑ ꝑ 古璽文 등으로 그렸다. 玉(옥 옥)이 의미부고 爾(너 이)가 소리부로, 항상 가까이(爾) 두어 신분을 상징하는 옥(玉)으로 만든 '도장'을 말한다. 玉 대신 재료에 따라 金(쇠 금), 缶(장군 부), 土(흙 토) 등이 들어가기도 한다. 후세에서 말하는 인장을 진나라 이전에는 璽라 불렀다. 하지만, 진시황 때에 이르러 천자의 인장만을 璽라 부르도록 규정함으로써 황제의 도장이 아닌 일반인의 도장은 따로 印(도장 인)이라 구별하여 부르게 되었다. 간화자에서는 爾를 尒(너 이)로 줄인 玺로 쓴다.

原文

墨: 書墨也. 从土从黑, 黑亦聲. 莫北切.

飜譯

'글을 쓰는 먹(書墨)'을 말한다. 토(土)가 의미부이고 흑(黑)도 의미부인데, 흑(黑)은 소리부도 겸한다.[170] 독음은 막(莫)과 북(北)의 반절이다.

9032

堄: 垸: 바를 완: 土-총10획: yuàn

原文

垸: 以桼和灰而䰍也. 从土完聲. 一曰補垸. 胡玩切.

飜譯

'칠과 회토를 섞어 검붉게 바르다(以桼和灰而䰍)'라는 뜻이다. 토(土)가 의미부이고 완(完)이 소리부이다. 일설에는 '담장을 보수하다(補垸)'라는 뜻이라고도 한다. 독음은 호(胡)와 완(玩)의 반절이다.

9033

型: 型: 거푸집 형: 土-총9획: xíng

原文

型: 鑄器之法也. 从土刑聲. 戶經切.

飜譯

'기물을 주조하는 거푸집(鑄器之法)'을 말한다. 토(土)가 의미부이고 형(刑)이 소리부

---

170) 고문자에서 金文 古陶文 簡牘文 帛書 古璽 등으로 그렸다. 土 (흙 토)가 의미부이고 黑(검을 흑)이 소리부로, 흙(土)에서 나는 검은색(黑)을 내는 '먹(墨炭·묵 탄)'을 말했다. 이후 그을음과 송진을 섞어 만든 붓글씨용 '먹'을 지칭하였으며 서예나 회화를 비유적으로 지칭하기도 했다. 이후 묵형이나 '검은색'을 뜻하였고, 깨끗하지 못함이나 '비리'의 비유로도 쓰였다.

이다.171) 독음은 호(戶)와 경(經)의 반절이다.

9034

埻: 埻: 과녁 준: 土-총11획: zhǔn

原文

埻: 射臬也. 从土臺聲. 讀若準. 之允切.

飜譯

'활 쏘는 과녁(射臬)'을 말한다. 토(土)가 의미부이고 순(臺)이 소리부이다. 준(準)과 같이 읽는다. 독음은 지(之)와 윤(允)의 반절이다.

9035

塒: 塒: 홰 시: 土-총13획: shí

原文

塒: 雞棲垣爲塒. 从土時聲. 市之切.

飜譯

'닭이 올라서서 쉬는 낮은 담(雞棲垣)[홰]을 시(塒)라고 한다.' 토(土)가 의미부이고 시(時)가 소리부이다. 독음은 시(市)와 지(之)의 반절이다.

9036

城: 城: 성 성: 土-총10획: chéng

原文

---

171) 고문자에서 ☒ ☒ ☒金文 ☒ ☒古陶文 ☒帛書 ☒簡牘文 ☒古璽文 등으로 그렸다. 土(흙 토)가 의미부고 刑(형벌 형)이 소리부로, 황토 흙(土)을 이겨 만든 거푸집을 말하며, 이로부터 모형의 뜻이, 다시 模式(모식), 유형, 양식 등의 뜻이 나왔다. 또 形과도 통해 일정한 모습(形)을 만들어내는 것이 '거푸집'이라는 의미를 담았다.

城: 以盛民也. 从土从成, 成亦聲. 鋮, 籒文城从𩫖. 氏征切.

飜譯

'백성을 가득 받아들일 수 있는 곳(以盛民)'을 말한다. 토(土)가 의미부이고 성(成)도 의미부인데, 성(成)은 소리부도 겸한다.[172] 성(鋮)은 성(城)의 주문체인데, 곽(𩫖)으로 구성되었다. 독음은 씨(氏)와 정(征)의 반절이다.

9037

墉: 墉: 담 용: 土-총14획: yōng

原文

墉: 城垣也. 从土庸聲. 𤖼, 古文墉. 余封切.

飜譯

'성의 담(城垣)'을 말한다. 토(土)가 의미부이고 용(庸)이 소리부이다.[173] 용(𤖼)은 용(墉)의 고문체이다. 독음은 여(余)와 봉(封)의 반절이다.

9038

堞: 堞: 성가퀴 첩: 土-총16획: dié

---

172) 고문자에서 𩫖𩫖𩫏 𣪘 金文 城城 𦥑古陶文 𢦏㘱城 簡牘文 𢦏帛書 등으로 그렸다. 土(흙 토)가 의미부고 成(이룰 성)이 소리부로, 흙(土)을 쌓아 만든(成) '성'을 말했다. 또 중국의 중원지역은 황토 대평원으로 돌이 귀하다. 그래서 집을 지을 때에도 황토를 다져 짓거나 구운 벽돌을 사용하였고, 토성이나 담을 쌓을 때는 황토 흙을 다져서 만들었다. 그래서 石城(석성)이 아닌 토성(土城)이 주로 지어졌고, 이 때문에 石이 아닌 土가 의미부로 채택되었다. 지극히 미세한 황하의 황토 특성 덕분에 다져진 황토는 대단히 단단하여 상나라 때의 성벽이 3천 년이 지난 지금도 아직도 거의 완전하게 남아 있을 정도이다. 고대 중국은 城을 중심으로 이루어진 나라였기 때문에 城이 '성'은 물론 '도시'나 '나라'나 '국가'의 뜻으로도 쓰였다.

173) 고문자에서 𤖼 石篆 등으로 그렸다. 土(흙 토)가 의미부고 庸(쓸 용)이 소리부로, 종(庸)처럼 크고 높게 쌓은 흙(土) 담을 말한다.

原文

堞: 城上女垣也. 从土葉聲. 徒叶切.

飜譯

'성 위에 낮게 쌓은 담, 즉 성가퀴(城上女垣)'를 말한다. 토(土)가 의미부이고 엽(葉)이 소리부이다. 독음은 도(徒)와 협(叶)의 반절이다.

9039

埳: 坎: 구덩이 감: 土-총7획: kǎn

原文

埳: 陷也. 从土欠聲. 苦感切.

飜譯

'구덩이(陷)'를 말한다. 토(土)가 의미부이고 흠(欠)이 소리부이다.174) 독음은 고(苦)와 감(感)의 반절이다.

9040

墊: 墊: 빠질 점: 土-총14획: diàn

原文

墊: 下也. 『春秋傳』曰: "墊隘." 从土執聲. 都念切.

飜譯

'아래로 빠지다(下)'라는 뜻이다. 『춘추전』(『좌전』 성공 6년, B.C. 585)에서 "아래로 추락하여 고달프다(墊隘)"라고 했다.175) 토(土)가 의미부이고 집(執)이 소리부이다. 독

---

174) 土(흙 토)가 의미부이고 欠(하품 흠)이 소리부로, 벌린 입처럼(欠) 흙(土)을 움푹하게 파내 만든 '구덩이'를 말한다. 坎坷(감가)는 땅이 울퉁불퉁하다는 뜻으로, 뜻을 이루지 못하거나 불우함의 비유로 쓰인다.

175) 『단주』에서 이 표현은 『좌전(左傳)』의 성공(成公) 6년, 양공(襄公) 9년, 양공 25년 조 등 총 3번 나온다고 했다. 점애(墊隘)는 아래로 추락하여 힘들고 고달픔을 말한다.

음은 도(都)와 념(念)의 반절이다.

9041

坻: 坻: 모래섬 지: 土-총8획: chí

原文

坻: 小渚也.『詩』曰: "宛在水中坻." 从土氏聲. 汦, 坻或从水从攵. 㳏, 坻或从水从耆. 直尼切.

飜譯

'작은 모래톱(小渚)'을 말한다.176)『시·진풍·겸가(蒹葭)』에서 "여전히 강물 속의 모래톱에 계시네(宛在水中坻)"라고 노래했다. 토(土)가 의미부이고 저(氏)가 소리부이다. 지(汦)는 지(坻)의 혹체자인데, 수(水)도 의미부이고 쇠(攵)도 의미부이다. 지(㳏)는 지(坻)의 혹체자인데, 수(水)도 의미부이고 기(耆)도 의미부이다. 독음은 직(直)과 니(尼)의 반절이다.

9042

塈: 塈: 더할 칩·곡식이 익을 접: 土-총17획: zhí

原文

塈: 下入也. 从土㬎聲. 敕立切.

飜譯

'아래로 움푹 파인 곳(下入)'을 말한다. 토(土)가 의미부이고 현(㬎)이 소리부이다. 독음은 칙(敕)과 립(立)의 반절이다.

---

176)『이아·석수(釋水)』에서 "물 가운데서 사람이 살 수 있는 곳을 주(州)라 한다. 그중에서도 작은 주(小州)를 저(渚)라 하고, 작은 저(小渚)를 지(沚)라 하고, 작은 지(小沚)를 점(坻)이라 하고, 사람이 만든 것을 휼(潏)이라 한다."고 했다. 그렇다면 강물에 의해 자연스레 만들어진 섬 중에서 주(州)가 가장 크면서도 통칭이고, 그 다음이 저(渚)이며, 그 다음이 지(沚)이고, 그 다음이 점(坻)이 되는 셈이다. 휼(潏)은 사람이 인공적으로 만든 인공 섬을 말한다.

9043

埆: 垎: 마를 격·굳을 핵: 土-총9획: hè

原文

垎: 水乾也. 一曰堅也. 从土各聲. 胡格切.

飜譯

'물이 마르다(水乾)'라는 뜻이다. 일설에는 '단단하다(堅)'라는 뜻이라고도 한다. 토(土)가 의미부이고 각(各)이 소리부이다. 독음은 호(胡)와 격(格)의 반절이다.

9044

垐: 垐: 길에 흙 돋울 자: 土-총9획: cí

原文

垐: 以土增大道上. 从土次聲. 堲, 古文垐从土、卽. 『虞書』曰: "龍, 朕聖讒說殄行." 堲, 疾惡也. 疾資切.

飜譯

'흙을 넣어 큰 길을 돋우다(以土增大道上)'라는 뜻이다. 토(土)가 의미부이고 차(次)가 소리부이다. 자(堲)는 자(垐)의 고문체인데, 토(土)와 즉(卽)으로 구성되었다. 『상서·우서(虞書)』에서 "용이여, 나는 아첨하는 말과 거친 행동[이 나의 백성들을 곤란하게 하는 것]을 싫어한다.(龍, 朕聖讒說殄行.)"라고 했는데, 자(堲)는 미워하다(疾惡)는 뜻이다. 독음은 질(疾)과 자(資)의 반절이다.

9045

增: 增: 불을 증: 土-총15획: zēng

原文

增: 益也. 从土曾聲. 作滕切.

'더하다(益)'라는 뜻이다. 토(土)가 의미부이고 증(曾)이 소리부이다.177) 독음은 작(作)과 등(滕)의 반절이다.

9046

埤: 埤: 더할 비: 土-총11획: pí

原文

埤: 增也. 从土卑聲. 符支切.

'더하다(增)'라는 뜻이다. 토(土)가 의미부이고 비(卑)가 소리부이다. 독음은 부(符)와 지(支)의 반절이다.

9047

坿: 坿: 붙일 부: 土-총8획: fù

原文

坿: 益也. 从土付聲. 符遇切.

'더하다(益)'라는 뜻이다. 토(土)가 의미부이고 부(付)가 소리부이다. 독음은 부(符)와 우(遇)의 반절이다.

9048

塞: 塞: 변방 새·막힐 색: 土-총13획: sāi, sài, sè

---

177) 고문자에서 ⚄ 石篆 등으로 그렸다. 土(흙 토)가 의미부고 曾(일찍 증)이 소리부로, 흙(土)이 겹겹이 쌓여 늘어남(曾)을 말하며, 이로부터 增加(증가)하다, 더하다, 다시라는 뜻이 나왔다.

原文

𡎆: 隔也. 从土从㝮. 先代切.

譯

'격리하다, 사이를 갈라 놓다(隔)'라는 뜻이다. 토(土)가 의미부이고 하(㝮)도 의미부이다.[178] 독음은 선(先)과 대(代)의 반절이다.

9049

㘒: 圣: 힘쓸 골: 土-총5획: kū

原文

㘒: 汝潁之閒謂致力於地曰圣. 从土从又. 讀若兔窟. 苦骨切.

譯

'여하(汝河)와 영수(潁水) 지역에서는 힘을 다해 땅을 가꾸는 것(致力於地)을 골(圣)이라 한다.'[179] 토(土)가 의미부이고 우(又)도 의미부이다. 토굴(兔窟)이라고 할 때의 굴(窟)과 같이 읽는다. 독음은 고(苦)와 골(骨)의 반절이다.

9050

垍: 垍: 굳은 흙 게·기: 土-총9획: jì

---

178) 고문자에서 𡎆 簡牘文 등으로 그렸다. 土(흙 토)가 의미부고 㝮(터질 하)가 소리부로, 외부의 침입을 막고자 흙(土)으로 성을 쌓아 놓은 변방이나 변경을 말한다. 변방을 뜻할 때에는 邊塞(변새)나 塞翁之馬(새옹지마)에서처럼 '새'로, 막다는 뜻으로 쓰일 때에는 塞音(색음)에서처럼 '색'으로 구분해 읽는다. 간독문자에서는 宀(집 면)과 4개의 工(장인 공)과 廾(두 손으로 받들 공)과 土로 구성되어 두 손으로(廾) 흙(土)을 다져(工) 건축물(宀)을 만드는 모습을 그렸는데, 초기 건축물은 적을 막으려고 변경에 구축한 토성이나 거주지 주변의 담이 대표적이었을 것이다. 이로부터 막다, 변방, 변경 등의 뜻이 나왔다.

179) 『단주』에서 이렇게 말했다. "이것은 방언 어휘이다. 있는 힘을 다하려면 반드시 손을 써야 한다. 그래서 이 글자가 우(又)와 토(土)가 결합한 회의자로 되었다." 현대 중국에서는 성(聖)의 간화자로 쓰인다.

原文

垍: 堅土也. 从土自聲. 讀若臮. 其冀切.

飜譯

'단단하게 굳은 흙(堅土)'을 말한다. 토(土)가 의미부이고 자(自)가 소리부이다. 기(臮)와 같이 읽는다.[180] 독음은 기(其)와 기(冀)의 반절이다.

9051

埱: 埱: 땅에서 김 오를 숙: 土-총11획: chù, tòu

原文

埱: 气出土也. 一曰始也. 从土叔聲. 昌六切.

飜譯

'땅에서부터 김이 올라오다(气出土)'라는 뜻이다. 일설에는 '시작하다(始)'라는 뜻이라고도 한다. 토(土)가 의미부이고 숙(叔)이 소리부이다. 독음은 창(昌)과 륙(六)의 반절이다.

9052

埵: 埵: 언덕 타: 土-총11획: duǒ

原文

埵: 堅土也. 从土𡍮聲. 讀若朵. 丁果切.

飜譯

'단단하게 굳은 흙(堅土)'을 말한다. 토(土)가 의미부이고 수(𡍮)가 소리부이다. 타(朵)와 같이 읽는다. 독음은 정(丁)과 과(果)의 반절이다.

---

180) 『단주』에서는 기(臮)를 기(冀)로 바꾸어 '讀若冀(冀와 같이 읽는다)'라고 했다.

9053

壖: 壖: 땅 이름 침: 土-총10획: jīn

原文

壖: 地也. 从土㑴聲. 子林切.

譯

'땅(地)'을 말한다. 토(土)가 의미부이고 침(㑴)이 소리부이다. 독음은 자(子)와 림(林)의 반절이다.

9054

壓: 壓: 흙 쌓을 추: 土-총11획: jù

原文

壓: 土積也. 从土, 从聚省. 才句切.

譯

'흙을 쌓다(土積)'라는 뜻이다. 토(土)가 의미부이고, 취(聚)의 생략된 모습도 의미부이다. 독음은 재(才)와 구(句)의 반절이다.

9055

壔: 壔: 성채 도: 土-총17획: dǎo

原文

壔: 保也. 高土也. 从土壽聲. 讀若毒. 都皓切.

譯

'보루(保)'를 말한다. 흙을 높게 쌓은 곳(高土)이라는 뜻이다. 토(土)가 의미부이고 수(壽)가 소리부이다. 독(毒)과 같이 읽는다. 독음은 도(都)와 호(皓)의 반절이다.

9056

墒: 培: 북돋울 배: 土-총11획: péi

原文

墒: 培敦. 土田山川也. 从土音聲. 薄回切.

飜譯

'봉지를 더해주다(培敦)'라는 뜻이다. 토지(土)와 전답(田)과 산(山)과 하천(川)을 두고 하는 말이다. 토(土)가 의미부이고 부(音)가 소리부이다.[181] 독음은 박(薄)과 회(回)의 반절이다.

9057

埩: 埩: 밭 갈 정: 土-총11획: zhēng

原文

埩: 治也. 从土爭聲. 疾郢切.

飜譯

'갈무리를 하다(治)'라는 뜻이다. 토(土)가 의미부이고 쟁(爭)이 소리부이다. 독음은 질(疾)과 영(郢)의 반절이다.

9058

墇: 墇: 막을 장: 土-총14획: zhāng

原文

墇: 擁也. 从土章聲. 之亮切.

飜譯

'옹벽을 만들어 막다(擁)'라는 뜻이다. 토(土)가 의미부이고 장(章)이 소리부이다. 독

---

181) 土(흙 토)가 의미부고 音(침 부)가 소리부로, 흙(土)을 두텁게 하여(音) '북돋움'을 말하며, 이후 培養(배양)에서처럼 북돋우어 키우다는 뜻이 나왔다.

음은 지(之)와 량(亮)의 반절이다.

9059

埑: 埱: 가로 막혀 떨어질 측: 土-총12획: cè

原文

埱: 遏遮也. 从土則聲. 初力切.

飜譯

'가로막다(遏遮)'라는 뜻이다. 토(土)가 의미부이고 칙(則)이 소리부이다. 독음은 초(初)와 력(力)의 반절이다.

9060

垠: 垠: 끝 은: 土-총9획: yín

原文

垠: 地垠也. 一曰岸也. 从土艮聲. 圻, 垠或从斤. 語斤切.

飜譯

'땅의 끝(地垠)'을 말한다. 일설에는 '기슭(岸)'을 말한다고도 한다. 토(土)가 의미부이고 간(艮)이 소리부이다. 은(圻)은 은(垠)의 혹체자인데, 근(斤)으로 구성되었다. 독음은 어(語)와 근(斤)의 반절이다.

9061

墠: 墠: 제터 선: 土-총15획: shàn

原文

墠: 野土也. 从土單聲. 常衍切.

飜譯

'교외 지역의 [다듬은] 땅(野土)'을 말한다.182) 토(土)가 의미부이고 단(單)이 소리부이다. 독음은 상(常)과 연(衍)의 반절이다.

9062

坁: 坁: 땅을 믿을 치: 土-총9획: chǐ

原文

坁: 恀也. 从土多聲. 尺氏切.

飜譯

'땅이 많음을 자랑하다(恀)'라는 뜻이다.[183] 토(土)가 의미부이고 다(多)가 소리부이다. 독음은 척(尺)과 씨(氏)의 반절이다.

9063

壘: 壘: 진 루: 土-총18획: lěi

原文

壘: 軍壁也. 从土畾聲. 力委切.

飜譯

'군영의 담(軍壁)'을 말한다. 토(土)가 의미부이고 뢰(畾)가 소리부이다.[184] 독음은 력(力)과 위(委)의 반절이다.

---

182) 『단주』에서 이렇게 말했다. "야(野)는 교외(郊外)를 말한다. 야토(野土)는 교외에 땅을 다듬고 풀을 정리한 곳을 말한다(於野治地除艸).……『예기·제법(祭法)』에서 '왕은 7묘, 2조, 1단 1선을 설치한다(王立七廟, 二祧, 一壇一墠.)'라고 했는데, 주석에서 흙을 높게 쌓은 것을 단이라 하고(封土曰壇), 땅을 정리한 것을 선이라 한다(除地曰墠)고 했다. 이는 단(壇)과 선(墠)에 구별이 있었음을 보여준다."

183) 『단주』에서 이렇게 말했다. "『광운(廣韵)』에서 치(坁)는 땅을 자랑하다는 뜻이다(恀土地也)라고 했는데, 아마도 완전한 『설문』에 근거한 문장일 것이다. '땅을 자랑한다(恀土地)'는 것은 스스로 가진 땅이 많다(自多其土地)는 뜻이고, 그래서 이 글자가 다(多)와 토(土)로 구성되었다."

184) 고문자에서 ▨簡牘文 등으로 그렸다. 土(흙 토)가 의미부이고 畾(밭 갈피 뢰)가 소리부로, 흙(土)을 쌓아(畾) 만든 군대의 성루나 堡壘(보루)를 말하며, 돌이나 벽돌 등을 쌓다는 뜻도 가진다. 간독문자에서는 네 개의 田으로 구성되었으며, 간화자에서는 畾를 厸(담쌓을 루)로 줄인 垒로 쓴다.

9064

墤: 墤: 허물어질 궤: 土-총9획: guǐ

原文

墤: 毀垣也. 从土危聲. 『詩』曰: "乘彼墤垣." 𦤀, 墤或从𦣞. 過委切.

飜譯

'담을 허물다(毀垣)'라는 뜻이다. 토(土)가 의미부이고 위(危)가 소리부이다. 『시·위풍·맹(氓)』에서 "무너진 담 위에 올라서서(乘彼墤垣)"라고 노래했다. 궤(𦤀)는 궤(墤)의 혹체자인데, 부(𦣞)로 구성되었다. 독음은 과(過)와 위(委)의 반절이다.

9065

圮: 圮: 무너질 비: 土-총6획: pǐ

原文

圮: 毀也. 『虞書』曰: "方命圮族." 从土己聲. 𢪏, 圮或从手从非, 配省聲. 符鄙切.

飜譯

'무너지다(毀)'라는 뜻이다. 『서·우서·요전(堯典)』에서 "명령을 어기어 일을 그르칠 것이리라.(方命圮族)"라고 했다.[185] 토(土)가 의미부이고 기(己)가 소리부이다. 비(𢪏)는 비(圮)의 혹체자인데, 수(手)도 의미부이고 비(非)도 의미부이며, 배(配)의 생략된 모습이 소리부이다. 독음은 부(符)와 비(鄙)의 반절이다.

9066

堙: 堙: 막을 인: 土-총9획: yīn

原文

堙: 塞也. 『尚書』曰: "鯀堙洪水." 从土𠕞聲. 𡎺, 古文堙. 於眞切.

---

185) 왕균의 『구두』에서는 방명(方命)을 부명(負命)으로 썼다.

譯

'틀어막다(塞)'라는 뜻이다. 『서·주서·홍범(洪範)』에서 "[기자가 말했다. 제가 듣건대, 옛날에] 곤이 홍수를 잘못 막아 [오행의 배열을 어지럽혀 놓았다고 들었습니다.](絲堙洪水)"라고 했다. 토(土)가 의미부이고 서(西)가 소리부이다. 인(壸)은 인(亜)의 고문체이다. 독음은 어(於)와 진(眞)의 반절이다.

9067

塹: 塹: 구덩이 참: 土-총14획: qiàn

原文

塹: 阬也. 一曰大也. 从土斬聲. 七豔切.

譯

'구덩이(阬)'를 말한다. 일설에는 '크다(大)'라는 뜻이라고도 한다. 토(土)가 의미부이고 참(斬)이 소리부이다. 독음은 칠(七)과 염(豔)의 반절이다.

9068

埂: 埂: 구덩이 경: 土-총10획: gěng

原文

埂: 秦謂阬爲埂. 从土更聲. 讀若井汲綆. 古杏切.

譯

'진(秦) 지역에서는 구덩이(阬)를 경(埂)이라고 한다.' 토(土)가 의미부이고 경(更)이 소리부이다. 정급경(井汲綆·우물에서 물을 긷는 두레박 줄)이라고 할 때의 경(綆)과 같이 읽는다. 독음은 고(古)와 행(杏)의 반절이다.

9069

壙: 壙: 광 광: 土-총18획: kuàng

原文

壙: 塹穴也. 一曰大也. 从土廣聲. 苦謗切.

繙譯

'구덩이를 파서 만든 굴(塹穴)'을 말한다. 일설에는 '크다(大)'라는 뜻이라고도 한다. 토(土)가 의미부이고 광(廣)이 소리부이다. 독음은 고(苦)와 방(謗)의 반절이다.

9070

塏: 塏: 높고 건조할 개: 土-총13획: kǎi

原文

塏: 高燥也. 从土豈聲. 苦亥切.

繙譯

'높고 건조하다(高燥)'라는 뜻이다. 토(土)가 의미부이고 기(豈)가 소리부이다. 독음은 고(苦)와 해(亥)의 반절이다.

9071

毀: 毀: 헐 훼: 殳-총13획: huǐ

原文

毀: 缺也. 从土, 毇省聲. 毀, 古文毀从壬. 許委切.

繙譯

'[기물의] 이가 빠지다(缺)'라는 뜻이다. 토(土)가 의미부이고, 훼(毇)의 생략된 모습이 소리부이다. 훼(毀)는 훼(毀)의 고문체인데, 정(壬)으로 구성되었다. 독음은 허(許)와 위(委)의 반절이다.

9072

壓: 壓: 누를 압: 土-총17획: yā

原文

壓：壞也. 一曰塞補. 从土厭聲. 烏狎切.

飜譯

'무너지다(壞)'라는 뜻이다. 일설에는 '채워 넣다(塞補)'라는 뜻이라고도 한다. 토(土)가 의미부이고 염(厭)이 소리부이다.186) 독음은 오(烏)와 압(狎)의 반절이다.

9073

壞：壞: 무너질 괴: 土-총19획: huài

原文

壞：敗也. 从土褱聲. 釨, 古文壞省. 蘽, 籒文壞. 臣鉉等按：攴部有斁, 此重出. 下怪切.

飜譯

'깨트리다(敗)'라는 뜻이다. 토(土)가 의미부이고 회(褱)가 소리부이다.187) 괴(釨)는 괴(塊)의 고문체인데, 생략된 모습이다. 괴(蘽)는 괴(壞)의 주문체이다. 신(臣) 서현 등은 이렇게 생각합니다. "복(攴)부수에 괴(斁)자가 있는데, 여기서 중복 출현했습니다." 독음은 하(下)와 괴(怪)의 반절이다.

9074

坷：坷: 평탄하지 않을 가: 土-총8획: kě

---

186) 土(흙 토)가 의미부고 厭(싫을 염)이 소리부로, 원래는 흙(土)이 무너짐을 말했다. 흙이 무너지는 것은 누르는 힘에 의한 것이기 때문에 壓迫(압박)에서처럼 '누르다'는 의미가 나왔다. 간화자에서는 厭을 厂(기슭 엄)으로 줄이고 土에 점을 다하여(圡) 压으로 쓴다.

187) 고문자에서 𡌦 𡎮 簡牘文 등으로 그렸다. 土(흙 토)가 의미부이고 褱(품을 회)가 소리부로, 흙(土)이 '무너지다'는 뜻이며, 이로부터 붕괴, 파괴, 실패 등의 뜻이 나왔고, 다시 변질되다, 나쁘다, 심하다는 뜻까지 나왔다. 간화자에서는 회의구조인 坏로 쓰는데, 잘못된(不·불) 흙(土)이라는 뜻을 담았다.

原文

坷 : 坎坷也. 梁國寧陵有坷亭. 从土可聲. 康我切.

飜譯

'울퉁불퉁하다(坎坷)'라는 뜻이다. [남조 때] 양(梁)나라의 녕릉현(寧陵縣)에 가정(坷亭)이라는 곳이 있다.[188] 토(土)가 의미부이고 가(可)가 소리부이다. 독음은 강(康)과 아(我)의 반절이다.

9075

墟 : 壢: 틈 하: 土-총14획: xià

原文

壢 : 塪也. 从土虖聲. 𡼪, 壢或从𦣻. 呼訝切.

飜譯

'틈이 갈라지다(塪)'라는 뜻이다. 토(土)가 의미부이고 호(虖)가 소리부이다. 하(𡼪)는 하(壢)의 혹체자인데, 부(𦣻)로 구성되었다. 독음은 호(呼)와 아(訝)의 반절이다.

9076

坼 : 坼: 터질 탁: 土-총8획: chè

原文

坼 : 裂也. 『詩』曰: "不坼不疈." 从土㡿聲. 丑格切.

飜譯

'갈라터지다(裂)'라는 뜻이다. 『시·대아생민(生民)』에서 "갈라지지도 터지지도 않았네(不坼不疈)"라고 노래했다. 토(土)가 의미부이고 척(㡿)이 소리부이다. 독음은 축(丑)과 격(格)의 반절이다.

---

188) 영릉현(寧陵縣)은 하남성 성구시(商丘市)에 속하여, 하남성 동남부에 위치하고 있다. 옛날 상고시대 상주(商周) 시기에는 갈국(葛國, 혹은 葛伯國)에 속했으며, 서한 무제(武帝) 원수(元狩) 원년(B.C. 122)에 영릉현(寧陵縣)이 설치되었다. 이후 1997년 상구시(商丘市)에 편입되었다.

9077

坱: 坱: 먼지 앙: 土-총8획: yǎng

原文

坱: 塵埃也. 从土央聲. 於亮切.

翻譯

'먼지(塵埃)'를 말한다. 토(土)가 의미부이고 앙(央)이 소리부이다. 독음은 어(於)와 량(亮)의 반절이다.

9078

塺: 塺: 티끌 매: 土-총14획: méi

原文

塺: 塵也. 从土麻聲. 亡果切.

翻譯

'먼지(塵)'를 말한다. 토(土)가 의미부이고 마(麻)가 소리부이다. 독음은 망(亡)과 과(果)의 반절이다.

9079

塿: 塿: 언덕 루: 土-총14획: lǒu

原文

塿: 塺土也. 从土婁聲. 洛矦切.

翻譯

'매토(塺土) 즉 흙먼지'를 말한다. 토(土)가 의미부이고 루(婁)가 소리부이다. 독음은 락(洛)과 후(矦)의 반절이다.

9080

坋: 坋: 뿌릴 분: 土-총7획: fèn

原文

坋: 塵也. 从土分聲. 一曰大防也. 房吻切.

飜譯

'먼지(塵)'를 말한다. 토(土)가 의미부이고 분(分)이 소리부이다. 일설에는 '큰 둑(大防)'을 말한다고도 한다. 독음은 방(房)과 문(吻)의 반절이다.

9081

坒: 坒: 티끌 비: 土-총11획: fèi

原文

坒: 塵也. 从土非聲. 房未切.

飜譯

'먼지(塵)'를 말한다. 토(土)가 의미부이고 비(非)가 소리부이다. 독음은 방(房)과 미(未)의 반절이다.

9082

埃: 埃: 티끌 애: 土-총10획: āi

原文

埃: 塵也. 从土矣聲. 烏開切.

飜譯

'먼지(塵)'를 말한다. 토(土)가 의미부이고 의(矣)가 소리부이다. 독음은 오(烏)와 개(開)의 반절이다.

9083

墅： 墅: 티끌 예: 土-총14획: yì, yī

原文

墅 : 塵埃也. 从土殹聲. 烏雞切.

飜譯

'먼지(塵埃)'를 말한다. 토(土)가 의미부이고 예(殹)가 소리부이다. 독음은 오(烏)와
계(雞)의 반절이다.

9084

坴： 坴: 앙금 은: 土-총10획: yìn

原文

坴 : 澱也. 从土沂聲. 魚僅切.

飜譯

'앙금(澱)[찌꺼기]'을 말한다. 토(土)가 의미부이고 기(沂)가 소리부이다. 독음은 어
(魚)와 근(僅)의 반절이다.

9085

垢： 垢: 때 구: 土-총9획: gòu

原文

垢 : 濁也. 从土后聲. 古厚切.

飜譯

'더러움(濁)[때]'을 말한다. 토(土)가 의미부이고 후(后)가 소리부이다. 독음은 고(古)
와 후(厚)의 반절이다.

9086

壹: 壹: 흙먼지가 일 예·날이 흐릴 의: 土-총15획: yè, yì

原文

壹: 天陰塵也. 『詩』曰: "壹壹其陰." 从土壹聲. 於計切.

飜譯

'하늘이 흐리고 흙먼지가 일어나다(天陰塵)'라는 뜻이다. 『시·빈풍·종풍(終風)』에서 "어둑어둑 흙바람 이는 날씨에(壹壹其陰)"라고 노래했다. 토(土)가 의미부이고 일(壹)이 소리부이다. 독음은 어(於)와 계(計)의 반절이다.

9087

坏: 坏: 언덕 배: 土-총7획: pī

原文

坏: 丘再成者也. 一曰瓦未燒. 从土不聲. 芳桮切.

飜譯

'기존의 언덕에 다시 만들어진 언덕(丘再成者)'을 말한다. 일설에는 '굽지 않은 기와(瓦未燒)'를 말한다고도 한다. 토(土)가 의미부이고 부(不)가 소리부이다. 독음은 방(芳)과 배(桮)의 반절이다.

9088

垤: 垤: 개밋둑 질: 土-총9획: dié

原文

垤: 螘封也. 『詩』曰: "鸛鳴于垤." 从土至聲. 徒結切.

飜譯

'개밋둑 즉 개미가 땅속에 집을 짓기 위하여 파낸 흙가루가 땅 위에 두둑하게 쌓인 것(螘封)'을 말한다. 『시·빈풍·동산(東山)』에서 "황새는 개밋둑 위에서 울고(鸛鳴于

埕)"라고 노래했다. 토(土)가 의미부이고 지(至)가 소리부이다. 독음은 도(徒)와 결
(結)의 반절이다.

9089

坥: 坥: 지렁이가 토해 놓은 흙 저: 土-총8획: qū

原文

坥: 益州部謂蚯蜴曰坥. 从土且聲. 七余切.

飜譯

'익주부(益州部)에서는 지렁이가 토해 놓은 흙(蚯蜴)을 저(坥)라고 한다.' 토(土)가
의미부이고 차(且)가 소리부이다. 독음은 칠(七)과 여(余)의 반절이다.

9090

埍: 埍: 계집 가두는 옥 현: 土-총10획: juǎn, xuàn

原文

埍: 徒隸所居也. 一曰女牢. 一曰亭部. 从土𡱝聲. 古泫切.

飜譯

'노비들이 거주하는 곳(徒隸所居)'을 말한다.[189] 일설에는 '여자들을 가두는 감옥(女
牢)'을 말한다고도 한다. 또 일설에는 '말단 행정단위인 정(亭)에 설치된 감옥'을 말
한다고도 한다. 토(土)가 의미부이고 연(𡱝)이 소리부이다. 독음은 고(古)와 현(泫)의
반절이다.

9091

餼: 餼: 갇힘에서 튀어 나올 활: 貝-총17획: kū

---

189) 도례(徒隸)는 형벌을 받은 노예, 옥졸, 노역에 동원된 죄수들을 뜻하기도 하지만, 천한 이들
을 부르던 통칭으로도 쓰였다.

原文

𡏄: 囚突出也. 从土叡聲. 胡八切.

飜譯

'죄수가 감옥을 탈출하다(囚突出)'라는 뜻이다. 토(土)가 의미부이고 개(叡)가 소리부이다. 독음은 호(胡)와 팔(八)의 반절이다.

9092

瘞: 瘞: 묻을 예: 疒-총15획: yì

原文

瘞: 幽薶也. 从土㾑聲. 於罽切.

飜譯

'유매(幽薶) 즉 깊이 파묻다'라는 뜻이다. 토(土)가 의미부이고 협(㾑)이 소리부이다. 독음은 어(於)와 계(罽)의 반절이다.

9093

塴: 塴: 광중 붕: 土-총11획: péng, pèng

原文

塴: 喪葬下土也. 从土朋聲.『春秋傳』曰: "朝而塴."『禮』謂之封,『周官』謂之窆.『虞書』曰: "塴淫于家." 方鄧切.

飜譯

'장사 지낼 때 관을 흙 속으로 내리다(喪葬下土)'라는 뜻이다. 토(土)가 의미부이고 붕(朋)이 소리부이다.『춘추전』(『좌전』소공 12년, B.C. 530)에서 "아침에 하관을 했다(朝而塴)"라고 했다.『예기』에서는 이를 봉(封)이라 했고,『주관(周官)』에서는 폄(窆)이라 했다.190)『서·우서(虞書)·고요모(皋陶謨)』에서 "[단주(丹朱)는] 무리를 지어 집에

---

190)『단주』에서『주관(周官)』은『한서·예문지』에서 말한『주관경(周官經)』인데, 한나라 때 사람

서 음란한 짓을 하여 [그의 후손도 끊기고 말았습니다.](期淫于家)"라고 했다.191) 독음은 방(方)과 등(鄧)의 반절이다.

9094

墥 ： 垗: 뭣자리 조: 土-총9획: zhào

(原文)

垗 : 畔也. 爲四時界, 祭其中.『周禮』曰: "垗五帝於四郊." 从土兆聲. 治小切.

(飜譯)

'[제단의] 가장자리 경계(畔)'를 말한다. 사면을 제단으로 만들고 조(垗)를 가장자리 경계로 하여, 그 안에서 제사를 지낸다.『주례·춘관소종백(小宗伯)』에서 "동서남북 네 교외에서 제단을 만들어 오제께 제사 드린다(垗五帝於四郊)"라고 하였다. 토(土)가 의미부이고 조(兆)가 소리부이다. 독음은 치(治)와 소(小)의 반절이다.

9095

嶜 ： 塋: 무덤 영: 土-총13획: yíng

(原文)

塋 : 墓也. 从土, 熒省聲. 余傾切.

(飜譯)

'무덤(墓)'을 말한다. 토(土)가 의미부이고, 형(熒)의 생략된 모습이 소리부이다. 독음은 여(余)와 경(傾)의 반절이다.

들이 말하던『주례(周禮)』라고 했다.

191) 붕(朋)으로 가차되어 사용된 예를 설명한 것이다.『단주』에서 이렇게 말했다. "여기서 말한 「고요모(皋陶謨)」의 해설은 가차로 사용된 것으로, 붕(期)을 붕(朋)으로 가차한 것이다. 이들의 의미는 다르지만 형태는 이렇게 적었던 것이다. '期淫于家(소인배들과 패거리를 지어 음란한 짓만 하다)'는 바로 '朋淫于家'이다. 그래서 공안국(孔安國)은 금문자(今文字)로 읽었고, 붕(朋)자로 확정했던 것이다. 붕음(朋淫)은 바로 무리를 지어 종일토록 놀면서 의(義)에 관한 이야기는 하지 않고, 궁에서 계속 춤이나 추고 실(室)에서 술 마시고 노래 부르면서, 재물과 여색만 탐하는 것을 말한다."

9096

墓: 墓: 무덤 묘: 土-총14획: mù

原文

墓: 丘也. 从土莫聲. 莫故切.

譯

'봉분을 쌓아 언덕처럼 만든 무덤(丘)'을 말한다. 토(土)가 의미부이고 막(莫)이 소리부이다.[192] 독음은 막(莫)과 고(故)의 반절이다.

9097

墳: 墳: 무덤 분: 土-총15획: fén

原文

墳: 墓也. 从土賁聲. 符分切.

譯

'무덤(墓)'을 말한다. 토(土)가 의미부이고 분(賁)이 소리부이다.[193] 독음은 부(符)와 분(分)의 반절이다.

9098

壟: 壟: 언덕 롱: 土-총19획: lǒng

---

192) 土(흙 토)가 의미부고 莫(없을 막)이 소리부로, 흙(土) 속으로 모든 것을 남김없이(莫) 묻고 봉분을 만들어 떼를 입혀 만든 '무덤'을 말한다. 한국 속자에서는 윗부분의 莫을 入(들 입)으로 줄여 묘(坔)로 쓰기도 하는데, 흙(土) 속으로 들어간다(入)는 의미의 형성구조로 변했다.

193) 고문자에서 𧶛 簡牘文 등으로 그렸다. 貝(조개 패)가 의미부고 卉(풀 훼)가 소리부로, 조개(貝)를 이용해 꽃처럼(卉) 아름답게 만든 장식을 말하며, 아름다운 광채가 나는 모양을 뜻하기도 한다. 또 '크다'는 뜻으로 쓰이며, 土(흙 토)가 더해진 墳(무덤 분)과 같이 써 簡策(간책)이나 전적을 뜻하기도 한다.

原文

壠: 丘壠也. 从土龍聲. 力踵切.

飜譯

'구룡(丘壠) 즉 무덤'을 말한다. 토(土)가 의미부이고 룡(龍)이 소리부이다. 독음은 력(力)과 종(踵)의 반절이다.

9099

壇: 壇: 단 단: 土-총16획: tán

原文

壇: 祭場也. 从土亶聲. 徒干切.

飜譯

'제사 터(祭場)'를 말한다. 토(土)가 의미부이고 단(亶)이 소리부이다.194) 독음은 도(徒)와 간(干)의 반절이다.

9100

場: 場: 마당 장: 土-총12획: cháng

原文

場: 祭神道也. 一曰田不耕. 一曰治穀田也. 从土昜聲. 直良切.

飜譯

'신에게 제사를 드리는 평평한 땅(祭神道)'을 말한다. 일설에는 '경작하지 않는 전답(田不耕)'을 말한다고도 한다. 또 일설에는 '곡식을 탈곡하고 말리는 곳(治穀田)'을 말한다고도 한다. 토(土)가 의미부이고 양(昜)이 소리부이다.195) 독음은 직(直)과 량

---

194) 土(흙 토)가 의미부이고 亶(미쁨 단)이 소리부로, 신에게 제사를 드리려고 신실한 마음(亶)으로 흙(土)을 쌓아 높게 만든 '제단'을 말하며, 제사를 드리거나 신앙생활을 하는 장소를 뜻하기도 했고, 의화단의 기층조직을 지칭하기도 했다. 간화자에서는 소리부인 亶을 云(이를 운)으로 바꾼 坛으로 쓴다.

(良)의 반절이다.

9101

圭: 圭: 홀 규: 土-총6획: guī

原文

圭: 瑞玉也. 上圜下方. 公執桓圭, 九寸; 矦執信圭, 伯執躬圭, 皆七寸; 子執穀璧, 男執蒲璧, 皆五寸. 以封諸矦. 从重土. 楚爵有執圭. 珪, 古文圭从玉. 古畦切.

飜譯

'서옥 즉 상서로운 옥(瑞玉)'을 말한다. 위쪽은 둥글고 아래쪽은 네모꼴이다. 공(公)은 환규(桓圭)를 휴대하는데 길이가 9치(寸)이다. 후(矦)는 신규(信圭)를 휴대하고, 백(伯)은 궁규(躬圭)를 휴대하는데 길이가 모두 7치이다. 자(子)는 곡벽(穀璧)을 휴대하고, 남(男)은 포벽(蒲璧)을 휴대하는데 길이가 모두 5치이다. 이 옥을 하사함으로써 제후에 봉한다. 토(土)가 중복된 모습이다.196) 초(楚)나라에 집규(執圭)라는 관직이 있었다.197) 규(珪)는 규(圭)의 고문체인데, 옥(玉)으로 구성되었다. 독음은 고(古)

---

195) 고문자에서 簡牘文 등으로 그렸다. 土(흙 토)가 의미부고 昜(볕 양)이 소리부로, 신에게 제사 지내는 흙(土)을 쌓아 만든 평평한 땅을 말하는데, 아마도 태양신(昜, 陽의 원래 글자)에게 제사를 지냈던 데서 유래한 것으로 보인다. 이로부터 극장이나 시장처럼 사람이 많이 모이는 場所(장소)를 지칭하게 되었다. 이후 사물의 경과를 나타내는 단위사로도 쓰였다. 달리 塲으로 쓰기도 하며, 간화자에서는 昜을 㕥으로 줄여 场으로 쓴다.

196) 고문자에서 金文 簡牘文 등으로 그렸다. 두 개의 土(흙 토)로 구성되었는데, 토지신에게 제사 지내고자 뭉쳐놓은 흙(土)에 그림자가 드리운 모습을 형상했다. 혹자는 생식기(士·사)가 둘 겹쳐진 것으로 보기도 하고, 해의 그림자를 재려고 세워놓은 흙(土)과 드리운 그림자로 보기도 한다. 흙은 정착 농경을 일찍부터 시작했던 고대 중국에서 생명의 상징으로 그 어느 것보다 중요한 존재였다. 이 때문에 흙(土)이 둘 겹쳐진 것은 훌륭하고 아름다움의 상징이었다. 이후 뭉쳐 세워 놓은 흙(土)은 시간의 측정을 위해 해의 그림자를 재는 데도 사용되었다. 또 관리들이 자신의 신분을 나타내는 '홀'을 지칭하기도 하였는데, 홀이 생명과 대지를 상징하기 위해 뭉쳐 세워놓은 흙의 모습을 본떠 만들었기 때문이다. 이로부터 청결하다, 선명하다, 아름답다 등의 뜻까지 나왔으며, 해 그림자를 재는 의기(圭表·규표)나 중량 단위로도 쓰였다. 그러자 원래 의미를 더 분명하게 하고자 玉(옥 옥)을 더한 珪(홀 규)를 만들어 분화했다.

197) 집규(執圭)는 초(楚)나라의 작위 이름이다. 갖고 다니는 규(圭)로써 작위의 등급을 규정하였

와 휴(畦)의 반절이다.

9102

圯: 圯: 흙다리 이: 土-총6획: yí

原文

圯: 東楚謂橋爲圯. 从土巳聲. 與之切.

飜譯

'동초(東楚) 지역에서는 다리(橋)를 이(圯)라고 한다.' 토(土)가 의미부이고 이(巳)가 소리부이다. 독음은 여(與)와 지(之)의 반절이다.

9103

垂: 垂: 드리울 수: 土-총8획: chuí

原文

垂: 遠邊也. 从土烝聲. 是爲切.

飜譯

'먼 변방(遠邊)'을 말한다. 토(土)가 의미부이고 수(烝)가 소리부이다.[198] 독음은 시(是)와 위(爲)의 반절이다.

9104

堀: 堀: 굴 굴: 土-총11획: kū

고, 신분에 맞는 규(圭)를 휴대하여 조회에 참석하였으므로, 이런 이름이 붙여졌다. 이후 의미가 확장되어 작위를 통칭하게 되었다.

198) 고문자에서 甲骨文 등으로 그렸다. 土(흙 토)가 의미부고 烝(늘어질 수)가 소리부로, 초목이 아래로 드리워진 모습(烝)을 그렸고, 도성에서 멀리 떨어진 곳이 그러한 곳이라는 뜻에서 '변방'의 의미가 나왔다. 이후 자형이 많이 변해 지금의 垂가 되었고, 다시 의미를 강조하기 위해 邑(고을 읍)을 더해 郵(역참 우)로 분화했다.

原文

堀: 兔堀也. 从土屈聲. 苦骨切.

飜譯

'토끼 굴(兔堀)'을 말한다. 토(土)가 의미부이고 굴(屈)이 소리부이다. 독음은 고(苦)와 골(骨)의 반절이다.

9105

塗: 塗: 진흙 도: 土-총13획: tú

原文

塗: 泥也. 从土涂聲. 同都切.

飜譯

'진흙(泥)'을 말한다. 토(土)가 의미부이고 도(涂)가 소리부이다. 독음은 동(同)과 도(都)의 반절이다.

9106

塓: 塓: 맥질할 멱: 土-총13획: mì

原文

塓: 塗也. 从土冥聲. 莫狄切.

飜譯

'흙을 바르다(塗)'라는 뜻이다. 토(土)가 의미부이고 명(冥)이 소리부이다. 독음은 막(莫)과 적(狄)의 반절이다.

9107

埏: 埏: 땅 끝 연: 土-총10획: yán

原文

垠 : 八方之地也. 从土延聲. 以然切.

飜譯

'팔방의 땅(八方之地)'을 말한다. 토(土)가 의미부이고 연(延)아 소리부이다. 독음은 이(以)와 연(然)의 반절이다.

9108

場 : 場: 밭두둑 역: 土-총11획: yì

原文

場 : 疆也. 从土昜聲. 羊益切.

飜譯

'지경 즉 나라나 지역 따위의 구간을 가르는 경계(疆)'를 말한다. 토(土)가 의미부이고 역(昜)이 소리부이다. 독음은 양(羊)과 익(益)의 반절이다.

9109

境 : 境: 지경 경: 土-총14획: jìng

原文

境 : 疆也. 从土竟聲. 經典通用竟. 居領切.

飜譯

'지경 즉 나라나 지역 따위의 구간을 가르는 경계(疆)'를 말한다. 토(土)가 의미부이고 경(竟)이 소리부이다. 경전에서는 경(竟)과 통용한다.199) 독음은 거(居)와 령(領)의 반절이다.

---

199) 고문자에서 𩫖𩫊:金文 등으로 그렸다. 土(흙 토)가 의미부이고 竟(다할 경)이 소리부로, 영역과 境界(경계)를 말하는데, 영토(土)가 끝나는(竟) 곳이 바로 경계이자 국경이라는 뜻을 담았다.

9110

𡎰 : 塾: 글방 숙: 土-총14획: shú

原文

𡎰 : 門側堂也. 从土孰聲. 殊六切.

飜譯

'문 곁에 있는 방(門側堂)'을 말한다. 토(土)가 의미부이고 숙(孰)이 소리부이다.200)
독음은 수(殊)와 륙(六)의 반절이다.

9111

墾 : 细: 경작할 간: 土-총16획: kěn

原文

墾 : 耕也. 从土豤聲. 康很切.

飜譯

'경작하다(耕)'라는 뜻이다. 토(土)가 의미부이고 간(豤)이 소리부이다. 독음은 강(康)
과 흔(很)의 반절이다.

9112

塘 : 塘: 못 당: 土-총13획: táng

原文

塘 : 隄也. 从土唐聲. 徒郎切.

飜譯

'둑(隄)'을 말한다. 토(土)가 의미부이고 당(唐)이 소리부이다. 독음은 도(徒)와 랑(郎)

---

200) 土(흙 토)가 의미부고 孰(누구 숙)이 소리부로, 옛날 대문 양쪽으로 흙(土)을 쌓아 만들어
놓은 방을 말했는데, 아이를 가르치는 방으로 썼기 때문에 私塾(사숙)이나 家塾(가숙)에서처럼
'개인의 글방'을 지칭하게 되었다.

의 반절이다.

9113

坳: 坳: 팬 곳 요: 土-총8획: ào

原文

坳: 地不平也. 从土幼聲. 於交切.

飜譯

'평평하지 않은 땅(地不平)'을 말한다. 토(土)가 의미부이고 유(幼)가 소리부이다. 독음은 어(於)와 교(交)의 반절이다.

9114

壒: 壒: 티끌 애: 土-총17획: āi

原文

壒: 塵也. 从土蓋聲. 於蓋切.

飜譯

'먼지(塵)'를 말한다. 토(土)가 의미부이고 개(蓋)가 소리부이다. 독음은 어(於)와 개(蓋)의 반절이다.

9115

墜: 墜: 떨어질 추: 土-총15획: zhuì

原文

墜: 陊也. 从土隊聲. 古通用碨. 直類切.

飜譯

'떨어지다(陊)'라는 뜻이다. 토(土)가 의미부이고 대(隊)가 소리부이다. 옛날에는 대(碨)와 통용했다.[201] 독음은 직(直)과 류(類)의 반절이다.

9116

塔: 塔: **탑 탑**: 土-총13획: tǎ

原文

塔: 西域浮屠也. 从土荅聲. 土盍切.

譯

'서역의 부도 즉 부처의 사리를 안치한 탑(西域浮屠)'을 말한다. 토(土)가 의미부이고 답(荅)이 소리부이다.202) 독음은 토(土)와 합(盍)의 반절이다.

9117

坊: 坊: **동네 방**: 土-총7획: fāng

原文

坊: 邑里之名. 从土方聲. 古通用埅. 府良切.

譯

'읍(邑)이나 리(里)를 이르는 말'이다. 토(土)가 의미부이고 방(方)이 소리부이다. 옛날에는 방(埅)과 통용되었다.203) 독음은 부(府)와 량(良)의 반절이다.

---

201) 고문자에서 𧮫甲骨文 𩫏金文 등으로 그렸다. 土(흙 토)가 의미부고 隊(대 대)가 소리부로, 높은 곳에서부터 땅(土)으로 墜落(추락)함을 말했고, 이후 잃어버린다는 뜻까지 나왔다. 간화자에서는 隊를 队로 간단하게 줄인 坠로 쓴다.

202) 土(흙 토)가 의미부고 荅(좀 콩 답)이 소리부로, 흙이나 흙을 구운 벽돌로 쌓은 탑을 말하는데, '부도'로 번역되는 산스크리트어의 'stupa(스투파)' 혹은 팔리어의 'Thūpo'의 음역어이다.

203) 고문자에서 𢼄古陶文 등으로 그렸다. 土(흙 토)가 의미부고 方(모 방)이 소리부로, '동네'를 말하는데, 나란히(方) 난 흙(土) '길'로부터 해당 의미를 만들어 냈다. 이후 동네의 입구에 세우던 牌坊(패방)을 뜻하기도 했다. 또 工房(공방)이나 동네에서 소규모로 경영하던 수공업 공장을 지칭하기도 한다.

제481부수

481 ■ 요(垚)부수

9118

垚: 垚: 사람 이름 요: 土-총9획: yáo

原文

垚: 土高也. 从三土. 凡垚之屬皆从垚. 吾聊切.

飜譯

'흙을 높게 쌓다(土高)'라는 뜻이다. 세 개의 토(土)로 구성되었다. 요(垚)부수에 귀속된 글자들은 모두 요(垚)가 의미부이다. 독음은 오(吾)와 료(聊)의 반절이다.

9119

堯: 堯: 요임금 요: 土-총12획: yáo

原文

堯: 高也. 从垚在兀上, 高遠也. 㚩, 古文堯. 吾聊切.

飜譯

'높다(高)'라는 뜻이다. 요(垚)가 올(兀) 위에 놓인 모습을 그렸으며, 높고 멀다(高遠)는 뜻이다.[204] 요(㚩)는 요(堯)의 고문체이다. 독음은 오(吾)와 료(聊)의 반절이다.

---

204) 고문자에서 ![甲骨文] 甲骨文 ![簡牘文] 簡牘文 ![古璽文] 古璽文 등으로 그렸다. 兀(우뚝할 올)이 의미부고 垚(사람 이름 요)가 소리부인데, 垚는 土(흙 토)가 셋 모여 높게 쌓인 흙더미를 말한다. 그래서 堯는 우뚝 솟은(兀) 큰 흙더미(垚)라는 뜻에서 '높고' 위대하다는 뜻을 담았으며, 위대하고 뛰어난 전설상의 임금이었던 요임금을 지칭하는 말로 쓰인다. 간화자에서는 윗부분의 垚를 간단히 줄여 尧로 쓴다.

제482부수

482 ■ 근(堇)부수

9120

菫: 菫: 노란 진흙 근: 土-총11획: qín

原文

菫: 黏土也. 从土, 从黃省. 凡菫之屬皆从菫. 菦、菦, 皆古文菫. 巨斤切.

飜譯

‘점토 즉 찰흙(黏土)’을 말한다. 토(土)가 의미부이고, 황(黃)의 생략된 모습도 의미부이다.[205] 근(菫)부수에 귀속된 글자들은 모두 근(菫)이 의미부이다. 근(菦)과 근(菦)은 모두 근(菫)의 고문체이다. 독음은 거(巨)와 근(斤)의 반절이다.

9121

艱: 艱: 어려울 간: 艮-총17획: jiān

原文

艱: 土難治也. 从菫艮聲. 囏, 籒文艱从喜. 古閑切.

飜譯

‘관리하기 어려운 흙(土難治)’을 말한다. 근(菫)이 의미부이고 간(艮)이 소리부이다.[206] 간(囏)은 간(艱)의 주문체인데, 희(喜)로 구성되었다. 독음은 고(古)와 한(閑)

---

205) 고문자에서 𦰏𦰏金文 등으로 그렸다. 금문에서 두 손이 뒤로 묶인 채 불(火·화)에 태워지는 사람의 모습을 그렸는데, 입을 크게 벌린 모습으로 고통을 강조했다. 아마도 산 사람을 희생으로 바쳐 제사지내는 모습을 그렸을 것이다. 이로부터 ‘고통스럽다’는 뜻이 나왔는데, 원래 뜻이다. 그러나 소전체에 들면서 火가 土(흙 토)처럼 변했고, 자형도 지금처럼 변했다. 이후 ‘노란 진흙’이라는 뜻도 나왔는데, 『설문해자』에서는 "土가 의미부이고 黃(누를 황)의 생략된 모습이 소리부인 구조로, 황토 진흙을 말한다." 라고 했다.

의 반절이다.

---

206) 고문자에서 [고문자들] 甲骨文 [고문자들] 金文 등으로 그렸다. 堇(노란 진흙 근)이 의미부이고 艮(어긋날 간)이 소리부로, 일상과는 달리(艮) 사람을 희생으로 바쳐(堇) 제사를 드려야 할 만큼 '어려움'을 말한다. 갑골문과 금문에서는 堇과 壴(북 주)로 구성되어 음악과 사람 희생을 바쳐 제사를 드리며 신에게 '어려움'을 호소하다는 의미를 담았다. 이로부터 '어려움(艱難·간난)', '험난함', '재난'의 뜻이 나왔고, 다시 부모상을 뜻하게 되었다. 간화자에서는 앞부분을 又(또 우)로 간단히 줄인 艰으로 쓴다.

제483부수
483 ■ 리(里)부수

9122

里: 里: 마을 리: 里-총7획: lǐ

原文

里: 居也. 从田从土. 凡里之屬皆从里. 良止切.

飜譯

'거주하는 곳(居)'을 말한다. 전(田)이 의미부이고 토(土)가 의미부이다.207) 리(里)부수에 귀속된 글자들은 모두 리(里)가 의미부이다. 독음은 량(良)과 지(止)의 반절이다.

9123

釐: 釐: 다스릴 리: 里-총18획: lí

原文

釐: 家福也. 从里𠩺聲. 里之切.

飜譯

'가정의 행복(家福)'이라는 뜻이다. 리(里)가 의미부이고 리(𠩺)가 소리부이다.208) 독

---

207) 고문자에서 里里金文 里古陶文 里里簡牘文 등으로 그렸다. 금문에서 田(밭 전)과 土(흙 토)로 이루어졌다. 田은 경작 가능한 농지를, 土는 농작물을 생장케 해주는 상징이다. 정착 농경을 일찍 시작했던 고대 중국에서 농지가 갖추어진 곳이 바로 정착할 수 있는 '마을'이었다. 고대 문헌에서 "다섯 집(家·가)을 鄰(이웃 린)이라 하고, 다섯 鄰을 里라고 한다."라고 했으니, 대략 하나의 마을(里)은 25家로 이루어졌던 셈이다. 현대 중국에서는 옷(衣·의)의 속을 뜻하는 裏(裡·속 리)의 간화자로 쓰인다. 이처럼 里의 본래 뜻은 마을이고, 이로부터 鄕里(향리)라는 말이 나왔다. 나아가 里는 마을과 마을 사이의 거리를 재는 단위로 쓰였으며, 현대에 들어서는 물길(水·수)의 거리(里)를 재는 단위인 浬(해리 리)가 생겨났다.

음은 리(里)와 지(之)의 반절이다.

9124

野: 野: 들 야: 里-총11획: yě

原文

野: 郊外也. 从里予聲. 壄, 古文野从里省, 从林. 羊者切.

嬴譯

'교외 지역(郊外)'을 말한다.209) 리(里)가 의미부이고 여(予)가 소리부이다.210) 야(壄)는 야(野)의 고문체인데, 리(里)의 생략된 모습이 의미부이고, 림(林)도 의미부이다. 독음은 양(羊)과 자(者)의 반절이다.

---

208) 고문자에서 金文 古陶文 簡牘文 등으로 그렸다. 里(마을 리)가 의미부이고 犛(터질 이)가 소리부로, 마을(里)을 다스리다는 뜻이었는데, 마을을 다스리려면 대단히 세세한 부분까지 신경 써야 하므로 '세세하다'는 뜻이 나왔다. 이후 극히 작은 단위를 나타내는 데 쓰였는데, 무게는 兩(양)의 1천분의 1을, 길이는 자(尺)의 1천분의 1을, 면적은 畝(무)의 1백분의 1을 말했다. 간화자에서는 윗부분을 생략하여 厘로 쓴다.

209) 경(冂)부수에서 "읍(邑) 밖의 지역을 교(郊)라 하고, 교(郊) 밖의 지역을 야(野)라 하고, 야(野) 밖의 지역을 임(林)이라 하며, 임(林) 밖의 지역을 경(冂)이라 한다."라고 한 바 있다.

210) 고문자에서 甲骨文 金文 古陶文 簡牘文 古璽文 등으로 그렸다. 里(마을 리)가 의미부이고 予(나 여)가 소리부로, 마을(里)이 들어선 들판을 뜻한다. 원래는 林(수풀 림)과 土(흙 토)로 구성된 埜로 써 숲(林)이 우거진 땅(土), 즉 아직 농경지로 개간되지 않은 교외의 들녘을 말했다. 이후 소리부인 予가 더해져 壄가 되었고, 다시 埜가 里로 바뀌어 野가 되었다. 그것은 그 당시 이미 그런 교외 지역(野)은 더는 개간되지 않아 숲으로 무성한 땅(埜)이 아니라 사람이 사는 마을(里)로 변했음을 보여준다. 野는 邑(고을 읍)과 대칭되어 성 밖의 주변지역을 말하는데, 이 때문에 野에는 거칠고 야생적이라는 뜻이 생겼고, 粗野(조야·거침)나 野蠻(야만), 野心(야심) 등의 단어가 만들어졌다.

제484부수
484 ■ 전(田)부수

9125

田: 田: 밭 전: 田-총5획: tián

原文

田: 陳也. 樹穀曰田. 象四口. 十, 阡陌之制也. 凡田之屬皆从田. 待秊切.

飜譯

'진(陳)과 같아 [질서정연하게] 펼쳐져 있는 것'이라는 뜻이다. 나무나 곡식을 심는 곳을 전(田)이라 한다. 네 개의 구(口)가 모인 모습을 그렸다. [가운데의] 십(十)은 남북으로 뻗은 길을 말한다.211)212) 전(田)부수에 귀속된 글자들은 모두 전(田)이 의미부이다. 독음은 대(待)와 년(秊)의 반절이다.

---

211) 고문자에서 ⬚⬚⬚⬚⬚甲骨文 ⬚金文 ⬚古陶文 ⬚⬚⬚⬚簡牘文 ⬚石刻古文 등으로 그렸다. 가로 세로로 경지 정리가 잘 된 농지의 모습을 그렸다. 이로부터 농경지, 들판, 경작하다, 개간하다 등의 뜻이 나왔으며, 농사와 관련된 일이나 땅바닥에서 하는 운동, 필드 경기 등을 지칭하게 되었다. 또 옛날에는 들판의 일정한 구역을 정해 놓고 거기서 전쟁 연습 겸 사냥을 즐겼으므로 사냥이라는 뜻도 가졌는데, 이후 '사냥하다'는 뜻은 攵(칠 복)을 더해 畋(밭 갈·사냥할 전)으로 분화했다.

212) 『주례·수인(遂人)』에서 이렇게 말한 바 있다. "들판을 다스리는 방법이다(治野). 부(夫: 장정 1인이 지을 수 있는 농지) 사이에 수(遂: 수로)를 만들고, 수(遂)에는 경(徑: 좁은 길)을 만든다. 10부(夫)마다 구(溝: 도랑)를 만들고, 구(溝)에는 진(畛: 좁은 길)을 만든다. 100부(夫)마다 혈(洫: 도랑)을 만들고, 혈(洫)에는 도(涂: 길)를 만든다. 100부(夫)마다 회(澮: 봇도랑)를 만들고, 회(澮)에는 도(道: 도로)를 만든다. 10000부(夫)마다 천(川)을 만들고, 천(川)에는 로(路: 큰 도로)를 만든다. 그리하여 수도 근교(畿)에 이르도록 한다. 100부(夫)마다 만들어진 도(涂)를 백(百)이라 하고 1000부(夫)마다 만들어진 도(道)를 천(千)이라 한다." 그렇다면 여기서 말한 '천백지제(阡陌之制)'의 '천백(阡陌)'은 '100부(夫)마다 만들어진 백(百)과 1000부(夫)마다 만들어진 천(千)'을 말하며, 그래서 '남북으로 뻗은 길'로 번역했다.

9126

畊 : 町: 밭두둑 정: 田-총7획: tǐng, dīng

原文

畊 : 田踐處曰町. 从田丁聲. 他頂切.

飜譯

'밭 가운데로 낸 걸을 수 있는 길(田踐處)을 정(町)이라 한다.' 전(田)이 의미부이고 정(丁)이 소리부이다. 독음은 타(他)와 정(頂)의 반절이다.

9127

畟 : 畟: 성밑 밭 연: 田-총14획: ruán

原文

畟 : 城下田也. 一曰畟, 邻也. 从田耎聲. 而緣切.

飜譯

'성 바로 밑에 있는 밭(城下田)'을 말한다. 일설에는 연(畟)은 자투리 땅(邻)을 말한다고도 한다. 전(田)이 의미부이고 연(耎)이 소리부이다. 독음은 이(而)와 연(緣)의 반절이다.

9128

疇 : 疇: 밭두둑 주: 田-총19획: chóu

原文

疇 : 耕治之田也. 从田, 象耕屈之形. 㽵, 疇或省. 直由切.

飜譯

'밭갈이를 하여 다듬어 놓은 농지(耕治之田)'를 말한다. 전(田)이 의미부이고, 경작하여 굴곡진 모습(耕屈之形)을 그렸다.213) 주(㽵)는 주(疇)의 혹체자인데, 생략된 모습

---

213) 고문자에서 𣍘 𣍘 甲骨文 𤲶 𤲶 簡牘文 등으로 그렸다. 田(밭 전)이 의미부고 壽(목숨 수)

이다. 독음은 직(直)과 유(由)의 반절이다.

9129

疁: 疁: 화전 류: 田-총16획: liú

原文

疁: 燒種也.『漢律』曰: "疁田菑艸." 从田翏聲. 力求切.

飜譯

'풀과 나무를 불살라 버린 후 그 자리를 파 일구어 곡식을 심는 화전(燒種)'을 말한다. 한나라 때의 법률(漢律)에 의하면, "화전을 일구고 잡초를 제거한다(疁田菑艸)"라고 했다. 전(田)이 의미부이고 료(翏)가 소리부이다. 독음은 력(力)과 구(求)의 반절이다.

9130

畬: 畬: 새밭 여: 田-총12획: yú

原文

畬: 三歲治田也.『易』曰: "不菑, 畬田." 从田余聲. 以諸切.

飜譯

'경작한 지 삼 년 되는 밭(三歲治田)'을 말한다.214)『역·무망(無妄)』에서 "개간하지 않은 땅에서 풍성한 수확을 바라는 것은 [길하지 않다](不菑, 畬田.)"라고 했다. 전(田)이 의미부이고 여(余)가 소리부이다. 독음은 이(以)와 제(諸)의 반절이다.

가 소리부로, 작물을 심기 위해 갈아 놓은 밭(田)을 말한다. 이후 밭과 밭(田) 사이의 경계를 말했고, 이로부터 사물의 경계라는 뜻이 나왔고, 다시 속성에 따라 구분지은 '範疇(범주)'라는 뜻까지 나왔다. 간화자에서는 소리부 壽를 초서체인 寿로 줄여 畴로 쓴다.

214)『단주』에서는 각 판본에서 삼(三)으로 되었는데 이(二)가 되어야 한다고 하면서 '二歲治田也(경작한 지 이 년 되는 밭)'로 고쳤다. 그러나『이아·석지(釋地)』에서는 "1년 경작한 땅을 치(菑)라 하고, 2년 경작한 땅을 신전(新田)이라 하고, 3년 경작한 땅을 사(畬)라고 한다."라고 했다.『주역·무망(无妄)』에서도 "불치여(不菑畬)" 즉 "1년 밭을 경작하지 않아 여(畬: 3년 된 밭)가 된다"고 했다. 이렇게 볼 때 삼(三)이 합당해 보인다.

9131

疄: 疄: 비옥한 밭 유: 田-총14획: róu

原文

疄: 和田也. 从田柔聲. 耳由切.

飜譯

'[잘 갈아서] 토질이 부드러운 밭(和田)'을 말한다. 전(田)이 의미부이고 유(柔)가 소리부이다. 독음은 이(耳)와 유(由)의 반절이다.

9132

畸: 畸: 뙈기밭 기: 田-총13획: jī

原文

畸: 殘田也. 从田奇聲. 居宜切.

飜譯

'뙈기밭 즉 큰 토지에 딸린 조그마한 밭(殘田)'을 말한다. 전(田)이 의미부이고 기(奇)가 소리부이다. 독음은 거(居)와 의(宜)의 반절이다.

9133

嗟: 嗟: 자투리 땅 차: 田-총15획: cuó

原文

嗟: 殘田也. 『詩』曰: "天方薦嗟." 从田差聲. 昨何切.

飜譯

'자투리 땅(殘田)'을 말한다.215) 『시·소아·절남산(節南山)』에서 "하늘이 지금 큰 고통

---

215) 『단주』에서는 예(薉)자를 더하여 '殘薉田也'로 고쳤다. 이는 『집운(集韵)』, 『유편(類篇)』, 『운회(韵會)』 등에 근거한 결과라고 하면서, 자투리 땅(殘)이면서 경작되지 않은(薉) 땅을 차(嗟)

내리시어(天方薦瘥)”라고 했다. 전(田)이 의미부이고 차(差)가 소리부이다. 독음은 작(昨)과 하(何)의 반절이다.

9134

畮: 畮: 이랑 무: 田-총12획: mǔ

原文

畮: 六尺爲步, 步百爲畮. 从田毎聲. 畆, 畮或从田、十、久. 臣鉉等曰 : 十, 四方也. 久聲. 莫厚切.

飜譯

‘6자(尺)를 1보(步)라 하는데, 1백 보가 1무(畮)이다.’ 전(田)이 의미부이고 매(毎)가 소리부이다. 무(畆)는 무(畮)의 혹체자인데, 전(田)과 십(十)과 구(久)로 구성되었다. 신(臣) 서현 등은 이렇게 생각합니다. “십(十)은 사방을 뜻하며, 구(久)는 소리부입니다.” 독음은 막(莫)과 후(厚)의 반절이다.

9135

甸: 甸: 경기 전: 田-총7획: diàn

原文

甸: 天子五百里地. 从田, 包省. 堂練切.

飜譯

‘천자의 5백 리 땅(天子五百里地)’을 말한다.216) 전(田)과 포(包)의 생략된 모습이 의

라고 한다고 했다.

216) 『단주』에서 이렇게 말했다. “『상서·우공(禹貢)』에서 ‘오백리전복(五百里甸服)’이라 했는데,『국어·주어(周語)에서 ‘선왕의 제도를 보면 방내(邦內)에 전(甸)과 복(服)을 두었다’고 했는데, 위소의 주석에서 방내(邦內)는 천자의 경기 내 1천리를 말한다고 했다. 『시경·상송(商頌)』에서도 ‘방기천리(邦畿千里), 유민소지(惟民所止)’라고 했고, 『예기·왕제(王制)』에서도 1천리 이내를 전(甸)이라 하며, 경읍(京邑)이 그 한가운데 있다고 했다. 그래서 「하서(夏書)」에서 말한 ‘五百里甸服’은 고금의 차이를 보여준 것이다. 전(甸)은 왕의 전답을 말하며, 복(服)은 그 직

미부이다.217) 독음은 당(堂)과 련(練)의 반절이다.

9136

畿: 畿: 경기 기: 田-총15획: jī

原文

畿: 天子千里地. 以遠近言之, 則言畿也. 从田, 幾省聲. 巨衣切.

飜譯

'천자의 사방 1천 리 땅(天子千里地)을 말한다.218) 왕도에서 가까운 부분으로 이야기 하자면 이를 기(畿)라고 한다.219) 전(田)이 의미부이고, 기(幾)의 생략된 부분이 소리부이다.220) 독음은 거(巨)와 의(衣)의 반절이다.

제 13 권

업에 복종하다는 뜻이다. 상(商) 이전에는 방기(邦畿)의 안쪽을 전복(甸服)으로 삼았다. 그러나 무왕(武王)이 은(殷)을 멸망시켰고, 주공(周公)에 이르러 태평성세를 이루었다. 그리하여 「우공」에서 세운 전내(甸內)를 폐기하고 천하는 구복(九服)으로 다시 구분지어 정해졌다. 1천리 이내의 땅을 왕기(王畿)라 하였고, 왕기의 밖을 후복(侯服)이라 하였으며, 후복의 밖을 전복(甸服)이라 하였다." 그렇게 본다면 상 이전에는 천자의 땅인 왕기가 5백리였고, 주나라가 천하를 통일 한 이후에는 1천리였음을 알 수 있다.

217) 고문자에서 田 및 金文 簡牘文 등으로 그렸다. 勹(포·包의 생략된 모습)가 의미부고 田(밭 전)이 소리부로, 王京(왕경) 5백 리 이내의 경작지(田)를 포함한(勹) 땅과 영역, 즉 京畿(경기)를 말한다.

218) 『단주』에서 이렇게 말했다. "앞에서 말한 대로 천자의 오백 리 안쪽 땅을 말한다. 오백 리라 한 것은 한쪽만 계산한 것이고, 1천 리라 한 것은 사방을 다 이야기 한 것으로, 사방 백리라고 할 때 1백리 말하는 것과 같은 이치이다. 『시경·상송(商頌)』에서 '방기천리(邦畿千里)'라 했는데, 『모전』에서 기(畿)는 강역을 말한다(疆也)고 했고, 「대사마(大司馬)·구기(九畿)」의 주석에서 기(畿)는 한계(限)와 같은 뜻이라고 했다."

219) 『단주』에서는 '以遠近言之'라는 말이 이상하다고 하여, 『소서본(小徐本)』에 근거하여 원(遠) 대신 체(逮)자를 넣어 '㠯逮近言之'로 고쳤다. 그리고 이렇게 말했다. "체(逮)는 미치다(及)는 뜻이다."라고 했다.

220) 田(밭 전)이 의미부이고 幾(기미 기)가 소리부로, 임금이 사는 서울 주위의 토지(田)를 말하는데, 임금이 직접 담당하여 경영할(幾) 수 있는 땅(田)이라는 뜻을 담았다.

9137

畦: 畦: 밭두둑 휴: 田-총11획: qí

原文

畦: 田五十畝曰畦. 从田圭聲. 戶圭切.

飜譯

'50무(畝)의 밭을 휴(畦)라고 한다.' 전(田)이 의미부이고 규(圭)가 소리부이다. 독음은 호(戶)와 규(圭)의 반절이다.

9138

畹: 畹: 밭 면적 단위 원: 田-총13획: wǎn

原文

畹: 田三十畝也. 从田宛聲. 於阮切.

飜譯

'30무(畝)의 밭'을 말한다. 전(田)이 의미부이고 완(宛)이 소리부이다. 독음은 어(於)와 완(阮)의 반절이다.

9139

畔: 畔: 두둑 반: 田-총10획: pàn

原文

畔: 田界也. 从田半聲. 薄半切.

飜譯

'밭의 경계(田界)'를 말한다. 전(田)이 의미부이고 반(半)이 소리부이다.221) 독음은

---

221) 田(밭 전)이 의미부고 半(반 반)이 소리부로, 농지(田)가 경계 지어져 나뉜(半) 모습으로, 밭과 밭 사이의 경계를 말했으며, 이후 湖畔(호반)에서처럼 '가장자리'라는 뜻도 나왔다. 또 배반하다, 이지러지다, 권세나 세력을 제멋대로 부리며 함부로 날뛰다 등의 뜻으로도 쓰였다.

박(薄)과 반(半)의 반절이다.

9140

畍： 畍: **경계할 계**: 田-총9획: jiè

原文

畍： 境也. 从田介聲. 古拜切.

飜譯

'경계(境)'를 말한다. 전(田)이 의미부이고 개(介)가 소리부이다. 독음은 고(古)와 배(拜)의 반절이다.

9141

畖： 畖: **지경 강**: 田-총9획: gǎng

原文

畖： 境也. 一曰陌也. 趙魏謂陌爲畖. 从田亢聲. 古郞切.

飜譯

'경계(境)'를 말한다. 일설에는 '두렁(陌)'을 말한다고도 한다. 조(趙)와 위(魏) 지역에서는 두렁(陌)을 강(畖)이라고 한다. 전(田)이 의미부이고 항(亢)이 소리부이다. 독음은 고(古)와 랑(郞)의 반절이다.

9142

畷： 畷: **밭두둑 길 철·체**: 田-총13획: chuò

原文

畷： 兩陌閒道也, 廣六尺. 从田叕聲. 陟劣切.

飜譯

'두 두렁 사이로 난 길(兩陌閒道)'을 말하는데, 너비가 6자(尺)이다. 전(田)이 의미부이고 철(叕)이 소리부이다. 독음은 척(陟)과 렬(劣)의 반절이다.

9143

畛: 畛: 두렁길 진: 田-총10획: zhěn

原文

畛: 井田閒陌也. 从田㐱聲. 之忍切.

飜譯

'정전의 사이로 난 작은 두렁(井田閒陌)'을 말한다. 전(田)이 의미부이고 진(㐱)이 소리부이다. 독음은 지(之)와 인(忍)의 반절이다.

9144

畤: 畤: 재터 치: 田-총11획: zhì

原文

畤: 天地五帝所基址, 祭地. 从田寺聲. 右扶風有五畤. 好畤、鄜畤, 皆黃帝時祭. 或曰秦文公立也. 周市切.

飜譯

'천지와 오제께 제사를 드리기 위해 닦은 제단으로, 그런 제사 터(天地五帝所基址, 祭地)'를 말한다. 전(田)이 의미부이고 사(寺)가 소리부이다. 우부풍군(右扶風郡)에 다섯 개의 제사 터(五畤)가 있다.222) 호치(好畤)와 부치(鄜畤)는 황제(黃帝) 때부터 제사를 지내던 곳이다.223) 혹자는 진(秦) 문공(文公)이 세웠다고도 한다. 독음은 주(周)와 시(市)의 반절이다.

---

222) 오치(五畤)는 달리 옹오치(雍五畤)라고도 하는데 옹(雍) 땅에 설치되었던 다섯 곳의 제단을 말한다. 옹(雍)은 춘추전국시대 진(秦)나라의 도성이 있었던 옹성(雍城)의 부근을 말한다. 옹오치(雍五畤)라고 하면 보통 한 고조 유방(劉邦)이 북치(北畤)를 세운 다음 각기 청제(靑帝), 백제(白帝), 적제(赤帝), 황제(黃帝), 흑제(黑帝) 등 오방의 상징 신에게 제사를 드리던 장소인 밀치(密畤), 부치(鄜畤), 하치(下畤), 상치(上畤), 북치(北畤) 등을 일컫는다.

223) 호치(好畤)는 고대 현 이름으로, 진(秦)나라 때 설치되었으며, 지금의 섬서성 건현(乾縣) 동쪽에 있었다. 동한 때에 폐지되었으며, 진시황이 천신에게 제사지내던 곳으로 알려졌다. 부치

9145

㗋: 略: 다스릴 략: 田-총11획: lüè

原文

㗋: 經略土地也. 从田各聲. 烏約切.

飜譯

'토지의 경계를 구분지어 정하다(經略土地)'라는 뜻이다. 전(田)이 의미부이고 각(各)이 소리부이다.[224] 독음은 오(烏)와 약(約)의 반절이다.

9146

當: 當: 당할 당: 田-총13획: dāng

原文

當: 田相值也. 从田尚聲. 都郎切.

飜譯

'밭과 밭의 가치가 서로 대등하다(田相值)'라는 뜻이다. 전(田)이 의미부이고 상(尚)이 소리부이다.[225] 독음은 도(都)와 랑(郎)의 반절이다.

(鄜畤)는 한 고조 유방이 오치를 완성하기 전부터 있었던 사치의 하나로, 백제(白帝)에게 제사를 지내던 곳이다. 『단주』에 의하면 부(鄜)는 좌풍익군(左馮翊)에 속했지만 풍익(馮翊)이나 부풍(扶風)이나 모두 내사(內史)에 속하는 땅이었기 때문에 '우부풍의 오치(右扶風有五畤)'로 총칭하게 되었다고 했다.

224) 고문자에서 ꝏ 簡牘文 등으로 그렸다. 田(밭 전)이 의미부이고 各(각각 각)이 소리부로, 바로 남의 농경지(田)에 들어가서(各) 제 것인 양 측정하고 경영하는 행위를 말한다. 이때에는 침략자의 이해관계에 맞지 않는 것은 모조리 생략하고 대략으로 처리해 버리기 마련이다. 이로부터 侵略(침략)이라는 뜻 이외에도 省略(생략)의 뜻이 생겼다.

225) 고문자에서 ꝏ ꝏ金文 當 ꝏ古陶文 ꝏꝏ ꝏ 當 簡牘文 등으로 그렸다. 田(밭 전)이 의미부이고 尚(오히려 상)이 소리부로, 논밭(田)의 가격이 서로 비슷하다는 뜻에서 '상당하다'의 뜻이 나왔고, 논밭을 저당 잡히고 그에 상당하는 가격을 받음을 말했다. 이로부터 抵當(저당)이나 典當(전당)의 뜻까지 나왔다. 달리 噹으로 쓰기도 하고, 간화자에서는 초서체로 간략하게

9147

畯: 畯: 농부 준: 田-총12획: jùn

（原文）

畯: 農夫也. 从田夋聲. 子峻切.

（飜譯）

'농부(農夫) 즉 권농관'을 말한다.226) 전(田)이 의미부이고 준(夋)이 소리부이다.227) 독음은 자(子)와 준(峻)의 반절이다.

9148

甿: 甿: 백성 맹: 田-총8획: méng

（原文）

甿: 田民也. 从田亡聲. 武庚切.

（飜譯）

'들판의 백성(田民)'을 말한다. 전(田)이 의미부이고 망(亡)이 소리부이다. 독음은 무(武)와 경(庚)의 반절이다.

줄인 当으로 쓴다.

226) 『단주』에서 이렇게 말했다. 『이아·석언(釋言)』에서 준(畯)은 농부(農夫)를 말한다고 했는데, 농부(農夫)는 전관(田官)을 말한다. 『시·칠월(七月)』에서 '田畯至喜(권농관이 매우 기뻐하네)'라 하였는데, 『전(傳)』에서 준(畯)은 전대부(田大夫)를 말한다고 했다. 『주례·약장(籥章)』에서도 '以樂田畯(권농관을 즐겁게 해준다)'이라 했는데, 정현이 주석에서 전준(田畯)은 옛날 농사를 지도하던 관리(古之先教田者)를 말한다고 했다. 그리고 단옥재 자신도 전준(田畯)은 농사를 지도하던 관리(教田之官)를 말하는데 줄여서 전(田)이라 부르기도 했다고 했다.

227) 고문자에서 ❖❖❖甲骨文 ❖❖❖❖金文 등으로 그렸다. 田(밭 전)이 의미부고 夋(천천히 걷는 모양 준)이 소리부로, 농사를 관리하던 신이나 관리를 뜻했는데, 농사(田)를 관장하던 뛰어난(夋) 사람이라는 뜻을 반영했으며, 농부라는 뜻까지 나왔다.

9149

疄: 疄: 밭두둑 린: 田-총17획: lín

原文

疄: 轢田也. 从田粦聲. 良刃切.

飜譯

'수레바퀴가 농경지를 짓밟다(轢田)'라는 뜻이다. 전(田)이 의미부이고 린(粦)이 소리부이다. 독음은 량(良)과 인(刃)의 반절이다.

9150

畱: 畱(留·畱): 머무를 류: 田-총12획: liú

原文

畱: 止也. 从田丣聲. 力求切.

飜譯

'멈추게 하다(止)'라는 뜻이다. 전(田)이 의미부이고 류(丣)가 소리부이다.[228] 독음은 력(力)과 구(求)의 반절이다.

9151

畜: 畜: 쌓을 축: 田-총10획: chù

原文

畜: 田畜也. 『淮南子』曰: "玄田爲畜." 蓄, 『魯郊禮』畜从田从兹. 兹, 益也. 丑六切.

飜譯

'열심히 농사를 지어 축적하다(田畜)'라는 뜻이다. 『회남자』에서 "현(玄)자와 전(田)

---

228) 고문자에서 🐚 🍲金文 畱 畓 💫古陶文 畱 畱簡牘文 畱 古璽文 등으로 그렸다. 田 (밭 전)이 의미부이고 丣(넷째 지지 묘)가 소리부로, 전답(田)에 머물다는 뜻으로부터, 머물다, 남다, 마음속에 두다, 받아들이다, 물이 흐르다 등의 뜻이 나왔다.

자가 합쳐져 축(畜)자가 된다.”라고 하였다.229) 축(䆋)은 「노교례(魯郊禮)」에서 축(畜)인데, 전(田)이 의미부이고 자(茲)도 의미부이다. 자(茲)는 불어나다[益]는 뜻이다. 독음은 축(丑)과 륙(六)의 반절이다.

9152

疃: 疃: 마당 탄: 田-총17획: dàn

原文

疃: 禽獸所踐處也.『詩』曰: “町疃鹿場.” 从田童聲. 土短切.

譒譯

‘짐승들이 밟고 다니는 곳(禽獸所踐處)’을 말한다. 『시·빈풍·동산(東山)』에서 “사슴 놀이터엔 여기저기 사슴 발자국(町疃鹿場)”이라고 노래했다. 전(田)이 의미부이고 동(童)이 소리부이다. 독음은 토(土)와 단(短)의 반절이다.

9153

畼: 畼: 곡식나지 않을 창: 田-총14획: chàng

原文

畼: 不生也. 从田昜聲. 丑亮切.

譒譯

‘곡식이 자라지 않다(不生)’라는 뜻이다. 전(田)이 의미부이고 양(昜)이 소리부이다. 독음은 축(丑)과 량(亮)의 반절이다.

---

229) 고문자에서 🔹甲骨文 🔹🔹🔹金文 🔹🔹🔹🔹簡牘文 🔹🔹帛書 등으로 그렸다. 창자와 연이어진 胃(밥통 위)의 형상이었는데 자형이 변해 지금처럼 되었으며, 식품을 저장하여 쌓아둘 수 있음을 형상화했다. 이로부터 육류의 저장을 가능하게 해주는 가축의 사육이라는 의미로 확대되었으며, 그렇게 되자 원래의 ‘저장하다’는 의미는 다시 곡식(禾·화)을 더한 穦(쌓을 축)이나 풀(艹·초)을 더한 蓄(쌓을 축)으로 분화되었다.

제485부수
485 ■ 강(畕)부수

9154

畕: 畕: 나란히 있는 밭 강: 田-총10획: jiāng

原文

畕: 比田也. 从二田. 凡畕之屬皆从畕. 疆, 畺或从彊、土. 居良切.

飜譯

'나란히 늘어선 밭(比田)'을 말한다. 두 개의 전(田)으로 구성되었다. 강(畕)부수에 귀속된 글자들은 모두 강(畕)이 의미부이다. 강(疆)은 강(畺)의 혹체자인데, 강(彊)과 토(土)로 구성되었다.[230] 독음은 거(居)와 량(良)의 반절이다.

9155

畺: 畺: 지경 강: 田-총13획: jiāng

原文

畺: 界也. 从畕; 三, 其界畫也. 居良切.

飜譯

'경계(界)'를 말한다. 강(畕)이 의미부인데, 삼(三)은 그것들의 경계선을 말한다.[231]

---

230) 『단주』에서는 대서본(大徐本)에는 '闕(알 수 없어 비워둔다)'이 없지만 이는 틀렸다고 하면서, 보충되어야 한다고 주장했다. 소서본이나 『옥편』에서는 모두 '闕'이 들어가 있다고 했다.

231) 고문자에서 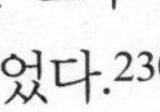甲骨文 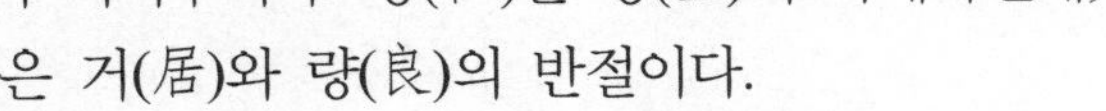金文 古陶文 簡牘文 등으로 그렸다. 원래 두 개의 田(밭 전)으로 구성되어, 밭(田)과 밭(田) 사이의 '경계'를 말했는데, 이후 길이를 뜻하는 가로획(一)이 더해져 지금의 畺이 되었다. 疆은 弓(활 궁)과 土(흙 토)가 의미부이고 畺(지경 강)이 소리부로, 토지(土)의 경계(畺)를 말한다. 원래는 田(밭 전)이 둘 모여 밭 사이의 경계를 말했으나, 이후 길이를 뜻하는 가로획이 더해져 畺(지

독음은 거(居)와 량(良)의 반절이다.

경 강)이 되었고, 다시 弓이 더해져 彊(굳셀 강)이 되었는데, 그것은 활(弓)이 당시 대표적 휴대품이었고 그것으로 땅의 길이를 쟀기 때문이다. 하지만, 이후 彊이 활(弓)의 시위처럼 '굳셈'을 뜻하게 되자 다시 土를 더해 疆(지경 강)으로 분화했다.

제486부수
486 ■ 황(黃)부수

9156

黃: 黃(黄), 누를 황: 黃-총12획: huáng

〔原文〕

黃: 地之色也. 从田从茨, 茨亦聲. 茨, 古文光. 凡黃之屬皆从黃. 灸, 古文黃.
乎光切.

〔飜譯〕

'땅의 색깔(地之色)'을 말한다. 전(田)이 의미부이고 광(茨)도 의미부인데, 광(茨)은
소리부도 겸한다. 광(茨)은 광(光)의 고문체이다.[232] 황(黃)부수에 귀속된 글자들은
모두 황(黃)이 의미부이다. 황(灸)은 황(黃)의 고문체이다. 독음은 호(乎)와 광(光)의
반절이다.

9157

黤: 黤: 적황색 혐: 黃-총19획: xiān

〔原文〕

黤: 赤黃也. 一曰輕易人黤姁也. 从黃夾聲. 許兼切.

---

232) 고문자에서 甲骨文 金文 古陶文 簡
牘文 帛書 등으로 그렸다. 갑골문에서 옥(玉·옥)을 실로 꿰어 매듭을 지은 자락이 두 갈래
아래쪽까지 늘어진 아름다운 장식 옥(佩玉·패옥)을 그렸는데, 자형이 변해 지금처럼 되었다.
장식 옥이 원래 뜻이고, 길상을 뜻하는 황색의 옥을 패옥으로 주로 썼고, 이 때문에 누르다는
뜻이 나왔고, 이후 황하 강을 지칭하기도 했다. 그러자 원래 뜻은 玉(옥 옥)을 더한 璜(서옥
황)을 만들어 분화했다. 간화자에서는 필획을 줄인 黄으로 쓴다.

（飜譯）

'적황색(赤黃)'을 말한다. 일설에는 '다른 사람을 무시하고 경멸하여 경박함(輕易人
鐬姁)'을 말한다고도 한다. 황(黃)이 의미부이고 협(夾)이 소리부이다. 독음은 허(許)
와 겸(兼)의 반절이다.

9158

鱶: 黵: 흑황색 단: 黃-총21획: tuān

（原文）

鱶: 黃黑色也. 从黃耑聲. 他耑切.

（飜譯）

'흑황색(黃黑色)'을 말한다. 황(黃)이 의미부이고 단(耑)이 소리부이다. 독음은 타(他)
와 단(耑)의 반절이다.

9159

鱑: 黮: 청황색 유: 黃-총18획: wěi

（原文）

鱑: 青黃色也. 从黃有聲. 呼皋切.

（飜譯）

'청황색(青黃色)'을 말한다. 황(黃)이 의미부이고 유(有)가 소리부이다. 독음은 호(呼)
와 죄(皋)의 반절이다.

9160

黇: 黇: 백황색 첨: 黃-총17획: tiān

（原文）

黇: 白黃色也. 从黃占聲. 他兼切.

翻譯

‘백황색(白黃色)’을 말한다. 황(黃)이 의미부이고 점(占)이 소리부이다. 독음은 타(他)
와 겸(兼)의 반절이다.

9161

黇: 黇: 샛노랄 규: 黃－총18획: xī

原文

黇: 鮮明黃也. 从黃圭聲. 戶圭切.

翻譯

‘샛노랑(鮮明黃)’을 말한다. 황(黃)이 의미부이고 규(圭)가 소리부이다. 독음은 호(戶)
와 규(圭)의 반절이다.

제
13
권

제487부수
487 ▪ 남(男)부수

9162

男: 男: 사내 **남**: 田-총7획: nán

원문(原文)

男: 丈夫也. 从田从力. 言男用力於田也. 凡男之屬皆从男. 那含切.

번역(翻譯)

'사내장부(丈夫)'를 말한다. 전(田)이 의미부이고 력(力)도 의미부이다. 밭(田)에서 힘(力)을 쓴다는 뜻이다.[233] 남(男)부수에 귀속된 글자들은 모두 남(男)이 의미부이다. 독음은 나(那)와 함(含)의 반절이다.

9163

舅: 舅: 시아비 **구**: 臼-총13획: jiù

원문(原文)

舅: 母之兄弟爲舅, 妻之父爲外舅. 从男臼聲. 其久切.

번역(翻譯)

'어머니의 형제(母之兄弟)를 구(舅)라 하고, 아내의 아버지(妻之父)를 외구(外舅)라 한다.' 남(男)이 의미부이고 구(臼)가 소리부이다.[234] 독음은 기(其)와 구(久)의 반절이다.

---

233) 고문자에서 甲骨文 金文 古陶文 簡牘文 石刻古文 등으로 그렸다. 田(밭 전)과 力(힘 력)으로 구성되어, 논밭에서 쟁기(力)를 부리는 남자를 말하는데, 밭(田)에 나가 쟁기(力)를 끄는 것은 전통적으로 남자(男)의 몫이었고, 그런 힘은 남성의 상징이었다. 男은 이후 남성의 존칭으로 쓰였으며, 고대 중국에서는 公(공)·侯(후)·伯(백)·子(자)와 함께 주요 지배 계급의 하나를 뜻하기도 했다. 달리 偶으로 쓰기도 한다.

9164

甥: 甥: 생질 생: 生-총12획: shēng

原文

甥: 謂我舅者, 吾謂之甥也. 从男生聲. 所更切.

飜譯

'나를 구(舅)라고 부르는 자에 대해 내가 그를 부를 때 생(甥)이라고 한다. 남(男)이 의미부이고 생(生)이 소리부이다.235) 독음은 소(所)와 경(更)의 반절이다.

---

234) 男(사내 남)이 의미부이고 臼(절구 구)가 소리부로, 어머니의 남자(男) 형제인 외삼촌을 말하며, 시아버지, 장인을 지칭하기도 하며, 처의 형제를 지칭하기도 한다. 또 옛날 천자가 姓(성)이 다른 제후를 부르는 호칭으로 사용되었다.

235) 男(사내 남)이 의미부고 生(날 생)이 소리부로, 낯선(生) 남자(男)의 아이라는 의미로, '자매의 자식', '외손', '사위' 등을 뜻한다. 옛날 모계사회에서는 아이를 어머니 집안에서 키웠고, 외사촌들과의 결혼도 가능했다. 그래서 舅(시아비 구)에 외삼촌과 장인의 뜻이, 甥에 조카와 사위의 뜻이 함께 담겨 있고, 조카(甥)는 모계의 처지에서 볼 때 바깥의 다른 남자(男)가 낳은 낯선(生) 존재였다.

제488부수
488 ■ 력(力)부수

9165

力: 力: 힘 **력**: 力-총2획: lì

原文

力: 筋也. 象人筋之形. 治功曰力, 能圉大災. 凡力之屬皆从力. 林直切.

譯

'힘줄(筋)[근육]'을 말한다. 사람의 힘줄 모습을 형상했다. 잘 다스려지게 한 큰 공도 력(力)이라 하는데, 큰 재앙도 막아낼 수 있다.236) 력(力)부수에 귀속된 글자들은 모두 력(力)이 의미부이다. 독음은 림(林)과 직(直)의 반절이다.

9166

勳: 勳: 공 **훈**: 力-총16획: xūn

原文

勳: 能成王功也. 从力熏聲. 勛, 古文勳从員. 許云切.

譯

'왕이 될 수 있도록 도운 큰 공(能成王功)'을 말한다. 력(力)이 의미부이고 훈(熏)이 소리부이다.237) 훈(勛)은 훈(勳)의 고문체인데, 원(員)으로 구성되었다. 독음은 허

---

236) 고문자에서 〔그림〕 甲骨文 〔그림〕 金文 〔그림〕 古陶文 〔그림〕 簡牘文 〔그림〕 古璽文 〔그림〕 石刻古文 등으로 그렸다. 갑골문에서 쟁기를 그렸다. 동물이 쟁기를 끌기 전 사람이 쟁기를 직접 끌었기에 '體力(체력)'이나 '힘'의 뜻이, 다시 능력이나 위력, 나아가 힘으로 제압한다는 의미까지 생겼다.

237) 力(힘 력)이 의미부고 熏(연기 낄 훈)이 소리부로, 힘써(力) 노력하여 세운 '공'을 말하며, 원래는 勛(공 훈)으로 쓰기도 했다.

(許)와 운(云)의 반절이다.

9167

功: 功: 공 공: 力-총5획: gōng

原文

功: 以勞定國也. 从力从工, 工亦聲. 古紅切.

飜譯

'온 힘을 다해 나라를 안정시키다(以勞定國)'라는 뜻이다. 력(力)이 의미부이고 공(工)도 의미부인데, 공(工)은 소리부도 겸한다.238) 독음은 고(古)와 홍(紅)의 반절이다.

9168

助: 助: 도울 조: 力-총7획: zhù

原文

助: 左也. 从力且聲. 牀倨切.

飜譯

'좌(左)와 같아 보좌하다'라는 뜻이다. 력(力)이 의미부이고 차(且)가 소리부이다.239) 독음은 상(牀)과 거(倨)의 반절이다.

---

238) 고문자에서 工金文 红簡牘文 匠石刻古文 등으로 그렸다. 力(힘 력)이 의미부이고 工(장인 공)이 소리부로, 온 힘(力)을 다해 돌 절굿공이(工)로 흙담을 쌓는 모습을 그렸다. 工(장인 공)은 중원지역에서 황토를 다져 성과 담을 쌓던 절굿공이를 그렸고, 그것이 가장 중요한 도구였기에 '도구'의 대표가 되었다. 그래서 功은 적으로부터 자신들을 지켜줄 울이나 성을 절굿공이(工)로 힘껏(力) 다져 만드는 모습이며, 이로부터 '일'이나 작업, 노력, 효과 등의 뜻이 생겼다. 이는 고대 사회에서 功이 전쟁에서 세운 공(戰功·전공)보다 토목 등 구성원의 안정된 생활을 위한 것이 더욱 근원적인 '공'이었음을 보여준다.

239) 고문자에서 助簡牘文 등으로 그렸다. 力(힘 력)이 의미부고 且(할아비 조·또 차)가 소리부로, 조상(且)의 힘(力)을 빌려 도움을 받는 것을 말하며, 이로부터 '돕다'의 뜻이 나왔다.

9169

勴: 勴: 마음으로 도울 려: 力-총25획: lǜ

原文

勴: 助也. 从力从非, 慮聲. 良倨切.

翻譯

'돕다(助)'라는 뜻이다. 력(力)이 의미부이고 비(非)도 의미부이고, 려(慮)가 소리부이다. 독음은 량(良)과 거(倨)의 반절이다.

9170

勑: 勑: 위로할 래: 力-총10획: chì

原文

勑: 勞也. 从力來聲. 洛代切.

翻譯

'위로하다(勞)'라는 뜻이다. 력(力)이 의미부이고 래(來)가 소리부이다. 독음은 락(洛)과 대(代)의 반절이다.

9171

劼: 劼: 삼갈 할·갈: 力-총8획: jié

原文

劼: 愼也. 从力吉聲.『周書』曰：“汝劼毖殷獻臣.” 巨乙切.

翻譯

'삼가다(愼)'라는 뜻이다. 력(力)이 의미부이고 길(吉)이 소리부이다.『서·주서(周書)·주고(酒誥)』에서 “너희들은 은나라의 어진 신하들에게 삼가고 또 삼가야 할 것이다(汝劼毖殷獻臣)”라고 했다. 독음은 거(巨)와 을(乙)의 반절이다.

9172

鶩: 務: 일 무: 力-총11획: wù

原文

鶩: 趣也. 从力孜聲. 亡遇切.

飜譯

'분주하게 뛰어다니다(趣)'라는 뜻이다. 력(力)이 의미부이고 무(孜)가 소리부이다.[240]
독음은 망(亡)과 우(遇)의 반절이다.

9173

鶩: 勥: 핍박할 강: 力-총13획: qiǎng

原文

鶩: 迫也. 从力强聲. 勥, 古文从彊. 巨良切.

飜譯

'핍박하다(迫)'라는 뜻이다. 력(力)이 의미부이고 강(强)이 소리부이다. 강(勥)은 고문
체인데, 강(彊)으로 구성되었다. 독음은 거(巨)와 량(良)의 반절이다.

9174

勵: 勱: 힘쓸 매: 力-총15획: mài

原文

---

240) 고문자에서 ![金文] 金文 ![簡牘文] 簡牘文 등으로 그렸다. 力(힘 력)이 의미부고 孜(굳셀 무)가 소
리부로, 力은 쟁기를 그려 힘을 뜻하고 孜는 다시 矛(창 모)와 攵(칠 복)으로 구성되었다. 그
래서 孜는 창(矛)으로 찌르는(攵) 모습에서부터 '강하다', '힘쓰다'의 뜻이 나왔다. 그리고 이
후 의미를 명확하게 하고자 力이 더해졌으며, 있는 힘(力)을 다해 창(矛)을 찌르는(攵) 모습을
그린 것이 務이다. 그러한 일은 적으로부터 자신들을 지켜내고 보존할 수 있는 가장 중요한
일의 하나였을 것이다. 그리하여 務에는 '일'이라는 의미까지 생겼다. 간화자에서는 矛를 생략
하여 务로 쓴다.

勱: 勉力也. 『周書』曰: "用勱相我邦家." 讀若萬. 从力萬聲. 莫話切.

飜譯

'노력하다(勉力)'라는 뜻이다. 『서·주서(周書)·입정(立政)』에서 "오직 훌륭한 사람만을 쓰시어 우리나라를 돕도록 하십시오(用勱相我邦家)"라고 했다. 만(萬)과 같이 읽는다. 력(力)이 의미부이고 만(萬)이 소리부이다. 독음은 막(莫)과 화(話)의 반절이다.

9175

勵: 劂: 핍박할 궐: 力-총14획: jué

原文

劂: 勥也. 从力厥聲. 瞿月切.

飜譯

'강하다(勥)'라는 뜻이다. 력(力)이 의미부이고 궐(厥)이 소리부이다. 독음은 구(瞿)와 월(月)의 반절이다.

9176

勍: 勍: 셀 경: 力-총10획: qíng

原文

勍: 彊也. 『春秋傳』曰: "勍敵之人." 从力京聲. 渠京切.

飜譯

'강하다(彊)'라는 뜻이다. 『춘추전』(『좌전』 희공 22년, B.C. 638)에서 "강력한 적(勍敵之人)"이라고 했다. 력(力)이 의미부이고 경(京)이 소리부이다. 독음은 거(渠)와 경(京)의 반절이다.

9177

勁: 勁: 굳셀 경: 力-총9획: jìng

原文

: 彊也. 从力巠聲. 吉正切.

飜譯

‘강하다(彊)’라는 뜻이다. 력(力)이 의미부이고 경(巠)이 소리부이다. 독음은 길(吉)과 정(正)의 반절이다.

9178

: 勉: **힘쓸 면**: 力-**총9획**: **miǎn**

原文

: 彊也. 从力免聲. 亡辨切.

飜譯

‘강하다(彊)’라는 뜻이다. 력(力)이 의미부이고 면(免)이 소리부이다.[241] 독음은 망(亡)과 변(辨)의 반절이다.

9179

: 劭: **힘쓸 소**: 力-**총7획**: **shào**

原文

: 勉也. 从力召聲. 讀若舜樂韶. 寔照切.

飜譯

‘힘쓰다(勉)’라는 뜻이다. 력(力)이 의미부이고 소(召)가 소리부이다. 순(舜) 임금 때의 음악인 ‘소(韶)’와 같이 읽는다. 독음은 식(寔)과 조(照)의 반절이다.

241) 고문자에서 簡牘文 등으로 그렸다. 力(힘 력)이 의미부고 免(면할 면)이 소리부로, 힘껏(力) 노력하다는 뜻이며, 이로부터 勉勵(면려)하다, 격려하다의 뜻이 나왔다.

9180

勖: 勖: 힘쓸 욱: 力-총11획: xù

原文

勖: 勉也. 『周書』曰: "勖哉, 夫子!" 从力冒聲. 許玉切.

譯

'힘쓰다(勉)'라는 뜻이다. 『서·주서(周書)·목서(牧誓)』에서 "힘 써 주시오! 장사들이
여!(勖哉, 夫子!)"라고 했다. 력(力)이 의미부이고 모(冒)가 소리부이다. 독음은 허
(許)와 옥(玉)의 반절이다.

9181

勸: 勸: 권할 권: 力-총20획: quàn

原文

勸: 勉也. 从力雚聲. 去願切.

譯

'권면하다(勉)'라는 뜻이다. 력(力)이 의미부이고 관(雚)이 소리부이다.242) 독음은 거
(去)와 원(願)의 반절이다.

9182

勝: 勝: 이길 승: 力-총12획: shēng

原文

勝: 任也. 从力朕聲. 識蒸切.

---

242) 고문자에서 簡牘文 등으로 그렸다. 力(힘 력)이 의미부이고 雚(황새 관)이 소리부로, 힘
(力)으로 강권하다, 설득하다는 뜻이며, 이로부터 권하다, 권력의 뜻이 나왔다. 달리 勧이나 勸
으로 쓰기도 하며, 간화자에서는 소리부인 雚을 간단한 부호 又(또 우)로 바꾼 劝으로 쓴다.

飜譯

'맡다(任)'라는 뜻이다. 력(力)이 의미부이고 짐(朕)이 소리부이다.243) 독음은 식(識)과 증(蒸)의 반절이다.

9183

勶: 勶: 쓸 철: 力-총16획: chè

原文

勶: 發也. 从力从徹, 徹亦聲. 丑列切.

飜譯

'발사하다(發)'라는 뜻이다. 력(力)이 의미부이고 철(徹)도 의미부인데, 철(徹)은 소리부도 겸한다. 독음은 축(丑)과 렬(列)의 반절이다.

9184

勠: 勠: 협력할 류: 力-총13획: lù

原文

勠: 并力也. 从力翏聲. 力竹切.

飜譯

'힘을 합하다(并力)'라는 뜻이다. 력(力)이 의미부이고 료(翏)가 소리부이다. 독음은 력(力)과 죽(竹)의 반절이다.

9185

勷: 勷: 느슨할 양: 力-총14획: xiàng

---

243) 고문자에서 ▓▓簡牘文 등으로 그렸다. 力(힘 력)이 의미부고 朕(나 짐)이 소리부로, '내(朕)'가 스스로 맡은 바 일을 감당해 낼 수 있는 능력(力)을 말하며, 이로부터 견디다, 이기다, 격파하다, '…보다 낫다', 아름답다 등의 뜻이 나왔다. 간화자에서는 '비린내 나는 생고기'라는 뜻의 胜(비릴 성)에 통합되었다.

原文

勳: 繇緩也. 从力象聲. 余兩切.

譯譯

'부역을 느슨하게 해 주다(繇緩)'라는 뜻이다. 력(力)이 의미부이고 상(象)이 소리부이다. 독음은 여(余)와 량(兩)의 반절이다.

9186

勭: 動: 움직일 동: 力-총11획: dòng

原文

勭: 作也. 从力重聲. 㣫, 古文動从辵. 徒總切.

譯譯

'행동을 하다(作)'라는 뜻이다. 력(力)이 의미부이고 중(重)이 소리부이다.244) 동(㣫)은 동(動)의 고문체인데, 착(辵)으로 구성되었다. 독음은 도(徒)와 총(總)의 반절이다.

9187

勵: 勵: 밀 뢰·힘쓸 류: 力-총17획: léi, lèi

原文

---

244) 고문자에서 ▮金文 ▮簡牘文 등으로 그렸다. 力(힘 력)이 의미부이고 重(무거울 중)이 소리부로, 힘든 일(重)을 힘껏(力) 하다는 뜻으로부터 '움직이다'는 뜻이 나왔다. 重은 童(아이동)과 같은 字源(자원)을 가져, 문신용 칼(辛·신)과 눈(目·목)과 土(흙 토)가 의미부이고 東(동녘 동)이 소리부인 구조이다. 죄를 짓거나 전쟁에 패해 노예가 된 남자 종을 童이라 했듯, 重도 눈을 자해 당한 남자 종이 힘든 일을 하는 모습을 형상화했으며, 이로부터 '過重(과중)하다'는 뜻이 생겼다. 이런 연유로 童과 重은 鍾이나 鐘(종 종)에서처럼 지금도 종종 같이 쓰인다. 이후 重은 動作(동작)을 강조하기 위해 辵(쉬엄쉬엄 갈 착)이나 力이 더해졌으나, 결국에는 고된 일이나 强制(강제)함을 뜻하는 力이 대표로 채택되어 지금의 動이 되었다. 따라서 動은 '고된 일을 강제하다'가 원래 뜻이며, '움직이다'는 뜻이 나왔다. 간화자에서는 소리부인 重을 云(이를 운)으로 줄인 动으로 쓴다.

𥽄: 推也. 从力畾聲. 盧對切.

飜譯

'밀치다(推)'라는 뜻이다. 력(力)이 의미부이고 뢰(畾)가 소리부이다. 독음은 로(盧)와 대(對)의 반절이다.

9188

劣: 못할 렬: 力-총6획: liè

原文

劣: 弱也. 从力少聲. 力輟切.

飜譯

'약하다(弱)'라는 뜻이다. 력(力)이 의미부이고 소(少)가 소리부이다.245)246) 독음은 력(力)과 철(輟)의 반절이다.

9189

勞: 일할 로: 力-총12획: láo

原文

勞: 劇也. 从力, 熒省. 熒, 火燒冂, 用力者勞. 𢤱, 古文勞从悉. 魯刀切.

飜譯

'심하게 일하다(劇)'라는 뜻이다. 력(力)이 의미부이고, 형(熒)의 생략된 모습도 의미부인데, 형(熒)은 집이 불에 타 있는 힘을 다해 불을 끄다(火燒冂, 用力者勞)는 뜻이다.247) 로(𢤱)는 로(勞)의 고문체인데, 실(悉)로 구성되었다. 독음은 로(魯)와 도(刀)

---

245) 청나라 때의 진창치(陳昌治) 판본에서만 성(聲)이 있고 다른 판본에는 없다. 따라서 성(聲)은 없어야 한다. 그렇게 되면 "력(力)과 소(少)가 모두 의미부이다"가 되어야 한다.
246) 少(적을 소)와 力(힘 력)으로 구성되어, 힘(力)이 적어(少) 남보다 못하고 남에게 뒤지는 劣等(열등)함을 말하며, 이로부터 나쁘다는 뜻도 나왔다.
247) 고문자에서 𤇾(金文) 𤇾(簡牘文) 등으로 그렸다. 力(힘 력)이 의미부이고 熒(등불 형)

의 반절이다.

9190

勮: 勮: 힘쓸 거: 力-총15획: jù

原文

勮: 務也. 从力豦聲. 其據切.

繙譯

'힘쓰다(務)'라는 뜻이다. 력(力)이 의미부이고 거(豦)가 소리부이다. 독음은 기(其)와 거(據)의 반절이다.

9191

勊: 勊: 이길 극: 力-총9획: kè

原文

勊: 尤極也. 从力克聲. 苦得切.

繙譯

'있는 힘을 다하다(尤極)'라는 뜻이다. 력(力)이 의미부이고 극(克)이 소리부이다. 독음은 고(苦)와 득(得)의 반절이다.

9192

勩: 勩: 수고로울 예: 力-총14획: yì

의 생략된 모습이 소리부인데, 금문에서는 두 개의 火(불 화)와 衣(옷 의)로 구성되었다. 火는 등불을 뜻하고 衣는 사람을 의미하여, 불을 밝혀 밤새워 일하는 모습을 형상화했다. 금문에서는 衣 대신 心(마음 심)이 더해지기도 했지만, 소전체로 들면서 지금처럼 力으로 고정되었다. 이는 세월이 지나면서 힘든 일로 고생스런 정신적(心) 노동보다 육체적(力) 노동이 勞動(노동)의 대표가 되었음을 보여준다. 간화자에서는 윗부분을 간단하게 줄여 劳로 쓴다.

原文

勩: 勞也.『詩』曰：“莫知我勩.”从力貰聲. 余制切.

飜譯

‘수고하다(勞)’라는 뜻이다.『시·소아·우무정(雨無正)』에서 “우리의 괴로움은 아랑곳도 하지 않네(莫知我勩)”라고 노래했다. 력(力)이 의미부이고 세(貰)가 소리부이다. 독음은 여(余)와 제(制)의 반절이다.

9193

勦: 勦: 노곤할 초: 力-총13획: chāo

原文

勦: 勞也.『春秋傳』曰：“安用勦民?”从力巢聲. 小子切.

飜譯

‘수고하다(勞)’라는 뜻이다.『춘추전』(『좌전』 선공 12년, B.C. 597: 소공 9년, B.C. 533)에서 “어떻게 백성들을 수고롭게 하겠는가?(安用勦民?)”라고 했다. 력(力)이 의미부이고 소(巢)가 소리부이다. 독음은 소(小)와 자(子)의 반절이다.

9194

券: 券: 수고로울 권: 力-총8획: juàn

原文

券: 勞也. 从力, 卷省聲. 渠卷切.

飜譯

‘수고하다(勞)’라는 뜻이다. 력(力)이 의미부이고, 권(卷)의 생략된 모습이 소리부이다. 독음은 거(渠)와 권(卷)의 반절이다.

9195

勤: 勤: 부지런할 근: 力-총13획: qín

原文

勤: 勞也. 从力堇聲. 巨巾切.

飜譯

'수고하다(勞)'라는 뜻이다. 력(力)이 의미부이고 근(堇)이 소리부이다.[248] 독음은 거(巨)와 건(巾)의 반절이다.

9196

加: 加: 더할 가: 力-총5획: jiā

原文

加: 語相增加也. 从力从口. 古牙切.

飜譯

'말을 보태 상대를 무고하다(語相增加)'라는 뜻이다.[249] 력(力)이 의미부이고 구(口)도 의미부이다.[250] 독음은 고(古)와 아(牙)의 반절이다.

---

248) 고문자에서 堇 勤金文 堇簡牘文 勤石刻古文 등으로 그렸다. 力(힘 력)이 의미부이고 堇(노란 진흙 근)이 소리부로, 정성스레(堇) 온 힘(力)을 다해 부지런히 일함을 말하며, 사력을 다하다, 정성을 다하다, 힘들다 등의 뜻이 나왔다.

249) 『단주』에서 이렇게 말했다. 각 판본에서는 증(增)으로 적었는데, 증(譖)으로 고쳐 '語相譖加也'으로 바로 잡는다고 했다. 그리고 이렇게 말했다. "증(增)은 더하다(益)는 뜻인데, 가(加)의 의미와 맞아 떨어지지 않는다. 증(譖)자의 설명에서 더하다는 뜻이다(加也)라고 했고, 무(誣)자의 설명에서 더하다는 뜻이다(加也)라고 했다. 그렇다면 이들은 말로 서로 더하다는 뜻이다(語相譖加也). 증(譖)과 무(誣)와 가(加) 세 글자가 같은 뜻임을 알 수 있다. 사람을 무고하는 것을 증(譖)이라 하며, 달리 가(加)라고도 한다. 그래서 가(加)가 ('억지로'라는 뜻의) 력(力)을 의미부로 삼는 것이다." 여기서는 단옥재의 해설을 따랐다.

250) 고문자에서 加金文 加簡牘文 加古璽文 등으로 그렸다. 力(힘 력)과 口(입 구)로 구성되어, 말이 늘어나다가 원래 뜻이다. 힘(力)이 들어간 말(口)은 '誇張(과장)'되기 마련이고, 이로부터 없던 것을 '더하다'는 뜻이 생겼다.

9197

豪: 勢: 굳셀 호: 力-총13획: háo

原文

豪: 健也. 从力敖聲. 讀若豪. 五牢切.

飜譯

'건장하다(健)'라는 뜻이다. 력(力)이 의미부이고 오(敖)가 소리부이다. 호(豪)와 같이 읽는다. 독음은 오(五)와 뢰(牢)의 반절이다.

9198

勇: 勇: 날쌜 용: 力-총9획: yǒng

原文

勇: 气也. 从力甬聲. 勇, 勇或从戈、用. 恿, 古文勇从心. 余隴切.

飜譯

'기개가 있다(气)'라는 뜻이다. 력(力)이 의미부이고 용(甬)이 소리부이다.251) 용(勇)은 용(勇)의 혹체자인데, 과(戈)와 용(用)으로 구성되었다. 용(恿)은 용(勇)의 고문체인데, 심(心)으로 구성되었다. 독음은 여(余)와 롱(隴)의 반절이다.

9199

勃: 勃: 우쩍 일어날 발: 力-총9획: bó

原文

勃: 排也. 从力孛聲. 薄没切.

---

251) 고문자에서 ﹄ ﹄﹄金文 戰簡牘文 등으로 그렸다. 力(힘 력)이 의미부고 甬(길 용)이 소리부로, 勇敢(용감)하다는 뜻인데, 무거운 청동 종(甬)을 들 수 있는 힘(力)은 용기(勇·용)의 상징이었다. 이후 용감한 병사는 물론 사병, 과감하다, 결단력 있다는 뜻도 나왔다.

譯

'밀쳐내다(排)'라는 뜻이다. 력(力)이 의미부이고 패(孛)가 소리부이다.252) 독음은 박(薄)과 몰(沒)의 반절이다.

9200

勳: 勳: 으를 표: 力-총13획: piào

原文

勳: 劫也. 从力票聲. 匹眇切.

譯

'겁박하다(劫)[으르다]'라는 뜻이다. 력(力)이 의미부이고 표(票)가 소리부이다. 독음은 필(匹)과 묘(眇)의 반절이다.

9201

劫: 劫: 위협할 겁: 力-총7획: jié

原文

劫: 人欲去, 以力脅止曰劫. 或曰以力止去曰劫. 居怯切.

譯

'사람이 떠나려 하는데, 힘으로 가지 못하도록 협박하는 것(人欲去, 以力脅止.)을 겁(劫)이라 한다.' 혹자는 '힘으로 떠나가는 것을 제지하는 것(以力止去)'을 겁(劫)이라 하기도 한다. 독음은 거(居)와 겁(怯)의 반절이다.

9202

飭: 飭: 신칙할 칙: 食-총13획: chì

---

252) 力(힘 력)이 의미부고 孛(살별 패)가 소리부로, 풀이 무성한(孛) 것처럼 힘(力)이 강함을 말하며, 勃興(발흥)에서처럼 기운이 왕성함을 말하게 되었다.

原文

飿 : 致堅也. 从人从力, 食聲. 讀若敕. 恥力切.

飜譯

'견실하게 하다(致堅)'라는 뜻이다. 인(人)이 의미부이고, 력(力)도 의미부이며, 식(食)이 소리부이다. 칙(敕)과 같이 읽는다. 독음은 치(恥)와 력(力)의 반절이다.

9203

勀 : 劾: 캐물을 핵: 力-총8획: hé

原文

勀 : 法有辠也. 从力亥聲. 胡槩切.

飜譯

'법률에 따라 죄명을 씌우다(法有辠)'라는 뜻이다. 력(力)이 의미부이고 해(亥)가 소리부이다. 독음은 호(胡)와 개(槩)의 반절이다.

9204

募 : 募: 모을 모: 力-총13획: mù

原文

募 : 廣求也. 从力莫聲. 莫故切.

飜譯

'널리 구하다(廣求)'라는 뜻이다. 력(力)이 의미부이고 막(莫)이 소리부이다. 독음은 막(莫)과 고(故)의 반절이다.

9205

劬 : 劬: 수고로울 구: 力-총7획: qú

原文

呴 : 勞也. 从力句聲. 其俱切.

飜譯

'수고하다(勞)'라는 뜻이다. 력(力)이 의미부이고 구(句)가 소리부이다. 독음은 기(其)와 구(俱)의 반절이다. [신부]

9206

勶 : 勢: 기세 세: 力-총13획: shì

原文

勶 : 盛力權也. 从力埶聲. 經典通用埶. 舒制切.

飜譯

'권력이 가득하다(盛力權)'라는 뜻이다. 력(力)이 의미부이고 예(埶)가 소리부이다. 경전에서는 예(埶)와 통용된다.253) 독음은 서(舒)와 제(制)의 반절이다. [신부]

9207

勘 : 勘: 헤아릴 감: 力-총11획: kān

原文

勘 : 校也. 从力甚聲. 苦紺切.

飜譯

'비교하다(校)'라는 뜻이다. 력(力)이 의미부이고 심(甚)이 소리부이다.254) 독음은 고

---

253) 고문자에서 𦥙 簡牘文 등으로 그렸다. 力(힘 력)이 의미부고 埶(심을 예)가 소리부인데, 埶는 사람이 꿇어앉아(丮·극) 나무(木·목)나 풀(屮·철)을 흙(土·토)에 심는 모습을 그렸다. 권력(力)이나 권세, 위력을 말하며, 이후 사물의 형세나 정세, 상태, 모양의 뜻이 나왔으며, 남자의 생식기를 지칭하기도 하였다. 간화자에서는 埶를 执(執의 간화자)으로 줄인 势로 쓴다.

254) 力(힘 력)이 의미부이고 甚(심할 심)이 소리부로, 있는 힘(力)을 다해 살피고 관찰하는 것을 말했는데, 勘當(감당)에서처럼 힘(力)이 강해(甚) '견딜 수 있다'는 뜻도 생겼다.

(苦)와 감(紺)의 반절이다. [신부]

9208

辦: 辦: 힘쓸 판: 辛-총16획: bàn

原文

辦: 致力也. 从力辡聲. 蒲莧切.

譯

'힘을 다하다(致力)'라는 뜻이다. 력(力)이 의미부이고 변(辡)이 소리부이다.255) 독음
은 포(蒲)와 현(莧)의 반절이다. [신부]

제 13 권

---

255) 力(힘 력)이 의미부고 辡(따질 변)이 소리부로, 힘써(力) 노력해 다스림을 말하는데, 辡은 진
실을 주장하는 죄인들을 옳고 그른 '두 쪽으로 나누다'는 뜻이다. 이로부터 일을 이루다, 징계
하다, 어떤 일을 거행하다 등의 뜻이 나왔다. 간화자에서는 초서체로 간단히 줄인 办으로 쓴다.

제489부수
489 ▪ 협(劦)부수

9209

劦: 劦: 힘 합할 협: 力-총6획: xié

原文

劦: 同力也. 从三力.『山海經』曰："惟號之山, 其風若劦." 凡劦之屬皆从劦. 胡頰切.

飜譯

'힘을 합하다(同力)'라는 뜻이다. 세 개의 력(力)으로 구성되었다.『산해경·북산경(北山經)』에서 "유호산이 있는데, 그곳의 바람은 마치 여럿의 힘을 한데 모은 듯 불어온다(惟號之山, 其風若劦.)"라고 했다.256) 협(劦)부수에 귀속된 글자들은 모두 협(劦)이 의미부이다. 독음은 호(胡)와 협(頰)의 반절이다.

9210

恊: 恊: 맞을 협: 心-총9획: xié

原文

恊: 同心之和. 从劦从心. 胡頰切.

---

256)『단주』에서 이렇게 말했다. "『산해경·북산경(北山經)』에서 '모봉산은 북쪽으로 계호산을 바라보고 있는데, 그곳의 바람은 마치 폭풍처럼 강하다.(母逢之山, 北望雞號之山, 其風如颸.)라고 했는데, 곽박의 주석에서는 협(颸)은 바람이 세게 부는 모양을 말한다(急風皃也)며, 독음은 루(戾)인데, 혹자는 회오리 바람을 말한다(飄風也)고도 한다고 했다. 곽박이 근거한 판본과 허신이 근거한 책이 서로 다르다.「곽강부(郭江賦)」에서는 협(颸)자를 썼다. 허신의 의도는 그것의 바람이 힘을 한데 모아서 불어오는 것 같다(其風如幷力而起也)는 것을 표현하고자 했던 것일 것이다."

飜譯

'한 마음으로 화합하다(同心之和)'라는 뜻이다. 협(劦)이 의미부이고 심(心)도 의미부
이다. 독음은 호(胡)와 협(頰)의 반절이다.

9211

勰: 勰: 뜻 맞을 **협**: 心-총18획: xié

原文

勰: 同思之和. 从劦从思. 胡頰切.

飜譯

'같은 생각으로 화합하다(同思之和)'라는 뜻이다. 협(劦)이 의미부이고 사(思)도 의미
부이다. 독음은 호(胡)와 협(頰)의 반절이다.

9212

協: 協: 맞을 **협**: 十-총8획: xié

原文

協: 衆之同和也. 从劦从十. 旪, 古文協从日、十. 旪, 或从口. 胡頰切.

飜譯

'여러 사람이 힘을 모아 화합하다(衆之同和)'라는 뜻이다. 협(劦)이 의미부이고 십
(十)도 의미부이다.[257] 협(旪)은 협(協)의 고문체인데, 일(日)과 십(十)으로 구성되었
다. 협(旪)은 혹체자인데, 구(口)로 구성되었다. 독음은 호(胡)와 협(頰)의 반절이다.

---

257) 고문자에서 ![甲骨文] 등으로 그렸다. 十(열 십)이 의미부고 劦(힘 합할 협)이 소리
부로, 旪(화합할 협)과 같은 글자이며, 여럿이(十) 함께 쟁기질(力·력)을 하면서 '화합함'을 말
하며, 이로부터 協力(협력)하다, 연합하다, 힘을 모으다, 協助(협조)하다, 協議(협의)하다 등의
뜻이 나왔다. 간화자에서는 劦을 办으로 줄여 协으로 쓴다.

완역 설문해자

제14권
(상)

> 제490부수
>
> 490 ▪ 금(金)부수

9213

金 : 金: 성 김·쇠 금: 金-총8획: jīn

原文

金 : 五色金也. 黃爲之長. 久薶不生衣, 百鍊不輕, 从革不違. 西方之行. 生於土, 从土; 左右注, 象金在土中形; 今聲. 凡金之屬皆从金. 金, 古文金. 居音切.

翻譯

'[백색, 청색, 적색, 흑색, 황색의] 다섯 가지 색을 내는 금속의 총칭이다(五色金).' 황색을 내는 것이 그 중에서 최고이다. 오랫동안 땅속에 묻혀 있어도 녹이 슬지 않고, 수백 번 제련해도 가벼워지지 않으며, 사람의 뜻에 순종하고 변형시켜 기물을 만든다. [오행 중에서] 서방을 대표하는 물질이다. 흙(土)에서 생겨나기 때문에 토(土)로 구성되었다. [토(土)의] 왼쪽과 오른쪽에 있는 두 필획은 금(金)이 흙(土)속에 있는 모습을 형상화 했다. 금(今)이 소리부이다.[1] 금(金)부수에 귀속된 글자들은 모두 금(金)이 의미부이다. 금(金)은 금(金)의 고문체이다. 독음은 거(居)와 음(音)의 반절이다.

---

1) 고문자에서 金文 古陶文 簡牘文 古璽文 石刻古文 등으로 그렸다. 금문에서 청동 기물을 제조하는 거푸집을 그렸는데, 거푸집 옆의 두 점(冫·빙, 氷의 원래 글자)은 청동의 재료인 원석을 상징한다. 이는 얼음(冫)이 녹아 물이 되듯 동석을 녹여 거푸집에 붓고 이를 굳혀 청동 기물을 만들어 낸다는 뜻이다. 소전체에 들면서 두 점이 거푸집 안으로 들어가 지금의 자형이 되었다. 세계의 그 어떤 지역보다 화려한 청동기 문명을 꽃피웠던 중국이었기에 청동 거푸집을 그린 金이 모든 '금속'을 대표하게 되었고, 청동보다 강한 철이 등장했을 때에도 '쇠'의 통칭으로, 나아가 가장 값비싼 금속으로, 黃金(황금)과 現金(현금)에서처럼 '돈'까지 뜻하게 되었다.

9214

銀: 銀: 은 은: 金-총14획: yín

原文

銀: 白金也. 从金艮聲. 語巾切.

翻譯

'흰 금속, 즉 은(白金)'을 말한다. 금(金)이 의미부이고 간(艮)이 소리부이다.[2] 독음은
어(語)와 건(巾)의 반절이다.

9215

鐐: 鐐: 은 료: 金-총20획: liáo

原文

鐐: 白金也. 从金寮聲. 洛蕭切.

翻譯

'흰 금속, 즉 은(白金)'을 말한다. 금(金)이 의미부이고 료(寮)가 소리부이다. 독음은
락(洛)과 소(蕭)의 반절이다.

9216

鋈: 鋈: 도금 옥: 金-총15획: wù

原文

鋈: 白金也. 从金, 沃省聲. 烏酷切.

翻譯

'흰 금속, 즉 은(白金)'을 말한다. 금(金)이 의미부이고, 옥(沃)의 생략된 부분이 소리

---

2) 金(쇠 금)이 의미부고 艮(어긋날 간)이 소리부로, 쇠(金)의 일반적인 속성인 단단함과 반대되는
   (艮) 속성을 가진 '은'을 말하는데, 銀은 금속(金) 중에서 물러 가장 잘 구부러지는 금속의 하
   나이기 때문이다. 이후 은으로 만든 화폐, 은색 등을 지칭하게 되었다.

부이다. 독음은 오(烏)와 혹(酷)의 반절이다.

9217

鉛: 鉛: 납 연: 金-총13획: qiān

原文

鉛: 靑金也. 从金㕣聲. 與專切.

譯

'푸른색의 금속, 즉 납(靑金)'을 말한다. 금(金)이 의미부이고 연(㕣)이 소리부이다.[3]
독음은 여(與)와 전(專)의 반절이다.

9218

錫: 錫: 주석 석: 金-총16획: xī

原文

錫: 銀鉛之閒也. 从金易聲. 先擊切.

譯

'은과 납의 중간 금속, 즉 주석(銀鉛之閒)'을 말한다. 금(金)이 의미부이고 역(易)이
소리부이다.[4] 독음은 선(先)과 격(擊)의 반절이다.

9219

鈏: 鈏: 주석 인: 金-총12획: yǐn

---

3) 金(쇠 금)이 의미부고 㕣(산 속의 늪 연)이 소리부로, 금속(金)의 일종인 납(Pb)을 말한다. 이
   후 黑鉛(흑연)도 지칭하였고, 흑연으로 만든 鉛筆(연필)이라는 뜻도 나왔다. 납의 무른 속성
   때문에 '무르다'의 뜻도 나왔다. 달리 鈆으로도 쓴다.
4) 金(쇠 금)이 의미부고 易(바꿀 역·쉬울 이)가 소리부로, 금속(金) 원소의 하나인 주석(Sn)을 말
   하는데, 청동(金)을 만들 때 넣어 단단한 성질로 바꾸어주는(易) 역할을 했던 금속임을 반영했
   다. 또 賜(줄 사)와 같이 써 주다, 하사하다, 공급하다는 뜻으로도 쓰인다.

原文

鈏: 錫也. 从金引聲. 羊晉切.

飜譯

'주석(錫)'을 말한다. 금(金)이 의미부이고 인(引)이 소리부이다. 독음은 양(羊)과 진(晉)의 반절이다.

9220

銅: 銅: 구리 동: 金-총14획: tóng

原文

銅: 赤金也. 从金同聲. 徒紅切.

飜譯

'붉은색의 금속 즉 구리(赤金)'를 말한다. 금(金)이 의미부이고 동(同)이 소리부이다.5) 독음은 도(徒)와 홍(紅)의 반절이다.

9221

鏈: 鏈: 쇠사슬 련: 金-총19획: lián

原文

鏈: 銅屬. 从金連聲. 力延切.

飜譯

'구리의 일종(銅屬)'이다.6) 금(金)이 의미부이고 련(連)이 소리부이다. 독음은 력(力)과 연(延)의 반절이다.

---

5) 金(쇠 금)이 의미부이고 同(한 가지 동)이 소리부로, 금속(金)의 일종인 구리(Cu)를 말하며, 구리로 만든 기물이나 단단함의 비유로도 쓰였다.
6) 『단주』에서 "응소(應劭)가 이르길 련(鏈)은 구리(銅)와 비슷한 것이라고 하여 허신의 해설과 합치된다."라고 했다.

9222

鐵: 鐵: 쇠 철: 金-총21획: tiě

原文

鐵: 黑金也. 从金𢧜聲. 鐵, 鐵或省. 銕, 古文鐵从夷. 天結切.

飜譯

'검은 색의 금속 즉 철(黑金)'을 말한다. 금(金)이 의미부이고 철(𢧜)이 소리부이다.[7]
철(鐵)은 철(鐵)의 혹체자인데, 생략된 모습이다. 철(銕)은 철(鐵)의 고문체인데, 이
(夷)로 구성되었다. 독음은 천(天)과 결(結)의 반절이다.

9223

鍇: 鍇: 쇠 개: 金-총17획: jiē, jiě

原文

鍇: 九江謂鐵曰鍇. 从金皆聲. 苦駭切.

飜譯

'구강(九江) 지역에서는 철(鐵)을 개(鍇)라고 부른다.' 금(金)이 의미부이고 개(皆)가
소리부이다. 독음은 고(苦)와 해(駭)의 반절이다.

9224

銚: 銚: 고삐의 구리 장식 조: 金-총15획: tiáo

原文

---

7) 고문자에서 𨨏 𨨏 簡牘文 등으로 그렸다. 金(쇠 금)이 의미부이고 𢧜(날카로울 질)이 소리부
로, 쇠를 말한다. 원래는 𢧜로 써, 모루 위에 놓인 쇳덩이와 이것으로 만든 무기(戈·과)로써
'철'을 상징했는데, 다시 金을 더해 의미를 구체화했다. 구리에다 납, 주석, 아연 등을 넣으면
용해점이 내려가고 강도는 훨씬 높아져 '청동'이 만들어진다. 철(Fe)이 원래 뜻이며, 철로 만
든 기구, 철의 색깔을 지칭하였으며, 철의 속성으로부터 강함과 무거워 움직이지 않음의 비유
로도 쓰였다. 달리 𢧜이나 銕이나 鉄로도 쓰며, 간화자에서는 鉄을 간화한 铁로 쓴다.

鋚: 鐵也. 一曰轡首銅. 从金攸聲. 以周切.

(飜譯)

'철(鐵)'을 말한다. 일설에는 '고삐의 머리 부분의 구리 장식(轡首銅)'을 말한다고도 한다. 금(金)이 의미부이고 유(攸)가 소리부이다. 독음은 이(以)와 주(周)의 반절이다.

9225

鏤: 鏤: 새길 루: 金-총19획: lòu

(原文)

鏤: 剛鐵, 可以刻鏤. 从金婁聲. 『夏書』曰: "梁州貢鏤." 一曰鏤, 釜也. 盧候切.

(飜譯)

'강철(剛鐵)'을 말하는데, 새길 수 있는 재질이다(可以刻鏤). 금(金)이 의미부이고 루(婁)가 소리부이다. 『서·하서(夏書)·우공(禹貢)』에서 "양주에서 강철을 공납했다(梁州貢鏤)"라고 했다.8) 일설에는 루(鏤)는 가마솥(釜)을 말한다고도 한다. 독음은 로(盧)와 후(候)의 반절이다.

9226

鑪: 鑪: 자귀 분: 金-총21획: bēn, xùn

(原文)

鑪: 鐵屬. 从金賁聲. 讀若熏. 火運切.

(飜譯)

'철의 일종(鐵屬)'이다. 금(金)이 의미부이고 분(賁)이 소리부이다. 훈(熏)과 같이 읽는다. 독음은 화(火)와 운(運)의 반절이다.

---

8) 양주(梁州)는 기주(冀州), 연주(兗州), 청주(青州), 서주(徐州), 양주(揚州), 형주(荊州), 예주(豫州), 옹주(雍州) 등과 함께 『상서·우공(禹貢)』에 나오는 구주(九州)의 하나이다. 명나라 홍무제(洪武帝)는 "중국의 옛 강역"이라 칭하였는데, 지금의 섬서·사천 분지와 한중(漢中) 및 운귀(雲貴) 일부 지역을 포함한다.

9227

銑: 銑: 끌 선: 金-총14획: xiǎn

原文

銑: 金之澤者. 一曰小鑿. 一曰鐘兩角謂之銑. 从金先聲. 穌典切.

飜譯

'광택이 나는 금속(金之澤者)'을 말한다. 일설에는 '작은 끌(小鑿)'을 말한다고도 한다. 또 일설에는 '종 아가리의 양쪽 모서리(鐘兩角)'를 선(銑)이라고도 한다.9) 금(金)이 의미부이고 선(先)이 소리부이다. 독음은 소(穌)와 전(典)의 반절이다.

9228

鋻: 鋻: 강철 견: 金-총16획: jiàn

原文

鋻: 剛也. 从金臤聲. 古甸切.

飜譯

'단단하다(剛)'라는 뜻이다. 금(金)이 의미부이고 견(臤)이 소리부이다. 독음은 고(古)와 전(甸)의 반절이다.

9229

鑗: 鑗: 쇠붙이 려: 金-총23획: lí

原文

鑗: 金屬. 一曰剝也. 从金黎聲. 郎兮切.

---

9) 『단주』에서 이렇게 말했다. "『고공기(考工記)·부씨(鳧氏)』에서 종 아가리의 양쪽 모서리(兩欒)를 선(銑)이라 한다고 했는데, 정현의 주석에서 선(銑)은 종 아가리의 양쪽 모서리(鐘口兩角)를 말한다고 했다. 내 생각에 옛날 종은 지금처럼 둥글지 않고 중간이 움푹 들어가고 양쪽 끝이 뾰족하게 나왔기 때문에 양쪽 모서리가 있다고 했을 것이다.(古鐘羨而不圜, 故有兩角.)"

飜譯

'금속의 일종이다(金屬).' 일설에는 '벗겨내다(剝)'라는 뜻이라고도 한다. 금(金)이 의미부이고 려(黎)가 소리부이다. 독음은 랑(郎)과 혜(兮)의 반절이다.

9230

鏤: 錄: 기록할 록: 金-총16획: lù

原文

鏤: 金色也. 从金录聲. 力玉切.

飜譯

'금속의 색깔(金色)'을 말한다.[10] 금(金)이 의미부이고 록(录)이 소리부이다.[11] 독음은 력(力)과 옥(玉)의 반절이다.

9231

鑄: 鑄: 쇠 부어 만들 주: 金-총22획: zhù

原文

鑄: 銷金也. 从金壽聲. 之戍切.

---

10) 『단주』에서 이렇게 말했다. "록(錄)은 록(綠)과 독음이 같다. 금속의 색깔(金色)은 청색과 황색의 사이에 있다(在靑黃之閒也). 성록(省錄: 성찰하다)이라는 의미로 가차되었는데, 려(慮)로 가차된 것이다. 그래서 녹수(錄囚)는 바로 여수(慮囚)이다. 그리고 용록(庸錄)은 무려(無慮, 생각이 없다)와 같은데, 아무 생각 없이 지껄이다(絲猥)는 뜻이다." 록(錄)은 청동색을 말하는데, 단옥재는 이의 근거를 독음이 같은 록(綠)에서 근거를 찾고서 금색(金色)을 청색과 황색의 사이 색으로 보았다. 그러나 금색(金色)을 금(金)이 본래 청동을 지칭하였던 것임을 고려하면, 금색(金色)은 바로 '청동색'을 말했음이 분명해 보인다.

11) 고문자에서 ![甲骨文 글자들]甲骨文 ![金文 글자들]金文 등으로 그렸다. 金(쇠 금)이 의미부이고 彔(나무 깎을 록)이 소리부로, 원래는 쇠(金)의 색깔을 말했으나, 이후 쇠(金)에다 파 넣어(彔) 영원히 변치 않도록 기록해 둠을 말했다. 달리 録으로도 쓰며, 간화자에서는 彔(나무 깎을 록)에 통합되어 录으로 쓴다.

飜譯

'쇠를 녹이다(銷金)'라는 뜻이다. 금(金)이 의미부이고 수(壽)가 소리부이다.12) 독음은 지(之)와 수(成)의 반절이다.

9232

銷: 銷: 녹일 소: 金-총15획: xiāo

原文

銷: 鑠金也. 从金肖聲. 相邀切.

飜譯

'쇠를 녹이다(鑠金)'라는 뜻이다. 금(金)이 의미부이고 초(肖)가 소리부이다.13) 독음은 상(相)과 요(邀)의 반절이다.

9233

鑠: 鑠: 녹일 삭: 金-총23획: shuò

原文

鑠: 銷金也. 从金樂聲. 書藥切.

飜譯

'쇠를 녹이다(銷金)'라는 뜻이다. 금(金)이 의미부이고 락(樂)이 소리부이다. 독음은 서(書)와 약(藥)의 반절이다.

---

12) 고문자에서 ▨甲骨文 ▨▨ ▨▨▨ ▨▨▨▨ ▨ ▨▨▨ ▨▨▨▨ ▨▨金文 ▨古陶文 ▨簡牘文 등으로 그렸다. 金(쇠 금)이 의미부고 壽(목숨 수)가 소리부로, 쇠(金)를 녹여 기물을 만들다, 주조하다는 뜻인데, 금문에서는 녹인 쇳물을 거푸집(金)에 부어 기물을 만드는 모습을 형상적으로 그렸다. 간화자에서는 소리부 壽를 초서체인 寿로 줄여 铸로 쓴다.

13) 金(쇠 금)이 의미부고 肖(닮을 초)가 소리부로, 광물(金)의 원석을 잘라 잘게 만들어(肖) '녹임'을 말한다. 광물을 녹이려면 불순물을 제거해야 하므로 '제거하다'의 뜻, 다시 내다, 팔다, 소비하다 등의 뜻이 나왔다.

9234

鍊: 鍊: 불릴 련: 金-총17획: liàn

原文

鍊: 冶金也. 从金柬聲. 郎甸切.

飜譯

'쇠를 불려서 정제하다(冶金)[야금]'라는 뜻이다. 금(金)이 의미부이고 간(柬)이 소리부이다. 독음은 랑(郎)과 전(甸)의 반절이다.

9235

釘: 釘: 못 정: 金-총10획: dīng, dìng

原文

釘: 鍊鉼黃金. 从金丁聲. 當經切.

飜譯

'제련하여 만든 금덩어리(鍊鉼黃金)'를 말한다. 금(金)이 의미부이고 정(丁)이 소리부이다.[14] 독음은 당(當)과 경(經)의 반절이다.

9236

錮: 錮: 땜질할 고: 金-총16획: gù

原文

錮: 鑄塞也. 从金固聲. 古慕切.

飜譯

---

14) 金(쇠 금)이 의미부고 丁(넷째 천간 정)이 소리부로, 쇠(金)로 만든 못(丁)을 말하며, 연결하다의 뜻도 나왔다. 원래는 丁으로 썼는데, 丁이 간지자로 쓰이게 되자 다시 金을 더해 분화한 글자이다.

'쇠를 부어 틈을 메꾸다(鑄塞)[땜질하다]'라는 뜻이다. 금(金)이 의미부이고 고(固)가 소리부이다. 독음은 고(古)와 모(慕)의 반절이다.

9237

鑲: 鑲: 거푸집 속 양: 金-총25획: ráng

原文

鑲: 作型中腸也. 从金襄聲. 汝羊切.

飜譯

'모형의 안쪽 거푸집(作型中腸)'을 말한다. 금(金)이 의미부이고 양(襄)이 소리부이다. 독음은 여(汝)와 양(羊)의 반절이다.

9238

鎔: 鎔: 녹일 용: 金-총18획: róng

原文

鎔: 冶器法也. 从金容聲. 金封切.

飜譯

'기물을 주조하는 거푸집(冶器法)'을 말한다. 금(金)이 의미부이고 용(容)이 소리부이다.15) 독음은 금(金)과 봉(封)의 반절이다.

9239

鋏: 鋏: 집게 협: 金-총15획: jiá

---

15) 金(쇠 금)이 의미부고 容(얼굴 용)이 소리부로, 모든 금속(金)을 받아들여(容) 하나로 '녹임'을 말한다. 쇳물을 녹이는 거푸집은 물론 형틀이 기물을 만들어 낸다는 뜻에서 규범과 모식의 비유로도 쓰였다. 달리 金 대신 火(불 화)가 들어간 熔(녹일 용)으로 쓰기도 하며, 간화자에서도 熔으로 쓴다.

原文

鋏: 可以持冶器鑄鎔者. 从金夾聲. 讀若漁人萊魚之萊. 一曰若挾持. 古叶切.

飜譯

'제련하는 기물이나 쇠를 녹이는 용광로를 집을 수 있는 집게(可以持冶器鑄鎔者)'를 말한다. 금(金)이 의미부이고 협(夾)이 소리부이다. "어인협어(漁人萊魚: 어부가 물고기를 잡다)"라고 할 때의 협(萊)과 같이 읽는다. 일설에는 협지(挾持: 양손으로 잡다)라고 할 때의 협(挾)과 같이 읽는다고도 한다. 독음은 고(古)와 협(叶)의 반절이다.

9240

鍛: 鍛: 쇠 불릴 단: 金-총17획: duàn

原文

鍛: 小冶也. 从金段聲. 丁貫切.

飜譯

'쇠를 불리다(小冶)[쇠를 불에 달구어 단단하게 하다]'라는 뜻이다.[16] 금(金)이 의미부이고 단(段)이 소리부이다.[17] 독음은 정(丁)과 관(貫)의 반절이다.

9241

鋌: 鋌: 쇳덩이 정: 金-총15획: dìng

原文

鋌: 銅鐵樸也. 从金廷聲. 徒鼎切.

飜譯

'구리나 철 덩어리(銅鐵樸)'를 말한다. 금(金)이 의미부이고 정(廷)이 소리부이다. 독

---

16) 주준성의 『통훈정성』에 의하면, 쇳물로 녹여 주조하여 만드는 것을 야(冶)라 하고, 쇠를 불에 넣어 두드려 만드는 것을 '소야(小冶)'라고 한다고 했다.
17) 金(쇠 금)이 의미부이고 段(구분 단)이 소리부로, 연장을 만들고자 금속(金) 성분이 든 원석을 일정한 크기로(段) 잘라 불에 녹여 불리는 것을 말한다.

음은 도(徒)와 정(鼎)의 반절이다.

9242

鐃: 鐃: 쇠 무늬 효: 金-총24획: xiāo

原文

鐃: 鐵文也. 从金曉聲. 呼鳥切.

繙譯

'철의 무늬결(鐵文)'를 말한다. 금(金)이 의미부이고 효(曉)가 소리부이다. 독음은 호(呼)와 조(鳥)의 반절이다.

9243

鏡: 鏡: 거울 경: 金-총19획: jìng

原文

鏡: 景也. 从金竟聲. 居慶切.

繙譯

'경(景)과 같아 빛으로 모습을 비추어 볼 수 있는 거울'을 말한다. 금(金)이 의미부이고 경(竟)이 소리부이다.[18] 독음은 거(居)와 경(慶)의 반절이다.

9244

鉹: 鉹: 시루 치: 金-총14획: chǐ

原文

鉹: 曲鉹也. 从金多聲. 一曰鬻鼎, 讀若撣. 一曰『詩』云"侈兮哆兮". 尺氏切.

---

18) 金(쇠 금)이 의미부이고 竟(다할 경)이 소리부로, 거울을 말하는데, 존재물을 남김없이(竟) 그 대로 보여주는 청동(金)으로 된 물건이라는 뜻을 반영했다. 이후 광학 원리에 의한 광학실험 도구 전체를 지칭하게 되었고, 맑게 빛나는 평평한 것의 비유로도 사용되었다.

飜譯

'곡치(曲鉹)[시루]'를 말한다. 금(金)이 의미부이고 다(多)가 소리부이다. 일설에는 '심정(鬵鼎) 즉 용가마'를 말한다고도 한다. 적(擿)과 같이 읽는다. 일설에는 『시·소아항백(巷伯)』에서 노래한 "치혜치혜(侈兮哆兮: 널따랗고 커다랗게)"의 치(侈)와 같이 읽는다고 한다. 독음은 척(尺)과 씨(氏)의 반절이다.

9245

鉼: 鉼: 술 그릇 견·형: 金-총14획: xíng

原文

鉼: 似鍾而頸長. 从金开聲. 戶經切.

飜譯

'종과 비슷하면서 목이 긴 술그릇(似鍾而頸長)'을 말한다.[19] 금(金)이 의미부이고 견(开)이 소리부이다. 독음은 호(戶)와 경(經)의 반절이다.

9246

鍾: 鍾: 종 종: 金-총17획: zhōng

原文

鍾: 酒器也. 从金重聲. 職容切.

飜譯

'술 그릇(酒器)'을 말한다. 금(金)이 의미부이고 중(重)이 소리부이다.[20] 독음은 직

---

19) 여기서 말한 종(鍾)은 이어지는 9246-종(鍾)자의 설명처럼, 악기로서의 종이 아니라 술그릇으로서의 종(鍾)을 말한다. 『단주』에서 이렇게 말했다. "종(鍾)을 속체에서는 종(鐘)으로 적는데 지금 송나라 판본을 따라 종(鍾)으로 적었다. 종(鍾)은 술그릇(酒器)이다.…이로부터 옛날 술그릇으로서의 종(古酒鍾)은 배(腹)도 있고 목(頸)도 있었음을 알 수 있다. 아래쪽이 크고 위쪽이 작았을 것이다." 또 "종(鍾)"의 주석에서도 이렇게 말했다. "옛날에는 이 기물로 술을 저장했다(宁酒). 그래서 아래쪽을 크게 하고 목을 작게 했다. 종(鍾)을 옆으로 기울여 술통(尊)에 붓는다. 술통(尊)에 담긴 술은 국자(勺)로 떠서 잔(觶)에 담는다. 그래서 큰 것의 용량을 재는 용기도 종(鍾)이라 한다. 이후 파생되어 종취(鍾聚, 한데 다 모으다)의 뜻도 가지게 되었다."

(職)과 용(容)의 반절이다.

9247

鑑: 鑑: 거울 감: 金-총22획: jiàn

原文

鑑: 大盆也. 一曰監諸, 可以取明水於月. 从金監聲. 革懺切.

飜譯

'큰 대야(大盆)'를 말한다. 일설에는 감(監) 즉 감(鑑)은 저(諸)를 말한다고도 하는데, 달빛 아래서 맑은 이슬을 채취할 때 쓰던 기물이다(可以取明水於月).21) 금(金)이 의미부이고 감(監)이 소리부이다. 독음은 혁(革)과 참(懺)의 반절이다.

9248

鐈: 鐈: 발이 긴 가마솥 교: 金-총20획: qiáo

原文

鐈: 似鼎而長足. 从金喬聲. 巨嬌切.

飜譯

'발이 긴 세발솥과 비슷한 기물(似鼎而長足)'을 말한다. 금(金)이 의미부이고 교(喬)가 소리부이다. 독음은 거(巨)와 교(嬌)의 반절이다.

---

20) 金(쇠 금)이 의미부고 童(아이 동)이 소리부로, 쇠(金)로 만든 악기의 하나인 종을 말하는데, 걸잇대에 걸어 놓고 채로 쳐서 소리를 낸다. 이후 불교가 들어오면서 절에서 쓰는 종을 뜻하게 되었으며, 시간을 알릴 때 쓴다고 해서 이후 '시계'를 지칭하기도 했다. 달리 소리부인 童이 重(무거울 중)으로 바뀐 鍾(종 종)으로 쓰기도 하며, 간화자에서는 소리부 童을 中(가운데 중)으로 바꾼 钟으로 쓴다.

21) 『주례·추관·사훤씨(司烜氏)』에 나오는 말이다. 고대 제사에 사용할 명정수로 쓸 깨끗한 이슬을 채취하기 위함을 말한다.

9249

鐆: 鐆: 화경 수: 金-총20획: suì

原文

鐆: 陽鐆也. 从金隊聲. 徐醉切.

飜譯

'양수(陽鐆) 즉 볼록렌즈처럼 되어 햇빛을 비추어 불을 일으키는 거울[화경]'을 말한다. 금(金)이 의미부이고 대(隊)가 소리부이다. 독음은 서(徐)와 취(醉)의 반절이다.

9250

鋞: 鋞: 냄비 형: 金-총15획: xíng

原文

鋞: 溫器也. 圜直上. 从金巠聲. 戶經切.

飜譯

'음식을 데우는 기물(溫器)'을 말한다. 원형이며 위로 곧추선 형태를 했다(圜直上). 금(金)이 의미부이고 경(巠)이 소리부이다. 독음은 호(戶)와 경(經)의 반절이다.

9251

鑴: 鑴: 솥 휴: 金-총26획: xī

原文

鑴: 甇也. 从金巂聲. 戶圭切.

飜譯

'당(甇) 즉 큰 동이'를 말한다. 금(金)이 의미부이고 휴(巂)가 소리부이다. 독음은 호(戶)와 규(圭)의 반절이다.

9252

鑊: 鑊: 가마 확: 金-총22획: huò

原文

鑊: 鐫也. 从金蒦聲. 胡郭切.

飜譯

'큰 동이(鐫)'를 말한다.22) 금(金)이 의미부이고 확(蒦)이 소리부이다. 독음은 호(胡)와 곽(郭)의 반절이다.

9253

鍑: 鍑: 솥 복: 金-총17획: fù

原文

鍑: 釜大口者. 从金复聲. 方副切.

飜譯

'아가리가 큰 가마솥(釜大口者)'을 말한다. 금(金)이 의미부이고 복(复)이 소리부이다. 독음은 방(方)과 부(副)의 반절이다.

9254

鍪: 鍪: 투구 무: 金-총17획: móu

原文

鍪: 鍑屬. 从金秋聲. 莫浮切.

飜譯

'아가리가 큰 가마솥의 일종(鍑屬)'이다.23) 금(金)이 의미부이고 무(秋)가 소리부이

---

22) 『단주』의 말처럼 『소뢰(少牢)·궤식례(饋食禮)』에 양확(羊鑊)과 시확(豕鑊) 등이 보이는데, 양이나 돼지를 삶는데 쓰던 큰 솥을 말한다.

23) 『광운(廣韻)』에서는 두무(兜鍪), 수개(首鎧)라고 하여 '투구'를 말한다고 했는데, '솥의 일종'이라고 한 『설문』과 차이를 보인다. 그러나 『설문장전(說文長箋)』에서는 이렇게 말했다. "군사

다. 독음은 막(莫)과 부(浮)의 반절이다.

9255

鈿: 鈿: 쇠 전: 金-총16획: tiǎn

鈿: 朝鮮謂釜曰鈿. 从金典聲. 他典切.

'조선(朝鮮)에서는 가마솥(釜)을 전(鈿)이라 한다.' 금(金)이 의미부이고 전(典)이 소리부이다. 독음은 타(他)와 전(典)의 반절이다.

9256

鋞: 鋞: 가마 좌: 金-총15획: cuò

鋞: 鍑也. 从金坐聲. 昨禾切.

'아가리가 큰 가마솥(鍑)'을 말한다. 금(金)이 의미부이고 좌(坐)가 소리부이다. 독음은 작(昨)과 화(禾)의 반절이다.

9257

鑼: 鑼: 옹솥 라: 金-총27획: luó

鑼: 鋞鑼也. 从金贏聲. 魯戈切.

들이 투구를 갖고서 취사를 하곤 했다. 그래서 두(兜)라 했다. 두(兜)는 투구의 이름(胄名)이고 무(鍪)는 솥의 이름(釜名)이다. 한 가지 물건에 두 가지의 뜻이 있는 셈이다." 아마 전장에서 급할 때에는 낮에는 투구로 쓰고 밤에는 투구로 취사를 했던 데서 온 것으로 추정된다.

飜譯

'가마솥(銼鑼)'을 말한다. 금(金)이 의미부이고 리(鸁)가 소리부이다. 독음은 로(魯)와 과(戈)의 반절이다.

9258

鉶: 鉶: 귀가 둘, 발이 셋 달린 국 담는 제기 형: 金-총14획: xíng

原文

鉶: 器也. 从金荆聲. 戶經切.

飜譯

'기물 이름(器)'이다. 금(金)이 의미부이고 형(荆)이 소리부이다. 독음은 호(戶)와 경(經)의 반절이다.

9259

鎬: 鎬: 호경 호: 金-총18획: hào

原文

鎬: 溫器也. 从金高聲. 武王所都, 在長安西上林苑中, 字亦如此. 乎老切.

飜譯

'음식을 데우는 기물(溫器)'이다. 금(金)이 의미부이고 고(高)가 소리부이다. 주나라 무왕(武王)이 도읍했던 곳이다. 장안(長安)의 서쪽 상림원(上林苑)에 있었는데, 그 글자도 이와 같이 썼다.24) 독음은 호(乎)와 로(老)의 반절이다.

---

24) '字亦如此'라는 말에 대해, 『단주』에서 이렇게 말했다. "이는 『설문』의 체계에 근거할 때 신지 말아야 하나 특별히 설명해야 할 필요가 있을 때 이렇게 했다. 가차의 예를 설명한 것이다. 토(土)부수 붕(堋)자의 설명에서 인용한 『춘추전(春秋傳)』의 말이 그렇고, 또 『우서(虞書)』에 나오는 '堋淫於家'도 마찬가지인데, '朋淫'의 붕(朋)자를 이렇게 썼다는 말이다. 무왕(武王)이 호(鎬)에다 도읍을 했는데 원래 그곳을 지칭하는 정자(正字)가 없었고, 간혹 호(鎬)자를 사용했을 뿐이라는 말이다. 가차의 하나는 원래 그 글자가 있으면서도 빌려쓴 경우이고(有其字之叚借), 다른 하나는 원래 그런 글자가 없는데 (독음이 같아) 빌려 쓴 경우(無其字之叚借)이

9260

鏖: 鏖: 탕그릇 오: 金-총21획: áo, āo

原文

鏖: 溫器也. 一曰金器. 从金麀聲. 於刀切.

飜譯

'음식을 데우는 기물(溫器)'이다. 일설에는 '쇠로 된 기물(金器)'을 말한다고도 한다. 금(金)이 의미부이고 우(麀)가 소리부이다. 독음은 어(於)와 도(刀)의 반절이다.

9261

銚: 銚: 쟁개비 요: 金-총14획: yáo

原文

銚: 溫器也. 一曰田器. 从金兆聲. 以招切.

飜譯

'음식을 데우는 기물(溫器)'이다. 일설에는 '농기구(田器)'를 말한다고도 한다. 금(金) 이 의미부이고 조(兆)가 소리부이다. 독음은 이(以)와 초(招)의 반절이다.

9262

鎺: 鎺: 연향 술잔 두: 金-총18획: dòu, tōu

다. 호경(鎬京)은 다른 책에서 간혹 호(鄗)라고 쓰기도 하는데 이는 잘못된 것이다. 한(漢)나라 때 상산(常山)에 호현(鄗縣)이 있음을 모르고 한 말이다." 호현(鄗縣)은 서한 원삭(元朔) 5년 (B.C. 124) 조(趙)나라 경숙왕(敬肅王, 劉彭祖, ?~B.C. 92)의 아들 연년(延年)을 호후(鄗侯)로 봉했던 나라이다. 지금의 하북성 백향(柏鄕) 북쪽의 공성점(固城店)에 있었으며, 거록현(巨鹿 郡)에 속했다. 원정(元鼎) 3년 (B.C. 114) 상산군(常山郡)에 예속되었다가 이후 현(縣)으로 고 쳤다. 서기 25년 한 광무제(光武帝) 유수(劉秀)가 현의 남쪽 천추정(千秋亭) 오성맥(五城陌)에 서 황제에 즉위했고, 이름을 고읍현(高邑縣)으로 바꾸었다.

錥: 酒器也. 从金, 䀠象器形. 㼽, 䀠或省金. 大口切.

翻譯

'술그릇(酒器)'을 말한다. 금(金)과 두(䀠)가 의미부인데, 두(䀠)는 기물의 모습을 형상했다. 두(㼽)는 두(䀠)의 혹체자인데, 금(金)이 생략된 모습이다. 독음은 대(大)와 구(口)의 반절이다.

9263

鐎: 鐎: 초두 초: 金-총20획: jiāo

原文

鐎: 鐎斗也. 从金焦聲. 即消切.

翻譯

'초두(鐎斗) 즉 다리 셋에 자루가 달린 냄비처럼 생긴 기물'을 말한다. 금(金)이 의미부이고 초(焦)가 소리부이다. 독음은 즉(即)과 소(消)의 반절이다.

9264

鋗: 鋗: 노구솥 현: 金-총15획: xuān

原文

鋗: 小盆也. 从金肙聲. 火玄切.

翻譯

'작은 금속 대야(小盆)'를 말한다. 금(金)이 의미부이고 연(肙)이 소리부이다. 독음은 화(火)와 현(玄)의 반절이다.

9265

鏏: 鏏: 세발달린 귀 있는 구리그릇 예: 金-총19획: wèi

原文

鏏: 鼎也. 从金彗聲. 讀若彗. 于歲切.

飜譯

'세발솥(鼎)'의 일종이다. 금(金)이 의미부이고 혜(彗)가 소리부이다. 혜(彗)와 같이 읽는다. 독음은 우(于)와 세(歲)의 반절이다.

9266

鍵: 鍵: 열쇠 건: 金-총17획: jiàn

原文

鍵: 鉉也. 一曰車轄. 从金建聲. 渠偃切.

飜譯

'[나무막대를 끼워 들 수 있도록 한] 솥의 귀(鉉)'를 말한다. 일설에는 '수레의 비녀장(車轄)'을 말한다고도 한다. 금(金)이 의미부이고 건(建)이 소리부이다.25) 독음은 거(渠)와 언(偃)의 반절이다.

9267

鉉: 鉉: 솥귀 현: 金-총13획: xuàn

原文

鉉: 舉鼎也. 『易』謂之鉉, 『禮』謂之鼏. 从金玄聲. 胡犬切.

飜譯

'세발솥을 [양쪽으로 끼워서] 들 수 있도록 한 귀(舉鼎)'를 말한다. 『역』에서는 현(鉉)이라 썼고, 『예』에서는 멱(鼏)이라 썼다. 금(金)이 의미부이고 현(玄)이 소리부이다. 독음은 호(胡)와 견(犬)의 반절이다.

---

25) 金(쇠 금)이 의미부이고 建(세울 건)이 소리부로, 문을 잠글 때 가로로 거는 튼튼한(建) 쇠(金) 막대를 말하며, 이로부터 자물통의 '열쇠'라는 뜻이 나왔다. 이후 어떤 사물이나 사건을 푸는 가장 중요한 부분(關鍵·관건)의 비유로도 쓰였으며, 鍵盤(건반) 등의 뜻도 나왔다.

9268

鵒: 鉉: 구리 가루 욕: 金-총15획: yù

原文

鉉: 可以句鼎耳及鑪炭. 从金谷聲. 一曰銅屑. 讀若浴. 余足切.

飜譯

'솥의 귀에 끼워 들거나, 화로의 불을 헤치거나 끌어내거나 거두어 넣거나 하는 데 쓰는 가느스름한 막대기(可以句鼎耳及鑪炭)'를 말한다. 금(金)이 의미부이고 곡(谷) 이 소리부이다. 일설에는 '동설(銅屑: 구리가루)'을 말한다고도 한다. 욕(浴)과 같이 읽는다. 독음은 여(余)와 족(足)의 반절이다.

9269

鎣: 鎣: 줄 형: 金-총18획: yíng

原文

鎣: 器也. 从金, 熒省聲. 讀若銑. 烏定切.

飜譯

'갈아 광택을 내는 연장, 즉 줄(器)'을 말한다. 금(金)이 의미부이고, 형(熒)의 생략된 부분이 소리부이다. 선(銑)과 같이 읽는다. 독음은 오(烏)와 정(定)의 반절이다.

9270

鑯: 鐵: 날카로울 첨: 金-총25획: jiān

原文

鑯: 鐵器也. 一曰鑯也. 从金韱聲. 子廉切.

飜譯

'철로 만든 기물의 하나(鐵器)'이다. 일설에는 '솥(鑯)'을 말한다고도 한다. 금(金)이 의미부이고 섬(韱)이 소리부이다. 독음은 자(子)와 렴(廉)의 반절이다.

9271

鋺: 錠: 제기 이름 정: 金-총16획: dìng

原文

鋺: 鐙也. 从金定聲. 丁定切.

譯

'음식물을 찌는 데 쓰는 발이 달린 기물(鐙)'을 말한다.26) 금(金)이 의미부이고 정(定)이 소리부이다. 독음은 정(丁)과 정(定)의 반절이다.

9272

鐙: 鐙: 등자 등: 金-총20획: dēng

原文

鐙: 錠也. 从金登聲. 都滕切.

譯

'음식물을 찌는 데 쓰는 발이 달린 기물(錠)'을 말한다.27) 금(金)이 의미부이고 등

---

26) 『단주』에서는 이렇게 보충했다. "『광운(廣韵)』에서 제기 중에서 발이 있는 것(豆有足)을 정(錠)이라 하고, 발이 없는 것(無足)을 등(鐙)이라 한다고 했다. 현응(玄應)이 인용한 『성류(聲類)』에서는 '제기(豆)'라는 말이 없는데, 이는 잘못이다."

27) 서현의 대서본에서는 "정(錠) 속에 촛불을 설치한다. 그래서 등(鐙)이라고 한다. 오늘날 세속에서는 달리 등(燈)으로 적기도 하는데, 이는 잘못된 것이다."라고 하였다. 『단주』에서는 이에 대해 이렇게 보충했다. "『예기.제통(祭統)』에서 이렇게 말했다. '부인(夫人)이 두(豆)를 드릴 때는 교(校)를 잡으며, 집례(執醴)가 이것을 줄 때는 등(鐙)을 잡는다.(夫人薦豆執校, 執醴授之執鐙.)'라고 했는데, 『주』에서 '교(校)는 두(豆)의 중앙의 곧추 선 것을 말하고(中央直者), 증(鐙)은 두(豆) 아래의 받침대(跗)를 말한다. 집례가 두(豆)를 부인(夫人)에게 드릴 때에 아래쪽의 받침대(下跗)를 잡으며, 부인(夫人)은 이를 받아들 때 그 가운데의 곧추선 곳을 잡는다.'라고 했다. 내 생각에, 부(跗)를 『설문』에서는 부(柎)로 적었는데, 란족(闌足: 두루마리 발)을 말한다. 등(鐙)에 받침대(柎)가 있다고 했으니, 그렇다면 '발이 없는 것을 증이라 한다(無足曰鐙)'는 말은 믿기 어렵다. 두(豆)의 남겨진 모습이 오늘날 세속에서 사용하는 등잔(燈盞)이다.

(登)이 소리부이다. 독음은 도(都)와 등(滕)의 반절이다.

9273

鏶: 鏶: 판금 집: 金-총20획: jí

原文

鏶: 鍱也. 从金集聲. 鍓, 鏶或从咠. 秦入切.

飜譯

'판금, 즉 얇고 넓게 조각을 낸 쇠붙이(鍱)'를 말한다. 금(金)이 의미부이고 집(集)이 소리부이다. 집(鍓)은 집(鏶)의 혹체자인데, 집(咠)으로 구성되었다. 독음은 주(秦)와 입(入)의 반절이다.

9274

鍱: 鍱: 쇳조각 섭: 金-총17획: dié, shè

原文

鍱: 鏶也. 从金葉聲. 齊謂之鍱. 與涉切.

飜譯

'판금, 즉 얇고 넓게 조각을 낸 쇠붙이(鏶)'를 말한다. 금(金)이 의미부이고 엽(葉)이 소리부이다. 제(齊) 지역에서는 섭(鍱)이라 부른다. 독음은 여(與)와 섭(涉)의 반절이다.

그럼에도 서현과 서개 형제는 오히려 고등(膏鐙: 기름등잔)으로써 『설문』을 해설했으니, 이는 잘못이다. 「생민(生民)」의 『전(傳)』에서 '나무로 만든 것을 두(豆)라 하고, 질그릇으로 만든 것을 등(登)이라 한다. 두(豆)는 채소절임이나 젓갈을 올릴 때 쓰고, 등(登)은 국을 올릴 때 쓴다.(木曰豆, 瓦曰登, 豆薦菹醢, 登薦大羹.)'라고 했다. 그리고 『전(箋)』에서는 '하늘에 제사를 드릴 때에는 질그릇으로 된 두를 쓰는데, 도기로 된 재질을 말한다.(祀天用瓦豆, 陶器質也.)' 라고 했다. 그렇다면 질그릇으로 된 두(瓦登)는 하늘에 제사를 지낼 때 썼다는 말이다. 종묘에서 사용한 등(鐙)은 청동으로 주조했다. 그래서 이 글자에 금(金)이 들었다."

9275

鏟: 鏟: 대패 산: 金-총19획: chǎn

原文

鏟: 鏶也. 一曰平鐵. 从金產聲. 初限切.

飜譯

'판금, 즉 얇고 넓게 조각을 낸 쇠붙이(鏶)'를 말한다. 일설에는 '평평하게 깎는데 쓰는 도구인 대패(平鐵)'를 말한다고도 한다. 금(金)이 의미부이고 산(產)이 소리부이다. 독음은 초(初)와 한(限)의 반절이다.

9276

鑪: 鑪: 화로 로: 金-총24획: lú

原文

鑪: 方鑪也. 从金盧聲. 洛胡切.

飜譯

'네모꼴 모양의 화로(方鑪)'를 말한다. 금(金)이 의미부이고 로(盧)가 소리부이다. 독음은 락(洛)과 호(胡)의 반절이다.

9277

鏇: 鏇: 갈이틀 선: 金-총19획: xuàn

原文

鏇: 圓鑪也. 从金旋聲. 辭戀切.

飜譯

'둥근 모양의 화로(圓鑪)'를 말한다. 금(金)이 의미부이고 선(旋)이 소리부이다. 독음은 사(辭)와 련(戀)의 반절이다.

9278

鍗: 鍗: 그릇 이름 제: 金-총18획: tí

原文

鍗: 器也. 从金虒聲. 杜兮切.

翻譯

'기물의 일종(器)'이다.28) 금(金)이 의미부이고 사(虒)가 소리부이다. 독음은 두(杜)와 혜(兮)의 반절이다.

9279

鑪: 鑪: 부레 그릇 로: 金-총21획: lǔ

原文

鑪: 煎膠器也. 从金虜聲. 郎古切.

翻譯

'아교를 녹이는데 쓰는 그릇(煎膠器)'을 말한다. 금(金)이 의미부이고 로(虜)가 소리부이다. 독음은 랑(郎)과 고(古)의 반절이다.

9280

釦: 釦: 금테 두를 구: 金-총11획: kǒu

原文

釦: 金飾器口. 从金从口, 口亦聲. 苦厚切.

翻譯

'금속으로 기물의 아가리 겉을 얇게 입히다(金飾器口)'라는 뜻이다. 금(金)이 의미부이고 구(口)도 의미부인데, 구(口)는 소리부도 겸한다. 독음은 고(苦)와 후(厚)의 반절이다.

---

28) 서호의 『단주전』에서 『유편』을 인용하여 "가마솥의 일종(釜屬)"이라 했다.

9281

錯: 錯: 섞일 착: 金-총16획: cuò

原文

錯: 金涂也. 从金昔聲. 倉各切.

飜譯

'도금, 즉 금속으로 겉을 얇게 칠하다(金涂)'라는 뜻이다. 금(金)이 의미부이고 석(昔)이 소리부이다.29) 독음은 창(倉)과 각(各)의 반절이다.

9282

鋙: 鋙: 서로 맞지 않을 어: 金-총19획: yǔ

原文

鋙: 鉏鋙也. 从金御聲. 鎯, 鋙或从吾. 魚舉切.

飜譯

'서어(鉏鋙) 즉 날이 서로 어긋난 도구인 톱'을 말한다. 금(金)이 의미부이고 어(御)가 소리부이다. 어(鎯)는 어(鋙)의 혹체자인데, 오(吾)로 구성되었다. 독음은 어(魚)와 거(舉)의 반절이다.

9283

錡: 錡: 솥 기: 金-총16획: qí

原文

錡: 鉏鋙也. 从金奇聲. 江淮之閒謂釜曰錡. 魚綺切.

飜譯

---

29) 金(쇠 금)이 의미부고 昔(옛 석)이 소리부로, 『설문해자』에서는 "도금을 하다"는 뜻이라고 했는데, 쇠(金)가 오래되어(昔) '어긋나' 못쓰게 됨을 뜻하고, 이를 꾸미고자 겉에다 칠을 하는 것을 말한다. 이후 뒤섞이다, 부정확하다, 잘못되다, 나쁘다 등의 뜻이 나왔다.

'서어(鉏鋙) 즉 톱'을 말한다. 금(金)이 의미부이고 기(奇)가 소리부이다. 장강(江)과 회수(淮) 사이 지역에서는 가마솥(釜)을 기(錡)라 부르기도 한다. 독음은 어(魚)와 기(綺)의 반절이다.

9284

鍤： 鍤: 가래 삽: 金-총17획: chá

原文

鍤： 郭衣鍼也. 从金臿聲. 楚洽切.

翻譯

'곽의침(郭衣鍼) 즉 옷의 바깥부분을 꿰매는데 쓰는 장침(郭衣鍼)'을 말한다. 금(金)이 의미부이고 삽(臿)이 소리부이다. 독음은 초(楚)와 흡(洽)의 반절이다.

9285

鉥： 鉥: 돗바늘 술: 金-총13획: shù

原文

鉥： 綦鍼也. 从金术聲. 食聿切.

翻譯

'기침(綦鍼) 즉 돗자리나 가죽 등을 꿰매는데 쓰는 크고 굵은 바늘'을 말한다.[30] 금(金)이 의미부이고 출(术)이 소리부이다. 독음은 식(食)과 율(聿)의 반절이다.

9286

鍼： 鍼: 침 침: 金-총17획: zhēn

---

30) 『단주』에서는 기침(綦鍼)의 기(綦)자는 장(長)이 되어야 할 것이라고 했다. 『관자(管子)』에서 '一女必有一刀一錐, 一箴一鉥.(모든 여성은 칼 하나, 송곳 하나, 바늘 하나, 장침 하나씩을 지녔다.)'이라고 했다. 방현령(房玄齡)의 주석에서 술(鉥)은 장침(長鍼)을 말한다고 했고, 『옥편(玉篇)』에서도 장침(長鍼)을 말한다고 했다.

原文

鍼: 所以縫也. 从金咸聲. 職深切.

翻譯

'꿰매는데 쓰는 바늘(所以縫)'을 말한다. 금(金)이 의미부이고 함(咸)이 소리부이다.31) 독음은 직(職)과 심(深)의 반절이다.

9287

鈹: 鈹: 파종 침 피: 金-총13획: pī

原文

鈹: 大鍼也. 一曰劍如刀裝者. 从金皮聲. 敷羈切.

翻譯

'[종기를 째는데 쓰는] 큰 침(大鍼)'을 말한다. 일설에는 '칼처럼 생긴 검(劍如刀裝者)'을 말한다고도 한다. 금(金)이 의미부이고 피(皮)가 소리부이다. 독음은 부(敷)와 기(羈)의 반절이다.

9288

鎩: 鎩: 창 쇄: 金-총19획: shā

原文

鎩: 鈹有鐔也. 从金殺聲. 所拜切.

翻譯

'반원형의 칼코등이[슴베를 박은 칼자루의 목 쪽에 감은 쇠테]가 달린 칼처럼 생긴 검(鈹有鐔)'을 말한다. 금(金)이 의미부이고 살(殺)이 소리부이다. 독음은 소(所)와 배(拜)의 반절이다.

---

31) 金(쇠 금)이 의미부고 咸(다 함)이 소리부로, 옷을 꿰맬 때 쓰는 쇠(金)로 만든 '바늘'을 말하는데, 달리 咸 대신 十(열 십)이 들어간 針(바늘 침)으로 쓰기도 한다. 간화자에서는 鍼을 다시 간화하여 针으로 쓴다.

9289

鈕: 鈕: 인꼭지 뉴: 金-총12획: niǔ

原文

鈕: 印鼻也. 从金丑聲. 珥, 古文鈕从玉. 女久切.

飜譯

'인비(印鼻), 즉 끈을 달 수 있도록 한 도장의 꼭지'를 말한다. 금(金)이 의미부이고 축(丑)이 소리부이다. 뉴(珥)는 뉴(鈕)의 고문체인데, 옥(玉)으로 구성되었다. 독음은 녀(女)와 구(久)의 반절이다.

9290

鞏: 鞏: 도끼 구멍 공: 金-총14획: gǒng

原文

鞏: 斤釜穿也. 从金巩聲. 曲恭切.

飜譯

'도끼 끝부분에 난 손잡이를 달 수 있는 구멍(斤釜穿)'을 말한다. 금(金)이 의미부이고 공(巩)이 소리부이다. 독음은 곡(曲)과 공(恭)의 반절이다.

9291

鈭: 鈭: 도끼 자: 金-총13획: zī

原文

鈭: 鈭錍, 釜也. 从金此聲. 卽移切.

飜譯

'자비(鈭錍), 즉 손잡이가 짧은 도끼(釜)'를 말한다.[32] 금(金)이 의미부이고 차(此)가

---

32) 부(釜)의 경우, 『계전』에서는 부(斧)로 되었다. 『단주』에서도 부(斧)의 일종이라 하였다.

소리부이다. 독음은 즉(即)과 이(移)의 반절이다.

9292

鎞: 錍: 도끼 비: 金-총16획: pī, pí

原文

錍: 鐅錍也. 从金卑聲. 府移切.

譯

'자비(鐅錍), 즉 손잡이가 짧은 도끼'를 말한다. 금(金)이 의미부이고 비(卑)가 소리부이다. 독음은 부(府)와 이(移)의 반절이다.

9293

鏨: 鏨: 끌 참: 金-총19획: jiàn, zhàn

原文

鏨: 小鑿也. 从金从斬, 斬亦聲. 藏濫切.

譯

'작은 끌(小鑿)'을 말한다. 금(金)이 의미부이고 참(斬)도 의미부인데, 참(斬)은 소리부도 겸한다. 독음은 장(藏)과 람(濫)의 반절이다.

9294

鐫: 鐫: 새길 전: 金-총21획: juān

原文

鐫: 穿木鐫也. 从金雋聲. 一曰琢石也. 讀若瀸. 子全切.

譯

'나무를 쪼개는 도구(穿木鐫)'를 말한다. 금(金)이 의미부이고 준(雋)이 소리부이다. 일설에는 '돌을 쪼다(琢石)'라는 뜻이라고도 한다. 첨(瀸)과 같이 읽는다. 독음은 자

(子)와 전(全)의 반절이다.

9295

鑿: 鑿: 뚫을 착: 金-총28획: záo

原文

鑿: 穿木也. 从金, 鸞省聲. 在各切.

飜譯

'나무를 뚫는 송곳(穿木)'을 말한다. 금(金)이 의미부이고, 착(鸞)의 생략된 부분이
소리부이다. 독음은 재(在)와 각(各)의 반절이다.

9296

銛: 銛: 가래 섬: 金-총14획: xiān

原文

銛: 鍤屬. 从金舌聲. 讀若棪. 桑欽讀若鎌. 息廉切.

飜譯

'가래의 일종(鍤屬)'이다. 금(金)이 의미부이고 설(舌)이 소리부이다. 염(棪)과 같이
읽는다. 또 상흠(桑欽)[33]은 겸(鎌)과 같이 읽는다고 했다. 독음은 식(息)과 렴(廉)의
반절이다.

9297

鈂: 鈂: 쇠공이 침: 金-총12획: chén

---

33) 상흠(桑欽, 생졸연대 미상)은 자가 군장(君長)으로, 동한(東漢) 때 하남(河南) 낙양(洛陽) 사
람이다. 『수경(水經)』이 그의 저작이라고 하는데, 이 책은 중국 역대 최초의 체계적인 수계에
관한 지리서이다. 이후 북위(北魏)의 역도원(酈道元)이 이에 주석을 달아 『수경주(水經注)』를
편찬했는데, 고대 중국 최고의 지리서이다.

鈂: 臿屬. 从金尤聲. 直深切.

飜譯

'가래의 일종(鈂屬)'이다. 금(金)이 의미부이고 유(尤)가 소리부이다. 독음은 직(直)과 심(深)의 반절이다.

9298

銝: 銕: 삽 궤: 金-총14획: guǐ

原文

銝: 臿屬. 从金危聲. 一曰瑩鐵也. 讀若跛行. 過委切.

飜譯

'가래의 일종(臿屬)'이다. 금(金)이 의미부이고 위(危)가 소리부이다. 일설에는 '광택이 나는 철(瑩鐵)'을 말한다고도 한다. 파행(跛行: 절뚝거리며 걸음)이라고 할 때의 파(跛)와 같이 읽는다. 독음은 과(過)와 위(委)의 반절이다.

9299

鐅: 鐅: 보습날 별: 金-총20획: piě

原文

鐅: 河內謂臿頭金也. 从金敝聲. 芳滅切.

飜譯

'하내(河內) 일대에서는 금속 날을 끼운 가래(臿頭金)를 별(鐅)이라고 한다.' 금(金)이 의미부이고 폐(敝)가 소리부이다. 독음은 방(芳)과 멸(滅)의 반절이다.

9300

錢: 錢: 돈 전: 金-총16획: qián

原文

錢: 銚也. 古田器. 从金戔聲.『詩』曰 : "庤乃錢鎛." 即淺切.

飜譯

'가래(銚)'를 말한다. 옛날의 농기구(古田器)이다. 금(金)이 의미부이고 wjs(戔)이 소리부이다. 『시·주송·신공(臣工)』에서 "가래와 호미를 준비토록 하오(庤乃錢鎛)"라고 노래했다.34) 독음은 즉(即)과 천(淺)의 반절이다.

9301

钁 : 钁: 괭이 곽: 金-총28획: jué

原文

钁: 大鉏也. 从金矍聲. 居縛切.

飜譯

'큰 괭이(大鉏)'를 말한다. 금(金)이 의미부이고 확(矍)이 소리부이다. 독음은 거(居)와 박(縛)의 반절이다.

9302

鈐 : 鈐: 비녀장 검: 金-총12획: qián

原文

鈐: 鈐鏅, 大犂也. 一曰類枏. 从金今聲. 巨淹切.

飜譯

'검타(鈐鏅)'35)를 말하는데, '큰 쟁기(大犂)'를 말한다. 일설에는 '보습과 비슷하다(類

---

34) 金(쇠 금)이 의미부고 戔(쌓일 전)이 소리부로, 쇠(金)로 만든 흙을 파헤치거나 떠서 던지는 삽처럼 생긴 기구인 가래(銚·요)를 말한다. 옛날 가래 모양으로 돈을 만들었기에(布錢·포전) '돈'을 뜻하게 되었고, 이후 동전을 뜻하게 되었다. 간화자에서는 戔을 戋으로 줄인 钱으로 쓴다.

35) 타(鏅)에 대해, 『당운(唐韻)』에서는 독음이 도(徒)와 과(果)의 반절이라 했으며, 『집운(集韻)』에서는 두(杜)와 과(果)의 반절로 타(惰)와 같이 읽는다고 했다. 『설문』에서는 검(鈐)을 말한다고 했고, 『박아(博雅)』에서는 함(銛)을 말한다고 했다.

椙)’라고 한다. 금(金)이 의미부이고 금(今)이 소리부이다. 독음은 거(曰)와 엄(淹)의 반절이다.

9303

鐏: 鐏: 보습 타: 金-총20획: duò, duì

原文

鐏: 鈁鐏也. 从金隋聲. 徒果切.

飜譯

‘검타(鈁鐏)’를 말하는데, ‘큰 쟁기’를 말한다. 금(金)이 의미부이고 수(隋)가 소리부이다. 독음은 도(徒)와 과(果)의 반절이다.

9304

鐅: 鐅: 낫 발: 金-총20획: pō

原文

鐅: 兩刃, 木柄, 可以刈艸. 从金發聲. 讀若撥. 普活切.

飜譯

‘날이 양쪽으로 있고, 나무 손잡이가 있는, 풀을 벨 수 있는 도구(兩刃, 木柄, 可以刈艸.)’를 말한다. 금(金)이 의미부이고 발(發)이 소리부이다. 발(撥)과 같이 읽는다. 독음은 보(普)와 활(活)의 반절이다.

9305

鈗: 鈗: 가래 동: 金-총14획: tóng

原文

鈗: 梠屬. 从金, 蟲省聲. 讀若同. 徒冬切.

飜譯

'보습의 일종(相屬)'이다. 금(金)이 의미부이고 충(蟲)의 생략된 부분이 소리부이다. 동(同)과 같이 읽는다. 독음은 도(徒)와 동(冬)의 반절이다.

9306

鉏: 鉏: 호미 서: 金-총13획: chú

原文

鉏: 立薅所用也. 从金且聲. 士魚切.

飜譯

'서서 김을 매는데 사용하는 도구(立薅所用)'를 말한다. 금(金)이 의미부이고 차(且)가 소리부이다. 독음은 사(士)와 어(魚)의 반절이다.

9307

鑼: 鑼: 갈 파: 金-총23획: bà, bài, bēi

原文

鑼: 相屬. 从金罷聲. 讀若嬀. 彼爲切.

飜譯

'보습의 일종(相屬)'이다.36) 금(金)이 의미부이고 파(罷)가 소리부이다. 규(嬀)와 같이 읽는다. 독음은 피(彼)와 위(爲)의 반절이다.

9308

鎌: 鎌: 낫 겸: 金-총18획: lián

原文

鎌: 鍥也. 从金兼聲. 力鹽切.

---

36) 『단주』에서는 대서본에서 적은 사(相)가 이(枱)의 잘못이라 하면서 '枱屬也'로 고쳤다. 그렇게 되면 '쟁기의 일종'이 된다.

飜譯

'낫(鎌)'을 말한다. 금(金)이 의미부이고 겸(兼)이 소리부이다. 독음은 력(力)과 염(鹽)의 반절이다.

9309

鍥: 鍥: 새길 계: 金-총17획: jié, qì, qié

原文

鍥: 鎌也. 从金契聲. 苦結切.

飜譯

'낫(鎌)'을 말한다. 금(金)이 의미부이고 계(契)가 소리부이다. 독음은 고(苦)와 결(結)의 반절이다.

9310

銚: 銚: 낫 초: 金-총13획: zhāo

原文

銚: 大鐵也. 从金召聲. 鎌謂之銚, 張徹說. 止搖切.

飜譯

'큰 낫(大鐵)'을 말한다.[37] 금(金)이 의미부이고 소(召)가 소리부이다. 낫(鎌)을 초(銚)라고도 하는데, 이는 장철(張徹)의 해설이다. 독음은 지(止)와 요(搖)의 반절이다.

9311

銍: 銍: 낫 질: 金-총14획: zhì

原文

銍: 穫禾短鎌也. 从金至聲. 陟栗切.

---

37) 서계의 『계전』에서는 대겸(大鎌)으로 되었는데, 앞뒤 문맥으로 볼 때 이가 옳아 보인다.

翻譯

'곡식을 수확하는데 쓰는 짧은 낫(穫禾短鎌)'을 말한다. 금(金)이 의미부이고 지(至)가 소리부이다. 독음은 척(陟)과 률(栗)의 반절이다.

9312

鎮: 鎮: 진압할 진: 金-총18획: zhèn

原文

鎮: 博壓也. 从金眞聲. 陟刃切.

翻譯

'넓게 누르다(博壓)'라는 뜻이다. 금(金)이 의미부이고 진(眞)이 소리부이다.[38] 독음은 척(陟)과 인(刃)의 반절이다.

9313

鉆: 鉆: 족집게 첩·보습 겸: 金-총13획: chān

原文

鉆: 鐵鉆也. 从金占聲. 一曰膏車鐵鉆. 敕淹切.

翻譯

'철섭(鐵鉆) 즉 쇠로 만든 족집게'를 말한다. 금(金)이 의미부이고 점(占)이 소리부이다. 일설에는 '수레바퀴통에 기름을 칠하는 철로 된 도구(膏車鐵鉆)'를 말한다고도 한다. 독음은 칙(敕)과 엄(淹)의 반절이다.

9314

鉆: 鉆: 족집게 섭: 金-총15획: zhé

---

38) 金(쇠 금)이 의미부고 眞(참 진)이 소리부로, 무거운 쇠(金) 같은 것으로 누르다는 뜻이며 이로부터 鎭壓(진압)하다는 뜻도 나왔다. 鎭山(진산)은 지덕으로써 한 지방을 진정하는 명산대악을 말한다.

原文

鍱: 鉆也. 从金耴聲. 陟葉切.

飜譯

'첩(鉆)과 같아 족집게'를 말한다. 금(金)이 의미부이고 첩(耴)이 소리부이다. 독음은 척(陟)과 엽(葉)의 반절이다.

9315

鉗: 鉗: **칼 겸**: 金-총13획: qián

原文

鉗: 以鐵有所劫束也. 从金甘聲. 巨淹切.

飜譯

'철로 만든 목에 씌우는 칼로, 구속하고 겁박함(以鐵有所劫束)'을 말한다. 금(金)이 의미부이고 감(甘)이 소리부이다. 독음은 거(巨)와 엄(淹)의 반절이다.

9316

鈦: 鈦: **차꼬 체**: 金-총11획: dì

原文

鈦: 鐵鉗也. 从金大聲. 特計切.

飜譯

'쇠로 만든 형구인 칼(鐵鉗)'을 말한다.[39] 금(金)이 의미부이고 대(大)가 소리부이다. 독음은 특(特)과 계(計)의 반절이다.

9317

鋸: 鋸: **톱 거**: 金-총16획: jù

---

39) 계복의 『의증』에서는 "머리에 씌우는 것을 겸(鉗), 발에 채우는 것을 체(鈦)라 한다고 하였다.

原文

鋸：槍唐也. 从金居聲. 居御切.

繙譯

'창당(槍唐) 즉 톱'을 말한다.[40] 금(金)이 의미부이고 거(居)가 소리부이다. 독음은 거(居)와 어(御)의 반절이다.

9318

鐕： 鐕: 못 잠: 金-총20획: zān

原文

鐕： 可以綴著物者. 从金朁聲. 則參切.

繙譯

'꿰매서 물체를 연결시킬 수 있는 장치인 못(可以綴著物者)'을 말한다. 금(金)이 의미부이고 참(朁)이 소리부이다. 독음은 칙(則)과 참(參)의 반절이다.

9319

錐： 錐: 송곳 추: 金-총16획: zhuī

原文

錐： 銳也. 从金隹聲. 藏追切.

繙譯

'예리하다(銳)'라는 뜻이다. 금(金)이 의미부이고 추(隹)가 소리부이다.[41] 독음은 장(藏)과 추(追)의 반절이다.

---

40) 『단주』에서 이렇게 말했다. "창당(槍唐)은 아마도 한나라 때 사람들이 사용하던 말일 것이다. 『광운(廣韵)』에서 『고사고(古史考)』를 인용하여 『맹자』와 『장자(莊子)』에서 거(鋸)로 적었다고 했다."
41) 金(쇠 금)이 의미부고 隹(새 추)가 소리부로, 송곳을 말하는데, 안으로 들어가도록(隹) 구멍을 뚫는 금속(金) 도구라는 뜻을 담았다.

9320

鑱: 鑱: 보습 참: 金-총25획: chán

原文

鑱: 銳也. 从金毚聲. 士銜切.

翻譯

'예리하다(銳)'라는 뜻이다. 금(金)이 의미부이고 참(毚)이 소리부이다. 독음은 사(士)와 함(銜)의 반절이다.

9321

銳: 銳: 날카로울 예: 金-총15획: ruì

原文

銳: 芒也. 从金兌聲. 厱, 籀文銳从厂、剡. 以芮切.

翻譯

'칼날처럼 날카롭다(芒)'라는 뜻이다. 금(金)이 의미부이고 태(兌)가 소리부이다. 예(厱)는 예(銳)의 주문체인데, 엄(厂)과 섬(剡)으로 구성되었다. 독음은 이(以)와 예(芮)의 반절이다.

9322

鏝: 鏝: 흙손 만: 金-총19획: màn

原文

鏝: 鐵杇也. 从金曼聲. 槾, 鏝或从木. (臣鉉等案 : 木部已有, 此重出.) 母官切.

翻譯

'쇠로 만든 흙손(鐵杇)'을 말한다. 금(金)이 의미부이고 만(曼)이 소리부이다. 만(槾)은 만(鏝)의 혹체자인데, 목(木)으로 구성되었다. [신(臣) 서현 등은 이렇게 생각합니다.]

"목(木)부수에 이미 이 글자가 있는데, 여기서 중복 출현하였습니다." 독음은 모(母)와 관(官)의 반절이다.

9323

鑽: 鑽: 끌 찬: 金-총27획: zuān

原文

鑽: 所以穿也. 从金贊聲. 借官切.

飜譯

'구멍을 뚫는 도구(所以穿)'를 말한다. 금(金)이 의미부이고 찬(贊)이 소리부이다. 독음은 차(借)와 관(官)의 반절이다.

9324

鑢: 鑢: 줄 려: 金-총23획: lǘ

原文

鑢: 錯銅鐵也. 从金慮聲. 良據切.

飜譯

'구리나 철을 가는 데 쓰는 줄(錯銅鐵)'을 말한다.[42] 금(金)이 의미부이고 려(慮)가 소리부이다. 독음은 량(良)과 거(據)의 반절이다.

9325

銓: 銓: 저울질할 전: 金-총14획: quán

---

[42] 『단주』에서는 착(錯)이 착(厝)의 잘못이라 하면서 '厝銅鐵也'로 고쳤다. 그리고 이렇게 말했다. "착(厝)은 숫돌을 말한다(厲石也). 그래서 숫돌을 나타내는 말로 썼는데, 청동이나 쇠로 만든 숫돌(厝銅鐵)을 려(鑢)라 했으며, 그래서 글자에 금(金)이 들어갔다. 『주례(周禮)』에서는 려(鑪)로 적었다."

原文

銓: 衡也. 从金全聲. 此緣切.

繙譯

'저울[질 하다](衡)'을 말한다. 금(金)이 의미부이고 전(全)이 소리부이다. 독음은 차(此)와 연(緣)의 반절이다.

9326

銖: 銖: 무게 단위 수: 金-총14획: zhū

原文

銖: 權十分黍之重也. 从金朱聲. 市朱切.

繙譯

'무게 단위인데, 기장 100알의 무게(權十分黍之重)'를 말한다.43) 금(金)이 의미부이고 주(朱)가 소리부이다. 독음은 시(市)와 주(朱)의 반절이다.

---

43) 『단주』에서 이렇게 말했다. "각 판본에서 '權十分黍之重也'라고 적었는데, 이를 '權十絫黍之重也'로 고친다. 권(權)은 오권(五權)을 말한다. 오권은 무게 2근을 재는 큰 저울을 말한다(五權, 銖兩斤鈞䄷也). 루(厽)부수에서 루(絫)는 10서(黍)의 무게를 말한다고 했다. 여기서 수(銖)는 100서(十絫黍)의 무게를 말한다고 했다. 양(㒼)부수에서, 양(兩)은 24수(銖)를 말한다고 했다. 근(斤)의 경우 원래 (단위를 나타내는) 그런 글자가 없었고, 나무를 벨 때 쓰는 도끼(斫木之斤)를 말하는 근(斤)을 가져와 사용했는데, 16량(兩)이다. 균(鈞)은 30근(斤)을 말한다. 화(禾)부수에서 석(䄷)은 120근(斤)을 말한다."

또 이렇게 말했다 "내 생각에, 허신의 해설은 『한서·율력지(律曆志)』와 합치된다. 『율력지』에서 1약(龠)의 용량은 1200서(黍)이고 무게는 12수(銖)이다. 이를 곱한 것이 양(㒼)인데, 24수(銖)가 1량(兩)이며, 16량(兩)이 1근(斤)이며, 30근(斤)이 1균(鈞)이고, 4균(鈞)이 1석(石)이라고 했다. 이것이 허신이 근거했던 자료이다. 10루서(十絫黍)는 100서(黍)를 말한다. 굳이 서(黍)를 사용한 것은 10서(黍)의 무게를 1루(絫)라고 한 것을 고려했기 때문일 것이다. 그리고 양(兩), 근(斤), 균(鈞), 석(䄷) 등은 서(黍)로 계산할 수 있는 단위들이다. 화(禾)부수의 칭(稱)자의 해석처럼, 12속(粟)이 1분(分)이고, 12분(分)이 1수(銖)라는 것은 『회남자·천문훈(天文訓)』의 해설을 가져온 것으로, 「율력지(律曆志)」와는 다른 체계이다. 속(粟)은 곡식의 알갱이(禾實)를 말한다. 오늘날의 벼나 기장(禾黍)으로 검정해볼 때, 기장(粟)은 수수(黍)보다 훨씬 가볍다."

9327

鋝: 鋝: 엿 냥쭝 렬: 金-총15획: lüè

原文

鋝: 十銖二十五分之十三也. 从金寽聲. 『周禮』曰: "重三鋝." 北方以二十兩爲 鋝. 力錣切.

譯

'10수(銖)와 25분의 13주(銖)에 해당하는 무게 단위(十銖二十五分之十三)'를 말한다.[44] 금(金)이 의미부이고 률(寽)이 소리부이다. 『주례·고공기·야씨(冶氏)』에서 "무게가 3렬(重三鋝)"이라 했다. 북방에서는 20냥(兩)을 1렬(鋝)이라 한다. 독음은 력(力)과 철(錣)의 반절이다.

9328

鍰: 鍰: 무게 단위 환: 金-총17획: huán

原文

鍰: 鋝也. 从金爰聲. 『罰書』曰: "列百鍰." 戶關切.

譯

'무게 단위인 렬(鋝)'을 말한다. 금(金)이 의미부이고 원(爰)이 소리부이다. 『벌서(罰書)』[45]에서 "벌금 1백 환(列百鍰)"이라고 했다. 독음은 호(戶)와 관(關)의 반절이다.

---

44) 『단주』에서 이렇게 말했다. '十一銖二十五分銖之十三也'의 경우 각 판본에서 11수(銖)를 10수(銖)로 적었으며, 25분수(五分銖)에 수(銖)자가 빠졌었다. 지금 『상서음의(尙書音義)』의 한나라 소망지(蕭望之, B.C. 약 114~B.C. 47)의 경전 주석과 『광운(廣韵)』 제17 설(薛)운에 근거하여 바로 잡는다. 11수(銖)는 1100서(黍)가 된다. '25분수(分銖)의 13'이라고 한 것은 여기서 '命分之法'을 사용한 것이다. 100서(黍)를 4로 나누면 나머지가 없이 똑 떨어지는데, 이를 25분(分)이라 부른다. 25분(分)의 13을 하면 52서(黍)가 된다. 이를 '二十五分銖之十三'이라 했는데, 11수(銖)와 맞아떨어진다. 모두 합하면 1152서(黍)가 된다.

45) 『단주』에서는 '『罰書』曰'을 '書曰'로 고치고서는 이렇게 말했다. "고본(古本)에서는 '書曰'이라 했고, 조본(趙本)에서는 '虞書曰'이라 했는데, 내 생각에는 '周書曰'로 고쳐야 한다고 생각한다."고 했다.

9329

錙: 錙: 저울눈 치: 金-총16획: zī

原文

錙: 六銖也. 从金甾聲. 側持切.

飜譯

'6수(銖)의 무게'를 말한다. 금(金)이 의미부이고 치(甾)가 소리부이다. 독음은 측(側)과 지(持)의 반절이다.

9330

錘: 錘: 저울 추: 金-총16획: chuí

原文

錘: 八銖也. 从金垂聲. 直垂切.

飜譯

'8수(銖)의 무게'를 말한다. 금(金)이 의미부이고 수(垂)가 소리부이다. 독음은 직(直)과 수(垂)의 반절이다.

9331

鈞: 鈞: 서른 근 균: 金-총12획: jūn

原文

鈞: 三十斤也. 从金勻聲. 銎, 古文鈞从旬. 居勻切.

飜譯

'30근(斤)의 무게'를 말한다. 금(金)이 의미부이고 균(勻)이 소리부이다. 균(銎)은 균(鈞)의 고문체인데, 순(旬)으로 구성되었다. 독음은 거(居)와 균(勻)의 반절이다.

9332

鈀: 鈀: 병거 파: 金-총12획: pá

原文

鈀: 兵車也. 一曰鐵也. 『司馬法』: "晨夜內鈀車." 从金巴聲. 伯加切.

飜譯

'전쟁에 쓰는 수레(兵車)'를 말한다. 일설에는 '철(鐵)'을 말한다고도 한다. 『사마법(司馬法)』에 의하면, "신야내파차(晨夜內鈀車: 새벽에 병거를 불러들인다)"라고 했다.[46] 금(金)이 의미부이고 파(巴)가 소리부이다. 독음은 백(伯)과 가(加)의 반절이다.

9333

鐲: 鐲: 징 탁: 金-총21획: zhuó

原文

鐲: 鉦也. 从金蜀聲. 軍法 : 司馬執鐲. 直角切.

飜譯

'징(鉦)'을 말한다. 금(金)이 의미부이고 촉(蜀)이 소리부이다. 군법(軍法)[47]에서 "사마가 징을 든다(司馬執鐲)"라고 했다. 독음은 직(直)과 각(角)의 반절이다.

9334

鈴: 鈴: 방울 령: 金-총13획: líng

原文

---

46) 『단주』에서 이렇게 말했다. "오늘날의 『사마법(司馬法)』에는 이런 글이 없다. 『방언(方言)』에서 '넓고 길면서 모서리가 가는 화살(箭廣長而薄鐮)'을 비(錍)라 했는데, 이것이 혹 파(鈀)가 아닐까 생각한다." 왕균의 『구두』에서도 이는 이미 사라진 문장이어서 따로 해석하지 않는다고 했다.

47) 청나라 전첨(錢坫, 1744~1806)의 『설문구전(說文斠銓)』에서 "여기서 말한 '군법'은 모두 『주례』를 말하는 것이며, 이 인용문 또한 『주례·하관·대사마』에 나오는 말이다."라고 했다.

鈴： 令丁也. 从金从令, 令亦聲. 郎丁切.

譯

'요령(令丁)'48)을 말한다. 금(金)이 의미부이고 령(令)도 의미부인데, 령(令)은 소리부도 겸한다. 독음은 랑(郎)과 정(丁)의 반절이다.

9335

鉦： 鉦: 징 정: 金—총13획: zhēng

原文

鉦： 鐃也. 似鈴, 柄中, 上下通. 从金正聲. 諸盈切.

譯

'징(鐃)'을 말한다. 요령(鈴)과 비슷하나 손잡이가 가운데 붙었고(柄中) 아래 위가 통하도록 되었다(上下通). 금(金)이 의미부이고 정(正)이 소리부이다. 독음은 제(諸)와 영(盈)의 반절이다.

9336

鐃： 鐃: 징 뇨: 金—총20획: náo

原文

鐃： 小鉦也. 軍法：卒長執鐃. 从金堯聲. 女交切.

譯

'작은 징(小鉦)'을 말한다. 군법(軍法)(즉『주례·하과대사마』)에서 "졸장이 작은 징을 든다(卒長執鐃)"라고 했다. 금(金)이 의미부이고 요(堯)가 소리부이다. 독음은 녀(女)와 교(交)의 반절이다.

---

48) 요령은 놋쇠로 만든 종 모양의 큰 방울이다. 위에 짧은 쇠자루가 있고 안에 작은 쇠뭉치가 달린 것으로, 군령이나 경고 신호에 쓴다. 또 불교나 무속에서도 사용되는데, 불교에서는 종 모양의 법구(法具)로, 솔발보다 조금 작으며, 법요를 행할 때 흔든다. 그리고 무속에서는 무당이 점칠 때나 굿을 할 때에 손에 들고 흔드는 방울이다.

9337

鐸: 鐸: 방울 탁: 金-총21획: duó

原文

鐸: 大鈴也. 軍法: 五人爲伍, 五伍爲兩, 兩司馬執鐸. 从金睪聲. 徒洛切.

飜譯

'큰 요령(大鈴)'을 말한다. 군법(軍法)(즉 『주례·하과·대사마』)에서 "다섯 명(人)이 1오(伍)가 되며, 5오(伍)가 1량(兩)이 되는데, 양(兩: 25명)을 관리하는 사마(司馬)가 큰 요령(鐸)을 든다."라고 했다. 금(金)이 의미부이고 역(睪)이 소리부이다.49) 독음은 도(徒)와 락(洛)의 반절이다.

9338

鎛: 鎛: 종 박: 金-총25획: bó

原文

鎛: 大鐘, 淳于之屬, 所以應鐘磬也. 堵以二, 金樂則鼓鎛應之. 从金薄聲. 匹各切.

飜譯

'큰 종(大鐘)'을 말하는데, 순우(淳于)의 일종이며, 종(鐘)과 경(磬)과 맞추어 사용하는 악기이다. 양쪽으로 두 세트의 악기를 거는데, 종을 울리는 음악에서는 북과 큰 종을 사용하여 이에 맞춘다(堵以二, 金樂則鼓鎛應之). 금(金)이 의미부이고 박(薄)이 소리부이다. 독음은 필(匹)과 각(各)의 반절이다.

9339

鏞: 鏞: 종 용: 金-총19획: yōng

---

49) 金(쇠 금)이 의미부고 睪(엿볼 역)이 소리부로, 옛날의 금속(金) 악기로 大鈴(대령)의 일종이다. 또 방울 울리는 소리라는 뜻도 나왔다. 간화자에서는 睪을 釆으로 간단하게 줄여 铎으로 쓴다.

原文

鏞: 大鐘謂之鏞. 从金庸聲. 余封切.

飜譯

'큰 종(大鐘)'을 용(鏞)이라 한다. 금(金)이 의미부이고 용(庸)이 소리부이다. 독음은 여(余)와 봉(封)의 반절이다.

9340

鐘: 鐘: 종 종: 金-총20획: zhōng

原文

鐘: 樂鐘也. 秋分之音, 物穜成. 从金童聲. 古者垂作鐘. 銿, 鐘或从甬. 職茸切.

飜譯

'음악에 사용하는 종(樂鐘)'을 말한다. 추분을 상징하는 소리이며 그 때가 되면 만물이 다 성숙한다(秋分之音, 物穜成)[그래서 종(鐘)이라 한다].50) 금(金)이 의미부이고 동(童)이 소리부이다. 먼 옛날, 수(垂)가 종(鐘)을 처음 만들었다. 종(銿)은 종(鐘)의 혹체자인데, 용(甬)으로 구성되었다. 독음은 직(職)과 용(茸)의 반절이다.

9341

鈁: 鈁: 준 방: 金-총12획: fāng

原文

鈁: 方鐘也. 从金方聲. 府良切.

---

50) 『단주』에서는 "秋分之音, 萬物穜成, 故謂之鐘."이라 하여 '萬'과 '故謂之鐘' 등 5자를 보충해 넣었다. 그리고 이렇게 말했다. "이는 고(鼓)가 춘분(春分)의 음악을 상징하는데 만물이 껍질을 벗고 나오기 때문에(萬物郭皮甲) 그렇게 말한다. 이는 생(笙)이 정월(正月)의 음악을 상징하는데 만물이 생성하기 때문에(物生) 생(笙)이라 하며, 관(管)은 12월의 음악을 상징하는데 사물이 땅속으로 뿌리를 내리기 때문에(物開地牙) 관(管)이라 하는 것과 같은 이치이다. 종(鐘)과 종(穜)은 첩운자이다."

飜譯

'네모꼴의 종(方鐘)'을 말한다. 금(金)이 의미부이고 방(方)이 소리부이다. 독음은 부(府)와 량(良)의 반절이다.

9342

鎛: 鎛: 종 박: 金—총18획: bó

原文

鎛: 鎛鱗也. 鐘上橫木上金華也. 一曰田器. 从金尃聲.『詩』曰:“庤乃錢鎛.”補各切.

飜譯

'용처럼 비늘을 가진 짐승을 넣은 장식(鎛鱗)'을 말하는데, 종을 거는 가름대 위에 금칠을 한 장식(鐘上橫木上金華)'을 말한다. 일설에는 농기구(田器)를 말한다고도 한다. 금(金)이 의미부이고 부(尃)가 소리부이다.『시·주송·신공(臣工)』에서 “가래와 호미를 준비하도록 하오(庤乃錢鎛)”라고 노래했다. 독음은 보(補)와 각(各)의 반절이다.

9343

鍠: 鍠: 종고 소리 굉: 金—총17획: huáng

原文

鍠: 鐘聲也. 从金皇聲.『詩』曰:“鐘鼓鍠鍠.” 乎光切.

飜譯

'종의 소리(鐘聲)'를 말한다. 금(金)이 의미부이고 황(皇)이 소리부이다.『시·주송·집경(執競)』에서 “종과 북 덩덩 울리고(鐘鼓鍠鍠)”라고 노래했다.[51] 독음은 호(乎)와 광

---

51) 금본에서는 굉굉(鍠鍠)이 굉굉(喤喤)으로 되었다.『단주』에서 이렇게 말했다. “이는「주송(周頌)」의 글이다. 금시(今詩)에서는 황황(喤喤)으로 되었다.『모전(毛傳)』에서 조화로운 모습이다(和也)라고 했다. 내 생각은 이렇다. 황(皇)은 크다는 뜻이다(大也). 그래서 소리가 큰 것을 뜻하는 글자는 황(皇)으로 구성된 것이 많다.『시(詩)』에서 '其泣喤喤(울음소리 쩡쩡 울리는 것으로 보아)'이라 했는데, 황황(喤喤)은 그 소리를 말한다. 옥(玉)부수에서 황(瑝)은 옥의 소리를 말한다(玉聲也)고 했다.『시경·집경(執競)』에서 종(鐘)소리에 통합함으로써 '황황(鍠鍠)'이라

(光)의 반절이다.

9344

鎗: 鎗: 종소리 쟁: 金-총18획: chēng

原文

鎗: 鐘聲也. 从金倉聲. 楚庚切.

飜譯

'종의 소리(鐘聲)'를 말한다. 금(金)이 의미부이고 창(倉)이 소리부이다. 독음은 초(楚)와 경(庚)의 반절이다.

9345

鏓: 鏓: 큰 끌 총: 金-총19획: cōng

原文

鏓: 鎗鏓也. 一曰大鑿, 平木者. 从金悤聲. 倉紅切.

飜譯

'종의 소리가 아름답다(鎗鏓)'라는 뜻이다. 일설에는 '나무를 편편하게 깎는 큰 대패(大鑿, 平木者)'를 말한다고도 한다. 금(金)이 의미부이고 총(悤)이 소리부이다. 독음은 창(倉)과 홍(紅)의 반절이다.

9346

錚: 錚: 쇳소리 쟁: 金-총16획: zhēng

原文

錚: 金聲也. 从金爭聲. 側莖切.

고 통칭했던 것이다."

翻譯

'쇠의 소리(金聲)'를 말한다. 금(金)이 의미부이고 쟁(爭)이 소리부이다. 독음은 측(側)과 경(莖)의 반절이다.

9347

鏜: 鏜: 종고 소리 당: 金-총19획: tāng

原文

鏜: 鐘鼓之聲. 从金堂聲.『詩』曰: "擊鼓其鏜." 上郎切.

翻譯

'종과 북의 소리(鐘鼓之聲)'를 말한다. 금(金)이 의미부이고 당(堂)이 소리부이다.『시·패풍·격고(擊鼓)』에서 "북소리 둥둥 울리니(擊鼓其鏜)"라고 노래했다. 독음은 상(上)과 랑(郎)의 반절이다.

9348

鑋: 鑋: 쇳소리 경: 金-총22획: qìng

原文

鑋: 金聲也. 从金輕聲. 讀若『春秋傳』曰"鑋而乘它車". 苦定切.

翻譯

'쇠의 소리(金聲)'를 말한다. 금(金)이 의미부이고 경(輕)이 소리부이다.『춘추전』(소공 26년)에서 말한 "경이승타거(鑋而乘它車: 한쪽 발로 걸어 다른 수레를 탔다)"라고 할 때의 경(鑋)과 같이 읽는다. 독음은 고(苦)와 정(定)의 반절이다.

9349

鐔: 鐔: 날밑 심: 金-총20획: xín

原文

鐔: 劍鼻也. 从金覃聲. 徐林切.

(국역) '칼의 코등이(劍鼻)[손을 보호하도록 칼의 손잡이에 만들어진 둥근 테]'를 말한다. 금(金)이 의미부이고 담(覃)이 소리부이다. 독음은 서(徐)와 림(林)의 반절이다.

9350

 鏌: 칼 이름 막: 金-총19획: mò

(原文) 鏌: 鏌鋣也. 从金莫聲. 慕各切.

(국역) '막야(鏌鋣)라는 칼 이름'을 말한다.[52) 금(金)이 의미부이고 막(莫)이 소리부이다. 독음은 모(慕)와 각(各)의 반절이다.

9351

鋣: 鋣: 칼 이름 야: 金-총12획: yé

(原文) 鋣: 鏌鋣也. 从金牙聲. 以遮切.

(국역) '막야(鏌鋣)라는 칼 이름'을 말한다. 금(金)이 의미부이고 아(牙)가 소리부이다. 독음은 이(以)와 차(遮)의 반절이다.

9352

鏢: 鏢: 칼끝 표: 金-총19획: biāo

---

52) 막야(鏌鋣)는 간장(干將)과 함께 고대 오나라에 있었다는 명검의 하나이다. 달리 막야(鏌邪)로 쓰기도 하고, 막야(莫邪)로 쓰기도 한다.

原文

鏕: 刀削末銅也. 从金票聲. 撫招切.

飜譯

'칼집 끝의 구리 장식(刀削末銅)'을 말한다. 금(金)이 의미부이고 표(票)가 소리부이다. 독음은 무(撫)와 초(招)의 반절이다.

9353

鈒: 鈒: 창 삽: 金-총12획: sà

原文

鈒: 鋋也. 从金及聲. 穌合切.

飜譯

'짧고 작은 창(鋋)'을 말한다. 금(金)이 의미부이고 급(及)이 소리부이다. 독음은 소(穌)와 합(合)의 반절이다.

9354

鋋: 鋋: 작은 창 연: 金-총15획: chán

原文

鋋: 小矛也. 从金延聲. 市連切.

飜譯

'작은 창(小矛)'을 말한다. 금(金)이 의미부이고 연(延)이 소리부이다. 독음은 시(市)와 련(連)의 반절이다.

9355

鈗: 鈗: 병기 윤: 金-총12획: yǔn

原文

鈗: 侍臣所執兵也. 从金允聲. 『周書』曰: "一人冕, 執鈗." 讀若允. 余準切.

飜譯

'곁에서 모시는 신하들이 갖는 무기(侍臣所執兵)'를 말한다. 금(金)이 의미부이고 윤(允)이 소리부이다. 『서·주서(周書)·고명(顧命)』에서 "한 사람은 관을 쓰고 손에는 뾰족한 창을 쥐고 [동쪽 옆방 뒤쪽의 섬돌에 서 있네](一人冕, 執鈗)"라고 했다. 윤(允)과 같이 읽는다. 독음은 여(余)와 준(準)의 반절이다.

9356

鉈: 鉈: **짧은 창 사**: 金−**총13획: tā, tuó**

原文

鉈: 短矛也. 从金它聲. 食遮切.

飜譯

'짧은 창(短矛)'을 말한다. 금(金)이 의미부이고 타(它)가 소리부이다. 독음은 식(食)과 차(遮)의 반절이다.

9357

鏦: 鏦: **창 총**: 金−**총19획: cōng**

原文

鏦: 矛也. 从金從聲. 錄, 鏦或从彖. 七恭切.

飜譯

'창(矛)'을 말한다. 금(金)이 의미부이고 종(從)이 소리부이다. 총(錄)은 총(鏦)의 혹체자인데, 단(彖)으로 구성되었다. 독음은 칠(七)과 공(恭)의 반절이다.

9358

鍛: 鍛: 창 담: 金-총16획: tán

原文

鍛: 長矛也. 从金炎聲. 讀若老聃. 徒甘切.

翻譯

'긴 창(長矛)'을 말한다. 금(金)이 의미부이고 염(炎)이 소리부이다. 노담(老聃)이라고 할 때의 담(聃)과 같이 읽는다. 독음은 도(徒)와 감(甘)의 반절이다.

9359

鑆: 鑆: 무기의 첨단 봉: 金-총19획: fēng

原文

鑆: 兵耑也. 从金逢聲. 敷容切.

翻譯

'무기의 끝부분(兵耑)'을 말한다. 금(金)이 의미부이고 봉(逢)이 소리부이다. 독음은 부(敷)와 용(容)의 반절이다.

9360

鐏: 鐏(鐏): 창고달 대: 金-총20획: duì

原文

鐏: 矛戟柲下銅, 鐏也. 从金辜聲. 『詩』曰 : "厹矛沃鐏." 徒對切.

翻譯

'창의 자루 끝에 구리로 만든 평평한 덮개(矛戟柲下銅)[창고달]53)'를 말하는데, 준

---

53) 창고달은 창의 자루 끝마무리, 즉 창머리(矛頭)의 반대편에 끼우는 부속구(附屬具)이다. 고고학 자료로서는 4~6세기 대 삼국의 각 고분에서 흔히 볼 수 있는 유물이다. 중국(中國)에서는 상대(商代)부터 제작하기 시작했으며 낙랑유적(樂浪遺蹟)에서도 청동제 창고달이 발견된다. 삼

(鐓)이라고도 한다. 금(金)이 의미부이고 순(臺)이 소리부이다. 『시·진풍·소융(小戎)』에 서 "세모창은 흰 쇠를 밑에 대었네(참矛沃鐏)"라고 노래했다. 독음은 도(徒)와 대 (對)의 반절이다.

9361

鐏: 鐏: 창고달 준: 金─총20획: zùn

原文

鐏: 柲下銅也. 从金尊聲. 徂寸切.

飜譯

'창의 자루 끝에 구리로 만든 평평한 덮개(柲下銅)[창고달]'를 말한다. 금(金)이 의미 부이고 존(尊)이 소리부이다. 독음은 조(徂)와 촌(寸)의 반절이다.

9362

鏐: 鏐: 금 류: 金─총19획: liú

原文

鏐: 弩眉也. 一曰黃金之美者. 从金翏聲. 力幽切.

飜譯

'노미(弩眉)'를 말한다.[54] 일설에는 '아름답고 질 좋은 황금(黃金之美者)'을 말한다고도 한다. 금(金)이 의미부이고 료(翏)가 소리부이다. 독음은 력(力)과 유(幽)의 반절이다.

국시대 고분 출토품으로 많이 보이다가 통일신라시대의 유물로는 안압지 출토품 1점만이 보인 다. 한국에서는 4세기 대에 철제창고달(鐵製鐏)을 사용하기 시작하고, 삼국시대 고고학 자료에 도 많이 남아 있다. 이후 조선시대까지 계속 사용한 증거는 『무예도보통지(武藝圖譜通志)』와 같은 문헌을 통해 알 수 있다.(『고고학사전』)
54) 『단주』에서도 무엇을 지칭하는지 구체적인 의미를 알 수 없다고 했다.

9363

鍭: 鍭: 화살 후: 金-총17획: hóu

原文

鍭: 矢. 金鏃翦羽謂之鍭. 从金矦聲. 乎鉤切.

飜譯

'화살(矢)'을 말한다. 쇠로 만든 화살촉과 깃을 꽂은 화살대(金鏃翦羽)를 족(鍭)이라 한다. 금(金)이 의미부이고 후(矦)가 소리부이다. 독음은 호(乎)와 구(鉤)의 반절이다.

9364

鏑: 鏑: 살촉 적: 金-총19획: dí

原文

鏑: 矢鏠也. 从金啻聲. 都歷切.

飜譯

'화살의 예리한 촉 부분(矢鏠)[시봉]'을 말한다. 금(金)이 의미부이고 시(啻)가 소리부이다. 독음은 도(都)와 력(歷)의 반절이다.

9365

鎧: 鎧: 갑옷 개: 金-총18획: kǎi

原文

鎧: 甲也. 从金豈聲. 苦亥切.

飜譯

'갑옷(甲)'을 말한다. 금(金)이 의미부이고 기(豈)가 소리부이다. 독음은 고(苦)와 해(亥)의 반절이다.

9366

釬: 釬: 팔찌 한: 金-총11획: hàn

原文

釬: 臂鎧也. 从金干聲. 矦旰切.

飜譯

'[팔을 보호하기 위해] 금속편을 기워 만든 팔에 두르는 토시(臂鎧)'를 말한다. 금(金)이 의미부이고 간(干)이 소리부이다. 독음은 후(矦)와 간(旰)의 반절이다.

9367

錏: 錏: 투구 목 가림 아: 金-총16획: yā

原文

錏: 錏鍜, 頸鎧也. 从金亞聲. 烏牙切.

飜譯

'아하(錏鍜)로 [갑옷에서] 목을 가리는 투구(頸鎧)'를 말한다. 금(金)이 의미부이고 아(亞)가 소리부이다. 독음은 오(烏)와 아(牙)의 반절이다.

9368

鍜: 鍜: 목 투구 하: 金-총17획: xiā

原文

鍜: 錏鍜也. 从金叚聲. 乎加切.

飜譯

'아하(錏鍜)로 [갑옷에서] 목을 가리는 투구'를 말한다. 금(金)이 의미부이고 가(叚)가 소리부이다. 독음은 호(乎)와 가(加)의 반절이다.

9369

鐧: 鐧: 수레굴대 간: 金-총20획: jiàn

原文

鐧: 車軸鐵也. 从金閒聲. 古莧切.

飜譯

'차축 속에 들어가는 쇠 굴대(車軸鐵)'를 말한다. 금(金)이 의미부이고 간(閒)이 소리부이다. 독음은 고(古)와 현(莧)의 반절이다.

9370

釭: 釭: 등잔 강: 金-총11획: gāng

原文

釭: 車轂中鐵也. 从金工聲. 古雙切.

飜譯

'수레바퀴 속에 들어가는 쇠 굴대(車轂中鐵)'를 말한다. 금(金)이 의미부이고 공(工)이 소리부이다. 독음은 고(古)와 쌍(雙)의 반절이다.

9371

鏨: 鏨: 구리 녹날 세: 金-총15획: shì

原文

鏨: 車樘結也. 一曰銅生五色也. 从金折聲. 讀若誓. 時制切.

飜譯

'수레의 문틀이나 창틀에 묶는 장치(車樘結)'를 말한다. 일설에는 '구리에 생기는 다섯 가지 색의 녹(銅生五色)'을 말한다고도 한다. 금(金)이 의미부이고 절(折)이 소리부이다. 서(誓)와 같이 읽는다. 독음은 시(時)와 제(制)의 반절이다.

9372

鈒：　鈒: 방흘 흘: 金-총11획: xī

原文

鈒：　乘輿馬頭上防鈒. 插以翟尾、鐵翮, 象角. 所以防綱羅鈒去之. 从金气聲.
許訖切.

飜譯

‘임금이 타는 수레를 끄는 말 머리에 다는 장식(乘輿馬頭上防鈒)’을 말한다. 꿩의 꼬
리털(翟尾)과 쇠처럼 단단한 깃촉(鐵翮)을 꼽아 뿔이 난 것(角)처럼 만드는데, 이는
그물이 내리 덮치거나 떨어져 나가거나 유실되는 것을 막기 위한 장치이다(所以防
綱羅鈒去之). 금(金)이 의미부이고 기(气)가 소리부이다. 독음은 허(許)와 흘(訖)의
반절이다.

9373

鑾：　鑾: 방울 란: 金-총27획: luán

原文

鑾：　人君乘車, 四馬鑣, 八鑾鈴, 象鸞鳥聲, 和則敬也. 从金, 从鸞省. 洛官切.

飜譯

‘임금이 타는 수레는 네 마리의 말이 끌고 8개의 방울을 단다. 그 소리가 마치 난새
가 우는 듯한데, 이 조화로운 소리를 들으면 공경하게 된다.(人君乘車, 四馬鑣, 八鑾
鈴, 象鸞鳥聲, 和則敬).’ 금(金)이 의미부이고, 난(鸞)의 생략된 부분도 의미부이다.
독음은 락(洛)과 관(官)의 반절이다.

9374

鉞：　鉞: 도끼 월: 金-총13획: yuè

原文

鐬: 車鑾聲也. 从金戌聲. 『詩』曰 : "鑾聲鐬鐬." 呼會切.

飜譯

'수레의 방울 소리(車鑾聲)'를 말한다. 금(金)이 의미부이고 월(戌)이 소리부이다. 『시·소아·채숙(采菽)』에서 "말방울 소리 짤랑거리네(鑾聲鐬鐬)"라고 노래했다.[55) 독음은 호(呼)와 회(會)의 반절이다.

9375

鍚: 鍚: 말머리 치장 양: 金-총20획: yáng

原文

鍚: 馬頭飾也. 从金陽聲. 『詩』曰 : "鉤膺鏤鍚." 一曰鍱, 車輪鐵. 與章切.

飜譯

'말머리에 다는 장식물(馬頭飾)'을 말한다. 금(金)이 의미부이고 양(陽)이 소리부이다. 『시·대아한혁(韓奕)』에서 "고리 달린 말 배띠며 무늬 있는 말 이마 장식(鉤膺鏤鍚)"이라고 노래했다.[56) 일설에는 '얇은 쇳조각(鍱)'이라고도 하는데, 수레바퀴를 감싸는 쇠 조각편(車輪鐵)'이다. 독음은 여(與)와 장(章)의 반절이다.

9376

銜: 銜: 재갈 함: 金-총14획: xián

原文

銜: 馬勒口中. 从金从行. 銜, 行馬者也. 戶監切.

飜譯

'말의 입에 물리는 재갈(馬勒口中)'을 말한다. 금(金)이 의미부이고 행(行)도 의미부

---

55) 금본에서는 혜혜(嘒嘒)로 되었다. 『단주』에서 이렇게 말했다. "『시』에서 '鑾聲鐬鐬'이라 했는데, 서현(徐鉉) 등은 오늘날 세속에서는 회(鐬)로 쓰고 있으며, 월(戌)을 부월(斧戉:도끼)의 월(戉)로 쓰고 있는데, 이는 잘못된 일이다."
56) 금본에서는 양(鍚)이 양(錫)으로 되었다.

이다. 함(銜)은 '가는 말을 그치게 하다(行馬者)'라는 뜻이다.57) 독음은 호(戶)와 감(監)의 반절이다.

9377

鑣: 鑣: 재갈 표: 金-총23획: biāo

原文

鑣: 馬銜也. 从金麃聲. 䩧, 鑣或从角. 補嬌切.

飜譯

'말의 재갈(馬銜)'을 말한다. 금(金)이 의미부이고 포(麃)가 소리부이다. 표(䩧)는 표(鑣)의 혹체자인데, 각(角)으로 구성되었다. 독음은 보(補)와 교(嬌)의 반절이다.

9378

鉣: 鉣: 띠 매는 쇠 끈 겁: 金-총13획: jié

原文

鉣: 組帶鐵也. 从金, 劫省聲. 讀若劫. 居怯切.

飜譯

'말의 뱃대끈을 거는 쇠고리(組帶鐵)[조대철]'를 말한다. 금(金)이 의미부이고 겁(劫)의 생략된 부분이 소리부이다. 겁(劫)과 같이 읽는다. 독음은 거(居)와 겁(怯)의 반절이다.

9379

鈇: 鈇: 도끼 부: 金-총12획: fū

原文

鈇: 莝斫刀也. 从金夫聲. 甫無切.

---

57) 『단주』에서는 "銜者, 所以行馬者也.(銜은 말을 가게 하는 장치를 말한다.)"라고 하여 '所以'를 보충했다.

飜譯

'여물이나 꼴을 자르는 작두(莝斫刀)'를 말한다. 금(金)이 의미부이고 부(夫)가 소리부이다. 독음은 보(甫)와 무(無)의 반절이다.

9380

釣 ꞉ 釣: 낚시 조: 金-총11획: diào

原文

釣: 鉤魚也. 从金勺聲. 多嘯切.

飜譯

'고기를 낚는 낚싯바늘(鉤魚)'을 말한다. 금(金)이 의미부이고 작(勺)이 소리부이다. 독음은 다(多)와 소(嘯)의 반절이다.

9381

鷙 ꞉ 鷙: 가래 지: 金-총19획: zhì, xiè

原文

鷙: 羊箠耑有鐵. 从金埶聲. 讀若至. 脂利切.

飜譯

'끝에 쇠 방울이 달린 양 채찍(羊箠耑有鐵)'을 말한다. 금(金)이 의미부이고 예(埶)가 소리부이다. 지(至)와 같이 읽는다. 독음은 지(脂)와 리(利)의 반절이다.

9382

銀 ꞉ 鎯: 사슬 랑: 金-총15획: láng

原文

鎯: 鎯鐺, 瑣也. 从金良聲. 魯當切.

翻譯
'낭당(鋃鐺) 즉 [죄인을 묶어두는] 쇠사슬(瑣)'을 말한다. 금(金)이 의미부이고 량(良)이 소리부이다. 독음은 로(魯)와 당(當)의 반절이다.

9383

鐺: 鐺: 쇠사슬 당: 金-총21획: dāng

原文
鐺: 鋃鐺也. 从金當聲. 都郞切.

翻譯
'낭당(鋃鐺) 즉 [죄인을 묶어두는] 쇠사슬'을 말한다. 금(金)이 의미부이고 당(當)이 소리부이다. 독음은 도(都)와 랑(郞)의 반절이다.

9384

鋂: 鋂: 사슬고리 매: 金-총15획: méi

原文
鋂: 大瑣也. 一環貫二者. 从金每聲. 『詩』曰 : "盧重鋂." 莫桮切.

翻譯
'큰 쇠사슬(大瑣)'을 말한다. 큰 고리 하나에 두 개의 작은 고리가 관통하고 있다(一環貫二者). 금(金)이 의미부이고 매(每)가 소리부이다. 『시·제풍·노령(盧令)』에서 "사냥개 큰 고리 작은 고리 달았네(盧重鋂)"라고 노래했다. 독음은 막(莫)과 배(桮)의 반절이다.

9385

鍡: 鍡: 평평하지 않을 외: 金-총17획: wěi

原文
鍡: 鍡鑸, 不平也. 从金畏聲. 烏賄切.

‘외뢰(鎚鑸), 즉 평평하지 않다(不平)’라는 뜻이다. 금(金)이 의미부이고 외(畏)가 소리부이다. 독음은 오(烏)와 회(賄)의 반절이다.

9386

鑸: 鑸: 편편하지 않을 뢰: 金-총26획: lěi

原文

鑸: 鎚鑸也. 从金壘聲. 洛猥切.

‘외뢰(鎚鑸), 즉 평평하지 않다’라는 뜻이다. 금(金)이 의미부이고 뢰(壘)가 소리부이다. 독음은 락(洛)과 외(猥)의 반절이다.

9387

鐖: 鐖: 성내 싸울 개: 金-총18획: kài

原文

鐖: 怒戰也. 从金氣聲.『春秋傳』曰 : "諸矦敵王所鐖." 許旣切.

‘성을 내 싸움을 벌이다(怒戰)’라는 뜻이다. 금(金)이 의미부이고 기(氣)가 소리부이다.『춘추전』(문공 4년, B.C. 633)에서 "제후들이 주나라 천자를 분노해 싸워야 하는 적으로 생각했다(諸矦敵王所鐖)"라고 했다. 독음은 허(許)와 기(旣)의 반절이다.

9388

鋪: 鋪: 펼 포: 金-총15획: pū

原文

鋪: 箸門鋪首也. 从金甫聲. 普胡切.

翻譯

'짐승 머리가 새겨진 문고리의 쇠 장식물(箸門鋪首)'을 말한다. 금(金)이 의미부이고 보(甫)가 소리부이다.58) 독음은 보(普)와 호(胡)의 반절이다.

9389

鐉: 鑃: 문돌쩌귀 전: 金-총20획: quān

原文

鐉: 所以鉤門戸樞也. 一日治門戸器也. 从金巽聲. 此緣切.

翻譯

'문짝을 문설주에 달아 여닫는 데 쓰는 두 개의 쇠붙이, 즉 문돌쩌귀(所以鉤門戸樞)' 를 말한다. 일설에는 '문짝을 고치는 도구(治門戸器)'를 말한다고도 한다. 금(金)이 의미부이고 손(巽)이 소리부이다. 독음은 차(此)와 연(緣)의 반절이다.

9390

鈔: 鈔: 노략질할 초: 金-총12획: chāo

原文

鈔: 叉取也. 从金少聲. 楚交切.

翻譯

'손으로 강제로 빼앗다(叉取)'라는 뜻이다. 금(金)이 의미부이고 소(少)가 소리부이다. 독음은 초(楚)와 교(交)의 반절이다.

9391

鐺: 鐺: 휘감아 쌀 탑: 金-총16획: tà

---

58) 金(쇠 금)이 의미부고 甫(클 보)가 소리부로, 옛날의 표(豆)처럼 생긴 청동기(金)의 하나를 말 했다. 기물을 진설하다는 뜻에서 펴다, 진열하다의 뜻이 나왔고, 다시 물건을 진열해 놓고 파 는 가게를 말했으며, 金 대신 宀(집 면)이 들어간 鋪(펼 포)와 같이 쓰인다.

原文

鎝: 以金有所冒也. 从金沓聲. 他荅切.

飜譯

'금속으로 다른 물건을 싸 감다(以金有所冒)'라는 뜻이다. 금(金)이 의미부이고 답(沓)이 소리부이다. 독음은 타(他)와 답(荅)의 반절이다.

9392

鴰: 鴰: 끊을 괄: 金-총15획: guā

原文

鴰: 斷也. 从金昏聲. 古滑切.

飜譯

'끊다(斷)'라는 뜻이다. 금(金)이 의미부이고 괄(昏)이 소리부이다. 독음은 고(古)와 괄(滑)의 반절이다.

9393

鉻: 鉻: 깎을 락: 金-총14획: gè

原文

鉻: 髽也. 从金各聲. 盧各切.

飜譯

'머리털을 깎다(髽)'라는 뜻이다. 금(金)이 의미부이고 각(各)이 소리부이다. 독음은 로(盧)와 각(各)의 반절이다.

9394

鐇: 鐇: 정벌할 전: 金-총21획: zhǎn

原文

鐉: 伐擊也. 从金亶聲. 旨善切.

飜譯

'정벌하여 공격하다(伐擊)'라는 뜻이다. 금(金)이 의미부이고 단(亶)이 소리부이다. 독음은 지(旨)와 선(善)의 반절이다.

9395

鏃: 鏃: 살촉 족촉: 金-총19획: zú

原文

鏃: 利也. 从金族聲. 作木切.

飜譯

'예리하다(利)'라는 뜻이다. 금(金)이 의미부이고 족(族)이 소리부이다. 독음은 작(作) 과 목(木)의 반절이다.

9396

鈌: 鈌: 찌를 결: 金-총12획: jué

原文

鈌: 刺也. 从金夬聲. 於決切.

飜譯

'찌르다(刺)'라는 뜻이다. 금(金)이 의미부이고 쾌(夬)가 소리부이다. 독음은 어(於)와 결(決)의 반절이다.

9397

鏉: 鏉: 날카로울 수: 金-총19획: shòu

原文

鏉: 利也. 从金敕聲. 所右切.

翻譯

'예리하다(利)'라는 뜻이다. 금(金)이 의미부이고 수(敕)가 소리부이다. 독음은 소(所)와 우(右)의 반절이다.

9398

鎦: 鎦: 죽일 류: 金-총20획: liú

原文

鎦: 殺也. 力求切.

翻譯

'죽이다(殺)'라는 뜻이다. 독음은 력(力)과 구(求)의 반절이다.

9399

錉: 錉: 업 민: 金-총16획: mín

原文

錉: 業也. 賈人占錉. 从金昏聲. 武巾切.

翻譯

'본전(業)'을 말한다. 장사치들은 자신의 본전을 따진다(賈人占錉). 금(金)이 의미부이고 혼(昏)이 소리부이다. 독음은 무(武)와 건(巾)의 반절이다.

9400

鉅: 鉅: 클 거: 金-총13획: jù

原文

鉅: 大剛也. 从金巨聲. 其呂切.

飜譯

'크고 단단하다(大剛)'라는 뜻이다. 금(金)이 의미부이고 거(巨)가 소리부이다. 독음은 기(其)와 려(呂)의 반절이다.

9401

鐋: 鐋: 붉은 구슬 당: 金-총18획: táng

原文

鐋: 鐋鋖, 火齊. 从金唐聲. 徒郞切.

飜譯

'당제(鐋鋖), 즉 붉은 구슬(火齊)'을 말한다. 금(金)이 의미부이고 당(唐)이 소리부이다. 독음은 도(徒)와 랑(郞)의 반절이다.

9402

鋖: 鋖: 안티몬 제: 金-총15획: tī

原文

鋖: 鐋鋖也. 从金弟聲. 杜兮切.

飜譯

'당제(鐋鋖), 즉 붉은 구슬'을 말한다. 금(金)이 의미부이고 제(弟)가 소리부이다. 독음은 두(杜)와 혜(兮)의 반절이다.

9403

釶: 釶: 모서리를 깎아 둥글게 할 와: 金-총12획: é

原文

釶: 吪圜也. 从金化聲. 五禾切.

飜譯

'모난 것을 회전시키며 둥글게 깎다(呲圜)'라는 뜻이다. 금(金)이 의미부이고 화(化)가 소리부이다. 독음은 오(五)와 화(禾)의 반절이다.

9404

鐓: 鐓: 창고달 대: 金-총20획: duì

原文

鐓: 下垂也. 一曰千斤椎. 从金敦聲. 都回切.

飜譯

'창고달, 즉 창끝에 끼우는 물미(下垂)'를 말한다. 일설에는 '1천 근 나가는 [땅 다지는] 달구(千斤椎)'를 말한다고도 한다. 금(金)이 의미부이고 돈(敦)이 소리부이다. 독음은 도(都)와 회(回)의 반절이다.

9405

鍒: 鍒: 시우쇠[59] 유: 金-총17획: róu

原文

鍒: 鐵之耎也. 从金从柔, 柔亦聲. 耳由切.

飜譯

'연철, 즉 무른 철(鐵之耎)'을 말한다. 금(金)이 의미부이고 유(柔)도 의미부인데, 유(柔)는 소리부도 겸한다. 독음은 이(耳)와 유(由)의 반절이다.

9406

鯛: 鯛: 새길 조: 金-총16획: táo

原文

鯛: 鈍也. 从金周聲. 徒刀切.

---

59) 무쇠를 불에 달구어 단단하게 만든 쇠붙이의 하나이다.

翻譯

'[날이] 무디다(鈍)'라는 뜻이다. 금(金)이 의미부이고 주(周)가 소리부이다. 독음은 도(徒)와 도(刀)의 반절이다.

9407

鈍: 鈍: 무딜 둔: 金-총12획: dùn

原文

鈍: 錭也. 从金屯聲. 徒困切.

翻譯

'[날이] 무디다(錭)'라는 뜻이다. 금(金)이 의미부이고 둔(屯)이 소리부이다. 독음은 도(徒)와 곤(困)의 반절이다.

9408

鈭: 鈭: 날카로울 제: 金-총13획: qí

原文

鈭: 利也. 从金𠂤聲. 讀若齊. 徂奚切.

翻譯

'[날이] 예리하다(利)'라는 뜻이다. 금(金)이 의미부이고 자(𠂤)가 소리부이다. 제(齊)와 같이 읽는다. 독음은 조(徂)와 해(奚)의 반절이다.

9409

錗: 錗: 저울추 추·매달 위: 金-총16획: wèi

原文

錗: 側意. 从金委聲. 女恚切.

飜譯

'측의(側意)[비뚤어진 생각]'를 말한다. 금(金)이 의미부이고 위(委)가 소리부이다. 독음은 녀(女)와 에(恚)의 반절이다.

9410

钁: 钁: 창 구: 金-총26획: qú

原文

钁: 兵器也. 从金瞿聲. 其俱切.

飜譯

'무기의 일종(兵器)'이다. 금(金)이 의미부이고 구(瞿)가 소리부이다. 독음은 기(其)와 구(俱)의 반절이다. [신부]

9411

銘: 銘: 새길 명: 金-총14획: míng

原文

銘: 記也. 从金名聲. 莫經切.

飜譯

'새겨 기록하다(記)'라는 뜻이다. 금(金)이 의미부이고 명(名)이 소리부이다. 독음은 막(莫)과 경(經)의 반절이다. [신부]

9412

鎖: 鎖: 쇠사슬 쇄: 金-총18획: suǒ

原文

鎖: 鐵鎖, 門鍵也. 从金貨聲. 穌果切.

譯譯

'쇠사슬(鐵鎖)'을 말하는데, '문의 잠금쇠(門鍵)'를 뜻한다. 금(金)이 의미부이고 솨(貨)가 소리부이다.[60] 독음은 소(穌)와 과(果)의 반절이다. [신부]

9413

鈿: 鈿: 비녀 전: 金-총13획: tián

原文

鈿: 金華也. 從金田聲. 待秊切.

譯譯

'금화(金華, 金花)'를 말한다. 금(金)이 의미부이고 전(田)이 소리부이다. 독음은 대(待)와 년(秊)의 반절이다. [신부]

9414

釧: 釧: 팔찌 천: 金-총11획: chuàn

原文

釧: 臂環也. 從金川聲. 尺絹切.

譯譯

'팔을 감싸는 고리, 즉 팔찌(臂環)'를 말한다. 금(金)이 의미부이고 천(川)이 소리부이다. 독음은 척(尺)과 견(絹)의 반절이다. [신부]

9415

釵: 釵: 비녀 채·차: 金-총11획: chāi

---

60) 金(쇠 금)이 의미부고 貨(자개 소리 쇄)가 소리부인데, 貨는 작은(小·소) 조개(貝·패)로 엮은 목걸이를 말한다. 貨는 이후 옥으로 목걸이를 만들게 되자 玉(옥 옥)을 더하여 瑣(옥이 어울리는 소리 쇄)를 만들었고, 다시 금속으로 만든다는 뜻에서 金을 더한 鎖가 만들어졌다. 쇠사슬이나 쇠로 만든 자물쇠를 말하며, 사슬처럼 생긴 형벌 기구나 그런 무늬를 지칭하기도 했다.

釵: 笄屬. 从金叉聲. 本只作叉, 此字後人所加. 楚佳切.

翻譯
'비녀의 일종(笄屬)'이다. 금(金)이 의미부이고 차(叉)가 소리부이다. 본래는 차(叉)로만 적었으나, 이 글자는 후인들이 [금(金)을 더해] 만든 글자이다. 독음은 초(楚)와 가(佳)의 반절이다. [신부]

9416

釽: 釽: 갈이박 벽: 金−총12획: pī

原文
釽: 裂也. 从金、爪. 普擊切.

翻譯
'갈라지다(裂)'라는 뜻이다. 금(金)과 조(爪)가 모두 의미부이다. 독음은 보(普)와 격(擊)의 반절이다. [신부]

제491부수
491 ■ 견(开)부수

9417

开: 开: 평평할 견: 干-총6획: jiān

原文

开: 平也. 象二干對構, 上平也. 凡开之屬皆从开. (徐鉉曰 : "开但象物平, 無音義也.") 古賢切.

飜譯

'평평하다(平)'라는 뜻이다. 두 개의 간(干)이 마주보며 얽힌 모습으로써 위쪽이 평평함을 그렸다. 견(开)부수에 귀속된 글자들은 모두 견(开)이 의미부이다. [신(臣) 서현 등은 이렇게 생각합니다.] "견(开)은 단지 물체가 평평함만을 그렸지, 독음과 의미가 들지는 않았습니다." 독음은 고(古)와 현(賢)의 반절이다.

제492부수
492 ■ 작(勺)부수

9418

勺: 勺: 구기 작: 勹-총3획: sháo

原文

勺: 挹取也. 象形, 中有實, 與包同意. 凡勺之屬皆从勺. 之若切.

譯

'뜨다(挹取)'라는 뜻이다.[61] 상형인데, 중간에 어떤 물체가 든 모습이고, 이는 포(包)가 속에 아이가 든 모습과 같다.[62] 작(勺)부수에 귀속된 글자들은 모두 작(勺)이 의미부이다. 독음은 지(之)와 약(若)의 반절이다.

9419

与: 与: 어조사 여: 一-총4획: yǔ

原文

与: 賜予也. 一勺爲与. 此与與同. 余呂切.

---

61) 『단주』에서 '挹取也' 앞에 현응(玄應)의 책에 근거해 '枓也(구기를 말한다)'를 보충해 넣었고, '挹取也' 앞에도 '所目'를 보충해 '所目挹取也'라고 했다. 그리고 이렇게 말했다. "목(木)부수 두(枓)의 설명에서 '국자를 말한다(勺也)'라고 했는데, 여기서는 작(勺)은 구기를 말한다(枓也)라고 했다. 이는 전주(轉注)에 해당하며, 고(考)와 노(老)와 같은 예이다. 『고공기(考工記)』에서 '작일승(勺一升)'이라 했는데 주석에서 작(勺)은 술을 푸는 국자를 말한다(尊斗也)라고 했는데, 두(斗)는 두(枓)와 같다. 술통에 넣어서 술을 푸는 국자를 말한다."

62) 고문자에서 勺 簡牘文 등으로 그렸다. 국자를 그렸는데, 굽어진 국자 속에 어떤 물체가 들어 있음을 상징적으로 표현했으며, 간독문자에서는 金(쇠 금)을 더하여 그것이 청동으로 만들어졌음을 형상했다. 또 용량 단위로 쓰여, 한 되(升·승)의 1백 분의 1을 말한다.

'주다(賜予)'라는 뜻이다. 일(一)과 작(勺)이 합쳐지면 여(与)가 된다. 이 글자의 용법
은 여(與)와 똑같다. 독음은 여(余)와 려(呂)의 반절이다.

제493부수

493 ▪ 궤(几)부수

9420

几: 几: 안석 궤: 几-총2획: jī

原文

几: 踞几也. 象形.『周禮』五几: 玉几、雕几、彤几、鬏几、素几. 凡几之屬皆
从几. 居履切.

繙譯

'웅크리고 앉는 곳의 안석(踞几)'을 말한다. 상형이다.『주례』에서 안석(几)에는 다섯
가지가 있다고 했는데, 옥을 붙인 옥궤(玉几), 무늬조각을 한 조궤(雕几), 색칠을 한
동궤(彤几), 옻칠을 한 휴궤(鬏几), 조각이나 칠을 하지 않은 소궤(素几)가 그것이
다.63) 궤(几)부수에 귀속된 글자들은 모두 궤(几)가 의미부이다. 독음은 거(居)와 리
(履)의 반절이다.

9421

凭: 凭: 기댈 빙: 几-총8획: píng

---

63) 几는 앉아서 기댈 수 있도록 고안된 탁자를 그렸다. 이후 의미를 더 정확하게 하고자 木(나
무 목)을 더한 机(책상 궤)로 분화했다. 그래서 凳(걸상 등)은 올라가(登·등) 걸터앉을 수 있는
등 없는 의자, 즉 스툴(stool)을 말한다. 나머지, 几부수에 귀속된 다른 글자들은 사실 '案席(안
석)'과는 전혀 관계없는 글자들이 많은데, 해서체의 형체가 유사해 같은 부수에 들게 되었거
나, 소리부로 쓰인 글자들이다. 예컨대, 凡(무릇 범, 帆의 원래 글자)은 갑골문에서 베로 만든
네모꼴의 '돛'을 그린 글자고, 鳳(봉황새 황)은 배를 가게 하는 장치인 돛을 뜻하는 凡이 의미
부이고 皇이 소리부인 구조로, 암컷 봉새를 말하며, 凱(즐길 개)는 豈(어찌 기)가 의미부이고
뒷부분의 几가 소리부인 구조로, 豈는 원래 대 위에 올려놓고 옮겨 다닐 수 있도록 고안된 술
달린 북(효·주)을 그렸다. 현대 중국에서는 幾(기미 기)의 간화자로도 쓰인다.

原文

凭: 依几也. 从几从任.『周書』: "凭玉几." 讀若馮. 皮冰切.

飜譯

'안석에 기대다(依几)'라는 뜻이다. 궤(几)가 의미부이고 임(任)도 의미부이다.『주서』(顧命)에서 "옥궤에 기대어 있네(凭玉几)"라고 했다. 빙(馮)과 같이 읽는다. 독음은 피(皮)와 빙(冰)의 반절이다.

9422

尻: 尻: **살 거**: 几-총5획: jū

原文

尻: 處也. 从尸得几而止.『孝經』曰: "仲尼尻." 尻, 謂閒居如此. 九魚切.

飜譯

'거처하다(處)'라는 뜻이다. 사람(尸)이 안석(几) 위에 멈추어 쉬는 모습이다.『효경』에서 "공자께서 거처하시다(仲尼尻)"라고 했는데, 거(尻)는 이렇게 한가로이 거처하다는 뜻이다. 독음은 구(九)와 어(魚)의 반절이다.

9423

処: 処: **처할 처**: 几-총5획: chǔ

原文

処: 止也. 得几而止. 从几从夂. 處, 処或从虍聲. 昌與切.

飜譯

'멈추어 쉬다(止)'라는 뜻이다. 안석에 의지하여 쉬다는 뜻이다. 궤(几)가 의미부이고 치(夂)도 의미부이다. 처(處)는 처(処)의 혹체자인데, 호(虍)가 소리부이다. 독음은 창(昌)과 여(與)의 반절이다.

제494부수
494 ■ 차(且)부수

9424

且: 且: 또 차: 一-총5획: qiě, jū

原文

且: 薦也. 从几, 足有二横, 一其下地也. 凡且之屬皆从且. 子余切.

飜譯

'천(薦)과 같아 제수를 올리는 기물'을 말한다. 궤(几)가 의미부인데, 발(足) 두 개가 가로로 달렸음을 나타내고, 가로획[一]은 그 아래쪽의 땅을 말한다.[64] 차(且)부수에 귀속된 글자들은 모두 차(且)가 의미부이다. 독음은 자(子)와 여(余)의 반절이다.

9425

俎: 俎: 도마 조: 人-총9획: zǔ

原文

俎: 禮俎也. 从半肉在且上. 側呂切.

飜譯

'의식을 행할 때 사용하는 도마(禮俎)'를 말한다. 육(肉)자의 반쪽 모습이 차(且) 위

64) 고문자에서 甲骨文 金文 簡牘文 등으로 그렸다. 갑골문의 자형을 두고 남성의 생식기를 그렸다, 신위를 그렸다, 고기를 담은 도마를 그렸다는 등 자원에 대한 의견이 분분하지만, 남근을 그렸다는 것이 통설이다. 남성의 생식기는 자손을 이어지게 해주는 상징물이어서 고기를 바치며 제사를 모시던 대상이 되었고, 이로부터 '조상'이라는 뜻이 나왔다. 하지만, 이후 '또'나 '장차'라는 추상적 의미로 가차되어 쓰이게 되자, 제사를 통한 숭배 의식의 의미를 강화하면서 제단을 뜻하는 示(보일 시)를 더해 祖(조상 조)로 분화했다.

에 놓인 모습을 그렸다.65) 독음은 측(側)과 려(呂)의 반절이다.

9426

觑: 觑: 당황할 조: 虍-총18획: zù

原文

觑: 且往也. 从且豦聲. 昨誤切.

譯

'우선 바쁘게 가다(且往)'라는 뜻이다. 차(且)가 의미부이고 거(豦)가 소리부이다. 독음은 작(昨)과 오(誤)의 반절이다.

---

65) 고문자에서 甲骨文 金文 簡牘文 등으로 그렸다. 仌(얼음 빙)이 의미부이고 且(할아비 조·또 차)가 소리부로, 도마를 말하는데, 제사에 쓰도록 도마 위에 썰어 놓은 고깃덩어리(肉·육)를 그렸다. 仌은 고깃덩어리를 그린 月(肉)이 잘못 변한 것이고, 且는 원래 도마를 그렸으나 조상신을 상징하는 남근으로 변해, 썬 고기를 올려 조상신을 모시는 모습을 형상화했다.

제495부수

495 ▪ 근(斤)부수

9427

斤: 斤: 도끼 근: 斤-총4획: jīn

原文

斤: 斫木也. 象形. 凡斤之屬皆从斤. 舉欣切.

繙譯

'나무를 쪼개는 도끼(斫木)[자귀]'를 말한다. 상형이다.66) 근(斤)부수에 귀속된 글자들은 모두 근(斤)이 의미부이다. 독음은 거(舉)와 흔(欣)의 반절이다.

9428

斧: 斧: 도끼 부: 斤-총8획: fǔ

原文

斧: 斫也. 从斤父聲. 方矩切.

繙譯

'나무를 쪼개는 도끼(斫)'를 말한다. 근(斤)이 의미부이고 부(父)가 소리부이다.67) 독

---

66) 고문자에서 ꙵ ꙵ甲骨文 ꙵ ꙵ金文 ꙵꙵ古陶文 ꙵ ꙵ ꙵ簡牘文 등으로 그렸다. '도끼'를 그렸다고 풀이하지만, 갑골문을 보면 '자귀'를 그렸다는 것이 더 정확해 보인다. 도끼는 날이 세로로 되었지만 자귀는 가로로 되었으며, 나무를 쪼개거나 다듬을 때 사용하던 대표적 연장이다. 그래서 斤에는 도끼가 갖는 일반적 의미 외에도 쪼아 다듬거나 끊다는 의미까지 함께 들어 있다. 이후 斤이 무게의 단위로 가차되자, 원래 뜻은 金(쇠 금)을 더한 斳(자귀 근)으로 분화했다.

67) 고문자에서 ꙵꙵꙵꙵ金文 ꙵ簡牘文 등으로 그렸다. 斤(도끼 근)이 의미부고 父(아비 부)가 소리부로, 도끼를 말하는데, 바깥에서 도끼(斤)를 들고 일하던 아버지(父)라는 뜻을 담았다.

음은 방(方)과 구(矩)의 반절이다.

9429

斨 : 斨: 도끼 장: 斤-총8획: qiāng

原文

斨 : 方銎斧也. 从斤爿聲.『詩』曰 : "又缺我斨." 七羊切.

飜譯

'구멍이 네모난 도끼(方銎斧)'를 말한다. 근(斤)이 의미부이고 장(爿)이 소리부이다. 『시·빈풍·파부(破斧)』에서 "내 싸움도끼도 이가 다 빠졌네(又缺我斨)"라고 노래했다. 독음은 칠(七)과 양(羊)의 반절이다.

9430

斫 : 斫: 벨 작: 斤-총9획: zhuó

原文

斫 : 擊也. 从斤石聲. 之若切.

飜譯

'도끼로 내리찍다(擊)'라는 뜻이다. 근(斤)이 의미부이고 석(石)이 소리부이다. 독음은 지(之)와 약(若)의 반절이다.

9431

斪 : 斪: 괭이 구: 斤-총9획: qú

原文

斪 : 斫也. 从斤句聲. 其俱切.

이후 도끼로 잘라내다, 글 등을 삭제하다 등의 뜻도 나왔다.

'땅을 깨부수는 괭이(斫)'를 말한다. 근(斤)이 의미부이고 구(句)가 소리부이다. 독음은 기(其)와 구(俱)의 반절이다.

9432

斸: 斸: 괭이 촉: 斤-총25획: zhǔ, zhú, chù

原文

斸: 斫也. 从斤屬聲. 陟玉切.

翻譯

'땅을 깨부수는 괭이(斫)'를 말한다. 근(斤)이 의미부이고 속(屬)이 소리부이다. 독음은 척(陟)과 옥(玉)의 반절이다.

9433

斲: 斲: 깎을 착: 斤-총14획: zhuó

原文

斲: 斫也. 从斤、䚔. 𣂪, 斲或从畫从乇. 竹角切.

翻譯

'깨부수다(斫)'라는 뜻이다. 근(斤)과 두(䚔)가 모두 의미부이다. 착(𣂪)은 착(斲)의 혹체자인데, 화(畫)도 의미부이고 극(乇)도 의미부이다. 독음은 죽(竹)과 각(角)의 반절이다.

9434

釿: 釿: 큰 자귀 근: 金-총12획: yín

原文

釿: 劑斷也. 从斤、金. 宜引切.

龤譯

'가지런하게 자르다(劑斷)'라는 뜻이다. 근(斤)과 금(金)이 모두 의미부이다. 독음은 의(宜)와 인(引)의 반절이다.

9435

所: 所: 바 소: 斤-총8획: suǒ

原文

所: 伐木聲也. 从斤戶聲. 『詩』曰 : "伐木所所." 疏舉切.

龤譯

'나무를 자르는 소리(伐木聲)'를 말한다. 근(斤)이 의미부이고 호(戶)가 소리부이다.68) 『시·소아벌목(伐木)』에서 "나무 베는 소리 탕탕 들리는데(伐木所所)"라고 노래했다. 독음은 소(疏)와 거(舉)의 반절이다.

9436

斯: 斯: 이 사: 斤-총12획: sī

原文

斯: 析也. 从斤其聲. 『詩』曰 : "斧以斯之." 息移切.

龤譯

'쪼개다(析)'라는 뜻이다. 근(斤)이 의미부이고 기(其)가 소리부이다. 『시·진풍묘문(墓門)에서 "도끼로 자르고 있네(斧以斯之)"라고 노래했다.69) 독음은 식(息)과 이(移)의

---

68) 고문자에서 金文 簡牘文 古璽文 등으로 그렸다. 戶(지게 호)와 斤(도끼 근)으로 구성되었는데, 戶는 서민의 집을, 斤은 연장의 하나인 자귀를 나타낸다. 따라서 所는 고대 사회에서 가장 중요한 연장의 하나였던 도끼(斤)가 놓인 그 곳(戶)이 바로 사람이 '거처하는 處所(처소)'임을 말했다. 이후 '…하는 곳(것, 사람, 바)'을 뜻하는 문법소로 쓰이게 되었다.

69) 고문자에서 金文 簡牘文 등으로 그렸다. 斤(도끼 근)과 其(그 기)로 구성되어,

반절이다.

9437

斮: 斮: 벨 착: 斤-총12획: zhuò

原文

斮: 斬也. 从斤昔聲. 側略切.

譯

'베다(斬)'라는 뜻이다. 근(斤)이 의미부이고 석(昔)이 소리부이다. 독음은 측(側)과 략(略)의 반절이다.

9438

斷: 斷: 끊을 단: 斤-총20획: duàn

原文

斷: 截也. 从斤从𢇍. 𢇍, 古文絕. 𠸪, 古文斷从𠫓. 𠫓, 古文叀字. 『周書』曰: "詔詔猗無他技." 𠸪, 亦古文. 徒玩切.

譯

'끊다(截)'라는 뜻이다. 근(斤)이 의미부이고 절(𢇍)도 의미부인데, 절(𢇍)은 절(絕)의 고문체이다. 단(𠸪)은 단(斷)의 고문체인데, 전(𠫓)으로 구성되었다. 전(𠫓)은 전(叀)의 고문체이다. 『상서·주서(周書)』에 "단단하기만 하고 다른 재주가 없다면(詔詔猗無他技)"이라는 말이 있는데, 단(𠸪)도 고문체이다. 독음은 도(徒)와 완(玩)의 반절이다.

대나무 등을 자귀(斤)로 쪼개 키(其, 箕의 원래 글자)와 같은 기물을 만들다가 원래 의미였다. 이후 '이것'이라는 뜻으로 가차되었으며, '여기'라는 뜻도 나왔고, '그리하여'라는 허사로 주로 쓰였다. 하지만 斯에서 파생된 撕(쪼갤 시)는 손(手·수)으로 쪼갬(斯)을, 嘶(울 시)는 목소리(口·구)가 갈라짐(斯)을 의미해, 원래의 뜻을 보존하고 있다. 달리 𣂈로 쓰기도 한다.

9439

斯: 斫: 서로 칠 라: 斤-총11획: luǒ

原文

斫: 柯擊也. 从斤良聲. 來可切.

譯

'서로 치는 소리(柯擊)'를 말한다. 근(斤)이 의미부이고 량(良)이 소리부이다. 독음은 래(來)와 가(可)의 반절이다.

9440

新: 新: 새 신: 斤-총13획: xīn

原文

新: 取木也. 从斤新聲. 息鄰切.

譯

'나무를 하다(取木)'라는 뜻이다. 근(斤)이 의미부이고 신(新)이 소리부이다.[70] 독음은 식(息)과 린(鄰)의 반절이다.

---

70)   고문자에서 甲骨文 金文 古陶文 簡牘文 古璽文 등으로 그렸다. 원래 斤(도끼 근)이 의미부이고 辛(매울 신)이 소리부로, 도끼(斤)로 대나무(辛) 등을 쪼개는 모습으로부터 '땔감'의 의미를 그렸는데, 이후 의미를 강화하고자 木(나무 목)이 더해져 지금의 자형이 되었다. 이 때문에 대(辛)나 나무(木)를 정교하게 자르고 다듬어 '새로운' 물건을 만든다는 의미가 나왔고, 새롭다는 의미가 주로 쓰였다. 그러자 '땔감'이라는 원래 의미는 艸(풀 초)를 더한 薪(땔감 신)으로 분화했다. 새롭다는 뜻으로부터 막, 아직 사용하지 않은 것, 新郎(신랑), 新婦(신부), 막 결혼한 사람 등을 지칭하게 되었다.

9441

斦 : 斦: 모탕 은: 斤-총8획: yín

原文

斦 : 二斤也. 从二斤. 語斤切.

飜譯

'도끼(斤) 두 개'를 말한다. 두 개의 근(斤)으로 구성되었다.[71] 독음은 어(語)와 근(斤)의 반절이다.

---

71) 『단주』에서는 '二斤也' 다음에 '闕'을 보충하고 '从二斤'을 삭제해 '二斤也. 闕.'이라고 했다. 그리고 '闕'은 이 글자의 의미와 독음을 잘 알 수 없어 비워둔다는 뜻이라고 했다.

제496부수
496 ■ 두(斗)부수

9442

禿: 斗: 말 두: 斗-총4획: dǒu

原文

禿: 十升也. 象形, 有柄. 凡斗之屬皆从斗. 當口切.

譯

'10되(升)'를 말한다. 상형으로, 손잡이(柄)가 있음을 그렸다.[72] 두(斗)부수에 귀속된 글자들은 모두 두(斗)가 의미부이다. 독음은 당(當)과 구(口)의 반절이다.

9443

斛: 斛: 휘 곡: 斗-총11획: hú

原文

斛: 十斗也. 从斗角聲. 胡谷切.

譯

'10말(斗)'을 말한다. 두(斗)가 의미부이고 각(角)이 소리부이다. 독음은 호(胡)와 곡(谷)의 반절이다.

---

72) 고문자에서 マ ʑ金文 チ 千古陶文 乄簡牘文 등으로 그렸다. 술을 뜰 때 쓰던 손잡이 달린 국자 모양의 容器(용기)를 그렸다. 이후 곡식을 나눌 때 쓰던 용기 즉 '말'을 지칭하여 열 되(升)를 뜻하였고, 다시 北斗七星(북두칠성)이나 南斗星(남두성)에서처럼 국자같이 생긴 것을 통칭하게 되었다.

9444

斝: 斝: 술잔 가: 斗-총12획: jiǎ

원문

斝: 玉爵也. 夏曰琖, 殷曰斝, 周曰爵. 从叩从斗, 冂象形. 與爵同意. 或說斝受六斗. 古雅切.

번역

'옥으로 만든 잔(玉爵)'을 말한다. 하(夏)나라 때에는 잔(琖)이라 했고, 은(殷)나라 때에는 가(斝)라 했고, 주(周)나라 때에는 작(爵)이라 했다. 훤(叩)이 의미부이고 두(斗)도 의미부이며, 경(冂)은 상형이다. 작(爵)과 의미가 같다. 혹자는 가(斝)에 6말(斗)을 담을 수 있다고 한다.[73] 독음은 고(古)와 아(雅)의 반절이다.

9445

料: 料: 되질할 료: 斗-총10획: liào

원문

料: 量也. 从斗, 米在其中. 讀若遼. 洛蕭切.

번역

'양을 재다(量)'라는 뜻이다. 두(斗)가 의미부이고 쌀(米)이 그 속에 든 모습을 그렸다. 료(遼)와 같이 읽는다.[74] 독음은 락(洛)과 소(蕭)의 반절이다.

---

73) 고문자에서 甲骨文 金文 등으로 그렸다. 갑골문에서 세 개의 뾰족한 발(足·족)과 둥근 배(腹·복)와 두 개의 기둥(柱·주)을 가진 술잔을 그렸는데, 자형이 변해 지금처럼 되었다. 달리 斚로 쓰기도 한다.

74) 고문자에서 金文 古陶文 簡牘文 등으로 그렸다. 米(쌀 미)와 斗(말 두)로 구성되어, 쌀(米)을 용기(斗)로 재는 모습이다. 쌀을 말로 되면서 그 양을 '헤아리게' 되고, 그래서 '추측하다'는 뜻까지 나왔다. 따라서 料理(요리)는 음식을 만들 때 재료의 양을 정확하게 헤아려(料) 갈무리(理) 함을 말한다. 훌륭한 料理란 배합될 재료의 양을 정확하게 斟酌(짐작)하는 것이 무엇보다 중요함을 보여주고 있다. 이후 헤아림의 원료이자 재료의 대상이라는 뜻에서 '재료'나 어떤 물건의 원료를 뜻하게 되었고, 사람의 재질의 비유로도 쓰였다.

9446

斞: 斞: 용량의 단위 유: 斗-총13획: yǔ

원문(原文)

斞: 量也. 从斗臾聲.『周禮』曰："黍三斞." 以主切.

번역(飜譯)

'양을 재는 기구(量)'를 말한다.75) 두(斗)가 의미부이고 유(臾)가 소리부이다.『주례·고공기·궁인(弓人)』에서 "옻 3유(黍三斞)"라고 했다. 독음은 이(以)와 주(主)의 반절이다.

9447

斡: 斡: 관리할 알: 斗-총14획: wò

원문(原文)

斡: 蠡柄也. 从斗倝聲. 楊雄、杜林說：皆以爲輅車輪斡. 烏括切.

번역(飜譯)

'표주박의 손잡이(蠡柄)'를 말한다. 두(斗)가 의미부이고 간(倝)이 소리부이다. 양웅(楊雄)과 두림(杜林)에 의하면, 그들 모두 '영구차의 바퀴(輅車輪斡)'를 말한다고 했다. 독음은 오(烏)와 괄(括)의 반절이다.

9448

魁: 魁: 으뜸 괴: 鬼-총14획: kuí

---

75)『주례·동관(冬官)·고공기(考工記)·공인(工人)』에서 '絲三邸, 漆三斞.(비단 3저, 옻 3유)'라고 했다.『옥편(玉篇)』에서는 지금은 유(庾)라고 적는다고 했으며,『소이아(小爾雅)』에서는 '4두(豆)를 구(區)라 하고, 4구(區)를 부(釜)라 하며, 2부(釜) 반(半)을 유(庾)라고 한다.'고 했다.『집운(集韻)』에서는 달리 유(斜)로 적었으며, 또 유(鍮)나 유(匬)로도 적었다.

原文

魁: 羹斗也. 从斗鬼聲. 苦回切.

飜譯

'국을 푸는 국자(羹斗)'를 말한다. 두(斗)가 의미부이고 귀(鬼)가 소리부이다.76) 독음은 고(苦)와 회(回)의 반절이다.

9449

斠: 斠: 될 각: 斗-총14획: jiào

原文

斠: 平斗斛也. 从斗冓聲. 古岳切.

飜譯

'평미레, 즉 말이나 되에 곡식을 담고 그 위를 평평하게 밀어 고르게 하는 데 쓰는 방망이 모양의 기구(平斗斛)'를 말한다. 두(斗)가 의미부이고 구(冓)가 소리부이다. 독음은 고(古)와 악(岳)의 반절이다.

9450

斟: 斟: 술 따를 짐·침: 斗-총13획: zhēn

原文

斟: 勺也. 从斗甚聲. 職深切.

飜譯

'술을 뜨는 국자(勺)'를 말한다. 두(斗)가 의미부이고 심(甚)이 소리부이다.77) 독음은

---

76) 斗(말 두)가 의미부이고 鬼(귀신 귀)가 소리부로, 으뜸을 말하는데, 귀신(鬼) 중에서도 우두머리(泰斗·태두) 귀신이라는 뜻을 담았다. 이로부터 첫 번째, 일등, 최고, 근본 등의 뜻이 나왔다. 또 별 이름으로 쓰여 북두칠성의 첫 번째 별을 지칭하기도 한다.

77) 斗(말 두)가 의미부고 甚(심할 심)이 소리부로, 甚은 葚(오디 심)·椹(오디 심)·黮(오디 담) 등과 관계 지어볼 때 '오디'로 만든 술을 말한다. 그래서 '술(甚)을 국자(斗)로 나누어 담음'이 斟의 원래 뜻이며, 이로부터 斟酌(짐작)하다의 뜻이 나왔다.

직(職)과 심(深)의 반절이다.

9451

𣁲: 斜: 비낄 사: 斗-총11획: xié

原文

𣁲: 抒也. 从斗余聲. 讀若荼. 似嗟切.

譯

'퍼내다(抒)'라는 뜻이다.78) 두(斗)가 의미부이고 여(余)가 소리부이다. 도(荼)와 같이 읽는다. 독음은 사(似)와 차(嗟)의 반절이다.

9452

斢: 斣: 풀 구: 斗-총17획: jū

原文

斣: 挹也. 从斗頧聲. 擧朱切.

譯

'푸다(挹)'라는 뜻이다. 두(斗)가 의미부이고 구(頧)가 소리부이다. 독음은 거(擧)와 주(朱)의 반절이다.

9453

料: 料: 반분할 반: 斗-총9획: bàn

---

78) 『단주』에서는 각 판본에서 저(杼)로 썼으나, 이는 서(抒)의 오류이므로 바로 잡는다고 했다. 그리고 이렇게 말했다. "수(手)부수에서 서(抒)는 떠내다는 뜻이다(挹也)라고 했고, 읍(挹)은 떠내다는 뜻이다(抒也)고 했다 수(水)부수에서도 준(浚)은 퍼내다는 뜻이다(抒也)라고 했고, 혁(革)부수에서 원(鞄)은 우물을 퍼내는 것을 말한다(所以抒井也)라고 했고, 구(臼)부수에서 요(舀)는 절구 속을 퍼내다는 뜻이다(抒臼也)라고 했다. 국자로 퍼서 내는 것을 사(斜)라고 하며, 그래서 글자에 두(斗)자가 들어갔다."

原文

料: 量物分半也. 从斗从半, 半亦聲. 博慢切.

譯譯

'양을 재어서 절반씩 나누다(量物分半)'라는 뜻이다. 두(斗)가 의미부이고 반(半)도 의미부인데, 반(半)은 소리부도 겸한다. 독음은 박(博)과 만(慢)의 반절이다.

9454

斛: 斛: 되 넘칠 방: 斗−총14획: pāng

原文

斛: 量溢也. 从斗旁聲. 普郎切.

譯譯

'양을 재는 기구를 [양이 많아] 넘기다(量溢)'라는 뜻이다. 두(斗)가 의미부이고 방(旁)이 소리부이다. 독음은 보(普)와 랑(郎)의 반절이다.

9455

斠: 斠: 술국자 권: 斗−총23획: juàn

原文

斠: 杼滿也. 从斗繺聲. 俱願切.

譯譯

'퍼서 [양을 채우는 기구에] 가득 채우다(杼滿)'라는 뜻이다. 두(斗)가 의미부이고 련(繺)이 소리부이다. 독음은 구(俱)와 원(願)의 반절이다.

9456

斣: 斣: 맞걸릴 축: 斗−총17획: dòu

原文

斣: 相易物, 俱等爲斣. 从斗蜀聲. 易六切.

飜譯

'서로 교환할 물건의 가치가 같을 때(相易物, 俱等)를 축(斣)이라 한다.' 두(斗)가 의미부이고 촉(蜀)이 소리부이다. 독음은 역(易)과 륙(六)의 반절이다.

9457

斛: 斛: 휘 조: 斗-총12획: tiāo

原文

斛: 斛旁有斛. 从斗庣聲. 一曰突也. 一曰利也. 『爾雅』曰: "斛謂之疀." 古田器也. 土雕切.

飜譯

'곡(斛: 10말 들이 용기)의 사방으로 약간씩 늘린 부분'을 말한다.[79] 두(斗)가 의미부이고 조(庣)가 소리부이다. 달리 '돌(突)'이라 하기도 하고, 또 '리(利)'라고 하기도 한다. 『이아석기(釋器)』[80]에서 "조(斛)는 잡(疀)과 같아 삽을 말한다."라고 하여 옛날의 농기구로 보았다. 독음은 토(土)와 조(雕)의 반절이다.

---

79) 『한서·율력지(律歷志)』에 의하면, "양(量)을 재는 도구로, 약(龠), 합(合), 승(升), 두(斗), 곡(斛) 등이 있다. 그 방법을 보면, 동(銅)을 사용하여 사방 1척씩 그 주위를 둘러서 곁까지 다 차지 않도록 한 조(庣)를 만들었다.(用 銅方尺而圍其外, 旁有庣焉.)"고 했다. 즉 바닥을 정사각형으로 하고, 그 둘

 레를 원으로 만들고 다시 동심원으로 간격을 두는데 이를 조(庣)라고 하는데, 곡식이 중간의 정사각형에만 차도록 하고 여기는 흘러넘쳐도 밖으로 나가지 않도록 한 장치로 보인다. 또 이렇게 말했다. "그 위쪽이 곡(斛)이 되고, 그 아래쪽이 두(斗)가 되며, 왼쪽 귀가 승(升)이 되며, 오른쪽 귀가 합(合)이 되는데, 약(龠)은 그 모양이 작(爵)을 닮았다. 그렇게 함으로써 복록을 잡아내 매도록 하였다."

『단주』에서는 이렇게 말했다. "곡(斛)의 옆에 조(斛)가 붙어 있다.……달리 돌(突)이라고 하기도 하며, 또 리(利)라 하기도 한다. 『이아』에서 '조(斛)를 잡(疀)이라 하기도 한다'고 했는데, 옛날의 농기구이다."

80) 원문에는 『爾疋』로 되었으나 『爾雅』의 오류이다.

9458

升: 되 승: 十-총4획: shēng

（原文）

升: 十龠也. 从斗, 亦象形. 識蒸切.

（飜譯）

'10홉 들이 용기(十龠)'를 말한다. 두(斗)가 의미부인데, 상형이기도 하다.[81] 독음은 식(識)과 증(蒸)의 반절이다.

---

81) 고문자에서 甲骨文 金文 古陶文 簡牘文 등으로 그렸다. 斗(말 두)와 비슷한 모습의 손잡이가 달린 작은 용기와 그 속에 점을 더해 용기 속에 무엇인가 담긴 모습을 형상했다. 용량 단위인 '되'를 말하며, 10되(升)가 1말(斗)이고 1되는 10홉이다. 되로 곡식을 떠서 붓는다는 뜻에서 '올리다'는 뜻까지 나왔다. 달리 昇, 阩, 陞 등으로 쓰기도 한다.

제497부수
497 ▪ 모(矛)부수

9459

矛: 矛: 창 모: 矛-총5획: máo

原文

矛: 酋矛也. 建於兵車, 長二丈. 象形. 凡矛之屬皆从矛. 𥍮, 古文矛从戈. 莫浮切.

譯

'긴 창(酋矛)'을 말한다. 전쟁용 수레에 꽂는데, 길이가 2장이다(建於兵車, 長二丈). 상형이다.[82] 모(矛)부수에 귀속된 글자들은 모두 모(矛)가 의미부이다. 모(𥍮)는 모(矛)의 고문체인데, 과(戈)로 구성되었다. 독음은 막(莫)과 부(浮)의 반절이다.

9460

稂: 稂: 짧은 창 랑: 矛-총12획: láng

原文

稂: 矛屬. 从矛良聲. 魯當切.

譯

'창의 일종(矛屬)'이다.[83] 모(矛)가 의미부이고 량(良)이 소리부이다. 독음은 로(魯)와 당(當)의 반절이다.

---

82) 고문자에서 [金文] [簡牘文] 등으로 그렸다. 이 뾰족해 상대를 찌를 수 있는 창을 그렸는데, 뾰족하게 난 창끝과 긴 창대와 오른편으로 손잡이가 그려졌다. 이에 비해 상대를 찍거나 베도록 고안된 창이 낫처럼 생긴 것은 戈(창 과)이고 이 둘을 합친 것이 戟(창 극)이다. 矛로 구성된 글자는 많지 않지만, 모두 창의 속성인 '찌르다'는 의미와 관련된다.
83) 『광운(廣韻)』에서 "짧은 창(短矛)"을 말한다고 했다.

9461

縃: 縃: 창 개: 矛-총15획: kài

(原文)
縃: 矛屬. 从矛害聲. 苦蓋切.

(飜譯)
'창의 일종(矛屬)'이다. 모(矛)가 의미부이고 해(害)가 소리부이다. 독음은 고(苦)와 개(蓋)의 반절이다.

9462

䂾: 䂾: 창 색: 矛-총13획: zé

(原文)
䂾: 矛屬. 从矛昔聲. 讀若笮. 士革切.

(飜譯)
'창의 일종(矛屬)'이다. 모(矛)가 의미부이고 석(昔)이 소리부이다. 착(笮)과 같이 읽는다. 독음은 사(士)와 혁(革)의 반절이다.

9463

矜: 矜: 불쌍히 여길 긍: 矛-총9획: jīn

(原文)
矜: 矛柄也. 从矛今聲. 居陵切.

(飜譯)
'창의 손잡이(矛柄)'를 말한다. 모(矛)가 의미부이고 금(今)이 소리부이다.[84][85] 독음

은 거(居)와 릉(陵)의 반절이다.

9464

𥐨: 䅽: 찌를 뉴·뉵: 矛-총9획: niǔ

原文

𥐨: 刺也. 从矛丑聲. 女久切.

譯譯

'찌르다(刺)'라는 뜻이다. 모(矛)가 의미부이고 축(丑)이 소리부이다. 독음은 녀(女)와 구(久)의 반절이다.

(矜)으로 되어 있어 '从矛令聲'으로 고친다고 했다.

85) 矛(창 모)가 의미부이고 令(이제 금)이 소리부이다. 矜이 어떻게 해서 '불쌍히 여기다'와 自矜心(자긍심)에서처럼 자신을 스스로 자랑스럽게 생각한다는 의미의 '矜持(긍지)'라는 뜻까지 갖게 되었는지는 명확하지 않다. 하지만 창(矛)은 상대를 찔러 죽이는 원시시절부터 사용되어 왔던 가장 대표적 무기의 하나였기에, 이에 의해 죽어가는 상대를 '불쌍히 여겨야 한다'는 의미를 그린 것으로 추정된다. 그러나 전쟁은 냉정한 현실 그 이상과 이하도 아닌 법, 적을 찔러 죽인 전공으로부터 스스로 자랑스럽게 생각하고 '긍지'를 느낄 수 있었다는 뜻에서 '긍지'의 의미가 나왔을 것이다. 달리 矝으로 쓰기도 한다.

> 제498부수
> 498 ■ 거(車)부수

9465

車: 車: 수레 **차거**: 車-총7획: chē

原文

車: 輿輪之總名. 夏后時奚仲所造. 象形. 凡車之屬皆从車. 轚, 籒文車. 尺遮切.

飜譯

'차여나 수레 등을 함께 일컫는 말이다(輿輪之總名).' 하후(夏后)씨 때 해중(奚仲)이라는 사람이 처음 만들었다.[86] 상형이다.[87] 거(車)부수에 귀속된 글자들은 모두 거(車)

---

[86] 해중(奚仲)의 성은 해(奚) 혹은 임(任)이다. 황제의 증손인 제곡의 후예다. 제곡은 우호(禺號, 바다와 바람의 신)를 낳았고, 우호는 음양(淫梁)을 낳았고, 음양은 번우(番禺)를 낳았고, 번우는 해중을 낳았다. 전설에 따르면 번우는 배를 발명했다. 하(夏)나라 때 해중은 거복대부(車服大夫, 車正으로도 불린다)라는 관직을 얻었다. 하나라 군주 하우(우임금)는 그에게 설(薛) 땅을 봉했고 그는 그곳에 살았다. 해중은 길광(吉光)을 낳았는데, 길광이 처음으로 나무로 수레를 만들었다. 그러나 해중이 우임금 때 거복대부라는 직책을 맡았기 때문에 후세 사람들은 해중이 수레를 발명했다고 여기게 되었다. 해중은 설나라와 설씨(薛氏)의 시조가 되었고, 설 땅에 거주하다가 나중에 비(邳) 땅으로 갔다. 상(商)나라 초기에 해중의 12세손 중훼(仲虺)가 설 땅에 거주하면서 상나라 군주 상탕(商湯, 탕왕, 성탕)의 좌상(左相)을 맡기도 했다.(『중국인물사전』)

[87] 고문자에서 ᵉᵗᶜ 甲骨文 ᵉᵗᶜ 金文 ᵉᵗᶜ 古陶文 ᵉᵗᶜ 簡牘文 ᵉᵗᶜ 古璽文 등으로 그렸다. 갑골문에서 마차를 간략하게 그렸는데, 금문에서는 두 바퀴와 중간의 차체와 이를 가로지르는 굴대(軸·축)에다 멍에(軛·액)와 끌채(轅·원)까지 완벽하게 표현되었다. 소전체에 들면서 지금처럼 두 바퀴는 가로획으로 차체는 네모꼴로 변했으며, 『설문해자』의 주문체에서는 戔(해칠 잔)을 더해 그것이 전쟁을 위한 전차임을 구체화했다. 고대 중국에서 마차는 다양한 용도로 쓰였다. 사람과 물건을 나르는 본래의 기능은 물론 전차나 사냥 수레로서의 기능도 함께 했다. 이 때문에 이후 수레처럼 軸에 의해 움직이는 동력장치를 지칭하여 水車(수차)나 自動車(자동차) 등까지 지칭하게 되었다. 다만, 사람이나 동물이 끄는 수레는 '거'로, 동력기관인 차는 '차'로 구분해 읽음에 유의해야 한다. 간화자에서는 초서체를 해서화한 车로 쓴다.

제
14
권

가 의미부이다. 거(轃)는 거(車)의 주문체이다. 독음은 척(尺)과 차(遮)의 반절이다.

9466

軒: 軒: 추녀 헌: 車-총10획: xuān

原文

軒: 曲輈藩車. 从車干聲. 虛言切.

飜譯

'굽은 끌채와 둘리친 휘장을 가진 수레(曲輈藩車)'를 말한다. 거(車)가 의미부이고 간(干)이 소리부이다. 독음은 허(虛)와 언(言)의 반절이다.

9467

輜: 輜: 짐수레 치: 車-총15획: zī

原文

輜: 軿車前, 衣車後也. 从車甾聲. 側持切.

飜譯

'앞부분은 병거(軿車)처럼 되었고, 뒷부분은 의거(衣車)처럼 된 수레를 말한다(軿車前, 衣車後).'88) 거(車)가 의미부이고 치(甾)가 소리부이다. 독음은 측(側)과 지(持)의 반절이다.

9468

軿: 軿: 가벼운 수레 병: 車-총13획: píng

原文

軿: 輜車也. 从車幷聲. 薄丁切.

---

88) 병거(軿車)는 휘장을 둘러친 수레를 말하고, 의거(衣車)는 귀부인들이 타던 뒤쪽을 휘장으로 가린 수레를 말하는데, 누워 쉬거나 옷을 싣기도 했다.

翻譯

'치거(輜車)'를 말한다.[89] 거(車)가 의미부이고 병(幷)이 소리부이다. 독음은 박(薄)과 정(丁)의 반절이다.

9469

輼: 輼: 와거 온: 車-총17획: wēn

原文

輼: 臥車也. 从車㬜聲. 烏魂切.

翻譯

'와거(臥車) 즉 누워서 자거나 쉬도록 만든 수레'를 말한다. 거(車)가 의미부이고 온(㬜)이 소리부이다. 독음은 오(烏)와 혼(魂)의 반절이다.

9470

輬: 輬: 와거 량: 車-총15획: liáng

原文

輬: 臥車也. 从車京聲. 呂張切.

翻譯

'와거(臥車) 즉 누워서 자거나 쉬도록 만든 수레'를 말한다. 거(車)가 의미부이고 경(京)이 소리부이다. 독음은 려(呂)와 장(張)의 반절이다.

9471

軺: 軺: 수레 초: 車-총12획: yáo

原文

---

89) 치거(輜車)는 휘장과 덮개를 설치한 수레를 말하는데, 짐을 옮기기도 사람이 누워 잘 수도 있는 수레였다.

軺: 小車也. 从車召聲. 以招切.

譯

‘작은 수레(小車)’를 말한다.90) 거(車)가 의미부이고 소(召)가 소리부이다. 독음은 이(以)와 초(招)의 반절이다.

9472

輕: 輕: 가벼울 경: 車-총14획: qīng

原文

輕: 輕車也. 从車巠聲. 去盈切.

譯

‘가벼운 수레(輕車)’를 말한다.91) 거(車)가 의미부이고 경(巠)이 소리부이다.92) 독음은 거(去)와 영(盈)의 반절이다.

9473

輶: 輶: 가벼울 유: 車-총16획: yóu

原文

輶: 輕車也. 从車酋聲. 『詩』曰 : "輶車鸞鑣." 以周切.

譯

‘가벼운 수레(輕車)’를 말한다. 거(車)가 의미부이고 추(酋)가 소리부이다. 『시·진풍·사철(駟鐵)에서 "가벼운 수레 끄는 말 재갈에 달린 방울 소리 울리고(輶車鸞鑣)"라고

---

90) 소거(小車)는 대거(大車)에 상대되는 말로, 말이 끄는 가볍고 빠른 수레를 말한다.

91) 경거(輕車)는 병거의 일종으로, 병거 중에서 가장 빠르고 간편한 수레를 말한다.

92) 고문자에서 輕 簡牘文 등으로 그렸다. 車(수레 거·차)가 의미부이고 巠(지하수 경)이 소리부로, 간단한 베틀(巠)처럼 날렵하고 가벼운 수레(車)를 말한다. 이후 나이가 젊다는 뜻도 가지는데, 농경사회를 살았던 중국에서 경험이 부족한 젊은 사람은 ‘가볍고’ 경솔한 존재로 인식했기 때문이다. 간화자에서는 轻으로 줄여 쓴다.

노래했다. 독음은 이(以)와 주(周)의 반절이다.

9474

輣: 輣: 병거 팽: 車-총15획: péng

原文

輣: 兵車也. 从車朋聲. 薄庚切.

飜譯

'군사용 수레(兵車)'를 말한다.[93] 거(車)가 의미부이고 붕(朋)이 소리부이다. 독음은 박(薄)과 경(庚)의 반절이다.

9475

軘: 軘: 돈거 돈: 車-총11획: tún

原文

軘: 兵車也. 从車屯聲. 徒魂切.

飜譯

'군사용 수레(兵車)'를 말한다. 거(車)가 의미부이고 둔(屯)이 소리부이다. 독음은 도(徒)와 혼(魂)의 반절이다.

9476

幢: 幢: 진을 공격하는 수레 충: 車-총19획: chuáng, chōng

---

93) 『단주』에서는 각 판본에서 '兵車'라고 했는데 이를 누거(樓車)로 고친다고 했다. 그리고 이렇게 말했다. "『후한서·광무기(光武紀)』에서 '衝輣撞城(공격용 전차로 성을 쳤다)'이라 하였는데, 이현(李賢)은 허신(許愼)의 말을 인용하여 팽(輣)은 누거를 말한다(樓車也)고 했고, 이선(李注)의 『문선주』에서도 누거(樓車)라고 했다." 누거(樓車)는 전쟁에 쓰는 수레의 일종으로, 수레 위에 적을 살피는 망루가 설치된 전차이다.

原文

𨏅: 陷陣車也. 从車童聲. 尺容切.

飜譯

'함진거(陷陣車)'를 말한다.94) 거(車)가 의미부이고 동(童)이 소리부이다. 독음은 척(尺)과 용(容)의 반절이다.

9477

轈: 轈: 망보는 수레 초·병거 소: 車—총18획: cháo

原文

轈: 兵高車加巢以望敵也. 从車巢聲.『春秋傳』曰: "楚子登轈車." 鉏交切.

飜譯

'소거(轈車), 즉 군사용 높은 수레에 초소를 달아 적의 동정을 살피는 수레(兵高車加巢以望敵)'를 말한다. 거(車)가 의미부이고 소(巢)가 소리부이다.『춘추전』(성공 16년, B.C.575)에서 "초나라 공왕(共王)이 소거에 올라탔다(楚子登轈車)"라고 했다. 독음은 서(鉏)와 교(交)의 반절이다.

9478

輿: 輿: 수레 여: 車—총17획: yú

原文

輿: 車輿也. 从車舁聲. 以諸切.

飜譯

'거여(車輿) 즉 수레의 차상(車箱)'을 말한다. 거(車)가 의미부이고 여(舁)가 소리부이다.95) 독음은 이(以)와 제(諸)의 반절이다.

---

94) 함진거(陷陣車)는 돌격하여 적의 진지나 성을 함락시킬 때 자주 쓰는 전차인데, 달리 충(衝)으로 쓰기도 한다.

9479

輯: 輯: 모을 집: 車-총16획: jí

原文

輯: 車和輯也. 从車咠聲. 秦入切.

飜譯

‘여러 가지 부품을 조화롭게 모아 만든 수레(車和輯)’라는 뜻이다.[96] 거(車)가 의미
부이고 집(咠)이 소리부이다. 독음은 진(秦)과 입(入)의 반절이다.

9480

輓: 輓: 수레의 덮개 만: 車-총18획: màn

原文

輓: 衣車蓋也. 从車曼聲. 莫半切.

飜譯

‘수레의 덮개(衣車蓋)’를 말한다. 거(車)가 의미부이고 만(曼)이 소리부이다. 독음은
막(莫)과 반(半)의 반절이다.

---

95) 고문자에서 𝕏 𝕏 𝕏 甲骨文 𝕏古陶文 𝕏𝕏簡牘文 등으로 그렸다. 車(수레 거·차)가 의
미부고 舁(마주들 여)가 소리부로, 서로 함께 힘을 합해야만 들 수 있는(舁) 것이 수레(車)임
을 말해 주고 있다. 이후 가마, 상여용 수레, 직위가 낮은 병졸 등을 지칭하기도 했다. 간화자
에서는 輿로 쓴다. 달리 轝로도 쓴다.

96) 『단주』에서는 이러한 해석이 『설문』의 체례와 맞지 않다고 하면서 ‘車輿也’로 고쳤다. 그리
고 이렇게 말했다. “각 판본에서 ‘車和輯也’라고 했는데 이는 크게 잘못된 것이다. 지금 바로
잡는다. 소(轐)자 이후부터 모두 수레의 종류를 열거했으며, 여(輿)자부터 납(軜)자까지는 모두
수레를 구성하는 부분에 대해 언급했다. 그런데 중간에 ‘車和’라는 뜻풀이가 갑자기 들어갈
수는 없다. 허신의 책은 질서정연한 체례를 이루고 있기 때문에 이를 살펴 알 수 있다.” 거여
(車輿)는 수레 또는 가마를 말한다.

9481

䡊 : 軓 : 수레 바닥 둘레 나무 범: 車-총10획: fàn

原文

軓 : 車軾前也. 从車凡聲.『周禮』曰 : "立當前軓."

飜譯

'수레의 앞턱의 가로댄 나무(車軾前)'를 말한다. 거(車)가 의미부이고 범(凡)이 소리부이다.『주례·추관대행인(大行人)』에서 "수레 가로 앞턱 나무에 올라섰다(立當前軓)"라고 했다.

9482

軾 : 軾 : 수레 앞턱 가로나무 식: 車-총13획: shì

原文

軾 : 車前也. 从車式聲. 賞職切.

飜譯

'수레의 앞턱의 가로댄 나무(車前)'를 말한다. 거(車)가 의미부이고 식(式)이 소리부이다. 독음은 상(賞)과 직(職)의 반절이다.

9483

輅 : 輅 : 수레 로: 車-총13획: lù

原文

輅 : 車輅前橫木也. 从車各聲. 洛故切.

飜譯

'사람이 끌 수 있도록 수레의 끌채 끝에 설치한 가로장(車輅前橫木)'을 말한다.97)

---

97)『단주』에서 이렇게 말했다. "소림(蘇林)에 의하면 락(輅)의 독음은 동락(凍洛)이라고 할 때의 락(洛)과 같다. '수레의 앞부분에 가로로 나무 하나가 설치되었는데(一木橫遮車前), 두 사람이

거(車)가 의미부이고 각(各)이 소리부이다. 독음은 락(洛)과 고(故)의 반절이다.

9484

較 : 較: 수레의 좌우 손잡이 가름대 교·각: 車-총11획: jué

原文

較: 車騎上曲銅也. 从車爻聲. 古岳切.

飜譯

'수레 차상 양옆 널빤지 위로 설치된 굽은 구리 걸쇠(車騎[98]上曲銅)'를 말한다. 거(車)가 의미부이고 효(爻)가 소리부이다. 독음은 고(古)와 악(岳)의 반절이다.

9485

軵 : 軵: 수레의 양옆으로 내민 부분 반: 車-총11획: fán, fǎn, pèi

原文

軵: 車耳反出也. 从車从反, 反亦聲. 府遠切.

飜譯

'수레의 차상 양쪽 바깥으로 귀처럼 반쯤 내민 부분(車耳反出)'을 말한다. 거(車)가 의미부이고 반(反)도 의미부인데, 반(反)은 소리부도 겸한다. 독음은 부(府)와 원(遠)의 반절이다.

9486

轛 : 轛: 수레 앞 창 대: 車-총21획: duì

이를 끌며(二人挽之), 세 사람이 이를 민다(三人推之)고 했다. 유소(劉昭)가 단 「여복지(輿服志)」의 주석에서 『집운』에 의하면 멍에 앞에 가로질러 놓은 나무(軶前橫木)를 락(輅)이라 한다고 했다. '액전(軶前, 멍에 앞)'은 허신의 말처럼 '영전(軨前, 차상의 밑바닥에 까는 격자형의 틀 앞)'이 되어야 한다. 만(輓)이나 락(輅) 같은 수레는 사람이 끄는 수레이지 소나 말이 끄는 수레가 아니다."

98) 『단주』에 의하면 각 판본에서는 '기(騎)'로 되었으나 '의(輢)'가 되어야 옳다고 했다.

原文

轛：車橫轛也. 从車對聲.『周禮』曰："參分軹圍, 去一以爲轛圍." 追萃切.

飜譯

'수레 아래쪽에 대는 가로로 교차하여 댄 나무(車橫轛)'를 말한다.99) 거(車)가 의미부이고 대(對)가 소리부이다.『주례·고공기·여인(輿人)』에서 "지위(軹圍)를 셋으로 나누고 그중 하나를 없애 대위(轛圍)를 만든다.(參分軹圍, 去一以爲轛圍.)"라고 하였다.100) 독음은 추(追)와 췌(萃)의 반절이다.

9487

輢： 輢: 수레 양쪽에 있는 기대는 나무 의: 車-총15획: yǐ

原文

輢： 車旁也. 从車奇聲. 於綺切.

飜譯

'수레 차상의 양쪽으로 기댈 수 있게 만든 나무판(車旁)'을 말한다. 거(車)가 의미부이고 기(奇)가 소리부이다. 독음은 어(於)와 기(綺)의 반절이다.

9488

輒： 輒: 문득 첩: 車-총14획: zhé

---

99)『단주』에서 이렇게 말했다. "거횡령(車橫轛)은 수레의 난간(車闌)을 말한다. 목(木)부수의 횡(橫)자에서 가로지른 나무를 말한다(闌木也)고 했다.『고공기(攷工記)』에서 '參分軹圍, 去一以爲轛圍.'라고 했는데, 그 주석에서 병거(兵車)의 대위(轛圍)는 2촌(寸) 81분촌(分寸)의 14라고 했다. 대(轛)는 식(式)의 세로로 된 것과 가로로 된 것을 말한다. 정중(鄭司農)은 이에 대해 거여령(車輿轛)을 세운 것을 말한다고 했다. 바로 허신이 말한 횡령(橫轛)이다. 횡(橫)은 가로지르다(闌)는 뜻이다. 그런즉 세로로 된 것이든 가로로 된 것이든 모두 다 포함된다. 한나라 때의 사람들은 형(衡)자가 들어갈 경우 모두 형(衡)으로만 적었지 횡(橫)으로는 적지 않았다. 횡(橫)은 횡목을 말한다(桄也). 정현은 이에 대해 대(轛)라는 것은 지방 사람들이 붙인 이름이라고 했다. 내 생각에 글자에 대(對)자가 들어갔기 때문이 아니겠는가?"
100) 지위(軹圍)는 굴대를 끼우는 바퀴통의 작은 구멍 주위를 말하고, 대위(轛圍)는 수레 앞쪽의 격자로 된 난간을 말한다.

軜: 車兩輢也. 从車耴聲. 陟葉切.

飜譯

'수레 차상의 양쪽으로 기댈 수 있게 만든 나무판(車兩輢)'을 말한다. 거(車)가 의미
부이고 첩(耴)이 소리부이다. 독음은 척(陟)과 엽(葉)의 반절이다.

9489

軐: 軐: 수레 치장 춘·순시할 순: 車-총10획: xiǎn, xún

原文

軐: 車約軐也. 从車川聲. 『周禮』曰: "孤乘夏軐." 一曰下棺車曰軐. 敕倫切.

飜譯

'수레의 난간을 묶는 띠(車約軐)'를 말한다. 거(車)가 의미부이고 천(川)이 소리부이
다. 『주례·춘관·건거(巾車)』에서 "경대부가 홀로 수레를 탈 때에는 바퀴통을 붉은색
으로 묶은 수레를 탄다(孤乘夏軐)"라고 했다. 일설에는 '하관할 때 사용하는 수레(下
棺車)를 춘(軐)이라 한다'고도 한다. 독음은 칙(敕)과 륜(倫)의 반절이다.

9490

轖: 轖: 기운 맺힐 색: 車-총20획: sè

原文

轖: 車籍交錯也. 从車嗇聲. 所力切.

飜譯

'수레 차상의 사방을 가죽으로 교차되게 묶은 것(車籍交錯)'을 말한다. 거(車)가 의
미부이고 색(嗇)이 소리부이다. 독음은 소(所)와 력(力)의 반절이다.

9491

輪: 輪: 사냥 수레 령: 車-총12획: líng

原文

輪: 車輪閒橫木. 从車令聲. 轜, 輪或从霝, 司馬相如說. 郎丁切.

飜譯

'수레 차상의 사방을 가죽으로 교차되게 묶은 곳 사이로 놓인 가름대(車輪閒橫木)' 를 말한다. 거(車)가 의미부이고 령(令)이 소리부이다. 령(轜)은 령(輪)의 혹체자인데, 령(霝)으로 구성되었다. 사마상여(司馬相如)의 해설이다. 독음은 랑(郎)과 정(丁)의 반절이다.

9492

輯: 輯: 굴대 군: 車-총14획: yǐn

原文

輯: 輭車前橫木也. 从車君聲. 讀若帬, 又讀若褌. 牛尹切.

飜譯

'운구하는 수레의 앞턱에 가로댄 나무(輭車前橫木)'를 말한다. 거(車)가 의미부이고 군(君)이 소리부이다. 군(帬)과 같이 읽는다. 또 곤(褌)과 같이 읽는다. 독음은 우(牛) 와 윤(尹)의 반절이다.

9493

軫: 軫: 수레 뒤턱 나무 진: 車-총12획: zhěn

原文

軫: 車後橫木也. 从車㐱聲. 之忍切.

飜譯

'수레 뒤턱의 가로댄 나무(車後橫木)'를 말한다. 거(車)가 의미부이고 진(㐱)이 소리부이다. 독음은 지(之)와 인(忍)의 반절이다.

9494

𨊠: 轐: 복토 복: 車-총19획: bú

原文

轐: 車伏兔也. 从車菐聲. 『周禮』曰 : "加軫與轐焉." 博木切.

譯

'복토, 즉 수레의 굴대와 차체를 연결하는 장치(車伏兔)'를 말한다. 거(車)가 의미부이고 복(菐)이 소리부이다. 『주례·고공기·총서(總序)』에서 "수레 뒤턱 가로나무와 복토를 더한다(加軫與轐焉)"라고 하였다. 독음은 박(博)과 목(木)의 반절이다.

9495

𨎮: 轋: 수레바탕과 굴대가 닿는데 댄 가죽 민: 車-총26획: mǐn

原文

轋: 車伏兔下革也. 从車䰩聲. 䰩, 古昏字. 讀若閔. 眉殞切.

譯

'수레의 복토 아래에 댄 가죽(車伏兔下革)'을 말한다. 거(車)가 의미부이고 혼(䰩)이 소리부이다. 혼(䰩)은 혼(昏)의 고자이다. 민(閔)과 같이 읽는다. 독음은 미(眉)와 운(殞)의 반절이다.

9496

軸: 軸: 굴대 축: 車-총12획: zhóu

原文

軸: 持輪也. 从車由聲. 直六切.

飜譯

'차륜을 관통하는 굴대(持輪)'를 말한다. 거(車)가 의미부이고 유(由)가 소리부이다.101) 독음은 직(直)과 륙(六)의 반절이다.

9497

輹: 輹: 복토 복: 車-총16획: fù

原文

輹: 車軸縛也. 从車复聲. 『易』曰 : "輿脫輹." 芳六切.

飜譯

'수레의 복토와 굴대를 동여매는 끈(車軸縛)'을 말한다. 거(車)가 의미부이고 복(复)이 소리부이다. 『역·대축(大畜)』(구이)에서 "수레에서 복토와 굴대를 동여매는 끈이 빠지리라(輿脫輹)"라고 했다. 독음은 방(芳)과 륙(六)의 반절이다.

9498

軔: 軔: 쐐기 나무 인: 車-총10획: rèn

原文

軔: 礙車也. 从車刃聲. 而振切.

飜譯

'수레바퀴가 도는 것을 막아주는 장치(礙車)'를 말한다. 거(車)가 의미부이고 인(刃)이 소리부이다. 독음은 이(而)와 진(振)의 반절이다.

9499

輮: 輮: 바퀴 테 유: 車-총16획: róu

---

101) 車(수레 거·차)가 의미부고 由(말미암을 유)가 소리부로, 수레(車)의 굴대를 말하는데, 수레(車)로서의 기능을 하게 하는(由) 부위라는 뜻을 담았다. 이후 원기둥꼴의 기계 부품이나 수레를 지칭하기도 했다.

原文

輮: 車軔也. 从車柔聲. 人九切.

飜譯

'수레바퀴가 도는 것을 막도록 덧댄 바퀴(車軔)'를 말한다. 거(車)가 의미부이고 유(柔)가 소리부이다. 독음은 인(人)과 구(九)의 반절이다.

9500

𥲲: 𥲲: 덧바퀴 그림쇠 경: 車-총17획: qióng

原文

𥲲: 車輮規也. 一曰一輪車. 从車, 熒省聲. 讀若䇿. 張䇿切.

飜譯

'수레의 덧바퀴를 제작하는 틀(車輮規)'을 말한다. 일설에는 '외발로 된 수레(一輪車)'를 말한다고도 한다. 거(車)가 의미부이고, 형(熒)의 생략된 부분이 소리부이다. 경(䇿)과 같이 읽는다. 독음은 장(張)과 영(䇿)의 반절이다.

9501

轂: 轂: 바퀴 곡: 車-총17획: gǔ

原文

轂: 輻所湊也. 从車㱿聲. 古禄切.

飜譯

'바퀴살이 모이는 곳(輻所湊) 즉 바퀴통'을 말한다. 거(車)가 의미부이고 각(㱿)이 소리부이다. 독음은 고(古)와 록(禄)의 반절이다.

9502

輥: 輥: 빨리 구를 곤: 車-총15획: gǔn

原文

輥: 轂齊等皃. 从車昆聲.『周禮』曰 : "望其轂, 欲其輥." 古本切.

飜譯

'바퀴통이 둥글어 균형을 이룬 모양(轂齊等皃)'을 말한다. 거(車)가 의미부이고 곤(昆)이 소리부이다.『주례·고공기·윤인(輪人)』에서 "바퀴통을 바라다보면서, 바퀴통이 둥글고 균형을 이루길 바란다.(望其轂, 欲其輥.)"라고 했다. 독음은 고(古)와 본(本)의 반절이다.

9503

軝: 軝: 바퀴통 머리 기: 車-총11획: qí

原文

軝: 長轂之軝也, 以朱約之. 从車氏聲.『詩』曰 : "約軝錯衡." 𦌋, 軝或从革. 渠 支切.

飜譯

'긴 바퀴통의 머리 부분을 싼 장식물을 말하는데, 붉은색을 칠한 가죽으로 동여맨다(長轂之軝也, 以朱約之).' 거(車)가 의미부이고 씨(氏)가 소리부이다.『시·소아·채기(采芑)』에서 "수레의 굴통 대에는 가죽 감고 멍에에는 무늬 새기고(約軝錯衡)"라고 노래했다. 기(𦌋)는 기(軝)의 혹체자인데, 혁(革)으로 구성되었다. 독음은 거(渠)와 지(支)의 반절이다.

9504

軹: 軹: 굴대 머리 지: 車-총12획: zhǐ

原文

軹: 車輪小穿也. 从車只聲. 諸氏切.

飜譯

'수레 축을 끼우는 [수레 굴대 끝의] 작은 구멍(車輪小穿)'을 말한다.[102] 거(車)가 의미
부이고 지(只)가 소리부이다. 독음은 제(諸)와 씨(氏)의 반절이다.

9505

軎: 軎: 굴대 끝 세·여: 車-총10획: wèi

原文

軎: 車軸耑也. 从車, 象形. 杜林說. 轊, 軎或从彗. 于濊切.

飜譯

'[바퀴통 바깥으로 나온] 수레 축의 끝부분(車軸耑)'을 말한다. 거(車)가 의미부이고, 상
형이다. 두림(杜林)의 학설이다. 세(轊)는 세(軎)의 혹체자인데, 혜(彗)로 구성되었다.
독음은 우(于)와 예(濊)의 반절이다.

9506

輻: 輻: 바퀴살 복: 車-총16획: fú

原文

輻: 輪轑也. 从車畐聲. 方六切.

飜譯

'바퀴의 바퀴살(輪轑)'을 말한다. 거(車)가 의미부이고 픽(畐)이 소리부이다.[103] 독음
은 방(方)과 륙(六)의 반절이다.

---

102) 『단주』에서는 이렇게 말했다. "수레바퀴의 작은 구멍을 말한다(車輪小穿也). 륜(輪)은 곡(轂)
    이 되어야 한다. 「윤인직(輪人職)」에서 바퀴통의 길이를 5분으로 하는데(五分其轂之長), 그중
    일분을 잘라 내 현(賢)으로 삼고, 삼분을 잘라내 지(軹)로 삼는다.(去一以爲賢, 去三以爲軹.)라
    고 했다. 정중(鄭司農)은 현(賢)은 큰 구멍을 말하며(大穿也), 지(軹)는 작은 구멍을 말한다(小
    穿也)고 했다. 정현은 이를 고쳐 이분을 잘라내 현(賢)으로 삼는다(去二爲賢)고 했다. 정요전
    (程瑤田, 1725~1814)이 이에 대해 시비를 논의한 바 있는데, 상세한 것은 『통예록(通藝錄)』에
    보인다. 허신의 견해는 정중의 설과 일치한다."
103) 車(수레 거·차)가 의미부고 畐(가득할 복)이 소리부로, 수레(車)의 바퀴살을 말하며, 달리 '복
    토'를 뜻하여 輹(복토 복)으로 쓰기도 한다.

9507

轑: 轑: 불 놓을바퀴살 로: 車-총19획: láo, liǎo

原文

轑: 蓋弓也. 一曰輻也. 从車尞聲. 盧晧切.

飜譯

'활처럼 휜 수레 덮개(蓋弓)'라는 뜻이다. 일설에는 '바퀴살(輻)'을 말한다고도 한다. 거(車)가 의미부이고 료(尞)가 소리부이다. 독음은 로(盧)와 호(晧)의 반절이다.

9508

軑: 軑: 줏대 대: 車-총10획: dài

原文

軑: 車輨也. 从車大聲. 特計切.

飜譯

'수레의 줏대(車輨) 즉 수레바퀴 끝을 보강하기 위하여 휘갑쳐 싼 쇠'를 말한다. 거(車)가 의미부이고 대(大)가 소리부이다. 독음은 특(特)과 계(計)의 반절이다.

9509

輨: 輨: 줏대 관: 車-총15획: guǎn

原文

輨: 轂端沓也. 从車官聲. 古滿切.

飜譯

'수레의 줏대(轂端沓)'를 말한다. 거(車)가 의미부이고 관(官)이 소리부이다. 독음은 고(古)와 만(滿)의 반절이다.

9510

轅: 轅: 끌채 원: 車─총17획: yuán

原文

轅: 輈也. 从車袁聲. 雨元切.

飜譯

'수레의 끌채(輈) 즉 수레의 양쪽에 대는 긴 채'를 말한다. 거(車)가 의미부이고 원(袁)이 소리부이다. 독음은 우(雨)와 원(元)의 반절이다.

9511

輈: 輈: 끌채 주: 車─총13획: zhōu

原文

輈: 轅也. 从車舟聲. 舟, 籒文輈. 張流切.

飜譯

'수레의 끌채(轅)'를 말한다. 거(車)가 의미부이고 주(舟)가 소리부이다. 주(𦩎)는 주(輈)의 주문체이다. 독음은 장(張)과 류(流)의 반절이다.

9512

軎: 軎: 끌채가 곧은 수레 국: 車─총15획: jú

原文

軎: 直轅車軎也. 从車具聲. 居玉切.

飜譯

'곧은 끌채를 동여매는 가죽 끈(直轅車軎)'을 말한다. 거(車)가 의미부이고 구(具)가 소리부이다. 독음은 거(居)와 옥(玉)의 반절이다.

제
14
권

9513

軏: 軏: 끌채 끝의 멍에 틀을 매는 곳 월: 車-총11획: yuè

原文

軏: 車轅耑持衡者. 从車元聲. 魚厥切.

繙譯

'수레 끌채 끝의 멍에 틀을 매는 곳(車轅耑持衡者)'을 말한다. 거(車)가 의미부이고 원(元)이 소리부이다. 독음은 어(魚)와 궐(厥)의 반절이다.

9514

軛: 軛: 멍에 액: 車-총12획: è

原文

軛: 轅前也. 从車厄聲. 於革切.

繙譯

'끌채 앞에 있는 멍에(轅前) 즉 수레를 끌기 위하여 말의 목에 얹는 구부러진 막대'를 말한다. 거(車)가 의미부이고 액(厄)이 소리부이다. 독음은 어(於)와 혁(革)의 반절이다.

9515

輥: 輥: 멍에 혼·초헌 헌: 車-총16획: hún

原文

輥: 軛輈也. 从車軍聲. 乎昆切.

繙譯

'멍에(軛輈)'를 말한다. 거(車)가 의미부이고 군(軍)이 소리부이다. 독음은 호(乎)와 곤(昆)의 반절이다.

9516

輷: 輷: 멍에 구: 車-총12획: qú

原文

輷: 軶下曲者. 从車句聲. 古候切.

飜譯

'아래로 굽은 멍에(軶下曲者)'를 말한다. 거(車)가 의미부이고 구(句)가 소리부이다. 독음은 고(古)와 후(候)의 반절이다.

9517

轙: 轙: 수레의 고삐고리 의: 車-총20획: yǐ

原文

轙: 車衡載轡者. 从車義聲. 钀, 轙或从金从獻. 魚綺切.

飜譯

'수레의 가름대 위를 가로지르는 고삐 고리(車衡載轡者)'를 말한다. 거(車)가 의미부이고 의(義)가 소리부이다. 의(钀)는 의(轙)의 혹체자인데, 금(金)도 의미부이고 헌(獻)도 의미부이다. 독음은 어(魚)와 기(綺)의 반절이다.

9518

軜: 軜: 고삐 납: 車-총11획: nà

原文

軜: 驂馬内轡繫軾前者. 从車内聲. 『詩』曰 : "沃以觼軜." 奴荅切.

飜譯

'세 마리 말이 끄는 수레의 바깥 말의 안쪽 고삐(驂馬内轡繫軾前者)'를 말한다. 거(車)가 의미부이고 내(内)가 소리부이다. 『시·진풍소융(小戎)』에서 "흰색 쇠고리에 참마의 안 고삐를 매었네(沃以觼軜)"라고 노래했다. 독음은 노(奴)와 답(荅)의 반절이다.

9519

𨏿 : 衝: 수레가 흔들거릴 견: 車-총13획: juàn

原文

𨏿 : 車搖也. 从車从行. 一曰衍省聲. 古絢切.

譯

'수레가 흔들거리다(車搖)'라는 뜻이다. 거(車)가 의미부이고 행(行)도 의미부이다. 일설에는 연(衍)의 생략된 부분이 소리부라고도 한다. 독음은 고(古)와 현(絢)의 반절이다.

9520

軞 : 軞: 뒤로 타는 수레 승: 車-총13획: zhěng, chèn

原文

軞 : 輒車後登也. 从車丞聲. 讀若『易』"抍馬"之抍. 署陵切.

譯

'뒤로 타는 작은 수레(輒車後登)'를 말한다. 거(車)가 의미부이고 승(丞)이 소리부이다. 『역·명이(明夷)』(육이효)에서 말한 "승마(抍馬: 구원하는 말)"의 승(抍)과 같이 읽는다. 독음은 서(署)와 릉(陵)의 반절이다.

9521

載 : 載: 실을 재: 車-총13획: zài

原文

載 : 乘也. 从車𢦏聲. 作代切.

譯

'수레에 태우다(乘)'라는 뜻이다. 거(車)가 의미부이고 재(𢦏)가 소리부이다.104) 독음은 작(作)과 대(代)의 반절이다.

9522

軍: 軍: 군사 군: 車-총9획: jūn

原文

軍: 圜圍也. 四千人爲軍. 从車, 从包省. 軍, 兵車也. 舉云切.

飜譯

'둥글게 에워싸다(圜圍)'라는 뜻이다. 4천 명이 1군(軍)이 된다. 거(車)가 의미부이고, 포(包)의 생략된 부분도 의미부이다. 군(軍)은 '전쟁할 때에 쓰는 수레(兵車)'를 말한다.105) 독음은 거(舉)와 운(云)의 반절이다.

9523

軷: 軷: 발제 발: 車-총12획: bá

原文

軷: 出, 將有事於道, 必先告其神, 立壇四通, 樹茅以依神, 爲軷. 旣祭軷, 轢於 牲而行, 爲範軷. 『詩』曰: "取羝以軷." 从車犮聲. 蒲撥切.

飜譯

'바깥으로 나가 있을 때, 어떤 일을 하려 하면 반드시 길 신에게 먼저 제사를 드려

---

104) 고문자에서 𰻝𰻝𰻝𰻝金文 𰻝𰻝簡牘文 등으로 그렸다. 車(수레 거·차)가 의미부고 𢦏(다칠 재)가 소리부로, 수레(車)에 싣는다는 뜻이며, 이로부터 실어 나르다는 뜻이 나왔다. 이후 歲星(세성·목성)이 한번 운행하는 주기가 1년이었으므로 '한 해'를 뜻하기도 하였다. 또 문장의 앞이나 중간에 들어가 어감을 강조하는데도 사용되었다. 간화자에서는 載로 쓴다.

105) 고문자에서 𰻝𰻝𰻝𰻝金文 𰻝古陶文 𰻝簡牘文 등으로 그렸다. 원래 車(수레 거·차)가 의미부이고 勻(고를 균, 均의 원래 글자)이 소리부로, 전차(車)를 고르게(勻) 배치함을 말했는데, 자형이 줄어 지금처럼 되었다. 이후 전차(車)가 고르게 배치된(勻) 軍隊(군대)나 무장한 부대를 지칭하게 되었고, 군대 단위로 쓰여 師(사)보다 큰 단위의 군대를 지칭하는데, 옛날에는 4천 명 정도의 규모였다. 간화자에서는 军으로 쓴다.

야 한다. 사통팔달의 교차로에다 제단을 세우고, 띠 풀을 꽂아서 신을 숨기는데, 이러한 것을 발(軷)이라 한다. 발제가 끝나면 제사 때 사용했던 희생을 바퀴로 깔아뭉개고 떠나가는데, 이를 범발(範軷)이라 한다.(出, 將有事於道, 必先告其神, 立壇四通, 樹茅以依神, 爲軷. 旣祭軷, 轢於牲而行, 爲範軷.)' 『시·대아생민(生民)』에서 "숫양으로 길의 신에게 제사지내고(取羝以軷)"라고 노래했다. 거(車)가 의미부이고 발(犮)이 소리부이다. 독음은 포(蒲)와 발(撥)의 반절이다.

9524

䡯: 範: **법 범**: 竹－총15획: fàn

原文

䡯: 範軷也. 从車, 笵省聲. 讀與犯同.

譯

'범발(範軷) 즉 발제를 지내고 나서 제사에 썼던 희생을 바퀴로 깔아뭉개고 떠나가는 의식'을 말한다. 거(車)가 의미부이고, 범(笵)의 생략된 부분이 소리부이다.106) 범(犯)과 똑같이 읽는다.107)

9525

轊: 轊: **높을 얼**: 車－총27획: nèi, niè

原文

轊: 載高皃. 从車, 㰤省聲. 五葛切.

---

106) 車(수레 거·차)가 의미부고 笵(법 범)의 생략된 모습이 소리부로, 수레(車)를 타고 길을 떠날 때 길의 신에게 지내던 제사 의식을 말했다. 이러한 제사는 정해진 절차와 규정대로 해야 했기에 '법도'라는 의미가 나왔고, 일정한 모양대로 기물을 만들어 내는 '거푸집'이라는 뜻도 나왔다. 또 지켜야 할 틀이나 범위라는 뜻에서 範疇(범주), 範圍(범위), 模範(모범), 規範(규범) 등의 뜻이 나왔다. 간화자에서는 范(풀이름 범)에 통합되었다.
107) 대서본에서는 독음이 범(犯)이라 했고, 『광운(廣韵)』에서는 방(防)과 맘(鈸)의 반절이라 했다.

翻譯

'수레에 물건을 높다랗게 실은 모습(載高皃)'을 말한다. 거(車)가 의미부이고, 헌(櫶)의 생략된 부분이 소리부이다. 독음은 오(五)와 갈(葛)의 반절이다.

9526

轄: 轄: 비녀장 할: 車-총17획: xiá

原文

轄: 車聲也. 从車害聲. 一曰轄, 鍵也. 胡八切.

翻譯

'수레가 가는 소리(車聲)'를 말한다. 거(車)가 의미부이고 해(害)가 소리부이다. 일설에는 '할(轄)은 비녀장(鍵) 즉 굴대에 끼운 바퀴가 빠지지 않게 하는 큰 못'을 말한다고도 한다. 독음은 호(胡)와 팔(八)의 반절이다.

9527

轉: 轉: 구를 전: 車-총18획: zhuǎn

原文

轉: 運也. 从車專聲. 知戀切.

翻譯

'수레로 운송하다(運)'라는 뜻이다. 거(車)가 의미부이고 전(專)이 소리부이다.[108] 독음은 지(知)와 련(戀)의 반절이다.

9528

輸: 輸: 나를 수: 車-총16획: shū

---

108) 고문자에서 ♣金文 ♨帛書 ♨轉簡牘文 등으로 그렸다. 車(수레 거·차)가 의미부고 專(오로지 전)이 소리부로, 수레(車)를 이용하여 옮기다는 뜻으로부터 운반하다, 이동하다의 뜻이 생겼다. 간화자에서는 專을 专으로 줄인 转으로 쓴다.

原文

輸: 委輸也. 从車俞聲. 式朱切.

飜譯

'수레로 나르다(委輸)'라는 뜻이다. 거(車)가 의미부이고 유(俞)가 소리부이다.109) 독음은 식(式)과 주(朱)의 반절이다.

9529

輖: 輖: 낮을 주: 車-총15획: zhōu

原文

輖: 重也. 从車周聲. 職流切.

飜譯

'수레가 무겁다(重)'라는 뜻이다. 거(車)가 의미부이고 주(周)가 소리부이다. 독음은 직(職)과 류(流)의 반절이다.

9530

輩: 輩: 무리 배: 車-총15획: bèi

原文

輩: 若軍發車百兩爲一輩. 从車非聲. 補妹切.

飜譯

'군대에서 전차를 1백 대를 내보내면(軍發車百兩) 이를 1배(輩)라 한다.' 거(車)가 의미부이고 비(非)가 소리부이다.110) 독음은 보(補)와 매(妹)의 반절이다.

---

109) 고문자에서 簡牘文 등으로 그렸다. 車(수레 거·차)가 의미부고 俞(점점 유)가 소리부로, 수레(車)로 물건을 실어 나아가게(俞) 함을 말하며, 이로부터 輸送(수송)하다, 옮기다, 보내다의 뜻이 나왔으며, 남에게 보낸다는 뜻에서 '경기에 지다'는 뜻도 나왔다. 간화자에서는 输로 쓴다.

110) 車(수레 거·차)가 의미부고 非(아닐 비)가 소리부로, 출정할 때 나란히 줄지어 선(非, 排의

9531

軋: 삐걱거릴 **알**: 車-총8획: yà

原文

軋: 輾也. 从車乙聲. 烏轄切.

譯

'수레가 삐걱거리다(輾)'라는 뜻이다.[111] 거(車)가 의미부이고 을(乙)이 소리부이다. 독음은 오(烏)와 할(轄)의 반절이다.

9532

輾: 삐걱거릴 **년**: 車-총12획: niǎn, ruǎn

原文

輾 轢也. 从車戻聲. 尼展切.

譯

'수레로 깔아뭉개고 지나가다(轢)'라는 뜻이다. 거(車)가 의미부이고 년(戻)이 소리부이다. 독음은 니(尼)와 전(展)의 반절이다.

9533

轢: 삐걱거릴 **력**: 車-총22획: lì

원래 글자) 전차(車)로부터 '무리'의 뜻이, 다시 어떤 특성으로 한데 묶인 그룹이라는 뜻에서 '부류'와 '등급'의 뜻이 나왔고, 다시 長幼(장유)나 尊卑(존비)의 구분까지 말하게 되었다. 간화자에서는 車를 车로 줄인 辈로 쓴다.

111) 『단주』에서 이렇게 말했다. "『사기·흉노전(匈奴傳)』에서 '작은 죄가 있는 자는 뼈를 뭉개버리고(有罪小者軋), 큰 죄가 있는 자는 죽여 버린다(大者死)라고 했는데, 안사고의 주석에서 갈아서 그 뼈마디를 뭉개버리는 것을 말한다(輾轉轢其骨節)라고 했다. 원래는 수레로 길을 깔아 뭉개는 것을 말했으나 이후 기세를 서로 겨루어 대치하는 것을 말하게 되었다(勢相傾)."

原文

轢: 車所踐也. 从車樂聲. 郎擊切.

飜譯

'수레로 깔아뭉개고 지나가다(車所踐)'라는 뜻이다. 거(車)가 의미부이고 악(樂)이 소리부이다. 독음은 랑(郎)과 격(擊)의 반절이다.

9534

軌: 軌: 길 궤: 車-총9획: guǐ

原文

軌: 車徹也. 从車九聲. 居洧切.

飜譯

'수레가 지나간 흔적(車徹)'을 말한다. 거(車)가 의미부이고 구(九)가 소리부이다. 독음은 거(居)와 유(洧)의 반절이다.

9535

輚: 輚: 수레자취 종: 車-총15획: zōng

原文

輚: 車迹也. 从車, 從省聲. 卽容切.

飜譯

'수레가 지나간 자국(車迹)'을 말한다. 거(車)가 의미부이고, 종(從)의 생략된 부분이 소리부이다. 독음은 즉(卽)과 용(容)의 반절이다.

9536

軼: 軼: 번갈아 들 질·앞지를 일·수레바퀴 철: 車-총12획: yì

原文

輄: 車相出也. 从車失聲. 夷質切.

飜譯

'수레가 서로 앞질러 가다(車相出)'라는 뜻이다. 거(車)가 의미부이고 실(失)이 소리부이다. 독음은 이(夷)와 질(質)의 반절이다.

9537

輷: 軫: 수레 뒤쪽의 가로장 진: 車-총17획: zhěn

原文

輷: 車輷鋊也. 从車眞聲. 讀若『論語』"鏗尒, 舍瑟而作". 又讀若擊. 苦閑切.

飜譯

'수레 뒤쪽의 가로장(車輷鋊)'을 말한다. 거(車)가 의미부이고 진(眞)이 소리부이다. 『논어』의 "갱이, 사슬이작(鏗尒, 舍瑟而作: [증석은 거문고 연주를 늦추더니] 쟁그랑 소리를 내면서 거문고를 내려놓고 일어났다)"의 견(鏗)과 같이 읽는다. 또 견(擊)과 같이 읽는다. 독음은 고(苦)와 한(閑)의 반절이다.

9538

轛: 轚: 수레 앞 무거워 숙여져 낮을 지: 車-총18획: zhǐ

原文

轛: 抵也. 从車埶聲. 陟利切.

飜譯

'[수레 앞이 무게 때문에 숙여져] 낮다(抵)'라는 뜻이다. 거(車)가 의미부이고 예(埶)가 소리부이다. 독음은 척(陟)과 리(利)의 반절이다.

9539

輄: 輄: 수레바퀴가 휠 광: 車-총13획: kuāng

原文

輄: 車戾也. 从車匡聲. 巨王切.

譯

'수레바퀴가 휘다(車戾)'라는 뜻이다. 거(車)가 의미부이고 광(匡)이 소리부이다. 독음은 거(巨)와 왕(王)의 반절이다.

9540

輟: 輟: 그칠 철: 車-총15획: chuò

原文

輟: 車小缺復合者. 从車叕聲. 陟劣切.

譯

'수레 대열이 잠시 흩어졌다가 다시 합쳐지는 것(車小缺復合者)'을 말한다. 거(車)가 의미부이고 철(叕)이 소리부이다. 독음은 척(陟)과 렬(劣)의 반절이다.

9541

軃: 軃: 거리낄 계: 車-총13획: qǐ

原文

軃: 礙也. 从車多聲. 康禮切.

譯

'수레가 서로 걸리적거려 방해를 받다(礙)'라는 뜻이다. 거(車)가 의미부이고 다(多)가 소리부이다. 독음은 강(康)과 례(禮)의 반절이다.

9542

輂： 䡭: 굴대 서로 부딪칠 격: 車-총20획: jí

原文

䡭： 車轄相擊也. 从車从毄, 毄亦聲.『周禮』曰 : "舟輿擊互者." 古歷切.

飜譯

'수레의 비녀장이 서로 부딪히다(車轄相擊)'라는 뜻이다. 거(車)가 의미부이고 격(毄)도 의미부인데, 격(毄)은 소리부도 겸한다.『주례·추관야려씨(野廬氏)』에서 "전함과 전차가 서로 격돌하는 곳(舟輿擊互者)"이라고 했다. 독음은 고(古)와 력(歷)의 반절이다.

9543

䡄： 籑: 수레의 굴대를 고칠 선: 車-총21획: shuàn

原文

籑： 治車軸也. 从車算聲. 所眷切.

飜譯

'수레의 굴대를 수리하다(治車軸)'라는 뜻이다. 거(車)가 의미부이고 산(算)이 소리부이다. 독음은 소(所)와 권(眷)의 반절이다.

9544

軻： 軻: 굴대 가: 車-총12획: kě

原文

軻： 接軸車也. 从車可聲. 康我切.

飜譯

'두 개의 이어 붙인 나무로 굴대를 만들어 위태로운 수레(接軸車)'라는 뜻이다. 거(車)가 의미부이고 가(可)가 소리부이다. 독음은 강(康)과 아(我)의 반절이다.

9545

輷: 輕: 수레가 튼튼할 갱: 車-총18획: kěng, kēng

原文

輷: 車堅也. 从車殸聲. 口莖切.

飜譯

'수레가 튼튼하다(車堅)'라는 뜻이다. 거(車)가 의미부이고 성(殸)이 소리부이다. 독음은 구(口)와 경(莖)의 반절이다.

9546

輭: 軵: 수레 용: 車-총12획: rǒng

原文

軵: 反推車, 令有所付也. 从車从付. 讀若胥. 而隴切.

飜譯

'수레를 밀어 붙여 닿는 곳이 있도록 하여 [방해가 되지 않게] 하다(反推車, 令有所付.)'라는 뜻이다. 거(車)가 의미부이고 부(付)도 의미부이다. 서(胥)와 같이 읽는다. 독음은 이(而)와 롱(隴)의 반절이다.

9547

輪: 輪: 바퀴 륜: 車-총15획: lún

原文

輪: 有輻曰輪, 無輻曰軨. 从車侖聲. 力屯切.

飜譯

'바퀴살(輻)이 있는 바퀴를 륜(輪)이라 하고, 바퀴살이 없는 바퀴를 전(軨)이라 한다.' 거(車)가 의미부이고 륜(侖)이 소리부이다.112) 독음은 력(力)과 둔(屯)의 반절이다.

9548

輇: 輇: 상여 차 전: 車-총13획: quān

原文

輇: 蕃車下庳輪也. 一曰無輻也. 从車全聲. 讀若饌. 市緣切.

譯

'높이가 낮아 안전하게 고안된 상여용 수레(蕃車下庳輪)'를 말한다. 일설에는 '바퀴 살이 없는 바퀴(無輻)'를 말한다고도 한다. 거(車)가 의미부이고 전(全)이 소리부이 다. 찬(饌)과 같이 읽는다. 독음은 시(市)와 연(緣)의 반절이다.

9549

輗: 輗: 끌채 끝 쐐기 예: 車-총15획: ní

原文

輗: 大車轅耑持衡者. 从車兒聲. 輨, 輗或从𠬛. 槷, 輗或从木. 五雞切.

譯

'큰 수레 끌채 끝의 멍에를 매는 가름대(大車轅耑持衡者)'를 말한다. 거(車)가 의미 부이고 아(兒)가 소리부이다. 예(輨)는 예(輗)의 혹체자인데, 의(𠬛)로 구성되었다. 예(槷)는 예(輗)의 혹체자인데, 목(木)으로 구성되었다. 독음은 오(五)와 계(雞)의 반 절이다.

9550

軝: 軝: 수레 감속 막대 저: 車-총12획: dǐ

---

112) 고문자에서 ![글자] 簡牘文 등으로 그렸다. 車(수레 거·차)가 의미부이고 侖(둥글 륜)이 소리부로, 회전할 수 있도록(侖) 고안된 수레(車)의 바퀴를 말하며, 이로부터 수레, 수레 를 만드는 장인 등을 지칭하기도 했다. 수레바퀴는 여러 부속품으로 구성되어 그 장착에는 일 정한 순서가 필요하기 때문에 侖이 소리부로 채택되었다. 간화자에서는 侖을 仑으로 줄여 轮 으로 쓴다.

原文

軧: 大車後也. 从車氏聲. 丁禮切.

繙譯

'큰 수레의 뒤채(大車後)'를 말한다. 거(車)가 의미부이고 저(氏)가 소리부이다. 독음은 정(丁)과 례(禮)의 반절이다.

9551

轃: 轃: 이를 진: 車-총17획: zhēn

原文

轃: 大車簀也. 从車秦聲. 讀若臻. 側詵切.

繙譯

'큰 수레의 바닥에 까는 대자리(大車簀)'를 말한다. 거(車)가 의미부이고 진(秦)이 소리부이다. 진(臻)과 같이 읽는다. 독음은 측(側)과 선(詵)의 반절이다.

9552

轒: 轒: 병거 분: 車-총19획: fén

原文

轒: 淮陽名車穹隆轒. 从車賁聲. 符分切.

繙譯

'회양(淮陽) 지역에서는 수레의 궁륭(車穹隆)을 분(轒)이라 한다.'[113] 거(車)가 의미

---

113) 회양군(淮陽郡)은 하남성 주구시(周口市) 일대로 하남성 동남부, 주구시 남부와 중부 지역을 말한다. 서주 때에는 규성(嬀姓)의 진국(陳國)이었으나. 춘추시기에 초(楚)나라에 의해 멸망해 진현(陳縣)이 설치되었다. 진시황 23년(B.C. 224)에 진(秦)나라의 왕전(王翦)이 초나라로부터 빼앗았다. 진(秦)나라 말기, 진승(陳勝)이 진현(陳縣)을 함락하여 '장초(張楚)'라 했고, 항우(項羽)가 18제후에게 분봉할 때 서초(西楚) 9부(郡)의 하나가 되었다. 그러다 한 고조 11년(B.C. 196)에 회양국(淮陽國)을 설치하고 유방의 아들 유우(劉友)로 하여금 통치하게 하였다.

부이고 분(賁)이 소리부이다. 독음은 부(符)와 분(分)의 반절이다.

9553

輐: 輐: 병거 원: 車-총15획: yǔn, yuān

原文

輐: 大車後壓也. 从車宛聲. 於云切.

翻譯

'큰 수레 뒤쪽에 놓아 수레 앞이 들리도록 누르는 물건(大車後壓)'을 말한다. 거(車)가 의미부이고 완(宛)이 소리부이다. 독음은 어(於)와 운(云)의 반절이다.

9554

䡛: 䡛: 수레 국: 車-총13획: jú

原文

䡛: 大車駕馬也. 从車共聲. 居玉切.

翻譯

'말이 끄는 큰 수레(大車駕馬)'를 말한다. 거(車)가 의미부이고 공(共)이 소리부이다. 독음은 거(居)와 옥(玉)의 반절이다.

9555

輦: 輦: 차를 섬돌에 댈 채: 車-총14획: chái

原文

輦: 連車也. 一曰却車抵堂爲輦. 从車, 差省聲. 讀若遲. 士皆切.

翻譯

'많은 수레가 줄을 지어 가다(連車)'라는 뜻이다. 일설에는 '수레를 거꾸로 당 아래의 섬돌에 대는 것(却車抵堂)을 채(輦)라고 한다'라고도 한다. 거(車)가 의미부이고,

차(差)의 생략된 부분이 소리부이다. 지(遲)와 같이 읽는다. 독음은 사(士)와 개(皆)의 반절이다.

9556

輦: 輦: 손수레 련: 車-총15획: niǎn

原文

輦: 輓車也. 从車, 从㚘在車前引之. 力展切.

飜譯

'사람이 끌고 가는 수레(輓車)'를 말한다. 거(車)가 의미부이고, 반(㚘)이 수레(車) 앞에 놓여 끄는 모습을 그렸다.114) 독음은 력(力)과 전(展)의 반절이다.

9557

輓: 輓: 끌 만: 車-총14획: wǎn

原文

輓: 引之也. 从車免聲. 無遠切.

飜譯

'끌어당기다(引之)'라는 뜻이다. 거(車)가 의미부이고 면(免)이 소리부이다. 독음은 무(無)와 원(遠)의 반절이다.

9558

軠: 軠: 물레 광: 車-총11획: qiáng

原文

114) 고문자에서 𨍷 𨏖 金文 등으로 그렸다. 車(수레 거·차)와 㚘(함께 갈 반)으로 구성되어, 걸이대(㚘)로 수레(車)를 끄는 모습으로부터 '손수레'를 말했는데, 진한 시대 이후 제왕과 왕후가 타는 수레를 특별히 지칭하게 되었다. 간화자에서는 辇으로 쓴다.

輇: 紡車也. 一曰一輪車. 从車全聲. 讀若狂. 巨王切.

翻譯

'실을 잣는데 쓰는 바퀴 즉 물레(紡車)'를 말한다. 일설에는 '외바퀴 수레(一輪車)'를 말한다고도 한다. 거(車)가 의미부이고 왕(全)이 소리부이다. 광(狂)과 같이 읽는다. 독음은 거(巨)와 왕(王)의 반절이다.

9559

轘: 轘: 환형 환: 車-총20획: huàn

原文

轘: 車裂人也. 从車瞏聲. 『春秋傳』曰: "轘諸栗門." 胡慣切.

翻譯

'수레로 양쪽에서 당겨 사람을 찢어 죽이다(車裂人)'라는 뜻이다. 거(車)가 의미부이고 경(瞏)이 소리부이다. 『춘추전』(『좌전』 선공 11년, B.C. 598)에서 "[진(陳)나라의 도성인] 율문에서 거열형을 집행했다(轘諸栗門)"라고 했다. 독음은 호(胡)와 관(慣)의 반절이다.

9560

斬: 斬: 벨 참: 斤-총11획: zhǎn

原文

斬: 截也. 从車从斤. 斬法車裂也. 側減切.

翻譯

'목을 베다(截)'라는 뜻이다. 거(車)가 의미부이고 근(斤)도 의미부이다. 참수나 요참(斬)은 거열(車裂)을 본뜬 형벌이다.[115] 독음은 측(側)과 감(減)의 반절이다.

---

115) 고문자에서 **斬 斬 斬** 簡牘文 등으로 그렸다. 車(수레 거·차)와 斤(도끼 근)으로 구성되어, 수레(車)에 죄인의 팔다리를 하나씩 묶고 그 줄을 마차로 당기게 하여 찢어 죽이던 참혹한 형벌(車裂刑·거열형)을 말했으며 이로부터 죽이다, 베다, 자르다 등의 뜻이 나왔다. 하지만 이후 이런 형벌이 너무나 참혹해, 그 정신은 유지하되 법의 집행은 다소 완화된 도끼(斤)로 행함으

9561

輀: 輀: 상여 이: 車-총16획: ruǎn

(原文)

輀: 喪車也. 从車而聲. 如之切.

(飜譯)

'운구용 수레(喪車)'를 말한다. 거(車)가 의미부이고 이(而)가 소리부이다. 독음은 여(如)와 지(之)의 반절이다.

9562

輔: 輔: 덧방나무 보: 車-총14획: fǔ

(原文)

輔: 人頰車也. 从車甫聲. 扶雨切.

(飜譯)

'덧방나무(人頰車)'를 말한다. 거(車)가 의미부이고 보(甫)가 소리부이다. 독음은 부(扶)와 우(雨)의 반절이다.

9563

轟: 轟: 울릴 굉: 車-총21획: hōng

(原文)

轟: 羣車聲也. 从三車. 呼宏切.

(飜譯)

'여러 수레가 요란하게 가는 소리(羣車聲)'를 말한다. 세 개의 거(車)로 구성되었

로써 지금의 斬이 만들어졌고, 의미도 斬首(참수·목을 벰)처럼 베어 죽임을 뜻하게 되었다. 간화자에서는 斩으로 쓴다.

다.116) 독음은 호(呼)와 굉(宏)의 반절이다.

9564

轏: 轏: 수레 잔: 車-총19획: zhàn

(原文)

轏: 車名. 從車孱聲. 士限切.

(飜譯)

'수레 이름(車名)'이다. 거(車)가 의미부이고 잔(孱)이 소리부이다. 독음은 사(士)와 한(限)의 반절이다. [신부]

9565

轥: 轥: 수레 소리 린: 車-총19획: lín

(原文)

轥: 車聲. 從車粦聲. 力珍切.

(飜譯)

'수레가 가는 소리(車聲)'를 말한다. 거(車)가 의미부이고 린(粦)이 소리부이다. 독음은 력(力)과 진(珍)의 반절이다. [신부]

9566

轍: 轍: 바퀴 자국 철: 車-총19획: zhé

(原文)

轍: 車迹也. 從車, 徹省聲. 本通用徹, 後人所加. 直列切.

---

116) 세 개의 車(수레 거·차)로 구성되었는데, 셋은 많음을 상징한다. 수레(車)가 여럿 달릴 때 나는 轟音(굉음)을 말하며, 이로부터 크게 울리다, 대포알이나 폭탄이 터지다, 몰아가다 등의 뜻도 나왔다. 간화자에서는 아래쪽의 車를 간단한 부호로 줄인 轰으로 쓴다.

訓譯

'수레가 지나간 자취(車迹)'를 말한다. 거(車)가 의미부이고, 철(徹)의 생략된 부분이 소리부이다.117) 본래는 철(徹)로 통용되었으나, 후인들이 새로 더한 글자이다. 독음은 직(直)과 렬(列)의 반절이다. [신부]

---

117) 車(수레 거·차)가 의미부고 徹(통할 철)의 생략된 모습이 소리부로, 수레(車)의 바퀴가 지나 가면서(徹) 남긴 자국을 말한다. 이후 길이라는 뜻이 나왔고, 다시 행동의 방침 등을 뜻하게 되었다.

제499부수
499 ■ 퇴(𠂤)부수

9567

𠂤 : 𠂤: 작은 산 퇴: ノ-총6획: duī

原文

𠂤: 小𨸏也. 象形. 凡𠂤之屬皆从𠂤. 都回切.

飜譯

'작은 흙 언덕(小𨸏)'을 말한다.[118] 상형이다. 퇴(𠂤)부수에 귀속된 글자들은 모두 퇴(𠂤)가 의미부이다. 독음은 도(都)와 회(回)의 반절이다.

9568

𡾟 : 𡾟: 높고 위태할 얼: 屮-총9획: niè

原文

𡾟: 危高也. 从𠂤屮聲. 讀若臬. 魚列切.

飜譯

'험하고 높다(危高)'라는 뜻이다. 퇴(𠂤)가 의미부이고 좌(屮)가 소리부이다. 얼(臬)과 같이 읽는다. 독음은 어(魚)와 렬(列)의 반절이다.

9569

官 : 官: 벼슬 관: 宀-총8획: guān

原文

---

118) 『정자통(正字通)』 별(ノ)부수에서 "퇴(𠂤)는 퇴(堆)의 본래글자이다."라고 했다.

𠵖: 史, 事君也. 从宀从𠂤. 𠂤猶眾也. 此與師同意. 古丸切.

餓譯

'사관(史)'을 말하는데, '임금을 섬기다(事君)'라는 뜻이다.[119] 면(宀)이 의미부이고 퇴(𠂤)도 의미부이다. 퇴(𠂤)는 중(眾)과 같은 뜻이다. 이는 사(師)자의 구성 원리와 같다.[120] 독음은 고(古)와 환(丸)의 반절이다.

---

119) 『단주』에서는 '吏事君也'라고 하여 '임금을 섬기는 관리들을 말한다'라고 했다.

120) 고문자에서 [그림] 甲骨文 [그림] 金文 [그림] 古陶文 [그림] 簡牘文 [그림] 古璽文 등으로 그렸다. 宀(집 면)과 自(군사 사, 師의 원래 글자)로 구성되어, 군대(𠂤)의 주둔지에 만들어진 집(宀)이라는 뜻으로부터 官公署(관공서), 官舍(관사), 官府(관부) 등의 뜻이 나왔으며, 거기를 관리하는 사람까지 뜻하게 되었다. 이후 官僚(관료)는 물론 국가에 속하는 것의 비유로도 쓰였다.

완역 설문해자

제14권
(하)

> 제500부수
> 500 ■ 부(𨸏)부수

9570

𨸏 : 𨸏(阜): 언덕 부: 阜-총8획: fù

(原文)

𨸏 : 大陸, 山無石者. 象形. 凡𨸏之屬皆从𨸏. 𨸏, 古文. 房九切.

(飜譯)

'큰 언덕'을 말하는데, 돌이 없는 흙산을 말한다. 상형이다. 부(𨸏)부수에 귀속된 글자들은 모두 부(𨸏)가 의미부이다.[121] 부(𨸏)는 고문체이다. 독음은 방(房)과 구(九)의 반절이다.

9571

陵 : 陵: 큰 언덕 릉: 阜-총11획: líng

(原文)

陵 : 大𨸏也. 从𨸏夌聲. 力膺切.

(飜譯)

'커다란 언덕(大𨸏)'을 말한다. 부(𨸏)가 의미부이고 릉(夌)이 소리부이다.[122] 독음은

---

121) 부(阜)는 황토지대에 반 지하 식으로 만들어진 원시형태의 집에서 지하로 내려가는 흙 계단을 그렸는데, 세로 선은 수직 벽을 나타낸 것이고 나머지는 흙을 깎아 만든 홈이다. 그래서 阜는 흙 계단이나 언덕, 흙으로 만든 구조물 등을 뜻한다. 예서체에 들면서 지금의 阜가 되었으며, 다른 글자들과 결합할 때는 계단을 하나 줄인 阝로 쓴다. 옛날, 황토 평원에서 집은 홍수를 피하고 적의 침입을 미리 관찰할 수 있도록 야트막한 언덕에 만들어졌고, 지상 건축물을 만드는 기술이 발달하기 전 반 지하식의 움막을 파 생활했다. 阜는 그런 움집을 드나드는 흙 계단을 말했다. 또 깎아지른 산이 없는 평원지대에서 이러한 언덕은 적을 막는 유용한 지형지물이기도 했다. 그래서 언덕은 군사 행동 때 진을 치는 중요한 근거지가 되기도 했다.

력(力)과 응(膺)의 반절이다.

9572

𨼱: 隒: 흙산 혼: 阜-총21획: hùn

原文

𨼱: 大𨸏也. 从𨸏鯀聲. 胡本切.

譯譯

'커다란 언덕(大𨸏)'을 말한다. 부(𨸏)가 의미부이고 곤(鯀)이 소리부이다. 독음은 호(胡)와 본(本)의 반절이다.

9573

阞: 防: 지맥 륵: 阜-총5획: lè

原文

阞: 地理也. 从𨸏力聲. 盧則切.

譯譯

'땅의 무늬(地理)[지맥]'를 말한다. 부(𨸏)가 의미부이고 력(力)이 소리부이다. 독음은 로(盧)와 칙(則)의 반절이다.

9574

陰: 陰: 응달 음: 阜-총11획: yīn

原文

---

122) 阜(언덕 부)가 의미부이고 夌(언덕 릉)이 소리부로, 높고 큰(夌) 언덕(阜)을 말한다. 갑골문에서 한쪽 발은 땅에 다른 한쪽 발은 흙 계단에 올려져, 흙 계단(阜)을 오르는 모습을 그렸는데, 왕릉 같은 큰 언덕에 만들어진 계단일 것이다. '큰 언덕'이 원래 뜻이고, 이후 시신을 묻고 큰 언덕처럼 봉분을 만든 '무덤'까지 지칭하게 되었다.

陰: 闇也. 水之南、山之北也. 从𨸏侌聲. 於今切.

🔖 **翻譯**

'암(闇)과 같아 어둡다'라는 뜻이다. 강의 남쪽과 산의 북쪽을 말한다. 부(𨸏)가 의미부이고 음(侌)이 소리부이다.[123) 독음은 어(於)와 금(今)의 반절이다.

9575

陽: 陽: 볕 양: 𨸏-총12획: yáng

🔖 **原文**

陽: 高、明也. 从𨸏昜聲. 與章切.

🔖 **翻譯**

'높다(高), 밝다(明)'라는 뜻이다. 부(𨸏)가 의미부이고 양(昜)이 소리부이다.[124) 독음은 여(與)와 장(章)의 반절이다.

9576

陸: 陸: 뭍 륙: 𨸏-총11획: lù

🔖 **原文**

---

123) 𨸏(언덕 부)가 의미부고 侌(응달 음)이 소리부인데, 구름에 가려 볕이 들지 않는(侌) 언덕 (𨸏)이라는 뜻에서 '응달'을 말하며, 산의 북쪽과 강의 남쪽을 말하기도 한다. 이후 날이 흐리 다, 음전극, 그림자, 음험하다, 음모 등의 뜻이 나왔다. 간화자에서는 侌을 月(달 월)로 바꾼 阴으로 써, 회의구조로 변했다. 달리 黔, 霒 등으로도 쓴다.

124) 고문자에서 [고문자] 甲骨文 [고문자들] [고문자]金文 [고문자]簡牘文 등으로 그렸다. 𨸏(언덕 부)가 의미부고 昜(볕 양)이 소리부로, 제단 위로 햇빛이 화려하게 비치는 모습(昜)에 언덕을 뜻하는 𨸏가 더해져 그 러한 양지바른 곳을 말하며, 이로부터 빛, 밝음, 태양의 뜻이 나왔으며, 산의 남쪽이나 강의 북쪽을 지칭하기도 한다. 이후 드러난 곳이나 돌출 면을 말했고, 또 양성, 남성, 남성의 성기 등을 지칭했다. 간화자에서는 소리부인 昜을 日(날 일)로 바꾼 阳으로 써, 햇살(日)이 비치는 언덕(𨸏), 그것이 陽地(양지)임을 나타냈다.

陸: 高平地. 从阜从坴, 坴亦聲. 𨽎, 籒文陸. 力竹切.

飜譯

'높고 평평한 땅(高平地)'을 말한다. 부(阜)가 의미부이고 륙(坴)도 의미부인데, 륙(坴)은 소리부도 겸한다.[125] 륙(𨽎)은 륙(陸)의 주문체이다. 독음은 력(力)과 죽(竹)의 반절이다.

9577

阿: 阿: 언덕 아: 阜-총8획: ē

原文

阿: 大陵也. 一曰曲阜也. 从阜可聲. 烏何切.

飜譯

'커다란 구릉(大陵)'을 말한다. 일설에는 '굴곡진 언덕(曲阜)'을 말한다고도 한다. 부(阜)가 의미부이고 가(可)가 소리부이다. 독음은 오(烏)와 하(何)의 반절이다.

9578

陂: 陂: 비탈 피: 阜-총8획: béi

原文

陂: 阪也. 一曰沱也. 从阜皮聲. 彼爲切.

飜譯

'산비탈(阪)'을 말한다. 일설에는 '못(沱)'을 말한다고도 한다. 부(阜)가 의미부이고 피(皮)가 소리부이다. 독음은 피(彼)와 위(爲)의 반절이다.

---

125) 阜(언덕 부)가 의미부이고 坴(언덕 륙)이 소리부로, 집이 겹겹이 만들어진(坴) 언덕배기(阜)라는 의미로부터 사람이 기거할 수 있는 '뭍'의 뜻이, 다시 대륙을 뜻하게 되었다. 달리 六(여섯 륙)의 갖은자로 쓰이기도 한다. 간화자에서는 陆으로 줄여 쓴다.

9579

阪: 阪: 비탈 판: 阜-총7획: bǎn

原文

阪: 坡者曰阪. 一曰澤障. 一曰山脅也. 从𨸏反聲. 府遠切.

翻譯

'산의 비탈(坡)을 판(阪)이라고 한다.' 일설에는 '못의 둑(澤障)'을 말한다고도 한다. 또 일설에는 '산허리에 난 길(山脅)'을 말한다고도 한다. 부(𨸏)가 의미부이고 반(反)이 소리부이다. 독음은 부(府)와 원(遠)의 반절이다.

9580

陬: 陬: 모퉁이 추: 阜-총11획: zōu

原文

陬: 阪隅也. 从𨸏取聲. 子侯切.

翻譯

'산비탈의 모퉁이(阪隅)'를 말한다. 부(𨸏)가 의미부이고 취(取)가 소리부이다. 독음은 자(子)와 후(侯)의 반절이다.

9581

隅: 隅: 모퉁이 우: 阜-총12획: yú

原文

隅: 陬也. 从𨸏禺聲. 噳俱切.

翻譯

'산비탈의 모퉁이(陬)'를 말한다. 부(𨸏)가 의미부이고 우(禺)가 소리부이다. 독음은 우(噳)와 구(俱)의 반절이다.

9582

𨺍: 險: 험할 험: 𨸏-총16획: xiǎn

(原文)

𨺍: 阻, 難也. 从𨸏僉聲. 虛檢切.

(飜譯)

'험준하고(阻), 오르기 어려운 절벽(難)'을 말한다. 부(𨸏)가 의미부이고 첨(僉)이 소리부이다.126) 독음은 허(虛)와 검(檢)의 반절이다.

9583

限: 限: 한계 한: 𨸏-총9획: xiàn

(原文)

限: 阻也. 一曰門榍. 从𨸏艮聲. 乎簡切.

(飜譯)

'험준하다(阻)'라는 뜻이다. 일설에는 '문설주(門榍)'를 말한다고도 한다. 부(𨸏)가 의미부이고 간(艮)이 소리부이다.127) 독음은 호(乎)와 간(簡)의 반절이다.

9584

阻: 阻: 험할 조: 𨸏-총8획: zǔ

(原文)

阻: 險也. 从𨸏且聲. 側呂切.

(飜譯)

---

126) 𨸏(언덕 부)가 의미부고 僉(다 첨)이 소리부로, '험한' 언덕(𨸏)을 말하며, 이로부터 험준하다, 어렵다, 危險(위험)하다 등의 뜻이 나왔다. 간화자에서는 僉을 佥으로 줄여 险으로 쓴다.

127) 𨸏(언덕 부)가 의미부고 艮(어긋날 간)이 소리부로, 머리를 돌려 부릅뜬 눈으로 노려보는 시선(艮) 앞에 높다란 언덕(𨸏)이 가로막혀 있음으로부터, 장벽에 부딪힘과 限界(한계), 限度(한도), 制限(제한) 등의 뜻을 그렸다.

'험하다(險)'라는 뜻이다. 부(自)가 의미부이고 차(且)가 소리부이다.[128] 독음은 측(側)과 려(呂)의 반절이다.

9585

𨸈: 陮: 높을 퇴: 阜-총11획: duì

原文

𨸈: 陮隗, 高也. 从自隹聲. 都辠切.

飜譯

'퇴외(陮隗)'를 말하는데, '높다(高)'라는 뜻이다. 부(自)가 의미부이고 추(隹)가 소리부이다. 독음은 도(都)와 죄(辠)의 반절이다.

9586

隗: 隗: 험할 외: 阜-총13획: wěi

原文

隗: 陮隗也. 从自鬼聲. 五辠切.

飜譯

'퇴외(陮隗) 즉 높다'라는 뜻이다. 부(自)가 의미부이고 귀(鬼)가 소리부이다. 독음은 오(五)와 죄(辠)의 반절이다.

9587

阭: 阭: 높을 윤: 阜-총7획: yǔn

原文

---

128) 阜(언덕 부)가 의미부고 且(할아비 조·또 차)가 소리부로, 조상(且, 祖의 원래 글자)의 힘을 빌려 적을 막아낼 수 있는 흙 담(阜)을 쌓아 만든 험준한 지형을 말하며, 이로부터 막다, 단절하다, 방해하다 등의 뜻도 나왔다.

𨸳: 高也. 一曰石也. 从𨸏允聲. 余準切.

翻譯

'높다(高)'라는 뜻이다. 일설에는 '돌(石)'을 말한다고도 한다. 부(𨸏)가 의미부이고 윤(允)이 소리부이다. 독음은 여(余)와 준(準)의 반절이다.

9588

𨸵: 陜: 돌무더기 뢰: 阜-총13획: lěi

原文

𨸵: 磊也. 从𨸏厽聲. 洛猥切.

翻譯

'돌무더기(磊)'를 말한다. 부(𨸏)가 의미부이고 수(厽)가 소리부이다. 독음은 락(洛)과 외(猥)의 반절이다.

9589

𨸮: 陗: 산비탈 초: 阜-총10획: qiào

原文

𨸮: 陵也. 从𨸏肖聲. 七笑切.

翻譯

'가파르다(陵)'라는 뜻이다. 부(𨸏)가 의미부이고 초(肖)가 소리부이다. 독음은 칠(七)과 소(笑)의 반절이다.

9590

𨸴: 陖: 가파를 준: 阜-총10획: jùn

原文

𨸴: 陗高也. 从𨸏夋聲. 私閏切.

翻譯

'가파르고 높다(陗高)'라는 뜻이다. 부(阜)가 의미부이고 준(夋)이 소리부이다. 독음은 사(私)와 윤(閏)의 반절이다.

9591

陸: 陸: 우러를 등: 阜—총15획: dèng

原文

陸: 仰也. 从阜登聲. 都鄧切.

翻譯

'올려다보다(仰)'라는 뜻이다. 부(阜)가 의미부이고 등(登)이 소리부이다. 독음은 도(都)와 등(鄧)의 반절이다.

9592

陋: 陋(陋): 좁을 루: 阜—총10획: lòu

原文

陋: 阨陜也. 从阜匧聲. 盧候切.

翻譯

'좁다(阨陜)'라는 뜻이다. 부(阜)가 의미부이고 루(匧)가 소리부이다.[129] 독음은 로(盧)와 후(候)의 반절이다.

9593

陜: 陜: 땅 이름 합·좁을 협: 阜—총10획: xiá

---

129) 阜(언덕 부)가 의미부이고 匧(천할 루)이 소리부인데, 자형이 조금 변해 지금처럼 되었다. 흙(阜)으로 만든 담과 담 사이의 길이 좁다는 뜻이며, 이로부터 좁다, 작다, 조잡하다, 鄙陋(비루)하다, 陋醜(누추)하다 등의 뜻이 나왔다. 달리 陋로도 쓴다.

原文

陜: 隘也. 从𨸏夾聲. 矦夾切.

飜譯

'좁다(隘)'라는 뜻이다. 부(𨸏)가 의미부이고 협(夾)이 소리부이다.[130) 독음은 후(矦)와 협(夾)의 반절이다.

9594

陟: 陟: 오를 척: 阜-총10획: zhì

原文

陟: 登也. 从𨸏从步. 𨹥, 古文陟. 竹力切.

飜譯

'오르다(登)'라는 뜻이다. 부(𨸏)가 의미부이고 보(步)도 의미부이다.[131) 척(𨹥)은 척(陟)의 고문체이다. 독음은 죽(竹)과 력(力)의 반절이다.

9595

陷: 陷: 빠질 함: 阜-총11획: xiàn

原文

陷: 高下也. 一曰陊也. 从𨸏从臽, 臽亦聲. 戶猎切.

飜譯

'높은 데서 아래로 떨어지다(高下)'라는 뜻이다. 일설에는 '무너지다(陊)'라는 뜻이라고도 한다. 부(𨸏)가 의미부이고 함(臽)도 의미부인데, 함(臽)은 소리부도 겸한다.[132)

---

130) 阜(언덕 부)가 의미부고 夾(낄 협)이 소리부로, 좁은 언덕(阜)이라는 뜻에서 협소하다는 뜻이 있어 狹(좁을 협)과 통용되고, 협곡을 뜻하여 峽(좁을 협)과 통용된다. 한국의 경상도에 있는 지명인 陝川(합천)을 말하기도 하는데, 이때에는 '합'으로 읽는다.

131) 阜(언덕 부)와 步(걸을 보)로 구성되어, 올라가다는 뜻인데, 흙 계단(阜)의 위를 향해 '올라가는' 발걸음(步)을 그렸다. 이후 제위에 오르다, 발탁하다, 승천하다, 들어가다 등의 뜻이 생겼고, 다시 높다, 높은 산의 뜻도 나왔다.

독음은 호(戶)와 암(猎)의 반절이다.

9596

隰: 隰: 진펄 **습**: 阜-총17획: xí

(原文)

隰: 阪下溼也. 从自㬎聲. 似入切.

(飜譯)

'산비탈 아래의 습한 땅(阪下溼)'을 말한다. 부(自)가 의미부이고 금(㬎)이 소리부이다. 독음은 사(似)와 입(入)의 반절이다.

9597

嘔: 嘔: 길이 울퉁불퉁한 모양 구우묵한 모양 **우**: 阜-총14획: qū

(原文)

嘔: 敺也. 从自區聲. 豈俱切.

(飜譯)

'울퉁불퉁하다(敺)'라는 뜻이다. 부(自)가 의미부이고 구(區)가 소리부이다. 독음은 기(豈)와 구(俱)의 반절이다.

9598

隤: 隤: 무너뜨릴 **퇴**: 阜-총15획: tuí

(原文)

隤: 下隊也. 从自貴聲. 杜回切.

(飜譯)

---

132) 阜(언덕 부)가 의미부고 臽(함정 함)이 소리부로, 흙(阜) 구덩이에 사람의 발이 빠진(臽) 모습을 그렸고, 이로부터 빠지다, 함정, 음모, 음해 등의 뜻이 나왔다.

'아래로 떨어지다(下隊)'라는 뜻이다. 부(阜)가 의미부이고 귀(貴)가 소리부이다. 독음은 두(杜)와 회(回)의 반절이다.

9599

隊: 隊: 대 대: 阜-총12획: duì

原文

隊: 從高隊也. 从𨸏㒸聲. 徒對切.

翻譯

'높은 곳에서 떨어지다(從高隊)'라는 뜻이다. 부(阜)가 의미부이고 수(㒸)가 소리부이다.[133] 독음은 도(徒)와 대(對)의 반절이다.

9600

降: 降: 내릴 강·항복할 항: 阜-총9획: jiàng, xiáng

原文

降: 下也. 从𨸏夅聲. 古巷切.

翻譯

'내려가다(下)'라는 뜻이다. 부(阜)가 의미부이고 강(夅)이 소리부이다.[134] 독음은 고

---

[133] 고문자에서 甲骨文 毛公鼎 金文 古陶文 등으로 그렸다. 阜(언덕 부)가 의미부이고 㒸(드디어 수)가 소리부로, 언덕(阜)을 기어오르며 공격하던 군사들이 거꾸로 떨어지는(㒸) 모습을 그렸다. 원래는 队로 써 언덕(阜)을 오르며 공격하던 군사(人)들이 거꾸로 떨어지는 모습을 그렸는데, 금문에 들면서 언덕(阜)과 줄에 묶인 멧돼지(豕)를 그려 잡은 돼지(豕)를 언덕(阜) 아래로 굴러 떨어지게 하는 모습을 형상화 했다. 그래서 隊의 원래 뜻은 '떨어지다'인데, 이후 '무리', '隊伍(대오)'라는 뜻으로 쓰이게 되자 원래 뜻은 다시 土(흙 토)를 더해 墜(떨어질 추)로 분화했다. 현대 중국의 간화자에서는 원래의 队로 다시 돌아갔다.

[134] 阜(언덕 부)가 의미부이고 夅(내릴 강)이 소리부로, 흙 계단(阜) 아래로 내려가는 것(夅)을 말한다. 이후 전쟁에서 지면 언덕에 설치된 보루나 산에서 내려오게 되므로, '降伏(항복)하다'는 뜻을 갖게 되었는데, 이때에는 '항'으로 구분하여 읽는다.

(古)와 항(巷)의 반절이다.

9601

隕: 隕: 떨어질 운: 𨸏-총13획: yǔn

原文

隕: 從高下也. 从𨸏員聲.『易』曰 : "有隕自天. 于敏切.

飜譯

'높은 데서 아래로 내려가다(從高下)'라는 뜻이다. 부(𨸏)가 의미부이고 원(員)이 소리부이다. 『역(易)』에서 "하늘로부터 떨어지다(有隕自天)"라고 했다.135) 독음은 우(于)와 민(敏)의 반절이다.

9602

隉: 隉: 위태로울 얼: 𨸏-총12획: niè

原文

隉: 危也. 从𨸏, 从毀省. 徐巡以爲 : 隉, 凶也. 賈侍中說 : 隉, 法度也. 班固說 : 不安也.『周書』曰 : "邦之阢隉." 讀若虹蜺之蜺. 五結切.

飜譯

'위태하다(危)'라는 뜻이다. 부(𨸏)가 의미부이고, 훼(毀)의 생략된 모습도 의미부이다. 서순(徐巡)은 '얼(隉)은 흉하다(凶)'라는 뜻이라고 했다.136) 가시중(賈侍中)께서는 '얼(隉)은 법도(法度)를 말한다'라고 하셨다. 또 반고(班固)는 '불안하다(不安)'라는

---

135) 𨸏(언덕 부)가 의미부고 員(수효 원)이 소리부로, 높은 언덕(𨸏)에서 떨어지다는 뜻을 그렸고, 이로부터 추락하다, 훼손되다, 잃어버리다, 죽다 등의 뜻이 나왔다.

136) 서순(徐巡)에 대해 『단주』에서 이렇게 말했다. "『후한서·두림전(杜林傳)』에 의하면, 제남(沛南, 지금의 제남) 사람인 서순(徐巡)은 처음에 위굉(衛宏)을 사사했다가 이후 두림의 학설을 받아들였다. 두림은 서주(西州, 중원의 서쪽지역)에서 칠서(桼書)로 된 『고문상서(古文尙書)』 1권을 구했는데, 이를 위굉(衛宏)과 서순(徐巡)에게 전수했고, 그리하여 고문(古文)이 성행하게 되었다."

뜻이라고 했다. 『주서(周書)』에서 "나라가 위태롭구나(邦之阢隉)"라고 했다. 홍예(虹蜺)라고 할 때의 홍(蜺)과 같이 읽는다. 독음은 오(五)와 결(結)의 반절이다.

9603

阤: 阤: 무너질 타: 阜-총6획: zhì

原文

阤: 小崩也. 从𨸏也聲. 丈尔切.

譯譯

'조금 무너지다(小崩)'라는 뜻이다. 부(皀)가 의미부이고 야(也)가 소리부이다. 독음은 장(丈)과 이(尓)의 반절이다.

9604

隓: 隓: 폐할 휴: 阜-총13획: huī

原文

隓: 敗城𨸏曰隓. 从𨸏𡐦聲. 𡐦, 篆文. 許規切.

譯譯

'성의 담이 무너지는 것(敗城𨸏)을 휴(隓)라고 한다.' 부(皀)가 의미부이고 휴(𡐦)가 소리부이다. 휴(𡐦)는 전서체이다. 독음은 허(許)와 규(規)의 반절이다.

9605

隕: 隕: 기울 경: 阜-총14획: qīng

原文

隕: 仄也. 从𨸏从頃, 頃亦聲. 去營切.

譯譯

'기울다(仄)'라는 뜻이다. 부(皀)가 의미부이고 경(頃)도 의미부인데, 경(頃)은 소리부도 겸한다. 독음은 거(去)와 영(營)의 반절이다.

9606

䧢 : 陊: 사태 날 치·떨어질 타: 阜-총9획: duò

⬤ 原文
䧢: 落也. 从㬌多聲. 徒果切.

⬤ 飜譯
'떨어지다(落)'라는 뜻이다. 부(㬌)가 의미부이고 다(多)가 소리부이다. 독음은 도(徒)와 과(果)의 반절이다.

9607

阬 : 阬: 문 높은 모양 갱: 阜-총7획: kēng

⬤ 原文
阬: 門也. 从㬌亢聲. 客庚切.

⬤ 飜譯
'문이 높고 크다(門)'라는 뜻이다.[137] 부(㬌)가 의미부이고 항(亢)이 소리부이다. 독음은 객(客)과 경(庚)의 반절이다.

9608

隤 : 隤: 도랑 독: 阜-총18획: dú

⬤ 原文
隤: 通溝也. 从㬌賣聲. 讀若瀆. 䞨, 古文隤从谷. 徒谷切.

---

137) 『단주』에서는 '門'은 '閌'이 되어야 한다고 하면서, 이렇게 말했다. "캉(閌)은 문이 높고 큰 모양을 말한다(門高大之皃也). 이로부터 의미가 파생되어 구멍이나 굴이 깊고 큰 것도 모두 낭갱(閬阬)이라 하게 되었다."

飜譯

‘물이 빨리 흘러가도록 만든 도랑(通溝)’을 말한다. 부(皀)가 의미부이고 매(賣)가 소리부이다. 독(瀆)과 같이 읽는다. 독(灠)은 독(隤)의 고문체인데, 곡(谷)으로 구성되었다. 독음은 도(徒)와 곡(谷)의 반절이다.

9609

防: 防: 둑 방: 阜-총7획: fáng

原文

防: 隄也. 从皀方聲. 埅, 防或从土. 符方切.

飜譯

‘제방(隄)’을 말한다. 부(皀)가 의미부이고 방(方)이 소리부이다.[138] 방(埅)은 방(防)의 혹체자인데, 토(土)로 구성되었다. 독음은 부(符)와 방(方)의 반절이다.

9610

隄: 隄: 둑 제: 阜-총12획: dī

原文

隄: 唐也. 从皀是聲. 都兮切.

飜譯

‘제방(唐)’을 말한다.[139] 부(皀)가 의미부이고 시(是)가 소리부이다. 독음은 도(都)와

---

138) 阜(언덕 부)가 의미부고 方(모 방)이 소리부로, 강가나 성 주위(方)로 흙으로(阜) 쌓은 둑을 말한다. 높다란 둑이나 흙벽은 홍수를 막고 적을 ‘방어’하기 위한 중요한 시설물이었다. 이로부터 둑, 堤防(제방)의 뜻이, 다시 막다, 防禦(방어)하다, 지키다 등의 뜻이 나왔다.

139) 『단주』에서 이렇게 말했다. “당(唐)과 당(塘)은 정속자(正俗字)의 관계에 있다. 당(唐)은 큰 소리 치다는 뜻이다(大言也). 이후 피당(陂唐, 좁다란 연못)의 의미로 가차되었다. 그렇게 되자 토(土)를 더하여 당(塘)자로 분화했다. 제(隄)와 당(唐)은 호훈(互訓) 되는 글자인데, 파(陂)와 지(池)가 호훈되는 것과 같다. 사실 움푹한 것(宎)을 지(池)라 하고, 당(唐)이라 하며, 그 곁을 둘러싸고 있는 것을 파(陂)라 하고 제(隄)라 한다.”

혜(兮)의 반절이다.

9611

阯: 阯: 터 지: 阜-총7획: zhǐ

原文

阯: 基也. 从阜止聲. 坁, 阯或从土. 諸市切.

翻譯

'기초 터(基)'를 말한다. 부(阜)가 의미부이고 지(止)가 소리부이다. 지(坁)는 지(阯)의 혹체자인데, 토(土)로 구성되었다. 독음은 제(諸)와 시(市)의 반절이다.

9612

陘: 陘: 지레목 형: 阜-총10획: xíng

原文

陘: 山絶坎也. 从阜巠聲. 戶經切.

翻譯

'산줄기가 중간에 끊어져 생긴 구덩이(山絶坎)'를 말한다. 부(阜)가 의미부이고 경(巠)이 소리부이다. 독음은 호(戶)와 경(經)의 반절이다.

9613

附: 附: 붙을 부: 阜-총8획: fù

原文

附: 附婁, 小土山也. 从阜付聲. 『春秋傳』曰: "附婁無松柏." 符又切.

翻譯

'부루(附婁)'를 말하는데, '작은 흙산(小土山)'이라는 뜻이다. 부(阜)가 의미부이고 부(付)가 소리부이다.[140] 『춘추전』(『좌전』 양공 24년, B.C. 549)에서 "작은 흙산이라 소나

무나 측백나무 같은 나무가 없구나(附婁無松栢)"라고 했다. 독음은 부(符)와 우(又)의 반절이다.

9614

阺： 阺: 비탈 저: 阜-총8획: dǐ

(原文)

阺： 秦謂陵阪曰阺. 从自氏聲. 丁禮切.

(譯譯)

'진(秦) 지역에서는 큰 흙 비탈(陵阪)을 저(阺)'라고 한다. 부(自)가 의미부이고 저(氏)가 소리부이다. 독음은 정(丁)과 례(禮)의 반절이다.

9615

阢： 阢: 흙 있는 돌산 올: 阜-총6획: wù

(原文)

阢： 石山戴土也. 从自从兀, 兀亦聲. 五忽切.

(譯譯)

'꼭대기에 흙이 덮인 돌산(石山戴土)'을 말한다. 부(自)가 의미부이고 올(兀)도 의미부인데, 올(兀)은 소리부도 겸한다. 독음은 오(五)와 홀(忽)의 반절이다.

9616

陳： 陳: 낭떠러지 엄: 阜-총13획: yǎn

---

140) 阜(언덕 부)가 의미부고 付(줄 부)가 소리부로,『설문해자』에서는 작은 흙(阜) 산이라고 했으며,『옥편』에서는 '달라붙다'는 뜻이라고 했다. 큰 산 곁에 붙은 작은 산이라는 뜻에서 곁, 붙다 등의 뜻이, 다시 덧붙이다, 附錄(부록), 가깝다 등의 뜻이 나왔다. 달리 土(흙 토)가 들어간 坿(붙일 부)로 쓰기도 한다.

原文

隒: 崖也. 从𨸏兼聲. 讀若儼. 魚檢切.

飜譯

'벼랑(崖)'을 말한다. 부(阜)가 의미부이고 겸(兼)이 소리부이다. 엄(儼)과 같이 읽는
다. 독음은 어(魚)와 검(檢)의 반절이다.

9617

阨: 阮: 막힐 액: 阜-총8획: è

原文

阨: 塞也. 从𨸏㕖聲. 於革切.

飜譯

'막다(塞)'라는 뜻이다. 부(阜)가 의미부이고 액(㕖)이 소리부이다. 독음은 어(於)와
혁(革)의 반절이다.

9618

隔: 隔: 사이 뜰 격: 阜-총13획: gé

原文

隔: 障也. 从𨸏鬲聲. 古覈切.

飜譯

'가로막다(障)'라는 뜻이다. 부(阜)가 의미부이고 격(鬲)이 소리부이다.[141] 독음은 고
(古)와 핵(覈)의 반절이다.

---

141) 阜(언덕 부)가 의미부이고 鬲(솥 력·막을 격)이 소리부로, 칸막이 벽(隔壁·격벽)처럼 어떤 공
간을 담(阜)으로 가로막아(鬲) 隔離(격리)시킨 것을 말한다. 이로부터 격리하다, 서로 떨어지
다, 시간적 거리가 멀다 등의 뜻이 나왔다.

9619

障: 障: 가로막을 장: 阜-총14획: zhàng

原文

障: 隔也. 从阜章聲. 之亮切.

譯

'가로막다(隔)'라는 뜻이다. 부(阜)가 의미부이고 장(章)이 소리부이다.[142] 독음은 지(之)와 량(亮)의 반절이다.

9620

隱: 隱: 숨길 은: 阜-총17획: yǐn

原文

隱: 蔽也. 从阜㥯聲. 於謹切.

譯

'은폐하다(蔽)'라는 뜻이다. 부(阜)가 의미부이고 은(㥯)이 소리부이다.[143] 독음은 어(於)와 근(謹)의 반절이다.

9621

隩: 隩: 굽이 오: 阜-총16획: ào

原文

隩: 水隈, 崖也. 从阜奧聲. 烏到切.

---

142) 阜(언덕 부)가 의미부고 章(글 장)이 소리부로, 언덕(阜)이나 흙벽으로 형성된 장애물을 말하며, 이로부터 가리다, 가리개, 가림 벽, 병풍, 제방 등의 뜻이 나왔다.
143) 邑(고을 읍)이 의미부고 㥯(삼갈 은)이 소리부로, 숨다는 뜻인데, 언덕(阜)에 가려 보이지 않음을 말하며, 이로부터 숨기다, 숨다, 비밀, 隱語(은어) 등의 뜻이 나왔다. 간화자에서는 㥯을 急(급할 급)으로 줄여 隐으로 쓴다.

翻譯

'물이 굽이치는 곳(水隈), 즉 애(崖)'를 말한다. 부(阜)가 의미부이고 오(奧)가 소리부이다. 독음은 오(烏)와 도(到)의 반절이다.

9622

隢: 隈: 굽이 외: 阜-총12획: wēi

原文

隢: 水曲, 隩也. 从阜畏聲. 烏恢切.

翻譯

'물이 굽이치는 곳(水曲), 즉 오(隩)'를 말한다. 부(阜)가 의미부이고 외(畏)가 소리부이다. 독음은 오(烏)와 회(恢)의 반절이다.

9623

甽: 甽: 작은 덩어리 견: □-총10획: qiǎn

原文

甽: 甽商, 小塊也. 从阜从臾. 去衍切.

翻譯

'견상(甽商), 즉 작은 흙덩이(小塊)'를 말한다. 부(阜)가 의미부이고 유(臾)도 의미부이다. 독음은 거(去)와 연(衍)의 반절이다.

9624

廨: 廨: 세금을 쌓아두던 곳 해: 阜-총16획: xiè

原文

廨: 水衡官、谷也. 从阜解聲. 一曰小谿. 胡買切.

飜譯

'수형관(水衡官)'을 말한다. 또 '계곡(谷)'을 뜻하기도 한다.[144] 부(𠂤)가 의미부이고 해(解)가 소리부이다. 일설에는 '작은 계곡(小谿)'을 말한다고도 한다. 독음은 호(胡)와 매(買)의 반절이다.

9625

𨽾: 隴: 고개 이름 롱: 阜-총19획: lóng

原文

𨽾: 天水大阪也. 从𠂤龍聲. 力鍾切.

飜譯

'천수(天水)군에 있는 큰 언덕(大阪)'을 말한다.[145] 부(𠂤)가 의미부이고 룡(龍)이 소리부이다. 독음은 력(力)과 종(鍾)의 반절이다.

9626

𨻔: 陒: 고개 이름 의: 阜-총9획: nǐ, yǐ, yī

原文

𨻔: 酒泉天依阪也. 从𠂤衣聲. 於希切.

---

144) 『단주』에서 이렇게 말했다. "이 말의 의미를 잘 모르겠다. 수형관(水衡官)은 『한서·백관공경표(百官公卿表)』에 보이며, 또 『한서·천문지(天文志)』에 해곡(解谷)이 있는데 진작(晉灼)의 주석에 의하면 계곡이름이라고 했다. 그러나 아마도 이를 지칭한 것은 아닐 것이다." 수형관(水衡官)은 고대 관직명으로 수형도위(水衡都尉)나 수형승(水衡丞)의 간칭이다. 한 무제 원정 2년에 설치되었다가 수(隋)나라 때에 폐지되었다. 황실의 상림원(上林苑), 세금징수, 화폐주조 등을 관리했다. 『한서·백관공경표』(상)의 수형도위(水衡都尉)에 관한 안사고(顏師古)의 주석에서 인용한 한나라 응소(應劭)의 말에서도 '옛날 산림을 관리하던 관을 형(衡)이라 했고, 연못과 정원을 관리했기 때문에 수형(水衡)이라 했다'고 했다. 곡(谷)은 단옥재의 말처럼 해곡(解谷)인지 확정할 수 없다.
145) 『단주』에서 이렇게 말했다. "『한서·지리지(地理志)』에서 천수군(天水郡)에 농현(隴縣)이 있다고 했다. 「군국지(郡國志)」에서 한양군(漢陽郡)은 영평(永平) 17년 천수군(天水郡)으로부터 바뀐 이름이라고 했다. 농현(隴縣)에 농지(隴坻)라는 큰 언덕(大阪)이 있다."

譯

'주천(酒泉)군에 있는 천의판(天依阪)'을 말한다.[146) 부(自)가 의미부이고 의(衣)가 소리부이다. 독음은 어(於)와 희(希)의 반절이다.

9627

陜: 陜: 고을 이름 섬: 阜-총10획: shǎn

原文

陜: 弘農陜也. 古虢國, 王季之子所封也. 从自夾聲. 失冉切.

譯

'홍농(弘農)군에 있는 섬(陜)현'을 말한다. 옛날 괵국(虢國)이 있던 곳으로, 왕계(王季)의 아들이 봉지로 받았던 곳이다. 부(自)가 의미부이고 협(夾)이 소리부이다.[147) 독음은 실(失)과 염(冉)의 반절이다.

9628

陼: 陼: 마을 이름 무: 阜-총15획: wú

原文

陼: 弘農陜東陬也. 从自無聲. 武扶切.

譯

'홍농(弘農)군 섬(陜)현의 동쪽 모퉁이 지역(陬)'을 말한다.[148) 부(自)가 의미부이고 무(無)가 소리부이다. 독음은 무(武)와 부(扶)의 반절이다.

---

146) 『단주』에서 이렇게 말했다. "『한서·지리지(地理志)』의 주천군(酒泉郡) 천현(天縣)에 대한 안사고의 주석에서 그곳에 천의판(天陀阪)이 있는데 이 때문에 붙인 이름이라고 했다."
147) 阜(언덕 부)가 의미부고 夾(낄 협)이 소리부로, 땅이름이다. 지금의 하남성 陜縣(섬현)에 있었으며, 虢國(괵국) 王季(왕계)의 아들에게 봉해진 땅이다. 지금은 섬서성에 편입되었으며, 섬서성의 간칭으로 쓰인다.
148) 『단주』에서 취(陬)는 모퉁이(隅)를 말한다고 했다.

9629

饞: 隃: 촌락 이름 권: 自-총11획: juǎn

原文

隃: 河東安邑隃也. 从自卷聲. 居遠切.

譯

'하동(河東)군 안읍(安邑)현의 한 모퉁이 지역(隃)'을 말한다. 부(自)가 의미부이고 권(卷)이 소리부이다. 독음은 거(居)와 원(遠)의 반절이다.

9630

隇: 隑: 고개 이름 기: 自-총11획: yī

原文

隑: 上黨隑氏阪也. 从自奇聲. 於离切.

譯

'상당(上黨)군 기씨(隑氏)현에 있는 언덕(阪)'을 말한다. 부(自)가 의미부이고 기(奇)가 소리부이다. 독음은 어(於)와 리(离)의 반절이다.

9631

隃: 隃: 넘을 유: 自-총12획: shù

原文

隃: 北陵西隃, 鴈門是也. 从自俞聲. 傷遇切.

譯

'북쪽에 있는 큰 흙산(北陵)으로, 서유(西隃)라고 하는데, 안문(鴈門)이 바로 이곳이다.' 부(自)가 의미부이고 유(俞)가 소리부이다. 독음은 상(傷)과 우(遇)의 반절이다.

9632

𨸐: 阮: 관 이름 완: 𨸏-총7획: ruǎn

原文

𨸐: 代郡五阮關也. 从𨸏元聲. 虞遠切.

飜譯

'대군(代郡)에 있는 오완관(五阮關)[149]'을 말한다. 부(𨸏)가 의미부이고 원(元)이 소리부이다. 독음은 우(虞)와 원(遠)의 반절이다.

9633

𨸉: 陪: 언덕 이름 곡·고: 𨸏-총10획: kū

原文

𨸉: 大𨸏也. 一曰右扶風郿有陪𨸏. 从𨸏告聲. 苦沃切.

飜譯

'큰 흙산(大𨸏)'을 말한다. 일설에는 '우부풍(右扶風)군의 미(郿)현에 곡부(陪𨸏)가 있다'고 도 한다. 부(𨸏)가 의미부이고 고(告)가 소리부이다. 독음은 고(苦)와 옥(沃)의 반절이다.

9634

𨸑: 賦: 작은 언덕 부: 𨸏-총11획: fù

原文

𨸑: 丘名. 从𨸏武聲. 方遇切.

飜譯

'언덕 이름(丘名)'이다. 부(𨸏)가 의미부이고 무(武)가 소리부이다. 독음은 방(方)과

---

149) 오완관(五阮關)은 옛날 관문 이름으로, 한나라 때 설치되었는데, 지금의 하북성 역현(易縣) 자형관진(紫荊關鎮)에 있다. 건무(建武) 21년(45) 복파장군(伏波將軍) 마원(馬援)이 3천 기병 을 이끌고 오완관(五阮關)을 나섰다고 했는데, 그곳이 바로 여기다.

우(遇)의 반절이다.

9635

顓: 隦: 언덕 이름 정: 阜-총12획: zhēng

原文

顓: 丘名. 从阜貞聲. 陟盈切.

飜譯

'언덕 이름(丘名)'이다. 부(阜)가 의미부이고 정(貞)이 소리부이다. 독음은 척(陟)과 영(盈)의 반절이다.

9636

阞: 阝: 언덕 이름 정: 阜-총5획: dīng

原文

阞: 丘名. 从阜丁聲. 讀若丁. 當經切.

飜譯

'언덕 이름(丘名)'이다. 부(阜)가 의미부이고 정(丁)이 소리부이다. 정(丁)과 같이 읽는다. 독음은 당(當)과 경(經)의 반절이다.

9637

隯: 隯: 고개 이름 위·휘: 阜-총15획: wéi, huī

原文

隯: 鄭地, 阪. 从阜爲聲.『春秋傳』曰: "將會鄭伯于隯." 許爲切.

飜譯

'정나라 땅(鄭地)에 있으며, 언덕 이름(阪)'이다. 부(阜)가 의미부이고 위(爲)가 소리부이다.『춘추전』(『좌전』 양공 7년, B.C. 566)에서 "위(隯)라는 언덕에서 정나라 임금을 만날 것이다(將會鄭伯于隅)"라고 했다. 독음은 허(許)와 위(爲)의 반절이다.

9638

𨸁: 陼: 삼각주 저: 阜−총12획: zhǔ

原文

𨸁: 如渚者陼丘. 水中高者也. 从自者聲. 當古切.

譯

'모래톱 같이 생긴 곳(如渚者)을 저구(陼丘)라 부르는데, 물속에 생긴 높은 곳'이라는 뜻이다. 부(自)가 의미부이고 자(者)가 소리부이다. 독음은 당(當)과 고(古)의 반절이다.

9639

𨸁: 陳: 늘어놓을 진: 阜−총11획: chén

原文

𨸁: 宛丘, 舜後嬀滿之所封. 从自从木, 申聲. 𨸖, 古文陳. 直珍切.

譯

'완구(宛丘)'를 말하는데150), 순(舜)의 후손인 규만(嬀滿)이 봉해졌던 땅이다.151) 부

---

150) 『단주』에서는 '사방이 높고 중간이 낮은 구릉'을 말한다고 했다.
151) 규만(嬀滿)은 진(陳) 호공(胡公)을 말하는데, 호공만(胡公滿), 우호공(虞胡公)으로도 불린다. 규성(嬀姓)이며 유우씨(有虞氏)로 이름이 만(滿)이고, 자는 소탕(少湯)으로 순(舜)임금의 후손이자 도정알보(陶正遏父)의 아들이다. 주(周)나라의 제국인 진(陳)의 제1대 임금이었다. 무왕(武王)이 상나라를 정벌하고 주나라를 세운 후 장녀 대희(大姬)를 순임금의 후손인 규만(嬀滿)에게 시집보내고, 진(陳) 땅에 제후로 봉해 진(陳)나라를 세웠으며, 순임금을 봉사하도록 했다. 규만(嬀滿)은 재위 기간 동안 진(陳)나라의 성을 축조하여 외적의 침입을 막았으며, 주왕실의 예의덕행을 백성들에게 교화함으로써 진(陳)을 '예의의 나라'로 만들었다. 규만은 영명하고 능력 있는 자를 발탁하고 권선징악하며 미래적 정치를 펴, 진(陳)나라를 12대 제후국의 하나가 되도록 했다. 규만이 죽고 난 후에는 호공(胡公)이라는 시호를 받았으며, 그의 아들 서후(犀侯)가 왕위를 계승하여 진(陳) 신공(申公)이 되었다. 진 호공(陳胡公)의 후예인 왕망(王莽)이 황체를 칭한 후 진(陳) 호공은 진(陳) 호왕(胡王)으로 추존되었으며 통조(統祖)라는 묘호(廟號)

(𨸏)가 의미부이고 목(木)도 의미부이며, 신(申)이 소리부이다.152) 진(𨸏)은 진(陳)의 고문체이다. 독음은 직(直)과 진(珍)의 반절이다.

9640

𨹄: 陶: **질그릇 도**: 𨸏-총11획: táo

原文

𨹄: 再成丘也, 在濟陰. 从𨸏匋聲. 『夏書』曰: "東至于陶丘." 陶丘有堯城, 堯嘗所居, 故堯號陶唐氏. 徒刀切.

飜譯

'두 층으로 포개진 언덕(再成丘)을 말하는데, 제음(濟陰)군에 있다.' 부(𨸏)가 의미부이고 도(匋)가 소리부이다.153) 『서·하서(夏書)·우공(禹貢)』에서 "동쪽으로 도구에까지 이르렀다(東至于陶丘)"라고 했다. 도구(陶丘)154)에는 요(堯) 임금의 성이 있는데, 요(堯) 임금이 옛날 살았던 곳이다. 그래서 요(堯)를 도당씨(陶唐氏)라고 부른다. 독음

를 받았다.

152) 𨸏(언덕 부)와 東(동녘 동)으로 구성되어, 흙을 파 만든 집(𨸏) 앞에 물건을 담은 포대기(東)들이 늘려진 모습으로부터 '진설하다'의 뜻이 나왔다. 이후 땅 이름과 나라 이름으로 가차되었는데, 하남성 宛丘(완구) 지역을 말하며 舜(순)의 후손인 嬀滿(규만)이 봉해진 곳이라 한다. 간화자에서는 東을 초서체 东으로 줄인 陈으로 쓴다.

153) 𨸏(언덕 부)가 의미부이고 匋(질그릇 도)가 소리부이다. 원래는 물레를 돌리며 그릇을 빚는 사람(匋)을 그렸는데, 이후 의미를 더욱 강화하기 위해 흙을 뜻하는 𨸏가 더해져 형성구조로 변했다. 陶工(도공), 陶瓷器(도자기), 흙으로 굽다 등이 원래 뜻이며, 흙을 빚어 기물을 만든다는 뜻에서 陶冶(도야), 기르다 등의 뜻도 나왔다. 또 도기를 구울 때 큰불이 필요하므로 불이 성하다, 왕성하다, 무성하다, 기쁘다 등의 뜻도 나왔다.

154) 도구(陶丘)는 달리 도(陶)라고도 하는데, 지금의 산동성 하택시(菏澤市) 정도구(定陶區)에 있었다. 일찍이 4천여 년 전의 신석기시대 때부터 사람이 살기 시작했다. 춘추시기부터 서한에 이르는 8백여 년 동안 줄곧 중원지역의 교통과 경제 중심지였으며, '천하의 중심(天下之中)'이라는 별칭을 받았다. 요임금 때에는 고대 도국(陶國)이 여기 있었고, 하상(夏商) 때에는 삼핵국(三鬴國)이 있었다. 기원전 12세기에는 주 무왕(武王)이 그의 여섯 번째 동생인 진탁(振鐸)을 조백(曹伯)으로 봉해 조(曹)나라를 세우고 도구(陶丘)를 도읍으로 삼았다. 『사기』의 기록에 의하면, 춘추 말기 범려(范蠡)가 월(越)을 도와 오(吳)를 멸망시키고 전전하다가 도(陶)에 이르렀는데, 그곳을 '천하의 중심'이라 여기고 그곳에서 상업을 했으며, "십여 년 만에 엄청난 부를 축적하여(十九年間, 三致千金)" 장사의 비조라 불리게 되었고, 도(陶)에 묻혔다고 한다.

은 도(徒)와 도(刀)의 반절이다.

9641

畽: 畽: 묵밭 갈 조: 阜-총11획: zhào

原文

畽: 耕以臿浚出下壚土也. 一曰耕休田也. 从自从土, 召聲. 之少切.

飜譯

'경작을 할 때 삽으로 땅 속의 검은 흙을 파내다(耕以臿浚出下壚土)'라는 뜻이다. 일설에는 '경작할 때 돌아가면서 쉬게 하는 땅(休田)[휴전]'을 말한다고도 한다. 부(自)가 의미부이고 토(土)도 의미부이며, 소(召)가 소리부이다. 독음은 지(之)와 소(少)의 반절이다.

9642

阽: 阽: 위태로울 점·벽 무너지려 할 염: 阜-총8획: diàn, yán

原文

阽: 壁危也. 从自占聲. 余廉切.

飜譯

'벽이 무너질까 위태롭다(壁危)'라는 뜻이다. 부(自)가 의미부이고 점(占)이 소리부이다. 독음은 여(余)와 렴(廉)의 반절이다.

9643

除: 除: 섬돌 제: 阜-총10획: chú

原文

除: 殿陛也. 从自余聲. 直魚切.

飜譯

'궁전의 계단(殿陛)'을 말한다. 부(阜)가 의미부이고 여(余)가 소리부이다.155) 독음은 직(直)과 어(魚)의 반절이다.

9644

階: 階: 섬돌 계: 阜-총12획: jiē

原文

階: 陛也. 从阜皆聲. 古諧切.

翻譯

'계단(陛)'을 말한다. 부(阜)가 의미부이고 개(皆)가 소리부이다.156) 독음은 고(古)와 해(諧)의 반절이다.

9645

阼: 阼: 동편 층계 조: 阜-총8획: zuò

原文

阼: 主階也. 从阜乍聲. 昨誤切.

翻譯

'주인이 손님을 맞아들이는 [대청 앞의 동쪽] 계단(主階)'을 말한다. 부(阜)가 의미부이고 사(乍)가 소리부이다. 독음은 작(昨)과 오(誤)의 반절이다.

9646

陛: 陛: 섬돌 폐: 阜-총10획: bì

---

155) 阜(언덕 부)가 의미부고 余(나 여)가 소리부로, 흙 언덕(阜)을 오르내릴 수 있도록 놓은 돌 층계나 궁전의 계단을 말한다. 또 섬돌이나 돌계단을 놓으려면 흙을 파내야 하므로 '덜다'는 뜻도 갖게 되었다.
156) 阜(언덕 부)가 의미부이고 皆(다 개)가 소리부로, 흙 언덕(阜)에 일정한 높이로 나란히(皆) 만들어진 '階段(계단)'을 말하며, 이로부터 계단, 오르다, 사다리, 관직의 品階(품계) 등을 뜻하게 되었다. 간화자에서는 소리부인 皆를 介(끼일 개)로 바꾼 阶로 쓴다.

原文

陞: 升高階也. 从𨸏坒聲. 旁禮切.

飜譯

'높은 곳으로 올라가는 계단(升高階)'을 말한다. 부(𨸏)가 의미부이고 비(坒)가 소리부이다.157) 독음은 방(旁)과 례(禮)의 반절이다.

9647

陔: 陔: 층층대 해: 阜-총9획: gāi

原文

陔: 階次也. 从𨸏亥聲. 古哀切.

飜譯

'계단의 차례(階次)'를 말한다. 부(𨸏)가 의미부이고 해(亥)가 소리부이다. 독음은 고(古)와 애(哀)의 반절이다.

9648

際: 際: 사이 제: 阜-총14획: jì

原文

際: 壁會也. 从𨸏祭聲. 子例切.

飜譯

'벽과 벽이 만나는 곳(壁會)'을 말한다. 부(𨸏)가 의미부이고 제(祭)가 소리부이다.158) 독음은 자(子)와 례(例)의 반절이다.

---

157) 𨸏(언덕 부)가 의미부고 坒(섬돌 비)가 소리부로, 높은 언덕(𨸏)에 놓인 계단(坒)을 말하는데, 이는 왕궁으로 통하는 계단이다. 그래서 陛下(폐하)는 그런 '계단 아래 엎드린 자'라는 뜻으로 신하들이 임금을 부를 때 쓰는 말이 되었다.
158) 𨸏(언덕 부)가 의미부고 祭(제사 제)가 소리부로, 두 개의 담이나 언덕(𨸏)이 서로 만나 그 사이로 난 '틈'을 말하며, 이로부터 서로 간의 사이, 시간, 어떤 때나 시대를 만나다 등의 뜻이 나왔다. 간화자에서는 祭를 示(보일 시)로 줄여 际로 쓴다.

9649

隙: 隙: 틈 극: 阜-총13획: xì

原文

隙: 壁際孔也. 从𨸏从㘈, 㘈亦聲. 綺戟切.

譯

'벽과 벽이 만나는 곳에 있는 구멍(壁際孔)'을 말한다. 부(𨸏)가 의미부이고 극(㘈)도 의미부인데, 극(㘈)은 소리부도 겸한다.159) 독음은 기(綺)와 극(戟)의 반절이다.

9650

陪: 陪: 쌓아올릴 배: 阜-총11획: péi

原文

陪: 重土也. 一曰滿也. 从𨸏咅聲. 薄回切.

譯

'중첩되게 쌓아 올린 흙(重土)'을 말한다. 일설에는 '가득 차다(滿)'라는 뜻이라고도 한다. 부(𨸏)가 의미부이고 부(咅)가 소리부이다.160) 독음은 박(薄)과 회(回)의 반절이다.

9651

隊: 隊: 담장 전: 阜-총12획: qí, zhuàn

原文

隊: 道邊庳垣也. 从𨸏彖聲. 徒玩切.

---

159) 阜(阝, 언덕 부)와 日(날 일)과 두 개의 小(작을 소)로 구성되어, 흙 담(阜)의 작은(小) '틈' 사이로 비쳐드는 햇빛(日)을 그렸으며, 이로부터 틈새, 틈, 여가, 갈라지다, 원한 등의 뜻이 나왔다.

160) 阜(언덕 부)가 의미부고 咅(침 부)가 소리부로, 중첩되게(咅, 倍와 통함) 쌓아올린 흙더미(阜)를 말하며, 이로부터 더하다, 보좌하다, 모시다 등의 뜻을 갖게 되었다.

飜譯

'길가에 만든 낮은 담(道邊庳垣)'을 말한다. 부(阜)가 의미부이고 단(彖)이 소리부이다. 독음은 도(徒)와 완(玩)의 반절이다.

9652

䏌: 陾: 담쌓는 소리 잉: 阜-총12획: réng

原文

䏌: 築牆聲也. 从阜耎聲. 『詩』云: "捄之陾陾." 如乘切.

飜譯

'[흙을 다져] 담을 쌓을 때 나는 소리(築牆聲)'를 말한다. 부(阜)가 의미부이고 연(耎)이 소리부이다. 『시·대아면(緜)』에서 "삼태기에 흙 척척 담아(捄之陾陾)"라고 노래했다. 독음은 여(如)와 승(乘)의 반절이다.

9653

䏌: 陴: 성가퀴 비: 阜-총11획: pí

原文

䏌: 城上女牆俾倪也. 从阜卑聲. 䏌, 籒文陴从𣆃. 符支切.

飜譯

'성가퀴, 즉 [몸을 숨기고 적을 감시하거나 공격하고자] 성 위에 낮게 쌓은 담(城上女牆俾倪)'을 말한다. 부(阜)가 의미부이고 비(卑)가 소리부이다. 비(䏌)는 비(陴)의 주문체인데, 곽(𣆃)으로 구성되었다. 독음은 부(符)와 지(支)의 반절이다.

9654

䏌: 隍: 해자 황: 阜-총12획: huáng

原文

隍: 城池也. 有水曰池, 無水曰隍. 从阜皇聲. 『易』曰 : "城復于隍." 乎光切.

飜譯

'해자, 즉 성 주위에 둘러 판 못(城池)'을 말한다. 물이 있으면 지(池)라 하고, 물이 없으면 황(隍)이라 한다. 부(阜)가 의미부이고 황(皇)이 소리부이다. 『역·태괘(泰卦)』 (上六)에서 "성벽이 다시 해자 속으로 무너졌구나(城復于隍)"라고 했다.161) 독음은 호(乎)와 광(光)의 반절이다.

9655

隃: 阹: 우리 거: 阜-총8획: qū

原文

隃: 依山谷爲牛馬圈也. 从阜去聲. 去魚切.

飜譯

'산골짜기를 따라 만든 소나 말의 우리(依山谷爲牛馬圈)'를 말한다. 부(阜)가 의미부이고 거(去)가 소리부이다. 독음은 거(去)와 어(魚)의 반절이다.

9656

陲: 陲: 위태할 수: 阜-총11획: chuí

原文

陲: 危也. 从阜垂聲. 是爲切.

飜譯

'위태롭다(危)'라는 뜻이다. 부(阜)가 의미부이고 수(垂)가 소리부이다. 독음은 시(是)

---

161) 『주역·태괘(泰卦)』(제6효, 상육)에 나오는 말로, 해자를 파 그 흙으로 성벽을 쌓았는데, 그 성벽이 무너져 다시 해자 속으로 돌아가 물이 없어져 버렸다는 말이다. 이는 나라가 잘 다스려진 뒤에는 난리가 일어나고 복(福)이 극진(極盡)하면 화(禍)가 오고 이(利)가 극진하면 해(害)가 생김을 이르는 말이다. 이어지는 말은 "勿用師, 自邑告命, 貞吝."으로 "그러니 군사를 일으키지 말라. 도읍으로부터 명령을 하달해도 바르게 하기 어려울 것이다."라는 뜻이다.

와 위(爲)의 반절이다.

9657

隖: 隖: 작은 성채 오: 阜-총13획: wǔ

原文

隖: 小障也. 一曰庳城也. 从𨸏烏聲. 安古切.

飜譯

'가로막은 소규모의 장애물(小障)'을 말한다. 일설에는 '나지막한 성벽(庳城)'을 말한다고도 한다. 부(𨸏)가 의미부이고 오(烏)가 소리부이다. 독음은 안(安)과 고(古)의 반절이다.

9658

院: 院: 담 원: 阜-총10획: yuàn

原文

院: 堅也. 从𨸏完聲. 王眷切.

飜譯

'견고하다(堅)'라는 뜻이다. 부(𨸏)가 의미부이고 완(完)이 소리부이다.[162] 독음은 왕(王)과 권(眷)의 반절이다.

9659

隃: 隃: 물놀이 륜·론: 阜-총11획: lún

原文

---

162) 阜(언덕 부)가 의미부고 完(완전할 완)이 소리부로, 담(阜)으로 완벽하게(完) 둘러쳐진 궁실이나 정원을 말한다. 이후 궁녀의 뜻도 나왔고, 寺院(사원)이나 관공서, 공공기관을 지칭하게 되었다.

𨸏侖: 山𨸏陷也. 从𨸏侖聲. 盧昆切.

飜譯

'산언덕의 푹 꺼진 부분(山𨸏陷)'을 말한다. 부(𨸏)가 의미부이고 륜(侖)이 소리부이다. 독음은 로(盧)와 곤(昆)의 반절이다.

9660

䢾: 陙: 물가 언덕 순: 阜-총10획: chún

原文

䢾: 水𨸏也. 从𨸏辰聲. 食倫切.

飜譯

'물가의 언덕(水𨸏)'을 말한다. 부(𨸏)가 의미부이고 진(辰)이 소리부이다. 독음은 식(食)과 륜(倫)의 반절이다.

9661

𨺗: 㣤: 물가 언덕 전: 阜-총11획: jiàn

原文

𨺗: 水𨸏也. 从𨸏戔聲. 慈衍切.

飜譯

'물가의 언덕(水𨸏)'을 말한다. 부(𨸏)가 의미부이고 잔(戔)이 소리부이다. 독음은 자(慈)와 연(衍)의 반절이다.

9662

𨸒: 阠: 언덕 이름 신: 阜-총6획: xìn

原文

𨸒: 陵名. 从𨸏卂聲. 所臻切.

4168 완역『설문해자』

翻譯

'구릉의 이름(陵名)'이다. 부(阜)가 의미부이고 신(卂)이 소리부이다. 독음은 소(所)와 진(臻)의 반절이다. [신부]

9663

阡: 阡: 두렁 천: 阜-총6획: qiǎn

原文

阡: 路東西爲陌, 南北爲阡. 从阜千聲. 倉先切.

翻譯

'동서로 난 길(路東西)을 맥(陌)이라 하고, 남북으로 난 길을 천(阡)이라 한다.' 부(阜)가 의미부이고 천(千)이 소리부이다.[163] 독음은 창(倉)과 선(先)의 반절이다. [신부]

---

163) 阜(언덕 부)가 의미부고 千(일천 천)이 소리부로, 밭 사이로 남북으로 난 작은 흙길(阜)을 말하며, 이로부터 길, 교외, 농지 등의 뜻까지 나왔다.

제501부수
501 ■ 부(𨸏)부수

9664

𨸏: 𨸏: 두 언덕 사이 **부**: 阜-총16획: fù

原文

𨸏: 兩𨸏之閒也. 从二𨸏. 凡𨸏之屬皆从𨸏. 房九切.

飜譯

'두 흙 언덕의 사이[兩𨸏之閒]'를 말한다. 두 개의 부(𨸏)로 구성되었다. 부(𨸏)부수에 귀속된 글자들은 모두 부(𨸏)가 의미부이다. 독음은 방(房)과 구(九)의 반절이다.

9665

𨸏: 𨸏: 땅 갈라질 **벽**: 阜-총21획: jué

原文

𨸏: 𨸏突也. 从𨸏, 決省聲. 於決切.

飜譯

'흙 언덕 사이로 뚫[려 확 트인]린 곳(𨸏突)'이라는 뜻이다. 부(𨸏)가 의미부이고, 결(決)의 생략된 모습이 소리부이다. 독음은 어(於)와 결(決)의 반절이다.

9666

𨸏: 𨸏: 좁을 **애**: 阜-총24획: ài

原文

𨸏: 陋也. 从𨸏, 𢁤聲. 𢁤, 籒文嗌字. 隘, 籒文𨸏从𨸏、益. 烏懈切.

翻譯

'막혀서 좁다(陋)'라는 뜻이다.164) 부(䜌)가 의미부이고, 애(㑊)가 소리부이다. 애(㑊)는 익(嗌)의 주문(籒文)체이다. 애(㑊)는 애(嗌)의 주문체인데, 부(皀)와 익(益)으로 구성되었다. 독음은 오(烏)와 해(懈)의 반절이다.

9667

𤌍: 䐺: 봉화 수: 阜-총33획: suì

原文

𤌍: 塞上亭守熢火者. 从䜌从火, 遂聲. 䐺, 篆文省. 徐醉切.

翻譯

'변방 지역에서 봉화를 올리는 정자(塞上亭守熢火者)'를 말한다. 부(䜌)가 의미부이고 화(火)도 의미부이며, 수(遂)가 소리부이다. 수(䐺)는 전서체인데, 생략된 모습이다. 독음은 서(徐)와 취(醉)의 반절이다.

---

164) 『단주』에서 이렇게 말했다. "루(陋)는 막혀 좁은 곳을 말한다(院陜也). 액(院)은 막히다(塞)는 뜻이고 협(陜)은 좁다(隘)는 뜻이다. 그렇다면 이 네 글자는 전주(轉注) 관계에 있다 할 수 있다."

제502부수
502 ■ 루(厽)부수

9668

厽: 厽: 담 쌓을 루: 厶-총6획: lěi

原文

厽: 絫坺土爲牆壁. 象形. 凡厽之屬皆从厽. 力軌切.

飜譯

'흙을 쌓아 만든 담(絫坺土爲牆壁)'을 말한다. 상형이다. 루(厽)부수에 귀속된 글자들은 모두 루(厽)가 의미부이다. 독음은 력(力)과 궤(軌)의 반절이다.

9669

絫: 絫(累): 포갤 류·루: 糸-총12획: lěi, léi

原文

絫: 增也. 从厽从糸. 絫, 十黍之重也. 力軌切.

飜譯

'포개다(增)'라는 뜻이다. 루(厽)가 의미부이고 멱(糸)도 의미부이다. 또 루(絫)는 기장 알갱이 10개(十黍)의 무게를 말하기도 한다.[165] 독음은 력(力)과 궤(軌)의 반절이다.

---

165) 고문자에서 ▨簡牘文 등으로 그렸다. 원래는 糸(가는 실 멱)이 의미부이고 厽(담쌓을 루)가 소리부로, 실을 사용해 여러 겹으로 묶다는 뜻을 그렸고, 이로부터 중첩과 누적이라는 뜻이 나왔다. 예서 단계에서 厽가 畾(밭 갈피 뢰)로 변했고, 다시 하나로 줄어 지금의 자형이 되었다. 달리 纍(묶을 루)나 絫로 쓰기도 한다.

9670

垒 : 垒(壘): 쌓을 루: 土－총9획: lěi

原文

垒 : 絫墼也. 从厽从土. 力軌切.

譯

'굽지 않은 흙벽돌을 포개서 쌓다(絫墼)'라는 뜻이다. 루(厽)가 의미부이고 토(土)도
의미부이다.166) 독음은 력(力)과 궤(軌)의 반절이다.

---

166) 고문자에서 ▨ 簡牘文 등으로 그렸다. 土(흙 토)가 의미부이고 畾(밭 갈피 뢰)가 소리부로,
흙(土)을 쌓아(畾) 만든 군대의 성루나 堡壘(보루)를 말하며, 돌이나 벽돌 등을 쌓다는 뜻도
가진다. 간독문자에서는 네 개의 田으로 구성되었으며, 간화자에서는 畾를 厽(담쌓을 루)로 줄
인 垒로 쓴다.

제503부수

503 ■ 사(四)부수

9671

四: 四: 넉 사: □-총5획: sì

原文

四: 陰數也. 象四分之形. 凡四之屬皆从四. 𠬜, 古文四. 亖, 籒文四. 息利切.

飜譯

'음을 나타내는 숫자(陰數)[짝수]'를 말한다. 넷으로 나누어진 모습을 형상했다.[167] 사(四)부수에 귀속된 글자들은 모두 사(四)가 의미부이다. 사(𠬜)는 사(四)의 고문체이다. 사(亖)는 사(四)의 주문체이다. 독음은 식(息)과 리(利)의 반절이다.

---

167) 고문자에서 𠬜 亖 亖甲骨文 亖 亖 四 四 四 𦓐金文 四 四 四 四 亖 𦓐古陶文 亖亖亖 𠬜 四 四簡牘文 四帛書 亖石刻古文 등으로 그렸다. 갑골문에서는 지사구조로, 네 개의 가로획으로 숫자 '넷'을 나타내었는데, 이후 □(나라 국)과 八(여덟 팔)로 구성되어 지금처럼 변했다. 사방으로 나누어(八) 펼쳐진 영역(□)이라는 뜻을 담았는데, 옛날에는 땅이 네모졌다고 생각했기 때문이다. 『단주』에서도 "국(□)은 사방(四方)을, 팔(八)은 나누어짐(分)을 뜻한다."라고 했다.

제504부수
504 ▪ 저(宁)부수

9672

뮤: 宁: 쌓을 저: 宀-총5획: zhù

原文

뮤: 辨積物也. 象形. 凡宁之屬皆从宁. 直呂切.

翻譯

'쌓아 놓은 물체를 나누어 놓는 기구(辨積物)'를 말한다. 상형이다.[168] 저(宁)부수에 귀속된 글자들은 모두 저(宁)가 의미부이다. 독음은 직(直)과 려(呂)의 반절이다.

9673

䚩: 貯: 쌀자루 저: 田-총13획: zhǔ

原文

貯: 幬也. 所以載盛米. 从宁从甾. 甾, 缶也. 陟呂切.

翻譯

'쌀을 담는 포대처럼 생긴 기물(幬)'을 말한다. 쌀을 담는데 쓴다. 저(宁)가 의미부이

---

168) 고문자에서 ⬚ ⬚ ⬚ 甲骨文 ⬚ ⬚ ⬚ ⬚ 金文 등으로 그렸다. 宀(집 면)이 의미부고 丁(넷째 천간 정)이 소리부이지만, 원래는 宀과 가로획(一)으로 이루어졌다. 갑골문에서는 궤짝 속에 어떤 물건(一)이 들어 있는 모습이었는데, 어떤 경우에는 조개(貝·패)를 그려 넣어 그것이 조개임을 구체화했다. 금문에 들면서 貝가 궤짝 바깥으로 나와 아래쪽에 놓였고, 소전체에서 다시 좌우구조로 되었다가, 이후 궤짝이 宀으로 변해 지금의 貯(쌓을 저)가 완성되었다. 그래서 宁나 貯는 궤짝 속에 조개 화폐(貝)와 같은 재물을 모아 둔 모습으로써 '쌓아두다'는 의미를 그려냈으며, 저축은 하루아침에 이루어지는 것이 아니라 오랜 세월 동안 '축적'해야만 가능한 것이기에 '오래'라는 뜻도 가지게 되었다.

고 치(甾)도 의미부이다. 치(甾)는 '물건을 담는 도기로 만든 기물(缶)'을 뜻한다. 독음은 척(陟)과 려(呂)의 반절이다.

제505부수

505 ■ 철(叕)부수

9674

𣁌 : 叕: 연할 철: 又-총8획: zhuì

原文

𣁌 : 綴聯也. 象形. 凡叕之屬皆从叕. 陟劣切.

飜譯

'꿰매서 연결하다(綴聯)'라는 뜻이다. 상형이다. 철(叕)부수에 귀속된 글자들은 모두 철(叕)이 의미부이다. 독음은 척(陟)과 렬(劣)의 반절이다.

9675

綴 : 綴: 꿰맬 철: 糸-총14획: zhuì

原文

綴 : 合箸也. 从叕从糸. 陟衞切.

飜譯

'[실로] 함께 붙어있도록 이어붙이다(合箸)'라는 뜻이다. 철(叕)이 의미부이고 멱(糸)도 의미부이다. 독음은 척(陟)과 위(衞)의 반절이다.

제506부수
506 ■ 아(亞)부수

9676

亞: 亞: 버금 아: 二-총8획: yà

原文

亞: 醜也. 象人局背之形. 賈侍中說: 以爲次弟也. 凡亞之屬皆从亞. 衣駕切.

繙譯

'추하다(醜)'라는 뜻이다. 구루병에 걸린 것처럼 등이 휜 모습(人局背之形)을 그렸다. 가시중(賈侍中)께서는 '차례에서 버금[두 번째]'을 뜻한다고 하셨다.169) 아(亞)부수에 귀속된 글자들은 모두 아(亞)가 의미부이다. 독음은 의(衣)와 가(駕)의 반절이다.

9677

叠: 叠: 성씨 아: 日-총14획: yà

原文

叠: 闕. 衣駕切.

繙譯

의미와 구조를 잘 알 수 없어 비워 둔다(闕). 독음은 의(衣)와 가(駕)의 반절이다.

---

169) 고문자에서 ⊹⊹⊹⊹ ⊹甲骨文 ✠ ✠ ✠金文 ✠✠古陶文 亞亞亞簡牘文 등으로 그렸다. 자원은 분명하진 않지만, 갑골문에서부터 지금의 모습과 유사하며, 무덤의 墓室(묘실)을 그린 것으로 알려져 있다. 즉 무덤의 玄室(현실·관을 놓는 곳)의 평면도를 그린 것이 亞이다. 亞에서 사방으로 뻗은 길은 동서남북의 방위를 뜻하며, 이는 당시 사람들이 네모겼다고 생각했던 동서남북 사방과 중앙으로 이루어진 땅의 모습이자 자신들이 살았던 영역의 상징이었다. 이후 왕의 무덤을 관리하던 관직으로부터 '버금'이라는 뜻이 나왔다. 또 亞細亞(아세아)에서처럼 'Asia'의 음역자로도 쓰인다. 간화자에서는 간단히 줄여 亚로 쓴다.

제507부수
507 ▪ 오(五)부수

9678

Ⓧ: 五: 다섯 오: 二-총4획: wǔ

原文

Ⓧ: 五行也. 从二, 陰陽在天地閒交午也. 凡五之屬皆从五. Ⅹ, 古文五省. 疑古切.

飜譯

'오행 즉 수화목금토의 다섯 가지 물질(五行)'을 말한다. 이(二)가 의미부인데, 음(陰)과 양(陽)이 하늘과 땅 사이에서 교차하는 모습을 뜻한다.[170] 오(五)부수에 귀속된 글자들은 모두 오(五)가 의미부이다. 오(Ⅹ)는 오(五)의 고문체인데, 생략된 모습이다. 독음은 의(疑)와 고(古)의 반절이다.

제
14
권

---

170) 고문자에서 ☰Ⓧ Ⓧ 甲骨文 ⓍⓍ 金文 Ⓧ 古陶文 Ⓧ 盟書 ⓍⓍⓍ Ⓧ Ⓧ 簡牘文 Ⓧ 帛書 Ⅹ Ⅰ Ⓧ古璽文 Ⓧ 石刻古文 등으로 그렸다. 갑골문에서 두 획이 서로 교차된 Ⅹ자 모양으로, '다섯'을 나타내는 약속 부호로 사용했다. 가로획을 다섯 개 나열하여 표시하기도 했지만, 너무 번잡해 Ⅹ자형의 교차된 모양이나 Ⅹ자형의 아래위로 가로획을 더하여 '다섯'을 나타냈다. 이후 五方(오방)과 五帝(오제), 五行(오행) 등의 비유로도 쓰였다.

제508부수
508 ■ 육(六)부수

9679

𦉥: 六: 여섯 **륙**: 八-총4획: liù

原文

𦉥: 『易』之數, 陰變於六, 正於八. 从入从八. 凡六之屬皆从六. 力竹切.

飜譯

'『역(易)』의 숫자를 말하는데, 음수(陰)는 육(六)에서 변하고, 정수(正)는 팔(八)에서 변한다.' 입(入)이 의미부이고 팔(八)도 의미부이다.[171] 육(六)부수에 귀속된 글자들은 모두 육(六)이 의미부이다. 독음은 력(力)과 죽(竹)의 반절이다.

---

171) 고문자에서 ![갑골문] 甲骨文 ![금문] 金文 ![고도문] 古陶文 ![맹서] 盟書 ![간독문] 簡牘文 ![석각고문] 石刻古文 등으로 그렸다. 갑골문에서 땅 위에 만들어진 집의 모습으로 보이지만, 자원은 정확하지 않다. 갑골문 당시 이미 숫자 6을 뜻해, 원래의 의미를 상실했다. 이후 숫자 6은 물론, 『주역』 괘의 陰爻(음효)를 지칭하기도 했으며, 중국 전통 악보인 工尺譜(공척보)에서 음을 기록하는 부호의 하나로도 쓰였다.

제509부수
509 ▪ 칠(七)부수

9680

七: 七: 일곱 칠: 一-총2획: qī

原文

七: 陽之正也. 从一, 微陰从中衰出也. 凡七之屬皆从七. 親吉切.

飜譯

'양의 정수(陽之正)'를 말한다. 일(一)이 의미부인데, [가로획은 양을 뜻하고] [나머지는] 미약한 음기가 그곳으로부터 비스듬히 뚫고 나오는 것을 뜻한다.[172] 칠(七)부수에 귀속된 글자들은 모두 칠(七)이 의미부이다. 독음은 친(親)과 길(吉)의 반절이다.

---

172) 고문자에서 ![甲骨文], ![金文], ![古陶文], ![簡牘文] ![石刻古文] 등으로 그렸다. 갑골문에서 十(열 십)자 모양으로 그려져 어떤 물건에 칼집을 낸 모습이었는데, 이후 '일곱'이라는 뜻으로 가차되었다. 세월이 흐르면서 十자와 자형이 비슷해지자 구분하기 위해 끝 부분을 늘어뜨려 지금의 七이 되었다. 그러자 원래의 의미를 표시하기 위해 刀(칼 도)를 더해 切(끊을 절)을 만들었다.

제510부수
510 ▪ 구(九)부수

9681

九: 九: 아홉 **구**: 乙-총2획: jiǔ

原文

九: 陽之變也. 象其屈曲究盡之形. 凡九之屬皆从九. 舉有切.

飜譯

'양의 변수(陽之變)'를 말한다. 굴곡이 끝까지 다한 모습을 그렸다(象其屈曲究盡之形).[173] 구(九)부수에 귀속된 글자들은 모두 구(九)가 의미부이다. 독음은 거(舉)와 유(有)의 반절이다.

9682

馗: 馗: 광대뼈 **규·구**: 首-총11획: kuí

原文

馗: 九達道也. 似龜背, 故謂之馗. 馗, 高也. 从九从首. 逵, 馗或从辵从坴. 渠追切.

飜譯

'온갖 방향으로 다 난 길(九達道)'을 말한다. 거북의 등처럼 갈라졌기에(龜背), 규(馗)라 부른다. 규(馗)는 '높다(高)'라는 뜻도 가진다.[174] 구(九)가 의미부이고 수(首)

---

173) 고문자에서 [그림]甲骨文 [그림]金文 [그림]古陶文 [그림] [그림]簡牘文 [그림]古璽文 [그림]石刻古文 등으로 그렸다. 자원에 대해서는 의견이 분분하여, 끝이 굽은 낚싯바늘을 그렸다고 하기도 하고 팔꿈치를 그려, 肘(팔꿈치 주)의 원래 글자라고는 하나 모두 분명하지 않다. 갑골문이나 금문에서 이미 숫자를 나타내는 '아홉'의 뜻으로만 쓰였다. 중국에서 9는 최고의 숫자로 알려져, 완성이나 많음의 비유로 쓰인다.

도 의미부이다. 규(馗)는 규(馗)의 혹체자인데, 착(辵)도 의미부이고 륙(圥)도 의미부
이다. 독음은 거(渠)와 추(追)의 반절이다.

---

174) 『단주』에서 이렇게 말했다. "거북 등은 가운데가 높고 사방 주위가 낮[아 어디로든 갈 수
있다. 규(馗)는 사방 어디든 통하지 않는 곳이 없음을 말하는데, 서로 닮았다. 귀(龜)의 고대음
은 희(姬)와 같고, 구(鳩)와 같다. 규(馗)는 고음에서 여(如)와 구(求)의 반절인데, 첩운자로 뜻
풀이를 한 것이다. 대서본(大徐本)에서는 여기에 '馗高也'라는 3자가 들었는데, 잘못된 것이
다."

제511부수
511 ■ 구(厹)부수

9683

厹: 厹: 발자국 유: 厹-총5획: róu

原文

厹: 獸足蹂地也. 象形, 九聲. 『尔疋』曰："狐貍貛貉醜, 其足蹞, 其迹厹." 凡厹
之屬皆从厹. 蹂, 篆文从足柔聲. 人九切.

飜譯

'땅을 밟은 짐승의 발자국(獸足蹂地)'을 말한다. 상형이다. 구(九)가 소리부이다. 『이
아석수(釋獸)』에서 "이리(狐), 삵(貍), 오소리(貛), 담비(貉醜)의 발을 번(蹞)이라고 하
고, 그들의 발자국을 구(厹)라고 한다."라고 했다.175) 구(厹)부수에 귀속된 글자들은
모두 구(厹)가 의미부이다. 유(蹂)는 전서체인데, 족(足)이 의미부이고 유(柔)가 소리
부이다. 독음은 인(人)과 구(九)의 반절이다.

9684

禽: 禽: 날짐승 금: 厹-총13획: qín

原文

---

175) 厹는 소전체에서 처음으로 나타나고, 『설문해자』에서는 "땅을 짓밟은 짐승의 발을 그렸다"
라고 했다. 그렇다면, 이는 짓밟다는 뜻의 蹂躪(유린)에서 보이는 蹂(밟을 유)의 원래 글자로
보인다. 厹의 경우 가운데 형체는 짐승의 발자국으로, 그것을 둘러싼 주위 부분은 九(아홉 구)
의 변형으로 소리부 기능을 했다고 풀이하지만, 분명하지 않다. 厹는 단독으로 쓰이지 않고,
다른 글자와 결합된 경우 대부분 '짐승'이나 '벌레'와 관련된 의미가 있다. 예컨대 禹(하후씨
우)는 원래는 벌레이름이었는데 우임금을 말하고, 禺(긴 꼬리 원숭이)는 원숭이를 말하며, 禽
(날짐승 금)은 원래 손잡이와 그물이 갖추어진 뜰채를 그려 '날짐승'을 잡을 수 있는 도구나
행위를 나타냈다.

禽: 走獸總名. 从厹, 象形, 今聲. 禽、离、兕頭相似. 巨今切.

諺譯

'걸어 다니는 짐승 전체를 부르는 명칭(走獸總名)'이다. 구(厹)가 의미부이고, 상형이며, 금(今)이 소리부이다. 금(禽)과 리(离)와 시(兕)자의 머리 부분이 서로 비슷하다.[176] 독음은 거(巨)와 금(今)의 반절이다.

9685

离: 离: 산신 리: 内-총11획: lí

原文

离: 山神, 獸也. 从禽頭, 从厹从屮. 歐陽喬說：离, 猛獸也. 呂支切.

諺譯

'산신(山神)'으로, 네 발 짐승을 닮았다(獸). 금(禽)의 머리 부분이 의미부이고, 구(厹)도 의미부이고 철(屮)도 의미부이다.[177] 구양교(歐陽喬)[178]는 리(离)가 맹수(猛獸)를

---

176) 고문자에서 ![甲骨文] 甲骨文 ![金文] 金文 등으로 그렸다. 禺(긴 꼬리 원숭이 우)가 의미부이고 今(이제 금)이 소리부로, 날짐승을 말하지만, 원래는 손잡이와 그물이 갖추어진 '날짐승'을 잡을 수 있는 뜰채를 그렸으며, 이후 소리부인 今이 더해지고 자형이 변해 지금처럼 되었다. 사로잡다가 원래 뜻이며, 이후 날짐승을 뜻하게 되었고, 짐승의 통칭으로도 쓰였다. 그러자 원래 의미는 다시 手(손 수)를 더해 擒(사로잡을 금)으로 분화했다.

177) 『단주』에서 이렇게 말했다. '山神也'로 하여 '也'자를 보충한다. '獸形'도 각 판본에서는 '獸也'로 되었는데 지금 바로 잡는다. 『좌전(左傳)』의 '螭魅罔兩'에 대한 두예의 주석에서 리(螭)는 산신을 말하며 짐승 모양을 했다(山神, 獸形.)라고 했다. 『주례』의 '地示物魅'에 대해 『주례정의(正義)』에서 인용한 복건(服虔)의 『좌전주(左傳注)』에서도 리(螭)는 산신을 말하며 짐승 모양을 했다(山神, 獸形.)라고 했다. 「상림부(上林賦)」에 나오는 '蛟龍赤螭'에 대한 주석에서도 리(螭)는 산신을 말하며 짐승 모양을 했다(山神也. 獸形.)라고 했다. 산신(山神)을 나타내는 글자에는 원래 충(虫)자가 들어가지 않았다. 그런데도 충(虫)으로 구성된 것은, 허신이 '용과 비슷하면서 누른색을 하였다(若龍而黃者也.)'라고 했기 때문이다. 오늘날의 『좌전』에서는 리매(螭魅)라고 적었는데, 세속에서 잘못 필사한 결과일 것이다. 「동경부(東京賦)」에서는 리(魑)라 적었는데 이 역시 속자이다. 서현(徐鉉)은 귀(鬼)부수에서 리(魑)자를 추가하였는데 이는 잘못이다. 설종(薛綜, 176~243)의 「이경해(二京解)」에서는 리매(魑魅)를 산과 못의 신이다(山澤之神也)라고 했는데, 허신이나 복건의 해설과 동일하다. 본디 산신의 모습이 짐승과 비슷했기 때문에 이 글자에 유(厹)가 들어갔을 것이다. 그래서 지금의 판본에서처럼 '神獸(신령스런 짐

말한다고 했다. 독음은 려(呂)와 지(支)의 반절이다.

9686

禼: 萬: 일만 만: 艸—총13획: wàn

(原文)

禼: 蟲也. 从厹, 象形. 無販切.

(飜譯)

'벌레(蟲)의 이름'이다. 구(厹)가 의미부이고, 상형이다.179) 독음은 무(無)와 판(販)의

승)'라고 한다면 이는 큰 잘못이다. '从禽頭'라 한 것은 흉악한 모습이라는 말이고, '从厹'라 한 것은 짐승의 모습으로 머리와 발이 모두 짐승의 모습을 했다는 말이다. '从屮'이라고 했는데, 이는 휴(巂)자의 머리 부분처럼 볏(冠耳)을 그렸다고 보았기 때문이다. 그러나 내 생각에는 산(山)으로 구성되는 것이 옳아 보인다. 산(山)으로 구성되어야 한다고 하는 것은 그것이 산신을 말하기 때문이다.

178) 『단주』에서 이렇게 말했다. "『한서·유림전(儒林傳)』에 의하면 구양(歐陽)씨는 복생(伏生)을 사사했는데, 그 학문이 대대로 이어졌다. 증손자인 구양고(歐陽高)에 이르렀는데 자가 자양(子陽)이었다 그의 손자 지여(地餘)와 지여의 아들 정(政)에게 전수되었다. 그리하여 『상서(尚書)』에 구양씨학(歐陽氏學)이 구축되었다. 『한서·예문지(藝文志)』에는 『구양장구(歐陽章句)』 31권이 전한다. 허신이 말한 구양교(歐陽喬)는 아마도 구양고(歐陽高)일 것이다. 옛날에는 교(喬)와 고(高)가 통용되었기 때문이다." 구양생(歐陽生)의 증손자인 구양고는 서한 때 천승군(千乘郡, 지금의 廣饒縣) 사람으로, 『구양상서(歐陽尚書)』를 전수받아 박사로 세워졌고, 태학의 학관이 되었다. 이렇게 해서 『상서(尚書)』 구양학(歐陽學)이 전성시기에 돌입하게 된다. 구양고는 제자들도 많이 배출하였는데, 이름난 제자의 하나로 하후건(夏侯建)은 금문(今文) 『상서』 소하후학(小夏侯學)의 개창자이다. 한나라 선제(宣帝) 때 박사가 되었으며, 관직은 태자소부(太子少傅)에까지 이르렀다. 그의 또다른 제자인 임존(林尊)은 오경박사(五經博士)로 관직이 태자태부(太子太傅)에 이르렀다. 임존(林尊)의 제자인 평릉(平陵)출신의 평당(平當)과 양(梁)나라 출신의 진옹생(陳翁生)도 『구양상서』를 전수하고 발전시켜 새로운 '구양평진학(歐陽平陳之學)'을 열었다. 현재 산동성 동영(東營)군 광요현(廣饒縣)의 현성 서쪽에 구양(歐陽) 팔박사(八博士)의 무덤이 있다.

179) 고문자에서 甲骨文 金文 簡牘文 古璽文 石刻古文 등으로 그렸다. 원래 전갈(蠆·채)을 그려 윗부분이 두 집게발을, 중간은 머리를, 아랫부분은 발과 꼬리를 그렸는데, 자형이 변해 지금처럼 되었다. 이후 전갈이 무리지어 있는 모습에서 '많다'는 뜻이 나왔고, 많은 숫자의 상징인 1만을 뜻하게 되었다. 그러자 원래 뜻은 虫(벌레 충)을 더한 蠆(전갈 채)로 분화했다. 금문에서

반절이다.

9687

禹: 禹: 하우씨 우: 内-총9획: yǔ

(原文)

禹: 蟲也. 从厹, 象形. 兿, 古文禹. 王矩切.

(飜譯)

'벌레(蟲)의 이름'이다. 구(厹)가 의미부이고, 상형이다.[180] 우(兿)는 우(禹)의 고문체이다. 독음은 왕(王)과 구(矩)의 반절이다.

9688

䏽: 䏽: 짐승 이름 비: 内-총25획: fèi

(原文)

䏽: 周成王時, 州靡國獻䏽. 人身, 反踵, 自笑, 笑即上脣掩其目. 食人. 北方謂之
土螻. 『尔疋』云: "䏽䏽, 如人, 被髮." 一名梟陽. 从厹, 象形. 符未切.

(飜譯)

'주(周)나라 성왕(成王) 때, 주미국(州靡國)에서 비(䏽)를 바쳤는데[181], 사람의 몸(人身)을 하였고, 발꿈치가 반대로 자랐으며(反踵), 항상 웃는데(自笑), 웃으면 윗입술이 올라가 눈을 덮었다(笑即上脣掩其目). 사람을 잡아먹는다(食人). 북방 지역에서는 이

부터 万으로 줄여 쓰기도 했는데, 간화자에서도 万으로 쓴다.

180) 고문자에서 ![금문] 金文 ![고도문] 古陶文 ![간독문] 簡牘文 ![백서] 帛書
![고새문] 古璽文 ![석각고문] 石刻古文 등으로 그렸다. 고대 중국에서 물길을 잘 다스렸다는 전설상의 우임금을 말하는데, 금문에서는 머리와 발과 꼬리가 갖추어진 벌레를 그렸다. 혹자는 물을 관장하는 신을 그린 것으로 추정하기도 한다.

181) 장순휘의 『설문약주』에 의하면, 주미국(州靡國)은 "아마도 『사기』에서 말하는 서남이일 것이며, 허신이 설명한 이러한 내용은 『주서·왕회편(王會篇)』에 보인다."라고 했다.

를 토루(土螻)라고 부른다. 『이아석수(釋獸)』에서 "비비(蜚蜚)는 사람처럼 생겼는데 (如人), 머리칼을 풀어헤치고 있다(被髮)."라고 했다. 일명 효양(梟陽)이라고도 한다.[182) 구(厹)가 의미부이고, 상형이다.[183) 독음은 부(符)와 미(未)의 반절이다.

9689

禼: 离: 사람 이름 설: 内-총12획: xiè

原文

禼: 蟲也. 从厹, 象形. 讀與偰同. 㠚, 古文禼. 私列切.

繙譯

'벌레(蟲)의 이름'이다. 구(厹)가 의미부이고, 상형이다. 설(偰)과 같이 읽는다. 설(㠚)은 설(离)의 고문체이다. 독음은 사(私)와 렬(列)의 반절이다.

---

182) 금본 『이아』에서는 비비(狒狒)로 썼으며, "사람과 같은데, 머리를 풀어헤치고, 빨리 달리며, 사람을 잡아먹는다."라고 하였다. 『이아주』에서는 "효양(梟陽)이라고도 한다. 『산해경』에 의하면, 그 생김새가 사람과 같은데, 얼굴이 길고 입술이 검으며 몸에는 털이 있고 발꿈치가 사람과 반대로 되었으며 사람을 보면 웃는다. 교광(交廣)과 남강(南康)군의 산 속에도 이 동물이 있다. 큰 것은 키가 1길이나 된다. 민간에서는 산도(山都)라 부른다."라고 했다.

183) 고문자에서 ⾦⽂ 등으로 그렸다. 고대 중국에서 물길을 잘 다스렸다는 전설상의 우임금을 말하는데, 금문에서는 머리와 발과 꼬리가 갖추어진 벌레를 그렸다. 혹자는 물을 관장하는 신을 그린 것으로 추정하기도 한다.

제512부수
512 ▪ 수(嘼)부수

9690

嘼: 嘼: 가축 축·짐승 수·기를 휵: □-총15획: chù, xù, shòu

原文

嘼: 㸯也. 象耳、頭、足厹地之形. 古文嘼, 下从厹. 凡嘼之屬皆从嘼. 許救切.

飜譯

'가축(㸯)'을 말한다. 귀(耳)와 머리(頭)와 땅을 밟은 발(足厹地)의 모습을 형상했다. 고문체로 된 수(嘼)는 아랫부분이 구(厹)로 구성되었다. 수(嘼)부수에 귀속된 글자들은 모두 수(嘼)가 의미부이다. 독음은 허(許)와 구(救)의 반절이다.

9691

獸: 獸: 짐승 수: 犬-총19획: shòu

原文

獸: 守備者. 从嘼从犬. 舒救切.

飜譯

'사냥으로 잡을 수 있는 짐승(守備者)'을 말한다.[184] 수(嘼)가 의미부이고 견(犬)도 의미부이다.[185] 독음은 서(舒)와 구(救)의 반절이다.

---

[184] 『단주』에서는 '守備者' 다음에 '一曰兩足曰禽, 四足曰獸.(달리 두 발을 가진 것을 禽이라 하고. 네 발을 가진 것을 獸라 한다.)'라는 10자를 보충해 넣었으며, 그 이유에 대해 이렇게 말했다. "이는 『이아음의(爾雅音義)』와 『이아·석조(釋鳥)』에 보이는데, 발이 두 개이고 깃을 가진 것을 금(禽)이라 하고, 발이 네 개이고 털을 가진 것을 수(獸)라고 한다(二足而羽謂之禽, 四足而毛謂之獸.)고 한 말과 합치된다. 허신도 조(鳥)자의 설명에서 '긴 꼬리를 가졌으며, 날짐승의 총칭이다(長尾, 禽總名也.)라고 하여 이와 일치한다. 그러나 금(禽)자의 해석에서는 차이를 보인다."

185) 고문자에서 [甲骨文 글자들] 甲骨文 [金文 글자들] 金文 [簡牘文 글자들] 簡牘文 [石刻古文 글자] 石刻古文 등으로 그렸다. 單(홑 단)과 犬(개 견)으로 구성되어, 뜰채(單)와 사냥개(犬)를 동원해 사냥하는 모습을 형상화했다. 이후 囗(에워쌀 위, 圍의 원래 글자)가 더해져 지금의 자형이 되었는데, 어떤 지역을 에워싸(囗) 짐승을 잡는 사냥법임을 강조했다. '사냥하다'가 원래 뜻이며, 사냥의 대상인 '짐승'을 말했으며, 야만적이다, 수준이 낮다는 뜻도 나왔다. 이후 사냥 행위는 單 대신 소리부인 守를 넣어 狩(사냥 수)로 분화했다. 간화자에서는 犬을 생략하고 나머지를 조금 줄여 兽로 쓴다.

제513부수
513 ▪ 갑(甲)부수

9692

甲: 甲: 첫째 천간 갑: 田-총5획: jiǎ

原文

甲: 東方之孟, 陽气萌動, 从木戴孚甲之象. 一曰人頭宜爲甲, 甲象人頭. 凡甲之屬皆从甲. 𠇚, 古文甲, 始於十、見於千、成於木之象. 古狎切.

譯

'[오방 중] 동방을 상징하는 우두머리(東方之孟)로, 양기가 생겨나 움직이며(陽气萌動), 초목의 머리에 씨를 뜻하는 갑(甲)을 덮어쓴 모습이다.' 일설에는 '사람 머리 부분(人頭宜)이 갑(甲)이며186), 갑(甲)은 사람의 머리를 형상했다'라고도 한다.187) 갑(甲)부수에 귀속된 글자들은 모두 갑(甲)이 의미부이다. 갑(𠇚)은 갑(甲)의 고문체인데, 십(十)에서 시작되고, 천(千)에서 드러나며, 목(木)에서 이루어진다는 형상이다.188) 독음은 고(古)와 압(狎)의 반절이다.

---

186) 『단주』에서는 『집운』에 근거해 볼 때 '人頭宜'를 '人頭空'으로 고치는 것이 더 낫다고 하면서, 이렇게 말했다. "공(空)과 강(腔)은 고금자에 해당한다. 허신은 두공(頭空), 리공(履空), 액공(額空), 경공(脛空)이라 했는데 여기서 사용한 공(空)은 모두 오늘날의 강(腔)자이다. 인두공(人頭空)은 촉루(髑髏: 해골)를 말한다."

187) 고문자에서 甲骨文 ＋ 金文 古陶文 十 盟書 簡牘文 石刻古文 등으로 그렸다. 갑골문에서는 십자형(十)으로 그려 가죽이 갈라진 모습을 그렸다. 하지만, 그 모습이 十(열 십, 옛날의 七)자와 닮아 십자형의 둘레로 네모(口) 테두리를 그려 넣었다. 하지만, 이 글자 또한 田(밭 전)자와 비슷해 소전체에서부터 자형을 변화시켜 지금의 甲이 되었다. 그래서 가죽으로 만든 '갑옷'이 원래 뜻이며, 갑옷은 단단함의 상징이다. 이후 간지자로 가차되어 쓰이게 되자, 원래 뜻은 갑옷을 주로 쇠로 만든다는 뜻에서 金(쇠 금)을 더한 鉀(갑옷 갑)으로 분화했다.

188) 『단주』에서는 "始於一, 見於十, 歲成於木之象.(一에서 시작되고, 十에서 드러나며, 한 해가 木에서 이루어진다는 형상이다.)"으로 고쳤다.

제514부수
514 ■ 을(乙)부수

9693

㇠: 乙: 새 을: 乙-총1획: yǐ

原文

㇠: 象春艸木冤曲而出, 陰气尚彊, 其出乙乙也. 與丨同意. 乙承甲, 象人頸. 凡乙之屬皆从乙. 於筆切.

飜譯

'봄이 되어 초목이 구불구불 움을 틔워 자라나는 모습(象春艸木冤曲而出)'인데, 이때는 음기가 아직 강성할 때라(陰气尚彊), 자라나기가 매우 어렵다(其出乙乙). 곤(丨)과 같은 뜻이다. 을(乙)이 갑(甲)에 이어 나오는 것은, 사람의 [머리 다음에] 목이 있는 것과 같은 이치이다.189) 을(乙)부수에 귀속된 글자들은 모두 을(乙)이 의미부이다. 독음은 어(於)와 필(筆)의 반절이다.

9694

乾: 乾: 하늘 건: 乙-총11획: qián

原文

---

189) 고문자에서 甲骨文 金文 古陶文 盟書 簡牘文 石刻古文 등으로 그렸다. 자원에 대한 의견이 분분하다. 다소곳하게 꼬부라진 모습이 새를 닮았다고도 하고, 『설문해자』에서처럼 "식물이 땅을 비집고 올라오는 모양을 그렸다"라고도 한다. 그런가 하면 적당하게 곡선을 이룬 흉골을 그려, 肊(흉골 억)의 원래 글자라고 하는가 하면, 달리 丙(남녘 병)이 물고기의 꼬리를 그렸다면 乙(새 을)은 물고기의 내장을 그렸다라고 하기도 한다. 하지만 어느 주장이 옳은지 확정하기 어렵다. 지금은 이미 원래의 의미로 쓰이지 않고, 간지자 혹은 순서를 나타내는 데 주로 사용되어 두 번째를 뜻한다.

乾: 上出也. 从乙, 乙, 物之達也 ; 倝聲. 𠄊, 籒文乾. 渠焉切.

飜譯

'위로 나오다(上出)'라는 뜻이다. 을(乙)이 의미부인데, 을(乙)은 물체가 아래로부터 위로 도달하다(物之達也)는 뜻이다. 간(倝)이 소리부이다.[190] 건(𠄊)은 건(乾)의 주문체이다. 독음은 거(渠)와 언(焉)의 반절이다.

9695

亂: 亂: 어지러울 란: 乙-총13획: luàn

原文

亂: 治也. 从乙, 乙, 治之也 ; 从𤔔. 郎段切.

飜譯

'다스리다(治)'라는 뜻이다.[191] 을(乙)이 의미부인데, 을(乙)은 그것을 다스리다(治之)는 뜻이다. 란(𤔔)도 의미부이다.[192] 독음은 랑(郎)과 단(段)의 반절이다.

---

190) 乙(새 을)이 의미부이고 倝(해 돋을 간)이 소리부로, 『설문해자』에서 "乙은 식물이 자라는 모습을, 倝은 태양(日·일)이 숲 사이 솟아오를 때 온 사방으로 햇빛이 뻗는 모습을 그렸다."라고 풀이했다. 이를 고려하면, 乾은 초목(乙)이 햇빛을 받으며(倝) 자라는 모습을 형상화했으며, 초목을 자라게 해주는 해가 있는 '하늘'을 뜻하게 된 것으로 추정할 수 있다. 나아가 땅 아래는 축축하지만 땅 위로 올라오면 건조하므로 '마르다'의 뜻까지 생겼을 것이다.

191) 『단주』에서는 '어지럽다'는 뜻의 난(亂)에 대해 '治也(다스리다)'로 풀이한 것은 의미가 통하지 않는다고 하면서, 이를 '不治也(다스려지지 않음을 말한다)'로 바로 잡는다고 했다. 그리고 이렇게 말했다. "난(亂)의 원래 뜻은 다스려지지 않음(不治)이다. 다스려지지 않으면 그것을 다스리고자 하게 된다(不治則欲其治). 그래서 글자에 을(乙)이 들어갔다. 을(乙)은 그것을 다스리다는 뜻이다." 그러나 난(亂)은 대립되는 의미가 한 글자에 동시에 들어 있는 반훈(反訓)의 대표적인 글자이다. 난(亂)자는 금문에서처럼 뒤엉킨 실타래를 풀고 있는 모습이다. 그래서 단옥재의 말처럼 뒤엉켜 '정리되지 않음'을 말하고, 동시에 이를 풀고 있기에 풀어서 '정리되다'는 뜻도 가진다. 그렇게 본다면 굳이 '不治也(다스려지지 않음을 말한다)'로 고칠 것 없이 허신의 해설처럼 '治也(다스리다)'로 그대로 두고 이를 반훈의 예로 설명하는 것이 더 나아 보인다. 그리고 난(亂)자에 든 을(乙)도 얽힌 실타래를 풀고 있는 '손'으로 보는 것이 더 낫다.

192) 고문자에서 🔸金文 🔸🔸🔸🔸簡牘文 🔸帛書 🔸🔸🔸石刻古文 등으로 그렸다. 금문에서 두 손으로 엉킨 실을 푸는 모습을 그렸는데, 윗부분(爪·조)과 아랫부분(又·

9696

尣: 尢: **절름발이 왕**: 尢-총3획: wāng

原文

尣: 異也. 从乙又聲. 羽求切.

飜譯

'특이하다, 다르다(異)'라는 뜻이다. 을(乙)이 의미부이고 우(又)가 소리부이다.[193] 독음은 우(羽)와 구(求)의 반절이다.

우)은 손이고, 중간 부분은 실패와 실(幺·요)을 그렸다. 이후 秦(진)나라와 楚(초)나라의 竹簡(죽간)에서는 의미의 정확성을 위해 다시 손을 나타내는 又가 더해졌는데, 소전체에 들면서 乙(새 을)로 잘못 변해 지금처럼 되었다. 엉킨 실만큼 복잡하고 풀기 어려운 것도 없을 것이다. 이 때문에 亂은 뒤엉키고 混亂(혼란)한 것의 대표가 되었다. 하지만, 엉킨 실은 반드시 풀어야만 베를 짤 수 있기에 亂은 '정리하다', '다스리다'의 뜻으로도 쓰였다. 간화자에서는 왼쪽 부분을 간단하게 줄여 乱으로 쓴다.

193) 尢은 갑골문에서 손(又·우)에 가로획이 더해진 모습으로, 손을 내밀었으나 어떤 물체[一]에 저지당하는 모습으로 추정되며, 이로부터 뻗어나가지 못하다는 뜻이 생겼고, 다시 완전하지 못한 '절름발이'라는 뜻이 생겼다. 이후 허물이나 과실이라는 뜻으로 확장되었다. 특히 절름발이를 나타낼 때에는 소리부를 더해 尪(절름발이 왕)으로 구분해 쓰기도 했다. 尢으로 구성된 한자는 그다지 많지 않은데, 尤(더욱 우)는 尢에다 점을 더하여 '특이함'이나 '특히'라는 의미를 만들어 냈다. 尨(삽살개 방)은 사실 털이 많이 난 삽살개를 그린 글자로, 犬(개 견) 부수에 귀속되어야 할 글자이나 형체가 유사해 尢부수에 잘못 귀속된 것으로 보인다.

제515부수
515 ■ 병(丙)부수

9697

丙: 丙: 남녘 병: 一-총5획: bǐng

原文

丙: 位南方, 萬物成, 炳然. 陰气初起, 陽气將虧. 从一入冂. 一者, 陽也. 丙承
乙, 象人肩. 凡丙之屬皆从丙. 兵永切.

譯

'남방에 자리한다(位南方). [남방이 뜻하는 여름] 이때는 만물이 성숙하며(萬物成), 햇빛도 타는 듯하다(炳然). 또 음기가 막 일어나기 시작하며(陰气初起), 양기는 점차 이지러질 때이다(陽气將虧).' 일(一)과 입(入)과 경(冂)이 의미부이다. 일(一)은 양(陽)을 뜻한다. 병(丙)이 을(乙) 뒤에 나오는 것은 사람의 몸체에서 어깨가(肩) [목 다음에 자리한] 이치와 같다.194) 병(丙)부수에 귀속된 글자들은 모두 병(丙)이 의미부이다. 독음은 병(兵)과 영(永)의 반절이다.

---

194) 고문자에서 🗙🗙甲骨文 🗙🗙🗙🗙🗙🗙金文 🗙🗙古陶文 🗙盟書 🗙 🗙🗙簡牘文 🗙🗙石刻古文 등으로 그렸다. 자원에 대한 의견이 분분하여, 물고기의 꼬리 모양이라고도 하나, 물건을 위에 얹고 옮겨 갈 수 있게 만든 받침대 모양의 이동식 기물을 그린 것으로 보인다. 이후 위에 가로획이 더해 지금의 자형이 되었는데, 가로획은 기물 위에 얹은 물건을 상징한다. '옮기다'가 원래 뜻이고, 이후 간지자로 가차되었으며, 이의 상징인 '남쪽'을 지칭하였고, 세 번째 천간을 말하기도 한다.

제516부수
516 ■ 정(丁)부수

9698

↑: 丁: 넷째 천간 정: 一—총2획: dīng

原文

↑: 夏時萬物皆丁實. 象形. 丁承丙, 象人心. 凡丁之屬皆从丁. 當經切.

譯

'여름에는 만물이 모두 장정처럼 견실한 열매를 맺는다(夏時萬物皆丁實).' 상형이다. 정(丁)이 병(丙)에 이어서 나오는 것은 사람에게서 심장(心)이 [정(丁)의 상징인] 어깨 다음에 이어지는 것과 같다.195) 정(丁)부수에 귀속된 글자들은 모두 정(丁)이 의미부이다. 독음은 당(當)과 경(經)의 반절이다.

---

195) 고문자에서 [甲骨文 이미지] 甲骨文 [金文 이미지] 金文 [古陶文 이미지] 古陶文 [이미지] [簡牘文 이미지] 簡牘文 [古璽文 이미지] 古璽文 [石刻古文 이미지] 石刻古文 등으로 그렸다. 원래 ■으로 그려 못의 머리를 그린 독립된 상형자였으나, 못의 옆모습을 그린 지금의 자형으로 변했다. 현행 옥편에서는 유사성에 의하여 一(한 일)부수에 귀속시켜 놓았다. 이후 丁이 간지자로 가차되어 쓰이자 원래의 '못'을 나타낼 때에는 다시 金(쇠 금)을 더한 釘(못 정)으로 구분했다. 못은 물체를 단단하게 고정하는 역할을 한다. 그 때문에 丁에는 '단단하다'나 '건장하다'는 뜻이 생겼고, 이후 壯丁(장정)처럼 건장한 성년 남자를 뜻하기도 했다.

제517부수

517 ▪ 무(戊)부수

9699

戊: 戊: 다섯째 천간 무: 戈-총5획: wù

原文

戊: 中宮也. 象六甲五龍相拘絞也. 戊承丁, 象人脅. 凡戊之屬皆从戊. 莫候切.

飜譯

'중앙의 자리(中宮)'를 뜻한다. 육갑(六甲)에서 다섯 가지 용(五龍)이 서로 얽혀 있는 것을 상징한다. 무(戊)가 정(丁)에 이어서 나오는 것은 사람에게서 옆구리(脅)가 [정(丁)의 상징인] 어깨 다음에 자리한 것과 같다.196) 무(戊)부수에 귀속된 글자들은 모두 무(戊)가 의미부이다. 독음은 막(莫)과 후(候)의 반절이다.

9700

戌: 成: 이룰 성: 戈-총7획: chéng

原文

戌: 就也. 从戊丁聲. 戌, 古文成从午. 徐鍇曰: "戊中宮成於中也. 氏征切.

飜譯

'성취하다(就)'라는 뜻이다. 무(戊)가 의미부이고 정(丁)이 소리부이다.197) 성(戌)은

---

196) 고문자에서 甲骨文 金文 古陶文 簡牘文 古璽文 石刻古文 등으로 그렸다. 상형자로 날이 넓고 자루가 긴 도끼처럼 생긴 무기를 그렸는데, 이후 간지자의 하나로 가차되었고, 원래 뜻은 쓰이지 않게 되었다. 또 옛날에는 10干(간)을 사용해 5方(방)을 나타냈는데, 戊가 중간에 놓였기 때문에 중앙을 상징하였고, 또 땅을 뜻하게 되었다.

성(成)의 고문체인데, 오(午)로 구성되었다. 서개(徐鍇)는 이렇게 생각합니다. "무(戊)는 중앙의 자리로, 가운데서(中) 이루어집니다(戊中宮成於中也)." 독음은 씨(氏)와 정(征)의 반절이다.

---

197) 고문자에서 　 甲骨文 　 金文 　 古陶文 　 簡牘文 　 石刻古文 등으로 그렸다. 戌(다섯째 천간 무)가 의미부고 丁(넷째 천간 정)이 소리부로, 무기(戌)로써 성을 단단하게(丁) 지키다는 뜻을 그렸고, 성을 튼튼하게 지킬 때 비로소 목적이 이루어진다는 의미에서 '이루어지다', 成就(성취) 등의 뜻을 갖게 되었다. 이로부터 完成(완성)되다, 성숙되다, 成人(성인) 등의 뜻이 나왔고, 능력이나 가능을 나타내는 조동사로도 쓰였다. 그러자 원래 뜻인 '성'은 다시 土(흙 토)를 더한 城(재 성)으로 분화했다.

제518부수
518 ▪ 기(己)부수

9701

己: 己: 자기 기: 己–총3획: jǐ

原文

己: 中宮也. 象萬物辟藏詘形也. 己承戊, 象人腹. 凡己之屬皆从己. 𠀪, 古文
己. 居擬切.

譯

'중앙의 자리(中宮)'를 뜻한다. 만물이 회피하여 몸을 구부려 감추고 있는 모습을 형
상했다(物辟藏詘形). 기(己)가 무(戊)에 이어서 나오는 것은 사람에게서 배(腹)가 [무
(戊)의 상징인] 옆구리에 이어져 있는 것과 같은 이치이다.[198] 기(己)부수에 귀속된 글
자들은 모두 기(己)가 의미부이다. 기(𠀪)는 기(己)의 고문체이다. 독음은 거(居)와
의(擬)의 반절이다.

---

[198] 고문자에서 〔甲骨文〕 〔金文〕 〔古陶文〕 〔簡牘文〕 〔古璽文〕
〔石刻古文〕 등으로 그렸다. 이의 자원에 대해선 의견이 분분하다. 갑골문을 보면 구불구
불하게 놓인 실로 보이는데, 곡선으로 그려야 했지만 딱딱한 거북 딱지나 동물 뼈에 칼로 새
겨야 했던 갑골문의 특성상 직선으로 그려졌다. 실은 무엇인가를 묶는 데 쓰였으며, 문자가
탄생하기 전 실을 묶고 매듭을 지어 약속 부호로 사용했는데, 소위 結繩(결승)이라는 것이 그
것이다. 남아메리카 인디언들이 사용하던 결승인 페루의 '퀴푸(quipu)'는 대단히 복잡하여 등
장하는 매듭의 종류가 3백여 개에 이르고 있다. 이러한 매듭을 짓는 법을 배우고 매듭이 대표
하는 의미를 이해해야만 구성원들 사이의 의사 교환이 가능했을 것이다. 그래서 己의 원래 뜻
은 결승으로 상징되는 끈이다. 이후 이를 더욱 구체화하기 위해 糸(가는 실 멱)을 더해 紀(벼
리 기)를 만들어 '기록하다'는 의미로 사용했다. 記(기록할 기)는 사람의 말(言)을 결승(己)으
로 기록해 두는 모습이다. 이후 己는 起(일어날 기)에서처럼 '몸'이라는 뜻으로 가차되었고,
自己(자기)에서처럼 자신을 지칭하는 일인칭 대명사로 사용되었다.

9702

곤: 술잔 근: 己-총9획: jǐn

原文

곤: 謹身有所承也. 从己、丞. 讀若『詩』云"赤舃己己". 居隱切.

飜譯

'몸을 공손히 하여 받들다(謹身有所承)'라는 뜻이다. 기(己)와 승(丞)이 모두 의미부
이다. 『시·빈풍·낭발(狼跋)』에서 노래한 "적석기기(赤舃己己: 붉은 신이 잘 어울리시네)"
의 기(己)와 같이 읽는다. 독음은 거(居)와 은(隱)의 반절이다.

9703

기: 책상다리하고 앉을 기: 己-총11획: jì, qí

原文

기: 長踞也. 从己其聲. 讀若杞. 暨己切.

飜譯

'길게 다리를 뻗고 앉다(長踞)'라는 뜻이다.[199] 기(己)가 의미부이고 기(其)가 소리부
이다. 기(杞)와 같이 읽는다. 독음은 기(暨)와 기(己)의 반절이다.

---

199) 『단주』에서는 이렇게 말했다. "각 판본에서는 '長踞也'로 되었는데 이는 '長居也'가 되어야
한다. 거(踞)는 거(居)의 속자이다. 시(尸)부수에서 거(居)는 쪼그리고 앉다는 뜻이다(蹲也)라고
했다. 그래서 장거(長居)는 넓적다리를 키(箕)처럼 하여 앉는 것을 말한다(其箕股而坐)." 고대
중국에서 앉는 방법이 여럿 있었는데, 그중 여기서 말하는 준거(蹲踞)는 발을 땅에 대고 양
무릎을 쫑긋하게 세우고 볼기를 아래로 향하게 하되 땅에 붙지 않게 하는 것으로 '쪼그리고
앉음'을 말한다. 이에 비해 기거(箕踞)는 볼기를 땅에 대고 두 발을 앞으로 내어 벌리고 앉는
것으로, 그 모양이 키(箕)를 닮았다고 해서 붙여진 이름이다. 이렇게 볼 때 단옥재가 설명한
준거(蹲踞)와 기거(箕踞)는 서로 다른 자태로 보아야 할 것이다.

제519부수
519 ▪ 파(巴)부수

9704

巴: 巴: 땅 이름 파: 己-총4획: bā

原文

巴: 蟲也. 或曰食象蛇. 象形. 凡巴之屬皆从巴. 伯加切.

飜譯

'벌레의 이름(蟲)'이다. 혹자는 '코끼리를 잡아먹는 뱀(食象蛇)'이라고도 한다.200) 상형이다.201) 파(巴)부수에 귀속된 글자들은 모두 파(巴)가 의미부이다. 독음은 백(伯)과 가(加)의 반절이다.

9705

帕: 帕: 뺨 때릴 파: 巾-총12획: bǎ

原文

帕: 搹擊也. 从巴、帚, 闕. 博下切.

---

200) 『산해경(山海經)·해내남경(海內南經)』의 "서남쪽에 파국이 있으며 또 주권국이 있는데, 검은 뱀이 산다. 머리는 푸르고 코끼리를 잡아먹는다.(西南有巴國, 又有朱卷之國, 有黑蛇, 青首, 食象.)"라고 한 것에 대한 곽박(郭璞)의 주석에서 "파사(巴蛇)는 코끼리를 잡아먹는데, 삼년 지나면 그 뼈를 뱉어낸다. 군자가 이를 복용하면 심장병과 뱃병이 없어진다. 그 뱀은 청황과 적흑색으로 되었는데, 일설에는 푸른 머리를 한 검은 뱀이라고도 한다. 무소가 사는 서쪽에서 산다.(巴蛇食象, 三歲而出其骨, 君子服之, 無心腹之疾. 其爲蛇青赤黑, 一曰黑蛇青首, 在犀牛西.)라고 했다. 이는 고사성어 일사탄상(一蛇吞象, 인간의 욕심은 끝이 없다)의 배경이 된 기록으로 알려져 있다.
201) 큰 뱀의 모양을 그렸는데, 원래 뜻으로는 이미 쓰이지 않고 중국의 서남쪽(지금의 사천성 동부와 중경시 일대)에 위치했던 나라의 이름으로 가차되었다. 이후 뱀처럼 기어가다, 굽다 등의 뜻도 가지게 되었다.

'손등으로 물건을 치다(搶擊)'라는 뜻이다. 파(巴)와 소(帚)가 모두 의미부이다. 왜 그런지는 알 수 없어 비워둔다(闕). 독음은 박(博)과 하(下)의 반절이다.

제520부수
520 ▪ 경(庚)부수

9706

庚 : 庚: 일곱째 천간 경: 广－총8획: gēng

(原文)

庚 : 位西方, 象秋時萬物庚庚有實也. 庚承己, 象人齎. 凡庚之屬皆从庚. 古行切.

(飜譯)

'방위에서 서방을 상징(位西方)'하는데, 가을이 되면 만물이 단단한 열매를 맺는 것과 같은 것을 상징한다(象秋時萬物庚庚有實). 경(庚)이 기(己)에 이어서 나오는 것은 사람에게서 배꼽(齎)이 [기(己)의 상징인] 배에 연결되어 있는 것과 같은 이치이다.202) 경(庚)부수에 귀속된 글자들은 모두 경(庚)이 의미부이다. 독음은 고(古)와 행(行)의 반절이다.

제14권

202) 고문자에서 ... 甲骨文 ... 金文 ... 古陶文 ... 簡牘文 ... 古璽文 등으로 그렸다. 탈곡에 쓰는 농기구를 그렸다는 등, 庚의 자원에 관한 해설이 분분하지만, 요령과 같이 매달 수 있는 악기를 그렸다는 것이 일반적이다. 이른 시기부터 7번째 천간자로 가차되어 사용되었고, 악기라는 원래 뜻은 쓰이지 않았다.

제521부수
521 ■ 신(辛)부수

9707

辛: 辛: 매울 신: 辛-총7획: xīn

原文

辛: 秋時萬物成而孰；金剛, 味辛, 辛痛即泣出. 从一从辛. 辛, 辠也. 辛承庚,
象人股. 凡辛之屬皆从辛. 息鄰切.

繙譯

'가을이 되면 만물이 성장하여 익게 된다(秋時萬物成而孰).' 쇠(金)를 뜻하는데 쇠는 단단함의 상징이다. 또 신맛을 뜻하는데, 신맛은 고통스러워 눈물이 남을 상징한다. 일(一)이 의미부이고 건(辛)도 의미부인데, 건(辛)은 죄(辠)를 뜻한다. 신(辛)이 경(庚)을 이어서 나오는 것은 사람에게서 넓적다리(股)가 [경(庚)의 상징인] 배꼽에 이어져 있는 것과 같은 이치이다.[203] 신(辛)부수에 귀속된 글자들은 모두 신(辛)이 의미부이다. 독음은 식(息)과 린(鄰)의 반절이다.

9708

辠: 辠: 허물 죄: 辛-총13획: zuì

原文

[203) 고문자에서 甲骨文 金文 古陶文 簡牘文 古璽文 등으로 그렸다. 갑골문에서 肉刑(육형)을 시행할 때 쓰던 형벌 칼을 그렸는데, 위쪽은 넓적한 칼날을 나타내고 아래쪽은 손잡이다. 辛은 죄인에게 형벌을 집행하고, 노예들에게 노예 표지를 새겨 넣던 도구로 쓰였다. 그래서 辛은 고통과 아픔(辛苦·신고)의 상징으로 쓰이며, 이 때문에 '맵다'는 뜻까지 지칭하였다.

辠: 犯法也. 从辛从自, 言辠人蹙鼻苦辛之憂. 秦以辠似皇字, 改爲罪. 徂賄切.

譯

'법을 어기다(犯法)'라는 뜻이다. 신(辛)이 의미부이고 자(自)도 의미부인데, 죄인이 코가 잘려 나가는 형벌을 받고 힘든 고통을 받는 상태를 뜻한다.[204] 진(秦) 나라 때에 죄(辠)가 황(皇)자와 비슷하다고 해서 죄(罪)로 바꾸었다.[205] 독음은 조(徂)와 회(賄)의 반절이다.

9709

辜: 辜: 허물 고: 辛-총12획: gū

原文

辜: 辠也. 从辛古聲. 𣏹, 古文辜从死. 古乎切.

譯

'죄(辠)'라는 뜻이다. 신(辛)이 의미부이고 고(古)가 소리부이다.[206] 고(𣏹)는 고(辜)의 고문체인데, 사(死)로 구성되었다. 독음은 고(古)와 호(乎)의 반절이다.

---

204) 고문자에서 ⩚金文 𰀀𰀁 簡牘文 𰀂𰀃𰀄石刻古文 등으로 그렸다. 自(스스로 자)와 辛(매울 신)으로 구성되었는데, 코(自, 鼻의 원래 글자)를 형벌 칼(辛)로 자르던 형벌을 말하며, 罪(허물 죄)의 본래 글자이다. 이로부터 죄, 허물 등의 뜻이 나왔다. 이후 진시황 때 이 글자가 자신을 부르던 皇자와 닮았다고 해서 罪로 고쳤다고 하며, 그 이후로 辠는 폐기되었다. 간화자에서도 罪에 통합되었다.

205) 소전체에서 매우 비슷하다. 그래서 진시황이 스스로 황제의 시작이라 칭하여 숭고하기 그지없는 뜻의 황자가 죄자와 같은 것을 참기 어려워했다. 이에 당시의 저명한 문자학자 양웅(揚雄)을 시켜 새로운 글자를 만들도록 했는데, 모든 죄인(罪)을 일망타진하거나 그물에 가두다(网=罔=網)는 뜻을 담았다.

206) 고문자에서 𰀅金文 𰀆𰀇簡牘文 𰀈石刻古文 등으로 그렸다. 辛(매울 신)이 의미부이고 古(옛 고)가 소리부로, 허물을 말하는데, 형벌 칼(辛)로 벌을 받게 되는 '죄'라는 뜻을 반영했다. 이로부터 허물, 잘못, 재난, 원한 등의 뜻도 나왔다.

9710

辥: 辥: 허물 설: 辛-총16획: xuē

原文

辥: 辠也. 从辛戶聲. 私列切.

譯

'죄(辠)'라는 뜻이다. 신(辛)이 의미부이고 얼(戶)이 소리부이다. 독음은 사(私)와 렬(列)의 반절이다.

9711

辭: 辤: 말씀 사: 辛-총15획: cí

原文

辤: 不受也. 从辛从受. 受辛宜辤之. 辤, 籒文辤从台. 似兹切.

譯

'받아들이지 않다(不受)'라는 뜻이다. 신(辛)이 의미부이고 수(受)도 의미부이다. 형벌을 받으면 마땅히 사직하여야 한다는 뜻을 담았다. 사(辤)는 사(辤)의 주문체인데, 이(台)로 구성되었다. 독음은 사(似)와 자(兹)의 반절이다.

9712

辭: 辭: 말 사: 辛-총19획: cí

原文

辭: 訟也. 从𤔔, 𤔔猶理辜也. 𤔔, 理也. 𤔔, 籒文辭从司. 似兹切.

譯

'송사를 벌이다(訟)'라는 뜻이다. 난(𤔔)이 의미부인데, 난(𤔔)은 죄상을 갈무리하다(理辜)는 뜻과 같다. 난(𤔔)은 '갈무리하다(理)'라는 뜻이다.[207] 사(𤔔)는 사(辭)의 주문체인데, 사(司)로 구성되었다. 독음은 사(似)와 자(兹)의 반절이다.

제
14
권

207) 고문자에서 🔸🔸🔸🔸🔸🔸🔸🔸🔸🔸🔸金文 🔸古陶文 🔸🔸🔸石刻 古文 등으로 그렸다. 𤔔(어려울 난, 亂의 원래 글자)과 辛(매울 신)으로 구성되었는데, 訟事(송사)를 말하며, 송사에서 하는 말은 진실보다 과장되기에 수식된 말(言辭·언사)이라는 뜻이 나왔다. 𤔔은 두 손으로 엉킨 실을 푸는 모습이다. 그래서 辭는 형벌 칼(辛)로 다스려야 할 만큼 복잡하고 뒤엉킨(𤔔) 다툼에 등장하는 '말'을 지칭한다. 辭의 辛은 司(맡을 사)로 바꾸어 쓰기도 하는데, 이 경우에도 뒤엉킨 실타래처럼 복잡한 '말'을 판단하고 관리한다(司)는 뜻을 반영했다. 말이나 뜻이라는 의미로부터 언사, 문사의 뜻이 나왔고, 다시 사직하다, 고별하다, 핑계를 대다 등의 뜻도 나왔다. 간화자에서는 𤔔을 舌(혀 설)로 간단하게 줄인 辞로 쓴다.

> ## 제522부수
> ## 522 ■ 변(辡)부수

9713

辡: 辡: 따질 변: 辛-총14획: biàn

（原文）

辡: 辠人相與訟也. 从二辛. 凡辡之屬皆从辡. 方免切.

（飜譯）

'죄를 지은 사람이 서로 송사를 벌이다(辠人相與訟)'라는 뜻이다. 두 개의 신(辛)으로 구성되었다. 변(辡)부수에 귀속된 글자들은 모두 변(辡)이 의미부이다. 독음은 방(方)과 면(免)의 반절이다.

9714

辯: 辯: 말 잘할 변: 辛-총21획: biàn

（原文）

辯: 治也. 从言在辡之閒. 符蹇切.

（飜譯）

'다스리다(治)'라는 뜻이다. 언(言)이 변(辡)의 사이에 놓인 모습이다.208) 독음은 부(符)와 건(蹇)의 반절이다.

---

208) 고문자에서 🌿 簡牘文 등으로 그렸다. 言(말씀 언)이 의미부고 辡(따질 변)이 소리부로, 말(言)로 분별해(辡) 명확하게 기술함을 말하며, 이로부터 辯護(변호)하다, 반박하다, 다스리다 등의 뜻이 나왔다.

제523부수
523 ▪ 임(壬)부수

9715

壬: 壬: 아홉째 천간 임: 土-총4획: rén

原文

壬: 位北方也. 陰極陽生, 故『易』曰: "龍戰于野." 戰者, 接也. 象人裹妊之形. 承亥壬以子, 生之敍也. 與巫同意. 壬承辛, 象人脛. 脛, 任體也. 凡壬之屬皆从壬. 如林切.

翻譯

'방위에서 북방을 뜻한다(位北方).' 음(陰)이 극에 이르면 양(陽)이 생겨나기 마련이다. 그래서 『역곤괘(坤卦)』(上六)에서 "용이 벌판에서 전투를 벌인다(龍戰于野)"라고 했는데, 전(戰)은 '접전을 벌이다'라는 뜻이다.[209] 사람이 아이를 밴 모습을 그렸다. 해(亥)와 임(壬) 다음에 자(子)가 등장하는 것은 파생의 순서를 뜻하기 때문이다. 무(巫)와 같은 뜻이다. 임(壬)이 신(辛)에 이어서 나오는 것은 사람에게서 정강이(脛)가 [신(辛)의 상징인] 넓적다리에 이어져 있는 것과 같은 이치이다. 정강이(脛)는 몸통을 지탱하는 신체부위이다.[210] 임(壬)부수에 귀속된 글자들은 모두 임(壬)이 의미부이다. 독음은 여(如)와 림(林)의 반절이다.

---

209) 음에 속하는 용과 양에 속하는 용이 서로 다투면서 양기를 만들게 되고, 사람이 그 양기를 받게 되면 회임을 하게 된다.

210) 고문자에서 甲骨文 金文 古陶文 簡牘文 古璽文 등으로 그렸다. 갑골문에서 이미 간지자로만 쓰여 그것이 무엇을 그렸는지 정확하게 알 수는 없으나, 날실(세로 방향으로 놓인 실)이 장착된 베틀의 모습으로 추정된다. 특히 금문에서는 중간에 점을 더해 베를 짤 때 날실 사이로 들락거리는 북(杼·저)을 형상화함으로써, 이것이 베틀임을 강하게 시사하고 있다. 그래서 壬은 베틀을 그렸으며, 베 짜기는 대단히 정교한 기술이 요구되기에 한 사람이 책임을 지고 도맡아서 해야만 가능한 일이었다. 그래서 壬에 '맡다'는 뜻이 생겼고, 壬이 간지자로 가차되어 쓰이자 다시 人을 더해 任(맡길 임)으로 원래의 뜻을 나타낸 것으로 추정된다.

제524부수
524 ■ 계(癸)부수

9716

: 癸: **열째 천간 계**: 癶-총9획: guǐ

原文

: 冬時, 水土平, 可揆度也. 象水從四方流入地中之形. 癸承壬, 象人足. 凡癸之屬皆从癸. 𤼽, 籒文从癶从矢. 居誄切.

飜譯

'겨울을 대표하는데, 겨울이 되면 물과 흙이 형평을 이루어 측량을 할 수 있다(冬時, 水土平, 可揆度).' 물(水)이 사방으로부터 땅속으로 유입되는 모습을 형상했다. 계(癸)가 임(壬)에 이어서 나오는 것은 사람에게서 발(足)이 [임(壬)의 상징인] 정강이에 연이어져 있는 이치와 같다.211) 계(癸)부수에 귀속된 글자들은 모두 계(癸)가 의미부이다. 계(𤼽)는 주문체인데, 발(癶)도 의미부이고 시(矢)도 의미부이다. 독음은 거(居)와 뢰(誄)의 반절이다.

---

211) 고문자에서 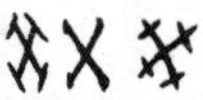甲骨文 金文 古陶文  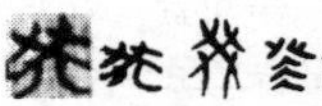簡牘文 古璽文 石刻古文 등으로 그렸다. 갑골문의 자형에서 이것이 무엇을 그렸는지에 대해서는 의견이 분분하다. 혹자는 나무막대를 교차시킨 것이라거나 컴퍼스처럼 생긴 거리를 재는 도구라고도 한다. 하지만, 점에 쓸 시초처럼 묶은 풀이나 나무가 교차한 모습으로 보는 것이 일반적이다. 점괘를 풀어줄 풀이나 나무막대를 손으로 골라 '점괘를 해석하다'는 뜻으로부터 '재다', '추측하다'의 뜻이 나왔다. 이후 癸가 간지자로 가차되어 쓰이게 되자, 원래 의미는 手(손 수)를 더해 揆(헤아릴 규)로 분화했다.

제525부수

525 ■ 자(子)부수

9717

♀ : 子: 아들 자: 子-총3획: zǐ

原文

♀ : 十一月, 陽气動, 萬物滋, 人以爲偶. 象形. 凡子之屬皆从子. (李陽冰曰 : "子在襁緥中, 足併也.") ♥, 古文子从巛, 象髮也. ♥, 籒文子囟有髮, 臂脛在几上也. 卽里切.

飜譯

'11월을 상징하는데, 이때는 양기가 움직이며, 만물이 불어나기 때문에, 아이의 모습을 그린 자(子)를 빌려 이때를 지칭한다(十一月, 陽气動, 萬物滋, 人以爲偶).' 상형이다.212) 자(子)부수에 귀속된 글자들은 모두 자(子)가 의미부이다. 이양빙(李陽冰)은 "아이가 포대기 속에 있는데 발이 합쳐진 모습이다(子在襁緥中, 足併.)"라고 했습니다. 자(♥)는

---

212) 고문자에서 屮屮屮屮屮屮屮甲骨文 屮屮屮子屮屮金文 屮屮屮古陶文 屮屮屮屮簡牘文 屮屮盟書 屮屮古璽文 屮屮屮石刻古文 등으로 그렸다. 갑골문에서 머리칼이 달린 큰 머리와 몸체를 그려 갓 태어난 '아이'를 형상화했다. 금문에 들면서 머리와 두 팔을 벌린 모습으로 변했지만, 머리를 몸체보다 크게 그려 어린 아이의 신체적 특징을 잘 나타냈다. 이로부터 子는 '아이', '자식'이라는 뜻을, 나아가 種子(종자)에서처럼 동식물의 '씨'라는 의미까지 갖게 되었다. 그리고 부계사회가 확립되면서 '남자' 아이라는 의미가 되었고, 다시 '孔(클 공)씨 집안의 대단한 자손'이라는 뜻의 孔子에서처럼 남성에 대한 극존칭이 되었다. 이는 개인보다는 집안과 공동체가 훨씬 중시되었던 시절 그 가문에서 태어나 그 가문을 대표하는 사람의 지위를 보여주기도 한다. 그래서 子는 乳(젖 유)에서처럼 '성인'이 아닌 '아이'가 원래 뜻이다. 아이의 탄생은 存(있을 존)에서처럼 인간의 존재를 확인시켜주는 실존적 체험이자 아이는 다음 세대로 이어지는 상징이기에 충분했다. 이렇게 태어난 아이는 學(배울 학)에서처럼 교육을 거쳐 사회의 정식 구성원이 되고 주체로서 성장하게 된다. 이후 후계자는 물론 스승이나 남성을 높여 부르던 말, 작위 명칭, 이인칭 대명사 등으로도 쓰였고, 12지지의 첫 번째로 쓰여 쥐와 북방을 상징하며 23시~1시의 시간대를 지칭하기도 했다.

자(子)의 고문체인데, 천(巛)으로 구성되었으며, 머리칼이 난 모습을 그렸다. 자()는 자(子)의 주문체인데, 머리(囟)에 머리칼이 있고, 팔과 정강이가 탁자(几)위에 놓인 모습이다. 독음은 즉(卽)과 리(里)의 반절이다.

9718

: 孕: **아이 밸 잉**: 子-**총5획**: **yùn**

原文

: 裹子也. 从子从几. 以證切.

飜譯

'아이를 배다(裹子)'라는 뜻이다. 자(子)가 의미부이고 기(几)도 의미부이다.[213)214)] 독음은 이(以)와 증(證)의 반절이다.

9719

: 㝃: **아이를 낳을 면**: 子-**총10획**: **fàn, miǎn, wǎn**

原文

: 生子免身也. 从子从免. 芳萬切.

飜譯

'아이를 낳아 어미의 몸이 면탈되다(生子免身)'라는 뜻이다. 자(子)가 의미부이고 면(免)도 의미부이다. 독음은 방(芳)과 만(萬)의 반절이다.

---

213) '从子从几'는 『단주』의 지적처럼 '从子乃聲'이 되어야 할 것이다. 『단주』에서 이렇게 말했다. "각 판본에서는 '从几'로 되었는데 오류이다, 지금 바로 잡는다. 초(艸)부수의 잉(艿)자나 인(人)부수의 잉(仍)자도 모두 '내(乃)가 소리부이다'라고 했다. 또 『관자(管子)』에서 잉(孕)을 잉(䋲)이라 적었는데, 승(繩)의 생략된 부분을 소리부로 하고 있다. 이들이 그 증거가 될 것이다."

214) 고문자에서  甲骨文 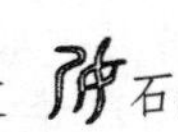 石刻古文 등으로 그렸다. 뱃속(勹)에 아이(子)가 든 모습인데 머리와 두 팔이 이미 다 자라 곧 출산하게 될 모습을 그렸으며, 이로부터 임신하다, 분만하다, 태아 등의 뜻이 나왔으며, 동식물의 부화는 물론 싸다, 포함하다 등의 뜻까지 나왔다.

9720

字: 글자 자: 子-총6획: zì

原文

字: 乳也. 从子在宀下, 子亦聲. 疾置切.

譯

'젖을 먹이다(乳)'라는 뜻이다. 아이(子)가 집(宀) 안에 있는 모습인데, 자(子)는 소리
부도 겸한다.215) 독음은 질(疾)과 치(置)의 반절이다.

9721

觳: 젖 누·미련할 구: 子-총13획: gòu

原文

觳: 乳也. 从子㱿聲. 一曰㱿瞀也. 古候切.

譯

'젖을 먹이다(乳)'라는 뜻이다. 자(子)가 의미부이고 각(㱿)이 소리부이다. 일설에는
'젖을 먹이는 소리(㱿瞀)'라고도 한다. 독음은 고(古)와 후(候)의 반절이다.

9722

孿: 쌍둥이 련·산: 子-총22획: lián

---

215) 고문자에서 ⫶금문 ⫶簡牘文 ⫶古璽文 등으로 그렸다. 宀(집 면)이 의미부고
子(아들 자)가 소리부로, 집(宀)에서 아이(子)를 낳아 자손을 키워가듯 점점 '불려 나가다'는
뜻이며, 이로부터 키우다의 뜻이 나왔다. 예컨대 文(글월 문)이 다시는 분리되지 않는 기초자
를 말하는 데 비해 字는 이들이 둘 이상 결합하여 만들어진 글자를 지칭하였고, 지금은 이를
합쳐 文字라는 단어로 쓰인다. 이후 글자, 글씨, 서예 작품, 계약서, 본이름 외에 부르는 이름
등의 뜻도 나왔다.

原文

孿: 一乳兩子也. 从子䜌聲. 生患切.

繙譯

'한꺼번에 두 아이에게 젖을 먹이다(一乳兩子)[쌍둥이]'라는 뜻이다. 자(子)가 의미부이고 련(䜌)이 소리부이다. 독음은 생(生)과 환(患)의 반절이다.

9723

嬬: 孺: 젖먹이 유: 子-총17획: rú

原文

嬬: 乳子也. 一曰輸也, 輸尚小也. 从子需聲. 而遇切.

繙譯

'젖먹이(乳子)'라는 뜻이다. 일설에는 '우둔하다(輸)'라는 뜻이라고도 하는데[216], 수(輸)는 아직 어리다(尚小)는 뜻이다. 자(子)가 의미부이고 수(需)가 소리부이다.[217] 독음은 이(而)와 우(遇)의 반절이다.

9724

季: 季: 끝 계: 子-총8획: jì

原文

季: 少偁也. 从子, 从稚省, 稚亦聲. 居悸切.

---

216) 『단주』에서는 각 판본에서 유(孺)자가 빠졌다고 하면서 '一曰輸孺也, 輸孺尚小也.(수유를 말하는데, 수유는 아직 어리다는 뜻이다.)'로 고쳤다. 그리고 『광운』에서는 유(孺)자가 들어 있고 그래야 문맥이 완전해진다고 했다. 그러나 다 성장하지 않은 아이라면 아직 '어리석기' 때문에 반드시 유(孺)를 보충해야 할 것은 아니다.

217) 子(아들 자)가 의미부고 需(구할 수)가 소리부로, 젖먹이를 말하는데, 목욕재계하는 제사장(需)에 등장하는 물의 상징처럼 軟弱(연약)하고 부드럽기 그지없는 보들보들한 갓난아이(子)라는 뜻을 담았다.

![訓譯]

'어린아이를 부르는 말이다(少偁).' 자(子)가 의미부이고, 치(稚)의 생략된 모습도 의미부인데, 추(稚)는 소리부도 겸한다.[218] 독음은 거(居)와 계(悸)의 반절이다.

9725

孟: 孟: 맏 맹: 子-총8획: mèng

![原文]

孟: 長也. 从子皿聲. 𣥬, 古文孟. 莫更切.

![訓譯]

'맏이(長)'를 말한다. 자(子)가 의미부이고 명(皿)이 소리부이다.[219] 맹(𣥬)은 맹(孟)의 고문체이다. 독음은 막(莫)과 경(更)의 반절이다.

9726

孽: 孽: 서자 얼: 子-총19획: niè

![原文]

孽: 庶子也. 从子辥聲. 魚列切.

![訓譯]

'서자(庶子)'를 말한다. 자(子)가 의미부이고 설(辥)이 소리부이다.[220] 독음은 어(魚)

---

218) 고문자에서 ![갑골문 자형들]甲骨文 ![금문 자형들]金文 ![고도문 자형]古陶文 ![간독문 자형들]簡牘文 ![백서 자형]帛書 등으로 그렸다. 禾(벼 화)와 子(아들 자)로 구성되어, 곡식(禾)의 수확에 동원 가능한 마지막 단계의 어린 아이(子)까지 내보내 수확한다는 뜻에서 '마지막'의 뜻이 나왔다. 이로부터 季父(계부)처럼 형제 중 막내, 季春(계춘)처럼 계절의 마지막 달, 季節(계절) 등의 뜻을 갖게 되었다.

219) 고문자에서 ![금문 자형들]金文 ![고도문 자형들]古陶文 ![맹서 자형]盟書 ![간독문 자형]簡牘文 ![고새문 자형들]古璽文 등으로 그렸다. 子(아들 자)가 의미부고 皿(그릇 명)이 소리부로, 큰아들(子) 즉 장자를 말하는데, 아이(子)를 그릇(皿)에 담아 씻기는 모습을 그린 것으로 추정된다. 이후 항렬의 첫째, 우두머리, (계절의) 시작 등의 의미가 나왔으며, 성씨로도 쓰인다.

와 렬(列)의 반절이다.

9727

𢿛 : 孳: 많이 나을 자: 子-총12획: zī

原文

孳 : 汲汲生也. 从子茲聲. 𤔲, 籒文孳从絲. 子之切.

譯

'나날이 자라나다(汲汲生)'라는 뜻이다.221) 자(子)가 의미부이고 자(茲)가 소리부이다. 자(𤔲)는 자(孳)의 주문체인데, 사(絲)로 구성되었다. 독음은 자(子)와 지(之)의 반절이다.

9728

𤔲 : 孤: 외로울 고: 子-총8획: gū

原文

𤔲 : 無父也. 从子瓜聲. 古乎切.

譯

'아비가 없는 아이(無父)[고아]'를 말한다. 자(子)가 의미부이고 과(瓜)가 소리부이다.222) 독음은 고(古)와 호(乎)의 반절이다.

---

220) 子(아들 자)가 의미부고 辥(허물 설)이 소리부로, 서자를 말하는데, 풀이나 나무를 베고 남은 그루터기에서 싹튼 움처럼 직계가 아닌 방계에서 난 자식(子)이라는 뜻을 담았다. 이후 거스르다, 不孝(불효), 나쁘다 등의 뜻까지 나왔다. 속자로 辥(설) 대신 薛(맑은 대쑥 설)을 쓴 孽로 쓰기도 하는데, 간화자에서도 이를 따랐다.

221) 『단주』에서는 '汲汲生也' 앞에 각 판본에는 없는 '孳孳'를 보충해 넣었다. 그리고 이렇게 말했다. "지금 현응(玄應)의 책에 근거하여 이 두 글자를 보충해 넣는다. 복(攵)부수 자(孜)자의 해석에서 '자자는 나날이 자라나다는 뜻이다(孜孜, 汲汲也.)'라고 했는데, 자(孜)와 자(孳)는 옛날 자주 통용되었다."

222) 苽(풀 고)가 의미부이고 瓜(오이 과)가 소리부로, 식물 이름인 '줄'을 말한다. 이는 볏과의 여러해살이 풀(艸)의 하나로 높이는 2미터 정도이며, 잎은 좁은 피침 모양이고 모여난다. 연못

9729

𢀱: 存: 있을 존: 子-총6획: cún

原文

𢀱: 恤問也. 从子才聲. 徂尊切.

飜譯

'동정하여 위문하다(恤問)'라는 뜻이다. 자(子)가 의미부이고 재(才)가 소리부이다.223) 독음은 조(徂)와 존(尊)의 반절이다.

9730

孝: 孝: 본받을 교: 子-총7획: jiào

原文

孝: 放也. 从子爻聲. 古肴切.

飜譯

'본받다(放)'라는 뜻이다.224) 자(子)가 의미부이고 효(爻)가 소리부이다. 독음은 고

에서 자라며, 땅속줄기는 흰색이고 땅위줄기는 곧게 서, 자홍색의 작은 꽃을 피운다. 어린줄기는 모종의 균이 기생하고 나서 팽창하게 되는데 이것이 식용하는 茭白(교백)이라는 것이며, 열매는 菰米(고미)라 불린다. 옛날 6가지 대표 곡식의 하나로 쳤으며, 열매와 어린 싹은 식용하고 잎은 사료나 도롱이, 차양, 자리를 만드는 데에 쓴다. 달리 줄 풀, 진고(眞菰), 침고(沈茄) 등으로 부른다.

223) 고문자에서 𢀱古陶文 𢀱簡牘文 등으로 그렸다. 才(재주 재)와 子(아들 자)로 구성되었는데, '존재하다'가 원래 뜻이다. 才가 새싹이 딱딱한 대지를 뚫고 올라오는 모습을 그렸음을 고려하면, 아이(子)가 처음 태어난다는 것(才)으로써 存在(존재)의 의미를 그린 것으로 보이며, 이로부터 保存(보존)하다, 세우다, 놓다 등의 뜻이 나왔다. 존재를 확인한다는 뜻에서 '문후를 드리다'의 뜻이 나왔으며, 다시 위무하다, 생각하다, 유념하다, 관심을 두다 등의 뜻이 나왔다.

224) 단옥재의 말처럼 방(放)은 방(仿)으로 해석해야 한다. 『단주』에서 이렇게 말했다. "허신의 해설에 의하면, 방(放)은 내쫓다(逐)는 뜻이고, 방(仿)은 비슷하다(相似)는 뜻이다. 교(孝)의 뜻을 방(放)으로 풀이한 것은 쫓아가서 그에게 의지하기 때문이다(隨之依之). 오늘날에는 이런 뜻에는 전적으로 방(仿)자를 쓴다. 교(敎)자와 학(學)자는 모두 교(孝)로 구성된 회의자이다.

(古)와 효(肴)의 반절이다.

9731

疑: 의심할 의: 疋-총14획: yí

原文

疑: 惑也. 从子、止、匕, 矢聲. 語其切.

飜譯

'의심하다(惑)'라는 뜻이다. 자(子)와 지(止)와 비(匕)가 의미부이고, 시(矢)가 소리부이다.225) 독음은 어(語)와 기(其)의 반절이다.

교(敎)는 다른 사람을 비슷하게 만드는 것이고(與人以可放也), 학(學)이라는 것은 모방해서 닮아가다는 뜻이다(放而像之也)."

225) 고문자에서 𤕲𤕲𤕲金文 𤕲𤕲古陶文 𤕲𤕲簡牘文 등으로 그렸다. 갑골문에서 지팡이를 짚은 사람이 길에서 두리번거리며 어디를 가야 할지 몰라 주저하는 모습이며, 이로부터 疑心(의심)하다는 뜻이 나왔다. 이후 금문에 이르면 발(止)을 더하고 소리부인 牛(소 우)를 더해 그런 행위를 강조하기도 했는데, 자형이 변해 지금처럼 되었다. 갈 길을 잃어 어디로 갈까 고민하는 모습으로부터 疑心은 물론 '주저하다', '迷惑(미혹)되다' 등의 뜻까지 생겼다.

제526부수
526 ▪ 료(了)부수

9732

了: 了: 마칠 료: 亅-총2획: liǎo

原文

了: 尥也. 从子無臂. 象形. 凡了之屬皆从了. 盧鳥切.

飜譯

'[걸을 때] 다리가 꼬이다(尥)'라는 뜻이다. 자(子)에 두 팔이 없는(無臂) 모습을 형상했다. 상형이다.[226] 료(了)부수에 귀속된 글자들은 모두 료(了)가 의미부이다. 독음은 로(盧)와 조(鳥)의 반절이다.

9733

孑: 孑: 외로울 혈: 子-총3획: jié

原文

孑: 無右臂也. 从了, 乚象形. 居桀切.

飜譯

'오른쪽 팔이 없다(無右臂)'라는 뜻이다. 료(了)가 의미부이고, 은(乚)은 [왼쪽 팔만 있고] 오른쪽 팔이 없는 모습을 그렸다. 독음은 거(居)와 걸(桀)의 반절이다.

---

226) 이의 자형을 두고 손을 굽힌 모습의 변형이라거나 子(아들 자)의 다른 필사법으로 子에서 양손 부분을 제외한 모습이라고들 하지만, 자원이 분명하지 않다. 일찍부터 '분명하다'나 '완了(완료)'의 뜻으로 쓰였는데, 이는 가차 의미이다. 또 부사어로 쓰여 '전혀'라는 의미로도 쓰인다. 현대 중국에서는 瞭(밝을 료)의 간화자로도 쓰여 '알다', '이해하다'의 뜻으로도 쓰인다.

9734

孑: 子: 짧을 궐: 子-총3획: juě

원문
孑: 無左臂也. 从了, 丿象形. 居月切.

번역
'왼쪽 팔이 없다(無左臂)'라는 뜻이다. 료(了)가 의미부이고, 별(丿)은 [오른쪽 팔만 있고] 왼쪽 팔이 없는 모습을 그렸다. 독음은 거(居)와 월(月)의 반절이다.

제527부수
527 ■ 전(孨)부수

9735

㼸 : 孨: 삼갈 전: 子-총9획: chán

原文

㼸 : 謹也. 从三子. 凡孨之屬皆从孨. 讀若翦. 旨兖切.

飜譯

'삼가다(謹)'라는 뜻이다. 세 개의 자(子)로 구성되었다. 전(孨)부수에 귀속된 글자들은 모두 전(孨)이 의미부이다. 전(翦)과 같이 읽는다. 독음은 지(旨)와 연(兖)의 반절이다.

9736

孱 : 孱: 잔약할 잔: 子-총12획: chán

原文

孱 : 迮也. 一曰呻吟也. 从孨在尸下. 七連切.

飜譯

'협소하다(迮)'라는 뜻이다.[227] 일설에는 '신음하다(呻吟)'라는 뜻이라고도 한다. 전(孨)이 시(尸) 아래에 있는 모습을 그렸다. 독음은 칠(七)과 련(連)의 반절이다.

9737

孴 : 孴: 성할 의: 子-총13획: nǐ

---

[227] 『단주』에서는 책(迮)은 여기서 착(笮)이 되어야 할 것인데, 착(笮)은 오늘날의 착(窄)자이다 고 했다.

原文

𣎴：盛皃. 从孨从曰. 讀若薿薿. 一曰若存. 𣎴, 籒文𣎴从二子. 一曰晵即奇字簪. 魚紀切.

飜譯

'무성한 모습(盛皃)'을 말한다. 전(孨)이 의미부이고 왈(曰)도 의미부이다. 의의(薿薿)라고 할 때의 의(薿)와 같이 읽는다. 일설에는 약존(若存)이라고도 한다.228) 의(𣎴)는 의(𣎴)의 주문체인데, 두 개의 자(子)로 구성되었다. 일설에는, 자(晵)는 자(簪)의 기자(奇字)라고도 한다. 독음은 어(魚)와 기(紀)의 반절이다.

---

228) 약존(若存)은 있는 것 같기도 하고 없는 것 같기도 하다는 뜻이다. 『노자』에서는 도의 속성을 설명하면서 "있는 듯 없는 듯 끝없이 이어지면서, 쓰고 또 써도 다 없어지지 않는 존재이다.(綿綿若存, 用之不勤.)"라고 했고, 또 약존약무(若存若亡, 있는 듯도 하고 없는 듯도 함)라는 말도 있다.

제528부수

528 ■ 돌(充)부수

9738

充: 充: 해산 때 아이 돌아 나올 돌: ム-총3획: tū

原文

充: 不順忽出也. 从到子.『易』曰: "突如其來如." 不孝子突出, 不容於內也. 凡充之屬皆从充. 𠫓, 或从到古文子, 即『易』突字. 他骨切.

飜譯

'[아이개] 거꾸로 갑자기 나오다(不順忽出)'라는 뜻이다. 자(子)의 거꾸로 된 모습이 의미부이다.『역·잡괘(雜卦)』(九四爻辭)에서 "갑작스레 왔구나(突如其來如)"라고 했다. 불효자(不孝子)가 갑자기 태어나, 어미의 몸에 받아들여지지 못함을 뜻한다. 돌(充)부수에 귀속된 글자들은 모두 돌(充)이 의미부이다. 돌(𠫓)은 혹체자인데, 자(子)가 거꾸로 된 모습이다. 이는『역』에서의 돌(突)자이다. 독음은 타(他)와 골(骨)의 반절이다.

9739

育: 育: 기를 육: 肉-총8획: yù

原文

育: 養子使作善也. 从充肉聲.『虞書』曰: "教育子." 毓, 育或从每. 余六切.

飜譯

'아이를 키워 훌륭하게 만들다(養子使作善)'라는 뜻이다. 돌(充)이 의미부이고 육(肉)이 소리부이다.229)『서·우서(虞書)』230)에서 "아이들을 가르치고 키우다(教育子)"라고 했다. 육(毓)은 육(育)의 혹체자인데, 매(每)로 구성되었다. 독음은 여(余)와 륙(六)의

제 14 권

반절이다.

9740

疏: 疏: 트일 소: ㄊ-총11획: shū

原文

疏: 通也. 从㕛从ㄊ, ㄊ亦聲. 所葅切.

譯譯

'통하게 하다(通)'라는 뜻이다. 돌(㕛)이 의미부이고 소(ㄊ)도 의미부인데, 소(ㄊ)는 소리부도 겸한다.[231] 독음은 소(所)와 저(葅)의 반절이다.

---

229) 고문자에서 甲骨文 金文 古陶文 등으로 그렸다. ㄊ(해산할 때 아이 돌아 나올 돌)이 의미부고 肉(고기 육)이 소리부로, 어미가 아이를 낳는 모습을 형상화한 毓(기를 육)의 줄임형인데, ㄊ은 큰 머리와 팔이 다 갖추어진 아이의 머리가 거꾸로 된 모습이고, 肉은 아이를 낳은 어미를 상징한다. 이로부터 아이를 낳아 기르다, 키우다, 양육하다 등의 뜻이 나왔다. 현대 중국에서는 毓(기를 육)의 간화자로도 쓰인다.

230) 「요전(堯典)」에 나오는 말이므로, 『서·당서(唐書)』가 되어야 옳다.

231) 고문자에서 簡牘文 등으로 그렸다. ㄊ(발 소)와 갓 낳은 아이의 모습을 그린 㐬(임신 때 아이가 위로 나올 돌)로 구성되어, 갓 낳은 아이(㐬)의 다리(ㄊ)가 벌려져 사이가 '성긴' 모습을 형상화했으며, 이로부터 성기다, 흩어지다, 듬성듬성하다, 소홀하다의 뜻이 나왔다. 사이가 트이면 소통할 수 있어지므로 疏通(소통)의 의미까지 나왔으며, 어려운 글자나 문장을 소통시키는 것이라는 뜻에서 '주석'의 의미도 나왔다. 이후 발음을 강조하기 위해 㐬 대신 소리부인 束(묶을 속)이 더해진 疎(트일 소)가 등장했다.

제529부수

529 ▪ 축(丑)부수

9741

丑: 丑: 소 축: 一-총4획: chǒu

原文

丑: 紐也. 十二月, 萬物動, 用事. 象手之形. 時加丑, 亦擧手時也. 凡丑之屬皆
從丑. 敕九切.

翻譯

'뉴(紐)와 같아 단단하게 맨 끈'을 뜻한다. 12월을 상징하는데, 이때가 되면 만물이
움직이기 시작하여 장차 농사일에 사용하게 된다(萬物動, 用事). 손(手)의 모습을 형
상했다. 하루에서 축시(丑時)는 손을 움직여 일을 할 때를 뜻한다.232) 축(丑)부수에
귀속된 글자들은 모두 축(丑)이 의미부이다. 독음은 칙(敕)과 구(九)의 반절이다.

9742

朑: 朒: 팔꿈치 뉴: 肉-총8획: niǔ

原文

朑: 食肉也. 从丑从肉. 女久切.

---

232) 고문자에서 𠬶 𠬻 甲骨文 金文 古陶文 丑 盟書
簡牘文 古璽文 石刻古文 등으로 그렸다. 갑골문에서는 손을 그렸는데,
손가락이 다소 굽은 모습이다. 학자들은 爪(손톱 조)나 手(손 수)의 고문으로 풀이하기도 한
다. 갑골문에서 이미 간지자로 쓰여 본래의 뜻을 상실했다. 12지지의 두 번째인 표는 '소'를
상징하며, 새벽 1시부터 3시까지를 지칭하기도 한다. 현대 중국에서는 醜(추할 추)의 간화자로
도 쓰인다.

譯

'고기를 먹다(食肉)'라는 뜻이다. 축(丑)이 의미부이고 육(肉)도 의미부이다. 독음은 녀(女)와 구(久)의 반절이다.

9743

羞 : 羞: 바칠 수: 羊−총11획: xiū

原文

羞 : 進獻也. 从羊, 羊, 所進也 ; 从丑, 丑亦聲. 息流切.

譯

'바치다, 드리다(進獻)'라는 뜻이다. 양(羊)이 의미부인데, 양(羊)은 바치는 대상을 말한다. 축(丑)도 의미부인데, 축(丑)은 소리부도 겸한다.[233] 독음은 식(息)과 류(流)의 반절이다.

---

233) 고문자에서 ![갑골문] 甲骨文 ![금문] 金文 ![간독문] 簡牘文 등으로 그렸다. 지금은 羊(양 양)이 의미부고 丑(소 축·사람 이름 추)이 소리부지만, 원래는 양고기(羊)를 들고(又·우) '바치는' 모습인데, 맛난 음식을 드릴 때 하는 겸양 치레에서 '부끄러워하다'는 뜻이 나왔다. 이후 又가 무엇인가를 손에 든 모습을 그린 丑으로 바뀌어 지금처럼 되었다.

제530부수
530 ▪ 인(寅)부수

9744

寅: 寅: 셋째 지지 인: 宀-총11획: yín

原文

寅: 髕也. 正月, 陽气動, 去黃泉, 欲上出, 陰尚彊, 象宀不達, 髕寅於下也. 凡
寅之屬皆从寅. 𡩟, 古文寅. 弋眞切.

飜譯

'빈(髕)과 같아, 배척하여 내치다'는 뜻이다. 정월을 상징하는데, 이때가 되면 양기가
움직여 황천(黃泉)으로부터 벗어나 위로 나오려고 한다. 그러나 음기가 아직 강해,
지붕으로 뒤덮인 집처럼 위에까지는 도달하지 못한 채 아래쪽에 내쳐진다는 뜻이
다.[234] 인(寅)부수에 귀속된 글자들은 모두 인(寅)이 의미부이다. 인(𡩟)은 인(寅)의
고문체이다. 독음은 익(弋)과 진(眞)의 반절이다.

제 14 권

---

234) 고문자에서 甲骨文 金文 古陶文
簡牘文 帛書 古璽文 등으로 그렸다. 자형에 대해서는 의견이 분분하다. 갑골문에
서는 화살(矢·시)을 그리거나 矢에 특정 표시를 위해 사용되는 표시인 네모(口)를 덧붙인 모습
을 하기도 하였고, 금문에서처럼 두 손을 그린 臼(절구 구)를 더해 화살(矢)을 잡은 모습을 그
렸다. 원래 뜻은 '화살'로 추정되나, 갑골문 당시에 이미 간지자로 쓰여, 의미의 변화 과정을
살피기가 어렵다.

제531부수

531 ■ 묘(卯)부수

9745

卯: 卯: 넷째 지지 묘: 卩－총5획: mǎo

原文

卯: 冒也. 二月, 萬物冒地而出. 象開門之形. 故二月爲天門. 凡卯之屬皆从卯. 非, 古文卯. 莫飽切.

飜譯

'묘(冒)와 같아, 무릅쓰다'라는 뜻이다. 2월을 상징하는데, 이때가 되면 만물이 모든 것을 무릅쓰고 땅을 비집고 올라온다. 마치 문이 열리는 듯한 모습을 형상하였다. 그래서 2월을 천문(天門)이라 부른다.[235] 묘(卯)부수에 귀속된 글자들은 모두 묘(卯)가 의미부이다. 묘(非)는 묘(卯)의 고문체이다. 독음은 막(莫)과 포(飽)의 반절이다.

---

[235] 고문자에서 ⟨卯⟩甲骨文 ⟨卯⟩金文 ⟨卯⟩ ⟨卯⟩ ⟨卯⟩古陶文 ⟨卯⟩盟書 ⟨卯⟩ ⟨卯⟩ ⟨卯⟩ ⟨卯⟩ ⟨卯⟩簡牘文 ⟨卯⟩ ⟨卯⟩古璽文 ⟨卯⟩ ⟨卯⟩ ⟨卯⟩石刻古文 등으로 그렸다. 卯는 희생물의 몸을 두 쪽으로 대칭되게 갈라 제사 지내던 방법을 말했는데 이후 간지자로 차용되었다. 그러자 원래 뜻은 칼로 자른다는 뜻에서 刀(칼 도)를 더하고 다시 칼이 쇠로 만들어졌다는 의미에서 金(쇠 금)을 더하여 劉(죽일 류)를 만들어 분화했다. 달리 夘, 邜 등으로 쓰기도 한다.

제532부수
532 ■ 진(辰)부수

9746

辰: 辰: 지지 진·별 신: 辰—총7획: chén

(原文)

辰: 震也. 三月, 陽气動, 靁電振, 民農時也. 物皆生, 从乙、匕, 象芒達; 厂,
聲也. 辰, 房星, 天時也. 从二, 二, 古文上字. 凡辰之屬皆从辰. 辰, 古文辰.
植鄰切.

(飜譯)

'진(震)과 같아, 진동하다'라는 뜻이다. 3월을 상징하는데, 이때가 되면 양기가 움직
이고, 번개와 천둥이 진동하는데, 백성들이 농사지을 시기라는 뜻이다. 만물이 모두
자라날 때이다. 을(乙)과 화(匕)가 의미부인데, 까끄라기가 자라 위에 도달한 모습을
그렸다. 엄(厂)은 소리부이다. 또 신(辰)은 [28수 중에서] 방성(房星)을 뜻하는데, 이는
하늘의 시간을 알려주는 별이다. 상(二)도 의미부인데, 상(二)은 상(上)의 고문체이
다.[236] 진(辰)부수에 귀속된 글자들은 모두 진(辰)이 의미부이다. 진(辰)은 진(辰)의
고문체이다. 독음은 식(植)과 린(鄰)의 반절이다.

9747

厤: 辱: 욕되게 할 욕: 辰—총10획: rǔ

(原文)

---

236) 흡수관을 내민 채 땅 위를 기어가는 '조개'를 그렸다. 하지만 이후 간지자의 이름으로 가차
되어 사용되자 원래의 뜻은 虫(벌레 충)을 더한 蜃(대합조개 신)으로 구분해 표현했다. 농기구
가 발달하기 전, 조개껍데기는 땅을 일구는 데 유용한 도구로 사용되었다.

辱: 恥也. 从寸在辰下. 失耕時, 於封畺上戮之也. 辰者, 農之時也. 故房星爲辰, 田候也. 而蜀切.

譯

'수치스럽다(恥)'라는 뜻이다. 촌(寸)이 진(辰) 아래쪽에 놓인 모습이다. 농사시기를 놓친 사람은 흙무더기 위에다 올려놓고 죽여 치욕을 안겨 준다는 뜻이다. 진(辰)은 농사 때를 뜻한다. 그래서 방성(房星)을 진성(辰星)이라 하기도 하는데, 농사의 때를 알려주는 별이다.237) 독음은 이(而)와 촉(蜀)의 반절이다.

---

237) 고문자에서 **𧆀 𨑮 𨑮**簡牘文 등으로 그렸다. 辰(지지 진·날 신)과 寸(마디 촌)으로 구성되어, 조개 칼(辰)을 손(寸)에 잡고 '김을 매는' 모습을 그렸다. 이로부터 그러한 일이 고되고 힘들어 '욕보다', 恥辱(치욕) 등의 뜻이 나왔으며, 자신을 낮추는 말로도 쓰였다. 그러자 원래 의미는 耒(쟁기 뢰)를 더한 耨(김맬 누)로 분화했다.

제533부수
533 ▪ 사(巳)부수

9748

𢀶: 巳: 여섯째 지지 사: 己-총3획: sì

(原文)

𢀶: 巳也. 四月, 陽气巳出, 陰气巳藏, 萬物見, 成文章, 故巳爲蛇, 象形. 凡巳之屬皆从巳. 詳里切.

(飜譯)

'이(巳)와 같아 이미'라는 뜻이다. 4월을 상징하는데, 이때가 되면, 양기가 이미 땅 밖으로 나오고, 음기는 이미 감추어지며, 만물이 나타나고, 아름다운 무늬와 화려한 색깔을 갖추게 된다. 그래서 사(巳)는 뱀(蛇)을 뜻한다. 상형이다.[238] 사(巳)부수에 귀속된 글자들은 모두 사(巳)가 의미부이다. 독음은 상(詳)과 리(里)의 반절이다.

9749

㠯: 㠯(以): 써 이: 己-총5획: yǐ

(原文)

㠯: 用也. 从反巳. 賈侍中說: 巳, 意巳實也. 象形. 羊止切.

(飜譯)

---

[238] 고문자에서 ʃʃ묘묘 甲骨文 ♀♀ι♀♀ 金文 ♀♀ 묘ν 古陶文 ひひひ 묘묘 簡牘文 ♀♀♀♀ 石刻古文 등으로 그렸다. 손과 발이 아직 형성되지 않은 태아의 모습을 그렸는데, 이후 간지자로 가차되었다. 그러자 원래 뜻은 사람의 몸을 그린 勹(쌀 포)를 더해 包(쌀 포)를 만들어 분화했다. 그러나 包가 싸다는 뜻으로 주로 쓰이자 원래의 뜻은 다시 肉(고기 육)을 더한 胞(태포 포)로 분화했다.

'쓰다(用)'라는 뜻이다. 사(巳)를 반대로 뒤집은 모습이다. 가시중(賈侍中)께서는 '사(巳)는 질경이의 씨(意巳實)를 말한다'라고 하셨다.[239] 상형이다.[240] 독음은 양(羊)과 지(止)의 반절이다.

---

239) 『단주』에서는 이를 '巳意巳實也'를 '己意巳實也'로 고치고 전혀 달리 해석했다. "각 판본에서는 사(巳)로 썼는데, 기(己)로 바로 잡는다. 기(己)는 나를 말한다(我也). 희(意)는 뜻(志)을 말한다. 그래서 '己意巳實'은 사람의 뜻이 확실해졌으므로 이를 다른 사람에게 시행하려고 하다(人意巳堅實見諸施行也)는 뜻이다. 사람의 뜻이 확실해지지 않은 즉 다른 사람에게 시행할 수가 없는 법이다(凡人意不實則不見諸施行). 나의 뜻이 확실해졌다면 스스로 실행할 수도 있고, 남을 시켜 실행할 수도 있다(吾意巳堅實則或自行之, 或用人行之.) 그래서 『춘추전(春秋傳)』에서 좌지우지할 수 있는 것(能左右之)을 이(以)라고 한다고 했다."

240) 고문자에서 ⟨甲骨文⟩ ⟨金文⟩ ⟨盟書⟩ ⟨帛書⟩ ⟨簡牘文⟩ ⟨石刻古文⟩ 등으로 그렸다. 자원에 대해서는 의견이 분분하지만, 갑골문에서 쟁기(耜·사) 같이 땅 파는 농기구를 그린 것으로 보는 것이 일반적이다. 갑골문 당시 이미 방법이나 이유를 나타내는 문법소로 쓰였기 때문에 본래 뜻을 확정하기 어렵다. 혹자는 人(사람 인)이 의미부이고 巳(써 이)가 소리부인 형성구조로 보기도 한다.

제534부수
534 ■ 오(午)부수

9750

午： 午: 일곱째 지지 오: 十–총4획: wǔ

原文

午： 啎也. 五月, 陰气午逆陽. 冒地而出. 此予矢同意. 凡午之屬皆从午. 疑古切.

飜譯

'오(啎)와 같아 거스르다(啎)'라는 뜻이다. 5월을 상징하는데, 이때가 되면 음기가 양기를 거슬러 땅을 박차고 올라온다. 이 글자는 베틀의 북(予)이나 화살(矢)처럼 꿰뚫고 나가도록 뾰족하게 된 모습이다.[241][242] 오(午)부수에 귀속된 글자들은 모두 오(午)가 의미부이다. 독음은 의(疑)와 고(古)의 반절이다.

9751

啎： 啎: 만날 오: 口–총11획: wǔ

---

241) 여(予)를 서개의 『계전』과 『단주』 등에서는 여(與)로 보아 연결사로 해석했으나, 여(予)가 베틀의 북을 그려, 잘 왔다 갔다 할 수 있도록 앞이 뾰족하게 되었으므로 허신의 해석에 부합한다. 따라서 굳이 연결사로 해석할 필요는 없어 보인다. 또 『단주』에서는 "화살(矢)의 끝이 오(午)와 비슷하게 생겼다. 이들 모두 뚫고 나오는 모습을 그렸다."라고 했다. 소전체의 자형에 근거한 해설이지만 참고할만 하다.

242) 고문자에서 甲骨文 金文 盟書 簡牘文 古璽文 石刻古文 등으로 그렸다. 갑골문에서 절굿공이의 모습을 그렸는데, 이후 간지자로 가차되어 12지지 중의 7번째를, 또 午가 상징하는 11시-13시 사이의 시간대, 남쪽, 말(馬·마) 등을 지칭하게 되었다. 그러자 원래의 절굿공이를 뜻할 때에는 다시 木을 더하여 杵(공이 저)로 분화했다.

原文

啎: 逆也. 从午吾聲. 五故切.

譯

'거스르다(逆)'라는 뜻이다. 오(午)가 의미부이고 오(吾)가 소리부이다. 독음은 오(五)
와 고(故)의 반절이다.

제535부수

535 ■ 미(未)부수

9752

米: 未: 아닐 미: 木-총5획: wèi

原文

米: 味也. 六月, 滋味也. 五行, 木老於未. 象木重枝葉也. 凡未之屬皆从未. 無沸切.

飜譯

'미(味)와 같아 맛을 느끼다'라는 뜻이다. 6월을 상징하는데, 이때가 되면, 만물이 성장하여 맛을 느끼게 된다(滋味). 오행에서 목(木)은 미(未)에 해당하는 날에 시들게된다. 이 글자는 나무에 나뭇잎이 중첩되어 달린 모습이다.[243] 미(未)부수에 귀속된글자들은 모두 미(未)가 의미부이다. 독음은 무(無)와 비(沸)의 반절이다.

제 14 권

---

[243] 고문자에서 ※※※※甲骨文 ※ ※※※金文 ※※※※※古陶文 ※※※※※※簡牘文 ※帛書 ※古璽文 등으로 그렸다. 木(나무 목)에 가지가 하나더해진 형상으로, 나무(木)의 가지와 잎이 무성함을 말했다. 무성하게 자란 나무는 햇빛을 가리므로 '어둡다'는 뜻을 갖게 되었는데, 이후 간지자로 가차되었고, 또 '아니다'는 부정사로 쓰이게 되면서 원래 뜻은 상실했다. 그러자 원래 뜻은 日(날 일)을 더한 昧(새벽 매)로 분화했다.

제536부수
536 ▪ 신(申)부수

9753

𤳊 : 申: 아홉째 지지 신: 田-총5획: shēn

原文

𤳊 : 神也. 七月, 陰气成, 體自申束. 从臼, 自持也. 吏臣餔時聽事, 申旦政也. 凡申之屬皆从申. ⃝, 古文申. 𦥔, 籒文申. 失人切.

譯

'신(神)과 같아 신성스럽다'라는 뜻이다. 7월을 상징하는데, 이때가 되면 음기가 자라나고, 몸체는 스스로 뻗거나 수그러든다(體自申束). [두 손을 그린] 구(臼)가 의미부인데, 스스로를 쥐고 있는 모습이다. 관리들(吏臣)244)은 신시에 식사를 하고 정무를 돌보는데, 이는 아침에 반포한 정사를 자세히 밝히기 위함이다.245) 신(申)부수에 귀속된 글자들은 모두 신(申)이 의미부이다. 신(⃝)은 신(申)의 고문체이다. 신(𦥔)은 신(申)의 주문체이다. 독음은 실(失)과 인(人)의 반절이다.

9754

𣊨 : 𣊨: 소리치며 풍류끄는 소리 인: 日-총14획: yìn

原文

---

244) 『단주』에서는 '臣'을 '以'로 고쳤다.

245) 고문자에서 甲骨文 金文 𤳊 𤳊 古陶文 𤳊 𤳊 簡牘文 𤳊 𦥔 古璽文 石刻古文 등으로 그렸다. 갑골문에서 번개가 번쩍번쩍 치는 모습을 형상했으며, '번개'가 원래 뜻이다. 이후 번개(申)가 뻗어나가듯 몸을 쭉 '펴다'는 뜻도 나왔고 속에 있는 말을 꺼내어 진술하다는 뜻도 생겼는데, 이때는 人(사람 인)을 더한 伸(펼 신)으로 분화하기도 했다. 그러나 이후 간지 이름으로 쓰여 아홉째 지지를 나타내는데 주로 쓰이자, 원래 뜻은 雨(비 우)를 더하여 電(번개 전)으로 분화하였다.

軸: 擊小鼓, 引樂聲也. 从申束聲. 羊晉切.

翻譯

'작은 북을 울려 여러 악기의 소리를 이끌다(擊小鼓, 引樂聲)'라는 뜻이다. 신(申)이 의미부이고 간(束)이 소리부이다. 독음은 양(羊)과 진(晉)의 반절이다.

9755

曳: 臾: 잠깐 유: 臼-총6획: yú

原文

臾: 束縛捽抴爲臾. 从申从乙. 羊朱切.

翻譯

'결박할 때 머리채를 땅에까지 늘어지도록 묶는 것(束縛捽抴)을 유(臾)라고 한다.' 신(申)이 의미부이고 을(乙)도 의미부이다.[246) 독음은 양(羊)과 주(朱)의 반절이다.

9756

曳: 曳: 끌 예: 臼-총6획: yè

原文

曳: 臾曳也. 从申丿聲. 余制切.

翻譯

'묶어서 끌어당기다(臾曳)'라는 뜻이다. 신(申)이 의미부이고 별(丿)이 소리부이다.[247) 독음은 여(余)와 제(制)의 반절이다.

제
14
권

---

246) 고문자에서 ㅇㅇ ㅇㅇ 金文 등으로 그렸다. 人(사람 인)이 의미부이고 臼(절구 구)가 소리부로, 사람(人)의 머리채를 두 손으로 집어(臼) 끄는 모습을 그렸고, 이로부터 종용하다는 뜻이 나왔다. 『설문해자』에서는 申(아홉째 지지 신)과 乙(새 을)로 구성되었다고 했는데, 자형이 변해 지금처럼 되었다. 이후 須臾(수유)에서처럼 매우 짧은 시간이라는 의미로 가차되었다.

247) 소전체에서 申(아홉째 지지 신)과 丿(삐침 별)로 구성되었는데, 丿은 줄로 끄는 모습을 상징한다. 그래서 曳는 줄(丿)로 길게(申) '끌다'는 뜻을 담았다.

제537부수
537 ▪ 유(酉)부수

9757

酉: 酉: 닭 유: 酉-총7획: yǒu

(原文)

酉: 就也. 八月黍成, 可爲酎酒. 象古文酉之形. 凡酉之屬皆从酉. 丣, 古文酉.
从卯, 卯爲春門, 萬物已出. 酉爲秋門, 萬物已入. 一, 閉門象也. 與久切.

(飜譯)

'나아가다(就)'라는 뜻이다. 8월을 상징하는데, 이때가 되면 기장이 익고, 진한 술을
빚을 수 있게 된다. 고문에서의 유(酉)자를 닮았다.[248] 유(酉)부수에 귀속된 글자들
은 모두 유(酉)가 의미부이다. 유(丣)는 유(酉)의 고문체인데, 묘(卯)로 구성되었다.
묘(卯)는 봄의 문을 상징하며, 이때는 만물이 이미 모습을 드러낸다. 유(酉)는 가을
의 문을 상징하며, 이때는 만물이 이미 들어갔을 때이다. 가로획[一]은 문을 닫은 모
습이다. 독음은 여(與)와 구(久)의 반절이다.

9758

酒: 酒: 술 주: 酉-총10획: jiǔ

(原文)

---

248) 고문자에서 甲骨文 金文 古陶文 簡牘文 古璽文 등으로 그렸다. 원래 배가 볼록하고 목이 잘록하며 끝이 뾰족한 술독을
그렸는데, 자형이 변해 지금처럼 되었다. 뾰족한 끝은 황하 유역을 살았던 고대 중국인들이
모래 진흙으로 된 바닥에 꽂아두기 좋게 하였기 때문이다. 그래서 '술독'이 원래 의미이나, 이
후 간지자로 가차되었고, 열 두 띠의 하나인 '닭'을 뜻하게 되었다.

酒: 就也, 所以就人性之善惡. 从水从酉, 酉亦聲. 一曰造也, 吉凶所造也. 古者儀狄作酒醪, 禹嘗之而美, 遂疏儀狄. 杜康作秫酒. 子酉切.

飜譯

'취(就)와 같아서 나아가다'는 뜻인데, 인성의 선악을 드러나게 하는 것을 말한다. 수(水)가 의미부이고 유(酉)도 의미부인데, 유(酉)는 소리부도 겸한다. 일설에는 '만들다(造)는 뜻인데, 길흉이 만들어지는 바이다'라고도 한다. 옛날 의적(儀狄)이 술을 만들었는데, 우(禹)가 일찍이 이를 마셔보고 찬미하였으며, 이 때문에 의적(儀狄)을 멀리하게 되었다. 또 두강(杜康)이 차조로 술을 만들었다.[249] 독음은 자(子)와 유(酉)의 반절이다.

9759

醭: 醭: 누룩 뜰 몽: 酉-총17획: méng

原文

醭: 籬生衣也. 从酉冡聲. 莫紅切.

飜譯

'누룩에 핀 곰팡이(籬生衣)'를 말한다. 유(酉)가 의미부이고 몽(冡)이 소리부이다. 독음은 막(莫)과 홍(紅)의 반절이다.

9760

醂: 醂: 탐하고 즐길 심·누룩 임: 酉-총16획: cén, chè, shè, yín

原文

醂: 孰籬也. 从酉甚聲. 余箴切.

---

249) 고문자에서 ![갑골문] 甲骨文 ![금문] 金文 ![고도문] 古陶文 ![간독문] 簡牘文 ![석각고문] 石刻古文 등으로 그렸다. 水(물 수)가 의미부고 酉(닭 유)가 소리부로, 술독(酉)에 담긴 액체(水)라는 이미지를 통해 '술'을 그렸고, 이로부터 술, 술을 마시다, 술자리 등의 뜻이 나왔다.

'익은 누룩(孰麴)'을 말한다. 유(酉)가 의미부이고 심(甚)이 소리부이다. 독음은 여(余)와 잠(箴)의 반절이다.

9761

釀: 釀: 빚을 양: 酉-총24획: niàng

原文

釀: 醞也. 作酒曰釀. 从酉襄聲. 女亮切.

'술을 빚다(醞)'라는 뜻이다. 술을 만드는 것을 양(釀)이라고 한다. 유(酉)가 의미부이고 양(襄)이 소리부이다.[250] 독음은 녀(女)와 량(亮)의 반절이다.

9762

醞: 醞: 빚을 온: 酉-총17획: yùn

原文

醞: 釀也. 从酉昷聲. 於問切.

'술을 빚다(釀)'라는 뜻이다. 유(酉)가 의미부이고 온(昷)이 소리부이다. 독음은 어(於)와 문(問)의 반절이다.

9763

畨: 畨: 술 빨리 익을 반: 酉-총12획: fàn

---

250) 酉(닭 유)가 의미부고 襄(도울 양)이 소리부로, 지게미를 걸어내고(襄) 걸러서 술(酉)을 만드는 것을 말하며, 이후 그 비슷한 방법 때문에 간장이나 된장 등을 만드는 것도 지칭하게 되었다. 간화자에서는 소리부 襄을 良(좋을 량)으로 바꾼 酿으로 쓴다.

原文

醹: 酒疾孰也. 从酉弁聲. 芳萬切.

繙譯

'술이 빨리 익다(酒疾孰)'라는 뜻이다. 유(酉)가 의미부이고 변(弁)이 소리부이다. 독음은 방(芳)과 만(萬)의 반절이다.

9764

酴: 酴: 술밑 도: 酉-총14획: tú

原文

酴: 酒母也. 从酉余聲. 讀若廬. 同都切.

繙譯

'주모(酒母) 즉 술밑'을 말한다. 유(酉)가 의미부이고 여(余)가 소리부이다. 려(廬)와 같이 읽는다. 독음은 동(同)과 도(都)의 반절이다.

9765

釃: 釃: 거를 시: 酉-총26획: xǐ

原文

釃: 下酒也. 一曰醇也. 从酉麗聲. 所綺切.

繙譯

'술을 거르다(下酒)'라는 뜻이다. 일설에는 '진한 술(醇)'을 말한다고도 한다. 유(酉)가 의미부이고 려(麗)가 소리부이다. 독음은 소(所)와 기(綺)의 반절이다.

9766

醞: 醞: 술을 거를 견: 酉-총14획: juān

原文

醖: 醖酒也. 从酉昌聲. 古玄切.

飜譯

'술을 거르다(醖酒)'라는 뜻이다. 유(酉)가 의미부이고 연(昌)이 소리부이다. 독음은 고(古)와 현(玄)의 반절이다.

9767

醨: 醨: 술 거를 견: 酉-총17획: lì

原文

醨: 醖也. 从酉鬲聲. 郞擊切.

飜譯

'술을 거르다(醖)'라는 뜻이다. 유(酉)가 의미부이고 격(鬲)이 소리부이다. 독음은 랑(郞)과 격(擊)의 반절이다.

9768

醴: 醴: 단술 례: 酉-총20획: lǐ

原文

醴: 酒一宿孰也. 从酉豊聲. 盧啟切.

飜譯

'하루 밤 만에 익힌 술(酒一宿孰)'을 말한다. 유(酉)가 의미부이고 례(豊)가 소리부이다.251) 독음은 로(盧)와 계(啟)의 반절이다.

---

251) 고문자에서 ... 金文 ... 簡牘文 등으로 그렸다. 水(물 수)가 의미부이고 豊(예도·절·인사 례)가 소리부로, 제사 등 의식(豊·예, 禮의 본래 글자) 때 쓰는 감미로운 술(酉)을 말한다. 감미로운 술이라는 뜻에서 '단술'도 지칭하게 되었다.

9769

醪: 醪: 막걸리 료: 酉-총18획: láo

原文

醪: 汁滓酒也. 从酉翏聲. 魯刀切.

飜譯

'즙과 찌꺼기가 함께 섞인 술(汁滓酒)'을 말한다. 유(酉)가 의미부이고 료(翏)가 소리부이다. 독음은 로(魯)와 도(刀)의 반절이다.

9770

醇: 醇: 진한 술 순: 酉-총15획: chún

原文

醇: 不澆酒也. 从酉𦣞聲. 常倫切.

飜譯

'물을 섞지 않은 진한 술(不澆酒)'을 말한다. 유(酉)가 의미부이고 순(𦣞)이 소리부이다. 독음은 상(常)과 륜(倫)의 반절이다.

9771

醹: 醹: 진한 술 유: 酉-총21획: rǔ

原文

醹: 厚酒也. 从酉需聲. 『詩』曰 : "酒醴惟醹." 而主切.

飜譯

'농도가 진한 술(厚酒)'을 말한다. 유(酉)가 의미부이고 수(需)가 소리부이다. 『시·대아행위(行葦)』에서 "단술 전국술 내어 놓네(酒醴惟醹)"라고 노래했다. 독음은 이(而)와 주(主)의 반절이다.

9772

酎: 酎: 진한 술 주: 酉-총10획: zhòu

原文

酎: 三重醇酒也. 从酉, 从時省.『明堂月令』曰：“孟秋, 天子飮酎.” 除柳切.

飜譯

‘세 번을 거듭 거른 진한 술(三重醇酒)’을 말한다. 유(酉)가 의미부이고, 시(時)의 생략된 모습도 의미부이다.『예기·명당(明堂)·월령(月令)』에서 “초가을이 되면 천자는 세 번 거른 진한 술을 마신다(孟秋, 天子飮酎)”라고 했다.252) 독음은 제(除)와 류(柳)의 반절이다.

9773

醠: 醠: 탁주 앙: 酉-총17획: àng

原文

醠: 濁酒也. 从酉盎聲. 烏浪切.

飜譯

‘탁주(濁酒)’를 말한다. 유(酉)가 의미부이고 앙(盎)이 소리부이다. 독음은 오(烏)와 랑(浪)의 반절이다.

9774

醲: 醲: 진한 술 농: 酉-총20획: nóng

原文

醲: 厚酒也. 从酉農聲. 女容切.

---

252)『단주』에서 이렇게 말했다. “추(秋)는 하(夏)가 되어야 한다. ‘天子飮酎’는『예기·월령(月令)』맹하(孟夏)에 나오는 글이다. ‘諸侯嘗酎’라는 말은『좌전(左傳)』에 보인다.”

飜譯

'농도가 진한 술(厚酒)'을 말한다. 유(酉)가 의미부이고 농(農)이 소리부이다. 독음은 녀(女)와 용(容)의 반절이다.

9775

醲: 醲: 술 용: 酉-총17획: róng

原文

醲: 酒也. 从酉茸聲. 而容切.

飜譯

'술(酒)'을 말한다. 유(酉)가 의미부이고 용(茸)이 소리부이다. 독음은 이(而)와 용(容)의 반절이다.

9776

酤: 酤: 계명주 고: 酉-총12획: gū

原文

酤: 一宿酒也. 一曰買酒也. 从酉古聲. 古乎切.

飜譯

'하루 만에 익힌 술(一宿酒)'을 말한다.[253] 일설에는 '술을 사다(買酒)'는 뜻이라고도 한다. 유(酉)가 의미부이고 고(古)가 소리부이다. 독음은 고(古)와 호(乎)의 반절이다.

9777

醬: 醬: 술 지: 酉-총18획: zhī

原文

---

[253] 계명주(鷄鳴酒)라고도 하는데, 찐 차좁쌀로 담가서 그다음 날 닭이 우는 새벽녘에 먹을 수 있도록 빚는 술을 말한다.

醨: 酒也. 从酉, 㦰省. 陟离切.

譯

'술(酒)'을 말한다. 유(酉)와 지(㦰)의 생략된 모습이 의미부이다. 독음은 척(陟)과 리(离)의 반절이다.

9778

醞: 醞: 잔 띄울 람: 酉-총21획: làn

原文

醞: 泛齊, 行酒也. 从酉監聲. 盧瞰切.

譯

'찌꺼기가 둥둥 떠다니는 술(泛齊)'을 말하며, 진한 좋은 술은 아니다(行酒). 유(酉)가 의미부이고 감(監)이 소리부이다. 독음은 로(盧)와 감(瞰)의 반절이다.

9779

醰: 醰: 술맛이 진할 감·담: 酉-총24획: gǎn

原文

醰: 酒味淫也. 从酉, 贛省聲. 讀若『春秋傳』曰"美而艶". 古禫切.

譯

'술맛이 깊다(酒味淫)'라는 뜻이다. 유(酉)가 의미부이고, 감(贛)의 생략된 모습이 소리부이다. 『춘추전』(『좌전』 문공 16년, B.C. 611)에서 말한 "아름답고도 요염하도다(美而艶)"라고 할 때의 염(艶)과 같이 읽는다. 독음은 고(古)와 담(禫)의 반절이다.

9780

酷: 酷: 독할 혹: 酉-총14획: kù

原文

醋: 酒厚味也. 从酉告聲. 苦沃切.

飜譯

'술의 맛이 진하다(酒厚味)'라는 뜻이다. 유(酉)가 의미부이고 고(告)가 소리부이다.254) 독음은 고(苦)와 옥(沃)의 반절이다.

9781

醰: 醰: 술맛 좋을 담: 酉-총19획: dàn

原文

醰: 酒味苦也. 从酉覃聲. 徒紺切.

飜譯

'술의 맛이 쓰다(酒味苦)'라는 뜻이다. 유(酉)가 의미부이고 담(覃)이 소리부이다. 독음은 도(徒)와 감(紺)의 반절이다.

9782

酺: 酺: 술기운 발: 酉-총11획: pò

原文

酺: 酒色也. 从酉市聲. 普活切.

飜譯

'술의 색깔(酒色)'을 말한다. 유(酉)가 의미부이고 시(市)가 소리부이다. 독음은 보(普)와 활(活)의 반절이다.

---

254) 고문자에서 古陶文 簡牘文 등으로 그렸다. 酉(닭 유)가 의미부고 告(알릴 고)가 소리부로, 맛이 진한 술(酉)을 말하는데, 신에게 기도하며(告) 제사지낼 때 올리는 오래된 독한 술(酉)이라는 뜻을 담았다. 이로부터 정도가 매우 심함을 나타내기도 하고, 酷毒(혹독)함의 뜻도 나왔다. 현대 중국어에서는 '쿨하다'는 의미를 나타내는 영어 'cool'의 대역어로도 쓰인다.

9783

酨: 配: 아내 배: 酉-총10획: pèi

原文

酨: 酒色也. 从酉己聲. 滂佩切.

飜譯

'술의 색깔(酒色)'을 말한다. 유(酉)가 의미부이고 기(己)가 소리부이다.[255] 독음은 방(滂)과 패(佩)의 반절이다.

9784

酨: 酨: 술의 빛깔 익·달 대: 酉-총10획: yì

原文

酨: 酒色也. 从酉弋聲. 與職切.

飜譯

'술의 색깔(酒色)'을 말한다. 유(酉)가 의미부이고 익(弋)이 소리부이다. 독음은 여(與)와 직(職)의 반절이다.

9785

醆: 醆: 술잔 잔: 酉-총15획: zhǎn

---

255) 고문자에서 (甲骨文) (金文) 등으로 그렸다. 酉(닭 유)가 의미부고 己(몸 기)가 소리부인 구조인데, 갑골문에서는 술독(酉)을 마주하고 앉은 사람(卩)의 모습을 그렸는데, 제사의 종류에 맞추어 술을 올리는 모습을 형상한 것으로 추정된다. 소전체에서부터 지금의 자형으로 변했는데, 『설문해자』에서 "술(酉)의 색깔을 말한다"라고 한 것으로 보아, 색깔에 맞는 술을 드리기 위한 모습으로 보인다. 알맞은 술을 配合(배합)하다는 뜻에서부터 配匹(배필)의 의미가 나왔으며, 한 사람의 배필이라는 뜻에서 '아내'의 뜻이, 다시 부족한 부분을 메우다, 적당한 표준으로 조화롭게 만들다는 뜻이 나왔다.

醆: 爵也. 一曰酒濁而微清也. 从酉戔聲. 阻限切.

翻譯

'발이 셋 달린 술잔(爵)'을 말한다. 일설에는 '탁해 맑은 기가 적은 술(酒濁而微清)'을 말한다고도 한다. 유(酉)가 의미부이고 잔(戔)이 소리부이다. 독음은 조(阻)와 한(限)의 반절이다.

9786

酌: 酌: 따를 작: 酉-총10획: zhuó

原文

酌: 盛酒行觴也. 从酉勺聲. 之若切.

翻譯

'술을 가득 따라 잔을 권하다(盛酒行觴)'라는 뜻이다. 유(酉)가 의미부이고 작(勺)이 소리부이다.256) 독음은 지(之)와 약(若)의 반절이다.

9787

醮: 醮: 초례 초: 酉-총19획: jiào

原文

醮: 冠娶禮. 祭. 从酉焦聲. 禚, 醮或从示. 子肖切.

翻譯

'관례나 혼례를 행할 때 마시는 술(冠娶禮)'을 말하며, 제사를 드리다(祭)는 뜻이다.257) 유(酉)가 의미부이고 초(焦)가 소리부이다. 초(禚)는 초(醮)의 혹체자인데, 시

---

256) 고문자에서 🖼金文 등으로 그렸다. 酉(닭 유)가 의미부고 勺(구기 작)이 소리부로, 국자(勺)로 술(酉)을 떠서 술잔에 따르는 행위를 말하며, 이로부터 술, 술잔치, 술을 마시다, 선택하다 등의 뜻이 나왔다.

257) '冠娶禮, 祭.'에 대해 다양한 끊어 읽기(구두)가 가능하다. 본문과 달리 『단주』에서는 "冠娶

(示)로 구성되었다. 독음은 자(子)와 초(肖)의 반절이다.

9788

醋: 醋: 달 잠: 酉-총19획: jǐn

原文

醋: 歃酒也. 从酉朁聲. 子朕切.

飜譯

‘술을 들이 마시다(歃酒)’라는 뜻이다. 유(酉)가 의미부이고 잠(朁)이 소리부이다. 독음은 자(子)와 짐(朕)의 반절이다.

9789

酳: 酳: 조금씩 마실 인: 酉-총11획: yìn

原文

酳: 少少歃也. 从酉勻聲. 余刃切.

飜譯

‘술을 조금씩 들이 마시다(少少歃)’라는 뜻이다. 유(酉)가 의미부이고 균(勻)이 소리부이다. 독음은 여(余)와 인(刃)의 반절이다.

9790

醻: 醻: 잔 돌릴 수: 酉-총21획: chóu

原文

醻: 主人進客也. 从酉壽聲. 酬, 醻或从州. 市流切.

禮祭也”가 되어야 한다고 했다. 그렇게 되면 ‘관례나 혼례에서 부모나 어른이 당사자에게 술을 따라 주는 의식을 말한다.’로 해석된다.

飜譯

'주인이 손님에게 잔을 주다(主人進客)'라는 뜻이다. 유(酉)가 의미부이고 주(冑)가 소리부이다. 수(醻)는 수(醻)의 혹체자인데, 주(州)로 구성되었다. 독음은 시(市)와 류(流)의 반절이다.

9791

醋: 醋: 초 초·술 권할 작: 酉-총15획: cù

原文

醋: 客酌主人也. 从酉昔聲. 在各切.

飜譯

'주인이 손님에게 술을 권하다(客酌主人)'라는 뜻이다. 유(酉)가 의미부이고 석(昔)이 소리부이다.258) 독음은 재(在)와 각(各)의 반절이다.

9792

醯: 醯: 탁주 밀: 酉-총17획: mì, míng, mò, rú

原文

醯: 歙酒俱盡也. 从酉盜聲. 迷必切.

飜譯

'있는 술을 모두 다 마셔버리다(歙酒俱盡)'라는 뜻이다. 유(酉)가 의미부이고 밀(盜)이 소리부이다. 독음은 미(迷)와 필(必)의 반절이다.

9793

醮: 醮: 다 들이켤 조: 酉-총25획: jiào

---

258) 酉(닭 유)가 의미부고 昔(옛 석)이 소리부로, 식초를 말하는데, 술(酉)이 오래되어(昔) 만들어지는 것임을 반영했다. 이후 신맛을 뜻하게 되었고, 질투의 비유로 쓰이게 되었다.

原文

醮: 飮酒盡也. 从酉, 嚼省聲. 子肖切.

飜譯

'있는 술을 다 마셔버리다(飮酒盡)'라는 뜻이다. 유(酉)가 의미부이고, 작(嚼)의 생략된 모습이 소리부이다. 독음은 자(子)와 초(肖)의 반절이다.

9794

酣: 酣: 즐길 감: 酉-총12획: hān

原文

酣: 酒樂也. 从酉从甘, 甘亦聲. 胡甘切.

飜譯

'술을 마셔 즐겁다(酒樂)'라는 뜻이다. 유(酉)가 의미부이고 감(甘)도 의미부인데, 감(甘)은 소리부도 겸한다. 독음은 호(胡)와 감(甘)의 반절이다.

9795

酖: 酖: 짐새 짐·술에 빠질 탐: 酉-총11획: dān

原文

酖: 樂酒也. 从酉尤聲. 丁舍切.

飜譯

'술을 마셔 즐겁다(酒樂)'라는 뜻이다. 유(酉)가 의미부이고 유(尤)가 소리부이다. 독음은 정(丁)과 함(舍)의 반절이다.

9796

醧: 醧: 사사로이 잔치할 어: 酉-총18획: ōu, òu

原文

醜: 私宴歠也. 从酉區聲. 依倨切.

飜譯

'사적인 연회를 베풀다(私宴歠)'라는 뜻이다. 유(酉)가 의미부이고 구(區)가 소리부이다. 독음은 의(依)와 기(倨)의 반절이다.

9797

醵: 醵: 추렴할 거·술잔치 갹: 酉-총20획: jù

原文

醵: 會歠酒也. 从酉豦聲. 歫, 醵或从巨. 其虐切.

飜譯

'비용을 추렴하여 마시는 술(會歠酒)'을 말한다. 유(酉)가 의미부이고 거(豦)가 소리부이다.[259] 거(歫)는 거(醵)의 혹체자인데, 거(巨)로 구성되었다. 독음은 기(其)와 학(虐)의 반절이다.

9798

醩: 醩: 연회 포: 酉-총14획: pú

原文

醩: 王德布, 大歠酒也. 从酉甫聲. 薄乎切.

飜譯

'왕이 덕을 베풀어 온 백성이 다함께 술을 마시다(王德布, 大歠酒)'라는 뜻이다. 유(酉)가 의미부이고 보(甫)가 소리부이다. 독음은 박(薄)과 호(乎)의 반절이다.

---

259) 酉(닭 유)가 의미부이고 豦(원숭이 거)가 소리부로, 모임이나 놀이나 잔치 따위의 비용으로 여럿이 각각 얼마씩의 돈을 내어 거두는 것을 말하는데, 원래 술(酉)을 거둔 데서 유래해 酉가 의미부로 채택되었다. 술잔치를 뜻할 때에는 '갹'으로 구분해 읽어야 하지만, 국어에서는 醵出을 '거출'과 '갹출'로 같이 읽고 있다.

9799

醅: 醅: 거르지 않은 술 배: 酉-총15획: pēi

原文

醅: 醉飽也. 从酉音聲. 匹回切.

飜譯

'취하고 배불리 먹다(醉飽)'라는 뜻이다. 유(酉)가 의미부이고 부(音)가 소리부이다. 독음은 필(匹)과 회(回)의 반절이다.

9800

醉: 醉: 취할 취: 酉-총15획: zuì

原文

醉: 卒也. 卒其度量, 不至於亂也. 一曰潰也. 从酉从卒. 將遂切.

飜譯

'취하다(卒)'라는 뜻이다. 자신의 주량이 다하도록 마셨지만 정신은 잃지 않음을 말한다. 일설에는 '술에 취해 술주정을 부리다(潰)'라는 뜻이라고도 한다. 유(酉)가 의미부이고 졸(卒)도 의미부이다.[260] 독음은 장(將)과 수(遂)의 반절이다.

9801

醺: 醺: 취할 훈: 酉-총21획: xūn

原文

醺: 醉也. 从酉熏聲. 『詩』曰: "公尸來燕醺醺." 許云切.

---

260) 酉(닭 유)가 의미부고 卒(군사 졸)이 소리부로, (술에) 취하다는 뜻인데, 술(酉) 마시는 것의 마지막(卒) 단계가 '취함'임을 말해준다.

飜譯

'취하다(醉)'라는 뜻이다. 유(酉)가 의미부이고 훈(熏)이 소리부이다. 『시·대아부예(鳧鷖)』에서 "임금님의 시동 와서 쉬며 기뻐하게 해 드리네(公尸來燕醺醺)"라고 노래했다. 독음은 허(許)와 운(云)의 반절이다.

9802

醹: 醹: 주정할 영: 酉-총17획: yíng

原文

醹: 酗也. 从酉, 熒省聲. 爲命切.

飜譯

'술주정을 부리다(酗)'라는 뜻이다. 유(酉)가 의미부이고, 형(熒)의 생략된 모습이 소리부이다. 독음은 위(爲)와 명(命)의 반절이다.

9803

酌: 酌: 술에 빠질 후: 長-총12획: xù, yì

原文

酌: 醉醟也. 从酉句聲. 香遇切.

飜譯

'취해서 술주정을 부리다(醉醟)'라는 뜻이다. 유(酉)가 의미부이고 구(句)가 소리부이다. 독음은 향(香)과 우(遇)의 반절이다.

9804

醒: 醒: 숙취 정: 酉-총14획: chéng

原文

醒: 病酒也. 一曰醉而覺也. 从酉呈聲. 直貞切.

제 14 권

飜譯

'술 중독에 걸리다(病酒)'라는 뜻이다. 일설에는 '취해도 정신은 멀쩡함(醉而覺)'을 말한다고도 한다. 유(酉)가 의미부이고 정(呈)이 소리부이다. 독음은 직(直)과 정(貞)의 반절이다.

9805

醫: 醫: 의원 의: 酉-총18획: yī

原文

醫: 治病工也. 殹, 惡姿也; 醫之性然. 得酒而使, 从酉. 王育說. 一曰殹, 病聲. 酒所以治病也. 『周禮』有醫酒. 古者巫彭初作醫. 於其切.

飜譯

'병을 다스리는 기술자(治病工)'를 말한다. 예(殹)는 '보통 사람과는 다른 나쁜 상태(惡姿)'를 말하는데, 의사의 속성이 그러하다.[261] 술(酒)을 치료의 보조재로 사용하기에 유(酉)가 의미부가 되었다.[262] 왕육(王育)의 학설이다. 일설에는 '예(殹)는 병이 들어 앓는 소리(病聲)'를 말한다고도 한다. 술(酒)은 병을 치료하는 약이다. 『주례·천관주정(酒正)』에 약으로 쓰는 술(醫酒)이 나온다. 먼 옛날, 무팽(巫彭)이 처음으로 의료 행위를 했다고 한다.[263] 독음은 어(於)와 기(其)의 반절이다.

---

261) 왕균의 『설문구두』에서는 "작은 도리에 정통한 자들은 성정이 괴팍하고 어그러진 경우가 많다."라고 하였는데 의사라는 기술자에 대한 전통적인 폄하 의식이 반영된 것으로 보았다.

262) 고문자에서 🔳 🔳簡牘文 등으로 그렸다. 酉(닭 유)가 의미부고 殹(앓는 소리 예)가 소리부로, 상자에 든 화살촉(医·의)과 손에 든 수술도구(殳·수)에 마취제나 소독제로 쓸 술(酉)이 더해진 모습으로부터 상처를 치료하는 의사를 그렸으며, 이후 치료하다, 의학 등의 뜻이 나왔다. 간화자에서는 다시 医(동개 예)로 줄여 쓴다.

263) 무팽(巫彭)은 고대 중국의 신화에 나오는 신령스런 의사이다. 『산해경·해내서경(海內西經)』 '개명동유제무료알유(開明東有諸巫療窫窳)'에서 "개명(開明)의 동쪽에 무팽(巫彭), 무저(巫抵), 무양(巫陽), 무리(巫履), 무범(巫凡), 무상(巫相), 협알유(夾窫窳)의 신이 있는데, 모두 불사약으로써 떨어지게 하였다."라고 했는데, 주석에서 "이들은 모두 신령스런 의사들이었다고 했다." 또 「대황서경(大荒西經)」에서도 영산십무(靈山十巫)가 등장하는데, 이렇게 말했다. "대황(大荒) 속에 풍저(豐沮)라는 산이 있다. 거기에 있는 옥문(玉門)은 해와 달이 드나드는 곳이다. 또 영산(靈山)이 있는데, 무함(巫咸), 무즉(巫即), 무반(巫盼), 무팽(巫彭), 무고(巫姑), 무진(巫

9806

茜: 茜: 술 거를 숙: 艸-총11획: suō, yǒu

原文

茜: 禮祭, 束茅, 加于祼圭, 而灌鬯酒, 是爲茜. 象神歆之也. 一曰茜, 榼上塞也. 从酉从艸.『春秋傳』曰: "尔貢包茅不入, 王祭不供, 無以茜酒." 所六切.

譯

'제사에 관한 예법에 따르면, 띠 풀을 묶고, 거기에다 관제를 행할 때 쓰는 옥홀을 얹고, 울창주를 뿌리는데, 이를 숙(茜)이라고 한다(禮祭, 束茅, 加于祼圭, 而灌鬯酒, 是爲茜).' 이는 신으로 하여금 술을 흠향하도록 하는 것을 상징화 했다. 일설에는 '숙(茜)이 술독의 마개(榼上塞)'를 말한다고도 한다. 유(酉)가 의미부이고 초(艸)도 의미부이다.『춘추전』(『좌전』 희공 4년, B.C. 656)에서 "너희들이 공납으로 바쳐야 할 띠 풀로 싼 술을 바치지 않으니, 천자의 제사에도 사용할 그런 술(茜酒)이 없구나. (尔貢包茅不入, 王祭不供, 無以茜酒.)"라고 했다. 독음은 소(所)와 륙(六)의 반절이다.

9807

醨: 醨: 삼삼한 술 리: 酉-총18획: lí

原文

醨: 薄酒也. 从酉离聲. 讀若離. 呂支切.

譯

'담박한 술(薄酒)'을 말한다. 유(酉)가 의미부이고 리(离)가 소리부이다. 리(離)와 같이 읽는다. 독음은 려(呂)와 지(支)의 반절이다.

9808

真), 무례(巫禮), 무저(巫抵), 무사(巫謝), 무라(巫羅) 등 10명의 무(巫)들이 여기를 통해 하늘로 올라가고 인간세상으로 내려왔으며, 온갖 선약들이 다 거기에 있었다."

醶: 醶: 식초 참: 酉-총24획: chǎn, qiǎn

原文

醶: 酢也. 从酉鐵聲. 初減切.

飜譯

'식초(酢)'를 말한다. 유(酉)가 의미부이고 섬(鐵)이 소리부이다. 독음은 초(初)와 감(減)의 반절이다.

9809

酸: 酸: 초 산: 酉-총14획: suān

原文

酸: 酢也. 从酉夋聲. 關東謂酢曰酸. 酸, 籀文酸从畯. 素官切.

飜譯

'식초(酢)'를 말한다. 유(酉)가 의미부이고 준(夋)이 소리부이다. 관동(關東) 지역에서는 식초(酢)를 산(酸)이라고 한다. 산(酸)은 산(酸)의 주문체인데, 준(畯)으로 구성되었다. 독음은 소(素)와 관(官)의 반절이다.

9810

截: 截: 쌀뜨물 재·식초 대: 酉-총13획: zài

原文

截: 酢漿也. 从酉㦵聲. 徒奈切.

飜譯

'신맛이 나는 장(酢漿)'을 말한다. 유(酉)가 의미부이고 재(㦵)가 소리부이다. 독음은 도(徒)와 내(奈)의 반절이다.

9811

醶: 醶: 초 염: 酉-총20획: yàn, liǎn, xiān

原文

醶: 酢漿也. 从酉僉聲. 魚窆切.

繙譯

'신맛이 나는 장(酢漿)'을 말한다. 유(酉)가 의미부이고 첨(僉)이 소리부이다. 독음은 어(魚)와 폄(窆)의 반절이다.

9812

酢: 酢: 초 초: 酉-총12획: zuò

原文

酢: 醶也. 从酉乍聲. 倉故切.

繙譯

'초(醶)'를 말한다. 유(酉)가 의미부이고 사(乍)가 소리부이다. 독음은 창(倉)과 고(故)의 반절이다.

9813

酏: 酏: 술 이: 酉-총10획: yǐ

原文

酏: 黍酒也. 从酉也聲. 一曰甜也. 賈侍中說：酏爲鬻清. 移尔切.

繙譯

'기장으로 빚은 술(黍酒)'을 말한다. 유(酉)가 의미부이고 야(也)가 소리부이다. 일설에는 '달다(甜)'라는 뜻이라고도 한다. 가시중(賈侍中)께서는 '이(酏)는 멀건 죽(鬻清)을 말한다'라고 하셨다. 독음은 이(移)와 이(尔)의 반절이다.

9814

牆: 醬: 젓갈 장: 酉-총15획: jiàng

原文

牆: 盬也. 从肉从酉, 酒以和牆也;爿聲. 牆, 古文. 牆, 籒文. 即亮切.

飜譯

'육젓(盬)'을 말한다.[264] 육(肉)이 의미부이고 유(酉)도 의미부인데, 술로 육젓을 부드럽게 만든다는 뜻이다. 장(爿)이 소리부이다. 장(牆)은 고문체이다. 장(牆)은 주문체이다. 독음은 즉(即)과 량(亮)의 반절이다.

9815

醢: 醢: 젓갈 해: 酉-총17획: hǎi

原文

醢: 肉醬也. 从酉、盍. 醢, 籒文. 呼改切.

飜譯

'육젓(肉醬)'을 말한다. 유(酉)와 유(盍)가 모두 의미부이다.[265] 해(醢)는 주문체이다. 독음은 호(呼)와 개(改)의 반절이다.

9816

醵: 醵: 느릅나무 무: 酉-총16획: mú

---

264) 『계전』에서처럼 醢(젓갈 해)가 되어야 옳다.

265) 고문자에서 ⿰ 簡牘文 등으로 그렸다. 간독문자에서는 酉(닭 유)와 有(있을 유)로 구성되어, 고기를 손에 들고(有) 담가 발효시키는(酉) 모습을 형상화했고, 소전체에서는 다시 皿(그릇 명)을 더해 그릇에 담그는 모습을 강조했다. 이로부터 고기를 잘게 썰어 발효시킨 '육장'을 뜻하게 되었으며, 살점을 잘라내어 젓갈로 담그는 고대의 형벌 중의 하나를 지칭하기도 했다. 달리 醢로 쓰기도 한다.

原文

醹: 醬醿, 榆酱也. 从酉秋聲. 莫候切.

飜譯

'무유(醬醿)'를 말하는데, '느릅나무 열매로 담근 장(榆酱)'을 말한다. 유(酉)가 의미부이고 무(秋)가 소리부이다. 독음은 막(莫)과 후(候)의 반절이다.

9817

醿: 醿: 던질 투: 酉-총16획: tú

原文

醿: 醬醿也. 从酉俞聲. 田候切.

飜譯

'무유(醬醿) 즉 느릅나무 열매로 담근 장'을 말한다. 유(酉)가 의미부이고 유(俞)가 소리부이다. 독음은 전(田)과 후(候)의 반절이다.

9818

酹: 酹: 부을 뢰: 酉-총14획: lèi

原文

酹: 餟祭也. 从酉乎聲. 郎外切.

飜譯

'술을 땅에 부어 지내는 제사(餟祭)'를 말한다. 유(酉)가 의미부이고 률(乎)이 소리부이다. 독음은 랑(郎)과 외(外)의 반절이다.

9819

醳: 醳: 느릅나무 장 폐: 酉-총18획: bì

原文

醳: 擣楡酱也. 从酉畢聲. 蒲計切.

飜譯

'느릅나무를 찧어 담근 장(擣楡酱)[도유장]'을 말한다. 유(酉)가 의미부이고 필(畢)이 소리부이다. 독음은 포(蒲)와 계(計)의 반절이다.

9820

醷: 醷: 장 귤·방합젓 결: 酉-총19획: jú

原文

醷: 酱也. 从酉矞聲. 居律切.

飜譯

'육젓(酱)'을 말한다. 유(酉)가 의미부이고 율(矞)이 소리부이다. 독음은 거(居)와 률(律)의 반절이다.

9821

醸: 醸: 음료 량: 酉-총15획: liáng

原文

醸: 雜味也. 从酉京聲. 力讓切.

飜譯

'잡다한 맛이 든 음료(雜味)'를 말한다. 유(酉)가 의미부이고 경(京)이 소리부이다. 독음은 력(力)과 양(讓)의 반절이다.

9822

釃: 釃: 맛이 싱거울 점: 酉-총21획: jiàn, niú, xiàng

原文

醹: 闕. 慈冉切.

飜譯

'자세한 것은 알 수 없어 비워 둔다(闕).' 독음은 자(慈)와 염(冉)의 반절이다.

9823

䤘: 䤘: 맛이 싱거울 염·먹기 싫을 남: 酉-총13획: răn

原文

䤘: 闕. 而琰切.

飜譯

'자세한 것은 알 수 없어 비워 둔다(闕).' 독음은 이(而)와 염(琰)의 반절이다.

9824

酪: 酪: 진한 유즙 락: 酉-총13획: lào

原文

酪: 乳漿也. 从酉各聲. 盧各切.

飜譯

'우유로 만든 장(乳漿)'을 말한다. 유(酉)가 의미부이고 각(各)이 소리부이다.266) 독음은 로(盧)와 각(各)의 반절이다. [신부]

9825

醐: 醐: 제호 호: 酉-총16획: hú

---

266) 酉(닭 유)가 의미부이고 各(각각 각)이 소리부로, 우유나 양유를 술(酉)처럼 발효시킨 유즙을 말하며, 이후 식초, 잼, 술 등을 지칭하기도 하였다.

原文

醐: 醍醐, 酪之精者也. 从酉胡聲. 戶吳切.

飜譯

'제호(醍醐)'를 말하는데, '최고 질 좋은 유즙(酪之精者)'을 말한다. 유(酉)가 의미부이고 호(胡)가 소리부이다. 독음은 호(戶)와 오(吳)의 반절이다. [신부]

9826

酩: 酩: 술 취할 명: 酉-총13획: mǐng

原文

酩: 酩酊, 醉也. 从酉名聲. 莫迥切.

飜譯

'명정(酩酊)'을 말하는데, '술에 취하다(醉)'라는 뜻이다. 유(酉)가 의미부이고 명(名)이 소리부이다. 독음은 막(莫)과 형(迥)의 반절이다. [신부]

9827

酊: 酊: 술 취할 정: 酉-총9획: dǐng

原文

酊: 酩酊也. 从酉丁聲. 都挺切.

飜譯

'명정(酩酊) 즉 술에 취하다'라는 뜻이다. 유(酉)가 의미부이고 정(丁)이 소리부이다. 독음은 도(都)와 정(挺)의 반절이다. [신부]

9828

醒: 醒: 깰 성: 酉-총16획: xǐng

原文

醒: 醉解也. 从酉星聲. 按: 醒字注云: 一曰醉而覺也. 則古醒, 亦音醒也. 桑經切.

飜譯

'술에서 깨다(醉解)'라는 뜻이다. 유(酉)가 의미부이고 성(星)이 소리부이다. 저(서현)의 생각은 이렇습니다. 정(醒)자의 주석에서 '일설에는 취하였으나 깨어 있는 것(醉而覺)을 말한다.'라고 했습니다. 그렇다면 옛날에는 정(醒)도 독음이 성(醒)이었습니다.[267] 독음은 상(桑)과 경(經)의 반절이다. [신부]

9829

醍: 醍: 맑은 술 제: 酉-총16획: dì

原文

醍: 淸酒也. 从酉是聲. 它禮切.

飜譯

'맑은 술(淸酒)'을 말한다. 유(酉)가 의미부이고 시(是)가 소리부이다. 독음은 타(它)와 례(禮)의 반절이다. [신부]

제 14 권

---

267) 酉(닭 유)가 의미부고 星(별 성)이 소리부로, 술(酉)을 먹고 나서 반짝이는 별(星)처럼 다시 맑은 상태로 돌아 오다는 뜻에서 '술을 깨다'는 뜻이 나왔고, 이후 수면이나 혼수상태에서 깨어나다, 병이 낫다는 뜻도 나왔다.

제538부수

538 ■ 추(酋)부수

9830

酋 : 酋: 두목 추: 酋-총9획: qiú

原文

酋 : 繹酒也. 从酉, 水半見於上. 『禮』有"大酋", 掌酒官也. 凡酋之屬皆从酋. 字秋切.

譯

'오래된 술(繹酒)'을 말한다. 유(酉)가 의미부이고, 수(水)의 절반만 그 위로 드러나 보인다. 『예기·명당·월령(月令)』에 "대추(大酋)"가 있는데, 술을 관장하는 관리를 말한다.268) 추(酋)부수에 귀속된 글자들은 모두 추(酋)가 의미부이다. 독음은 자(字)와 추(秋)의 반절이다.

9831

尊 : 尊: 술그릇 준·높을 존: 廾-총12획: zūn

原文

尊 : 酒器也. 从酋, 廾以奉之. 『周禮』六尊: 犧尊、象尊、著尊、壺尊、太尊、
山尊, 以待祭祀賓客之禮. 尊, 尊或从寸. 臣鉉等曰 : 今俗以尊作尊卑之尊. 別作罇. 非
是. 祖昆切.

---

268) 고문자에서 ⊕古璽文 등으로 그렸다. 八(여덟 팔)이 의미부이고 酉(닭 유)가 소리부로, 오래된 술독(酉) 위로 향기가 퍼져 나오는(八) 모습을 형상화했다. 이처럼 오래된 술은 신께 올렸고, 이의 관리자가 바로 그 집단의 '우두머리'였으며, 여기에서 두목의 뜻이 나왔다. 酋에 손이 하나(寸·촌) 더해지면 尊(높을 존), 손이 두 개(廾·공) 더해지면 奠(제사지낼 전)이 된다. 오래된 술을 '높이' 받들어 신전에 바치는 것이 尊이요, 두 손으로 술을 올리고 제사지내는 것이 奠이다.

【飜譯】

'술그릇(酒器)'을 말한다. 추(酋)가 의미부이고, 두 손(廾)으로 그것을 받든 모습이다.[269] 『주례』에 여섯 가지 준(尊)이 있다고 했는데, 희준(犧尊), 상준(象尊), 저준(著尊), 호준(壺尊), 태준(太尊), 산준(山尊) 등이 그것이며, 제사나 빈객을 모시는 연회에 사용했다.[270] 준(鐏)은 준(尊)의 혹체자인데, 촌(寸)으로 구성되었다. [신(臣) 서현 등은 이렇게 생각합니다. "오늘날의 세속에서 준(尊)을 존비(尊卑)의 존(尊)으로 사용하고, 또 달리 [술독을 뜻하는] 준(鐏)으로도 쓰는데, 이는 옳지 않습니다."] 독음은 조(祖)와 곤(昆)의 반절이다.

---

269) 고문자에서 甲骨文 金文 古陶文

簡牘文 古璽文 石刻古文 등으로 그렸다. 酋(두목 추)가 의미부이고 寸(마디 촌)이 소리부로, 술독(酋)을 두 손(寸)으로 높이 받쳐 든 모습으로부터 '尊貴(존귀)하다'는 의미를 그렸으며, 술을 저장해 두는 기물 이름도 지칭하게 되었다. 이로부터 尊重(존중)하다, 지위가 높다는 뜻도 나왔고, 상대를 높이는 경어로 쓰였다. 원래는 으로 썼는데, 酉(닭 유)가 酋로, 廾(두 손 마주잡을 공)이 寸(마디 촌)으로 바뀌어 지금의 자형이 되었다.

270) 『단주』에서 이렇게 말했다. "이는 『주례·사준이직(司尊彝職)』에 보이는 말이다. 희(犧)를 헌(獻)으로 적었는데 정중(鄭司農)은 헌(獻)을 희(犧)로 읽는다고 했다. 희준(犧尊)은 비취로 장식한 술독을 말한다. 상준(象尊)은 봉황을 형상한 술독을 말하는데, 혹자는 코끼리뼈로 장식한 술독을 말한다고도 한다. 저준(著尊)은 저략준(著略尊)을 말하는데, 혹자는 발이 없어 밑 부분이 바닥에 닿는 술독을 말한다고도 한다. 호(壺)는 호리병(壺)을 술독으로 삼은 것을 말한다. 『춘추전(春秋傳)』에서 '노나라의 호리병으로 술독을 삼았다(尊以魯壺)'라고 했다. 대준(大尊)은 아주 오래 전에 쓰던 질그릇으로 된 술독(瓦尊)을 말한다. 산준(山尊)은 산뢰(山罍)를 말한다." 산뢰(山罍)는 산이나 구름무늬를 넣은 술독을 말한다.

제539부수
539 ■ 술(戌)부수

9832

戌: 戌: 개 술: 戈-총6획: xū

原文

戌: 滅也. 九月, 陽气微, 萬物畢成, 陽下入地也. 五行, 土生於戊, 盛於戌. 从戊含一. 凡戌之屬皆从戌. 辛聿切.

飜譯

'멸(滅)과 같아 소멸하다'라는 뜻이다. 9월을 상징하는데, 이때가 되면 양기가 약해지고 만물이 다 자라게 되며, 양기는 내려가 땅속으로 들어간다. 오행에서 토(土)는 술(戌)에 해당하는 중앙에서 생겨나며, 술(戌)에 해당하는 달 즉 9월은 기세가 가장 왕성한 때이다. 그래서 무(戊)에 일(一)이 맞물린 모습을 하였다.271) 술(戌)부수에 귀속된 글자들은 모두 술(戌)이 의미부이다. 독음은 신(辛)과 율(聿)의 반절이다.

---

271) 고문자에서 甲骨文 金文 古陶文 簡牘文 帛書 古璽文 등으로 그렸다. 갑골문에서 도끼 모양의 무기를 그렸는데, 자형이 조금 변해 지금처럼 되었다. 이후 간지자로 가차되어 12지지 중 11번째를 지칭하였고, 그의 상징 동물인 '개'를 뜻하게 되었다.

---

540 ■ 해(亥)부수

9833

丣 : 亥: 돼지 해: 亠－총6획: hài

原文

丣 : 荄也. 十月, 微陽起, 接盛陰. 从二, 二, 古文上字. 一人男, 一人女也. 从乙, 象裹子咳咳之形. 『春秋傳』曰: "亥有二首六身." 凡亥之屬皆从亥. �, 古文亥爲豕, 與豕同. 亥而生子, 復從一起. 胡改切.

繹譯

'해(荄)와 같아 풀의 뿌리'를 뜻한다. 10월을 상징하는데, 이때가 되면 미약한 양기가 일어나, 성한 음기를 맞아들인다. 상(二)이 의미부인데, 상(二)은 상(上)의 고문체이다. 한 사람은 남자고 한 사람은 여자라는 뜻이다. 을(乙)이 의미부인데, 뱃속에 든 아이가 구부리고 있는 모습을 그렸다. 『춘추전』(『좌전』 양공 30년, B.C. 543)에서 "[태사 사조(史趙)가 말했다.] 해(亥)자의 위쪽에 있는 두 획은 머리를, 아래쪽에 있는 여섯 획은 몸을 뜻합니다."[272]라고 했다.[273] 해(亥)부수에 귀속된 글자들은 모두 해

---

272) 『단주』에서 '春秋傳曰. 亥有二首六身.'은 『좌전(左傳)·양공(襄公)』(30년 조)의 글이라고 하면서 이렇게 말했다. "공영달의 『좌전정의(左傳正義)』에서는 '두 획은 머리를, 여섯 획은 몸을 뜻한다.(二畫爲首, 六畫爲身.)'라고 했다. 내 생각은 이렇다. 지금 보이는 소전체는 5획에 지나지 않는다. 아마도 주나라 때의 글자에서는 윗부분이 2획, 아랫부분이 6획으로 되어, 지금의 전서체와는 달랐을 것이다." 이는 춘추시대 진(晉) 도공(悼公) 때 태사를 지냈던 사조(史趙)와 한 연회에 초대되었던 강현(絳縣)의 한 노인 간에 나누었던 나이에 대한 비유어에서 나온 이야기로, 노인이 말한 나이를 사조가 그해를 상징하는 해(亥)를 파자하여 실제 나이를 파악한 유명한 이야기이다. 이 이후로 "二首六身"은 나이 73세를 일컫는 은어로 사용되고 있다.

273) 고문자에서 (갑골문 자형들) 甲骨文 (금문 자형들) 金文 (고도문 자형) 古陶文 (자형) (간독문 자형들) 簡牘文 (고새문 자형) 古璽文 등으로 그렸다. 이의 갑골문 자형에 대해서는 의견이 분분하지만, 머리와 발이 잘린 제사에 쓸 돼지라는 설이 유력하며, 이후 간

(亥)가 의미부이다. 해(𢁓)는 해(亥)의 고문체인데, 돼지(豕)를 상징하며, 시(豕)와 같
다. 해(亥)가 되면 아이(子)를 낳게 되고, 다시 일(一)로부터 시작하게 된다. 독음은
호(胡)와 개(改)의 반절이다.

지자로 쓰이면서 원래의 뜻을 상실했다. 간지자의 마지막 순서에 해당하기에 밤 9시~11시 사
이의 시간대를 지칭하며, 완성의 의미도 가지게 되었다.

완역 설문해자

제15권
(상)

『설문해자서』
說文解字·叙

漢 太尉祭酒許愼記

한 태위좨주 허신 적고

宋 右散騎常侍 徐鉉等校定

송 우산기상시 서현 등이 교정하다

古者庖犧氏之王天下也, 仰則觀象於天, 俯則觀法於地, 視鳥獸之文與地之
宜, 近取諸身, 遠取諸物, 於是始作『易』八卦, 以垂憲象. 及神農氏結繩爲
治而統其事, 庶業其繁, 飾僞萌生. 黃帝之史倉頡, 見鳥獸蹏迒之迹, 知分
理之可相別異也, 初造書契. 百工以乂, 萬品以察, 蓋取諸"夬". "夬, 揚于
王庭." 言文者宣教明化於王者朝廷, 君子所以施祿及下, 居德則忌也.

옛날 포희씨(庖犧氏)가 세상을 다스리던 시절, 위로 우러러보아 하늘에서 형상(形象)을 관찰했고, 아래로 굽어보아 땅에서 법칙을 관찰했다. 조수(鳥獸)의 무늬와 땅에 남긴 흔적이 서로 맞아 떨어지는 것을 보고서, 가까이로는 자신의 신체에서 형상을 취하고, 멀리로는 자연의 사물에서 형상을 취하였다. 이를 기초로 『역경(易經)』의 팔괘(八卦)를 창제하였으며, 이로써 천체의 현상을 추산하여 드러내었다. 신농씨(神農氏) 시대에 이르러서는 결승(結繩: 새끼매듭)이라는 방법으로 사회를 다스렸고 당시의 업무들을 통괄하였다. 그러나 갖은 업무와 사물이 나날이 늘어나고 복잡해지자, 교묘하게 꾸미고 숨기고 속이는 일들도 생겨나기 시작하였다. [황제(黃帝) 때에 이르러] 황제(黃帝)의 사관(史官)이었던 창힐(倉頡)이 조수(鳥獸)의 발자국을 관찰하고서는, 그 무늬들 간에 차이가 있고, 그에 따라 어떤 조수(鳥獸) 인지를 판별할 수 있다는 것을 깨닫게 되었다. 그리하여 이를 바탕으로 서계(書契)를 처음으로 만들게 되었다. 이에 모든 관리들의 업무가 두루 잘 처리되었고, 만사만물도 모두 명확하게 살펴지게 되었다. 이는 『주역』의 쾌(夬)괘에서 그 의미를 가져온 것인데, 쾌(夬)괘에서 "조정에서도 이를 드러낼 수 있다."라고 하였다.[1] 이 말은 곧 문자(文)라는 것이 왕의 조정에서 정교(政敎)를 널리 펴고 가르침을 밝히는 것이자, 신하와 백성들에게 은혜를 베푸는 도구이기도 하며, 덕(德) 있는 사람이 덕행을 더 쌓고 금해야 할 것을 밝히는 도구임을 말해 준다.

倉頡之初作書, 蓋依類象形, 故謂之文; 其後形聲相益, 即謂之字. 字者, 言孳乳而浸多也. 著於竹帛謂之書. 書者, 如也. 以迄五帝三王之世, 改易殊體, 封于泰山者, 七十有二代, 靡有同焉.

창힐(倉頡)이 처음 문자(文字)라는 것을 만들었을 때, 대체로 사물의 부류에 의거하여 그 특유의 형상으로 형체를 그려내었는데, 이 때문에 이를 '문(文)'이라 한다. 그 뒤에는 형체(形)와 독음(聲)이 서로 결합하여 더해지게 되었는데, 이를 '자(字)'라고 한다. 그래서 ['문(文)'이란 사물 형상의 본질을 말하고,][2] '자(字)'는 끊임없

---

1) [역주] 이 말은 『주역·쾌괘(夬卦)』에 보인다. "夬, 揚于王庭, 孚號有厲.(夬: 조정에 알려 믿음으로 부르짖는 것은 위태로울 것이다.)"라고 했다. 이에 대해 단전(彖傳)에서는 이렇게 말했다. "夬, 決也. 剛決柔也, 健而說, 決而和.(쾌는 결단하다는 뜻이다. 강함(剛)이 유약함(柔)를 결단하는 것이니, 군세며 기뻐하고, 결단하여 화합하게 될 것이다.)" 이는 택천쾌괘(䷪)에서 아래의 다섯 양이 끝까지 저항하는 욕망의 화신인 위에 남은 마지막 음(상육)을 '결단하고 척결하여' 군자들로 가득한 '중천건괘'로 나아가기 직전의 괘이다. 왕이 궁정에서 마지막 남은 음을 척결할 것을 선포하고 백성들의 지지를 얻어 결행하여 모두에게 이로운 일을 행하게 된다는 뜻으로 볼 수 있다.
2) [역주] 『단주』에서 각 판본에서 "文者, 物像之本."이라는 말이 없으나 『좌전』 선공 12년 조에 근거해 보충해 넣었다고 했다.

이 번식하여 점차 많아지는 현상을 말한다. 죽간(竹簡)이나 비단에 필사하는 것을 '서(書)'라고 하는데, '서(書)'란 객관 사물을 '있는 그대로 똑 같이 그려내다'는 뜻이다. 오제(五帝)와 삼왕(三王)의 시대에 이르게 되자, 서로 다른 글자체가 만들어지게 되었다. 태산(泰山)에 제단을 쌓아 천신(天神)에게 제사를 올린 임금이 72대(代)나 되는데, 이런 이유로 거기에 남겨진 글자체가 전부 다른 모습을 하게 되었던 것이다.

『周禮』: 八歲入小學, 保氏教國子, 先以六書. 一曰指事. 指事者, 視而可識, 察而可見, 上下是也. 二曰象形. 象形者, 畫成其物, 隨體詰詘, 日月是也. 三曰形聲. 形聲者, 以事爲名, 取譬相成, 江河是也. 四曰會意. 會意者, 比類合誼, 以見指撝, 武信是也. 五曰轉注. 轉注者, 建類一首, 同意相受, 考老是也. 六曰假借. 假借者, 本無其字, 依聲託事, 令長是也.

『주례(周禮)』에서 다음과 같이 말했다. "여덟 살이 되면 소학(小學)에 입학하는데, 보씨(保氏)라는 교육 담당자가 공경(公卿)과 대부(大夫)의 자제들을 가르쳤는데, '육서(六書)'로써 교육을 이끌었다."3) [육서는 다음과 같다.] 첫째 지사(指事)이다. 지사는 보기만 하면 알 수 있고, 자세히 살피면 그 뜻까지 찾아낼 수 있는 것인데, '상(上)'이나 '하(下)'와 같은 것이 바로 이에 해당한다. 둘째, 상형(象形)이다. 상형이라는 것은 사물의 모양을 그림으로 그려내되, 그 사물의 형체를 따라 획을 굽히고 꺾어서 그려내는 것인데, '일(日)'이나 '월(月)'과 같은 것이 이에 해당한다. 셋째, 형성(形聲)이다. 형성은 사물의 성질이나 종류에 따라 한 글자를 확정하고, 여기에다 만들려는 글자와 독음이 같거나 비슷한 글자를 선택하여 이 둘을 조합하여 만드는 것으로, '강(江)'이나 '하(河)'와 같은 것이 이에 해당한다. 넷째, 회의(會意)이다. 회의는 두 개 이상의 글자를 조합하여 만들되, 새로운 뜻을 나타내게 하는 것으로, '무(武)'나 '신(信)'과 같은 것이 이에 해당한다. 다섯째는 전주

---

3) [역주] 선(先)은 도(導)와 같아, '이끌다'는 뜻이다. 이에 대해서는 이 책의 제1책, 장극화(臧克和)의 『한국어판 서문』을 참조.

(轉注)이다. 전주는 부류를 세워 하나를 대표자로 내세운 다음, 같은 의미를 서로 주고받을 수 있는 것을 말하는데, '고(考)'와 '로(老)'와 같은 것이 이에 해당한다. 여섯째는 가차(假借)이다. 가차라는 것은 본래 그 말에 해당하는 글자가 없어서, 독음이 같은 글자를 빌려와 그 말을 표기하는 것으로, '령(令)'이나 '장(長)'과 같은 것이 이에 해당한다.

及宣王太史籒, 箸大篆十五篇, 與古文或異. 至孔子書六經, 左丘明述『春秋傳』, 皆以古文, 厥意可得而說. 其後諸矦力政, 不統於王, 惡禮樂之害己, 而皆去其典籍, 分爲七國, 田疇異晦, 車涂異軌, 律令異法, 衣冠異制, 言語異聲, 文字異形.

주(周)나라 선왕(宣王) 때에 이르러, 태사(太史) 주(籒)라는 사람이 『대전(大篆)』 15편을 저술하였는데[4], 글자체가 [공자 댁 벽 속에서 나온] '고문(古文)'체와 간혹 차이가 나기도 하였다. 공자(孔子)께서 '육경(六經)'을 정리하고, 좌구명(左丘明)이 『춘추전(春秋傳)』을 기술할 때까지만 해도 모두 '고문(古文)'체를 사용하고 있었기에, 글자의 뜻을 그런대로 충분히 설명할 수가 있었다. 그러나 그 뒤로는 각국의 제후들이 다투어 정치를 하게 되면서, 주(周)나라 천자(天子)의 통제를 받지 않게 되었고, 예악(禮樂)이 자신들에게 방해가 될 것을 꺼려해, 모두들 그 전적(典籍)들을 폐기해 버리고 말았다. 그리하여 중국은 일곱 나라로 분할되었으며, 토지의 넓이를 계산하는 단위도 달라지고, 수레가 다니는 도로의 폭과 너비도 다르게 되었으며, 법률 제도와 법령도 달라졌고, 의관(衣冠)의 제도도 달라지고, 말(言語)의 발음도 달라지고, 문자(文字)의 형체도 달라졌다.

---

4) [역주] 주(籒)가 사람 이름인지에 대해서는 논란이 있다. 근대의 왕국유(王國維)는 이를 '읽다'는 뜻으로 풀이했다. 이의 논증에 대해서는 『관당집림(觀堂集林)』(하영삼 역, 지식을 만나드는 지식, 2012)의 「사주편소증서(史籒篇疏證序)」를 참조.

秦始皇帝初兼天下, 丞相李斯乃奏同之, 罷其不與秦文合者. 斯作『倉頡篇』, 中車府令趙高作『爰歷篇』, 太史令胡毋敬作『博學篇』, 皆取史籒大篆, 或頗省改, 所謂小篆者也. 是時秦燒滅經書, 滌除舊典, 大發隸卒, 興役戍, 官獄職務繁, 初有隸書, 以趣約易, 而古文由此絕矣. (徐鍇曰："王僧虔云：‘秦獄吏程邈善大篆, 得皐繫雲陽獄, 增絕大篆, 去其繁複. 始皇善之, 出爲御史, 名其書曰隸書. 班固云：‘謂施之於徒隸也. 即今之隸書, 而無點畫俯仰之勢.’")

그러다 진(秦)나라 시황(始皇)이 처음으로 천하를 통일하였다. 그러자 승상(丞相)이었던 이사(李斯)[5]가 전국의 문자를 통일하되, 진(秦)나라 문자와 형체가 다른 것은 없애버릴 것을 주청(奏請)하였다. 이에 이사(李斯)가 『창힐편(倉頡篇)』을 짓고, 중거부령(中車府令)이었던 조고(趙高)[6]가 『원력편(爰歷篇)』을 지었으며, 태사령(太史令)이었던 호무경(胡毋敬)[7]이 『박학편(博學篇)』을 지었다. 모두 『사주편

5) [역주] 이사(李斯, ?~B.C. 208)는 초(楚)나라 상채(上蔡: 하남성 上蔡縣) 출생이다. 순자(荀子)에게 배운 법가류(法家流)의 정치가로서, 진(秦)나라로 가 승상(丞相) 여불위(呂不韋)에게 발탁되어 객경(客卿)이 되었다. 정국거(鄭國渠)라는 운하를 완성하는 데 노력하였으며, 시황제(始皇帝)가 육국을 통일한 후에는 봉건제에 반대하고 군현제(郡縣制)를 진언하여 정위(廷尉)에서 승상(丞相)으로 진급하였고, 분서갱유(焚書坑儒)를 단행시켰다. 통일시대 진나라의 정국을 담당한 실력자로, 획기적인 정치를 추진하였다. 시황제가 죽은 후 환관 조고(趙高)와 공모, 막내아들 호해(胡亥)를 2세 황제로 옹립하고 시황제의 장자 부소(扶蘇)와 장군 몽염(蒙恬)을 자살하게 하였는데, 얼마 후 조고의 참소(譖訴)로 투옥되어 함양(咸陽)의 시장터에서 처형되었다.(『두산백과』)

6) [역주] 조고(趙高, ?~B.C. 207)는 진(秦) 나라 때의 환관(宦官)으로, 지록위마(指鹿爲馬)의 주인공이다. 시황제(始皇帝)가 죽자 승상(丞相) 이사(李斯)와 공모하여 조서(詔書)를 고쳐서 장자인 부소(扶蘇)를 자살하게 하고, 막내아들인 우둔한 호해(胡亥)를 이세 황제(二世皇帝)로 삼았다. 뒤에 승상 이사(李斯)를 죽이고 스스로 승상이 되어 온갖 횡포한 짓을 많이 하였다.(『한국고전용어사전』)

7) [역주] 호무경(胡毋敬)은 호모경(胡母敬)이라고도 하는데, 호모(胡母)가 복성이며 이름이 경(敬)이다. 진(秦)나라 때의 역양(櫟陽)사람이다. 처음에는 옥리(獄吏)가 되었으나 열심히 공부하여 지식을 쌓아 태사령(太史令)에 발탁되었으며, 천문, 역법 등을 관장하는 한편 역사 편찬 등의 일도 맡았다. 진시황이 천하를 통일하자 육국(六國)에서 달리 쓰던 문자를 개혁해 하나로 통일하는 서동문(書同文) 정책을 폈다. 고문자에 정통해 『사주(史籒)』 대전(大篆)을 고쳐 소전(小篆)으로 만드는 일에 참여해 이사와 조고 등과 함께 당시의 문자 통일에 큰 역할을 했다.

(史籀篇)』의 대전(大篆)체에서 자료를 가져왔으나, 간혹 어떤 것은 필획이 다소 생략되고 고친 것도 있었는데, 이것이 바로 소전(小篆)이라는 것이다. 이 당시 진(秦)나라는 경전(經典)을 불태우고 옛날의 문헌들을 없애 버렸으며, 하급 관리들과 군사들을 대대적으로 징발하고, 노역과 수역(戍役)을 크게 일으키게 되었다. 이 때문에 조정과 관아 및 감옥의 공무가 많아졌고, 이로 인해 예서(隸書)라는 것이 생겨나게 되었는데, 글자체의 간략함과 용이함을 도모하기 위한 서체였다. 그래서 이때부터 '고문(古文)'체는 더 이상 통용되지 않게 되었다. [서개(徐鍇)는 이렇게 말씀드립니다. "왕승건(王僧虔)[8]에 의하면, '대전(大篆)에 밝았던 진(秦)나라의 옥 관리자였던 정막(程邈)[9]이 죄를 지어 운양(雲陽)[10]의 옥에 갇히게 되었는데, 일찍이 대전(大篆)을 끊고 그

---

8) [역주] 왕승건(王僧虔, 426~485)은 낭아(琅邪) 임기(臨沂: 지금의 산동성 臨沂市) 사람이다. 자나 호는 미상이다. 남조(南朝)의 송제(宋齊) 시기의 대신이자 서예가였다. 동진(東晉)의 승상(丞相)이었던 왕도(王導)의 현손이자, 시중(侍中) 왕담수(王曇首)의 아들이다. '낭아 왕씨(琅邪 王氏)' 출신으로서 유송(劉宋)에서 봉직하여 무릉(武陵) 태수, 태자사인(太子舍人), 오군(吳郡) 태수 등을 역임했다. 예장왕(豫章王) 유자상(劉子尚)을 보좌하였고, 신안왕(新安王) 유자란(劉子鸞)의 막료로 있으면서 명성을 날렸다. 또 서예에 뛰어나 당시 권력자들의 찬상을 받았다. 남제(南齊)가 건립된 후 정남장군(征南將軍), 상주도독(湘州都督) 등을 거쳐 시중(侍中), 좌광록대부(左光祿大夫), 개부의동삼사(開府儀同三司) 등을 역임했다. 영명(永明) 3년(485) 60세의 나이로 죽었으며, 사공(司空)에 추서되었으며, 간목(簡穆)이라는 시호를 받았다. 문사(文史)를 즐기고 음률에 뛰어났으며 진서(眞書)와 행서(行書)에도 뛰어났다. 조상의 서예 스타일을 계승하여 풍후박순(豊厚淳樸)하면서 힘이 강한 스타일을 가졌다. 작품에 「왕염첩(王琰帖)」이 있고, 「논서(論書)」 등을 지었다.

9) [역주] 정막(程邈)은 자가 원잠(元岑)으로 진(秦)나라 때의 서예가이자 내사(內史)를 역임했다. 진(秦) 내사(內史) 하규(下邽: 지금의 陝西 渭南의 북쪽) 사람이다. 전하는 바에 의하면 전서(篆書)를 개혁해 예서(隸書)를 만들었다고 한다. 채옹(蔡邕)은 그가 "고문을 첨삭하여 예서를 만들었다(刪古立隸文)"라고 했다. 당나라 때의 장회권(張懷瓘)은 『서단(書斷)』에서 이렇게 말했다. "전하는 바에 의하면 정막은 대전(大篆)에 뛰어났다. 처음에는 현의 옥리(獄吏)가 되었었는데, 진시황에게 죄를 지어 운양(雲陽)의 옥에 갇히게 되었다. 십년을 심사숙고한 끝에 대전과 소전의 방원(方圓) 필법을 줄이고 보태 예서(隸書) 3천자를 만들었다. 진시황이 이를 보고 칭찬하여, 그 죄를 사하고 어사(禦史)로 기용하여, 그 글자들을 죄수들의 관리를 보좌하는 서체로 편리하게 사용하도록 하였으며, 그 때문에 '예(隸)'라는 이름이 붙여졌다." 예서는 고대 한자와 현대 한자의 분수령이 되며 행서(行書), 해서(楷書), 초서(草書) 등의 발전에 큰 기초를 닦았다. 송나라 때 새긴 『대관첩(大觀帖)』(1109)에 정막의 「진어사정막서(秦禦史程邈書)」가 수록되어 있다.

10) [역주] 운양(雲陽)은 진(秦)나라 때의 운양읍(雲陽邑: 지금의 중경시 동북부)을 말하는데, 한나라 때에는 현으로 승격되었고, 좌풍익(左馮翊)에 예속되었다. 정막(程邈)이 여기의 옥에 갇

복잡함을 제거하였습니다. 진시황이 이를 가상하게 여기고서는 그를 옥에서 꺼내어 어사(御史)를 시켰는데, 그가 사용했던 서체를 예서(隸書)라 불렀습니다.' 반고(班固)에 의하면, '이는 죄수(徒隸)들에게 사용하던 문자임을 뜻한다. 즉 오늘날의 예서(隸書)에는 부앙(俯仰)의 기세를 갖춘 점이나 획이 존재하지 않는다.'라고 했습니다."]

自爾秦書有八體: 一曰大篆, 二曰小篆, 三曰刻符, 四曰蟲書, (徐鍇曰: "案『漢書』注蟲書即鳥書. 以書幡信, 首象鳥形, 即下云鳥蟲是也.) 五曰摹印, (蕭子良以刻符·摹印合爲一體. 徐鍇以爲符者, 竹而中剖之, 字形半分, 理應別爲一體. 摹印屈曲塡密, 則秦璽文也. 子良誤合之.) 六曰署書, (蕭子良云: "署書, 漢高六年蕭何所定. 以題蒼龍·白虎二闕." 羊欣云: "何覃思累月, 然後題之.") 七曰殳書, (徐鍇曰: "書於殳也. 殳體八觚, 隨其勢而書之.") 八曰隸書.

이렇게 해서 진(秦)나라 때에는 여덟 가지의 글자체가 있게 되었다. 첫째 대전(大篆)이라는 것이요, 둘째 소전(小篆)이라는 것이요, 셋째 각부(刻符)라는 것이요, 넷째 충서(蟲書)라는 것이요[서개(徐鍇)의 생각은 이렇습니다. 『한서(漢書)』에서 충서(蟲書)는 바로 조서(鳥書)를 말한다고 풀이했습니다. 깃발이나 신표에 사용하는 글씨인데, 머리 부분이 새의 모양을 닮았기에 그렇게 부르며, 아래 글에서 조충서(鳥蟲書)라고 부른 것도 이 때문입니다."], 다섯째 모인(摹印)이라는 것이요[소자양(蕭子良)[11]은 각부(刻符)와 모인(摹印)을 합쳐서 하나의 서체로 보았습니다. 그러나 서개(徐鍇)의 생각은 이렇습니다. 부(符)라는 것은 대나무의 가운데를 갈라서 쓰는 것이므로, 자형(字形)이 반으로 나누어지기 때문에 이치

혔다가 예서(隸書)를 만들었다고 해서 예서를 지칭하기도 한다.

11) [역주] 소자양(蕭子良, 460~494)은 자가 운영(雲英)이고, 동해군 난릉현(蘭陵縣: 지금의 산동성 臨沂市) 사람이다. 남조(南朝)의 제(齊)나라에서 종실대신(宗室大臣)을 역임했으며, 제(齊)나라 무제(武帝) 소색(蕭賾)의 차남이며, 어머니는 무목(武穆) 황후이다. 유가에 정통했으며, 불교를 애호했다. 처음에는 유송(劉宋)에서 벼슬을 하여 소릉왕(邵陵王) 유우(劉友)를 보좌했으며 이후 회계(會稽) 태수가 되었다. 제(齊)나라 고제(高帝)가 즉위하자 희문현공(聞喜縣公)에 봉해졌으며, 단양윤(丹陽尹)이 되었다. 제(齊) 무제(武帝)가 즉위하고서는 경릉군(竟陵郡)의 왕으로 봉해졌으며 남서주자사(南徐州刺史), 남연주자사(南兗州刺史)를 거쳐, 사도(司徒), 상서령(尚書令), 양주자사(揚州刺史), 중서감(中書監), 태부(太傅)가 되었다. 영명(永明) 말기에는 왕위 계승 논쟁에 휘말리기도 했다. 건흥(延興) 원년(494)에 35세의 젊은 나이로 죽었으며, 가황월(假黃鉞), 시중(侍中), 도독중외제군사(都督中外諸軍事), 태재(太宰), 대장군(大將軍), 양주목(揚州牧)에 추서되었고, 문선(文宣)이라는 시호를 받았으며, 장례는 서진(西晉) 안평헌왕(安平獻王) 사마부(司馬孚)의 고사에 근거해 집행되었으며, 『경릉왕집(竟陵王集)』을 남겼다.

제15권

상으로 보면 따로 독립된 하나의 서체로 세워야 합니다. 모인(摹印)은 서체를 굽히고 구부려서 일정 공간에 빽빽하게 채워야 하는 것으로, 진(秦)나라 때의 도장문자(璽文)를 말합니다. 그러나 자양(子良)이 잘못 인식해 이 둘을 하나로 합쳤던 것입니다.], 여섯째 서서(署書)라는 것이요[소자양(蕭子良)은 이렇게 말했습니다. "서서(署書)라는 것은 한(漢)나라 고조(高祖) 6년 소하(蕭何)¹²⁾가 확정한 서체인데, 창룡궐(蒼龍闕)과 백호궐(白虎闕)의 제액에 사용했었다." 또 양흔(羊欣)¹³⁾은 이렇게 말했습니다. "하담(何覃)이 여러 달 동안이나 생각한 끝에 이를 제액 쓰는데 사용했다."], 일곱째 수서(殳書)라는 것이요[서개(徐鍇)는 이렇게 생각합니다. "무기(殳)에 쓰이는 글자를 말합니다. 무기에 쓰는 서체(殳體)는 8각으로 되었는데, (8각으로 된 창인) 수(殳)의 모습을 따라 쓴 것입니다."], 여덟째 예서(隷書)라는 것이다.

漢興, 有艸書. (徐鍇曰 : "案 : 書傳多云張芝作艸, 又云齊相杜探作, 據『說文』則張芝之前已有矣.蕭子良云 : "藁書者, 董仲舒欲言災異, 藁艸未上, 即爲藁書. 藁者, 艸之初也.『史記』上官奪屈原

---

12) [역주] 소하(蕭何, ?~B.C. 193)는 중국 전한 때 고조 유방의 재상으로, 강소성 패군(沛郡) 풍현(豊縣) 출생이다. 한신(韓信)·장량(張良)·조참(曹參)과 함께 고조의 개국공신이다. 진(秦)나라의 하급관리로 있으면서, 일찍이 고조 유방이 무위무관(無位無官)일 때부터 접촉을 가졌다. 유방이 진나라 토벌의 군사를 일으키자 종족 수십 명을 거느리고 객원으로서 따르며 모신(謀臣)으로 활약하였다. 진나라 수도 함양(咸陽)에 입성하자 진나라 승상부(丞相府)의 도적문서(圖籍文書)를 입수하여 한(漢)나라 왕조 경영의 기초를 다졌다. 한나라 유방과 초(楚)나라 항우(項羽)의 싸움에서는 관중(關中)에 머물러 있으면서 고조를 위하여 양식과 군병의 보급을 확보했으므로, 고조가 즉위할 때에 논공행상(論功行賞)에서 으뜸가는 공신이라 하여 찬후(酇侯)로 봉해지고 식읍(食邑) 7천호를 하사받았으며, 그 일족 수십 명도 각각 식읍을 받았다. 뒤에 한신 등의 반란을 평정하고 최고의 상국(相國)에 제수되었다. 재상 시절 진나라의 법률을 취사(取捨)하여 『구장률(九章律)』을 편찬하였다.(『두산백과』)

13) [역주] 양흔(羊欣, 370~442)은 자가 경원(敬元)이고, 태산군(泰山郡) 남성현(南城縣: 지금의 산동성 新泰市) 사람이다. 진송(晉宋) 때의 대신이자 서예가이다. 계양(桂陽) 태수 양불의(羊不疑)의 아들이자 오흥(吳興) 태수 왕헌지(王獻之)의 생질이다. 동진(東晉) 때에는 문음(門蔭)의 자격으로 관직에 나갔으며 보국참군(輔國參軍)으로부터 시작하여 후장군사인(後將軍舍人)이 되었다. 의희(義熙) 연간에는 태위 유유(劉裕)의 신임을 받아 우장군장사(右將軍長史), 중군참의참군(中軍諮議參軍)을 역임했고, 신안(新安) 태수가 되었다. 유송(劉宋)에 세워진 후 임천왕장사(臨川王長史), 노릉왕거기자의참군(廬陵王車騎諮議參軍), 신안태수(新安太守), 의흥태수(義興太守), 수훈중산대부(授勳中散大夫) 등을 역임했고, 원가(元嘉) 19년 73세의 나이로 죽었다. 서예사에 관한 저작으로 『채고래능서인명(采古來能書人名)』이 있으며, 전해지는 작품으로는 「모춘첩(暮春貼)」, 「대관첩(大觀帖)」, 「한광첩(閑曠帖)」 등이 있다. 동시대 서예가인 박소(薄紹)와 함께 '양(羊), 박(薄)'으로 병칭되었다.

薰艸. 今云漢興有艸, 知所言薰艸是創艸, 非艸書也.) 尉律：(徐鍇曰："尉律, 漢律篇名.) 學僮
十七已上始試, 諷籒書九千字, 乃得爲吏, 又以八體試之. 郡移太史幷課,
最者以爲尚書史. 書或不正, 輒擧劾之. 今雖有尉律不課, 小學不修, 莫達
其說久矣.

한(漢)나라가 건국되자, 초서(草書)가 생겨났다.[14] [서개(徐鍇)는 이렇게 생각합니다.
전해지는 문헌에서는 대부분 장지(張芝)[15]가 초서를 적었다고 하며, 또 제(齊)나라의 재상이
었던 두탐(杜探)이 지었다고도 합니다. 그러나 『설문(說文)』에 근거해본 즉 장지(張芝) 이전에
이미 초서가 존재했습니다. 소자양(蕭子良)도 이렇게 말했습니다. "고서(薰書)의 경우, 동중서
(董仲舒)[16]가 재이(災異)에 대해 말하려고 했으나 고초(薰艸: 초고)가 채 만들어지지 않았는

---

14) [역주] 『단주』에서는 이렇게 말했다. "초서(艸書)라는 명칭은 '초고(草薰)'에서 기인한 것으로
보인다. 조일(趙壹)은 '초서가 진(秦)나라 말기에 생성되었으므로, 사유(史游)로부터 시작된 것
은 아닌 것 같다.'라고 했다. 초서 중에서 각각의 글자가 서로 연이어지지 않은 것을 '장초(章
艸)'라 하고, 진(晉)나라 이후부터 서로 연이어지게 쓴 것을 '금초(今艸)'라 한다. 이는 한나라
때 사람들이 쓰던 것을 '한예(漢隸)'라 하고, 진(晉)·당(唐) 이후의 해서(楷書)를 '금예(今隸)'라
고 하는 것과 같다. 그런데 초서는 또 예서의 필획을 줄인 것으로, 글자의 자형 변화가 이미
극심하기 때문에, 허신(許愼)은 '팔체(八體)'에 이어서 여기에다 덧붙여 놓았는데, 이는 초서가
자형의 표준이 될 수 없음을 말하는 것이다."

15) [역주] 장지(張芝, ?~192)는 후한(後漢) 때의 서예가로, 자는 백영(伯英), 감숙성 출생이다. 두
도(杜度)와 최원(崔瑗)의 서법을 배웠으며, 장초(章草: 書書의 한 가지)에 뛰어나 초성(草聖)이
라고 일컬어졌다. 속세를 피하여 오로지 서도를 벗 삼았으며, 베가 있으면 거기에 글씨를 썼
고, 연못가의 작은 돌에도 글씨를 쓰고서는 물로 씻기를 수없이 되풀이하여 마침내 연못의 물
이 먹물로 까맣게 변하였다고 한다. 후세에 서도를 배우는 것을 '임지(臨池)의 기(技)'라고 이
르게 된 것은 이에 연유한다. 서성(書聖)으로 불리는 왕희지(王羲之)도 장지를 높이 평가하였
다고 하나, 그의 진적(眞跡)으로 지목할 만한 확실한 유묵(遺墨)은 없다.(『두산백과』)

16) [역주] 동중서(董仲舒, B.C. 179~B.C. 104)는 서한 무제(武帝) 때의 재상이다. 서한 시대 유
교를 중국의 국교로 만들고, 유학을 관학화 하여 정치철학의 토대로 삼는데 중추적인 역할을
한 유학자이다. 젊었을 때 『춘추공양전(春秋公羊傳)』을 익혔고 경제(景帝) 때에 박사가 되었
으며, 무제(武帝) 때 대책을 잘 세워 재상이 되었다. 3년 동안이나 정원에도 나가지 않을 정도
로 학문에 정진했고, 장막을 치고 제자들을 가르쳤기 때문에 그의 얼굴을 모르는 제자들도 있
었다고 한다. 중국 전통의 음양사상과 유교사상을 통합하여 음양의 원리를 도덕원리로 해석했
으며, 그 원리를 정치에 적용했다. 특히 그는 '사람은 하늘에 근본하여 만들어졌으며 하늘은
사람의 증조부'라고 하는 '천인감응설(天人感應說)'을 통해 하늘이 최고의 신이며 인간은 하
늘이 창조했다고 주장하는데, 이는 기존의 천인합일사상에서 한 걸음 나아가 천을 인격적으로

데, 이 때문에 (초고를) 고서(藁書)라 부르게 되었다. 고(藁)라는 것은 기초(艸: 글의 초안을 잡다)의 시작이다. 『사기(史記)』에서 상관(上官: 윗자리에 있는 관리)이 굴원(屈原)의 고초(藁艸)를 탈고했다고 했다. 그렇다면 '한(漢)나라가 건국되자 초서가 생겨났다.'라는 이 말은, 고초(藁艸)라는 것이 창초(創艸)를 말하지 초서(艸書)를 말한 것은 아님을 알 수 있다."]. 한나라 때의 정위(廷尉)에 관한 법률[17]에서는 다음과 같이 규정하고 있다. 학동(學童)은 열일곱 살 이상이 되면 시험에 응할 수 있는데, 9천 자를 외우고 그 의미를 이해하고 쓸 수 있으면 하급 기록관(吏)[18]이 될 수 있었으며, 그 후 다시 진(秦)나라 때의 여덟 가지 글자체로 시험을 보았다. 합격자들은 다시 군(郡)이나 현(縣)에서 중앙 조정의 태사령(太史令)에게 보내져 다시 시험을 보아서, 성적이 가장 우수한 사람은 상서사(尙書史)에 임용되었다.[19] 관리나 백성들의 공문이나 상주문(上奏文)에 잘못 쓴 글자가 있으면, 상서사(尙書史)가 곧바로 점검하여 그 죄를 묻곤 했다. 지금도 정위(廷尉)의 법률 규정은 그대로 있지만 엄격한 시험은 치러지지 않고 있으며, 소학(小學) 즉 문자학도 있지만 더는 연구를 하지 않는다. 이

해석한 것으로 후대의 중국사상에 큰 영향을 끼치게 된다. 말년에는 『동자문집(董子文集)』,『춘추번로(春秋繁露)』 등 저술에 힘쓰다가 사망했다.(『원불교대사전』)

17) [역주] '정위에 관한 법률(尉律)'에 대해서 서개(徐鍇)는 『계전(繫傳)』에서 "한(漢)나라 때 법률(法律)의 편명(篇名)이다."라고 하였다. 그러나 단옥재(段玉裁)는 "한(漢)나라 때의 정위(廷尉)들이 지키던 법령이다."라고 하였고, 계복(桂馥)도 『의증(義證)』에서 왕응린(王應麟)의 설을 인용하여 "정위(廷尉)가 옥사를 다스리던 법률"이라고 하였다. 여기서는 단옥재의 설을 따랐다. 정위(廷尉)는 중국고대 사법심판기관의 관직 이름이다. 서한(西漢) 때에는 대리(大理)라 부르기도 했다. 전국(戰國) 시기 진(秦)나라에서 처음 세워졌으며, 통일 진(秦)나라와 서한 때까지 이어졌고, 구경(九卿)에 속했다. 중앙 정부의 최고 사법 기관장으로, 그 아래에 정감(正監)과 좌감(左監)과 우감(右監)을 두었다. 한나라 선제(宣帝) 초기에는 좌평(左平)과 우평(右平)을 두기도 했다. 왕망(王莽) 때에는 정위(廷尉)를 작사(作士)라 불렀으나, 동한 때에 다시 원래의 이름을 복원했다.(『바이두백과』)

18) [역주] 『단주』에서는 『위서(魏書)·강식전(江式傳)』의 기록에 근거하여 '사(史)'로 고쳤는데, 사(史)와 리(吏)는 같은 데서 근원한 글자로, 옛날에는 같이 쓰였다.

19) [역주] 『단주』에서 이렇게 말했다. "태사(太史)는 태사령(太史令)을 말한다. 병과(幷課)는 '합쳐서 시험을 보다'는 뜻이다. 앞에서 말한 9천 자를 외우고 이해하고 쓰는 것을 시험을 본다고 한 것은, 문리(文理)를 기억하고 외우는 것을 시험 본다는 말이고, 팔체(八體)로 시험을 본다는 것은 필체를 시험 본다는 말이다. 현(縣)에서 시험을 보아 군(郡)으로 보내고, 군(郡)에서 다시 시험을 보아 태사(太史)에게 보내면, 태사(太史)는 이 두 부류의 사람들을 합하여 시험을 보았다."

때문에 사람들이 소학에 관한 학문을 잘 알지 못한 지가 오래되었다.

孝宣時, 召通『倉頡』讀者, 張敞從受之. 涼州刺史杜業·沛人爰禮·講學大夫
秦近, 亦能言之. 孝平時, 徵禮等百餘人, 令說文字未央廷中, 以禮爲小學
元士. 黃門侍郞揚雄采以作『訓纂篇』, 凡『倉頡』已下十四篇, 凡五千三百
四十字, 羣書所載, 略存之矣.

한(漢)나라 효선제(孝宣帝, B.C. 74~B.C. 48 재위) 때에 칙령을 내려 『창힐편(倉頡
篇)』의 고문자를 정확하게 알고 해독할 수 있는 사람들을 초빙하였고, 장창(張
敞)[20]으로 하여금 이들에게 학문을 전수하도록 하였다. 이 이후로 양주자사(涼州
刺史) 두업(杜業)[21]과 패현(沛縣) 출신 원례(爰禮)[22]와 강학대부(講學大夫) 진근
(秦近)[23] 등도 고문자를 해독할 수 있었다. 한(漢)나라 평제(平帝, B.C. 1~A.D. 5
재위) 때에는 원례(爰禮)를 비롯한 100여 명의 학자를 미앙궁(未央宮)으로 초빙하
여 글자에 대해 해설하도록 하였으며, 원례(爰禮)를 '소학(小學)의 원사(元士)'로

---

20) [역주] 장창(張敞, ?~B.C. 48)은 자가 자고(子高)로 서한 때의 무릉(茂陵: 지금의 섬서성 興
平) 사람이다. 조부 장유(張孺)는 상곡태수(上谷太守)를, 부친 장복(張福)은 한 무제를 섬겨
관직이 광록대부(光祿大夫)에 이르렀다. 장창은 태중대부(太中大夫)의 직위로 선제(宣帝)를 섬
겼으며, 그 때 두릉(杜陵: 지금의 섬서성 西安市 동남쪽)으로 옮겨 살았다. 관직은 예주자사
(豫州刺史)에까지 이르렀다.

21) [역주] 두업(杜業, ?~서기 1)은 전한 말기의 관료로, 자는 군도(君都)이며, 경조윤 두릉현(杜
陵縣) 사람이다. 어사대부 두주(杜周)의 증손이며, 어사대부 건평후(建平侯) 두연년(杜延年)의
손자이다. 건소 5년(B.C. 34)에 아버지 두완의 뒤를 이어 건평후(建平侯)에 봉해졌다. 홍가 원
년(B.C. 20)에 태상에 임명되었으나 7년 후 면직되었다. 건평 4년(B.C. 3), 다시 태상이 되었
으나 3년 후 상당도위로 좌천되고 그 해에 죽었다. 시호를 강(荒)이라 하였고, 아들 두보가 작
위를 이었다.

22) [역주] 원례(爰禮)도 '효선(孝宣) 황제 때의 패현(沛縣) 출신' 정도로만 알려져 있는데, 패현
(沛縣)은 오늘날 강소성에 있는 패현(沛縣)을 말한다.

23) [역주] 진근(秦近)은 한나라 때의 강학대부(講學大夫)로 『창힐편(倉頡篇)』에 정통했고 이를
강의할 수 있었다고 한다. 『설문서』 외에는 다른 자료가 전하지 않는다. 강학대부(講學大夫)란
왕망(王莽)의 신(新)나라 때에 설치되었던 관직 이름이다. 『단주』에 의하면, "두업(杜業)은 한
나라 애제(哀帝) 때에 살았고, 원례(爰禮)와 진근(秦近)은 평제(平帝) 때부터 신망(新莽) 때까
지 살았다."라고 한다.

삼았었다. 황문시랑(黃門侍郎)이었던 양웅(揚雄)24)이 여러 사람들의 해설을 한데 모아 『훈찬편(訓纂篇)』을 편찬하였다. 이는 『창힐편(倉頡篇)』 이후의 14종의 자서(字書)를 종합하였고, 총 5,340자를 수록하였는데, 당시의 각종 문헌에 기록된 문자의 대부분이 다 수록되었다.

及亡新居攝, 使大司空甄豐等校文書之部, 自以爲應制作, 頗改定古文. 時有六書: 一曰古文, 孔子壁中書也; 二曰奇字, 即古文而異者也; 三曰篆書, 即小篆, 秦始皇帝使下杜人程邈所作也; (徐鍇曰: "李斯雖改『史篇』爲秦篆, 而程邈復同作也.") 四曰佐書, 即秦隸書; 五曰繆篆, 所以摹印也; 六曰鳥蟲書, 所以書幡信也.

왕망(王莽)25)이 신(新)나라를 세워 섭정하던 시절에 이르러, 그는 태사공(大司空)

---

24) [역주] 양웅(揚雄, B.C. 53~18)은 서한 때의 유학자로, 자는 자운(子雲)이며, 촉군(蜀郡) 성도(成都) 출생이다. 왕망(王莽)의 신나라에서 벼슬하여 대부(大夫)가 되었기 때문에 후세에 지조가 없는 사람이라고 비난을 들었다. 사부(詞賦)를 잘하고 사마상여(司馬相如)를 많이 닮았었다. 만년에는 부(賦)는 짓지 않았고 경학(經學)에 뜻을 두었다. 서한 말에 유행한 신비적이고 비합리적, 미신적인 참위설(讖緯說), 천인상관설(天人相關說)에 반대한 철학자이기도 하다. 저술에 『법언(法言)』, 『태현(太玄)』, 『방언』 등이 있다. 특히 『태현경』에서는 세계의 근원에 '현(玄)'을 설정하고, 현으로부터 방(方)·주(州)·부(部)·가(家)가 단계적으로 유출한다고 하면서, 사물의 생성의 필연성, 합법칙성을 주장하였다. 『태현경』은 그 형식을 유교의 경서 『역』에서, 그 내용은 도가의 노자학파에서 받아들였는데, 이것은 그의 사상이 유가와 도가를 절충한 것이란 점을 잘 나타내 주고 있다. 즉 자연관에 관해서는 도가의 이론을, 윤리관에 대해서는 유가의 이론을 채용하였다. 참위설과 천인상관설에 대한 비판은 환담(桓譚)과 왕충(王充)에게 계승된다. '현'개념은 위진(魏晉)시대의 현학(玄學)에 섭취되었다.(『철학사전』, 『인명사전』)

25) [역주] 왕망(王莽)은 중국의 전한(前漢)을 타도하고 임금이 된 사람(8~22 재위)이다. 서기 5년 평제(平帝)를 죽이고 영(嬰)을 왕위에 오르게 하여 자기는 섭황제(攝皇帝)가 되었다가 8년에는 스스로 신황제(新皇帝)라 일컫고, 9년(고구려 유리왕 28)에는 나라 이름을 신(新), 연호를 시건국(始建國)이라 하였다. 12년에는 고구려에서 군사를 징발하여 호족(胡族)을 정벌하려 했으나 응하지 않자, 강제로 징발하였으나 변지로 도망쳐서 도둑이 되었다. 이에 요서 대윤(遼西大尹) 전담(田譚)이 추격 하다가 피살되자 엄우(嚴尤)가 고구려 장군 연비(延丕: 『한서(漢書)』, 『자치통감(資治通鑑)』에는 고구려후추(高句驪后騶), 『삼국지(三國志)』에는 구려후구(句麗后駒)로 되어 있음)를 유인하여 목을 베어 왕망에게 바치니 왕망은 기뻐하며 고구려 왕(高句麗王)을 하구려후(下句麗后)로 고쳐 천하에 공포하였다. 이로부터 고구려는 제후국이 되었다 한다. 서기

견풍(甄豐)[26] 등으로 하여금 문자류에 해당하는 문헌들을 교정하게 하였는데, 견풍은 자신 스스로 황제의 명에 부응하는 칙령을 만들어야 한다고 하면서 고문(古文)을 상당히 고쳤다. 그 당시에는 여섯 가지의 글자체가 있었다. 첫째 고문(古文)이라는 것인데, 공자 댁의 벽속에서 나온 책(壁中書)에 쓰인 글자체이다. 둘째 기자(奇字)라는 것인데, 이는 고문(古文)이지만, 그 형체가 더 특이한 것을 말한다. 셋째 전서(篆書)라는 것인데, 바로 소전(小篆)을 말한다. [서개(徐鍇)는 이렇게 말씀드립니다. "이사(李斯)가 『사편(史篇)』을 진나라 때의 전서체로 고쳤는데, 정막(程邈)이 다시 같도록 만들었습니다."] 넷째 좌서(左書)[27]라는 것인데, 바로 진(秦)나라 때의 예서(隸書)를 말하며, 진시황이 하두(下杜) 출신의 정막(程邈)을 시켜 만들게 한 것이다. 다섯째 무전(繆篆)이라는 것인데, 인장(印章)에 새기던 글자체를 말한다. 여섯째 조충서(鳥蟲書)라는 것인데, 깃발이나 부절(符節)에 쓰던 글자체를 말한다.

壁中書者，魯恭王壞孔子宅，而得『禮記』·『尙書』·『春秋』·『論語』·『孝經』；又北平矦張倉獻『春秋左氏傳』；郡國亦往往於山川得鼎彝，其銘卽前代之古文，皆自相似. 雖叵復見遠流，其詳可得略說也.

벽중서(壁中書)란 노(魯)나라 공왕(恭王)[28]이 [자신의 궁궐을 확장하고자] 공자의 생

23년 왕망은 신나라를 세운지 15년 만에 유수(劉秀: 후한광무(後漢光武))에게 곤양(昆陽)에서 패하여 죽자 나라는 망하고 후한(後漢)이 시작되었다.(『인명사전』, 2002.)

26) [역주] 견풍(甄豐, ?~서기 10)은 서한 때의 사람인데, 고문(古文)에 매우 정통했던 것으로 알려졌다. 평제(平帝) 때 정책을 세운 공으로 소부(少傅)에 올랐고, 광양후(廣陽侯)에 봉해졌다. 유흠(劉歆)과 왕순(王舜) 등과 함께 왕망(王莽)의 심복이었으며 섭정을 창도했다. 왕망의 조정에서는 갱시장군(更始將軍)에 올랐고 광신공(廣新公)에 봉해졌다. 그의 아들 견심(甄尋)은 부명(符命)을 위조하여 왕망의 허락을 받은 후 견풍을 우백(右伯)으로 삼았으나 이후 발각되어 견풍 부자를 체포하라는 명령이 내려졌고, 견풍은 자결하였다.

27) [역주] 좌서(佐書)는 달리 좌서(左書)로 표기되기도 하였다. 『단주』에서 "좌서(左書)는 그 서법이 편리하고 빨라서 소전(小篆)이 미치지 못하는 바를 보조할 수 있다."라고 하였다.

28) [역주] 노(魯) 공왕(恭王)은 한나라 경제(景帝) 유계(劉啓)의 다섯째 아들로, 이름은 여(餘)이고, 공(恭)은 시호이다. 유흠(劉歆)은 「이서양대상박사(移書讓大常博士)」에서 "노나라 공왕(恭王)이 공자의 생가를 허물어 궁궐로 삼고자 하였는데, 허물어진 벽 속에서 '고문(古文)'으로 된 경전을 얻었다."라고 하였고, 『한서·예문지(藝文志)』에서는 "노나라 공왕이 공자의 생가를

가를 헐었는데, 그때 벽 속에서 나온 『예기(禮記)』와 『상서(尙書)』, 『춘추(春秋)』, 『논어(論語)』, 『효경(孝經)』 등을 말한다. 또 북평후(北平侯)였던 장창(張蒼)[29]이 『춘추좌씨전(春秋左氏傳)』을 헌상하였다.[30] 게다가 전국의 군현(郡縣)이나 제후국(諸侯國)의 산이나 강에서도 종종 각종 청동기(鐘鼎彝器)들이 출토되기도 했는데, 거기에 새겨진 명문(銘文)은 이전 시대의 고문자로, 모두 공자 벽중서와 비슷하였다. 비록 아득한 옛날의 고문자로부터 변해 온 전모를 다시 볼 수는 없었지만, 선진(先秦) 시대의 고문자에 대한 여러 정황들은 대략적이나마 설명할 수 있었다.

而世人大共非訾, 以爲好奇者也. 故詭更正文, 鄕壁虛造不可知之書, 變亂常行, 以燿於世. 諸生競說字解經誼, 稱秦之隷書爲倉頡時書, 云父子相傳, 何得改易. 乃猥曰"馬頭人爲長", "人持十爲斗", "虫者, 屈中也". 廷尉說律, 至以字斷法：苛人受錢, 苛之字, 止句也. 若此者甚眾, 皆不合孔氏古文, 謬於史籒.

허물어 그의 궁궐을 넓히고자 하였다. 그곳에서 '고문'으로 필사된 『상서』, 『예기』, 『논어』, 『효경』 등을 얻게 되었는데, 무릇 수십 편이 모두 고문자로 되어 있었다."라고 하였다.

29) [역주] 장창(張蒼, B.C. 256~B.C. 152)은 하남군(河南郡) 양무현(陽武縣: 지금의 하남성 原陽縣 富寧集鄕 張大夫寨村) 사람으로, 서한 초기 때의 승상(丞相)이자 역법가이다. 일찍이 순자(荀子)의 문하에서 배웠으며, 이사(李斯), 한비(韓非) 등과 동문이다. 처음에는 진(秦)나라에서 출사하여 어사(禦史)가 되었으나 죄를 지어 도망했다. 패공(沛公) 유방(劉邦)이 혁명을 일으키자 상산태수(常山太守)를 제수 받았으며 큰 공을 세웠다. 한나라가 세워지고서는 대상국상(代相國相), 조국상(趙國相)을 역임했으며, 연왕(燕王) 장도(臧荼)의 반란을 진압하여 북평후(北平侯)에 봉해졌고, 입조하여 계상(計相), 주계(主計) 등을 맡아 재정사무를 관리했다. 회남국상(淮南國相)이 되었고, 어사대부(禦史大夫)를 역임했다. 한 문제(文帝) 4년 관영(灌嬰)이 죽자 승상(丞相)에 올랐다. 한 경제(景帝) 전원(前元) 5년(B.C. 152)에 죽었고 위문(爲文)이라는 시호를 받았다. 일찍이 『구장산술(九章算術)』을 교정해 역법을 제정했고, 육형(肉刑)의 폐지를 주장했으며, 가의(賈誼)가 그의 제자이다.

30) [역주] 이 과정에 대해 『단주』에서는 이렇게 보충했다. "진(秦)나라 때에는 의약이나 복서(卜筮) 이외의 책을 소지하는 것을 법으로 금지하였다. 그러나 장창(張蒼)은 진(秦)나라에서 주하어사(柱下御史)라는 신분에 있었기 때문에 『좌씨전(左氏傳)』을 소장할 수 있었고, 한(漢)나라에 이르러 책의 소지를 금하는 법령이 풀리자 이를 헌상하였다."

그런데도 그 당시의 일부 사람들은 이 '고문(古文)'을 있는 대로 부정하고 비방하였다. [그들은 고문에 대해] 기이한 것을 좋아하는 사람들이 일부러 정체자(正體字)를 함부로 고치고, 집안에 들어앉아 제 멋대로 아무 근거도 없이 이해할 수 없는 이상한 부호들을 만들어내, 일상적으로 통용되던 예서(隷書)를 변화시키고 뒤헝클어 놓고는 이를 세상에 뽐내려고 한 것이라고 생각하였다. 게다가 당시의 여러 연구자들은 서로 다투어 가며 문자를 해설하고 경전을 풀이하면서, 진(秦)나라 때의 예서(隷書)가 바로 창힐(倉頡) 당시의 문자라는 거짓 주장을 펼치면서, "문자란 부자(父子) 간에 입과 귀로 전해지는 것인데 어떻게 고치고 바꿀 수 있다는 말이냐?"라고 하였다. 이에 외람되게도 "말머리[馬頭]에 사람 '인(人)'이 덧붙여진 것이 '장(長)'자라 하고31), 사람[人]이 '십(十)'을 들고 있는 것이 '두(斗)'자라고 하며32), '충(虫)'자는 '중(中)'자의 세로획을 구부린 것이다.33)"라는 식으로 해설하기도 하였다. 또 형벌과 옥사를 관장하는 관리들은 법률을 해석함으로써 자형의 억

---

31) [역주] 장(長)은 고문자에서 甲骨文 金文 古陶 簡牘文 帛書 등으로, 소전체에서는 說文小篆 說文古文 등으로 적어, 머리칼을 길게 늘어뜨린 노인이 지팡이를 짚은 모습을 그렸는데, 때로 지팡이는 생략되기도 한다. 긴 머리칼은 나이가 들어 자신의 머리를 정리하지 못하고 산발한 것으로, 성인이 되면 남녀 모두 머리칼을 정리해 비녀를 꽂았던 夫(지아비 부)나 妻(아내 처)와 대비되는 모습이다. 이로부터 長에는 長久(장구)에서처럼 '길다'는 뜻과 長幼(장유)에서처럼 '연장자'라는 뜻이 생겼다. 정착 농경을 일찍부터 함으로써 경험이 무엇보다 중시되었던 중국에서, 그 누구보다 오랜 세월 동안 겪었던 나이 많은 사람의 다양한 경험은 매우 귀중한 지식이었기에, 이러한 경험의 소유자가 그 사회의 '우두머리'가 됐던 것은 당연했다. 그런데도 예서의 형체인 長을 보고서 당시 사람들은 "말머리[馬頭]에 사람 '인(人)'이 덧붙여진 것이 '장(長)'자이다"라고 풀이하였던 것이다.

32) [역주] 두(斗)는 고문자에서 金文 古陶文 簡牘文 등으로 적고, 소전체에서는 說文小篆로 적어 술을 뜰 때 쓰던 손잡이 달린 국자 모양의 容器(용기)를 그렸다. 이후 곡식을 나눌 때 쓰던 용기 즉 '말'을 지칭하여 열 되(升)를 뜻하였고, 다시 北斗七星(북두칠성)이나 南斗星(남두성)에서처럼 국자같이 생긴 것을 통칭하게 되었다. 그런데도 예서의 형체인 斗를 보고서 당시 사람들은 "사람[人]이 '십(十)'을 들고 있는 것이 두(斗)자이다"라고 하였던 것이다.

33) [역주] 충(虫)은 고문자에서 甲骨文 金文 簡牘文 등으로 적고, 소

지 분석에 근거하여 판결하기까지 하였다. 예를 들면 '피고를 협박하여 금품을 갈 취하는 것을 금지한다.'라는 뜻의 '가인수전(苛人受錢)'의 '가(苛)'자가 '지(止)'와 '구(句)'로 구성되었다고 하면서 이 글자의 뜻을 '지구(止句: 가는 사람을 멈추게 하 여 돈을 갈취하다)'라고 해석하는 것 등이 그렇다.34) 이처럼 잘못된 해석은 너무나 많았는데, 모두 공자 생가의 벽 속에서 나온 '고문(古文)'과도 부합되지 않을 뿐더 러, 『사주편(史籒篇)』의 대전(大篆)과도 어긋난다.

俗儒啚夫, 翫其所習, 蔽所希聞, 不見通學, 未嘗覩字例之條, 怪舊埶而善 野言, 以其所知爲祕妙, 究洞聖人之微恉. 又見『倉頡篇』中"幼子承詔", 因 號"古帝之所作也, 其辭有神僊之術焉". 其迷誤不諭, 豈不悖哉!

비루한 학자들이나 학식이 천박한 사람들은 자기들이 익히 아는 글자체에만 매몰 된 채, 자주 들어보지 못한 고문자에 대해서는 전혀 알지 못했다. 게다가 학문에 통달한 석학들을 만나본 적도 없고, 한자의 조자(造字) 법칙이나 구조에 대해서도 일찍이 보고 배운 적도 없어서, 옛 문헌 즉 '고문(古文)'으로 된 경전들을 괴이한 것이라고만 생각하였다. 그러면서도 황당무계한 속설을 오히려 훌륭한 것이라고 여기고, 자기들이 아는 것을 오묘한 진리라고 간주하여, 자기들이 [진정으로] 성인

전체에서 說文小篆로 적어, 갑골문에서처럼 세모꼴의 머리에 긴 몸통을 가진 살모사를 닮았다. 그래서 虫(벌레 충)은 '뱀'이 원래 뜻이고, 이후 파충류는 물론 곤충, 나아가 "기어 다 니거나 날아다니는, 털이 있거나 없는, 딱지나 비늘을 가진" 모든 생물을 지칭하게 되었다. 그 러자 원래 뜻은 它(뱀 타·사)를 더해 蛇(뱀 사)로 분화했고, 虫을 둘 합해 蚰(벌레 곤), 셋 합 해 蟲(벌레 충)을 만들었다. 그런데도 예서의 형체인 을 보고서 당시 사람들은 이를 "중 (中)자의 세로획을 구부린 것이다"라고 하였던 것이다.

34) [역주] 가(苛)는 고문자에서 金文 簡牘文 古璽文 등으로 적고, 소 전체에서 說文小篆로 적어, 艸(풀 초)가 의미부이고 可(옳을 가)가 소리부로, '매운' 맛을 내는 풀(艸)을 말하며, 이로부터 '독하다', '심하다' 등의 뜻이 나왔다. 그런데도 당시 사람들은 이를 "지(止)와 구(句)의 상하구조로 되었다"고 풀이하고서는 "길 가던 사람을 멈추어 세워 (止) 그들이 갖고 있는 돈을 갈취하다(鉤)는 뜻"으로 풀이했던 것이다.

의 깊은 뜻을 모두 다 탐구하여 깨달았다고 생각하였다. 또 『창힐편(倉頡篇)』가운데 등장하는 "유자승조(幼子承詔)"35)라는 구절을 보고서는, [이를 '어린 아들이 칙명을 받들어 지은 것'이라 풀이하여] "이 『창힐편』은 상고 시대의 황제(黃帝)가 직접 저작한 것이고, 그렇기에 글자와 행간에 신선의 법술(法術)이 들어있다."36)라고까지 하였다. 이처럼 황당무계한 주장에 미혹되어 깨어나지 못하고 있으니, 어찌 사리에 어긋난다고 하지 않을 수 있겠는가!

『書』曰: "予欲觀古人之象. 言必遵修舊文而不穿鑿. 孔子曰: "吾猶及史之闕文, 今亡也夫.蓋非其不知而不問, 人用己私, 是非無正, 巧說衰辭, 使天下學者疑.

『상서(尙書)·우서(虞書)·고도모(皐陶謨)』에서 "나[즉 순(舜) 임금]는 옛사람들이 그려 만든 형상을 보고자 한다."37)라고 하였는데, 이는 새로운 제도를 제정할 때에는 반드시 지난날의 문자를 이어 받아 살피되 견강부회하지 말아야 함을 말한 것이다. 그래서 공자(孔子)께서도 "내가 역사서를 볼 때는 오히려 '의심스러운 점이

---

35) [역주] '幼子承詔'에 대해 『단주』에서는 이렇게 보충했다. "유자승조(幼子承詔)'라는 말은 『창힐편(倉頡篇)』의 한 구절로 보인다. 『창힐편』은 4자가 1구를 이루는 체제로 되어 있다. 허신이 지은 『설문』의 '언(言)'부수에는 '조(詔)'자가 수록되어 있지 않은데, 아마 허신은 '고(誥)'자로 이 '조(詔)'자를 포괄한 것 같다. 옛날에는 '고(誥)'라 하였고, 진한(秦漢) 때에는 '조(詔)'라 하였는데, 이 둘은 글자의 의미도 같고 독음도 비슷하다."

36) [역주] 이에 대해 『단주』에서는 이렇게 부연 설명했다. "유자승조(幼子承詔)라는 말은 아마도 호해(胡亥)가 진시황(秦始皇)을 이어 받아 황제의 자리에 오른 것을 말한 것으로 보인다. 비속한 학자들이나 지식이 천박한 사람들은 예서가 곧 창힐(倉頡) 때의 문자라고 하였고, 이에 따라 이사(李斯) 등이 지은 『창힐편(倉頡篇)』을 황제(黃帝)가 지은 것이라고 하였는데, 이는 황제(黃帝)와 창힐(倉頡)이 군신 관계로 동시대 사람이기 때문이었다. 그리고 '유자승조(幼子承詔)'라고 한 것을 황제(黃帝)가 용을 타고 승천하자 어린 아들이 황제의 자리를 계승하여 황제가 되었음을 말하는 것이라고 하였다."

37) [역주] 『단주』에서는 이렇게 보충했다. '옛사람들이 그려 만든 형상(古人之象)'은 "바로 창힐(倉頡) 때의 고문(古文)을 말한다. 이는 모양을 형상화하고(像形), 일을 형상화하고(像事), 뜻을 형상화하고(像意), 소리를 형상화한 것(像聲)이므로, 형상화하지 않은 것이 없다(無非像也)."

있으면 빈칸으로 비워 둔다.'던 궐문(闕文)을 볼 수 있었으나, 오늘날 사람들에게는 이런 정신이 없구나!"라고 탄식하셨던 것이다. 이는 아마도 모르면서도 묻지도 않고, 자기의 생각만으로 비판함으로써 옳고 그름의 표준이 없게 하고, 교묘한 말과 궤변을 늘어놓음으로써 천하의 배우는 사람들로 하여금 의혹에 빠지도록 한 당시의 현상을 비판한 말씀일 것이다.

蓋文字者, 經藝之本, 王政之始. 前人所以垂後, 後人所以識古. 故曰"本立而道生", "知天下之至賾而不可亂也".

대저 문자라는 것은 경(經)·사(史)·자(子)·집(集) 등 모든 문헌의 근본이며, 왕도(王道) 정치를 펼치는 기초이다. 이전 사람들은 이를 통해 자기의 경험과 지식을 후세 사람들에게 전해주며, 후세 사람들은 이를 통해 옛날의 역사를 알게 된다. 그런 까닭에 "기본이 바로 서야만 '도(道)'가 생겨난다."라고 하였고, 또 "천하의 가장 심오한 도리를 깨우쳐야만 혼란에 빠지지 않게 된다."[38]라고 했던 것이다.

今敍篆文, 合以古籀. 博采通人, 至于小大, 信而有證. 稽譔其說, 將以理羣類, 解謬誤, 曉學者, 達神恉. 徐鍇曰 : "恉即意旨字. 旨者, 美也. 多通用. 分別部居, 不相雜廁. 徐鍇曰 : "分部相從, 自許始也. 萬物咸覩, 靡不兼載. 厥誼不昭, 爰明以諭. 其偁『易』, 孟氏;『書』, 孔氏;『詩』, 毛氏;『禮』, 周官;『春秋』, 左氏;『論語』·『孝經』, 皆古文也. 其於所不知, 蓋闕如也.

지금 여기 『설문해자(說文解字)』에서는, 먼저 소전(小篆)체를 순서에 따라 열거하고, '고문(古文)'과 '주문(籀文)'을 이에 결합하여 참조하도록 배치하였다.[39] 또 널

---

38) [역주] 이는 『주역·계사전(繫辭傳)』에 나오는 "천하의 심오한 이치를 설명하면서 싫증을 내어서는 아니 되며, 천하의 변화무쌍한 사물의 움직임을 설명하면서 혼란스럽게 하여서는 아니 된다.(言天下至賾而不可惡也, 言天下至動而不可亂也.)"라는 말을 축약한 것으로 보인다.
39) [역주] 이는 『설문』 전체를 관통하고 있는 중요한 체제이다. 이에 대해 『단주』에서는 이렇게

리 학문이 깊고 넓은 전문가[40]들의 주장을 채택할 때에는 크고 작은 모든 주장에 대해 진실 되고 믿을 수 있으면서 확실한 증거가 있는 경우만으로 한정했다. 문자에 대한 해설을 기술할 때에는 문자가 나타낼 수 있는 모든 사물을 부류별로 총괄 정리함으로써, 잘못된 해석을 바로 잡고, 배우는 사람들로 하여금 문자의 본 모습을 분명하게 알게 하고, 조자(造字)의 신묘한 뜻을 깨우쳐서 통달하도록 하였다. [서개(徐鍇)는 이렇게 말합니다. "지(恉)는 바로 지(旨)를 말하는데, 지(旨)는 아름답다(美)는 뜻입니다. 두루 통용된다는 말입니다."] 수록한 모든 글자들을 부류에 따라 분류하였고 이를 부수(部首) 별로 나누어 배열하되 서로 뒤섞이지 않도록 하였다. [서개(徐鍇)는 이렇게 말씀드립니다. "부수를 나누어 서로 따르게 한 것은 허신에서부터 시작됩니다. 그리하여 만물만사 모두가 이 책에서 찾아 볼 수 있게 되었고, 완벽하게 수록되지 않은 것이

설명했다. 여기서 말한 "전문(篆文)이란 소전(小篆)을 말하며, 고주(古籀)란 고문(古文)과 주문(籀文)을 말한다. 허신은 복고를 중요시하였다. 그런데도 설명과정에서 고문(古文)과 주문(籀文)을 앞에 놓지 않은 것은, 사람들로 하여금 가까운 옛날로부터 더 먼 옛날의 것을 고찰하기를 바란 것이다. 소전(小篆)의 경우 고문(古文)과 주문(籀文)에서 변하지 않은 것이 많았다. 그래서 소전(小篆)을 앞에다 나열했는데, 그것은 바로 고문(古文)과 주문(籀文)을 설명하기 위함이었다. 예서(隷書)는 고문(古文)과 주문(籀文)으로부터 시간적으로 아주 멀리 떨어져 있는 관계로 원류를 살피기가 어려웠다. 그래서 소전을 앞에다 나열해야만 했다. 그 가운데 이미 고문이나 주문을 고친 소전이나, 고문이나 주문과 다른 소전의 경우는 고문과 주문을 소전의 뒤에 덧붙여 놓고 '고문으로는 이렇게 쓴다.'라거나, '주문으로는 이렇게 쓴다.'라고 하였다. 이것이 이 책 전체를 관통하는 체제이다. 이의 변례(變例)도 있는데, 바로 고문이나 주문을 앞에다 두고, 소전을 그 뒤에 배열한 것이다. 예컨대, 제1편의 '상(二, 上)'자 아래에다 '상(⊥)의 고문체이다'라고 하였고, '하(⊤, 下)' 아래에서는 '하(⼆)의 전서체이다'라고 한 것과 같은 것들이다. 먼저 '고문(古文)'을 배열하고 뒤에다 '소전(小篆)'을 배열한 경우를 보면, '방(旁)'자와 '제(帝)'자가 '상(二, 上)'으로 구성되었기 때문에, 반드시 '상(二, 上)'을 부수로 세워 이들 글자가 귀속될 수 있도록 하기 위함이었다. 무릇 책 전체에서 '고문이나 주문을 먼저 배열하고 소전을 뒤에 배열한 것'은 모두 그것들이 부수로 세워졌기 때문이다."

40) [역주] 통인(通人)을 이렇게 번역하였다. 이는 당시 학문적 성취를 크게 이룬 사람들이다. 『설문』에 인용된 '통인'에 대해 『단주』에서는 공자(孔子), 초(楚)나라 장왕(莊王), 한비(韓非), 사마상여(司馬相如), 회남왕(淮南王), 동중서(董仲舒), 유흠(劉歆), 양웅(楊雄), 원례(爰禮), 윤동(尹彤), 록안(逯安), 왕육(王育), 장도(莊都), 구양교(歐陽喬), 황호(黃顥), 담장(譚長), 주성(周成), 관부(官溥), 장철(張徹), 녕엄(甯嚴), 상흠(桑欽), 두림(杜林), 위굉(衛宏), 서순(徐巡), 반고(班固), 부의(傅毅)를 비롯해 자신의 스승이기 때문에 '가시중(賈侍中)'이라고 불렀던 가규(賈逵) 등 총 27명이라 하였다. 그러나 왕균(王筠)은 여기에다 경방(京房)과 장림(張林)을 각각 유흠(劉歆)과 장도(莊都) 앞에 배열하여 총 29명이라 하였다.

없었습니다."] 글자의 의미가 불분명한 경우, 참고할 수 있는 자료들을 원용하여 비유적으로 설명하였다. 여기에서 인용된 문헌은 맹희(孟喜)[41])의 『역경(易經)』, 공안국(孔安國)[42])의 『상서(尙書)』, 모형(毛亨)[43])의 『시경(詩經)』, 『의례(儀禮)』, 『주례(周禮)』, 좌구명(左丘明)[44])의 『춘추(春秋)』, 『논어(論語)』, 『효경(孝經)』 등이 있

---

41) [역주] 맹희(孟喜, 미상)는 서한 때의 동해(東海) 난릉(蘭陵) 사람이다. 자는 장경(長卿)이고, 맹경(孟卿)의 아들이다. 효렴(孝廉)으로 천거되어 곡대서장(曲臺署長)에 임명되었고, 뒤에 승상연(丞相掾)을 지냈다. 전하(田何)의 재전 제자인 전왕손(田王孫) 문하에서 시수(施讐), 양구하(梁丘賀) 등과 함께 『주역(周易)』을 배워 맹씨역학(孟氏易學)을 개창했다. 전왕손이 임종할 때 자신에게 음양(陰陽), 재변(災變)에 관한 책을 주었다고 거짓말을 했는데, 동문 양구하가 그 말이 거짓임을 폭로함으로써 당시 사람들에게 불신을 당했다. 또한 사법(師法)을 바꾸었다는 것 때문에 박사가 되지 못했다. 그러나 길흉화복을 점치는 쪽으로 역학을 연구하여 상수학(象數學)을 발전시켰다는 평을 받았다. 제자 백광(白光)과 적목(翟牧)이 역학을 전수받아 박사가 되었다. 저서에 『역경장구(易經章句)』가 있었지만 없어졌고, 지금은 옥함산방집일서에 수록된 『주역맹씨장구(周易孟氏章句)』와 한위유서초(漢魏遺書鈔), 한위이십일가역주(漢魏二十一家易注)에 수록된 『역장구(易章句)』가 전할 뿐이다.(『중국역대인명사전』)

42) [역주] 공안국(孔安國, 미상)은 서한 노(魯: 지금의 산동성 曲阜) 사람이다. 자는 자국(子國)이고, 공자의 11대손이며, 공충(孔忠)의 아들이다. 『상서(尙書)』 고문학의 시조다. 무제(武帝) 때 박사(博士)를 지내고, 간대부(諫大夫)와 임회태수(臨淮太守)에 이르렀다. 『시(詩)』는 신공(申公)에게 배우고, 『상서』는 복생(伏生)에게서 받았다. 노공왕(魯共王)이 공자의 옛 집을 헐었을 때 과두문자(蝌蚪文字)로 된 『고문상서(古文尙書)』와 『예기(禮記)』, 『논어』, 『효경(孝經)』이 나왔다. 아무도 이 글을 읽지 못한 것을 금문(今文)과 대조하여 고증, 해독하여 주석을 붙여, 『상서공씨전(尙書孔氏傳)』을 지었다. 이 일에서 고문학(古文學)이 비롯되었다고 한다. 현전하는 『상서공씨전』은 명나라 학자들의 고증에 의해 위탁(僞托)된 것으로 확인되었다.(『중국역대인명사전』)

43) [역주] 모형(毛亨, 미상)은 서한 노(魯) 사람인데, 일설에는 하간(河間) 사람이라고도 한다. 『시(詩)』를 전공했고, 고문경학인 모시학(毛詩學)의 개창자이다. 『모전(毛傳)』은 자하(子夏)에게서 나와 순황(荀況)을 거쳐 그에게 전해졌다고 한다. 순황에게 『시』를 배웠으며, 대모공(大毛公)으로 불려진다. 학문은 조(趙) 땅 사람 모장(毛萇)에게 전해졌다. 저서에 『모시고훈전(毛詩詁訓傳)』이 있는데, 정현(鄭玄)이 전(箋)을 달고 공영달(孔穎達)이 소(疏)를 지었다. 지금 전하는 『시경』이 바로 모형이 전한 것이다.(『중국역대인명사전』)

44) [역주] 좌구명(左丘明, 미상)은 춘추 시대 노(魯)나라 사람이다. 공자(孔子)와 같은 무렵 사람으로 본다. 공자가 일찍이 그의 사람됨을 칭송했다. 성은 좌씨고, 이름이 구명이다. 일설에는 성이 좌구씨고, 이름이 명이라고도 한다. 노나라에서 사관(史官)을 지냈다고 한다. 『좌씨전(左氏傳)』과 『국어(國語)』의 저자로 일컬어진다. 좌구실명(左丘失明)이라는 사마천(司馬遷)의 말에 따라 맹좌(盲左)라고도 부른다. 청나라 말기의 학자 강유위(康有爲)는 『춘추좌씨전』은 유흠(劉歆)의 위작(偽作)이라 했다.(『중국역대인명사전』)

는데, 모두 '고문(古文)'으로 된 경전들이다. 그리고 모르는 것에 대해서는 억지로 해설하지 않고 빈칸으로 비워 두었다.

제
15
권

540부수 일람표

번호	소전	해서	훈독	한어병음
1	一	一	한 일	yī
2		上	위 상	shàng
3		示	보일 시	shì
4		三	석 삼	sān
5		王	임금 왕	wáng
6		玉	옥 옥	yù
7		珏	쌍옥 각	jué
8		气	기운 기	qì
9		士	선비 사	shì
10		丨	뚫을 곤	gǔn
11		屮	싹 날 철	chè
12		艸	풀 초	cǎo
13		蓐	요 욕	rù
14		茻	잡풀 우거질 망	wāng
15		小	작을 소	xiǎo

16	八	여덟 팔	bā
17	釆	분별할 변	biàn
18	半	반 반	bàn
19	牛	소 우	niú
20	犛	야크 리	lí
21	告	알릴 고	gào
22	口	입 구	kǒu
23	凵	입 벌릴 감	kǎn
24	吅	부르짖을 훤	xuān
25	哭	울 곡	kū
26	走	달릴 주	zǒu
27	止	발 지	zhǐ
28	癶	등질 발	bō
29	步	걸음 보	bù
30	此	이 차	cǐ
31	正	바를 정	zhèng
32	是	옳을 시	shì
33	辵	쉬엄쉬엄 갈 착	chuò
34	彳	조금 걸을 척	chì
35	廴	길게 걸을 인	yǐn
36	延	걸을 천	chǎn, chān
37	行	갈 행	xíng

38	齒	이 치	chǐ
39	牙	어금니 아	yá
40	足	발 족	zú
41	疋	필 필·발 소	shū
42	品	물건 품	pǐn
43	龠	피리 약	yuè
44	冊	책 책	cè
45	㗊	여러 사람의 입 집·우레 뢰	jí, léi
46	舌	혀 설	shé
47	干	방패 간	gān
48	𧮫	입 둘레의 굽이 갹	jué
49	只	다만 지	zhǐ
50	㕯	말을 더듬을 눌·말 느린 소리 열	nè
51	句	글귀 구	gōu
52	丩	얽힐 구	jiū
53	古	옛 고	gǔ
54	十	열 십	shí
55	卅	서른 삽	sà
56	言	말씀 언	yán
57	誩	말다툼할 경	jìng
58	音	소리 음	yīn
59	辛	허물 건	qiān

60	芔	풀 무성할 착	zhuó
61	業	번거로울 복	pú
62	収	받들 공	gǒng
63	꿔	더위잡을 반	pān
64	共	함께 공	gòng
65	異	다를 이	yì
66	舁	마주 들 여	yú
67	臼	깍지 낄 국	jú, jǔ
68	晨	새벽 신	chén
69	爨	불 땔 찬	cān
70	革	가죽 혁	gé
71	鬲	막을 격·솥 력	lǐ
72	弼	다리 굽은 솥 력	lì
73	爪	손톱 조	zhǎo
74	丮	잡을 극	jǐ
75	鬥	싸울 투·두·각	dòu
76	又	또 우	yòu
77	屮	왼손 좌	zuǒ
78	史	역사 사	shǐ
79	支	가를 지	zhī
80	聿	손 빠를 녑	niè
81	聿	붓 율	yù

82	畫	畫	그림 화	huà
83	隸	隶	미칠 이·대	dài
84	臤	臤	어질 현·굳을 간	qiān
85	臣	臣	신하 신	chén
86	殳	殳	창 수	shū
87	殺	殺	죽일 살	shā
88	几	几	새 깃 짧을 수	shū
89	寸	寸	마디 촌	cùn
90	皮	皮	가죽 피	pí
91	㲋	㲋	무두질한 가죽 연·준	ruǎn
92	攴	攴	칠 복	pū
93	教	教	본받을 교	jiào
94	卜	卜	점 복	bǔ
95	用	用	쓸 용	yòng
96	爻	爻	효 효	yáo
97	㸚	㸚	밝은 모양 리·그칠 려	lǐ
98	夐	夐	눈짓할 혈	xuè
99	目	目	눈 목	mù
100	䀠	䀠	두리번거릴 구	qú, jù
101	眉	眉	눈썹 미	méi
102	盾	盾	방패 순	dùn
103	自	自	스스로 자	zì

104	𦣻	코 자	zì
105	鼻	코 비	bí
106	皕	이백 벽	bì
107	習	익힐 습	xí
108	羽	깃 우	yǔ
109	隹	새 추	zhuī
110	奞	날개 칠 순	suī
111	萑	부엉이 환	huán
112	丫	양의 뿔이 갈라진 모양 개	guǎi
113	首	눈 바르지 못할 말	mò
114	羊	양 양	yáng
115	羴	양의 노린내 전	shān
116	瞿	볼 구	jù
117	雔	가죽나무 고치 수	chóu
118	雥	새 떼 지어 모일 잡	zá
119	鳥	새 조	niǎo
120	烏	까마귀 오	wū
121	華	키 필	bān
122	冓	짤 구	gòu
123	幺	작을 요	yāo
124	丝	작을 유	yōu, zī
125	叀	삼가할 전	zhuān

126	玄	검을 현	xuán
127	予	나 여	yǔ
128	放	놓을 방	fàng
129	受	물건 떨어져 위아래 서로 붙을 표	biào
130	叐	뚫다 남을 잔	cán
131	歺	부서진 뼈 알	è
132	死	죽을 사	sǐ
133	冎	뼈 발라낼 과	guǎ
134	骨	뼈 골	gǔ
135	肉	고기 육	ròu
136	筋	힘줄 근	jīn
137	刀	칼 도	dāo
138	刃	칼날 인	rèn
139	韧	약속할 계·교묘히 새길 갈	qì, qià
140	丯	풀이 자라 산란할 개	jiè
141	耒	쟁기 뢰	lěi
142	角	뿔 각	jiǎo
143	竹	대 죽	zhú
144	箕	키 기	jī
145	丌	대 기	jī
146	左	왼 좌	zuǒ
147	工	장인 공	gōng

148	珡	펼 전	zhǎn, zhàn
149	巫	무당 무	wū
150	甘	달 감	gān
151	曰	가로 왈	yuē
152	乃	이에 내	nǎi
153	丂	공교할 교	kǎo
154	可	옳을 가	kě
155	兮	어조사 혜	xī
156	号	부를 호	háo
157	亏	어조사 우	yú
158	旨	맛있을 지	zhǐ
159	喜	기쁠 희	xǐ
160	壴	악기 이름 주	zhǔ
161	鼓	북 고	gǔ
162	豈	어찌 기	qǐ
163	豆	콩 두	dòu
164	豊	굽 높은 그릇 례·풍성할 풍	lǐ, fēng
165	豐	풍년 풍	fēng
166	虘	옛 질그릇 희	xī
167	虍	호피 무늬 호	hū
168	虎	범 호	hū
169	虤	범 성낼 현	yán

제 15 권

170	皿	그릇 명	mǐn
171	凵	입 벌릴 감	kǎn
172	去	갈 거	qù
173	血	피 혈	xuè
174	丶	점 주	zhǔ
175	丹	붉을 단·란	dān
176	青	푸를 청	qīng
177	井	우물 정	jǐng
178	皀	고소할 급	jí
179	鬯	울창주 창	chàng
180	食	밥 식	shí
181	亼	삼합 집	jí
182	會	모일 회	huì
183	倉	곳집 창	cāng
184	入	들 입	rù
185	缶	장군 부	fǒu
186	矢	화살 시	shǐ
187	高	높을 고	gāo
188	冂	먼데 경	jiōng
189	髙	성곽 곽	guō
190	京	서울 경	jīng
191	亯	누릴 향	xiǎng

192	㫗	두터울 후	hòu
193	畐	복 복	fú, dá
194	㐭	곳집 름	lǐn
195	㮂	아낄 색	sè
196	來	올 래	lái
197	麥	보리 맥	mài
198	夊	천천히 걸을 쇠	suī
199	舛	어그러질 천	chuǎn
200	舜	순임금 순	shùn
201	韋	다룸가죽 위	wéi
202	弟	아우 제	dì
203	夂	뒤져서 올 치	zhǐ
204	久	오랠 구	jiǔ
205	桀	홰 걸	jié
206	木	나무 목	mù
207	東	동녘 동	dōng
208	林	수풀 림	lín
209	才	재주 재	cái
210	叒	땅 이름 약	ruò
211	之	갈 지	zhī
212	帀	두를 잡	zā
213	出	날 출	chū

214	米	초목 무성할 발	bèi, pō
215	生	날 생	shēng
216	乇	부탁할 탁	zhé
217	巫	늘어질 수	chuí
218	琴	꽃 화	huā
219	華	꽃 화	huá, huà
220	禾	나무 끝 옹두라져 뻗지 못할 계	jī
221	稽	머무를 계	jī
222	巢	집 소	cháo
223	桼	옻 칠	qī
224	束	묶을 속	shù
225	橐	묶을 본	gǔn, hùn
226	口	에워쌀 위·나라 국	wéi, guó
227	員	수효 원	yuán
228	貝	조개 패	bèi
229	邑	고을 읍	yì
230	䢕	거리 항	xiàng
231	日	해 일	rì
232	旦	아침 단	gàn
233	倝	해가 뜰 때 햇빛이 빛나는 모양 간	gàn
234	㫃	깃발이 나부끼는 모양 언	yǎn

235		冥	어두울 명	míng
236		晶	밝을 정	jīng
237		月	달 월	yuè
238		有	있을 유	yǒu
239		朙	밝을 명	míng
240		囧	빛날 경	jiǒng
241		夕	저녁 석	xī
242		多	많을 다	duō
243		毌	꿰뚫을 관	guàn
244		弓	꽃봉오리 함	hàn
245		東	나무에 꽃과 열매가 늘어질 함	hàn
246		卤	열매 주렁주렁 달릴 초	tiáo, yǒu
247		齊	가지런할 제	qí
248		朿	가시 자	cì
249		片	조각 편	piàn
250		鼎	솥 정	dǐng
251		克	이길 극	kè
252		彔	나무 깎을 록	lù
253		禾	벼 화	hé
254		秝	나무 성글 력	lì
255		黍	기장 서	shǔ
256		香	향기 향	xiāng

257	米	쌀 미	mǐ
258	毇	쓿을 훼	huǐ
259	臼	절구 구	jiù
260	凶	흉할 흉	xiōng
261	朮	삼 줄기 껍질 빈	pìn
262	𣏟	삼베 파	pài
263	麻	삼 마	mā
264	尗	콩 숙	shū
265	耑	시초 단	duān
266	韭	부추 구	jiǔ
267	瓜	오이 과	guā
268	瓠	표주박 호	hù
269	宀	집 면	mián
270	宮	집 궁	gōng
271	呂	음률 려	lǔ
272	穴	구멍 혈	xué
273	㝱	꿈 몽	mèng
274	疒	병들어 기댈 녁	nè
275	冖	덮을 멱	mì
276	冃	거듭 모	mǎo
277	冒	쓰개 모	mào
278	网	두 량	liǎng

279	网	그물 망	wǎng
280	襾	덮을 아	yà
281	巾	수건 건	jīn
282	市	슬갑 불	fú
283	帛	비단 백	bó
284	白	흰 백	bái
285	㡀	해어진 옷 폐	bì
286	黹	바느질할 치	zhǐ
287	人	사람 인	rén
288	化	될 화	huà
289	匕	비수 비	bǐ
290	从	좇을 종	cóng
291	比	견줄 비	bǐ
292	北	북녘 북·등 배	bèi
293	丘	언덕 구	qiū
294	㐺	나란히 설 음	zhòng, yín
295	壬	좋을 정	tǐng
296	重	무거울 중	zhòng, chóng
297	臥	엎드릴 와	wò
298	身	몸 신	shēn
299	月	돌아갈 은의	yǐn
300	衣	옷 의	yī

301	裘	갓옷 구	qiú
302	老	늙은이 로	lǎo
303	毛	털 모	máo
304	毳	솜털 취	cuì
305	尸	주검 시	shī
306	尺	자 척	chǐ
307	尾	꼬리 미	wěi
308	履	신 리	lǚ
309	舟	배 주	zhōu
310	方	모 방	fāng
311	儿	사람 인	rén
312	兄	맏 형	xiōng
313	兂	비녀 잠	zān
314	皃	얼굴 모	mào
315	兜	가릴 고	gǔ
316	先	먼저 선	xiān
317	禿	대머리 독	tū
318	見	볼 견	jiàn
319	覞	아울러 볼 요	yào
320	欠	하품 흠	qiàn
321	歙	마실 음	yǐn
322	次	침 연·선	xián

323	旡	목멜 기	jì
324	頁	머리 혈	yè
325	百	머리 수	shǒu, bǎi
326	面	낯 면	miàn
327	丏	가릴 면	miǎn
328	首	머리 수	shǒu
329	県	목 베어 거꾸로 매달 교	jiāo
330	須	모름지기 수	xu
331	彡	터럭 삼	shàn
332	彣	벌겋고 퍼런 빛 문	wén
333	文	무늬 문	wén
334	髟	머리털 드리워질 표	biāo
335	后	임금 후	hòu
336	司	맡을 사	sī
337	卮	잔 치	zhī
338	卩	병부 절	jié
339	印	도장 인	yìn
340	色	빛 색	sè
341	卯	절주할 경	qīng
342	辟	임금 벽	bì
343	勹	쌀 포	bāo
344	包	쌀 포	bāo

345	苟	빠를 극	jì
346	鬼	귀신 귀	guǐ
347	甶	귀신 머리 불	fú
348	厶	사사 사	sī
349	嵬	높을 외	wéi
350	山	뫼 산	shān
351	屾	같이 선 산 신	shēn
352	屵	산 높은 모양 알	è
353	广	집 엄	yǎn
354	厂	기슭 엄·한	ān, yǎn, hǎn
355	丸	알 환	wán
356	危	위태할 위	wēi
357	石	돌 석	shí
358	長	길 장	cháng
359	勿	말 물	wù
360	冉	나아갈 염	rǎn
361	而	말 이을 이	ér
362	豕	돼지 시	shǐ
363	希	털 긴 짐승 이	nǐ, yì
364	彑	고슴도치 머리 계	jì
365	豚	돼지 돈	tún
366	豸	발 없는 벌레 치	zhì

367	㕯	외뿔소 사	sì
368	易	바꿀 역·쉬울 이	yì
369	象	코끼리 상	xiàng
370	馬	말 마	mǎ
371	廌	해태 치	zhì
372	鹿	사슴 록	lù
373	麤	거칠 추	cū
374	㲋	짐승 이름 착	chuò, zhuó, zú
375	兔	토끼 토	tù
376	莧	뿔이 가는 산양 환	huán
377	犬	개 견	quǎn
378	㹜	개가 싸울 은	yín
379	鼠	쥐 서	shǔ
380	能	능할 능	néng
381	熊	곰 웅	xióng
382	火	불 화	huǒ
383	炎	불탈 염	yán
384	黑	검을 흑	hēi
385	囱	창 창·굴뚝 총	chuāng
386	焱	불꽃 염	yàn
387	炙	고기 구울 자적	zhì
388	赤	붉을 적	chì

389	大	大	큰 대	dà
390	亦	亦	또 역	yì
391	矢	矢	머리가 기울 녈	zè, cè
392	夭	夭	어릴 요	yāo
393	交	交	사귈 교	jiāo
394	允	允	절름발이 왕	wāng
395	壺	壺	병 호	hú
396	壹	壹	한 일	yī
397	卒	卒	놀랠 녑	xìng, niè
398	奢	奢	사치할 사	shē
399	亢	亢	목 항	kàng
400	夲	夲	나아갈 도	tāo
401	夰	夰	놓을 고	gǎo
402	大	大	큰 대	dà
403	夫	夫	지아비 부	fū
404	立	立	설 립	lì
405	竝	竝	아우를 병	bìng
406	囟	囟	정수리 신	xìn
407	思	思	생각할 사	sī
408	心	心	마음 심	xīn
409	惢	惢	꽃술 쇄	suǒ
410	水	水	물 수	shuǐ

411	㳀	㳀	두 갈래 강 추	zhuǐ
412	瀕	瀕	물가 빈	bīn
413	〵	〵	도랑 견	quǎn
414	〵〵	巜	큰 도랑 괴	kuài
415	川	川	내 천	chuān
416	泉	泉	샘 천	quán
417	灥	灥	많은 물줄기 천	chuān, quán
418	永	永	길 영	yǒng
419	辰	辰	갈라질 파	pài
420	谷	谷	골 곡	gǔ
421	仌	仌	얼음 빙	bīng
422	雨	雨	비 우	yǔ
423	雲	雲	구름 운	yún
424	魚	魚	고기 어	yú
425	鱻	鱻	두 마리의 물고기 어	yú, wú
426	燕	燕	제비 연	yàn
427	龍	龍	용 룡	lóng
428	飛	飛	날 비	fēi
429	非	非	아닐 비	fēi
430	卂	卂	빨리 날 신	xìn
431	乙	乙	새 을	yǐ
432	不	不	아닐 불	bù

433	至	이를 지	zhì
434	西	서녘 서	xī
435	鹵	소금 로	lǔ
436	鹽	소금 염	yán
437	戶	지게 호	hù
438	門	문 문	mén
439	耳	귀 이	ěr
440	臣	턱 이	yí
441	手	손 수	shǒu
442	𠦪	등골뼈 과·척	guāi
443	女	여자 녀	nǚ
444	毋	말 무	wú
445	民	백성 민	mín
446	丿	삐침 별	piě
447	厂	끌 예	yì
448	乁	흐를 이	yí, jí
449	氏	각시 씨	shì
450	氐	근본 저	dǐ
451	戈	창 과	gē
452	戉	도끼 월	yuè
453	我	나 아	wǒ
454	亅	갈고리 궐	jué

455	珡	琴	거문고 금	qín
456		乚	숨을 은	yǐn
457		亾	잃을 망·없을 무	wáng
458		匸	감출 혜	xì
459		匚	상자 방	fāng
460		曲	굽을 곡	qū
461		甾	꿩 치	zāi
462		瓦	기와 와	wǎ
463		弓	활 궁	gōng
464		弜	강할 강	jiàng
465		弦	시위 현	xuán
466		系	이을 계	xì
467		糸	가는 실 사멱	mì
468		素	흴 소	sù
469		絲	실 사	sī
470		率	거느릴 솔	shuài
471		虫	벌레 훼·충	huǐ
472		蚰	벌레 곤	kūn
473		蟲	벌레 충	chóng
474		風	바람 풍	fēng
475		它	다를 타·뱀 사	tā
476		龜	나라 이름 구·거북 귀·틀 균	guī

477	黽	힘쓸 민·맹꽁이 맹	mǐn, miǎn
478	卵	알 란	luǎn
479	二	두 이	èr
480	土	흙 토	tǔ
481	垚	사람 이름 요	yáo
482	堇	노란 진흙 근	qín
483	里	마을 리	lǐ
484	田	밭 전	tián
485	畕	나란히 있는 밭 강	jiāng
486	黃	누를 황	huáng
487	男	사내 남	nán
488	力	힘 력	lì
489	劦	힘 합할 협	xié
490	金	성 김·쇠 금	jīn
491	幵	평평할 견	jiān
492	勺	구기 작	sháo
493	几	안석 궤	jǐ
494	且	또 차	jū
495	斤	도끼 근	jīn
496	斗	말 두	dǒu
497	矛	창 모	máo
498	車	수레 차거	chē

499	自	작은 산 퇴	duī
500	𨸏	언덕 부	fù
501	𨺅	두 언덕 사이 부	fù
502	厽	담 쌓을 루	lěi
503	四	넉 사	sì
504	宁	쌓을 저	zhù
505	叕	연할 철	zhuì
506	亞	버금 아	yà
507	五	다섯 오	wǔ
508	六	여섯 륙	liù
509	七	일곱 칠	qī
510	九	아홉 구	jiǔ
511	内	발자국 유	róu
512	嘼	가축 축·집짐승 휴	chù, xù
513	甲	첫째 천간 갑	jiǎ
514	乙	새 을	yǐ
515	丙	남녘 병	bǐng
516	丁	넷째 천간 정	dīng
517	戊	다섯째 천간 무	wù
518	己	자기 기	jǐ
519	巴	땅 이름 파	bā
520	庚	일곱째 천간 경	gēng

521	辛	매울 신	xīn
522	辡	따질 변	biàn
523	壬	아홉째 천간 임	rén
524	癸	열째 천간 계	guǐ
525	子	아들 자	zǐ
526	了	마칠 료	liǎo
527	孨	삼갈 전	chán
528	去	해산 때 아이 돌아 나올 돌	tū
529	丑	소 축	chǒu
530	寅	셋째 지지 인	yín
531	卯	넷째 지지 묘	mǎo
532	辰	지지 진·별 신	chén
533	巳	여섯째 지지 사	sì
534	午	일곱째 지지 오	wǔ
535	未	아닐 미	wèi
536	申	아홉째 지지 신	shēn
537	酉	닭 유	yǒu
538	酋	두목 추	qíu
539	戌	개 술	xū
540	亥	돼지 해	hài

완역 설문해자

제15권
(하)

설문해자후서[1)]
說文解字·後叙

漢 太尉祭酒許愼記
한 태위좨주 허신이 적다

敍曰: 此十四篇, 五百四十部, 九千三百五十三文, 重一千一百六十三, 解
說凡十三萬三千四百四十一字.

이 책(즉 『설문해자』)은 모두 14편(篇)으로 구성되었는데, 총 540개의 부수(部首)에
소전(小篆)체로 된 본문 9,353자와 이체자(重文) 1,163자가 수록되었으며, 이들에
대한 해설은 모두 133,441자에 이른다.

其建首也, 立一爲耑. 方以類聚, 物以羣分. 同牽條屬, 共理相貫. 雜而不
越, 據形系聯. 引而申之, 以究萬原. 畢終於亥, 知化窮冥.

부수(部首)의 설정은 '일(一)' 부수를 그 시작으로 삼았다. 그리고 부류가 같은 것
을 같은 부수에 함께 모았는데, 그렇게 함으로써 사물들(글자들)은 무리지어 분류

---

1) [역주] 원문에는 없으나 독자들의 편의를 위해 역자가 임시로 붙인 제목이다.

되게 되었다. 동일한 가지의 여러 잎들이 하나로 연이어져 있듯이, 공통의 뜻을 가진 문자들을 일관되도록 연이어 놓았다. 뒤섞여 있는 듯하면서도 각각의 경계를 넘나들지 않은 것은, 자형에 근거하여 체계적으로 순서를 정하여 배열하였기 때문이다. 이렇게 하여 확장해 나감으로써 모든 한자의 본원을 거슬러 살필 수 있도록 하였다. 그리고 '해(亥)' 부수에서 끝을 맺게 함으로써 사람들로 하여금 변화가 궁극에 이르면 다시 원래 자리로 돌아온다는 심오함을 알도록 하였다.

于時大漢, 聖德熙明, 承天稽唐, 敷崇殷中. 遐邇被澤, 渥衍沛滂. 廣業甄微, 學士知方. 探嘖索隱, 厥誼可傳.

때는 바야흐로 위대한 한(漢)나라, 성상(聖上)의 덕행이 태양처럼 밝게 빛나는 바, 광무제(光武帝) 때에 이르러 천명(天命)을 받들어 모시고, 당요(唐堯)의 사적을 고구하여, 널리 숭고한 도덕(道德) 정치를 베풀고, 사계절 24절기를 제정하였다. 원근의 사방이 모두 한나라 황제의 은혜를 입으니, 그 은혜가 광대하고 광활한 조수와 강물의 흐름같이 지극히 크고 지극히 성대하도다. 황실에서 학술 연구를 크게 일으켜 확대하고, 경전을 비롯한 갖가지 학문의 심대하고 오묘한 뜻을 이해하는 인재를 육성하였던 까닭에 학자들이 나아갈 방향을 알게 되었다. 따라서 지금이 바로 학문의 오묘하고 심대한 뜻을 탐구할 좋은 시기이고, 이로써 문자의 올바른 의미가 후세에 전해질 수 있게 되었다.

粵在永元, 困頓之秊. (徐鍇曰:"漢和帝永元十二秊, 歲在庚子也.) 孟陬之月, 朔日甲申.

(이 책을 완성한 때는) 한나라 화제(和帝) 영원(永元) 12년(서기 100년) 경자(庚子)년 정월 초하루 갑신(甲申)[2]일이었다.

---

2) [역주] 황간(黃侃)의 『교감본(校勘本)』에서는 '갑자(甲子)'가 되어야 한다고 했다.(『黃侃手批說文解字』)

허신·상소문1)
許愼·上書文

曾曾小子, 祖自炎神. 縉雲相黃, 共承高辛. 太岳佐夏, 呂叔作藩. 俾矦于
許, 世祚遺靈. 自彼徂召, 宅此汝瀕.

여러 조대에 걸친 머나먼 허씨(許氏)의 후예, 소인의 조상은 염제(炎帝) 신농씨(神
農氏)로부터 시작되었습니다. 신농씨의 후예 진운씨(縉雲氏)는 황제(黃帝)를 도왔
고, 저의 먼 조상인 공공씨(共工氏)는 고신(高辛) 임금을 받들었습니다. 공공(共
工)의 종손인 태악(太岳)은 하(夏)나라 우(禹) 임금을 보좌하였고, 태악(太岳)의 후
예인 여숙(呂叔)은 주(周)나라 무왕(武王)의 제후국(藩屛)으로서 주나라 왕실을 보
위하였으며, 주 무왕께서 여숙(呂叔)을 허(許) 지역에 후작(侯爵)으로 분봉(分封)
하였습니다. 이로부터 저의 선조들은 대대손손 봉록을 계속 이어왔으며, 아름답고
훌륭한 품덕을 후손들에게 남겨주었습니다. 세월이 흐른 후 저의 조상은 다시 허
(許) 지역의 여남군(汝南郡) 소릉현(召陵縣)으로 옮겼으며, 그 이후로는 줄곧 이
여수(汝水)의 강가에서 기거해 왔습니다.

---

1) [역주] 원문에는 없으나 독자들의 편의를 위해 역자가 임시로 붙인 제목이다.

竊卬景行, 敢涉聖門. 其弘如何, 節彼南山. 欲罷不能, 旣竭愚才. 惜道之味, 聞疑載疑. 演贊其志, 次㓨微辭. 知此者稀, 儻昭所尤. 庶有達者, 理而董之.

저는 남 몰래 높은 산을 우러러 보며 대로를 걷는 것과 같은 마음으로 감히 신성한 학문의 전당에 발을 들여놓았습니다. 그 전당이 얼마나 크던지, 저 종남산처럼 높고 험준하였습니다. 중간에 멈추고자 하였으나 멈출 수도 없어서, 오로지 저의 우둔한 재능을 다할 뿐이었습니다. 그러나 애석하게도 학문의 정수를 제대로 꿰뚫어 통달하지 못하였기에, 의심스러운 것을 듣기만 하면 곧바로 그것들을 기록하여 두었습니다. 그러고는 먼저 이미 알고 있던 지식으로 조자(造字)의 주지(主旨)를 유추하여 해설하고, 그 다음에 순서대로 저의 부족한 의견을 서술하였습니다. 저 자신이 문자학에 대해 아는 것이 적어, 이 졸저에 두드러진 잘못이 드러날 것인 바, 이 분야에 통달한 전문가들께서 이를 잘 연구하여 바로 잡아주시길 바랄 뿐입니다.

허충·상소문[1]
許沖上書文

召陵萬歲里公乘艸莽臣沖稽首再拜, 上書皇帝陛下:

　소릉현(召陵縣) 만세리(萬歲里)의 공승(公乘)[2]으로, 초야에 묻혀 사는 신(臣) 허충 (許沖)은 머리를 조아려 재배하며, 황제 폐하께 상주문을 올리나이다.

臣伏見陛下神明盛德, 承遵聖業. 上考度於天, 下流化於民. 先天而天不違, 後天而奉天時. 萬國咸寧, 神人以和. 猶復深惟五經之妙, 皆爲漢制. 博采 幽遠, 窮理盡性, 以至於命. 先帝詔侍中騎都尉賈逵, 修理舊文, 殊藝異術, 王敎一耑, 苟有可以加於國者, 靡不悉集.『易』曰: "窮神知化, 德之盛也." 『書』曰: "人之有能有爲使羞其行, 而國其昌."

제 15 권

　신이 엎드려 뵙건대, 폐하께서는 신령스럽도록 영명하시며, 위대한 덕행으로 성스 러운 과업을 이어받아 지키고 계십니다. 위로는 하늘의 상제로부터 배우셔서 법제

를 완성하셨고, 아래로는 백성들에게 널리 교화를 베풀고 계십니다. 상제보다 앞서서 행동하시어도 상제와 어긋나지 않으셨고, 상제보다 뒤에 행동하시어도 능히 상제께서 정하신 절기를 잘 받들 수 있었습니다. 사방의 각 지역이 모두 안정되고, 이로 인해 신과 인간이 서로 화목합니다. 그럼에도 폐하께서는 오경(五經)의 오묘한 진리를 여전히 깊이 생각하셔서, 오경의 학습을 한(漢)나라의 제도로 만들어 세우셨습니다. 심오한 학설을 널리 모으시고, 온 힘을 다하여 올바른 도리를 궁구하여 드러내시고, 인성을 전면적으로 발굴하여 천명에 부합되게 하였습니다. 선제(先帝)이신 화제(和帝)께서 시중 겸 기도위(侍中兼騎都尉) 가규(賈逵)에게 명을 내리시어 옛 문헌을 연구 정리하도록 하셨습니다. 특수한 학문과 서로 다른 학술도 모두 성왕의 교화의 하나이므로, 국가에 도움이 되기만 한다면 어떤 학설이든지 하나하나 빠짐없이 수집하였습니다. 『주역·계사전(繫辭傳)』에서 "사물의 신묘함을 끝까지 탐구하고, 사물의 변화를 이해하면 품덕이 최대가 된다."라고 하였습니다. 『상서』에서도 "사람들 가운데 재능이 있고 업적이 있는 사람이 있으면, 그들로 하여금 그들의 재능과 덕행으로 나라에 공헌하게 하면, 나라는 틀림없이 더욱 창성할 것이다."라고 하였습니다.

臣父, 故太尉南閣祭酒愼, 本從逵受古學, 蓋聖人不空作, 皆有依據. 今五經之道, 昭炳光明, 而文字者, 其本所由生. 自『周禮』·『漢律』, 皆當學六書, 貫通其意. 恐巧說衰辭使學者疑, 愼博問通人, 考之於逵, 作『說文解字』. 六藝羣書之詁, 皆訓其意, 而天地鬼神·山川艸木·鳥獸蚰蟲·雜物奇怪·王制禮儀, 世閒人事, 莫不畢載. 凡十五卷, 十三萬三千四百四十一字.

소신의 부친, 전(前) 태위부(太尉府) 남각좨주(南閣祭酒) 허신(許愼)은 본래 가규(賈逵)에게서 고문학파(古文學派)의 학문을 배웠습니다. 대저 성인들은 아무 근거 없이 함부로 글을 짓지 않았기 때문에, 언제나 의거하는 바가 있게 마련이었습니다. 현존하는 오경에 담겨 있는 도(道)는 밝게 빛을 발하고 있으며, 문자는 오경을 만들어낸 근본적인 도구입니다. 『주례』로부터 한(漢) 제국의 율령에 이르기까지,

반드시 '육서(六書)'를 배워야만 그 뜻을 훤히 꿰뚫어 알 수 있습니다. 왜곡된 학문과 그릇된 언사가 배우는 사람들을 미혹되게 할까 두려워, 허신(許愼)은 널리 한자학에 통달한 석학들에게 가르침을 구하고 이를 다시 스승 가규(賈逵)와 함께 고구하여 『설문해자』를 저술하였습니다. 『시』·『서』·『역』·『예』·『악』·『춘추』 등의 육예(六藝) 및 기타의 모든 서적에 기록된 말들에 대해 모두 그 뜻을 풀이하였는데, 천지(天地)·귀신(鬼神)·산천(山川)·초목(草木)·조수(鳥獸)·곤충(昆蟲)·잡물(雜物)·괴기(怪奇)·왕조제도(王朝制度)·예악(禮樂)과 의식(儀式)·세간(世間)의 인사(人事) 등등 무엇이든 수록되지 않은 것이 없습니다. 그 결과 모두 15권(卷)으로, 총 133,441글자로 되어 있습니다.

愼前以詔書校東觀, 教小黃門孟生·李喜等, 以文字未定, 未奏上. 今愼已病, 遣臣齎詣闕. 愼又學『孝經』孔氏古文說. 文古『孝經』者, 孝昭帝時魯國三老所獻, 建武時給事中議郎衛宏所校, 皆口傳, 官無其說, 謹撰具一篇并上.

소신의 아비 허신(許愼)은 이전에 황제 폐하의 명령에 따라 황실 도서관 동관(東觀)에서 서적을 교정하였고[3], 일찍이 젊은 황문관(黃門官) 맹생(孟生)과 이희(李喜) 등을 가르치기도 하였습니다. 그러나 그 때에는 아직 『설문해자』의 원고를 탈고하지 못하여 황제께 바치지 못하였습니다. 지금 허신(許愼)은 이미 병이 깊기에

---

3) [역주] 『단주』에서는 이렇게 보충했다. "허신이 황제의 명을 받잡아 동관(東觀)에서 서적을 교정했다는 말은 『후한서·허신전』에는 보이지 않는다. 아마도 안제(安帝) 영초(永初) 4년에, 황제의 명을 받은 유진(劉珍)과 오경박사들이 동관에서 오경과 제자·전기·백가·예술 등에 관한 책을 교정하여 누락되거나 잘못된 것을 정리하고 문자를 교정한 것을 말하는 것으로 보인다. 『후한서·유림전(儒林傳)』에서는 '태후(太后)가 유진(劉珍)과 유도도(劉騊駼)와 마융(馬融) 등을 불러 동관에서 오경과 제자를 교정하게 하였다.'라고 했는데, 이는 「화제기(和帝紀)」의 기록과도 일치한다. 그리고 『후한서·마융전(馬融傳)』에서도 '영초(永初) 4년에 마융(馬融)이 교서랑중(校書郎中)에 임명되어 동관에서 비장된 도서를 교정하는 일을 관장하였다.'라고 하였다. 아마도 그 때 그 일을 분담하여 맡았던 모든 사람들을 사서(史書)에 모두 기록하지는 않았는데, 허신도 그 가운데 한 사람이었을 것이다."

소신을 보내어 이 책을 조정에 헌상하도록 하였습니다. 허신은 또한 『효경』과 관련된 공자 가택의 벽 속에서 나온(壁中書) 고문학파의 학설도 공부한 바 있습니다. '고문'으로 된 『효경』은 소제(昭帝) 때에 노(魯)나라의 향신(鄕紳)이 헌상한 것입니다. 건무(建武) 연간에 급사중의랑(給事中議郞) 위굉(衛宏)[4]이 교정하였으나, 모두가 입에서 입으로 구전되었을 뿐이고, 조정에는 『효경』에 대한 해설이 없습니다. 이에 허신은 이를 1권으로 편집 정리하였는데, 이것도 함께 헌상하옵니다.

臣沖誠惶誠恐, 頓首頓首, 死皋死皋, 臣鵬首再拜, 以聞皇帝陛下.

소신 허충(許沖)은 정말 황공하고 불안하여, 거듭거듭 머리를 조아리며, 죽고 또 죽을죄를 반복하여 사죄드리고, 다시 머리를 조아려 재배 드리며, 위의 상황을 황제 폐하께 감히 아뢰옵나이다.

建光元年九月己亥朔, 二十日戊午上. (徐鍇曰 : "建光元年, 漢安帝之十五年, 歲在辛酉.)

건광(建光)[5] 원년(元年) 9월 초하루 기해(己亥)일로부터 20일째 되는 무오(戊午)일에 삼가 올리나이다. [서개는 이렇게 생각합니다. "건광 원년은 한나라 안제 15년으로 신유년에 해당됩니다.]

---

4) [역주] 위굉(衛宏, 미상)은 동한 동해(東海) 사람인데, 자는 경중(敬仲)이다. 광무제(光武帝) 때 의랑(議郞)을 지냈다. 정흥(鄭興)과 함께 고문경학을 좋아했는데, 사만경(謝曼卿)에게 『모시』를 배워 「모시서(毛詩序)」를 지었다. 두림(杜林)에게 『고문상서』를 배워 『고문상서훈지(古文尙書訓旨)』를 저술했다. 그 밖의 저서에 옥함산방집일서에 『고문관서(古文官書)』와 『평진관총서(平津館叢書)』,『한구의(漢舊儀)』,『보유(補遺)』가 수록되어 있다.(『중국역대인명사전』)
5) [역주] 왕균의 『설문의증』에서 건광(建光)은 당연히 건원(建元)이 되어야 옳다고 했다.

召上書者汝南許沖, 詣左掖門. 會令幷齎所上書.
十月十九日, 中黃門饒喜, 以詔書賜召陵公乘許沖布四十匹, 卽日受詔朱雀
掖門. 敕勿謝.

황제께서 영을 내려 이렇게 말씀하셨습니다.

"상주자(上奏者) 여남군(汝南郡) 허충(許沖)은 가지고 온 저서[2]를 휴대하고 북궁
(北宮) 정문의 동쪽 측문(左掖門)[3]에서 황제의 사자와 만나 헌상하라.[4] 10월 19일,
중황문(中黃門)[5]의 관리 요희(饒喜)가 황제의 명령을 받잡아, 소릉현(召陵縣) 공승

---

1) [역주] 원문에는 없으나 독자들의 편의를 위해 역자가 임시로 붙인 제목이다.
2) [역주] 『단주』에서는 이렇게 보충했다. '가지고 온 저서(所上書)'란 『설문』 15권과 『효경(孝經)
   공씨고문설(孔氏古文說)』 1권을 말한다.
3) [역주] 『단주』에서는 이렇게 보충했다. "송본(宋本: 大徐本)에는 '외(外)'자가 없다. '액문(掖
   門)'은 정문의 곁문을 말한다. 『설문』 수(手)부수에서 '액(掖)'자에 대해 '달리 겨드랑이를 말
   하기도 한다. 옛날에는 역(亦)으로 썼는데, 지금은 액(掖)으로 쓴다. 좌액문(左掖門)이라 한 것
   은 북궁(北宮) 동쪽의 액문(掖門)을 말하고, 이와 대응하는 주작액문(朱雀掖門)은 남쪽의 액문
   (掖門)을 말한다."
4) [역주] '재(齎)'는 '가지고 가다'는 뜻이고, '예(詣)'는 '바치다'는 뜻이다.
5) [역주] 『한서·백관공경표(百官公卿表)』의 안사고(顏師古) 주석에 의하면, 중황문(中黃門)은 궁
   중의 황문(黃門) 안에 살면서 일을 돕는 자들을 말하며, 녹봉은 1백석(石)이었으나 이후 3백석
   까지 올랐다고 하며, 이들의 책임자가 황문시랑(黃門侍郎)이었으며 녹봉은 6백석이었다고 한

(公乘) 허충(許沖)에게 비단 40필을 하사하라. 그리고 당일에 북궁의 남쪽 측문(朱雀掖門)에서 황제의 칙서와 하사품을 받되, 감사의 예(禮)는 따로 표하지 말라.”

다. 한나라 때에는 궁궐의 문을 노란 색으로 칠했기 때문에 궁궐의 문을 황문(黃門)이라 했다.

서현 후서[1)]
徐鉉後叙

銀青光祿大夫守右散騎常侍上柱國東海縣開國子食邑五百戶臣徐鉉,　奉直
郎守祕書省著作郎直史館臣句中正,　翰林書學臣葛湍,　臣王惟恭等,　奉詔校
定許愼『說文』十四篇,　并『序目』一篇,　凡萬六百餘字.　聖人之旨,　蓋云備
矣.

은청광록대부(銀靑光祿大夫) 수우산기상시(守右散騎常侍) 상주국동해현개국자(上
柱國東海縣開國子) 식읍오백호(食邑五百戶) 신(臣) 서현(徐鉉), 봉직랑(奉直郞)
수비서성(守祕書省) 저작랑(著作郞) 직사관(直史館) 신(臣) 구중정(句中正), 한림
서학(翰林書學) 신(臣) 갈단(葛湍), 신(臣) 왕유공(王惟恭) 등은 황제의 명을 받잡
아 허신(許愼)의 『설문(說文)』 14편과 『서목(序目)』 1편 등 총 1만6백여 자를 교
정하였는데, 성인의 뜻이 여기에 다 구비된 듯합니다.

稽夫八卦旣畫,　萬象旣分,　則文字爲之大輅,　載籍爲之六轡.　先王教化,　所
以行於百代.　及物之功,　與造化均.　不可忽也.　雖復五帝之後,　改易殊體；
六國之世,　文字異形；然猶存篆籀之迹,　不失形類之本.　及暴秦苛政,　散隸

---

1) [역주] 원문에는 없으나 독자들의 편의를 위해 역자가 임시로 붙인 제목이다.

聿興, 便於末俗, 人競師法. 古文旣絕, 譌僞日滋. 至漢宣帝時, 始命諸儒
修倉頡之法, 亦不能復故. 光武時, 馬援上疏論文字之譌謬, 其言詳矣. 及
和帝時, 申命賈逵修理舊文, 於是許愼采史籒·李斯·楊雄之書, 博訪通人,
考之於逵, 作『說文解字』. 至安帝十五年, 始奏上之. 而隸書行之已久, 習
之益工, 加以行草八分, 紛然閒出, 返以篆籒爲奇怪之迹, 不復經心.

살피건대, 대저 팔괘(八卦)가 획으로 확정되고 삼라만상이 이미 구분되었으니, 이
는 문자가 삼라만상의 큰 수레가 되었고, 문자로 기록된 문헌들은 삼라만상의 여
섯 개의 고삐2)가 된 셈입니다. 이는 선왕의 교화가 백세토록 영원히 행해질 까닭
이라 하겠습니다. 게다가 문자가 사물에 미친 공은 조화로움과 크기를 같이 할지
니, 홀대할 수 없음입니다. 설사 다시 오제(五帝)의 이후로 돌아간다 하더라도 이
미 여러 가지 글자체로 바뀌었고, 육국(六國) 때에는 문자의 형체가 달랐으나, 아
직 여전히 전서(篆)와 주문(籒)의 흔적을 보존하고 있어 형체의 근본을 잃지는 않
았습니다. 그러나 폭력적인 진(秦)나라의 폭압적인 정치에 이르러 조박한 예서(散
隸)가 흥행하기3) 시작하면서 말단의 세속에 편리하도록 되었으며 사람들은 서로
다투어 스승의 법도를 다투게 되었습니다. 그렇게 되자, 고문(古文)은 이미 멸절하
고 말았고, 거짓된 것들이 나날이 불어나게 되었습니다. 그러다 한(漢)나라 선제
(宣帝) 때 이르러 비로소 여러 학자들에게 명하여 창힐(倉頡)의 법칙을 정리하라
고 하였으나, 옛것을 회복하지는 못했습니다. 광무제(光武) 때 마원(馬援)이 상소
를 올려 문자의 그릇되고 잘못됨을 논하였는데, 내용이 매우 상세하게 언급되었습
니다. 화제(和帝) 때에 이르러서는 다시 임명된(申命) 가규(賈逵)가 옛 글들을 수
정 정리하게 되었고, 그리하여 허신(許愼)은 사주(史籒), 이사(李斯), 양웅(楊雄)의
책을 채택하고, 여러 학자들의 설을 널리 모아 가규에게 고구하여 『설문해자(說文

---

2) [역주] 육비(六轡)는 말을 맨 여섯 개의 고삐를 말하는데, 옛날 마차는 네 마리 말이 끌었고,
   중간의 두 마리 말에는 고삐가 둘, 양편의 곁말(驂馬)은 고삐가 하나씩, 도합 6개였기 때문에
   이렇게 말했다.

3) [역주] 산(散)은 "장식을 하지 않은 것(無飾曰散)"(『周禮·春官·邑人』)의 뜻이고, 율(聿)은 발어
   사로 별 다른 뜻은 없다.

解字)』를 짓게 되었습니다. 안제(安帝) 15년에 이르러, 드디어 조정에 바칠 수 있게 되었습니다. 그러나 예서가 유행한지 이미 오래되었고, 이를 익히는데 갈수록 공을 들이고 있으며, 여기에다 행서, 초서, 팔분 등이 어지럽게 틈틈이 나타나게 된 즉, 전서나 주문을 도리어 이상한 일이라 여기고 있으니, 더 이상 두고 볼 수는 없는 일입니다.

至於六籍舊文, 相承傳寫, 多求便俗, 漸失本原.『爾雅』所載艸木魚鳥之名, 肆意增益. 不可觀矣. 諸儒傳釋, 亦非精究; 小學之徒, 莫能矯正. 唐大厤中, 李陽冰篆迹殊絶, 獨冠古今. 自云: "斯翁之後, 直至小生.此言爲不妄矣. 於是刊定『說文』, 修正筆法. 學者師慕, 篆籒中興. 然頗排斥許氏, 自爲臆說. 夫以師心之見, 破先儒之祖述, 豈聖人之意乎?今之爲字學者, 亦多從陽冰之新義, 所謂貴耳賤目也. 自唐末喪亂, 經籍道息. 皇宋膺運, 二聖繼明. 人文國典, 粲然光被. 興崇學校, 登進羣才. 以爲文字者, 六藝之本, 固當率由古法. 乃詔取許愼『說文解字』, 精加詳校, 垂憲百代.

육경의 이전 문헌들도 필사하여 전승하는 과정에서 편리함과 속체를 추구하는 바람에 원래 모습을 점차 잃고 말았습니다.『이아(爾雅)』에 실린 초목어조(艸木魚鳥)의 명칭은 제멋대로 증가되어, 볼 수도 없는 지경입니다. 여러 유학자들의 해석도 더는 정교하게 고구하지 않고, 소학을 연구하는 자들도 교정을 할 수가 없는 지경입니다. 당(唐)나라 대력(大厤) 연간 때의 이양빙(李陽冰)의 전서 서예는 매우 뛰어나 고금을 통틀어 독보적이라 하겠습니다. 자신 스스로도 "이사의 뒤로는 소생이 최고다.(斯翁之後, 直至小生.)"라고 한 바 있습니다. 이 말이 결코 망언이 아닙니다. 그리하여『설문해자』를 간정(刊定)하여 필법을 수정했습니다. 학자들이 바라고 바라던 바는 바로 전서와 주문의 중흥이었습니다.(學者師慕, 篆籒中興.) 그러나 그는 허신의 학설을 상당히 배척하였고 자신의 억측을 더했습니다. 자기의 생각만을 옳다 여기는 견해로 이전 학자들의 저술을 파괴하는 것이 어찌 성인의 뜻이라 하겠습니까? 오늘날 문자학을 전공하는 사람들 중에도 양빙(陽冰)의 새로운 학설을 따르는 자가 많으니 이 어찌 전해들은 말만 중시하고 직접 눈으로 본 사실은 경시하는 것(貴耳賤目)이라 하지 않겠습니까? 당나라 말의 상난(喪亂)을 거치면서 경전의 길은 끊기고 말았습니다. 위대한 송(宋)나라가 천명을 받으시고, 두 황상께서 밝음을 계승하시었습니다. 인문과 국가의 전장제도가 찬란하게 빛나게 되었고, 학교를 세우고 학문을 숭상하여 인재들을 대거 등용하였습니다. 그리고 문자를 육예(六藝)의 근본이요 옛날의 법도를 따라가는 연유라 여겼습니다. 그리하여 조서를 내리시어 허신(許愼)의 『설문해자(說文解字)』를 정교하게 교감하여 백세에 널리 전해지도록 하라고 하셨습니다.

臣等愚陋, 敢竭所聞. 蓋篆書堙替, 爲日已久. 凡傳寫『說文』者, 皆非其人. 故錯亂遺脫, 不可盡究. 今以集書正副本及羣臣家藏者, 備加詳考. 有許愼注義序例中所載而諸部不見者, 審知漏落, 悉從補録. 復有經典相承傳寫, 及時俗要用而『說文』不載者, 承詔皆附益之, 以廣篆籀之路. 亦皆形聲相從, 不違六書之義者. 其聞『說文』具有正體, 而時俗譌變者, 則具於注中; 其有義理乖舛·違戾六書者, 竝序列於後. 俾夫學者, 無或致疑.

신 등은 우매하기 그지없긴 하지만 감히 그간 들은 바를 다 바칠 것입니다. 전서가 없어지고 바뀐 지 이미 오랜 세월이 흘렀습니다. 『설문(說文)』을 필사하여 전하는 것들이 모두 허신 그대로의 모습인 것은 아닙니다. 그래서 섞이고 빠진 것들을 모두 상세히 고구할 수는 없습니다. 지금 책들의 정본과 부본 및 여러 신하들이 집에서 소장하고 있는 책들을 다 모아서 상세히 고구할 것입니다. 허신의 주석과 해설 및 서례(序例) 등에서 실렸으나 각 부수에 보이지 않는 것들은 자세히 살펴 누락된 것이라면 모두 보충하여 수록할 것입니다. 그리고 경전의 전사 전승 과정 및 세속에서 사용되나 『설문』에는 실리지 않은 글자들도 황명을 받들어 모두 수록하여 전수와 주문의 길을 넓히고자 합니다. 이들은 물론 형(形)과 성(聲)이 서로를 쫓아 [서로 근거를 가져] 육서의 규칙에도 어긋남이 없는 것들입니다. 그들 중

『설문』에 정체(正體)로 되었으나 세속에서는 잘못 변한 것들의 경우는 주석 중에 포함시킬 것이며, 의미 체계에서 어긋남이 있거나 육서의 원칙에 위배되는 것들은 뒤에 따로 나열해 둘 것입니다. 그리하여 학자들로 하여금 조금의 의혹도 남지 않게 할 것입니다.

大抵此書務援古以正今, 不徇今而違古. 若乃高文大册, 則宜以篆籀著之金石; 至於常行簡牘, 則艸隷足矣. 又許愼注解, 詞簡義奧, 不可周知. 陽冰之後, 諸儒箋述有可取者, 亦從附益; 猶有未盡, 則臣等粗爲訓釋, 以成一家之書. 『說文』之時, 未有反切. 後人附益, 互有異同. 孫愐『唐韻』, 行之已久. 今竝以孫愐音切爲定, 庶夫學者有所適從. 食時而成, 旣異淮南之敏; 縣金於市, 曾非呂氏之精. 塵瀆聖明, 若臨冰谷. 謹上.

대저 이 책의 임무는 옛것을 끌어와 오늘날의 것을 바로 잡고 오늘날에 얽매여 옛 것을 위배하지 않도록 하는데 있을 것입니다. 만약 경전과 같은 중요한 책이라면 마땅히 전서나 주문으로 금석에 새겨야 할 것이며, 평소에 쓰이는 책이라면 초솔한 예서로도 충분할 것입니다. 또 허신의 주석과 해설은 단어가 간단하고 뜻이 심오하여 두루 잘 알 수가 없습니다. 양빙(陽冰) 이후로 여러 학자들 중 취할만한 것이 있는 것은 이 또한 취하여 뒤에 더해두었습니다. 그래도 미진한 것이 있으면 신 등이 조략하게나마 훈석을 더하여 일가(一家)의 책이 되도록 하였습니다.『설문』이 만들어질 당시에는 반절(反切)법이 존재하지 않았습니다. 이는 후인들이 더한 것인데, 서로 차이가 존재합니다. 손면(孫愐)[4]의 『당운(唐韻)』이 세상에 유행한지 이미 오래되었습니다. 그래서 지금 손면(孫愐)의 반절음을 정음으로 삼아 여

---

4) [역주] 손면(孫愐)은 중국의 음운학자(音韻學家)로, 출신지나 자호(字號) 등이 모두 미상이다. 당나라 현종(玄宗, 李隆基) 천보(天寶) 연간에 진주(陳州: 지금의 하남성 淮陽縣) 사마(司馬)가 되었다. 음운학에 정통하여 수(隋)나라 육법언(陸法言)의 『절운(切韻)』을 교정하고 주석을 달았다. 천보(天寶) 10년(751)에 『당운(唐韻)』 5권을 지었으나 실전되었다. 현존하는 『당운(唐韻)』의 권수(卷首)에 손면(孫愐)의 『당운(唐韻)·서(序)』가 실려 있다. 개원(開元: 혹은 天寶) 연간에 조의랑행진주사지(朝議郞行陳州司地)를 역임했던 것으로 보인다.

러 학자들이 잘 따를 수 있도록 하였습니다. 빠른 시간 내에 완성하였지만 '회남의 민첩함(淮南之敏)'5)과는 다르고, 저자거리에다 현상금을 내걸었지만 '여씨의 정교함(呂氏之精)'6)과는 차이가 날 것입니다. 황상의 영명하심을 티끌만큼이라도 더럽힐까 두려운 마음 마치 얼음으로 뒤덮인 계곡을 걷는 듯합니다. 삼가 아뢰옵니다.

---

5) [역주] '회남지민(淮南之敏)'은 한나라 때 회남왕(淮南王)이었던 유안(劉安)이 문학적 재질이 뛰어났는데, 한 무제(武帝)가 그에게 「이소전(離騷傳)」을 지어오라고 했는데, 아침에 조서를 내렸는데 점심 먹을 때 이미 그것을 완성했다는 고사가 『한서(漢書)』(권44 「淮南王傳」)에 전한다. 이로부터 글이나 책을 빨리 짓는 것을 의미한다.

6) [역주] 전국시대 말 대단한 사업가였던 여불위(呂不韋)가 자신의 휘하에 있던 수천 명의 식객들에게 지금까지도 전해오는 백과사전적 저작물을 저작케 하여 완성한 『여씨춘추(呂氏春秋)』에 "한 글자라도 덧붙이거나 틀린 것을 찾아내는 자에게 천금을 주겠다."고 한 일자천금(一字千金)의 고사에서처럼 정교한 저작을 말한다.

글자의 의미를 새로 수정한 것
新修字義

左文一十九,『說文』闕載, 注義及序例偏旁有之, 今竝錄於諸部:
　　다음의 19자는 『설문』에는 실려 있지 않지만, 주석이나 해설 및 서례(序例)와 편
　　방(偏旁)에 등장하고 있기에, 해당 부수에다 함께 수록해 두었다.

詔, 志, 件, 借, 魋, 綦, 剔, 觷, 醆, 趄, 顡, 璵, 膌, 楒, 緻, 笑, 迓, 睆, 峯.
조(詔), 지(志), 건(件), 차(借), 퇴(魋), 기(綦), 척(剔), 학(觷), 잔(醆), 저(趄), 초(顡),
여(璵), 응(膌), 삼(楒), 치(緻), 소(笑), 아(迓), 환(睆), 봉(峯) 등이다.

左文二十八, 俗書譌謬, 不合六書之體:
　　다음의 28자는 세속의 필사법에서 잘못 변해 육서의 원칙에도 부합하지 않는 것
　　들이다.

❶

亹: 字書所無, 不知所从, 無以下筆.『易』云 : "定天下之亹亹." 當作娓.
　　미(亹): 자서에도 수록되어 있지 않아 어디서 왔는지 그 근거를 알 수가 없고, 설
　　　　명할 방법이 없다. 『역(易)』에서 "천하를 평정한 그 아름다움"이라고 했다.[1]

---

1) [역주] 미미(亹亹)를 (1) 열심히 일하는 모습(『詩・大雅・文王』: "亹亹文王, 令聞不已.(부지런히

미(娓)가 되어야 할 것이다.

❷

个: 亦不見義, 無以下筆. 明堂左右个者, 明堂旁室也. 當作介.

개(个): 이 역시 뜻을 알 수가 없어 설명할 방법이 없다.2) 명당(明堂) 좌우에 개(个)라는 것이 있는데, 명당의 곁방을 말한다. 개(介)가 되어야 할 것이다.

❸

暮: 本作莫. 日在茻中也.

모(暮): 본래 막(莫)으로 적었다. 해(日)가 수풀(茻) 속에 있는 모습이다.3)

❹

熟: 本作孰. 享芽, 以手進之.

숙(熟): 본래 숙(孰)으로 적었다. 어린 싹을 삶을 때(享) 손(手)으로 그것을 집어넣는 모습이다.4)

애쓰신 문왕, 그 아름다운 기림 끊이질 않네.)" (2) 나아가는 모습(『廣雅·釋訓』: "亹亹, 進也.") (3) 부드러워 듣기에 좋다(南朝 梁鍾嶸 『詩品』(上): "詞彩葱蒨, 音韻鏗鏘, 使人味之, 亹亹不倦." (4) 미미하다(『玉篇·且部』: "亹亹, 猶微微也.") 등의 뜻이 있다. 『정자통(正字通)』에서는 이렇게 말했다. "서현(徐鉉)은 미(亹)자가 『설문』에 보이지 않으므로 미(娓)가 되어야 한다고 했다. 그리하여 최령은(崔靈恩)은 『시(詩)』의 미(亹)를 미(娓)로 고쳤고, 주백기(周伯琦)도 미(娓)를 사용하고 미(亹)는 폐기했는데, 이들은 모두 억측에 의한 것이며 믿을 수 없다."

2) [역주] 『단주』에서는 『설문』 개(箇)(箇, 竹枚也. 从竹固聲.)의 주석에서 "个, 箇或作个, 半竹也."라고 보충하고 이렇게 말했다. "각 판본에서는 이 말이 없는데, 『육서고(六書故)』에서 인용한 당본(唐本) 『설문』에 근거해 보충했다." 그렇다면 개(个)는 개(箇)의 혹체자라 할 수 있는데, 서개는 그런 판본을 보지 못한 듯하다.

3) [역주] 고문자에서 茣 簡牘文으로 썼고, 『옥편』에서부터 모(暮)로 썼는데, 막(莫)에서 분화한 글자이다. 艸(풀 초)가 의미부이고 莫(없을 막)이 소리부로, 해가 풀숲(艸)으로 넘어가 아무것도 보이지 않는(莫) 때를 말하며 이로부터 저녁, 밤의 뜻이 나왔으며, 노년의 비유로도 쓰였다. 원래는 풀 숲(茻·망) 사이로 해(日·일)가 지는 모습인 莫으로 썼으나 莫이 '없다', '……하지 말라'는 뜻으로 쓰이게 되자 다시 日을 더해 분화한 글자이다. 한국 속자에서는 入(들 입)과 日로 구성되어 해(日)가 들어가 버린(入) 때라는 의미의 㫈로 쓰기도 한다.

❺

捧: 本作奉. 从廾, 从手, 丰聲. 經典皆如此.

봉(捧): 본래 봉(奉)으로 적었다.[5] 공(廾)이 의미부이고, 수(手)도 의미부이며, 봉(丰)이 소리부이다. 경전에서도 모두 이렇게 적었다.

---

4) [역주] 『설문』에 숙(熟)은 실려 있지 않고, 숙(𩱧)이 실려 있다. 그 뜻은 '식임(食飪)' 즉 '음식을 푹 익히다'는 뜻이다. 숙(熟)은 火(불 화)가 의미부이고 孰(누구 숙)이 소리부로, 제단에 올리기 위해(孰) 제수를 불(火)에 삶는 모습을 그렸으며, 이로부터 익히다의 뜻이, 다시 낮이 익다, 익숙하다, 熟練(숙련)되다, 정도가 깊다 등의 뜻이 나왔다. 孰이 '누구'라는 의문사로 가차되어 쓰이자, 火를 더해 분화한 글자이다. 원래 글자인 숙(孰)은 고문자에서 [甲骨文] [金文] [簡牘文] 등으로 적었는데, 享(흠·누릴 향)과 丮(잡을 극)으로 구성되어, 제단(享) 앞에서 제수를 받쳐 들고(丮) 제사를 지내는 모습을 그렸으며, 丮이 丸(알 환)으로 변해 지금의 자형이 되었다. 享은 원래 커다란 기단 위에 지어진 높은 집 모양으로 宗廟(종묘)를 상징하고, 丮은 두 손을 받쳐 든 사람의 형상으로, 종묘에 祭物(제물)을 올리는 모습을 그렸다. 익힌 고기를 祭物로 사용했던 때문인지 孰은 처음에 '삶은 고기'라는 뜻으로 쓰였다. 금문에 들면서 孰의 자형이 조금 복잡해지는데, 祭物의 내용을 구체화하기 위해 羊(양 양)을 더하는가 하면, 동작을 강조하기 위해 발을 그려 넣기도 했다. 그러다가 隷書(예서)에 들어 지금의 孰으로 고정되었다. 이후 孰이 '누구'나 '무엇'이라는 의문 대명사로 가차되어 쓰이자, 원래 뜻을 표현할 때에는 火(불 화)를 더하여 熟(익을 숙)으로 분화했다. 그리하여 熟은 '익(히)다'는 뜻을 전담하여 표현했고, 다시 成熟(성숙)이나 熟練(숙련) 등의 뜻은 물론, 사람 간의 익숙함도 뜻하게 되었다.

5) [역주] 봉(捧)은 봉(奉)에서 분화한 글자이고 봉(奉)은 또 봉(丰)에서 분화한 글자이다. 봉(奉)을 고문자에서 [金文] [盟書] [簡牘文] [帛書] 등으로 적었는데, 금문에서처럼 廾(두 손 마주잡을 공)이 의미부이고 丰(예쁠 봉)이 소리부인 구조로, 모나 어린 묘목(丰)을 두 손으로 받든(廾) 모습을 그렸는데 자형이 조금 변했다. 아마도 농경을 중심으로 살았던 고대 중국에서 농작물을 신에게 바쳐 한 해의 풍작을 비는 모습을 형상화한 것이라 추측된다. 이로부터 '받들다'는 뜻이, 다시 奉獻(봉헌)에서처럼 '바치다'는 뜻이 생겼다. 그러자 원래의 의미는 手(손 수)를 더한 捧(받들 봉)으로 분화했다. 또 봉(丰)은 고문자에서 [甲骨文] [金文] [盟書] 등으로 써, 흙덩이에 나무를 심는 모습을 그렸는데, 초목이 무성한 모습으로부터 '예쁘다'는 뜻이 나왔다. 이후 다시 손(又·우)을 더한 封(북돋울 봉)을 만들어 동작을 강조했으며, 奉(받들 봉)은 나무를 심기(丰) 위해 두 손(廾·공)으로 '받든' 모습이다. 현대 중국에서는 豐(풍년 풍)의 간화자로도 쓰인다.

❻

遨: 本作敖. 从出, 从放.

오(遨): 본래 오(敖)로 적었다. 출(出)이 의미부이고, 방(放)도 의미부이다.6)

❼

徘徊: 本作裵回. 寬衣也. 取其裵回之狀.

배회(徘徊): 본래 배회(裵回)로 적었다. 품이 넓은 옷(寬衣)을 말한다. 옷의 품이 넓은 모습에서 의미를 가져왔다.

❽

迴: 本作回. 象回轉之形.

회(迴): 본래 회(回)로 적었다. 빙빙 도는 모습을 그렸다.

❾

腰: 本只作要.『說文』象形. 借爲玄要之要. 後人加肉.

요(腰): 본래 요(要)로만 적었다.7)『설문』에서 상형이라 했는데, 현요(玄要: 오묘하

---

6) [역주] 오(敖)는 고문자에서 𣀒金文 𣀒古陶文 𣀒 𣀒簡牘文로 적었고, 소전체에서 𣀒說文小篆로 적었다. 出(날 출)과 放(놓을 방)으로 구성되었는데, 자형이 조금 변해 지금처럼 되었다. 바깥으로 쫓기어(放) 나가다(出)가 원래 뜻인데, 밖으로 나가 마음껏 놀다는 뜻이 생겼고, 이로부터 놀다는 뜻이 나왔다. 이후 나가 놀다는 뜻을 강조하기 위해 辵(쉬엄쉬엄 갈 착)을 더한 遨(놀 오)를 만들어 분화했다.

7) [역주] 요(要)는 고문자에서 𦥑金文 ▉ 𦥑 𦥑簡牘文 𦥑金文 𦥑 𦥑簡牘文 등으로 적었고, 소전체에서는 𦥑說文小篆 𦥑說文古文로 적었는데, 소전체에서처럼 女(여자 여)와 臼(절구 구)가 의미부이고 幺(작을 요)가 소리부로, 두 손(臼)을 여성(女)의 잘록한(幺) 허리에 댄 모습을 그려, 그곳이 '허리'임을 나타냈는데, 윗부분이 襾(덮을 아)로 변해 지금의 자형이 되었다. 이후 신체의 중요한 부분이라는 뜻에서 '중요하다'는 뜻이 나왔고, 이후 그런

다, 핵심)라고 할 때의 요(要)로 가차되었다. 후인들이 육(肉)을 더했다.

❿

嗚: 本只作烏. 烏, 盱呼也. 以其名自呼. 故曰烏呼. 後人加口.

오(嗚): 본래 오(烏)로만 적었다. 오(烏)는 탄식하다(盱呼)는 뜻이다. 자신의 이름을 부르는 것처럼 말이다. 그래서 오호(烏呼)라고 했다. 후인들이 구(口)를 더했다.[8]

⓫

慾: 『說文』欲字注云: "貪欲也." 此後人加心.

욕(慾): 『설문』의 욕(欲)자에 대한 주석에서 "탐욕을 말한다(貪欲也)"라고 했는데, 이는 후인들이 심(心)을 더한 것이다.[9]

것을 구하다, '요구하다'는 뜻까지 생겼으며, 그러자 원래 뜻은 肉(고기 육)을 더한 腰(허리 요)로 분화했다.

8) [역주] 오(烏)는 고문자에서 〔金文 글자들〕 金文 〔簡牘文 글자들〕簡牘文 〔帛書 글자〕帛書 등으로 그렸고, 소전체에서는 〔說文小篆〕 說文小篆 〔說文古文〕 說文古文 등으로 그렸다. 이는 새를 그린 鳥(새 조)에서 눈을 나타내는 점을 없애 만든 글자이다. 까마귀는 사실 눈이 없는 것이 아니라 온몸이 까매서 언뜻 보면 눈이 없는 것처럼 보이기 때문이다. 이후 烏乎(오호)에서처럼 감탄사로 쓰였으며, 감탄을 나타낼 때에는 의미를 명확히 하고자 口(입 구)를 더한 嗚(탄식소리 오)로 분화했다. 간화자에서는 필획을 줄인 乌로 쓴다. 또 어(於)는 까마귀를 그린 烏가 烏乎(嗚呼·오호)에서처럼 감탄사로 가차되어 쓰이자 이를 구체화하기 위해 형체를 변화시켰고, 이후 새를 그린 왼쪽 부분이 方(모 방)으로 변해 지금의 자형이 되었다. 하지만 於도 이후 대부분 가차 의미인 어기를 나타내는 어조사나 감탄사로 쓰였다. 간화자에서는 于(어조사 우)에 통합되었다.

9) [역주] 욕(欲)은 고문자에서 〔簡牘文 글자들〕簡牘文 〔古璽文 글자〕古璽文 등으로 썼고, 소전체에서는 〔說文小篆〕 說文 小篆으로 썼다. 欠(하품 흠)이 의미부이고 谷(골 곡)이 소리부로, 입을 크게 벌리고(欠) 텅 빈 계곡(谷)처럼 끝없이 바라는 것이 바로 '욕심'임을 그렸으며, 이로부터 '하고자 하다', 욕심, 수요, 필요 등의 뜻이 나왔으며, 그런 의미를 나타내는 조동사로도 쓰였다. 이후 慾望(욕망)이나 慾心(욕심)을 나타낼 때에는 그것이 마음에서부터 나온다고 해서 心(마음 심)을 더하여 慾(욕심 욕)으로 분화했다. 현대 중국에서는 慾(욕심 욕)의 간화자로도 쓰인다.

제
15
권

⓬

揀: 本只作柬. 『說文』从束八, 八, 柬之也. 後人加手.

간(揀): 본래 간(柬)으로만 적었다. 『설문』에서 속(束)과 팔(八)로 구성되었다고 했는데, 팔(八)은 그것을 가려낸다는 뜻이다. 후인들이 수(手)를 더했다.[10]

⓭

俸: 本只作奉. 古爲之奉祿, 後人加人.

봉(俸): 본래 봉(奉)으로만 적었다. 옛날에는 이를 봉록(奉祿)의 의미로 사용했다. 후인들이 인(人)을 더했다.

自"暮"已下一十二字, 後人妄加偏傍, 失六書之義.

모(暮)자 이하 봉(俸)자까지 12글자는 후인들이 편방(偏傍)을 제멋대로 더하여 육서의 의미를 상실한 것들이다.

⓮-⓯

鞦韆: 案詞人高無際作『鞦韆賦』序云: "漢武帝後庭之戲也. 本云千秋, 祝壽之詞也."
語譌轉爲秋千. 後人不本其意, 乃造此字. 非皮革所爲, 非車馬之用, 不合从革.

추천(鞦韆): 내 생각은 이렇다. 당나라 때의 사(詞) 작가인 고무제(高無際)가 지은 「추천부(鞦韆賦)」의 서문에서 "한 무제(武帝) 후원에 있는 놀이기구이다. 원

---

10) [역주] 간(柬)은 고문자에서 金文 簡牘文 등으로 썼고, 소전체에서 說文小篆으로 썼는데, 양끝을 동여맨 자루에 두 점이 더해진 모습이다. 제련에 쓰고자 광물을 포대 속에 넣고 물속에 불려 불순물을 제거하는 모습을 그린 것이다. 이로부터 불순물을 '가려내다', '고르다', '제련하다' 등의 뜻이 나왔으며, 이후 초대장, 청첩장, 명함 등의 총칭이 되었다. 그러자 원래의 '가려내다'는 뜻은 手(손 수)를 더한 揀(가릴 간)으로 분화했다. 柬에서 분화한 揀은 手(손 수)가 의미부이고 柬(가릴 간)이 소리부로, 손(手)으로 불순물을 가려냄(柬)을 말한다. 이로부터 선택하다, 골라내다, 줍다 등의 뜻이 나왔다. 간화자에서는 拣으로 쓴다.

래는 천추(千秋)로 적었는데, [무제의 장수를] 축도하는 말이었다."라고 했다. 그런데 글자의 순서가 바뀌어 추천(秋千)이 되었고, 후인들이 원래 의미를 잘 몰라 추천(鞦韆)이라는 단어를 만들었다. 그네는 가죽으로 만든 것도 아니고, 또 마차에 사용하는 것도 아닐진대 혁(革)으로 구성된 것은 합당하지 않다.

⓰

影: 案影者, 光景之類也. 合通用景. 非毛髮藻飾之事, 不當從彡.

영(影): 내 생각은 이렇다. 영(影: 그림자)이라는 것은 광경(光景)과 같은 부류이다. 그래서 경(景)과 통용될 수 있다. 모발(毛髮)에 장식을 다는 일을 가리키는 것이 아니다. 그래서 삼(彡)이 들어가서는 아니 된다.[11)]

⓱

斌: 本作彬或份, 文質備也. 從文配武, 過爲鄙淺. 復有從斌從貝者, 音額. 亦於義無取.

빈(斌): 본래 빈(彬)이나 빈(份)으로 적었다. 문(文)과 질(質)이 함께 갖추어진 것을 말한다. 문(文)이 의미부이고 이에 무(武)를 부가했다. 지나치면 비루하고

---

11) [역주] 영(影)은 彡(터럭 삼)이 의미부이고 景(볕 경)이 소리부로, 태양(日)의 강렬한 빛(彡)에 의해 비치는 높은 집(京)들의 '그림자'를 형상화했는데, 이후 그림자처럼 그대로 그려냈다는 뜻에서 복사하다(影印·영인)는 뜻이 생겼으며, 다시 모습이나 형상 등의 의미로 확장되었다. 『설문해자』에서는 彡을 두고 '터럭, 장식, 필획, 무늬' 등을 말한다고 했지만, 彡의 원래 의미는 '털'로 보인다. 인간이나 동물의 '터럭'으로부터 시작하여, 동물의 덥수룩한 털이나 인간의 머리칼과 수염 등이 개인의 특성을 표현한다는 뜻에서 '장식'의 의미가 생겼고, 다시 '무늬'라는 뜻까지 생겼다. 그래서 彡은 화려한 무늬나 장식을 뜻하며, 彡이 들어가면 무성한 털이나 빛나는 문체나 힘차게 뻗어나가는 악기 소리 등을 뜻한다. 예컨대, 尨(삽살개 방)은 삽살개처럼 털이 수북한 개(犬·견)를, 彣(채색 문)은 알록달록한 화려한 무늬를, 彫(새길 조)는 조밀하고(周·주) 화려하게(彡) 새긴 무늬를, 彩(무늬 채)는 화사하게 비치는 햇살 아래 이루어지는 채집 행위(采)를 그렸다. 그러나 경(景)에 彡을 더해 분화한 영(影)이나 채(采)에 彡을 더해 분화한 채(彩)나 태양신을 모신 제단에 비치는 햇살을 강조한 양(昜) 등을 보면 彡이 강렬하게 비치는 햇살을 상징화했을 수도 있다. 그렇다 하더라도 서개의 말처럼 "彡이 모발(毛髮)에 장식을 다는 일을 가리키는 것이 아니기 때문에 경(景)에서 파생한 영(影)에 彡이 들어가서는 안 된다."라고 할 수는 없다.

천해지는 법이다. 또 빈(斌)과 패(貝)로 구성된 글자도 있는데, 독음은 균(頵)
이다. 이 또한 무슨 의미인지 근거할 자료가 없다.12)

❶⑧

悅:　經典只作說.

열(悅): 경전에서는 열(說)로만 적었다.13)

---

12) [역주] 빈(份)은 소전체에서 ![소전] 說文小篆 ![고문] 說文古文 등으로 적었는데,『설문』에서는 빈
(彬)을 빈(份)의 고문체로 보았다. 빈(彬)은 彡(터럭 삼)과 林(수풀 림)으로 구성되어, 문채(彡)
가 숲(林)처럼 무성함을 말한다. 문채란 文(글월 문)과 武(굳셀 무)를 겸비해야 하는 것이었으
며, 그래서 斌(빛날 빈)과 같은 뜻으로 쓰였다.『설문해자』에서는 份(빛날 빈)의 고문이라고
했다. 또 빈(斌)은 文(무늬 문)과 武(굳셀 무)로 구성되어, 彬(빛날 빈)과 같은 글자인데, 文과
武(굳셀 무)가 합쳐져 文武를 겸한 완전한 인간상을 뜻하며, 여기서 文은 인간의 인문정신을
상징한다. 이러한 모습은 조선시대 문헌에 자주 등장하는 儒(선비 유)자의 약자(半字·반자)인
伩가 요샛말로 하면 인문학(文)을 하는 사람(人)이라는 뜻인 데서도 잘 드러난다. 이처럼 文의
의미는 단순한 '아름다움'만 지향하고 있지는 않다. 시신에 새긴 무늬가 원래 영혼을 육신으로부
터 분리될 수 있도록 하려는 조치였던 것처럼, 文은 중국에서 언제나 정신(心·심)과 밀접하
게 연결되는 전통을 보여 왔는데, 이를 '文心' 전통이라 부른다. 文이 단순한 무늬가 아니라
정신을 표명하게 된 것은 文의 어원이 시신에 칼집을 내어 영혼을 육체로부터 분리시키고 새
로운 생명을 부여하고자 하는 원시 무속적 행위에서 출발했고, 그런 文은 출발부터 인간의 영
혼이 출입하는 門(문)으로서의 기능을 담았기 때문이다. 文의 이러한 속성은 文의 기능이 중
국에서 文章(문장), 文飾(문식)을 넘어서 文心의 기능으로까지 옮겨간 데서도 잘 알 수 있다.
13) [역주] 열(悅)은 心(마음 심)이 의미부이고 兌(기쁠 태)가 소리부로, 입을 벌리고 기뻐하듯(兌)
즐거운 심리적(心) 상태를 말하며, 이로부터 '즐겁다', '기꺼이' 등의 뜻이 나왔다. 이는 兌(기
쁠 태)에서 분화한 글자인데, 兌를 고문자에서는 ![갑골문] 甲骨文 ![금문] 金文 ![고도문] 古陶文 ![간독문] 簡牘文

로 적었고 소전체에서는 ![소전] 說文小篆로 적었다. 儿(사람 인)과 口(입 구)와 八(여덟 팔)로 구
성되어, 사람(儿)의 벌린 입(口)에서 웃음이 퍼져나가는(八) 모습을 형상적으로 그렸으며, 이로
부터 웃다, 기쁘다의 뜻이 나왔다. 이후 기쁘다는 심리 상태를 강화하기 위해 心(마음 심)을
더한 悅(기쁠 열)로 분화했다.

說(말씀 설·달랠 세·기쁠 열)은 고문자에서 ![고도문] 古陶文 ![간독문] ![간독문] ![간독문] 簡牘文 등으로 적었고,

소전체에서 ![소전] 說文小篆로 적었는데, 言(말씀 언)이 의미부이고 兌(기쁠 태)가 소리부로, '말
(言)로 풀이하다'가 원래 뜻이다. 어려운 내용을 말(言)로 잘 풀어내면 상대에게 기쁨을 주기
마련이고, 상대가 이해하기 쉽게 풀어낸 말은 남을 설득시키기에 좋은 말이다. 이로부터 '기쁘

⑲

藝: 本只作埶. 後人加艸·云, 義無所取.

　예(藝): 본래 예(埶)로만 적었다. 후인들이 초(艸)와 운(云)을 더했는데, 왜 그랬는
　　　 지 근거할 자료가 없다.[14]

⑳

著: 本作箸. 『說文』陟慮切, 注云 : "飯敧也. 借爲住箸之箸." 後人从艸.

　저(著): 본래 저(箸)로 적었다. 『설문』에서 독음은 척(陟)과 려(慮)의 반절이라 했
　　　 고, 주석에서는 "밥을 먹는 도구[젓가락]이다. 머무르다는 뜻으로 가차되었다."
　　　 라고 했는데, 후인들이 초(艸)를 더했다.[15]

다'와 설득하다, 遊說(유세)하다의 뜻이 나왔다. 다만, 원래의 '말씀'을 뜻할 때에는 說明(설명)
에서처럼 '설'로, '기쁘다'는 뜻으로 쓰일 때는 悅(기쁠 열)과 같아 '열'로, 遊說하다는 뜻으로
쓰일 때에는 '세'로 구분해 읽는다.

14) [역주] 예(藝)는 고문자에서 甲骨文 金文 簡牘文 등으로 적었고, 소
　　전체에서는 說文小篆로 적었다. 云(이를 운)이 의미부이고 蓻(심을 예)가 소리부로, 심다
　　는 뜻인데, 구름이 끼거나 흐린 날(云, 雲의 원래 글자)에 나무를 심다(蓻)는 뜻을 담았다. 하
　　지만, 갑골문과 금문에서는 나무 심는 모습을 대단히 사실적으로 그렸다. 한 사람이 꿇어앉아
　　두 손으로 어린 묘목(屮·철)을 감싸 쥔 모습이다. 간혹 屮이 木(나무 목)으로 바뀌기도 했지만,
　　의미에는 영향을 주지 않는다. 이후 土(흙 토)가 더해져 埶(심을 예)가 되었는데, 이는 땅(土)
　　에 나무를 심는다는 것을 강조하기 위함이었다. 이후 다시 草木(초목)을 대표하는 艸(풀 초)가
　　더해져 蓻가 되었고, 다시 구름을 상형한 云이 더해져 지금의 藝가 완성되었다. 나무를 심는다
　　는 뜻에서 나무 심는 기술의 뜻이 나왔고, 다시 技藝(기예), 工藝(공예), 藝術(예술) 등의 뜻도
　　나왔다. 간화자에서는 소리부 蓻를 乙(새 을)로 바꾼 艺로 쓴다.

15) [역주] 저(箸)는 고문자에서 簡牘文 등으로 적었고, 소전체에서는 說文小篆로 적었는
　　데, 竹(대 죽)이 의미부이고 者(놈 자)가 소리부로, 삶은(者, 煮의 원래 글자) 것을 집어내는
　　대(竹)로 만든 도구를 형상했다. 이후 竹이 艸로 변해 著(분명할 저)를 만들어 젓가락으로 들
　　어내 따로 '놓다'는 뜻을 그렸고, 이로부터 '분명하다'는 뜻이 나오게 되었다. 송나라 때쯤 해
　　서는 다시 著를 간략화해 着(붙을 착)이 만들어졌는데, 着地(착지)에서처럼 어떤 곳에 '내려놓
　　다'는 뜻을 말했고, 다시 附着(부착)하다 등의 뜻이 나오게 되었다. 이체자인 筯는 '젓가락'이
　　대(竹)로 만든 보조도구(助)임을 더욱 형상화했다. 한편 저(著)는 艸(풀 초)가 의미부이고 者

제
15
권

㉑

墅: 經典只用野. 野亦音. 常句切.

야(墅): 경전에서는 야(野)로만 적었다. 야(野)는 독음도 나타낸다.16) 독음은 상(常)과
구(句)의 반절이다.

㉒

蓑: 蓑字本作蘇禾切. 从衣, 象形. 借爲衰朽之衰.

사(蓑): 사(蓑)자는 본래 소(蘇)와 화(禾)의 반절로 적었다. 의(衣)가 의미부이고,
상형이다. 쇠후(衰朽: 쇠하여 썩다)라고 할 때의 쇠(衰)로 가차되었다.17)

(놈 자)가 소리부로, 드러나다, 옷을 입다, 附着(부착)하다 등의 뜻인데, 箸(젓가락 저)에서 분
화한 글자이다. 간화자에서는 着(붙을 착)에 통합되었다.

16) [역주] 야(野)는 고문자에서 甲骨文 金文 古陶文 簡牘
文 古璽文 등으로 썼고, 소전체에서는 說文小篆 說文古文로 썼다. 里(마을 리)
가 의미부이고 予(나 여)가 소리부로, 마을(里)이 들어선 들판을 뜻한다. 원래는 林(수풀 림)과
土(흙 토)로 구성된 埜로 써 숲(林)이 우거진 땅(土), 즉 아직 농경지로 개간되지 않은 교외의
들녘을 말했다. 이후 소리부인 予가 더해져 壄가 되었고, 다시 壄가 野로 바뀌어 野가 되었
다. 그것은 그 당시 이미 그런 교외 지역(野)은 더는 개간되지 않아 숲으로 무성한 땅(埜)이
아니라 사람이 사는 마을(里)로 변했음을 보여준다. 野는 邑(고을 읍)과 대칭되어 성 밖의 주
변지역을 말하는데, 이 때문에 野에는 거칠고 야생적이라는 뜻이 생겼고, 粗野(조야·거침)나
野蠻(야만), 野心(야심) 등의 단어가 만들어졌다.

17) [역주] 사(蓑)는 고문자에서 簡牘文 등으로 써, 艸(풀 초)가 의미부이고 衰(쇠할 쇠)가 소
리부로, 풀(艸)이나 짚으로 만든 도롱이를 말한다. 그러나 『설문』에는 표제자로 제시되지 않았
다. 사(蓑)의 근원이 되는 쇠(衰)는 고문자에서 簡牘文 등으로 썼고 소전체에서는
說文小篆 說文古文로 썼다. 이는 원래 도롱이처럼 풀이나 짚으로 엮은 상복(衣)을
그렸는데, 이후 쇠약하다, 老衰(노쇠)하다, 쇠퇴하다 등의 뜻이 나왔으며, 그러자 원래의 뜻은
艸(풀 초)나 糸(가는 실 멱)을 더해 蓑(도롱이 사)와 縗(상복이름 최) 등으로 분화했다.

---

❷❸

賾: 『周易疏義』云 : "深也. 案 : 此亦假借之字, 當通用嘖.

색(賾): 『주역소의』에서 "깊다는 뜻이다"라고 했다. 내 생각은 이렇다. 이 또한 가
 차된 글자로, 당연히 책(嘖)과 통용된다.

❷❹

黌: 學堂也. 从學省, 黃聲. 『說文』無學部.

횡(黌): 학당(學堂)을 말한다. 학(學)의 생략된 모습이 의미부이고 황(黃)이 소리부
 이다. 그런데 『설문』에는 학(學)부수가 없다.

❷❺

黈: 充耳也. 从纊省, 主聲. 『說文』無纊部.

주(黈): 충이(充耳: 면류관 줄에 끼우는 옥)를 말한다. 광(纊)의 생략된 모습이 의미
 부이고 주(主)가 소리부이다. 그런데 『설문』에는 광(纊)부수가 없다.

❷❻

矗: 直皃. 經史所無. 『說文』無直部.

촉(矗): 곧추선 모습이다. 경전이나 역사서에 이 글자가 없다. 『설문』에도 직(直)
 부수가 없다.[18]

此三字皆無部類可附.

이상의 3자는 귀속시킬 부수가 없는 경우이다.

---

18) [역주] 촉(矗)은 세 개의 直(곧을 직)으로 구성되어, 하늘 높이 곧바르게(直) 솟은 모습을 그
 렸고, 이로부터 높이 솟다, 정직하다 등의 뜻이 나왔다. 간화자에서는 矗으로 쓴다.

㉗

麌: 『說文』麌字注云 : "麋鹿羣口相聚也. 『詩』"麀鹿麌麌", 當用麌字.

　　우(麌): 『설문』의 우(麌)자의 풀이에서 "암사슴 수사슴 입이 여럿 한데 모인 모습을 말한다."라고 했다. 『시』에서도 "암사슴 수사슴 여럿 모여 우글거리고."라고 했으니, 우(麌)자를 써야 마땅하다.

㉘

池: 池沼之池. 當用沱. 沱, 江之別流也.

　　지(池): 지소(池沼: 못과 늪)라고 할 때의 지(池)를 말한다.[19] 당연히 타(沱)로 써야 옳다. 타(沱)는 강의 지류를 말한다.

---

19) [역주] 지(池)는 고문자에서 𣲘簡牘文 등으로 썼고, 『옥편』에서 처음 표제자로 등재되었다. 水(물 수)가 의미부이고 也(어조사 야)가 소리부로, 못이나 소택이나 垓字(해자: 성 밖으로 둘러 판 못) 등을 말하는데, 여성(也)의 품처럼 물(水)이 한 곳으로 모인 곳이라는 뜻을 담았다.

전서체 필적과 전승 과정에서 작은 차이를 보이는 글자들
篆文筆迹相承小異

❶

乃 乃: 乃本作𠄎. 乃本从二, 从古文及, 左旁不當引筆下垂. 蓋前作筆勢如此, 後代因而不改.

내(乃 乃): 내(乃)는 본래 내(𠄎)로 적었다. 내(乃)는 본래 이(二)로 구성되었는데, 급(及)의 고문체로 구성되었다. 왼쪽 편방의 필획을 당겨서 아래로 처지게 해서는 아니 된다. 이전에 필세를 이렇게 했는데 이후에도 이를 고치지 않고 계속 연용하고 있기 때문이다.

❷

以: 『說文』不从人, 直作㠯.

이(以): 『설문』에서는 인(人)으로 구성되지 않고, 바로 이(㠯)로 적었다.

❸

親: 左旁亲从辛从木, 『說文』不省. 此二字李斯刻石文如此, 後人因之.

친(親): 왼쪽 편방인 친(亲)은 신(辛)이 의미부이고 목(木)도 의미부인데, 『설문』에서는 생략되지 않은 모습이다. 이 두 글자는 이사(李斯)의 석각문(刻石文)에서도 이렇게 적었는데, 후인들이 이를 계승했다.

❹

言: 从辛, 从口. 中畫不當上曲, 亦李斯刻石如此, 上曲則字形茂美, 人皆效之.

    언(言): 신(辛)이 의미부이고, 구(口)도 의미부이다. 중간 획은 위로 구부려져서는 아니 된다. 이 또한 이사(李斯)의 석각문에서 이렇게 적었다. 위쪽이 구부려지면 자형이 무성하고 힘이 있어 보이기 때문에 사람들이 이를 본떠 사용했다.

❺

彳: 『說文』作彳, 象二屬之形. 李斯筆迹小變, 不言爲異.

    척(彳): 『설문』에서는 척(彳)으로 적어, [사람 다리의] 두 부분이 연속된 모습을 그렸다.[1] 이사(李斯)의 필적이 조금 변했는데, 다르다고 할 수는 없다.

❻

彳: 『說文』作彳, 亦李斯小變其勢. 李陽冰乃云 : "从開口形." 亦爲臆說.

    착(彳): 『설문』에서는 착(彳)으로 적었는데, 이 역시 이사(李斯)가 필세를 조금 변화시킨 것이다. 이양빙(李陽冰)은 "입을 벌린 모습을 그렸다"라고 했는데, 이 또한 억측이다.

❼

屮: 『說文』从屮而垂下, 於相出入也. 从入. 此字从屮下垂, 當只作屮, 蓋相承多一畫.

    언(屮): 『설문』에서는 철(屮)로 구성되었고 [떡잎이] 아래로 처져 서로 출입이 있는 모습이다. 입(入)으로 구성되었다. 이 글자는 철(屮)이 아래로 처진 모습으로 구성되었는데, 屮와 같이 적어야만 한다. 아마도 한 획이 많은 모양을 계승한

---

1) [역주] 『설문』에서는 "작은 걸음을 말한다. 정강이에 붙은 세 부분이 연속된 모습을 그렸다.(小步也. 象人脛三屬相連也.)"라고 했고, 『단주』에서는 "붙은 세 부분은 위쪽의 넓적다리, 중간의 정강이, 아래쪽의 발을 말한다. 간단하게 '정강이'라고만 한 것은 중간부분을 말하면 윗부분은 자연스레 알 수 있기 때문이다. 정강이를 움직이면 위쪽의 넓적다리와 아래쪽의 발이 그것을 따라 움직인다.(三屬者, 上爲股, 中爲脛, 下爲足也. 單擧脛者, 擧中以該上下也. 脛動而股與足隨之.)"라고 보충 설명했다.

탓일 것이다.

❽

肉: 如六切.『說文』本作肉, 後人相承作肉, 與月字相類.

육(肉): 독음은 여(如)와 육(六)의 반절이다.『설문』에서는 본래 육(肉)으로 적었는데, 후인들이 육(肉)으로 적어, 월(月)자와 비슷한 모습으로 변했다.

❾

: 『說文』作黿. 上史籀筆迹小異, 非別體.

어(   ): 『설문』에서는 어(黿)로 적었다. 윗부분이 사주(史籀)의 필적과 조금 다르다. 다른 서체는 아니다.

❿

蕪: 此本蕃廡之廡, 李斯借爲有無之無. 後人尚其簡便, 故皆从之. 有無字本从亡, 李陽冰乃云不當加亡. 且蕃廡字从大, 从冊, 數之積也. 从林, 亦蕃多之義. 若不加亡, 何以得爲有無之無?

무(蕪): 이는 본래 번무(蕃廡)라고 할 때의 무(廡)자였는데, 이사(李斯)가 이를 유무(有無)라고 할 때의 무(無)자로 가차하여 사용했다. 후인들은 간편함을 숭상하여 이를 따랐다. 유무(有無)라고 할 때의 무(無)자는 본래 무(亡)로 구성되었으나, 이양빙(李陽冰)은 무(亡)를 더해서는 아니 된다고 하였다. 또 번무(蕃廡)자로 할 때의 무(廡)자는 대(大)가 의미부이고, 십(冊)도 의미부로, 숫자가 누적됨을 말했다. 림(林)이 의미부로 쓰였기에 번다(蕃多: 많다)라는 의미도 갖고 있다. 만약 무(亡)를 더하지 않는다면, 어떻게 유무(有無)의 무(無)자가 될 수 있단 말인가?

제 15 권

⓫

圅: 或作[illegible], 亦止於筆迹小異.

함(圅): 달리 함([illegible])으로 적는데, 이 또한 필적의 조그만 차이에 불과한 문제이다.

⓬

: 『說文』作[illegible]. 李斯筆迹小異.

장( ): 『설문』에서는 장([illegible])으로 적었다. 이사(李斯)의 필적이 조금 다를 뿐이다.

銀靑光祿大夫守右散騎常侍上柱國東海縣開國子食邑五百戶臣徐鉉等, 伏奉聖旨, 校定許愼『說文解字』一部. 伏以振發人文, 興崇古道. 考遺編於魯壁, 緝蠹簡於羽陵. 載穆皇風, 允符昌運. 伏惟應運統天, 睿文英武, 大聖至明廣孝皇帝陛下, 凝神繫表, 降鑒機先. 聖靡不通, 思無不及. 以爲經籍旣正, 憲章具明. 非文字無以見聖人之心, 非篆籀無以究文字之義. 眷玆譌俗, 深惻皇慈. 爰命討論, 以垂程式. 將懲宿弊, 宜屬通儒. 臣等寔媿謏聞, 猥承乏使, 徒窮懵學, 豈副宸謨?塵瀆冕旒, 冰炭交集. 其書十五卷, 以編袟繁重, 每卷各分上下, 共三十卷. 謹詣東上閣門進上, 謹進.

은청광록대부 수우산기상시 상주국 동해현 개국자 식읍오백호 신 서현 등은 엎드려 성상의 뜻을 받들어, 허신의 『설문해자』1종을 교정하였습니다.

엎드려 생각건대, 인문을 진작하시고, 옛날의 도를 일으켜 숭상하고 계십니다. 노벽(魯壁)에서 발견된 남겨진 편집본을 자세히 살피고, 우릉(羽陵)[1]에 보관된 옛 서적들을 모았습니다. 황실의 교화를 화목하게 실어, 진실로 창성한 운에 부합하고자 합니다. 엎드려 살피건대, 천명을 받아 천하를 통치하시어, 황제의 문덕은 세상에 뛰어나시니, 대성인이자 지극히 영명하신 광효(廣孝) 황제 폐하께서, 언사 밖의 일에 정신을 한데 모아(凝神繫表), 일의 징조를 미리 보게 하시었습니다. 그러

---

1) [역주] 옛날의 지명인데, 이후 고대의 비서를 소장했던 곳을 비유한다.

니 성은이 통하지 않는 곳이 없고, 생각이 미치지 않는 곳이 없습니다. 경전이 이미 바로 잡혔을진대 전장제도도 다 밝혀졌습니다. 문자가 없으면 선인의 마음을 볼 수도 없고, 전서나 주문이 아니라면 문자의 의미를 깊이 살필 수가 없습니다. 이 거짓된 풍속을 되돌아보건대, 황심의 인자하심을 깊이 헤아릴 수 있습니다. 황명을 받잡아 논의를 거친 끝에 일정한 형식을 만들었습니다. 장차 오래된 적폐를 징벌하는 일은 마땅히 훌륭한 학자들의 일입니다. 신 등은 명성이 크지 않음을 진실로 부끄럽게 생각합니다. 하오나 외람되게도 밖으로 나가는 사신의 역할을 받잡았고, 헛되이 우둔함만 실천했으니, 어찌 황상의 계책을 보좌할 수 있겠습니까? 티끌만큼이라도 면류관의 먼지를 씻고자, 얼음과 재를 교차되게 모았습니다.(塵瀆冕旒, 冰炭交集.) 이 15권의 책은 편질이 방대하여, 각 권을 상하로 나누는 바람에 총 30권이 되었습니다. 삼가 동쪽의 합문(閤門)에 이르러 진상 드립니다. 삼가 바칩니다.

雍熙三年十一月 日 翰林書學臣王惟恭·臣葛湍等狀進

奉直郎守祕書省著作郎直史館臣句中正

銀青光祿大夫守右散騎常侍上柱國東海縣開國子食邑五百戶臣徐鉉

옹희(雍熙)2) 3년 11월 일. 한림서학 신 왕유(王惟) 받들고, 신 갈단(葛湍) 등이 장계를 바칩니다.

봉직랑 수 비서성 저작랑 직사관 신 구중정(句中正)3)

은청광녹대부 수 우산기상시 상주국 동해현 개국자 식읍오백호 신 서현(徐鉉) 올립니다.

---

2) [역주] 옹희(雍熙, 984~987년)는 송 태종(太宗)의 두 번째 연호로, 총 4년 동안 사용되었다.

3) [역주] 구중정(句中正, 929~1002년)은 송나라 때의 학자로, 자가 탄연(坦然)이며, 익주(益州) 화양(華陽)사람이다. 문자학과 고문에 정통하였으며, 전서, 예서, 행서, 초서에 뛰어났다. 고서 수집에 심취하였다. 태평흥국 2년(977년)에 팔체서(八體書)를 진상하였다. 태종이 평소 그의 실력을 존중해 불러들여 저작시랑(著作佐郎), 직사관(直史館)으로 명했으며, 『편운(篇韻)』을 편찬하게 했다.

중서문하첩 서현(徐鉉) 등이 새로 교정한 『설문해자』
中書門下牒徐鉉等新校定『說文解字』

中書門下牒徐鉉等新校定『說文解字』

중서문하첩 서현(徐鉉) 등이 새로 교정한 『설문해자』

牒奉敕: 許愼『說文』, 起於東漢. 歷代傳寫, 譌謬實多. 六書之蹤, 無所取法. 若不重加刊正, 漸恐失其原流. 爰命儒學之臣, 共詳篆籒之跡. 右散騎常侍徐鉉等, 深明舊史, 多識前言. 果能商搉是非, 補正闕漏. 書成上奏, 克副朕心. 宜遣雕鐫, 用廣流布. 自我朝之垂範, 俾永世以作程. 其書宜付史館, 仍令國子監雕爲印版, 依九經書例, 許人納紙墨價錢收贖. 兼委徐鉉等點檢書寫雕造, 無令差錯, 致誤後人. 牒至準敕, 故牒.

황제께서 내리신 첩지는 다음과 같다:

허신의 『설문』은 동한 때에 만들어졌다. 역대로 전사과정을 거치면서 잘못된 오류가 실로 많다. 그리하여 육서의 종적을 취할 방법이 없구나. 만약 더 이상 바로잡아 간정하지 않는다면 그 원류를 잃어버리게 될까 두렵구나. 유학을 하는 신하들에게 명을 내려 함께 전서와 주문의 흔적을 상세하게 살피기를 명한다. 우산기상시 서현(徐鉉) 등은 옛날 역사에 매우 밝고, 이전의 언어를 잘 알고 있다. 그래서 능히 그 시비를 바로 잡고 빠진 것을 보충할 수 있을 것이다. 책이 다 이루어 지면 보고하여 짐의 마음을 진실로 보좌할 수 있게 하라. 그리고 판각을 하여 널리 유포하게 함이 마땅할 것이다. 우리 왕조에서부터 모범을 만듦으로써 영원히 법칙이 되도록 하여라. 그리고 그 책은 역사관에 보관하고, 국자감으로 하여금 조각하여 출판하게 하라. 구경(九經)의 서례를 모방하여, 사람들에게 종이와 먹의 공납을 돈으로 환산케 함을 허용하라. 이와 겸하여 서현(徐鉉) 등에게 필사와 판각을 점검할 것을 명하노니, 조금의 착오라도 생겨 후인들에게 잘못하지 않게 하라. 첩지도 칙령에 준하므로, 첩지를 내리노라.

雍熙三年十一月　日牒
給事中糸知政事辛仲甫
給事中糸知政事呂蒙正
中書侍郎兼工部尚書平章事李昉

옹희(雍熙) 3년 11월　일 첩지를 내린다.
급사중참지정사 신중보(辛仲甫)
급사중참지정사 여몽정(呂蒙正)
중서시랑 겸 공부상서 평장사 이방(李昉)

지은이 **허신** 許慎

동한(東漢) 때의 여남(汝南)군 소릉(召陵)현 사람으로, 자는 숙중(叔重)이며, 당시 최고의 경학자이자 한자학자였다.

그의 저서『설문해자(說文解字)』는 중국 최고의 한자 연구서로 알려져 있으며, 그에 의해 한자 연구의 이론적 기틀이 마련됐고, 부수의 창안, 육서설의 체계화 등도 그에 의해 이루어졌다. 또『오경이의(五經異義)』,『효경고문설(孝經古文說)』,『회남자주(淮南子注)』등을 지었다 하나 전하지 않는다.

옮긴이 **하영삼**

경남 의령 출생으로, 경성대학교 중국학과 교수, 한국한자연구소 소장, 인문한국플러스(HK+)사업단 단장, 세계한자학회(WACCS) 상임이사로 있다. 부산대학교 중문과를 졸업하고, 대만 정치대학에서 석.박사 학위를 취득했으며, 한자에 반영된 문화 특징을 연구하고 있다.

저서에『한자어원사전』,『100개 한자로 읽는 중국문화』,『한자와 에크리튀르』,『부수한자』,『뿌리한자』,『연상한자』,『한자의 세계: 기원에서 미래까지』,『제오유의 정리와 연구(第五游整理與研究)』,『한국한문자전의 세계』등이 있고, 역서에『중국 청동기 시대』(장광직),『허신과 설문해자』(요효수),『갑골학 일백 년』(왕우신 등),『한어문자학사』(황덕관),『한자 왕국』(세실리아 링퀴비스트, 공역),『언어와 문화』(나상배),『언어지리유형학』(하시모토 만타로),『고문자학 첫걸음』),『수사고신록(洙泗考信錄)』(최술, 공역),『석명(釋名)』(유희, 선역),『관당집림(觀堂集林)』(왕국유, 선역) 등이 있으며, "한국역대자전총서"(16책) 등을 공동 주편했다.